Anna Amalie Abert
Geschichte der Oper

Anna Amalie
Abert

# Geschichte der Oper

Bärenreiter

J. B. Metzler

Gemeinschaftsausgabe der Verlage
Bärenreiter, Kassel und J. B. Metzler, Stuttgart und Weimar

Die Deutsche Biliothek — CIP Kurztitelaufnahme

Abert, Anna Amalie:
Geschichte der Oper / Anna Amalie Abert. —
Kassel : Bärenreiter ; Stuttgart ; Weimar : Metzler, 1994
ISBN 3-7618-1182-9 (Bärenreiter) Pp.
ISBN 3-476-01261-1 (Metzler) Pp.

Dieses Werk einschließlich aller seiner Teile ist
urheberrechtlich geschützt. Jede Verwertung außerhalb der Grenzen
des Urheberrechtsgesetzes ist ohne Zustimmung der Verlage
unzulässig und strafbar. Das gilt insbesondere für
Vervielfältigungen, Übersetzungen, Mirkoverfilmungen und die
Einspeicherung und Verarbeitung in elektronischen Systemen.

© 1994 Bärenreiter-Verlag Karl Vötterle GmbH & Co. KG, Kassel
und J. B. Metzlersche Verlagsbuchhandlung und Carl Ernst Poeschel
Verlag GmbH Stuttgart

Einbandgestaltung: Bernd Scheller unter Verwendung eines Fotos
von Oliver Hermann für die Publikation „Die Zauberflöte Salzburg, Brüssel 1991"
(Internationale Stiftung Mozarteum Salzburg)
Satz: Fotosatz Knuppertz, Hemau
Druck: Druckerei Loibl, Neuburg/Donau
Bindung: Druckhaus Thomas Müntzer, Bad Langensalza
Printed in Germany

Dem Andenken
an
Willi Schuh

# Inhaltsverzeichnis

Vorwort .................................................................... 9
Einleitung ................................................................. 10

## Die Oper in Italien

Die barocke Adels- und Fürstenoper bis gegen 1700 ............................. 20
Die barocke Unternehmeroper bis gegen 1700 ................................... 47
Die Textreform um 1700 — Pietro Metastasio ................................... 64
Die opera seria im 18. Jahrhundert ........................................... 70
Die opera buffa im 18. Jahrhundert ........................................... 87
Von der Nummernoper zur „scena ed aria" ..................................... 101
Giuseppe Verdi .............................................................. 114
Die italienische Oper um und nach Verdi — Opernprobleme des 20. Jahrhunderts ....... 129

## Die Oper in Frankreich

Italienische Einflüsse und erste eigene Versuche ............................. 146
Die tragédie lyrique als Abbild des ancien régime ............................ 149
Die opéra comique ........................................................... 162
Tragédie lyrique und opéra comique zur Zeit der Revolution ................... 169
Die tragédie lyrique auf dem Weg zur grand opéra ............................. 176
Die grand opéra ............................................................. 180
Die opéra comique im 19. Jahrhundert ........................................ 191
Drame lyrique und späte „Große Oper" ........................................ 196
Das 20. Jahrhundert ......................................................... 206

## Die Oper in Spanien und Portugal ......................................... 217

## Die Oper in Deutschland

Erste Anfänge einer deutschen Oper .......................................... 220
Die Oper an den großen Höfen ................................................ 221
Die „frühdeutsche Oper" an Höfen und in Städten ............................. 221
Der Höhepunkt der Hamburger Barockoper ...................................... 227
Das Ende der deutschen Barockoper ........................................... 235
Das deutsche Singspiel ...................................................... 235
Das Melodram ................................................................ 240
Klassizistische deutsche Opernversuche ...................................... 240
Das Wiener Singspiel ........................................................ 244
Beethoven ................................................................... 249
Die deutsche romantische Oper ............................................... 250
Von Weber bis Wagner ........................................................ 263
Richard Wagner .............................................................. 272
Die deutsche Oper zwischen Wagner und Strauss ............................... 297
Die deutsche Oper in der ersten Hälfte des 20. Jahrhunderts ................. 319

Deutsche Kosmopoliten ............................................................ 330
    Georg Friedrich Händel ..................................................... 331
    Christoph Willibald Gluck .................................................. 351
    Wolfgang Amadeus Mozart................................................ 373

Die Oper in der Schweiz........................................................... 407

Die Oper in England und in den skandinavischen Ländern

Die Oper in England ............................................................... 410
Die Oper in Schweden und Dänemark...................................... 417

Die russische Oper und die Oper in den Ländern Osteuropas — Oper in den USA

Die Oper in Rußland ............................................................... 422
Die Oper in den Ländern Osteuropas......................................... 450
Oper in den USA .................................................................... 456

Verzeichnisse

Personenregister..................................................................... 460
Werkregister........................................................................... 469
Auswahlbibliographie zusammengestellt von Bernd Krause ........... 485

# Vorwort

Im Zeitalter des „teamwork", dessen Vertreter unter Zuhilfenahme des ihm angemessenen Computers eine ungeheurer Fülle an Material zusammentragen und bearbeiten und die mit einem gewissen Recht nach Vollständigkeit streben können, ist ein Buch, wie das vorliegende, offensichtlich ein Anachronismus. Es ist in der klaren Erkenntnis dieser Tatsache geschrieben worden, zugleich in dem Wissen darum, daß sein Wert auf keinen Fall in einer auch nur einigermaßen vollständigen Erfassung des schier unabsehbaren Materials bestehen kann, sondern im Gegensatz dazu gerade auf der Maßgeblichkeit der Auswahl beruhen muß. Diese zu treffen, ist eine sehr persönliche Angelegenheit, sie zu suchen, war die Haupt-Problematik der Arbeit, die dann wohl auch den meisten Anlaß zur Kritik geben wird. — Aber wie dem auch sei: Das Buch richtet sich ja außer an den Kreis der Fachkollegen auch an eine weitere, operninteressierte Leserschaft, die ihm vielleicht ihre Zustimmung nicht ganz versagen wird.

Für sein Zustandekommen, das sich über viele Jahre erstreckt hat, bin ich sehr Vielen menschlich wie wissenschaftlich zu Dank verpflichtet. Zuvörderst und besonders nenne ich den verehrten Dr. Willi Schuh, der den Anlaß gab und dessen Namen die Widmung dieses Buches trägt. Sodann gilt mein herzlicher Dank Herrn Dr. Friedrich Lippmann, dem Leiter der musikwissenschaftlichen Abteilung des Deutschen Historischen Instituts in Rom, der mir wochenlang seinen großen Bestand an Mikrofilmen italienischer Opern zur Verfügung gestellt und mich während der anstrengenden Arbeit daran verständnisvoll umsorgt hat, ferner dem Kollegen Professor Dr. Sieghart Döhring und seinen Mitarbeiterinnen aus dem Forschungsinstitut für Musiktheater in Schloß Thurnau, die mir unermüdlich mit den Reichtümern ihrer Opernbibliothek halfen. Gleiches gilt für die große Hilfsbereitschaft des Kollegen Professor Dr. Werner Breig und seiner tatkräftigen Bibliothekarin Frau Kurzhals-Reuter vom musikwissenschaftlichen Institut der Universität Bochum. Mit gerührter Dankbarkeit erfüllte mich auch jedesmal die herzliche Zuwendung, die mir zuteil wurde, wenn ich in meinem heimischen Kieler Institut Material suchte. Die größte wissenschaftliche wie menschliche, dankbarst empfundene Hilfe aber erhielt ich vom musikwissenschaftlichen Institut der Universität Münster und seinem Leiter, meinem einstigen Schüler und nunmehrigen Kollegen Professor Dr. Klaus Hortschansky, der nicht nur unablässig schwer erreichbares Material herbeischaffte, sondern mir auch in Zeiten der Entmutigung hilfreich zur Seite gestanden hat. Nicht minder herzlich danke ich endlich dem mir seit vielen Jahren freundschaftlich verbundenen Bärenreiter-Verlag, durch dessen energisches Eingreifen die Odyssee dieses Manuskriptes zu einem guten Ende geführt wurde.

Zur Anlage des Buches seien folgende Hinweise gegeben: Originale Titel von Opern oder anderen Bühnenwerken mit Musik erscheinen in Kapitälchen; soweit zum Verständnis erforderlich, sind den Originaltiteln deutsche Übersetzungen kursiv und in Klammern nachgestellt. Alle anderen Werktitel, z. B. von Dramen, Schauspielen etc., sind kursiv ohne Anführungszeichen gesetzt. Bei russischen Komponisten und Werktiteln und bei solchen aus den Ländern der ehemaligen Sowjetunion orientiert sich die Umschrift an dem *Handbuch der russischen und sowjetischen Oper* von Sigrid Neef (Kassel 1989).

Für die Erstellung des Personen- und Werkregisters danke ich Melanie Determann und Miriam Stumpfe, und Bernd Krause danke ich für die Erarbeitung der Bibliographie. Der Verlag ist mir bei der Realisierung der vorgesehenen zahlreichen Notenbeispiele weitgehend entgegengekommen, wobei er sich allerdings die Ausgestaltung, in vielen Fällen auch Kürzungen und Reduktionen, vorbehalten hat.

Zum Schluß danke ich meinen beiden Lektoren, meiner Schülerin Dr. Ruth Blume-Baum und Dr. Dietrich Berke, für die sorgsame Betreuung des Buches und der Herstellungsabteilung des Bärenreiter-Verlages für die umsichtige, technische Realisierung.

Anna Amalie Abert

# Einleitung

## Die Stellung der Oper in der Gesellschaft

Wenige musikalische Gattungen sind so in das gesellschaftliche Leben ihrer Zeit eingeordnet, ja, von ihm abhängig, wie die Oper. Ein extremes Symbol hierfür ist die schicksalsträchtige Tatsache, daß es die Wirren und Ereignisse des Dreißigjährigen Krieges waren, die Deutschland auf der Opernbühne gegenüber Italien und Frankreich ins Hintertreffen brachten. Fehlten doch unter den damaligen Verhältnissen sowohl den Höfen und den städtischen und privaten Unternehmern oder Wandertruppen als auch dem jeweiligen denkbaren Publikum die Mittel zur Finanzierung bzw. zum Besuch derartig kostspieliger Darbietungen. Die Oper war, wie auch ihre nicht minder aufwendigen Vorläufer[1], eben in ihren Anfängen ein Statussymbol, mit dessen vor allem szenischer Pracht und Einfallsreichtum sich die einzelnen Höfe gegenseitig den Rang abzulaufen suchten, wobei sie auch hinsichtlich des Sängerpersonals keine Kosten scheuten. Die Aufführungen waren also primär gesellschaftliche Ereignisse, bei denen man nur zwischen Veranstaltern und Gästen, aber nicht zwischen Darstellern und Publikum unterscheiden konnte, denn erstens waren sie vollständig oder doch fast ranggleich, und zweitens fehlte den „Gästen" das Recht des „Publikums" zur Stoffwahl und zur Kritik.

Mit der Verwandlung der Einheit „Veranstalter/Gäste" in den Gegensatz „Darsteller/Publikum" erfolgte gesellschaftlich eine entscheidende Wende innerhalb der Gattung, die sich auch auf ihre künstlerische Haltung auswirkte. Sie machte sich, als eine völlige Neuerung, besonders kraß am Anfang, in den ersten von Impresarii geleiteten öffentlichen Opernhäusern von 1637 ab[2] bemerkbar, verlor aber ihre Fanal-Wirkung in dem Maße, in dem diese regelmäßig einem zahlenden Publikum dargebotenen und von dessen Geschmack abhängigen Unternehmeropern mehr und mehr in allen Ländern, in denen die Oper heimisch wurde, das Feld eroberten. Gleichzeitig gingen sie allerdings überall auch Verbindungen mit anderen Institutionen ein, die zur Pflege der Oper bestimmt waren, und zwar einerseits (so vor allem in Deutschland) mit den Hoftheatern, die ihre ursprüngliche Exklusivität aus pekuniären Gründen zugunsten des zahlenden Publikums aufgeben mußten, andererseits aber mit den immer mehr überhandnehmenden Wandertruppen. Aus der reichhaltigen Literatur über diesen Vorgang ergibt sich das bunte Bild eines häufigen zeitlichen Nebeneinanders von Opernaufführungen in großen Hoftheatern, auf kleinen Vorstadtbühnen und an verschiedenen Örtlichkeiten durch mehr oder weniger angesehene Wandertruppen, die auch in Residenzen nicht nur ihr Publikum, sondern oft auch pekuniäre Unterstützung fanden. Vielfach kam es dabei auch künstlerisch zu einer Zusammenarbeit und somit zu einer mitunter recht wirkungsvollen Konsolidierung des Opernwesens.

Wie immer aber dessen Organisation auch gestaltet war — künstlerisch waren seine Träger in erster Linie die Komponisten, die Librettisten und die Bühnenbildner. Der alte Brauch, bei Zitierung einer Oper immer nur den Namen des Komponisten zu nennen, hat zu einer sträflichen Verkennung der Wichtigkeit seiner beiden Mitarbeiter geführt, denn wenn die Oper auch zu Recht zur Musikgeschichte gerechnet wird, so ist sie doch nicht erst seit Wagner ein „Gesamtkunstwerk", sondern grundsätzlich bereits als solches konzipiert worden. Der Text war von Anfang an, völlig unabhängig von seinem literarischen Wert, von ausschlaggebender Bedeutung, sei es als

---

1 Siehe weiter unten
2 Vgl. *Die barocke Unternehmer-Oper*, S. 47ff.

Anreger oder als Ausdeuter der Musik. Bühnenbild (und Regie) aber haben für das Auge die gleiche nicht minder wichtige, oft recht problematische Aufgabe zu erfüllen[3].

## Voraussetzungen der Oper

Richard Wagner hat einmal in einem Brief vom 1. Januar 1847 an Eduard Hanslick aus der Zeit des LOHENGRIN geschrieben, seine Arbeiten gälten dem Versuch, „ob die Oper möglich sei". Wenn dieses Wort auch einer Zeit entstammt, in der der Meister mit der Gattung rang und auf das revolutionäre Stadium seines Schaffens zusteuerte, so umreißt doch allein schon die Tatsache, daß es überhaupt gesprochen werden konnte, die in der Gattung selbst beschlossene Problematik. Denn im Grunde gleicht ja die ganze Geschichte der Oper einem Kampfplatz, auf dem in immer neuen Wellen begeisterte Anhänger und schärfste Gegner zusammenprallen. Aus jedem Kampf aber ist die Gattung bis jetzt noch immer verjüngt und bereichert hervorgegangen. Oft schon ist ihr Ende prophezeit worden. Oscar Bie bezeichnet sie in seinem Buch *Die Oper* (Berlin 1913) als „die unmöglichste aller Kunstgattungen" und als „Kunst der Widersprüche" schlechthin, und sie sei nicht wert, daß man nur einen Funken kritischen Verstandes auf sie anwende, aber, fährt er fort, sie sei überwältigend in ihrer produktiven Kraft und Intensität.

Als „Kunst der Widersprüche", als ersehntes Abbild der antiken Tragödie und bzw. aber als erreichte Manifestation einer nuova musica ist die Oper in der Tat schon zur Welt gekommen. Ihre Geburtsstunde, die Aufführung der DAFNE von Peri 1597, läßt sich mit einer in der Geschichte seltenen Einhelligkeit bestimmen, aber fragt man, was alles unmittelbar oder mittelbar zu diesem folgenschweren Ereignis zusammengewirkt hat, so sieht man sich einem Gewirr von mannigfachen, sich vielfach widersprechenden geistigen Strömungen gegenüber, die bis zur Antike und ins Mittelalter zurückreichen. Dabei ist zu unterscheiden zwischen dem Leitbild, das rein geistig den Anstoß gab und aus den humanistischen Bestrebungen der Zeit erwuchs, und Vorläufern, die praktisch auf die verschiedenste Weise die Entstehung ermöglichten. Dazu gesellen sich als dritte Gruppe ferner stehende Geistesverwandte, deren Bestrebungen in einer anderen Zeit und in anderem Rahmen zu vergleichbaren Ergebnissen geführt haben.

Vom Leitbild, der griechischen Tragödie, stammte das hohe Ethos und die Tendenz zu mythologischen Stoffen sowie grundsätzlich das Streben nach einer wie immer gearteten Durchdringung eines Dramas mit Musik. Wie weit deren Beteiligung im griechischen Drama über die Chöre hinausging, war damals unbekannt und ist auch heute noch umstritten. Auf jeden Fall dürften sich auch die solistischen Äußerungen weitgehend zu einer rezitativischen und selbst ariosen Vortragsweise gesteigert haben. Von den Vorläufern stammt die Verwirklichung dieser humanistischen Gedanken mit zeitgemäßen Mitteln. Eine greifbare Brücke vom Leitbild zu den Vorläufern bildet die Aufführung der ins Italienische übersetzten Tragödie EDIPO TIRANNO (*Oedipus der Tyrann*) von Sophokles, mit der 1585 das Teatro Olimpico in Vicenza eröffnet wurde. Hierzu hat Andrea Gabrieli, der Organist an S. Marco in Venedig, die die Tragödie gliedernden vier großen Chöre komponiert. Bestimmend war für den strengen Satz Note gegen Note der Deklamationsrhythmus, wobei jedoch auch die im Text enthaltenen „affetti" nicht aus den Augen gelassen wurden.

---

[3] Vgl. zu letzterem vor allem H. Chr. Wolff, Szene und Darstellung von 1600 bis 1900 (Musikgeschichte in Bildern, Band IV, Leipzig 1968) — in den folgenden Ausführungen ist leider der dritte Mitarbeiter oft zu kurz gekommen.

So kam eine Verbindung von madrigalesker Textausdeutung und Psalmodie zustande (Schrade). Im Zusammenhang mit den so gestalteten, streng wortgezeugten Chören bildet diese Tragödie einen wesentlichen Faden in dem dichten Gewebe, dem wenig später die Oper entwuchs.

Die Vorläufer im engeren Sinne standen auf einem anderen Boden. Durch sie wurde das humanistische Ideenwerk an die alte Tradition festlicher Darbietungen angeschlossen, die teils in Form von allerlei Mummenschanz, „trionfi" oder „mascherate" genannt, auf den Plätzen und Straßen der Städte das Volk belustigten, teils bei höfischen Festlichkeiten durch die Pracht ihrer Ausstattung Macht und Reichtum der Fürstengeschlechter zur Schau stellten. Das hier Gebotene unterschied sich von jenem nicht grundsätzlich, denn auch dort wurden neben Begebenheiten des täglichen Lebens solche mythologischen oder allegorischen Inhalts wiedergegeben, doch wurde in den anspruchsvolleren höfischen „balletti" oft der Schritt von bloßem Aufzug zu einer wenigstens halbdramatischen Darstellung vollzogen. Schaustellungen dieser Art waren in verschiedenen Erscheinungsformen überall in Europa, wo es Höfe gab, bei allen festlichen Anlässen gebräuchlich — mit ihrer von der Wiederentdeckung der Antike beflügelten, der Gegenwart zugewandten Lebensfreude typische Produkte des Geistes der Renaissance.

Zu ihnen zählen auch die Intermedien, ursprünglich nur eine Art von bald instrumentalen, bald vokalen Zwischenaktsmusiken in gesprochenen Komödien, dann aber auch verschiedenartige kleine Szenen, die inhaltlich in keinem Zusammenhang mit den Komödien standen. Im Laufe der Zeit aber weiteten sie sich, nicht zuletzt durch zunehmende Beteiligung von Musik und Tanz, derartig aus, daß die Dramen, denen sie eigentlich nur als Zwischenspiele dienen sollten, im Interesse des Publikums dahinter fast verschwanden. Auch sie erreichten den höchsten Stand ihrer Entwicklung im 16. Jahrhundert an den Höfen. In vielen Aufführungsberichten jener Zeit wird auf die Dramen selbst gewöhnlich nur kurz hingewiesen, den Intermedien aber ein breiter Raum gegönnt; vor allem deren Bühnenbilder und die zahllosen maschinellen und szenischen Wunderwerke, die darin vorkamen, werden eingehend beschrieben. Der Schwerpunkt lag auch hier wieder als Manifestation humanistischen Geistes auf mythologisch-allegorischen Stoffen, doch dürfte bei deren Bevorzugung auch die renaissancehafte Freude an den wunderbaren Bühneneffekten eine wesentliche Rolle gespielt haben, zu denen sich hier in Hülle und Fülle Gelegenheiten boten. Dabei standen die Intermedien inhaltlich gewöhnlich weder zu dem Drama, zu dem sie gehörten, noch untereinander in Beziehung. Beispielsweise konnte zwischen dem ersten und zweiten Akt eines Dramas eine Szene aus der Sage von Orpheus, zwischen dem zweiten und dritten eine aus der Argonautensage, zwischen dem dritten und vierten etwa der Kampf Apollons mit dem Drachen und zwischen dem vierten und fünften ein Wettstreit zwischen Venus und Amor als Intermedien erscheinen, während das Drama selbst eine „favola pastorale", d. h. ein Schäferstück, darstellte. Schon diese Buntheit zeigt, daß es sich hier noch keineswegs um dramatische Szenen, sondern um nach Bühnen-, nicht nach dramatischer Wirksamkeit ausgesuchte Streiflichter handelte. Ihr bruchstückhaftes Geschehen vollzog sich entweder in gesprochenem Dialog oder überhaupt nur pantomimisch, nur ausnahmsweise mit gesungenen Einlagen, dafür aber wurden sie von festlichen instrumentalen Aufzügen und Tänzen getragen und waren von Chören durchsetzt. Die Musik spielte in ihnen im Grunde eine ähnliche Rolle wie innerhalb der gesprochenen Dramen, denn nach dem antiken Vorbild erschienen auch in ihnen schon im 16. Jahrhundert Chöre und Instrumentalsätze, aber sie war im Verhältnis zur Kürze der Intermedien bedeutend größer als dort. Doch stand die Musik auch hier nur als festliche Zutat neben, nicht als tragender Bestandteil innerhalb der Handlung. Bei den oft ausgedehnten Chören handelte es sich stets um Madrigale im zeitüblichen Stil, deren Stimmen von einem bunten Instrumentarium gestützt wurden. Auch in den rein instrumentalen Sätzen — Canzonen, Sinfonien oder Übertragungen vokaler Kompositionen — kann man sich die Besetzung gar nicht abwechslungsreich und glänzend genug vorstellen.

An all solchen höfischen Festveranstaltungen bestand gerade gegen Ende des 16. Jahrhunderts und bis weit ins 17. Jahrhundert hinein ein ungeheurer Bedarf. Auch als es schon Opern gab, griffen die Höfe immer wieder auf diese kleineren Formen zurück, weil sie zu Geburtstagen, Hochzeiten, Taufen, Fürstenbesuchen und anderen feierlichen Anlässen zwar festliche Darbietungen haben wollten, sich aber ein so kostspieliges Unternehmen, wie es die Oper mit ihrem großen Apparat war, nicht leisten konnten. Es gibt kaum einen namhaften Komponisten der Zeit, der sich nicht auf diesem Gebiet betätigt hätte, und es ist ein Zeichen für die Zeit des Übergangs zwischen dem stile antico und dem stile moderno, daß sich darunter Vertreter beider Richtungen fanden, in deren Werken vielfach Neues im alten polyphonen Gewand erschien, während Altes auf neu frisiert auftreten konnte. Auch die Schöpfer der Oper, Dichter wie Komponisten, sind vor wie nach der Entstehung der ersten Opern in den Hofannalen, Gesandtschaftsberichten und sonstigen Quellen unzählige Male als Verfasser solcher Gelegenheitswerke genannt und gerühmt.

Bezeichnend für die gesellschaftlich-künstlerischen Anschauungen am Florentiner Hof kurz vor dem Erscheinen der ersten Oper waren die Feierlichkeiten anläßlich der Hochzeit Ferdinandos de' Medici mit Christina von Lothringen 1589, die hier als Beispiel für viele vorangehende und noch folgende näher betrachtet werden sollen. Schon der umfangreiche Briefwechsel zwischen den Fürsten bzw. Hofbeamten und den Künstlern sowie anderen Fürsten, in deren Diensten die Künstler standen, läßt erkennen, welch breiten Raum die Vorbereitungen zu derartigen Unternehmungen einnahmen und welche Wichtigkeit man ihnen beimaß. Die Künstler betrachteten die Mitwirkung als große Ehre — das gilt selbst noch für Claudio Monteverdi als angesehenen Markuskapellmeister —, die Fürsten aber hielten es nicht für unter ihrer Würde, sich selbst um die Wahl der Stücke, der Dichter und Komponisten und der Mitwirkenden zu kümmern; es waren genau die gleichen Anstalten, die man wenig später auch für höfische Opernaufführungen traf. Und vielgestaltig wie die Festlichkeiten, deren Krönung sie bildeten, waren auch die von 1589. Dazu gehörten ein geistliches Spiel L'ESALTAZIONE DELLA CROCE (*Die Verherrlichung der Kreuzes*), eine favola pastorale L'ORSILIA, zwei commedie dell'arte und eine Komödie LA PELLEGRINA von Girolamo Bargagli, also sämtlich gesprochene Darbietungen, doch überwiegend von musikalischen Intermedien durchsetzt. Die Musik der sechs Intermedien zur PELLEGRINA, die auch mit den commedie dell'arte verbunden wurden, stammte von Emilio de' Cavalieri, Giulio Caccini, Luca Marenzio und Cristofano Malvezzi, von denen die beiden Erstgenannten entscheidend bei der Entstehung der Oper mitwirken sollten, während die beiden anderen die alte Gattung des Madrigals mit neuem Geist erfüllten. Ein besonders schlagendes Licht auf die Beziehungen zwischen Intermedium und Oper wirft das dritte der sechs Stücke, der Kampf Apollons mit dem Drachen. Die Wahl und Einrichtung des Stoffes stammte bei allen sechs Intermedien von Giovanni Bardi, die Verse der Vokalsätze in den meisten Fällen, und so auch im dritten Intermedium, von Ottavio Rinuccini. Der Komponist der in die instrumental begleitete, pantomimisch-tänzerisch dargestellte Handlung eingefügten fünf Madrigale war Luca Marenzio. Abgesehen davon, daß hier das Zusammenwirken von zwei führenden Mitgliedern der Florentiner Camerata, Bardi und Rinuccini, mit einem der bedeutendsten Madrigalisten seiner Zeit, Marenzio, besonders deutlich zutagetritt, zeigt auch der Stoff selbst eine außerordentlich enge Beziehung zu den Anfängen der Oper: Bildet doch der Drachenkampf Apollons die Keimzelle der ersten, gleichfalls von Rinuccini gedichteten Oper DAFNE, ja, die ersten beiden Zeilen des ersten Madrigals („Ebra di sangue in quest'oscuro bosco / Giacea pur dianzi la terribil fera") hat der Dichter sogar wörtlich in den Operntext übernommen. Andererseits läßt aber gerade diese inhaltliche Verbindung den weiten Abstand zwischen den künstlerischen Absichten des Intermediums und denen der Oper erkennen: Das Intermedium wollte durch kurzes, bildhaftes Geschehen überraschen, unterhalten, blenden, und bediente sich dazu unter anderem auch der Musik in ihren verschiedenen Erscheinungsformen, mit der Oper schuf man dagegen ein ganz und gar auf die Musik als integrierenden Bestandteil hin, nicht nur als ergötzliche Zutat, angelegtes Drama, wobei allerdings eigene Ansprüche der Musik, die über den Dienst am Wort hinausgingen, zunächst strikt abgelehnt wurden. Eine Verbindung zwischen Intermedium und Oper stellte in diesem besonderen Falle, aber auch über ihn hinausgehend, die Verwendung des antiken Sagenstoffs und die dadurch begünstigte große szenische Prachtentfaltung dar.

Ergänzt wird das Mosaik, das die Vorgeschichte der Oper darstellt, noch durch zwei grundverschiedene Geistesverwandte, deren Einfluß nur hie und da bzw. erst später spürbar wird. Davon reicht der eine, religiös gebundene, bis ins Mittelalter zurück und findet sich in allen Ländern, die sich zum römisch-katholischen Glauben bekannten. Es sind die lateinisch-liturgischen Spiele, in deren psalmodierender Durchkomposition Wort und Ton grundsätzlich eine ganz ähnliche Bindung eingegangen sind wie zumindest in den ersten Opern. Das Ziel aber, dort die Intensivierung und Veranschaulichung des strengen Kultes, hier das freie Renaissance-Kunstwerk um seiner selbst willen, ist ein völlig entgegengesetztes. Die geistlichen oder Mysterien-Spiele in den Volkssprachen, die sich im Laufe des späteren Mittelalters aus jenen lateinisch-liturgischen entwickelten, drängten trotz oder gerade wegen ihrer großen Ausdehnung in Deutschland und Frankreich die Musik mehr und mehr in den Hintergrund. In den sacre rappresentazioni Italiens[4] allerdings, die sich an äußerer Aufmachung nicht genug tun konnten, blieb die Musik erhalten und spielte meist eine große Rolle, teils in Form einer deklamatorischen Durchkomposition, teils in Gestalt von volkstümlichen Gesängen, von Tänzen und Chören. Da in Stücken dieser Art neben der religiös-moralischen Grundhaltung auch mit Behagen ausgeführte weltliche Begebenheiten oft einen breiten Raum einnehmen, ist hier eine gewisse Verwandtschaft mit der Oper nicht zu verkennen. Als unmittelbare Nachfolgerin dieser dem Drama eng verbundenen Darbietungen kann LA RAPPRESENTAZIONE DI ANIMA E DI CORPO (*Das Spiel von Seele und Körper*) von Emilio de' Cavalieri (Rom 1600) angesehen werden, eine Art geistlich-allegorischer Oper, die zu den ersten Manifestationen des neuen monodischen Stils gehört und sich außerdem durch einen Reichtum an volkstümlichen Gesängen und Chören auszeichnet.

Der andere Geistesverwandte der Oper, die commedia dell'arte (Stegreifkomödie), ist, wie schon der Name sagt, national gebunden und ganz aus dem Geist des italienischen Volkes heraus erwachsen. Sie war bereits das ganze 16. Jahrhundert hindurch von mehrstimmigen, mehr oder weniger volkstümlichen Vokalsätzen, den allgemein beliebten Frottole und Villanellen durchsetzt, in deren Rahmen sich der Übergang zum Sologesang vollzog. Insofern gehört auch sie, in der Musik und Stegreifkomödie ineinander wirkten, zu den Wegbereitern der — italienischen — Oper, auf die Länge gesehen aber noch mehr dadurch, daß sie von Anfang an von Komödiantengruppen, den Vorgängern der späteren wandernden Operntruppen, getragen wurden. Die Komödianten hatten grundsätzlich mit der Oper in deren Anfängen nichts zu tun. Um so bemerkenswerter ist das Einspringen von Virginia Andreini, die unter dem ihre Rollen charakterisierenden Namen La Florinda einer solchen Truppe angehörte, als Arianna in der gleichnamigen Oper von Claudio Monteverdi in Mantua 1608, wodurch sie die ganze Aufführung rettete und großen Beifall erntete. Stand sie auch sicherlich als Sängerin weit über dem Niveau der Komödianten, die ja eben nur singende Schauspieler waren, so zeigt doch dieses ihr Auftreten in Mantua wie auch die Fähigkeit ihres Gatten, des Komödianten Giovanni Battista Andreini (Lelio) als Librettist zwischen Schauspiel und Oper deutlich die engen Beziehungen zwischen beiden Gattungen. Sie sollten sich im Laufe des 17. Jahrhunderts noch verstärken und führten schließlich zur Entstehung der opera buffa. Die „Idee" der commedia dell'arte aber, die typische Handlung des durch pfiffige, verschiedene

---

4 Vgl. B. Beccherini in Rivista Musicale Italiana I, 1951.

Dialekte sprechende Dienertypen genasführten Alten zum Besten eines lyrischen Liebespaares, fand gleichzeitig mit dem Auftreten der ersten Oper, 1597, im AMFIPARNASO von Orazio Vecchi eine einzigartige musikalische Wiedergabe in Gestalt von vierzehn fünfstimmigen, fein gearbeiteten und abwechslungsreichen Madrigalen. Jedes von ihnen stellt eine Szene dar, Personenwechsel wird durch Chorspaltung wiedergegeben. Mit dieser Darstellung von ältestem Volksgut durch höchste Kunst inhaltsgebundener Polyphonie nimmt die Madrigalkomödie, die keine Fortsetzung gefunden hat, eine Sonderstellung ein. Vor allem charakteristisch hierfür ist die Unklarheit, die nach wie vor über die Art ihrer praktischen Ausführung herrscht und aus der sich eine Fülle von vermuteten Lösungen zwischen echter szenischer Wiedergabe und lediglich rein musikalischer Darbietung herauskristallisiert hat. Dem Komponisten dürfte es bei diesem Experiment wohl einfach nur darum gegangen sein, die Fähigkeit der alten polyphonen Kunst zur Darstellung locker gefügter Szenenbilder aufzuzeigen. Das Werk ist ein geistvolles Spiel, sicher nur aus dem Geist jener Zeit heraus, da Altes sich mit Neuem paarte, verständlich. Ein musikalisches Drama im Sinne der neben ihm aus ganz anderen Wurzeln erwachsenen Oper aber ist es nicht; es kann daher nur ganz am Rande zu deren Vorläufern gerechnet werden.

Am Zustandekommen der Oper selbst im Kreise der um den Grafen Giovanni Bardi gescharten sogenannten Florentiner Camerata waren, vorbereitend bzw. ausführend, Theoretiker (Girolamo Mei, Vincenzo Galilei), Dichter (Ottavio Rinuccini, Piero Strozzi) und Musiker (Giulio Caccini, Emilio de'Cavalieri, Jacopo Peri) beteiligt. Sie waren alle typische Vertreter der Übergangszeit, am ältesten die beiden Theoretiker, die mit ihren Traktaten (Mei vor allem mit dem *Discorso sopra la musica antica e moderna,* Galilei mit dem von jenem beeinflußten *Dialogo della musica antica e della moderna*) den Jüngeren Anregungen gaben. Aber auch diese waren noch in der Schule der Polyphonie aufgewachsen und nahmen nun, dem Zuge der Zeit folgend, jene Anregungen begeistert auf; schreibt doch Caccini noch 1601 in der Vorrede zu seinen *Nuove Musiche,* er habe daraus mehr gelernt als in einem über dreißigjährigen Studium des Kontrapunkts („posso dire d'avere appreso più dai loro dotti ragionari, che in più di trent'anni non ho fatto nel contrappunto"). Das allgemeine Interesse aller Mitglieder der Camerata galt der Literatur und vor allem der Musik der griechischen Antike und deren Verhältnis zur Musik der damaligen Gegenwart. Ihre Kenntnisse über die griechische Musik stammten, da ihnen keine praktischen Beispiele bekannt waren, ausschließlich aus den Schriften der Philosophen, vor allem von Platon und Aristoteles. Deren wesentlichste Forderung, die der absoluten Unterordnung der Musik unter den Text, schrieben sie voll Eifer auf ihre Fahnen; deckte sie sich doch mit dem schon vor ihrem Auftreten auch in mehrstimmigen Kompositionen spürbaren Streben nach Verdeutlichung der Texte, das naturgemäß mit einer Abwendung vom Kontrapunkt Hand in Hand gehen mußte. Als konsequente Folgerung daraus erwuchs dann im Kreise der Camerata die Monodie, der generalbaßbegleitete einstimmige Sologesang, der ganz und gar sowohl von der Prosodie als auch vom Affektgehalt des Textes bestimmt wurde. Zu den ersten Vertretern dieser Gattung gehörten zwei (verloren gegangene) Kompositionen des auch als Komponist bedeutenden Theoretikers Vincenzo Galilei aus dem Jahre 1582, die Klage des Ugolino aus Dantes *Divina Commedia* und die *Lamentationes Jeremiae* sowie die kurzen dramatischen Intermedien zu Tassos AMINTA, IL SATIRO und LA DISPERAZIONE DI FILENO (*Die Verzweiflung des Phileno*) von 1590 und IL GIUOCO DELLA CIECA (*Das Spiel der Blinden*) von 1595. Die leider ebenfalls nicht erhaltenen Kompositionen zu diesen drei Stücken stammten von Emilio de'Cavalieri, dem Peri deswegen in der Vorrede zu seiner EURIDICE den Ruhm zugesteht, als erster die neue Musik („la nostra musica") auf die Bühne gebracht zu haben.

Dies genügte nun aber den Männern der Camerata nicht. Zur Wiederbelebung des griechischen Dramas bzw. zur Festigung ihres neuen Stiles suchten sie breitere Entfaltungsmöglichkeiten und bedurften dazu vor allem einer angemessenen textlichen Grundlage. Wohl gab es Anregungen zu einer Verwendung der Musik bei szenischen Darstellungen genug, aber nirgends gab es Vorbilder für eine eigens auf eine Durchkomposition hin erfundene poesia per musica. Mit anderen Worten: Der Florentiner Kreis, in dieser Hinsicht mit dem Dichter Rinuccini an der Spitze, sah sich hier zum ersten Male der Problematik einer neuen Gattung, der Librettistik, gegenüber, und die Lösung, die sie fanden, zeigt, wie fest sie im Geiste ihres neuen, monodischen Stiles verankert waren. Sie kamen nicht auf den Gedanken, beim antiken Drama selbst bzw. bei seinen modernen italienischen Nachbildungen, den Tragödien und Komödien des 16. Jahrhunderts, anzuknüpfen, die nicht nur für eine musikalische Wiedergabe viel zu große Ausmaße hatten, sondern sich vor allem mit ihren langen, tüftelnden Monologen und spitzfindigen Wortspielen durchaus nicht zur Vertonung eigneten. Daß sie dies gar nicht erst versuchten, sondern sich sofort einer anderen Gattung zuwandten, die den Anforderungen einer poesia per musica besser entsprach, spricht für ihr feines Stilgefühl und ihre ursprüngliche Musikalität.

Dieses neue Vorbild war die „favola pastorale" (Schäfer- oder Hirtendrama), deren Wurzeln gleichfalls in die Antike zurückreichen. (Auch das älteste weltliche Schauspiel mit Musik, das JEU DE ROBIN ET DE MARION des Trouvères Adam de la Halle, vom Ende des 13. Jahrhunderts ist als schlichtes Hirtenspiel mit volkstümlichen Musikeinlagen hier zu nennen, obwohl es mit der antiken Gattung nichts zu tun hat.) In Italien war die erste Vertreterin der favola pastorale LA FAVOLA DI ORFEO von Angelo Poliziano, die 1472 oder 1480 in Mantua aufgeführt wurde. Die Musik spielte in ihr jedoch nur eine geringe Rolle und ist nicht erhalten. Überliefert ist sie hingegen für die favola pastorale IL SACRIFIZIO D'ABRAMO (*Das Opfer Abrahams*) von Agostino Beccari, deren Aufführung 1554 in Ferrara stattfand. Die Musik einer Priesterszene stammt von Alfonso della Viola und besteht aus einem mehrstrophigen, psalmodischen Sologesang mit Chorrefrain — ein Vorläufer, aber bei weitem noch kein Vertreter der Monodie. Textlich hatte die Gattung zwar mancherlei Merkmale von Tragödie und Komödie übernommen, kam aber mit ihrer kürzeren, einfacheren Handlung und der pastoralen Umwelt und vor allem mit ihrem vorwiegend lyrischen Charakter den Forderungen der Monodie weitgehend entgegen. Zudem waren gerade im ausgehenden 16. Jahrhundert zwei Standardwerke dieser Hirtendichtung erschienen, die unter den Zeitgenossen größtes Aufsehen erregten: *Aminta, favola boscareccia* von Torquato Tasso (aufgeführt 1573) und *Il Pastor fido, tragicommedia pastorale* von Giovanni Battista Guarini (veröffentlicht 1590). Der Einfluß dieser beiden Werke läßt sich in der Librettistik des ganzen 17. Jahrhunderts, ja bis ins 18. hinein, nachweisen. Anfänglich stand dabei die lyrischere *favola Aminta* im Vordergrund, dann wurde sie von der handfesteren *tragicommedia Il Pastor fido* abgelöst.

Rinuccini wählte seine Stoffe, dem antikisierenden Geist der Camerata und der renaissancehaften Freude am buntbewegten Bühnengeschehen entsprechend, aus der antiken Mythologie, folgte aber bei ihrer Gestaltung dem Vorbild Tassos. Er war bei diesem Vorgehen ganz auf sich gestellt, denn die monodische Musik, für die er dichtete, gab ihm formal kaum Anhaltspunkte. Musikalisch stellte die Oper zunächst im Grunde nichts anderes dar als eine sehr ausgedehnte, auf mehrere Personen verteilte freie Monodie, in die hie und da nach antikem Vorbild Chöre eingefügt waren. Zwar hatte sich die Musik nach den Forderungen der Camerata dem Wort unterzuordnen, und die Komponisten befolgten diese Vorschrift mitunter mit geradezu selbstmörderischer Konsequenz, aber das Wort war eben von vornherein auf die Vertonung hin erfunden — es war, obwohl im einzelnen „padrona della musica e non serva" (Herrin der Musik und nicht Dienerin), im ganzen doch „poesia per musica", d. h. Rinuccini bot seinen Komponisten in seinen Libretti eine Aneinanderreihung von, durch dramatische Ereignisse angeregten, lyrischen Betrachtungen, wie sie dem neuen monodischen Stil angemessen waren.

Und eben in dieser lyrischen Haltung stellte Tassos *Aminta* für den Librettisten ein unschätzbares Leitbild dar. Die *favola boscareccia* war zwar nicht als Libretto gedacht, besitzt aber alle für die Anfänge der Oper wesentlichen Merkmale eines solchen. Nicht umsonst hat der italienische Literaturhistoriker Francesco de Sanctis Tasso (und auch dessen Zeitgenossen Guarini) als „scrittori melodrammatici" (melodramatische Schriftsteller) und den *Aminta* als „poemetto lirico sotto forma drammatica" (kleines lyrisches Epos in dramatischer Form) bezeichnet. Dieses Werk enthält schon an sich keine besonders dramatischen Situationen, die Ausführung im einzelnen aber läßt seine lyrische Grundhaltung klar erkennen. Spielt sich doch die ganze Handlung hinter der Bühne ab, während auf die Szene nur die Erzählung der Ereignisse und ihre lyrische Spiegelung in der Reaktion der Zuhörer gelangen. Das eben aber war gerade auf die plötzlich auf die Bühne versetzte Monodie zugeschnitten.

LA FAVOLA DI DAFNE von Rinuccini, die „erste Oper", wurde vermutlich 1597 in der Komposition von Jacopo Peri und Jacopo Corsi, der nach dem Grafen Bardi die Leitung der Camerata übernommen hatte, in dessen Hause uraufgeführt. Die Musik ist nur in Gestalt einer Reihe von Fragmenten aus Sammelhandschriften erhalten, läßt sich auf diese Weise aber weitgehend rekonstruieren. Textlich bewegt sich das Werk in geringerem Umfang durchaus in den Bahnen des *Aminta*, musikalisch folgt es in solistischen wie chorischen Abschnitten der strengen monodischen Bindung an das Wort. Bezeichnenderweise erschien es nicht, wie seine anspruchsvolleren Nachfolger, im Rahmen einer höfischen Festlichkeit, sondern im bescheideneren Kreis der Camerata — noch mehr ein, allerdings geglückter, Versuch, als eine beifallheischende Darbietung.

Die Verbindung zwischen der humanistischen Neigung zu antiken Vorbildern und der renaissancehaften Freude an prunkvollen Festen machte sich zur selben Zeit wie in Italien auch in Frankreich bemerkbar. Auch hier gab es, vom Dichterkeis der Pléiade ausgehend, Bestrebungen, die auf eine Verschmelzung von Text und Musik im Sinne der antiken Tragödie gerichtet waren. Jean-Antoine de Baïf, der diesem Kreis angehörte, gründete zusammen mit Theoretikern und Musikern 1570 eine Académie de Poésie et de Musique, deren Ziel grundsätzlich das Gleiche war wie das der Florentiner Camerata, nämlich eben die Wiedererweckung jenes griechischen Dramas durch eine enge Vereinigung von Wort und Ton. Zwischen ihren Vorgehen besteht jedoch ein großer, charakteristischer Unterschied: Die Italiener gingen aufgrund der Äußerungen der griechischen Philosophen und natürlich auch wegen ihrer eigenen avantgardistischen musikalischen Absichten mehr intuitiv vor, ohne sich im einzelnen ganz streng an Regeln zu binden, die Franzosen suchten nach eindeutig faßbaren Vorschriften und fanden sie in den antiken Metren. So kamen sie zur „musique mesurée à l'antique". Darüber hinaus erstrebte Baïf im „ballet mesuré" durch Übertragung der Metren auch auf die Tanzschritte die Vereinigung von Dichtung, Musik und Tanz. Von hier aus führte jedoch noch kein direkter Weg zur Oper, da die neben Prachtentfaltung und Klassizität in Italien als dritte, stärkste Kraft hinzutretende Musik um ihrer selbst willen, in erster Linie der monodische Gesang, in Frankreich fehlte.

Dafür entwickelte sich hier das „ballet de cour", eine anspruchsvollere und opernähnlichere Gattung als die italienischen „balletti", da in ihm eine einfache Handlung in Form von streng metrisch gegliederten Sologesängen, Chören und Tänzen in Musik gesetzt erschien. Der grundsätzliche Unterschied zur Oper besteht nur darin, daß in dieser das Ballett eine Zutat des Dramas, im ballet de cour hingegen das Drama gleichsam eine Zutat des Balletts, d. h. nur um dessentwillen da war. Eines der frühesten erhaltenen Beispiele dieser Kunst ist das BALLET COMIQUE DE LA REINE (*Le ballet comique der Königin*) (1581) von Balthazar de Beaujoyeux mit Musik von Lambert de Beaulieu und Jacques Salmon, in dessen Mittelpunkt die Zauberin Circe steht. Die Musik bestand zum größten Teil aus instrumentalen Aufzügen und Tänzen, wozu sich homophone Chöre sowie airs und récits, d. h. mehr liedhaft-geschlossene bzw. frei rezitierende Sologesänge gesellten, — alle Vokalmusik aber streng nach dem Metrum des Textes ausgerichtet. In der Gestalt dieses Werkes lebte die beliebte Gattung bis gegen 1620 fort, dann lösten sich die Ballette mehr und mehr in eine lockere Folge prächtiger entrées auf, die kaum noch ein gemeinsames Thema verband. Dennoch waren sie alle durch die beherrschende Rolle, die der Tanz in ihnen spielte, durch die Bevorzugung mythologischer Stoffe und nicht zuletzt durch ihren Charakter als gesellschaftliche Ereignisse der späteren französischen Oper nahe verwandt, obwohl zu deren Zustandekommen geraume Zeit danach erst noch viele weitere Einflüsse hinzutreten mußten. Grundsätzlich aber war das Ballet de cour, wie auch später die Oper, eine höfische Angelegenheit, d. h. nicht nur eine Darbietung für den Hof, sondern eine Darstellung des Hofes selbst, denn der ganze Hofstaat mit dem König an der Spitze wirkte mit, und nur für die Hauptrollen wurden Komödianten hinzugezogen. Im Laufe der Zeit gelangten derartige Aufführungen allerdings auch aus dem Louvre hinaus in verschiedene Säle der Stadt, wo auch ein bürgerliches Publikum Zugang hatte.

So machten sich in Frankreich um die Jahrhundertwende, da in Italien bereits das erste Opernexperiment, Peris DAFNE, hervorgetreten war, zwar vorwärtsweisende, aber doch musikalisch wie dramatisch noch von jenem Ideal weit abweichende Bestrebungen bemerkbar. Dasselbe war in noch stärkerem Maße in England der Fall. Hier kam zunächst gar keine Oper zustande, weil zwar die Vorläufer, festliche Aufzüge und Maskenspiele mit viel Aufwand, hier so gut wie dort vorhanden waren, aber die dort vorherrschende renaissancehaft-humanistische Grundidee fehlte. Lag doch das Streben nach Wiederbelebung des antiken Dramas dem englischen Geist, der zur selben Zeit einen Shakespeare hervorgebracht hatte, völlig fern.

Aus jenen „disguisings" und „mummery" genannten Umzügen, an denen sich alle Volksschichten beteiligten, entstand vielmehr um die Jahrhundertwende die „masque", eine Darbietung, in der prächtig gekleidete Tänzer in aufwendiger Bühnenausstattung zur Begleitung von instrumentalen Tänzen und hinter der Bühne gesungenen volkstümlichen Liedern und Chören Begebenheiten aus der antiken Mythologie darstellten. Die Gattung war, auch in ihrer gesellschaftlichen Stellung bei Hofe, dem etwas älteren ballet de cour verwandt und offensichtlich von ihm beeinflußt. Sehr bald wurde der masque noch eine gegensätzliche antimasque angehängt. Im Gegensatz zu der von Hofleuten dargebotenen masque erschienen in den grotesken, meist mit viel Beifall aufgenommenen Szenen der antimasque Komödianten. Die Gattung lebte, wie das ballet de cour, bis weit ins 17. Jahrhundert hinein.

Die älteste Operngattung der Welt jedoch, die italienische, hat nicht nur mehr als ein halbes Jahrhundert lang allein das Feld behauptet, sondern auch im Laufe der Jahrhunderte bei der Entstehung anderer trotz deren nationaler Grundlagen entscheidend mitgewirkt. Merkmale ihrer geistigen Voraussetzungen ziehen sich daher mehr oder weniger spürbar wie ein roter Faden durch die gesamte Operngeschichte.

# Die Oper in Italien

# Die barocke Adels- und Fürstenoper bis gegen 1700

## Florenz, Mantua, Rom und die deutschen Fürstenhöfe

Nachdem die mannigfachen höfischen Festveranstaltungen aus Tanz und Musik, Sprache und Pantomime durch die humanistisch-literarische Schule der Camerata gegangen waren und ihnen in Rinuccini-Peris DAFNE ein ganz neues Ziel gesetzt worden war, kehrten sie wenig später in dieser neuen Gestalt wieder in die Obhut der Höfe zurück. Die neue Gattung, die zunächst charakteristischerweise noch ohne spezielle Bezeichnung, meist unter literarischen Namen („favola", „tragedia", „dramma" etc.) auftrat, erschien nun an der Spitze all der anderen „feste teatrali" als vornehmstes Aushängeschild für Macht und Reichtum der Fürstengeschlechter. Denn Sänger- und Musikerpersonal, Ausstattung und Kostüme, Dekorationen und Bühnenapparaturen waren so kostspielig, daß nur die begütertsten Höfe sich derartige Aufführungen leisten konnten, und das auch nur bei besonders hervorragenden Gelegenheiten. Der Operndichter und -komponist Benedetto Ferrari, der später die römische Operntradition nach Venedig überführte, traf ins Schwarze, wenn er in der Vorrede zu seiner 1638 aufgeführten Oper LA MAGA FULMINATA (*Die getötete Zauberin*) bemerkt: „operationi simili a Prencipi costano infinito danaro" (Darbietungen nach Art der Fürsten kosten unendlich viel Geld). Diese Aufwendigkeit war auch der Grund dafür, daß die neue Gattung, obwohl sie, wo sie auftrat, größtes Aufsehen erregte, sich so langsam verbreitete. Bei geringeren Anlässen griffen die Höfe stets wieder auf bescheidenere Veranstaltungen zurück[1].

## Die Florentiner Hochzeitsfeierlichkeiten des Jahres 1600

Die Medici, die sich durch besonders prächtige und zukunftsweisende Intermedien schon in der Vorgeschichte der Oper einen Namen gemacht hatten, bemächtigten sich als erstes Herrschergeschlecht zu gesteigerter Selbstdarstellung des neuen Wunderwerks. Sie gaben als Festaufführung anläßlich der Vermählung Marias de' Medici mit König Heinrich IV. von Frankreich die Oper EURIDICE in Auftrag und eröffneten damit die schier unabsehbare Reihe der Fest-, speziell der Hochzeitsopern, die zu den bedeutendsten Offenbarungen absolutistischer Kultur gezählt werden können. Der Dichter Ottavio Rinuccini hat sich hier, dem größeren Rahmen entsprechend, für den das Werk bestimmt war, weitgehend vom Vorbild des Intermediums, dem er in der DAFNE deutlich erkennbar gefolgt war, abgewandt. EURIDICE ist eine reine favola pastorale. Das Heldenpaar erscheint, obwohl der griechischen Sage entstammend, unter den Hirten und Hirtinnen als ihresgleichen und spielt auf der Bühne nicht einmal die Hauptrolle. Mindestens ebenso wichtig sind die „Ninfe e Pastori", die einzeln in langen Botenerzählungen von seinem Schicksal berichten und es gemeinsam als Chor kommentieren. Auf diese Weise wird dem Hörer nicht die Handlung selbst, sondern nur ihr Spiegelbild im Lichte ihrer Umgebung vorgestellt. Auch die Unterweltsszene, die einzige, die einen Konflikt zwischen verschiedenen Personen und dessen Lösung auf die Bühne bringt — Orfeo erreicht durch sein Flehen und durch die Fürsprache Proserpinas und der Höllengeister von dem widerstrebenden Pluto die Rückgabe Euridices — führt nicht zur sichtbaren Tat; von ihr, der Rückkehr Euridices, erfährt der Hörer erst in der letzten pastoralen Botenerzählung. Daß das Paar am Schluß glücklich vereint wiedererscheint, daß sich der Dichter also über

---

[1] Vgl. Angelo Solerti, Musica, Ballo e Drammatica alla Corte Medicea dal 1600 al 1640, Firenze 1905.

den tragischen Sagenschluß hinweggesetzt hat, nach dem Orfeo durch seinen Ungehorsam gegen Plutos Gebot, sich nicht nach Euridice umzuwenden, die Geliebte für immer verliert, ist typisch für die Unbekümmertheit, mit der die Librettisten jener Zeit verfuhren, wenn es um die Rücksicht auf das Publikum ging. In der Vorrede führt Rinuccini als Entschuldigung ähnliche Änderungen bei griechischen Dichtern und bei Dante an und erklärt, „in tempo di tanta allegrezza" (in einer so freudenreichen Zeit) sei ihm ein glückliches Ende angemessener erschienen — ein deutliches Zeichen für den Charakter des Werkes als festliches gesellschaftliches Ereignis. Darauf weist auch der von der Tragedia vorgetragene Prolog hin, der in sieben gleichgebauten Strophen die Verbindung zwischen dem Geschehen und dem festlichen Anlaß der Aufführung herstellt.

## Peri und Caccini

Der Komponist Jacopo Peri verfolgt den mit DAFNE eingeschlagenen Weg weiter, indem er, wie er meint nach antikem Muster, die melodische Linie der Singstimme diastematisch wie rhythmisch und die Baßlinie harmonisch ganz dem Text anpaßt. Dieser streng an die Prosodie des Textes gebundene Sprechgesang ist der kontrastlosen, idyllischen Haltung der favola pastorale angemessen, ruft aber auf weite Strecken den Eindruck einer durch die eigenen Regeln erzwungenen Monotonie hervor. Auch Giulio Caccini, der einige Abschnitte zu der Komposition beigesteuert hatte, verfuhr in der gleichen Weise. Er hat später auch seinerseits die ganze favola komponiert; seine Partitur erschien zwei Jahre nach derjenigen Peris, 1602, im Druck. Diese annähernd gleichzeitig entstandenen Kompositionen aus den Federn der beiden miteinander rivalisierenden, führenden Meister der Camerata lassen sowohl die Haltung des „stile rappresentativo" insgesamt als auch die Eigenart der beiden Künstler klar erkennen. Der Anfang der Botenerzählung vom Tod Euridices:

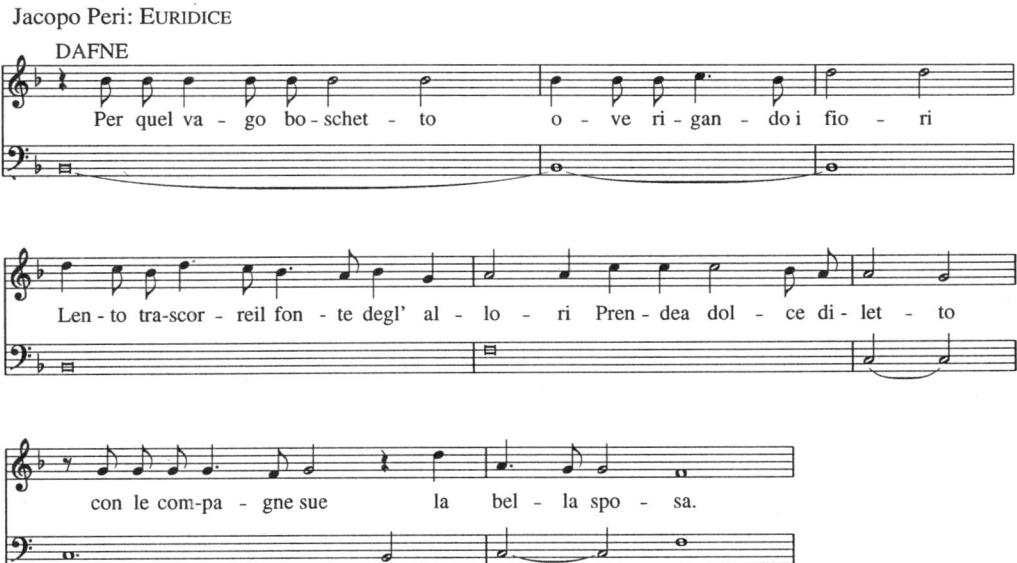

Jacopo Peri: EURIDICE

Giulio Caccini: EURIDICE

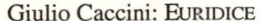

DAFNE: Per quel vago boschetto, ove rigando i fiori lento trascorre il fonte degli allori prendea dolce diletto con le compagne sue la bella sposa.

und der Beginn von Orfeos Klage über diese Nachricht:

Jacopo Peri: EURIDICE

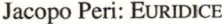

ORFEO: Non piango e non sospiro O mia cara Euridice che sospirar che lacrimar non posso Cadavero infelice o mio core, o mia speme o pace o vita ohime chi mi t'ha tolto chi mi t'ha tolto ohime dove sei gita?

Giulio Caccini: EURIDICE

mögen dies zeigen. Beim ersten Beispiel sticht die Übereinstimmung, die gemeinsame Orientierung an der Textdeklamation, besonders deutlich hervor, wiewohl sich auch hier schon charakteristische Unterschiede bemerkbar machen: Wenn Peri die Gleichförmigkeit des Versrhythmus auflockert, wie z. B. bei den Worten: „prendea dolce diletto" und in der letzten Zeile, geschieht es aus Rücksicht auf den jeweiligen Textinhalt, Caccini folgt bei derartigen kleinen Abweichungen, hier ebenfalls in der letzten Zeile, dagegen seinem Verlangen nach primär musikalischer Abrundung. In der Orfeo-Klage wirken diese Unterschiede aber noch wesentlich gesteigert. Sie mutet bei Caccini mit ihren motivischen Entsprechungen und ihrer durchlaufenden Melodielinie schon fast wie eine geschlossene Form, bei Peri dagegen wie ein freier Leidenschaftsausbruch an. Mit dieser Haltung erscheint der Dramatiker Peri, obschon auch er Theoretiker und Experimentator, mehr als Vorläufer Claudio Monteverdis[2] denn der spekulative Nur-Musiker Caccini. Charakteristisch für dessen Werk ist es auch, daß sich die wenigen geschlossenen Formen nur geringfügig vom freien Rezitativ abheben, während sie bei Peri einen deutlich spürbaren Gegensatz dazu bilden. Das strophische Tanzlied des Tirsi in der zweiten Szene „Nel puro ardor della più bella stella" wird sogar von einem dreistimmigen Ritornell eingeleitet. Bezeichnend für Caccini, der als Gesangsmeister einen großen Namen besaß, ist es hingegen, daß er, speziell in den Solostrophen der Chorblöcke, mit zeitgemäßen Gesangsverzierungen nicht sparte.

In beiden Opern zeigt sich die Orientierung am antiken Drama in der großen Rolle, die der Chor als Begleiter der Protagonisten und Kommentator der Handlung spielt. Beide Komponisten

---

2 Vgl. Anna Maria Monterosso-Vacchelli, Elementi stilistici nell'Euridice di Jacopo Peri in rapporto all'Orfeo di Monteverdi, in: Claudio Monteverdi e il suo tempo, Verona 1968, S. 117—127.

verwenden ihn entweder innerhalb des Geschehens in zusammenhängenden Blöcken als Refrain im Wechsel mit Solostrophen oder allein zwischen den Szenen als Gliederungsmittel. Die Chöre sind sämtlich kurz, die kommentierenden rein akkordisch-syllabisch, die die Handlung begleitenden, meist Tanzchöre, imitierend und durch madrigaleske Tonmalerei aufgelockert. Sie bilden ein wirksames Gegengewicht zur Monotonie des monodischen Sprechgesangs und verkörpern recht eigentlich den festlichen Charakter der Werke. Das Gleiche gilt auch für die anläßlich derselben Florentiner Hochzeitsfeierlichkeiten aufgeführte, von Caccini komponierte favola pastorale IL RAPIMENTO DI CEFALO (*Der Raub des Cefalo*) von Gabriello Chiabrera, nur daß hier das einheitliche idyllische Schäfermilieu von einem Übermaß wechselnder szenischer Effekte in den Hintergrund gedrängt wird.

## Das Weiterleben der Florentiner favola pastorale

Diese von Peri und Caccini begründete Pastoraloper Florentiner Prägung bestimmte das Gesicht der jungen Gattung bis gegen 1630. Ihre Tradition wurde zunächst von dem ganz in ihr erwachsenen Marco da Gagliano (um 1575—1642) fortgesetzt. Er komponierte 1608 für die Hochzeitsfeierlichkeiten am Hofe von Mantua Rinuccinis DAFNE zum zweiten Mal, allerdings in einer vom Dichter beträchtlich erweiterten Fassung, durch die die frühere kurze und locker gefügte intermedienhafte Szenenfolge in eine vollgültige favola pastorale umgewandelt worden ist. Die Sologesänge von Gaglianos Komposition stehen mit dem „recitar cantando" (singend rezitieren) zwischen Peri und Caccini mitten inne. Neu und bemerkenswert aber ist die Einbeziehung des Chores in die Handlung selbst. Er beobachtet Apollons Kampf mit dem Drachen und schildert bzw. kommentiert ihn in allen Einzelheiten, in Gestalt eines ausgedehnten fünfstimmigen Madrigals. Auf dieser Erfüllung des Chores mit dramatischem Leben beruht die Bedeutung dieses Werkes. Dazu gesellen sich in der ausgedehnten Vorrede Bemerkungen zur Aufführungspraxis, die als erste ausführliche Regieanweisungen der Operngeschichte bezeichnet werden können und Marco da Gagliano als erfahrenen Bühnenpraktiker ausweisen[3]. Er charakterisiert darin das vorliegende Werk als „Gesamtkunstwerk" aus Dichtung, Musik, Tanz, Schauspielkunst, Malerei und Ausstattung und macht genaue Vorschriften für die Gänge des den Prolog vortragenden Ovid sowie für die Bewegungen des Chores und Apollons beim Drachenkampf und später bei der Nachricht von Dafnes Verwandlung und bei Apollons Klage.

Aus seiner letzten Oper LA FLORA (Florenz 1628), an deren Komposition sich auch Peri beteiligt hat, geht hervor, daß sich trotz der verhältnismäßig geringen Zahl an einschlägigen Werken, sicher nicht unbeeinflußt durch die daneben weitergeführte reiche Produktion von Intermedien, ein fester Gattungsstil herausgebildet hatte, der sich in Florenz nicht wesentlich weiterentwickelte. Von einer Reihe in diesen Zusammenhang gehöriger Opern, z. B. dem MEDORO von Marco da Gagliano (Florenz 1619), ist die Musik nicht erhalten. LA LIBERAZIONE DI RUGGIERO (*Die Befreiung des Ruggiero*) von Giulio Caccinis Tochter Francesca (Florenz 1625) läßt im cembalobegleiteten Sprechgesang und in den ausgedehnten, von Soli unterbrochenen Chorblöcken das Florentiner Erbe deutlich erkennen, doch mündet die Handlung zum Schluß, dem Untertitel „balletto" entsprechend, in „balli à piedi" und „à cavallo" (Ballette zu Fuß und zu Pferde) ein, in denen das Spiel gesellschaftliches Ereignis wird. Abgesehen von diesen Tänzen spielt die Instrumental-

---

[3] Abgedruckt in: Angelo Solerti, Le Origini de Melodramma, Torino 1903, Nachdruck Hildesheim 1969, S. 78—89.

musik in diesem Werk überhaupt eine größere Rolle als sonst bei den Florentinern üblich. Der Prolog wird von zwei Sinfonien umrahmt, zahlreiche Arien und Chöre sind von Ritornellen umgeben, die nicht selten mitunter sogar inhaltsbezogene Besetzungsvorschriften tragen. Vielleicht darf man hierin den Einfluß Monteverdis erkennen.

## Die Blüte der Oper am Hofe von Mantua — Claudio Monteverdi

Die musikalische favola pastorale als eine neue Gattung entwickelte sich zunächst in Florenz und hielt sich dort, aber ihr Ruhm verbreitete sich durch schriftliche Berichte der Chronisten sowie durch mündliche der Mitwirkenden, die in großer Zahl von auswärts zusammengezogen wurden, mit Windeseile in benachbarten und ferneren Höfen und Städten. Ein Nachahmen, d. h. ein Wetteifern mit dem reichen und mächtigen Medicäerhof war allerdings nur selten möglich. Mit besonderem Interesse hatte man am Hofe der Gonzaga in Mantua die gelehrt-künstlerischen Bestrebungen von Florenz und ihre festliche Manifestation bei der Königshochzeit 1600 verfolgt. Herzog Vincenzo I. hatte die Aufführung von Peris EURIDICE miterlebt. Auf energisches Betreiben seiner beiden Söhne leistete nun alsbald auch Mantua seinen Beitrag zur weiteren Entfaltung der neuen Kunst: 1607 ging LA FAVOLA D'ORFEO, Text von dem herzoglichen Sekretär Alessandro Striggio, Musik vom Hofkapellmeister Claudio Monteverdi (1567—1643) vor der Accademia degli Invaghiti und bald danach am Hofe von Mantua in Szene. Ein Jahr später aber erhielt die Hochzeit des Erbprinzen Francesco mit der Infantin Margherita von Savoyen durch die Aufführung gleich zweier Werke der neuen Art, der ARIANNA von Monteverdi und der DAFNE von Marco da Gagliano, beide über Texte von Rinuccini, einen Glanz, der den der Florentiner Ereignisse von 1600 noch überstrahlte.

Das war in erster Linie das Verdienst Monteverdis. Er war bis dahin hauptsächlich als Madrigalkomponist hervorgetreten, hatte im Rahmen dieser alten Gattung bereits die deklamatorisch-affekthafte Textausdeutung des neuen, von ihm „seconda pratica" genannten Stiles erfolgreich erprobt und dabei naturgemäß der Musik einen breiteren Spielraum gewährt, als es die Florentiner in ihren betont avantgardistischen Experimenten getan hatten. Diese Praxis übertrug er nun ohne Hemmung durch historisierende Theorien auch auf die monodischen Gesänge seiner Opern. Daß er mit ihnen grundsätzlich auf dem Boden der Florentiner Gattung stand, steht außer Frage, doch kehrte er das Verhältnis von Theorie und Praxis um und erfüllte das mitunter allzu gekünstelte und monotone Experiment mit musikalischem Leben. Im Dienst des Wortes stand diese Musik allerdings auch bei ihm; lautete doch der Grundsatz seiner „seconda pratica": „l'oratione sia padrona del armonia e non serva" (das Wort soll die Herrin der Musik und nicht die Dienerin sein). Aber maßgebend war eben nicht nur die verständliche, sinngemäße Textdeklamation, sondern ihre charakteristische dramatische Belebung.

### La Favola d'Orfeo

ORFEO ist nach Inhalt und dessen Gestaltung Rinuccinis EURIDICE nahe verwandt. Auch er ist eine favola pastorale, auch in ihm sind Orfeo und Euridice zunächst ganz in das Hirtenmilieu eingehüllt. Aber die Schatten, die im zweiten Akt durch die Botenerzählung vom Tod der Euridice auf die idyllische Atmosphäre fallen, sind weit düsterer und wirken stärker weiter als dort. Bedeuten sie doch endgültig das Ende des heiteren Spiels, denn Striggio hat im Gegensatz zu Rinuccini den tragischen Schluß der Sage beibehalten: Orfeo kehrt nach dem neuerlichen Verlust der Geliebten verzweifelt zur Erde zurück und flieht dann vor der Schar der empörten Bacchantinnen, die das Drama mit einem ausgedehnten Chorblick zu Ehren des Dionysos beschließen. Zu diesem

Chor des Textbuchs existiert keine Komposition. In der zwei Jahre nach der Aufführung, 1609, gedruckten Partitur schießt die Oper dagegen mit einer Szene zwischen Orfeo und seinem Vater Apollon, der den Sohn tröstend zu den Sternen entführt.

Monteverdi leitet sein Werk als erster Opernkomponist der Geschichte mit einer eigens dafür komponierten Eröffnungsmusik ein, einem *Toccata* überschriebenen kurzen fünfstimmigen Trompetensatz. Ihm folgt nach Florentiner Brauch ein Prolog aus fünf Strophen, die der Komponist leicht variiert über einem gleichbleibenden Strophenbaß wiedergegeben hat. — Die Hirtenrezitative des ersten Aktes lassen die Abkunft vom Florentiner Sprechgesang noch deutlich erkennen. Schon in dieser idyllischen Atmosphäre aber hebt sich Orfeos Freudengesang „Rosa del ciel" durch abwechslungsreichere Rhythmik, einen weiteren Schwung der Melodielinie und textbedingte motivische Entsprechungen von den Gesängen der Gefährten ab, wie die folgenden Schlußzeilen zeigen:

Claudio Monteverdi: ORFEO

Im übrigen wird das Gesicht der Oper bis zum Eintritt der Unglücksbotin in der Mitte des zweiten Aktes durch große tanzhafte oder festliche Chorblöcke mit verschieden besetzten konzertierenden Zwischenstrophen geprägt; auch Orfeo beteiligt sich an diesem heiteren Treiben der Hirten mit einem beschwingten Strophenlied. Alle diese Gesänge und auch der Prolog sind — dies ein weiterer großer Unterschied zu den Gesängen der Florentiner — umrahmt bzw. durchsetzt von drei- bis fünfstimmigen Ritornellen, deren Besetzung (vorwiegend Streicher und Generalbaßinstrumente) jeweils genau vorgeschrieben ist. Das Prolog-Ritornell erscheint mehrfach im Lauf der Oper an für Orfeo schicksalsträchtigen Stellen leitmotivartig wieder.

In diese unbeschwerte Idylle hinein ertönt mit schroffem Harmonie- und Klangfarbenwechsel der Baßinstrumente der Schreckensruf der Botin:

Claudio Monteverdi: ORFEO

Er rahmt die großartigste Szene der Oper, die Verkündung von Euridices Tod, die Erzählung von ihrem Sterben und Orfeos Reaktionen darauf ein. Hier und in Orfeos anschließender Klage „Tu sei morta" erweist Monteverdi bereits seine ganze in der Zeit einmalige Größe realistischer und leidenschaftlicher Affektwiedergaben[4]. Von hier an tritt Orfeo seinem Schicksal nicht mehr als Vertreter der Hirtensphäre, sondern als fühlendes Individuum gegenüber, gleichgültig, ob er den Fährmann Caronte und Pluto, den Beherrscher der Unterwelt, als göttlicher Sänger durch mehr oder weniger kunstvolle Strophengesänge bezwingt, ob er den zweiten Verlust der Gattin beklagt oder ob er in dem langen, nur von kurzen Echorufen unterbrochenen Monolog des fünften Aktes

4 Einzelheiten hierzu bei Anna A. Abert, Claudio Monteverdi und das musikalische Drama, Lippstadt 1954, S.10—12.

über sein Unglück meditiert und sich zum Schluß in leidenschaftlicher Steigerung vom weiblichen Geschlecht lossagt:

Claudio Monteverdi: ORFEO

Und wie die Sologesänge, so unterliegen auch die Chöre und der gesamte Klangapparat dem Umschwung der Atmosphäre, der durch den Szenenwechsel zwischen den idyllischen Gefilden Arkadiens und den düsteren der Unterwelt sichtbar gemacht wird. An Stelle der heiteren Chorblöcke im Stil von Vokalkonzerten der Zeit, die den Charakter der beiden ersten Akte recht eigentlich prägen, werden die beiden Unterweltsakte III und IV durch ausgedehnte fünfstimmige Chöre beschlossen, in denen die Geister der Unterwelt motettenartig und in tiefer Lage Betrachtungen über die Kraft und die Grenzen der menschlichen Natur anstellen. Ausschlaggebend für den musikalischen Wechsel des Ambiente aber ist die Konsequenz, mit der Monteverdi das große, aus den Intermedien übernommene Orchester hier in den Dienst des Dramas gestellt hat: Dem mannigfach abgestuften, weichen Klang von Streichern, Flöten und Flötenwerk der Orgel treten hier, mit Ausnahme der Gesänge Orfeos, der sein Menschentum bewahrt, Zinken, Posaunen und als tragendes Generalbaßinstrument das scharf klingende Regal entgegen. Mit dieser eindrucksvollen Klangmalerei im Großen wie in Einzelheiten, mit der inhaltsbedingten Verwendung von Chor und Instrumentalmusik, von geschlossenen Formen und freier Monodie im allgemeinen und der intensiven monodischen Affektausdeutung im besonderen hat Monteverdi seinen ORFEO zum ersten Musikdrama der Geschichte gemacht.

*L'Arianna — Il Ballo delle Ingrate*

Von seiner ARIANNA ist leider nur ein Gesang, der berühmte *Lamento d'Arianna*, erhalten, der unter den Zeitgenossen Furore machte. Monteverdi selbst schätzte diese freie Monodie so hoch, daß er sie, als fünfstimmiges Madrigal bearbeitet, in sein 6. Madrigalbuch (1614) und in neuer

Bearbeitung als *Pianto della Madonna* (Marienklage) mit lateinischem Text in die Sammlung *Selva Morale e Spirituale* (1640/41) aufgenommen hat. Der Monolog der von Theseus verlassenen Ariadne schwankt zwischen Verzweiflungs- und Wutausbrüchen, innigen Liebesbeteuerungen und rührendster Klage, und Monteverdi ist diesen Affektäußerungen mit einer Intensität und Meisterschaft nachgegangen, die der in den Orfeo-Monologen geübten Kunst mindestens gleichkommt, ja, sie mit dem Ineinanderwirken von freier Rezitation, inhaltsbedingten Motivwiederholungen und vorhaltsgetränkter Affektmalerei noch übertrifft. Der dritte Abschnitt ist im Notenbeispiel S. 30/31 wiedergegeben.

Der von Ottavio Rinuccini stammende Text trägt den Untertitel „tragedia". Zwar steht er, und ganz besonders der „lamento", der „poesia per musica" im besten Sinne ist, der favola pastorale in vieler Hinsicht noch sehr nahe, doch unterscheidet er sich eindeutig dadurch von ihr, daß die Protagonisten den Fischern ihrer Umgebung als Angehörige eines höheren Standes entgegentraten und von ihnen auch so angesehen werden. Vor allem Theseus bewegt sich in einer quasi höfischen Sphäre und führt da auch u. a. ein Gespräch mit seinem Ratgeber, der ihn mit spitzfindigen diplomatischen Argumenten dazu bringt, seine Liebe der Ehre zu opfern. Derartige, dem Geist der favola pastorale völlig fremde Überlegungen bedurften naturgemäß einer ganz andersartigen musikalischen Wiedergabe, und der Verlust der ARIANNA-Partitur ist nicht zuletzt deswegen so schwerwiegend, weil sich nicht mehr feststellen läßt, ob Monteverdi vielleicht hier schon eine neue, der des „lamento" diametral entgegengesetzte, sachlichere Ausdrucksweise, ähnlich der der Spätopern, angewendet hat.

Ein drittes dramatisches Werk Monteverdis für die Mantuaner Hochzeitsfeierlichkeiten, IL BALLO DELLE INGRATE (*Der Tanz der Spröden*) ist ein echtes „ballet de cour" französischer Herkunft. Seine kurze Handlung dient nur als Aufhänger für einen im Mittelpunkt stehenden, umfangreichen Zyklus von Tänzen. Der Text, ebenfalls von Rinuccini, enthält mit seiner Warnung vor der Sprödigkeit der Frauen eine in ein mythologisches Gewand gekleidete ironische Kritik der gesellschaftlichen Verhältnisse. Musikalisch steht das Werk dem ORFEO nahe; der Schlußgesang einer der Spröden, mit dem sie vor der Rückkehr in den Inferno vom Licht Abschied nimmt, läßt dagegen die Nachbarschaft des *Lamento d'Arianna* deutlich erkennen. Das Werk erschien erst 30 Jahre später in Monteverdis 8. Madrigalbuch im Druck; ob der Komponist es zu diesem Zweck neu bearbeitet hat, entzieht sich unserer Kenntnis.

Mit den großartigen Ereignissen des Jahres 1608 war Mantuas hervorstechende Rolle auf der Opernbühne auch schon ausgespielt, wenngleich am Hof, dem gesellschaftlichen Brauch entsprechend, nach wie vor kleinere festliche Darbietungen stattfanden. Monteverdi, der seit 1613 als Markuskapellmeister in Venedig wirkte, wurde laufend zur Mitarbeit aufgefordert, doch ist von den größeren und kleineren Werken, die er noch für Mantua schrieb, nichts erhalten. Besonders bedauerlich ist dies bei der Oper LA FINTA PAZZA LICORI (*Die geheuchelte Wahnsinnige Licori*; Text von Giulio Strozzi); spricht doch aus den Briefen des Meisters über dieses Drama aus dem Jahre 1627 schon die ganze Freude an der realistischen Wiedergabe kontrastierender Charakterzüge, die in seiner letzten Oper L'INCORONAZIONE DI POPPEA (*Die Krönung der Poppea*) zur Vollendung gelangen sollte.

*Il Combattimento di Tancredi e di Clorinda*

Aus der Zwischenzeit zwischen seinen Früh- und seinen Spätopern[5] existiert nur ein einschlägiges Werk, IL COMBATTIMENTO DI TANCREDI E DI CLORINDA (*Der Kampf zwischen Tankred und Clorinda*), das 1624 im Hause Mocenigo in Venedig aufgeführt und 1638 im 8. Madrigalbuch ge-

---

5 Siehe unten S. 50ff.

## Claudio Monteverdi: L'Arianna; Lamento Ariannas

druckt wurde. Es ist eine dramatische Kantate bzw. ein szenisches Oratorium, aber durch die von Monteverdi darin eingeführten Neuerungen für die Operngeschichte von größter Wichtigkeit. Die Szene zwischen Tankred und Clorinda aus Tassos *Gerusalemme liberata* wird hier mit des Dichters eigenen Worten (Strophe 52—68 des 12. Gesangs) wiedergegeben, wobei die beiden Personen operngemäß singend agieren, während die rein erzählenden Verse nach Art des Oratoriums einem „testo" (Erzähler) anvertraut sind. Die Neuheit des Werkes und zugleich der Grund für die Wahl gerade dieser Kampfesszene besteht nach Monteverdis Angaben im Vorwort in der musikalischen Wiedergabe erregter Stimmungen, die seiner Ansicht nach bis dahin vernachlässigt worden sei. Durch dieses „genere concitato", bestehend in tremoloartiger Auflösung langer Notenwerte in rasche Tonwiederholungen, verbunden mit Fanfarenmotivik und anderen tonmalerisch verwendeten rhythmischen wie melodischen Elementen stellt er mit Hilfe eines vierstimmigen Streicher-Ensembles, der Schilderung des testo folgend, alle Phasen des auf- und abwogenden Kampfes zwischen Tankred und Clorinda mit geradezu bildhafter Deutlichkeit dar. Dabei wird zum ersten Mal in der Operngeschichte das Schwergewicht auf den Instrumentalpart verlegt, der ausschließlich im Dienste der Tonmalerei steht. Die intensive Affektausdeutung der Orfeo- und Ariannen-Klage erscheint erst nach der Beendigung des Kampfes wieder und erreicht ihren Höhepunkt ganz am Schluß bei den Abschiedsworten der sterbenden Clorinda.

## Die Anfänge der Oper in Rom

Die Gonzaga in Mantua vermochten den Medici auf die Dauer den Primat in der Opernproduktion nicht streitig zu machen. Vom Ende des zweiten Jahrzehnts an aber schob sich daneben die römische Aristokratie mehr und mehr in den Vordergrund, bis schließlich das Rom der Barberini, des Geschlechts von Papst Urban VIII., die Herrschaft auf der Opernbühne übernahm. Schon ganz am Anfang des Jahrhunderts waren indes in Rom zwei Werke erschienen, die als letzte Verbindungsglieder zwischen den Vorformen der Oper und dieser selbst bezeichnet werden können: das szenische Oratorium LA RAPPRESENTAZIONE DI ANIMA E DI CORPO (*Das Spiel von Seele und Körper*) von Emilio de' Cavalieri (1600), das auf die sacra rappresentazione, und das dramma pastorale EUMELIO von Agostino Agazzari (1606), das auf die Schuldramen zurückweist, das erstere in der Congregazione dell'Oratorio, das letztere im Seminario Romano aufgeführt. Cavalieri gehörte, bevor er in seine Heimatstadt Rom zurückkehrte, zu den führenden Mitgliedern der Florentiner Camerata und hat bei der Herausbildung des neuen Stils, vor allem bei dessen Anwendung auf szenische Darbietungen, eine wichtige Rolle gespielt. In der RAPPRESENTAZIONE bildet der Florentiner Rezitativstil die Grundlage, die jedoch von zahlreichen liedhaft-geschlossenen Formen und madrigalesken Chören aufgelockert wird, das Ganze in eine prächtige Ausstattung eingehüllt. EUMELIO, dessen Text der gleiche Zwiespalt des Menschen zwischen Tugend und Laster, Himmel und Hölle zugrundeliegt, kann dagegen trotz eines ähnlichen szenischen Aufwands eher als Liederspiel mit erzieherischer Tendenz denn als Oper bezeichnet werden, denn hier reiht sich ein schlichter, leicht variierter Strophengesang an den andern. Die häufig eingestreuten Chöre zeigen die gleiche Haltung, so daß insgesamt ein etwas einförmiger, vor allem aber gänzlich undramatischer Eindruck entsteht. Der Charakter der beiden Werke wurde naturgemäß durch ihre moralisierende Absicht und ihre Aufführung in einem geistlichen Rahmen bestimmt. Im Gegensatz zu dem überzeugten Florentiner Avantgardismus, der sich im Bruch mit der Tradition gefiel, war man hier auf einen Kompromiß mit ihr bedacht.

Das änderte sich, als die Oper auch in Rom zu einem Anliegen der Adelsgeschlechter wurde und sich textlich ganz ins Fahrwasser der favola pastorale begab. Die tragicomedia pastorale LA MORTE D' ORFEO (*Der Tod des Orpheus*) von Stefano Landi und die favola in musica L'ARETUSA von Filippo Vitali (1619 bzw. 1620) lassen diesen Einfluß deutlich erkennen. Landis Werk, das erste der Operngeschichte, dessen Text vom Komponisten selbst stammt, zeichnet sich, wie der Untertitel „tragicomedia" verrät, trotz der Dürftigkeit der Handlung durch mannigfache Stimmungsschilderungen aus. Hervorzuheben ist vor allem die in schärfstem Gegensatz zu ihrer pastoralen Umgebung stehende drastisch-komische Gestalt des Fährmanns Caronte, die der Komponist durch ein mehrstrophiges Trinklied schlagend charakterisiert hat:

Stefano Landi: LA MORTE D' ORFEO

Im Übrigen sticht das „recitar cantando" dieser Oper durch besondere Beweglichkeit und Abwechslungsreichtum hervor[6], während geschlossene Formen nur eine ganz geringe Rolle spielen. Alle fünf Aktschlüsse werden durch umfangreiche Chorblöcke betrachtenden Inhalts gebildet, die aus meist doppelchörigen Madrigalen als Refrain mit Solo- oder Ensemblestrophen als Zwischenglieder bestehen — gegenüber der Florentiner Chorpraxis eine musikalische Weiterbildung bei gleichzeitiger Entdramatisierung.

Filippo Vitalis ARETUSA bewegt sich textlich wie musikalisch ganz in Florentiner Bahnen. Dasselbe gilt auch grundsätzlich noch für die favola boscareccia DIANA SCHERNITA (*Die verhöhnte Diana*) von Giacinto Cornacchioli (Text von Giovanni Francesco Parisani, 1629), nur daß sich hier die Gattungsvermischung, die bereits bei Guarinis *Pastor fido* solches Aufsehen erregt hatte und die je länger je mehr in den Vordergrund treten sollte, deutlich bemerkbar macht. Das Werk ist voller Intrigen und Nebenhandlungen mit komischem Einschlag, eine Buntheit, von der jedoch die Musik nur wenig Notiz nimmt. — Als favola boscareccia ist auch LA CATENA D'ADONE (*Die Fessel des Adonis*) von Domenico Mazzocchi (Text von Ottavio Tronsarelli, 1626) überschrieben; ihr Gegenstand entstammt allerdings weder der antiken Mythologie noch den Epen Tassos und Ariosts, sondern dem zu jener Zeit berühmten Epos *Adone* von Giambattista Marini. Die Episode zwischen Adonis und der Zauberin Falsirena, die ihn durch magische Gewalt an sich fesseln will, ähnelt der Rinaldo/Armida-Handlung in Tassos *Gerusalemme liberata* und bietet viel Gelegenheit zu den mannigfachsten Bühneneffekten und zu prächtiger Ausstattung. Musikalisch steht auch diese Oper noch immer auf dem Boden der Tradition, wie sie sich bisher herausgebildet hatte,

---

6 Vgl. hierzu Silke Leopold, Stefano Landi, Beiträge zur Biographie. Hamburger Beiträge zur Musikwissenschaft 17, Hamburg 1976.

doch enthält die Partitur am Schluß eine Bemerkung, die deren tragenden und neuartigsten Bestandteil, das Rezitativ, überraschend stark abwertet: Der Komponist spricht da von einigen „mezz'arie", „che rompono il tedio del recitativo" (die die Langeweile des Rezitativs unterbrechen). Das bedeutete eine grundsätzliche Absage an den Geist von Florenz, die entwicklungsgeschichtlich bedeutsam ist, auch wenn Mazzocchi aus diesem negativen Urteil kaum praktische Konsequenzen gezogen hat. Das Rezitativ spielt in seiner Oper immer noch die Hauptrolle und steht an Buntheit der melodischen, rhythmischen und harmonischen Bewegung dem von Landis MORTE D'ORFEO nicht nach:

Domenico Mazzocchi: LA CATENA D' ADONE; Rezitativ

Unter „mezz'arie" versteht Mazzocchi kürzere und längere ariose Einschübe in das Rezitativ, die entweder zur Hervorhebung bestimmter Stellen oder zur Gliederung dienen. Sie bilden den Übergang zu den erstmals in der Geschichte der Oper mit „aria" überschriebenen zahlreichen geschlossenen Formen, die sich zwischen der traditionellen Form des variierten Strophenrezitativs über ostinatem Baß und straff gegliederten Tanzliedern bewegen. Diese erscheinen, im Wechsel mit ähnlich gearteten Ensembles, nach altem Florentiner Brauch zwischen den madrigalesken Chören der großen Finalblöcke[7].

## Die Oper unter der Ägide der Barberini — Giulio Rospigliosi

So hatte sich die junge Gattung im dritten Jahrzehnt ihres Bestehens konsolidiert. Zugleich aber machte sich, wenn auch die musikdramatischen Errungenschaften Monteverdis keine Nachfolge fanden, ein weiteres Einströmen der Musik in das Drama bemerkbar: Das Rezitativ wurde beweglicher, die geschlossenen Formen zahlreicher, die Chöre nahmen an Umfang und musikalischer

---

[7] Zahlreiche Beispiele hierfür wie auch für alle weiteren römischen Opern bei Goldschmidt, Studien zur Geschichte der italienischen Oper im 17. Jahrhundert, Leipzig 1901 und 1904, Band II.

Bedeutung zu. Daneben begannen Ausstattung und Bühneneffekte eine immer größere Rolle zu spielen. An dieser Entwicklung war das Mäzenatentum der römischen Aristokratie wesentlich beteiligt. Ihren Höhepunkt erlebte diese römische Oper jedoch erst im folgenden Jahrzehnt, als sie in der Familie Barberini und am Hofe Papst Urbans VIII. einen festen Rückhalt und im Teatro Barberini eine Heimstatt gefunden hatte. Ihr Hauptträger war der Kardinal Giulio Rospigliosi (1600—1669), der spätere Papst Clemens IX., der der Familie Barberini nahestand und zu mehreren der in deren Theater aufgeführten Opern die Texte verfaßt hat. Die bedeutendste seiner geistlichen Opern war das dramma musicale IL SAN ALESSIO, mit dessen Aufführung 1632 das prächtige neue Theater eröffnet wurde. Rospigliosi hat hier eine großartige Synthese von verhaltenem Seelendrama, krass damit kontrastierender realistischer Komik und Ausstattungsstück geschaffen. Die prunkvollen Szenenbilder und Maschinerien stammten von dem berühmten Baumeister Lorenzo Bernini.

Der Komponist Stefano Landi nahm jedoch von den hier gebotenen Möglichkeiten zur Kontrastbildung kaum Notiz. Die Seelenkämpfe des Heiligen, die den Hauptinhalt der Oper ausmachen, spielen sich in einem vornehm-reservierten Rezitativton ab, von dem sich die Äußerungen der anderen Personen kaum unterscheiden. Besonders auffallend ist dies bei den ironischen Bemerkungen, mit denen die beiden lustigen Pagen Martio und Curtio das Tun der ernsten Personen kommentieren. Hier zeigt es sich, daß es Landi nicht um ein musikalisches Abbild von Vielfalt des Lebens, sondern gerade um das von dessen geistig-geistlicher Einheit zu tun war, die niemals, auch durch die Versuchungen des Demonio nicht, in Frage gestellt wurde. An geschlossenen Formen ist der S. ALESSIO ähnlich arm wie Landis frühere Oper LA MORTE D'ORFEO, und wie dort die derb-komische Gestalt des Caronte, so werden hier die beiden Pagen nur durch einen einzigen, volkstümlich anmutenden, kanzonettenhaften Gesang, eine Müßiggang und Wohlleben preisende *Arietta a due voci* in I,3 von dem feierlich-ernsten Hintergrund des Ganzen abgehoben. Ihr Anfang lautet:

Stefano Landi: IL SAN ALESSIO; Arietta der beiden Pagen (I, 3)

Die gleichförmige Verhaltenheit dieser Rezitativoper wird nur selten von Ensembles, häufiger dagegen durch Chöre unterbrochen, die von der Dienerschaft, von den Alessio versuchenden Dämonen und ihn tröstenden Engeln vorgetragen werden und in denen Landi im Einklang mit der jeweiligen Situation von schlichtester Homophonie bis zum konzertierend aufgelockerten Satz seine musikalische Kunst entfaltet. Besonders prächtig sind die Chöre des Prologs und der drei Aktschlüsse gestaltet; zur Sechs- bzw. Achtstimmigkeit gesellt sich hier noch ein selbständiger Instrumentalpart. Rein musikalisch beruht die Bedeutung dieser Oper außer auf ihnen vor allem auf den drei großen Sinfonien, die den Prolog und die Akte II und III einleiten. Es sind mehrteilige, abwechslungsreiche Instrumentalkanzonen für drei Violinen und Continuo im Stile der Zeit, die nicht nur die Aufmerksamkeit auf das Kommende lenken, sondern um ihrer selbst willen aufgenommen werden wollen. Durch ihre Eigenständigkeit unterstreichen sie noch den undramatischen, statischen Charakter dieses Seelengemäldes, das textlich mit dem ersten Auftreten scharf kontrastierender komischer Dienerfiguren deutlich in die Zukunft weist, musikalisch aber zum letzten Mal, nur aus pastoraler in geistliche Umgebung übertragen, die Herrschaft des reinen Rezitativstils verkörpert.

In dem auf IL SAN ALESSIO folgenden Jahrzehnt entwickelte sich die Oper in ihrer nunmehrigen Hochburg Rom und auf dem Teatro Barberini im Wesentlichen unter dem Einfluß ihres führenden Librettisten Rospigliosi zu einem buntscheckigen, Augen und Ohren ergötzenden Prunkwerk, in dem die locker gefügte Handlung nur als Aufhänger für szenische Pracht, technische Kunststücke und abwechslungsreiche musikalische Darbietungen diente. Rospigliosi griff in seinen beiden Libretti ERMINIA SUL GIORDANO (*Herminia am Jordan;* 1633) und IL PALAZZO INCANTATO (*Der verzauberte Palast;* 1642) zu Stoffen aus Tassos und Ariosts Epen, die er im Sinne reiner Ausstattungsstücke auswählte und bearbeitete. ERMINIA ist ein Konglomerat aus ganz verschiedenen Episoden der *Gerusalemme liberata,* die ohne jede innere Verbindung nur der szenisch-musikalischen Prachtentfaltung dienen, IL PALAZZO INCANTATO behandelt das Umherirren Ruggieros in Atlantes Zauberschloß aus *Orlando furioso* nur unter dem Gesichtspunkt eines möglichst großen Abwechslungsreichtums an Schauplätzen und Personen. Trotz dieser übereinstimmenden textlichen Grundhaltung macht sich der beträchtliche zeitliche Abstand zwischen den beiden Werken, zugleich aber auch zwischen der Gestalterkraft ihrer Komponisten, musikalisch sehr deutlich bemerkbar. Zwar ist Michelangelo Rossis ERMINIA SUL GIORDANO die erste Oper, die wegen der Vielzahl ihrer geschlossenen Formen als Liedoper bezeichnet werden könnte, doch die vorwiegend strophischen „Lieder" sind durchweg kurz, anspruchslos und dramatisch nebensächlich; Tanzlieder im Stile des folgenden aus III,10 überwiegen:

Michelangelo Rossi: ERMINIA SUL GIORDANO; Tanzlied (III, 10)

Entsprechend erscheinen die zahlreichen Ensembles und die Chöre größtenteils in Gestalt kleinerer oder ausgedehnterer Tanzmadrigale. Das Rückgrat der Handlung bildet noch immer der Sprechgesang, der sich grundsätzlich nicht von dem der vorangehenden Werke unterscheidet. Die selbständigen Sinfonien vor dem Prolog und den Akten II und III lassen den Einfluß des ALESSIO eindeutig erkennen.

In Luigi Rossis Komposition des PALAZZO INCANTATO herrscht dagegen ein nach vorwärts weisender, größerer Zug vor. Das Rezitativ hat sich hier, vielleicht schon unter venezianischem Einfluß, aus der Erstarrung gelöst, in die es gerade in den letzten Jahren vielfach verfallen war. Je nach der dramatischen Situation ist es rhythmisch und harmonisch aufgelockert, melodisch bewegt und nicht selten von ariosen Einschüben durchsetzt; bei den sequenzierend aufwärtsgesteigerten Worten, mit denen Angelica ihre verzweifelte Lage in der Gewalt des Gigante schildert, glaubt man sogar förmlich, den alten Monteverdi oder seinen Schüler Cavalli zu hören:

Luigi Rossi: IL PALAZZO INCANTATO

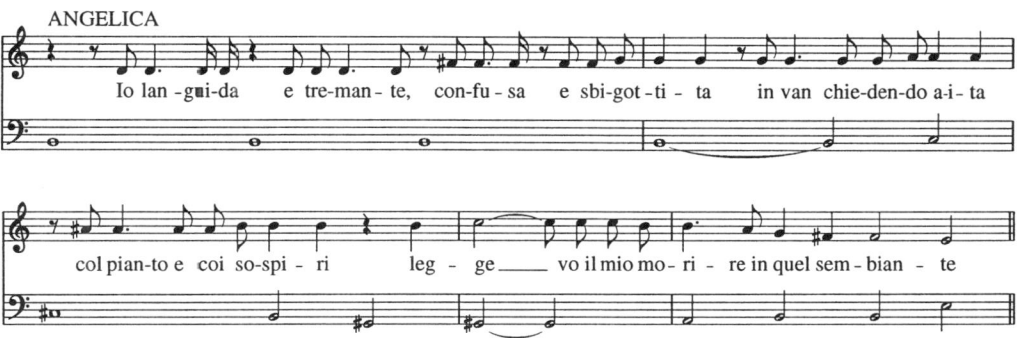

Ungeachtet dieser Belebung, ja Musikalisierung des Rezitativs ist der Unterschied zwischen ihm und den Arien nicht geringer als früher; gehen diese doch nicht nur an Zahl und Ausdehnung, sondern vor allem an Mannigfaltigkeit des Ausdrucks, Schwung der musikalischen Erfindung, Reichtum der formalen Gestaltung und innerer Geschlossenheit weit über alles hinaus, was bis dahin auf der Opernbühne erschienen war.

Luigi Rossi (1598—1653) war gleichermaßen ein Meister lyrischer Gefühlsergüsse wie beschwingter Tanzweisen und Kanzonetten. Das macht sich bereits in dieser Oper bemerkbar und äußert sich noch vollkommener in seiner fünf Jahre später erschienenen zweiten Oper ORFEO (siehe weiter unten). Die ebenfalls reichlich eingestreuten Ensembles und Chöre atmen den gleichen Geist musikalischen Überschwangs und lassen, genau wie die Lieder und Arien, erkennen, daß hier weniger ein Dramatiker, weniger ein zum Opernkomponisten prädestinierter Meister, als vielmehr ein Lyriker, ein Kantatenkomponist am Werke war, dem die lockere Szenenfolge und die gesichtslosen Personen der Handlung einfach nur als willkommener Anlaß dienten, um den Reichtum seiner Musik über sie auszugießen. Ein Vergleich mit Claudio Monteverdis letzter Oper, dem Charakterdrama L'INCORONAZIONE DI POPPEA, dessen Uraufführung in Venedig ebenfalls 1642 stattfand, läßt die beiden extremen Möglichkeiten der Opernkomposition, das Musikdrama und die Konzertoper, erstmalig mit aller Schärfe hervortreten.

Zwischen den beiden Ausstattungsstücken Rospigliosis wurden auf dem Teatro Barberini 1639 noch zwei weitere Werke, das dramma LA GALATEA des Sängers Loreto Vittori und Rospigliosis commedia musicale CHE SOFFRE SPERI (Wer leidet, hoffe) aufgeführt. LA GALATEA, deren Text vom Komponisten stammt, bewegt sich inhaltlich noch in den herkömmlichen mythologisch-allegorischen Bahnen, aber stark aufgelockert duch den Wegfall der alten Botenerzählungen sowie durch die Einführung von komischen Gestalten und Nebenintrigen. Musikalisch zeichnet sie sich sowohl im Rezitativ als auch in den geschlossenen Formen durch eine weit größere Vielfalt vor Michelangelo Rossis ERMINIA aus. Gefühlsausbrüche werden, wie die folgende Klage Galateas um Acis, durch stockende Deklamationen, Chromatik und sprunghafte Fortschreitungen aus dem Gleichmaß des Rezitativs herausgehoben:

Loreto Vittori: LA GALATEA; Klage um Acis

die Arien bewegen sich zwischen variierten Strophenrezitativen und lieblichen, mehrstrophigen Kanzonetten in der Art von Acis' Gesang aus I,1

Loreto Vittori: LA GALATEA

## Die ersten musikalischen Komödien

Mit der commedia CHE SOFFRE SPERI, die 1637 erstmals im Teatro Barberini aufgeführt wurde, aber nur in einer Partitur von 1639 erhalten ist, hat Giulio Rospigliosi einen Markstein in der Geschichte der Oper gesetzt. Zwar spielten Komödienelemente schon vorher in der römischen Oper eine wesentliche Rolle, worauf vor allem Joseph E. Rotondi hingewiesen hat[8]. Rospigliosi aber stellte hier, vielleicht in Anlehnung an eine Novelle von Boccaccio, zum ersten Male Gestalten aus dem täglichen Leben auf die Opernbühne, unter denen die fünf teilweise Dialekt sprechenden Dienergestalten die Herkunft aus der commedia dell'arte deutlich erkennen lassen. Die übrigen Personen treten, obwohl sie die Handlung tragen, jenen Komödientypen gegenüber in den Hin-

---

[8] Literary and Musical Aspects of Roman Opera 1600—1650, Diss. University of Pennsylvania 1959.

tergrund und können in ihrer Haltung und Ausdrucksweise ihre Abkunft von der favola pastorale nicht verleugnen. — In seiner zweiten, als dramma musicale bezeichneten und 1653 auf der gleichen Bühne aufgeführten Komödie DAL MALE IL BENE (*Aus dem Übel das Gute*) ist diese Diskrepanz überwunden. Sie ist ein Lustspiel nach dem Vorbild Calderóns; hielt sich Rospigliosi doch in jener Zeit als päpstlicher Legat in Spanien auf. Bis auf eine einzige kontrastierende Buffogestalt sind die Diener hier völlig in die Handlung integriert.

Wie textlich, so beruht die Bedeutung von CHE SOFFRE SPERI auch musikalisch auf dem Kontrast der Sphären, d. h. vor allem auf der im Wesentlichen neuen Sprache der Komödiengestalten. In ihrem Munde nehmen sowohl das Rezitativ als auch die geschlossenen Formen oft durch Häufung von Tonwiederholungen, langen sequenzierenden Fortschreitungen, Motivwiederaufnahmen, also bereits durch Eingenschaften des späteren Buffostils einen gewollt simplen, zuweilen banalen Charakter an. Stellenweise führt dies zu einer wahren Gassenhauermelodik, so z.B. in dem bäuerlichen Rundgesang am Ende des ersten Intermediums, einer langen Folge primitiver Ostinato-Variationen mit stark volkstümlichem Einschlag:

Virgilio Mazzocchi / Marco Marazzoli: CHE SOFFRE SPERI; Bäuerlicher Rundgesang

Dieses, wie auch das zweite Intermedium, das eine Jahrmarktszene darstellt, sind durch das Auftreten von Personen der Oper selbst inhaltlich locker mit dieser verbunden. In der letztgenannten Szene gehen die Rufe der verschiedenen Verkäufer, musikalisch teils chorisch, teils solistisch wiedergegeben, bunt durcheinander[9]. Im übrigen bewegt sich die Oper, eine Gemeinschaftsarbeit von

---

9 Abgedruckt bei Goldschmidt S. 315ff.

Virgilio Mazzocchi (dem Bruder Domenicos) und Marco Marazzoli, auf der Linie der zeitlich benachbarten römischen Werke.

In DAL MALE IL BENE von Antonio Maria Abbatini und Marco Marazzoli ist, der späteren Entstehungszeit dieses Werkes entsprechend, die Verbindung zu jener Tradition weitgehend gelöst. Stattdessen zeigen sich hier Merkmale, die schon auf die spätere opera buffa hindeuten. Dazu gehören vor allem der Gebrauch der natürlichen Stimmlagen (an Stelle des Übergewichts von Frauen- und Kastraten-Sopranen in CHE SOFFRE SPERI) und die Auflockerung des Rezitativs durch Einführung von Sechzehnteln als Deklamationswert in den von Abbatini stammenden Akten I und III. In der Szene I,2 findet sich z. B. das folgende Gespräch:

Antonio Maria Abbatini / Marco Marazzoli: DAL MALE IL BENE

An geschlossenen Formen entfallen auf die Dienergestalten vorwiegend strophische bzw. variiert strophische Kanzonetten, während die Standespersonen überwiegend ausgedehntere, oft durch Koloraturen verzierte Arien meist im Tripeltakt vortragen, sich also der Ausdrucksweise der ernsten Oper bedienen.

Nach dem Tode des Barberini-Papstes Urban VIII. 1644 war seine Familie vor der Feindschaft seines Nachfolgers nach Paris geflohen. Die Aufführungen in ihrem Theater wurden daher erst nach ihrer Rückkehr 1653 eben mit der Komödie DAL MALE IL BENE wieder aufgenommen, jedoch nur kurze Zeit fortgesetzt. Eine der letzten Opern, die hier über die Bühne gingen, war LA VITA UMANA (*Das menschliche Leben*; 1656) von Rospigliosi, komponiert von Marco Marazzoli. Der fruchtbare Librettist und künftige Papst drückte dem zu seiner Zeit führenden Theater also von der ersten bis zur letzten Stunde seinen Stempel auf.

# Das Ende der römischen Oper

Mit der Flucht der Familie Barberini nach Paris und dem Eintreten des Kardinals Mazarin für sie hängt es auch zuammen, daß die zweite Oper von Luigi Rossi, L'ORFEO, 1647 dort und nicht in Rom uraufgeführt wurde. Als eine der letzten Offenbarungen römischen Operngeistes bildet sie textlich wie musikalisch die Quintessenz alles dessen, was sich in den zurückliegenden beiden Jahrzehnten auf der Opernbühne ereignet hatte. Der Text des Abbate Francesco Buti ist ein in das Gewand eines Ausstattungsstücks gekleidetes buntes Gemisch von Zügen der Tragödie, der Komödie und der favola pastorale, wobei von der letzteren nur noch Äußerlichkeiten übriggeblieben sind. Der zugrundeliegende Mythos wird von intrigenreichen Nebenhandlungen verdunkelt und durch komische Episoden vielfach ins Lächerliche gezogen. Jede Situation aber diente dem Librettisten dazu, auch ohne dramatischen Anlaß Lieder, Arien, Ensembles oder Chöre anstimmen zu lassen und prächtige szenische Wirkungen hervorzubringen. Luigi Rossi hatte mit seinem PALAZZO INCANTATO seine besondere Eignung zur Komposition einer derartigen „Konzertoper" bewiesen. Mit seinem ORFEO übertraf er jenes frühere Werk nun noch bei weitem, einmal in der großen Zahl, der Mannigfaltigkeit und dem musikalischen Gehalt der Arien und Ensembles, dann aber auch durch die Ausdruckskraft, mit der er die — wenigen — dramatischen Gefühlsäußerungen in Rezitativ und Arie wiedergegeben hat. Als Beispiel für viele sei hier der zweite Teil von Orfeos Klage aus III,1 angeführt:

Luigi Rossi: L' ORFEO

Als Gegensatz dazu diene der Schluß von Orfeos anmutigem Auftrittslied in I,2:

Luigi Rossi: L' ORFEO

Der Reichtum an Ensembles und Chören steht dem an Sologesängen kaum nach; besonders der prächtigen Ausstattung angepaßt sind die acht- und zwölfstimmigen Chöre des Prologs und des ersten und zweiten Finale.

Das Ende der römischen Oper bedeutete keineswegs das Ende der Oper in Rom. Auch nachdem das Teatro Barberini seine Pforten geschlossen hatte, fanden noch immer Opernaufführungen in Adelspalästen statt. Das blieb auch so, als bald danach hier die ersten öffentlichen Theater hervortraten. Das rege römische Opernleben der zweiten Jahrhunderthälfte, an dem die in Rom residierende Königin Christine von Schweden gleichfalls lebhaften Anteil nahm, wurde allerdings zum größten Teil von auswärtigen Komponisten getragen; die genuin römische Tradition vertrat der beim Adel hoch angesehene Bernardo Pasquini, dessen zahlreiche Bühnenwerke den typischen Opernstil des ausgehenden Jahrhunderts verkörpern[10].

## Die Florentiner Akademie-Opern

Durch die Ungunst der Verhältnisse hatte Florenz seine operngeschichtliche Bedeutung lange Zeit verloren. Um die Mitte des Jahrhunderts aber begannen sich hier, wieder unter der Schirmherrschaft der Medici, neue Kräfte zu regen. In Zusammenarbeit des Hofes und der literarisch-wissenschaftlichen Akademien entstand unter Leitung des Arztes und Dichters Andrea Moniglia eine spezifisch Florentiner Komödie, bescheiden in der Ausstattung, schlicht in der Führung der Handlung, wie es die teilweise in den Händen von Liebhabern liegende Ausführung erforderte. Das erste Werk dieser neuen Gattung war LA TANCIA OVVERO IL PODESTÀ DI COLOGNOLE oder *Der Bürgermeister von Colognole*, Text von Moniglia, Musik von Jacopo Melani, mit dem 1657 das Teatro della Pergola eröffnet wurde. Mit ihm haben Dichter und Komponist in den Gesängen der typischen Komödienfiguren, etwa mit einer Tierstimmenimitation, stotternden Silbenwiederholungen und einem parodistischen Beschwörungsgesang, einen guten Schritt weiter auf die opera buffa zu getan[11]. Gegen Ende des Jahrhunderts wurde diese einheimische — toskanische — Kunst auch hier von Opern venezianischer oder neapolitanischer Abkunft in den Hintergrund gedrängt[12].

---

10 Vgl. hierzu Gordon F. Crain, The Operas of Bernardo Pasquini, Diss. Yale University 1965.
11 Beispiele hierzu bei Goldschmidt, S. 364, 368, 371.
12 Vgl. zu diesem Absatz Robert L. Weaver, Florentine Comic Opera of the 17th Century, Ann Arbor (Mich.) 1959.

# Italienische Opernkomponisten an deutschen Höfen

Mit der Eröffnung des ersten öffentlichen Opernhauses San Cassiano in Venedig (1637) hatte sich für die Tätigkeit der Opernkomponisten und die Verbreitung ihrer Werke ein neues Feld aufgetan. Zwar gab es — so in Rom, Florenz und Neapel — daneben noch immer höfische Aufträge und Aufführungen, und viele Komponisten schrieben für bürgerliche wie fürstliche Auftraggeber, aber als ausgesprochene Hofkomponisten waren italienische Meister im späteren 17. Jahrhundert nur noch an deutschen Höfen tätig. In Wien wirkten, nach Cesti, Pietro Andrea Ziani und anderen, Antonio Bertali (1605—1669) und Antonio Draghi (1635—1700). Draghi war anfangs auch als Librettist für andere tätig, dann versah er im letzten Drittel des Jahrhunderts zusammen mit dem Hofdichter Nicolo Minato den Wiener Hof mit einer Fülle von eigenen Opern, deren Vielfalt textlich wie musikalisch eine gewisse Schablonenhaftigkeit mit sich brachte bzw. durch diese erst ermöglicht wurde. Doch ist er seinen spätvenezianischen Altersgenossen als Komponist durchaus ebenbürtig.

Der gleichen Stilrichtung gehören auch die beiden Meister an, die die italienische Oper am Münchner Hof vertraten, Giuseppe Antonio Bernabei (1649—1732) und Pietro Torri (vor 1650—1737). Die Opern des letzteren, der sich jahrelang im Gefolge des als Statthalter der spanischen Niederlande in Brüssel residierenden Kurfürsten Max Emanuel von Bayern in dieser Stadt aufhielt, lassen vor allem in der Verwendung von Chor, Ballett und Instrumentalmusik deutlich französischen Einfluß erkennen.

Der bedeutendste Opernkomponist aber, dessen Wirken vom Müchner Hof ausging, war Agostino Steffani (1654—1728), der aus Venetien stammte, aber schon als Knabe nach München gekommen war. Ihm gelang es, gleich seinem sizilianischen Altersgenossen Alessandro Scarlatti, dem aus den verschiedensten, vorab aber im Venezianischen geprägten Strömungen zusammengeflossenen italienischen Opernstil der Zeit musikalisch eigene Züge zu verleihen. Seine zunächst für München, dann für den herzoglichen Hof in Hannover und zuletzt für den kurpfälzischen in Düsseldorf geschriebenen Opern zeichnen sich durch eine ganz besondere Sorgfalt der Satzbehandlung aus; die Singstimme erscheint in den Arien, ohne an Ausdruckskraft einzubüßen, vielfach nur als primus inter pares. Dies gilt in erster Linie für die Arien mit Begleitung des Orchesters bzw. konzertierender Soloinstrumente. Aber auch in den cembalobegleiteten Arien, die in den früheren Opern — Steffanis erste Oper MARCO AURELIO erschien 1681 — bei weitem vorherrschen, ist der Baß mehr Partner als bloße Stütze der Singstimme, sei es, daß er sie in einer in gleichen Notenwerten dahinfließenden, vielfach dem Affektgehalt entsprechenden Bewegung trägt, daß er die ganze Arie oder Teile von ihr durch ostinate Motive zusammenhält oder daß er imitierend an ihrer Motivik teilnimmt. In der Arie der Semiamira aus II,8 der Oper ALARICO (1687) sind z. B. die beiden letzteren Möglichkeiten gekoppelt, so daß der Grundgedanke dieses Klagegesangs „Io nacque sfortunata" (*Ich bin zum Unglück geboren*) die gesamte Komposition durchzieht. Bei den Worten „per lagrimar" in Takt 4/5 erscheint das Motiv sogar in Umkehrung (vgl. Beispiel S. 44 oben).

Alle diese Techniken sind in der Zeit keineswegs neu, doch hat Steffani sie vor anderen bevorzugt und mit besonderer Konsequenz und Meisterschaft durchgeführt. Ein Beispiel für den dichten Orchestersatz, in den die Singstimme gleichberechtigt eingebettet ist, und zugleich für den auch von Steffani meisterhaft gehandhabten Typ der lyrisch-schwärmerischen Gesänge im Tripeltakt bietet eine Gebetsarie des Anfione aus I,21 der Oper NIOBE (1688; vgl. Beispiel S. 44 unten).

Die Arien erwachsen, wie üblich, stets aus der jeweiligen Situation, die der Komponist bald mehr typenhaft, bald intensiv ausdeutend in Musik setzt. Die folgende Arie aus der Oper BRISEIDE (1696) mit zwei Oboen bringt ein Naturbild, das an die Szene Rinaldos in Armidas Zauberhain aus Jean-Baptiste Lullys ARMIDE (Paris 1686) gemahnt (vgl. Beispiel S. 45 unten).

Agostino Steffani: ALARICO

Agostino Steffani: NIOBE

Agostino Steffani: BRISEIDE

In der Tat lassen Steffanis Opern in vieler Hinsicht trotz ihrer weitgehend textlich geprägten, unverkennbar italienischen Grundhaltung französische Züge erkennen. War der Meister doch schon 1678/79 in Paris gewesen, als Lullys Opernschaffen in voller Blüte stand; ab 1696 kam er dann während seines Brüsseler Aufenthalts mehrfach mit Lullys Werken in Berührung. Der französische Einfluß zeigt sich von der ersten Oper an im Gebrauch der französischen Ouvertüre an Stelle der von seinen italienischen Zeitgenossen bevorzugten italienischen Sinfonie. Auch in diesen Stücken offenbart er seine Neigung zu kontrapunktischer Satzarbeit. Das Gleiche gilt für die — wenigen — Duette seiner Opern, die zwar seinen berühmten Kammerduetten an Bedeutung nicht gleichkommen, mit der Selbständigkeit der Stimmführung aber weit über den Durchschnitt von Opernduetten jener Zeit hinausgehen. Mit der geringen Rolle des Chores folgt Steffani italienischem Brauch; der festliche Chorblock im zweiten Akt seiner letzten Oper TASSILONE (1709) dürfte dagegen ebenso wie die Fünfaktigkeit dieses Werkes zu den französischen Errungenschaften zu zählen sein. In derselben Oper sind auch die Rezitative besonders stark von den daktylischen Rhythmen durchsetzt, die das französische Rezitativ prägen und im Abwechslungsreichtum des italienischen nur sporadisch auftauchen. Akkompagnato-Rezitative kommen selten vor, wie denn überhaupt die Bedeutung von Steffanis Opern mehr auf musikalischem als auf dramatischem Gebiet liegt. Sehr bezeichnend hierfür ist auch, daß die komischen Dienergestalten, die wie üblich in den frühen Libretti (von Ventura Terzago, Steffanis Bruder) vorkommen, sich musikalisch nicht wesentlich von den übrigen Personen unterscheiden.

Im Gegensatz zu Scarlatti hat Steffani in seinem Opernschaffen keine hervorstechende Entwicklung durchgemacht. Zwar gewinnen auch bei ihm die orchesterbegleiteten Arien im Laufe der Zeit die Oberhand, aber Da-capo-Form und stereotyper Wechsel von Arie und Rezitativ charakterisieren Früh- wie Spätwerke gleichermaßen, nur daß allerdings rezitativische Gespräche in TASSILONE weit umfangreicher sind als in den früheren Opern. Im Ganzen blieb der Meister jedoch als Opernkomponist rückwärtsgewandt. Sein Schaffen erscheint musikalisch, nicht dramatisch von Anfang an mehr als eine Krönung der sich dem Ende zuneigenden Barockoper, während Scarlatti, freilich 10 Jahre nachdem Steffani aufgehört hatte, Opern zu schreiben, mit seinem letzten Werk noch den Anschluß an das neue Opernideal fand.

Die italienischen Meister, die am Ende des 17. Jahrhunderts an deutschen Höfen wirkten, brachten ihre Tradition mit, an der sich das höfische Publikum begeisterte. Sie hatten also keinen Grund, sich mit einheimischen künstlerischen Bräuchen auseinanderzusetzen. Nur Steffani, der Diplomat und Bischof, wurde durch sein Leben in der großen Welt von dem diese beherrschenden französischen Einfluß berührt — ein früher Vorläufer der seit der Mitte des 18. Jahrhunderts ständig zunehmenden, auf eine Verschmelzung der italienischen und französischen Oper gerichteten Bestrebungen. — Der einzige an einem deutschen Hof tätige Italiener, der im 17. Jahrhundert schon auf eine Einordnung seiner Kunst in die des deutschen Gastlandes hinwirkte, war Giovanni Andrea Bontempi (1624—1705), der von 1650 bis 1680 verschiedene Posten als Kapellmeister, Bühnenbildner und Maschinenmeister sowie Hofhistoriograph am Hofe zu Dresden innehatte. Seine erste Oper IL PARIDE (1662) über einen eigenen Text zeigt mit unendlich vielen, auch komischen, Nebenfiguren und häufigen Szenenwechsel, mit langen Rezitativen und meist nur vom Cembalo begleiteten Strophenliedern im geraden und Strophenarien im Tripeltakt das typische Bild einer italienischen Oper jener Jahre. In der Oper DAFNE (1671, unter Mitarbeit von Marco Giuseppe Peranda) aber hat sich Bontempi darum bemüht, dieses Bild mit deutschen Zügen zu versehen: Der Text ist deutsch, die Komposition größtenteils eine Aneinanderreihung von vorwiegend liedhaften Gesängen. Da das Libretto inhaltlich auf Martin Opitz' Text zu der gleichnamigen Oper von Heinrich Schütz (1627) zurückgeht, ist hier eine Verbindung zu diesem damals noch immer in Dresden wirkenden, hochangesehenen greisen Oberkapellmeister oder gar dessen Einfluß nicht auszuschließen.

# Die barocke Unternehmer-Oper bis gegen 1700
Venedig (später Monteverdi und Cavalli) bis Neapel (Scarlatti)

Als kurz vor der Uraufführung von Claudio Monteverdis Oper ARIANNA 1608 in Mantua die junge Caterinuccia Martinelli, die die Titelrolle singen sollte, starb, sprang Virginia Andreini für sie ein. Sie war, unter dem Namen La Florinda, eine der bedeutendsten Komödiantinnen ihrer Zeit und wirkte im Rahmen der Gesellschaft der Fedeli mit ihrem Gatten Giovanni Battista, dem „Lelio" der Truppe, bei den Mantuaner Hochzeitsfeierlichkeiten jenes Jahres mit. Hier kreuzen sich die Wege der „comici" und der jungen Gattung der Oper zum ersten Male, um dann getrennt nebeneinander herzulaufen, solange die Oper als festliches Gelegenheitswerk in der Regie der Höfe verharrte, während die Gesellschaften der „comici" sich auf die Wiedergabe gesprochener Komödien und Tragödien beschränkten, in denen die Musik nur in Gestalt von Einlagen zu Worte kam. Als sich aber aufgrund zeitgenössischer Berichte der Ruhm des neuen Wunderwerks immer mehr verbreitete und infolgedessen das Verlangen danach auch außerhalb der bisherigen Zentren immer größer wurde, da nahmen sich Wandertruppen auch der Oper an[1]. Über die Tätigkeit solcher „operisti" ist bis jetzt wenig bekannt, aber eine von ihnen hat furore gemacht: die Gesellschaft von Benedetto Ferrari und Francesco Manelli, die 1637 aus Rom über Padua nach Venedig kam und deren Anregungen in der aufnahmebereiten Handelsstadt auf fruchtbaren Boden fielen. Wo immer sonst noch „operisti" gewirkt haben, in Bologna, Ferrara, Padua, Parma — nirgends war der Erfolg derartig durchschlagend und im wahrsten Sinne des Wortes epochemachend wie in der Dogenstadt, deren festfreudiger genius loci Unternehmer, Autoren und Darsteller beschwingte. So wie am Anfang des Jahrhunderts die einzelnen Fürstenhöfe in größeren Abständen miteinander in der Darstellung festlicher Opernaufführungen gewetteifert hatten, so suchten sich jetzt die verschiedenen Adelsgeschlechter Venedigs in rascher Folge mit Operndarbietungen in ihren Theatern gegenseitig den Rang abzulaufen.

Die drei ersten Opernhäuser, die 1637, 1639 und 1640 ihre Pforten öffneten, die nach den Kirchspielen, in denen sie lagen, benannten Teatri San Cassiano, Santi Giovanni e Paolo und San Moisè, gehörten den Familien Tron, Grimani und Vendramin; alle drei hatten bereits als Schauspieltheater bestanden und waren zur Darbietung von Opern umgebaut worden. Sie wie auch die weiteren sechs bis zum Ende des Jahrhunderts neu eröffneten Opernhäuser waren Logentheater. Trotz der grundsätzlichen Öffentlichkeit der Aufführungen, die darin stattfanden, blieb also die ständische Gliederung des Publikums dabei wie eh und je gewahrt: Die Logen befanden sich in den Händen der Aristokratie, während sich das „Volk" im Parkett drängte. Immerhin hatte — und das ist neu gegenüber den früheren Verhältnissen — auch dieses jetzt eine beachtenswerte Stimme und als zahlendes Publikum einen nicht unerheblichen Einfluß auf die Gestaltung der dargestellten Werke. Auch dürfte das in Venedig so plötzlich ausgebrochene wahre Opernfieber — in dieser Stadt von rund 125.000 Einwohnern spielten bis zur Jahrhundertwende immer 4 - 6 Opernhäuser gleichzeitig — nicht zuletzt auf die Ansprüche dieses gemischten Publikums zurückzuführen sein.

Dies alles trat in Venedig als einem Zentrum des italienischen Wirtschafts-, Geistes- und vor allem Musiklebens besonders augenfällig hervor, zeigte sich aber, in schwächerem Maße, überall,

---

1 Vgl. Nino Pirotta, Tre Capitoli su Cesti, in: La Scuola Romana, hrsg. von der Accademia Chigiana, Siena 1953, S. 28ff., und: Commedia dell'arte and Opera, in: Musical Quarterly 41, 1955 S. 305ff. William C. Holmes, Comedy — Opera — Comic Opera, in: Analecta musicologica 5, 1968, S. 92.

wo die Komödianten- und Operntruppen hinkamen. Vor allem wesentlich war dabei die gewaltige Wandlung, die sich unter dem Einfluß des Repertoires der „comici" und unter dem eines neuen Publikumsgeschmacks zunächst innerhalb der Textdichtung vollzog.

Benedetto Ferrari erschien mit seinen ersten Opern L'ANDROMEDA (1637), LA MAGA FULMINATA (*Die getötete Zauberin*; 1638) und L'ARMIDA (1639) nicht als Neuerer, sondern er vermittelte den Venezianern die Gattung einfach in dem Stadium, in dem sie sich damals in Rom befand: als der favola pastorale nahestehendes Ausstattungsstück mythologischen und zauberhaften Inhalts mit einheitlicher, relativ unkomplizierter Handlung. Neu ist nur die rasche Aufeinanderfolge der Stücke, die das künftige Tempo der Opernproduktion bestimmte; als nicht ganz neu, aber stark zukunftsweisend erscheinen vereinzelte komische Dienergestalten, die später in keinem Libretto fehlten und eine ständig wachsende Bedeutung erlangten. In ihnen kündigt sich die Entfernung vom idealisierenden, wirklichkeitsfremden idyllischen Geist der favola pastorale und das zunehmende Streben nach Realistik und nach Dramatisierung der Handlung an, die das Schicksal der Librettistik letztlich bis zum Ende des Jahrhunderts bestimmen sollten. Dabei war nicht eigentlich die Stoffwahl ausschlaggebend. Wohl verschwand die pastorale Sphäre, und man griff in steigendem Maße zu Gegenständen aus der Historie, aber daneben behauptete die Mythologie als Stoffreservoire nach wie vor ihren Platz. Nur erschienen die Helden jetzt in einem ganz anderen Licht, nämlich, wie auch die historischen Gestalten, von Anfang an in einem Netz von Intrigen und Nebenhandlungen verstrickt, das die Librettisten mit Hilfe von „accidenti verissimi", d. h. zeitbedingten, meist recht abenteuerlichen Zutaten zu der mythologischen bzw. historischen Handlung um sie woben. Da sich hierzu alsbald, zuerst im Schaffen des äußerst fruchtbaren Venezianers Giovanni Faustini, unter Verwendung bestimmter Szenentypen wie Verkleidungs-, Wahnsinns- und Ombra-Szenen ein festes Handlungsschema herausbildete, waren dessen Träger nichts anderes als mehr oder weniger gesichtslose Typen, die nur gleichsam darauf warteten, durch die Musik ein Gesicht zu erlangen. Gleichzeitig verloren die antiken Götter und die allegorischen Figuren, die bisher meist die Fäden der Handlung in der Hand gehalten hatten, mehr und mehr an Bedeutung. Sie wurden zunächst in den Prolog verbannt und verschwanden mit dessen Beseitigung um die Mitte des Jahrhunderts schließlich fast ganz. Auch verzichteten die Librettisten nach dem Übergang der Gattung in den gewerbsmäßigen Opernbetrieb bald weitgehend auf den Gebrauch des Chores, einmal sicherlich aus wirtschaftlichen Gründen, zum anderen aber auch, weil das betrachtende und festliche Pathos, das ihn vor allem ausgezeichnet hatte, und seine gliedernde Funktion im neuen Intrigendrama nicht mehr am Platz waren[2]. Im selben Maße aber, wie die unzeitgemäßen Handlungselemente eliminiert wurden, drangen die komischen Gestalten von der Peripherie her in die Handlung ein und durchsetzten diese schließlich so weit, daß der Gesamtcharakter der Stücke zwischen Ernst und Komik zu schwanken begann. Richtschnur waren jetzt auch nicht mehr die Regeln des Aristoteles, sondern die der zeitgenössischen, von spanischen Vorbildern geprägten Dramendichtung. In der Vorrede zu Gian Francesco Busenellos DIDONE (1641) heißt es z. B.: „Quest'opera sente delle opinioni moderne. Non è fatta al prescritto delle antiche regole; ma all'usanza Spagnuola rappresenti gl'anni, et non le hore." (Diese Oper entspricht den modernen Auffassungen. Sie folgt nicht den antiken Regeln, sondern stellt, dem spanischen Brauch folgend, die Jahre und nicht die Stunden dar.) Giacinto Andrea Cicognini, dessen Libretti großen Anklang fanden und der als Dramendichter nicht minder beliebt war, verkörpert diese engen literarischen Beziehungen besonders sinnfällig[3]. Modern und unumgänglich nötig aber war für jene

---

2 Donald J. Grout, The Chorus in Early Opera, in: Festschrift Friedrich Blume zum 70. Geburtstag, Kassel 1963, S. 151ff.

3 Vgl. die Gegenüberstellung seiner Libretti mit deren Prosafassungen bei Anna A. Abert, Claudio Monteverdi und das musikalische Drama, Lippstadt 1954.

Librettisten ferner die Rücksicht auf den Geschmack des Publikums. Entsprechende Bemerkungen sind auf Schritt und Tritt in den Libretto-Vorworten anzutreffen. Vincenzo Nolfi leitet seinen *Bellerofonte* z. B. mit den Worten ein: „... io confesso a la libera, che nel comporla (die Oper) non ho voluto osservare altri precetti che i sentimenti dell'autore de gli apparati, nè ho avuto altra mira che il genio del popolo a cui s'ha ella da rappresentare". (Ich gestehe frei, daß ich in der Oper keine anderen Vorschriften beachten wollte als die Gefühle des Schöpfers der Inszenierung, wie ich auch kein anderes Ziel hatte als die Neigung des Volkes, vor dem sie aufgeführt werden sollte.)

Daß die Operndichtung auf diese Weise ein ganz neues Gesicht erhalten mußte, liegt auf der Hand. Unter ihren Vertretern ragt in der Frühzeit vor allem Gian Francesco Busenello hervor, in dessen DIDONE (1641) und INCORONAZIONE DI POPPEA (1642) die Typik durch eine großartig wandelbare Charakterzeichnung ganz in den Hintergrund gedrängt wird. In den Werken seiner gleichaltrigen und jüngeren Zeitgenossen (u. a. Giacomo Badoaro, Giulio Strozzi, Giovanni Faustini, Giacinto Andrea Cicognini, Francesco Sbarra, Nicolò Minato, Aurelio Aureli, Nicolo Beregani, Giulio Cesare Corradi, Matteo Noris) verfestigte sich der Typ inhaltlich mehr und mehr, wobei der Hang zur Komik immer deutlicher hervortrat. Hingegen vollzog sich formal eine deutlich erkennbare Veränderung, auf die eine Bemerkung in der Vorrede zu G. Faustinis posthum erschienenem Libretto (IL TIRANNO HUMILIATO D'AMORE (*Der von der Liebe gedemütigte Tyrann*), das 1667 herauskam, ein schlagendes Licht wirft: „Il presente drama fù lasciato imperfetto dal già Signor Giovanni Faustini, mentre nè compose solamente due atti, mà scarsi d'ariette, e la maggior parte in stille(!) recitativo come s'accostumava in quel tempo onde per ridurlo all' uso corente è stato necessario chi vi s'affatichi più d'una penna" (Das vorliegende Drama wurde von dem inzwischen verstorbenen Signor Giovanni Faustini unvollendet hinterlassen. Er dichtete nur zwei Akte, aber kaum Arien, sondern den größten Teil in rezitativischem Stil, wie es in jener Zeit üblich war. Um sie dem jetzigen Brauch anzupassen, erwies es sich als notwendig, daß sich mehr als ein Schriftsteller um euch bemühte.). Die hier ausgesprochene Zurückdrängung des Rezitativs durch geschlossene Formen der verschiedensten Art macht sich schon seit der Jahrhundertmitte bemerkbar und ist ein Symptom für eine der folgenschwersten Wandlungen, die die Oper selbst und die Anforderungen des Publikums an sie je durchgemacht haben: Aus den gleichmäßig in teils freien, teils gereimten Versen von wechselnder Silbenzahl dahinfließenden Szenen kristallisieren sich jetzt straff durchgeformte, oft strophische Gebilde heraus, zunächst inhaltlich unwesentliche, meist heitere Betrachtungen von Nebenpersonen, dann anspruchsvollere Affektäußerungen der Protagonisten. Gleichzeitig wurde das Rezitativ nicht nur quantitativ, sondern auch qualitativ in eine Nebenrolle gedrängt, d.h. die Trennung von Handlung und Betrachtung, teils technisch von der Haltung des Intrigendramas gefordert, teils der allgemeinen Geschmacksentwicklung folgend vom Publikum verlangt, war vollzogen.

Die Tatsache, daß Venedigs drittes Opernhaus, das Teatro S. Moisè, 1640 mit Claudio Monteverdis ARIANNA eröffnet wurde, deutet auf das Ansehen hin, das der alte Meister in der Stadt genoß, denn die Wiederaufnahme einer Oper nach 32 Jahren war in jener Zeit, da Opern oft nur ein Eintagsfliegendasein führten, etwas höchst Bemerkenswertes. Es beweist aber zugleich auch deutlich, daß der Übergang zur Unternehmeroper wohl organisatorisch, nicht aber künstlerisch eine Wende bedeutete. Der Geist der favola pastorale war noch lebendig; er dürfte sich wie in den Libretti der ersten in Venedig aufgeführten Opern von Benedetto Ferrari auch in deren nicht erhaltener Musik von diesem selbst bzw. von Francesco Manelli geäußert haben.

Daß die venezianischen Opernbühnen der ersten drei Jahre auch musikalisch in extenso von diesem Geist beherrscht waren, zeigen vor allem die damals erschienenen beiden ersten Opern von Francesco Cavalli LE NOZZE DI TETI E DI PELEO (*Die Hochzeit von Thetis und Peleus;* 1639) und GLI AMORI D'APOLLO E DI DAFNE (*Die Liebe von Apollo und Daphne;* 1640) — die erstere die erste in Venedig aufgeführte Oper, deren Partitur erhalten ist. Die Gebundenheit an die Überlieferung offenbart sich vor allem in der relativ großen Rolle, die Chöre, Ensembles und Instrumentalsätze hier noch spielen, nur daß sie allerdings im wesentlichen kürzer und weniger kunstvoll gearbeitet sind als die ihrer höfischen Vorgänger. Im übrigen fließen die Opern in dem überkommenen, ausdrucksvollen Sprechgesang dahin, der seit den Anfängen der Gattung in verschiedenen Abwandlungen deren Rückgrat gebildet hatte, ja, dessen Bedeutung ist hier sogar wieder weit größer als in den Opern der jüngstvergangenen Jahre. Die wenigen geschlossenen Formen beschränken sich vorwiegend auf schlichte, meist syllabisch deklamierte Strophengesänge im Tripeltakt mit kurzen Ritornellen nach Art der folgenden „Aria" der Teti aus den NOZZE DI TETI I,7:

Francesco Cavalli: LE NOZZE DI TETI E DI PELEO

Anspruchsvollere melismatische Arien und spritzige, volkstümlich anmutende Kanzonetten im 4/4-Takt treten demgegenüber noch ganz in den Hintergrund.

Dem von Ferrari, Manelli und Cavalli getragenen, stark retrospektiv gerichteten Früh- und Übergangsstil venezianischer Opernpflege wurde durch die Spätwerke Claudio Monteverdis, den RITORNO D'ULISSE IN PATRIA (*Die Heimkehr des Odysseus;* 1640, nicht, wie früher angenommen, 1641)[4] und die INCORONAZIONE DI POPPEA (1642), mit einer neuen Zielsetzung ein Ende

---

[4] Vgl. Wolfgang Osthoff, Zur Bologneser Aufführung von Monteverdis „Ritorno d'Ulisse" im Jahre 1640, in: Anzeiger der philologisch-historischen Klasse der Österreichischen Akademie der Wissenschaften, Nr. 2, Wien 1958, S. 155—160, und in zahlreichen weiteren Veröffentlichungen.

bereitet. In ein und demselben Jahr 1640 erschienen also auf den venezianischen Opernbühnen Werke ein und desselben Meisters, ARIANNA und RITORNO D'ULISSE von Monteverdi, deren eines weit zurückgreifend einen Endpunkt setzte, während das andere eine neue Entwicklung anbahnte. Der Text zu IL RITORNO D'ULISSE stammt, wie auch der ebenfalls der Heldensage entnommene und von Monteverdi vertonte zu LE NOZZE D'ENEA CON LAVINIA (*Die Hochzeit von Äneas mit Lavinia*), von dem Venezianer Giacomo Badoaro. Diese Partitur ist verloren. Das Textbuch enthält aber eine Bemerkung des Dichters, die für das Verhältnis zumindest des alten Monteverdi zu seinen Librettisten von grundsätzlicher Bedeutung ist: „Ho io schifati li pensieri et concetti tolti di lontano, et più atteso agli affetti, come vuole il Sig. Monteverdi; al quale per compiacere ho anco mutate et lasciate molte cose di quelle che aveva (sic!) poste prima" (Die Gedanken und Begriffe, die weit hergeholt sind, sind nur widerwärtig; ich achte daher mehr auf die Affekte, wie sie der Signor Monteverdi möchte. Um diesem gefällig zu sein, habe ich auch vieles geändert bzw. gelassen, was er früher bestimmt hatte.) Er, den Badoaro bei derselben Gelegenheit wahrhaft in den Himmel hebt, konnte es sich leisten, auch den Texten seinen Stempel aufzudrücken, und hat dies vermutlich in RITORNO und INCORONAZIONE auch öfter getan als sich heute noch nachweisen läßt.

Die in Wien ohne Komponistennamen erhaltene Partitur des RITORNO hat seit ihrer Entdeckung 1881 wegen ihrer Zwielichtigkeit immer wieder zu Kontroversen über ihre Echtheit Anlaß gegeben. Es ist Monteverdi hier in der Tat nicht so vollkommen wie in der zwei Jahre jüngeren INCORONAZIONE gelungen, die Fülle der Gestalten zu einer Einheit zusammenzuzwingen. So enthält die Oper, vor allem im letzten Akt, auch konventionelle Stellen, daneben aber Partien, die die Hand des Charakterdramatikers Monteverdi eindeutig erkennen lassen. Meisterhaft hebt er z. B. den „listenreichen" Ulisse in seiner Anpassungsfähigkeit an die jeweiligen Gesprächspartner und die unwandelbar treue, standhafte Penelope als scharfe Gegensätze voneinander ab. Ihrer beider Ausdrucksweise ist vorwiegend der arglose Sprechgesang der Zeit, den Monteverdi bis in Einzelheiten hinein in den Dienst der Inhaltswiedergabe stellt. Gegliedert wird er in längeren Monologen, wie z. B. in Penelopes ausgedehnter, nur von kurzen Zwischenbemerkungen der alten Amme Ericlea unterbrochenen Soloszene I,1, durch die notengetreue oder leicht abgewandelte Wiederaufnahme besonders affekthaltiger Phrasen. In dieser Szene enthalten die beiden zwei- bzw. dreimal wiederkehrenden Abschnitte (Beispiele s. S. 52) die durch gehäufte Schmerzchromatik herausgehobene Quintessenz von Penelopes Klage. Zur Wiedergabe von Ulisses Wandelbarkeit macht der Komponist dagegen ausgiebig und bedeutungsvoll Gebrauch von den liedhaft-ariosen Einschüben, die seit Mazzocchis „mezz'arie" das Opernrezitativ der Folgezeit mehr und mehr durchsetzt hatten. Beim Zusammentreffen mit Minerva, die in I,8 „in abito da Pastorello" mit einem leichtbeschwingten Strophenrezitativ auftritt, redet Ulisse den vermeintlichen „giovinetto" zunächst betont fröhlich mit einigen tanzhaften Takten an, um dann seine Lage übertrieben mitleidheischend in ausdrucksvollem Rezitativ darzustellen (Beispiel S. 52 unten).

Auffallend ist in dieser Oper im Vergleich zur benachbarten INCORONAZIONE vor allem in den Partien der vielen Nebenpersonen der große Reichtum an geschlossenen, teils mehr liedhaften, teils ariosen Formen der verschiedensten Art, der auf einen Einfluß der zeitlich vorangehenden römischen Opern hinzuweisen scheint.

Im Gegensatz zu diesen etwas suspekten Querverbindungen kann Monteverdis INCORONAZIONE DI POPPEA uneingeschränkt als echte geistige Nachfolgerin der ARIANNA bezeichnet werden, denn sicherlich darf man aus der venezianischen Wiederaufnahme dieses Werkes schließen, daß es dem *Lamento* daraus auch im Ganzen an Ausdruckskraft ebenbürtig war. Freilich hatte sich nach einem Menschenalter das künstlerische Ziel und die Mittel zu seiner Erreichung geändert. Jetzt ging es darum, ein Intrigendrama vor historischem Hintergrund aus lebendigen Charakteren aufzubauen mit Hilfe einer Musik, die nicht mehr nur Vehikel des Wortes, sondern zugleich

Claudio Monteverdi: IL RITORNO D'ULISSE

Claudio Monteverdi: IL RITORNO D'ULISSE

eigengeformte Sprache war — aber das innere Engagement, die Hingabe an den Geist des Dramas waren die gleichen. Daß Monteverdi dies hier in seiner letzten Oper noch einmal so vollendet gelungen ist, lag mit am Text, mit dem Gian Francesco Busenello, einer der besten Librettisten jener Zeit, ihm eine als Drama wie als „poesia per musica" hervorragende Vorlage geliefert hatte. Die Personen sind nicht nur ausgeprägte, vielfach gegensätzliche, sondern auch mehrschichtige, ja wandelbare Charaktere. An dieser Welt der Kontraste und Übereinstimmungen, des Sich-Verstellens und Aufeinander-Einstellens entfaltete sich Monteverdis musikalische Charakterisierungskunst zu höchster Vollendung. Was er im RITORNO bei der Wiedergabe des Protagonistenpaares ausprobiert hatte, das gießt er nun verschwenderisch über alle dramatis personae von einiger Bedeutung aus: über das ehebrecherische Paar Nerone/Poppea wie die beiden Verlassenen Ottavia und Ottone, über die lustige Zofe Drusilla wie die beiden alten Ammen, über den Philosophen Seneca wie den schelmischen Pagen. Die charakteristischsten Begegnungen vollziehen sich dabei in beweglichem Sprechgesang, der den oft kaleidoskopartigen Wechsel der Empfindungen am unmittelbarsten wiederzugeben vermag, aber doch durch Wiederaufnahme kurzer Phrasen oder Phrasentypen zu einem beziehungsvollen Ganzen zusammengeschlossen werden kann. Als Beispiel für viele sei ein Stück aus der Szene II,9 angeführt, in der die schwer gekränkte Kaiserin Ottavia den Ottone zum Mord an seiner Gattin, der Geliebten Nerones, Poppea, anstiften will und in der Monteverdi den Gegensatz zwischen der zornentflammten Herrscherin und dem durch den Befehl fast betäubten Mann geradezu greifbar herausmodelliert hat (Beispiel S. 54). Diesem dramatischen Gesangsstil gegenüber spielen reine geschlossene Formen etwa in der Art der lieblichen Kanzonette des Pagen in der Szene II,5 nur eine untergeordnete Rolle; oft sind sie bruchstückweise in das Gespräch einbezogen. Zu Ensembles verdichtet sich der Wechsel der Stimmen nur selten, auch dann, wenn sich diese, wie in den Liebesszenen Nerone/Poppea, mit ariosen Gesängen im Tripeltakt ablösen. Eine Ausnahme bildet das Schlußduett des Liebespaares, dessen erster (und letzter) Teil über einem ostinaten Baß, dem in der Oper jener Jahre beliebten absteigenden Quartmotiv, steht:

Claudio Monteverdi: L' INCORONAZIONE DI POPPEA

Dem Herkommen verpflichtet ist in den beiden Spätopern Monteverdis noch das Eingreifen von Göttergestalten und Allegorien in das Geschehen. Von den Prologen ausgehend halten sie, im

Claudio Monteverdi: L'Incoronazione di Poppea

Ritorno freilich weit mehr als in der Incoronazione, die Fäden der Handlung in der Hand und äußern sich musikalisch, da sie nicht eigentlich Charaktere darstellen, vorwiegend in geschlossenen Formen von traditioneller Haltung. Nach vorwärts weist dagegen in beiden Werken die Drastik des komischen Elements, wie sie sich im Ritorno in der Soloszene III,1 des Stotterers Iro, in der Incoronazione in der Verspottung des Philosophen Seneca durch den vorlauten Pagen (I,6) zeigt. In beiden Fällen hat Monteverdi die feine Ironie seines Textdichters sinnfällig in Musik übersetzt.

Monteverdis RITORNO D'ULISSE und INCORONAZIONE DI POPPEA gehen beide von der Opernüberlieferung ihrer Zeit aus, aber während der RITORNO ihr als Ganzes verhaftet bleibt, hat die INCORONAZIONE sie gleichzeitig gekrönt und überwunden, d. h. auf einen Weg geführt, wo sich — Schicksal so mancher Alterswerke großer Meister — keine Nachfolge fand. Sicher hat sein Schüler Francesco Cavalli (1602—1676), der neben ihm in Venedig tätig war, einen Hauch seines Geistes verspürt. Das geht besonders deutlich aus seiner DIDONE von 1641 hervor, deren Text gleichfalls von Busenello stammt. Die Gleichzeitigkeit von deklamatorischer Inhaltsausdeutung und primär musikalischer Formung findet sich auch hier, wie ein Beispiel aus Cassandras Klage in der Szene I,4 zeigen möge:

Francesco Cavalli: DIDONE

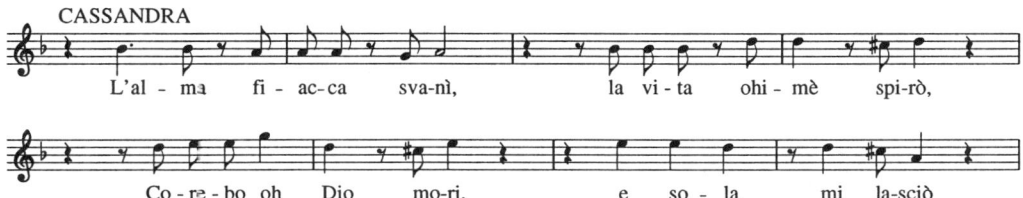

Zunächst überwiegt auch in seinen Opern der dramatisch bewegte Sprechgesang, allerdings stets nur im Dienste der Situationswiedergabe, nicht der musikalischen Charakterdarstellung.

Cavalli, der damals führende Opernkomponist Venedigs, arbeitete in der ersten Hälfte seines Wirkens vor allem mit dem Librettisten Giovanni Faustini zusammen, der den Typ des venezianischen Intrigendramas recht eigentlich geschaffen hat. Später bevorzugte er vor allem Texte von Nicolo Minato, die sich von den früheren nicht dem Geiste, wohl aber der Form nach unterscheiden. Der Dichter beugte sich darin, wie seine Zeitgenossen, dem Verlangen des Publikums nach mehr Arien und Kanzonetten auf Kosten der freien Rezitativverse, und Cavalli folgte ihm darin, indem er das Schwergewicht des musikalischen Ausdrucks von diesen auf jene verlegte. Eine Arie aus der Szene I,5 der ROSINDA von 1651 ist z. B. typisch für den weiten melodischen Atem des Komponisten:

Francesco Cavalli: ROSINDA

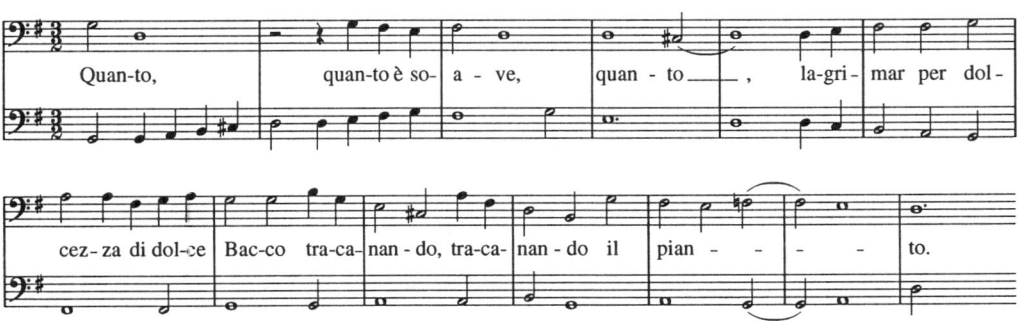

In derartigen Sätzen zeigt sich der Generationsunterschied zwischen ihm und Monteverdi besonders deutlich. So bahnte sich schon in seinem Schaffen kurz nach der Jahrhundertmitte die strenge Scheidung zwischen dem sachlichen Rezitativ als Träger der Handlung und mannigfach verschieden gestalteten geschlossenen Formen als Tummelplätzen der ausgelösten Empfindungen an, die einige Jahrzehnte später im Gegensatzpaar Seccorezitativ—Arie erstarren sollte. In seinen Spätopern — die letzte, L'ELIOGABALO ist von 1668 — hat er diese Entwicklung selbst mitgemacht, ohne jedoch das Erbe Monteverdis, den ausdrucksgesättigten Sprechgesang an dramatischen Höhepunkten, ganz zu verleugnen. Aber die Arien gingen mehr und mehr von den Neben- auf die Hauptpersonen über, rückten also in das Zentrum des Geschehens und nahmen an Ausdehnung zu; außerdem wurde die bisher allein übliche Begleitung durch das Cembalo zunehmend durch Orchesterbegleitung verdrängt.

Mit seinen zahlreichen Opernhäusern und seinem opernhungrigen Publikum war Venedig seit dem Ende der 1630er Jahre und in den folgenden Jahrzehnten in steigendem Maße zum Zentrum der italienischen Opernpflege und zum Anziehungspunkt für junge, aufstrebende Opernkomponisten geworden. Sie brachten Werke hier zur Aufführung, auch wenn sie nicht in Venedig tätig waren, andererseits wurden Opern venezianischer Komponisten auch an anderen Orten Italiens aufgeführt, und dazu traten schon frühzeitig enge Beziehungen zum österreichischen Hof, wodurch es dann letztlich zu einer Annäherung, ja Verschmelzung von Hof- und Unternehmeroper kam.

In den 40er und 50er Jahren beherrschte Cavalli die venezianischen Opernbühnen fast ausschießlich. Allerdings erwuchs ihm schon in der Mitte dieser Zeit ein Rivale in dem jüngeren Antonio Cesti (1623—1669), der erfolgreich mit mehreren Opern in Venedig hervortrat, obwohl er weder von hier stammte noch einen Posten bekleidete. Wo der aus Arezzo gebürtige Künstler seine musikalische Ausbildung erhalten hat, ist unbekannt; möglicherweise war es das Rom Giacomo Carissimis und Giovanni Maria Abbatinis, auf keinen Fall war es jedoch Venedig. Wenn trotzdem vor allem seine Frühopern (L'ORONTEA 1649, L'ALESSANDRO VINCITOR DI SE STESSO [Alexander, Sieger über sich selbst], 1651) den vorangehenden Werken Cavallis, ja Monteverdis teilweise deutlich erkennbar stilistisch nahestehen, so ist dies ein Beweis für die Durchlässigkeit der „Schule" und die Herausbildung eines „panitalienischen" Opernstils, die im Grunde schon in dem Augenblick begonnen hatte, da die Gattung die Grenzen ihrer Florentiner Geburtsstadt überschritt. Zur Zeit von Cestis Auftreten begann auch Cavalli allmählich mehr und mehr an Stelle von ausdruckshaften rezitativischen Monologen geschlossene Formen zu verwenden, ohne daß jedoch der dramatische Fluß darunter gelitten hätte. Er folgte so, indem er mehr Musik in das Drama einströmen ließ, dem Geschmack des Publikums. Für Cesti fiel dieses Gebot der Stunde mit dem seiner ganz anders gearteten Veranlagung und Schulung zusammen. Er legte das Schwergewicht je länger je mehr auf geschlossene Formen als Tummelplätze seiner blühenden melodischen Erfindungsgabe, wobei er jedoch den dramatischen Zusammenhang nie ganz aus den Augen verlor. Seine großen Erfolge in Cavallis Venedig dürfte er seiner Fähigkeit verdankt haben, die dem dortigen Publikum vertraute musikdramatische Haltung mit ausgesprochen musikbetonten Partien organisch zu verbinden. Nicht minder erfolgreich war er später an den österreichischen Fürstenhöfen von Innsbruck und Wien. Seine letzte Oper IL POMO D'ORO (Der Paradiesapfel; Wien 1668) ist ein typisches höfisches Auftragswerk, eine prunkvolle Hochzeits- und Huldigungsoper, wie sie von Monteverdis ARIANNA bis zu Mozarts TITUS an den europäischen Fürstenhöfen gang und gäbe waren. Hier konnte Cesti seine vielseitige musikalische Begabung in weit stärkerem Maße entfalten als in den venezianischen Intrigendramen seiner Frühzeit. Die Szenen dieses Himmel und Hölle in Bewegung setzenden Werkes umfassen außer Rezitativen und Ariosi mitunter ganze Bündel von Arien der verschiedensten Haltung und Form, von der kantablen schwärmerischen Liebesarie im Tripeltakt, wie sie beispielsweise die Schäferin Ennone in der Szene I,6 singt bis zum volkstümlichen, spaßhaft-deklamatorischen Strophenlied, das z. B. die alte Amme Filaura in der Szene II,1 anstimmt und in dessen letzter Strophe sie sich ad spectatores wendet:

Antonio Cesti: Il pomo d'oro

Antonio Cesti: Il pomo d'oro

Dazu gesellen sich noch Ensembles, Chöre und Instrumentalsätze, die in Venedig nur vereinzelt auftraten, in einer höfischen Prunkoper aber unerläßlich waren und Cesti reichlich Gelegenheit gaben, sein urwüchsiges Musikantentum und sein solides musikalisches Können zu beweisen. So kreuzen sich in seinem Schaffen, ähnlich wie bei Monteverdi, nur in umgekehrter Reihenfolge, Impresa- und Hofoper, wozu sich bei ihm als dem Angehörigen einer jüngeren Generation noch das Nebeneinander von vorwiegend dramatischer und primär musikalischer Textbehandlung gesellt. Das große Ansehen, das er in seiner Zeit genoß, beruht nicht zuletzt auf dieser mehrfachen Synthese, die ihn über örtlich begrenzte „Schulen" hinaushob.

In Venedig selbst fand Cavalli zunächst keinen ebenbürtigen Nebenbuhler. Erst in seinen letzten Schaffensjahren von etwa 1660 an begann eine Reihe von jüngeren, der Generation Cestis angehörenden Komponisten, ihm den Rang streitig zu machen: Pietro Andrea Ziani, Antonio Sartorio, Giovanni Legrenzi, Carlo Pallavicino brachten ihre Opern annähernd gleichzeitig heraus, gefolgt von Vertretern der nächsten Generation wie Carlo Francesco Pollarolo und P. A. Zianis

Neffe Marc Antonio. Im Gegensatz zu Cesti stammten alle diese Meister aus Venedig oder Oberitalien und hatten kürzere oder längere Zeit musikalische Ämter in der Dogenstadt inne. Dementsprechend standen sie als Opernkomponisten mehr oder weniger deutlich erkennbar auf den Schultern Cavallis, zumal ihre Texte gleichfalls dem alten, von Faustini konsolidierten Typ des Intrigendramas angehörten. Freilich wurde dieser von Faustinis Nachfolgern mit Nebenhandlungen so überladen, und deren oft komische Träger erhielten ein so starkes Gewicht, daß der Titel häufig über den Charakter des Werkes gar nichts mehr aussagt und der Hörer zunächst nicht weiß, ob er eine ernste oder eine komische Oper vor sich hat. Dabei handelt es sich immer um Stoffe aus der antiken Mythologie und Geschichte, deren Helden eben mitunter durch das gleichberechtigte Zusammenwirken mit komischen Figuren in parodistischer Absicht der Lächerlichkeit preisgegeben werden. Dieses Schillern zwischen Tragik und Komik, zwischen Ernst und Parodie hebt diese spätvenezianische Librettistik deutlich erkennbar von der früheren ab und ist eines ihrer charakteristischsten Merkmale. Es erregte auch in besonders starkem Maße den Unwillen der Operngegner und fiel als erstes den Reformbestrebungen zum Opfer, die im Schaffen Apostolo Zenis und Pietro Metastasios ihre Vollendung fanden.

Die Musik nahm von dieser textlichen Haltung nur bedingt Notiz. Wohl war die Ausdrucksweise der lustigen Figuren vorwiegend die leichtbeschwingte Kanzonette etwa im Stil des Gesanges der alten, zur Erhöhung der Lächerlichkeit von einem Tenor verkörperten Amme Erinda aus I,4 des ORFEO von Antonio Sartorio (1673):

doch finden sich Gesänge dieses Typs auch unter den Äußerungen ernster Personen. Die Schlußarie des Kaisers Anastasio in der Szene II,4 von Giovanni Legrenzis GIUSTINO (1683) beginnt z. B. mit folgender heiter-volkstümlicher Phrase:

Im allgemeinen aber geben die Helden in ernsten Situationen ihren Empfindungen in weitgeschwungenen, im Tripeltakt stehenden Melodiebögen Ausdruck, wie z. B. der König Admet in der Szene I,4 von P. A. Zianis ANTIGONA DELUSA DA ALCESTE (*Die von Alkestis getäuschte Antigone*; 1660):

Pietro Andrea Ziani: ANTIGONA DELUSA DA ALCESTE

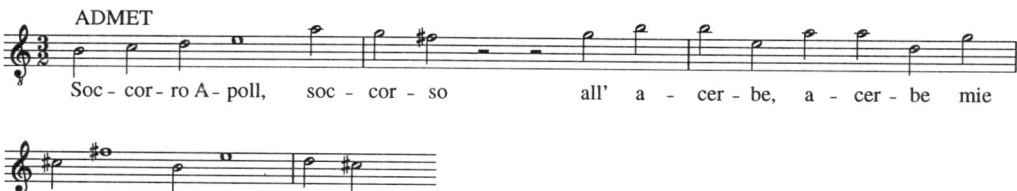

Diese beiden Arientypen, die sich bereits in Cavallis Werken finden und besonders vollendet bei Cesti erscheinen, beherrschen auch das gesamte Opernschaffen der genannten Komponisten. Zu ihnen gesellen sich in steigendem Maße tanzartige Gesänge der verschiedensten Art, so etwa die Arie Lucindas in der Szene I,5 aus Sartorios SELEUCO (1666):

Antonio Sartorio: SELEUCO

Viele von ihnen zeichnen sich durch stark volkstümliche Züge aus; war doch diese venezianische Oper recht eigentlich dem Geist des Volkes angepaßt. Die musikalische Haltung aller dieser Arientypen — einerseits pointiert deklamierte, metrisch scharf gegliederte, oft volkstümlich anmutende Phrasen, häufig über einem Baß von gleichförmiger Bewegung, und zum andern pathetisch dahinfließende, rhythmisch wie melodisch weiträumige Linien — erfährt im gesamten Schaffen aller dieser Meister grundsätzlich keine Änderung; sie alle bemühen sich bestenfalls, darin Cavalli folgend, um eine Charakterisierung der Situation, kaum je um eine Personencharakteristik. Neu aber ist in ihren Werken, wie in denen Cestis, die immer stärkere Verschiebung des Schwergewichts vom Rezitativ auf die Arie und im Zusammenhang damit deren wachsende Zahl und immer größere Ausdehnung. Dies wie auch die Hand in Hand damit gehende Verfestigung der Arienformen im Einzelnen und der Szenenanlage im Großen bedeutete sicherlich eine musikalische Bereicherung, doch wurde sie alsbald eingeengt durch eine fortschreitende Typisierung, die, verglichen mit dem Formenreichtum der 50er bis 70er Jahre, zu einer eindeutigen Verarmung führte. Im Gegensatz zu der ungebändigten Folge der mannigfachsten geschlossenen Formen, als die P. A. Zianis Oper ANTIGONA DELUSA DA ALCESTE erscheint, stellt die 19 Jahre später entstandene Oper CANDAULE desselben Komponisten ein ausgewogenes Ganzes dar, in dem Da-Capo-Arien das Übergewicht gewonnen haben und vornehmlich am Szenenschluß auftreten. In C. Pallavicinos GERUSALEMME LIBERATA (*Das befreite Jerusalem*; 1687) aber hat, trotz eines besonders buntscheckigen Zauber-Textes, die Verarmung durch die vollkommene Beschränkung auf eine ganz knappe Da-Capo-Form einen vorläufigen Höhepunkt erreicht. Auch hier herrscht, wie der folgende Beginn einer Arie Tancredis in der Szene I,14 (S. 60) zeigt, der volkstümliche Liedton vor, der die Oper dieser Zeit je länger je mehr durchdringt. Dem Rezitativ wurde in den Werken dieser Gruppe durch die stärkere Betonung der Arien viel von seinem ursprünglichen musikali-

Carlo Pallavicino: La Gerusalemme liberata

schen Gehalt entzogen. Daß es jedoch noch keineswegs ganz zum „trockenen" secco wurde, sondern immer noch ariose Einschübe und, gerade in inhaltlich wichtigen Situationen, Stellen von höchster Audruckskraft enthält, zeigt, daß die später deutlich spürbare Trennung von Musik und Drama hier noch durchaus nicht vollzogen war. Die langsam chromatisch aufsteigende Deklamation, mit der Antioco, der Sohn des Königs Seleuco, in I,16 der gleichnamigen Oper von Sartorio seine Verzweiflung zum Ausdruck bringt, deutet genau so wie die Schreckensrufe Euridices

Antonio Sartorio: Seleuco

nach dem Biß der Schlange in II,21 von Sartorios Orfeo noch immer auf den Zusammenhang

Antonio Sartorio: Orfeo

mit der seit Monteverdi ungebrochenen Tradition des Ausdrucksrezitativs hin. Sein Erbe sollte im Zuge der wachsenden Rolle der Orchesterbegleitung das Akkompagnato-Rezitativ übernehmen.

Ensembles spielen bei allen diesen Meistern nur eine geringe Rolle. Terzette und Quartette erscheinen ganz selten, meist, wie z. B. in Zianis Antigona und Legrenzis Giustino, an Aktschlüssen, und sind kurz und wenig charakteristisch. In den gleichfalls nicht sehr zahlreichen Duetten wird die konzertierende Schreibweise hier und da von einem strenger kontrapunktischen

Satz abgelöst. Der Chor ist in diesen Opern fast ganz verschwunden. Wo er einmal auftritt, wie z. B. in der Jagdszene I,12 von Zianis CANDAULE, ist er musikalisch bedeutungslos.

Die Notierung der Werke läßt auf eine bloße Begleitung der Singstimmen durch Cembalo und verstärkende Baßinstrumente schließen, wobei der Baß manchmal imitierend oder konzertierend an der Melodik der Singstimme teilnimmt. Die drei-, vier- oder fünfstimmigen Ritornelle, deren Besetzung nicht immer angegeben ist und die die Arien gewöhnlich eröffnen, nicht selten aber auch beschließen, sind einem klein besetzten Streichorchester anvertraut, ebenso auch die selten vorkommenden instrumentalen Zwischenspiele sowie die nur in Ausnahmefällen mehrstimmig ausgeschriebene Gesangsbegleitung. Wenn es der Text einer Arie fordert, treten gelegentlich konzertierende Instrumente, zumeist Trompeten, zur Singstimme hinzu. Dies ist auch in den Einleitungssinfonien mitunter der Fall, Sätzen festlichen Charakters aus zwei oder mehr kontrastierenden Teilen ohne Beziehungen zu der folgenden Oper. Selbständige Instrumentalsätze innerhalb der Opern erscheinen nur selten und bei besonderen Gelegenheiten. So wird z. B. die Szene Orfeos vor Pluto III,13 in Sartorios ORFEO durch eine typische, auf Akkordwiederholungen abgestimmte Höllensinfonie eingeleitet.

Venedig war aufgrund seines opernfreudigen Publikums und seiner vielen Theater eindeutig in der zweiten Hälfte des 17. Jahrhunderts der Mittelpunkt der italienischen Oper. Von hier aus wurde die Opernpflege des ganzen Landes teils durch Übernahmen unmittelbar gespeist, teils mehr oder weniger stark beeinflußt; waren doch auch die äußeren Aufführungsbedingungen bei den öffentlichen Theatern trotz vieler Verschiedenheiten im Einzelnen grundsätzlich die gleichen. Der Typ der barocken Unternehmeroper erschien also im letzten Drittel des Jahrhunderts, individuell jeweils etwas abgewandelt, im Schaffen jener Venezianer so gut wie in dem des Römers Alessandro Stradella (1644—1682) oder in dem des in Bologna ausgebildeten Giacomo Antonio Perti (1661—1756). Dabei brachte Stradella als Schüler Ercole Bernabeis eine besondere Vorliebe für kontrapunktische Satzweise in den Arien-Ritornellen in den herrschenden Stil ein und hat mit seiner Oper IL TRESPOLO TUTORE einen der letzten Beiträge zur barocken komischen Operngattung im engeren Sinne geschaffen.

Vor allem aber schöpften auch Süditaliener wie Francesco Cirillo, Francesco Provenzale (1627—1704) und schließlich Alessandro Scarlatti (1660—1725) noch aus den gleichen Quellen, denn die Anfänge der Oper in Neapel, die 1651/52 von der Truppe der „Febi Armonici" dorthin gebracht war, standen ganz im Zeichen Venedigs[5]. Von Cirillo ist außer einigen Nummern in Cestis ORONTEA, die ihm zugeschrieben werden können, nichts erhalten, von Provenzale sind es nur zwei Opern aus den 70er Jahren, die ihn als sehr selbständigen Vertreter des von Venedig ausgehenden, mit geringen Abwandlungen vom ganzen Land akzeptierten Opernstils ausweisen[6].

Die Texte von dem aus Palermo stammenden Andrea Perrucci, der auch als Dialektdichter einen Namen besaß, sind Intrigendramen im Stile der Zeit, nur ohne das parodistische Ineinandergleiten von Ernst und Komik, das so viele spätvenezianische Libretti charakterisiert; die Welt der Diener ist hier nicht zuletzt durch die gelegentliche Verwendung des Dialekts klar von der der Herren geschieden.

Alessandro Scarlattis Schaffen nimmt innerhalb der Opernproduktion der Jahrhundertwende eine ähnliche Stellung ein wie dasjenige Cestis eine Generation zuvor. Es wurzelt, obwohl auch er kein Venezianer war, wie jenes grundsätzlich in der venezianischen Tradition, drückt ihr aber im Laufe der Zeit mehr und mehr einen eigenen Stempel auf. Wie Cesti hat auch er für Adels- und

---

5 William Park Stalnaker, The Beginnings of Opera in Naples, Diss. Princeton University 1968.
6 Hugo Goldschmidt, Francesco Provenzale als Dramatiker, in: Sammelbände der Internationalen Musikgesellschaft VII, 1905/06, S. 608—634.

Fürstenhöfe wie für öffentliche Theater geschrieben, doch hat diese verschiedene Bestimmung sich weder bei ihm noch bei seinen spätvenezianischen Kollegen — auch die beiden Ziani und C. Pallavicino standen in späteren Jahren in Hofdiensten — in den Werken niedergeschlagen, ein weiteres Zeichen für die Konsolidierung des Operntyps. Scarlattis reiches Opernschaffen gruppiert sich symmetrisch um die Jahrhundertwende; es begann 21 Jahre davor und endete 21 Jahre danach. 1723, zwei Jahre vor Scarlattis Tod, aber erschien als Vorbote einer neuen Zeit das erste Drama des jungen Pietro Metastasio, LA DIDONE ABBANDONATA (*Die verlassene Dido*), auf der Bühne. Diese, obschon äußerlichen, Tatsachen charakterisieren Scarlatti als Meister des Übergangs. Seine epochemachende Bedeutung liegt darin, daß die Prinzipien der barocken Freiheit und der klassischen Zügelung bei ihm von Anfang an harmonisch vereint sind, wenn sich auch das Schwergewicht etwa von der Jahrhundertwende an mehr und mehr von der einen auf die andere verlagert. Sein Schaffen stellt damit abschließend eine Synthese der Tendenzen dar, die die ganze zweite Jahrhunderthälfte beherrscht hatten, und vorausweisend derjenigen, die die erste Hälfte des 18. Jahrhunderts beherrschen sollten. Seine vorwiegend für Rom und Neapel geschriebenen Opern stehen in der Frühzeit ganz auf dem Boden des Herkommens. In ihnen ist das Rezitativ genauso bewegt und abwechslungsreich wie bei seinen venezianischen Altersgenossen und genauso an affektgeladenen Textstellen von ariosen Einschüben durchsetzt. In der Szene II,1 der Oper L'HONESTÀ NEGL'AMORI (*Die Ehrlichkeit in der Liebe*; 1680) findet sich z. B. in der rezitativischen Betrachtung der Heldin Rosmira in II,1 der folgende, auch noch durch Wortwiederholungen hervorgehobene Verzweiflungsausbruch:

Alessandro Scarlatti: L'HONESTÀ NEGL'AMORI

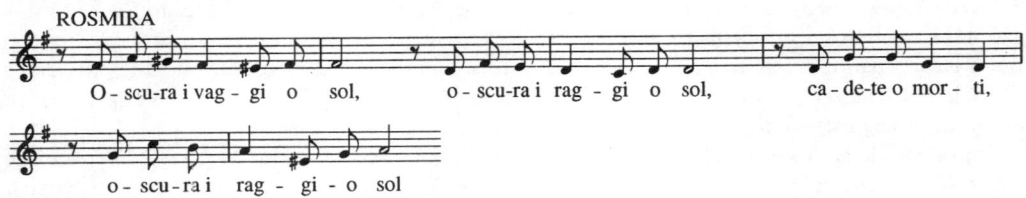

Das Rezitativ der Spätopern (CAMBISE und MARCO ATTILIO REGOLO 1719 und GRISELDA 1721) entbehrt solcher arioser Phrasen weitgehend und wirkt darum im Ganzen monotoner, obwohl es im Einzelnen die alte Beweglichkeit bewahrt hat. An Stelle jener kurzen ariosen Auflockerungen werden dagegen, wenn auch nur selten, außergewöhnliche Situationen durch instrumental begleitete Akkompagnato-Rezitative hervorgehoben, so z. B. in CAMBISE I,6 die racheheischende Anrufung der Götter durch die Heldin Rosane und in ATTILIO REGOLO III,9 die Orkus-Vision der Heldin Fausta.

Diese Wandlung erfolgte im Zusammenhang mit der häufigeren Heranziehung von Instrumenten, die sich seit der Mitte von Scarlattis Schaffen deutlich bemerkbar macht. Um diese Zeit kristallisiert sich bei ihm auch aus der Vielgestalt venezianischer Operneinleitungen die dreisätzige sogenannte „italienische Sinfonie" aus einem einleitenden Allegro, einem kurzen langsamen Mittelsatz und einem abschließenden tanzhaften Presto heraus, die zur Grundlage der klassischen Sinfonie werden sollte. Wurden die Arien der Frühopern, wie auch die der gleichzeitig in Venedig entstandenen Werke, in der Regel nur vom Cembalo (mit stützenden Baßinstrumenten) begleitet und lediglich von meist vierstimmigen Ritornellen des Streichorchesters umrahmt, so enthält beispielsweise die ERACLEA von 1700 nur noch wenig Cembalo-Arien; in der Mehrzahl treten zur Singstimme die „Violini unisoni" oder ein Streichquartett, bei besonderen inhaltlichen Anlässen auch Soloinstrumente (Trompete, Violine, Violoncello) hinzu, und wesentlich abwechslungsreicher und anspruchsvoller ist die Instrumentation dann in den Spätopern. Dabei zeigt sich auf Schritt und Tritt Scarlattis Neigung zu kontrapunktischer Arbeit, in die Singstimme und Instrumente gleichermaßen einbezogen sind. In den Frühopern äußert sich dieses Streben in der aktiven Beteiligung des Basses am musikalischen Geschehen, sei es in Gestalt einer durchgehenden Achtelbewegung, von ostinaten oder quasi ostinaten Motiven oder von Singstimmen-Imitationen.

Formal herrscht in diesen Opern noch die alte barocke Freiheit: Die Szenen können rein rezitativisch sein, aber auch, wie z. B. die Szene III,1 der HONESTÀ NEGL'AMORI, ganze Arienzyklen enthalten; unter den mannigfaltigen Arienformen herrscht nur die, meist durch eine Devise eingeleitete, dreiteilige Strophenform vor. Von der Arie des Ali aus I,4 der genannten Oper wird z. B. die Anfangsphrase zunächst allein als Devise vorangestellt und dann vom Baß aufgenommen, bevor die vollständige Melodie erscheint:

Alessandro Scarlatti: L'HONESTÀ NEGL' AMORI

Sie ist mit ihrem weiten Atem, ihrer scharfen primär musikalischen Gliederung und der damit in Einklang stehenden pointierten, sinngemäßen Deklamation ein typisches Beispiel für Scarlattis Erfindungsweise, die ihn recht eigentlich dazu prädestinierte, zum Meister des Übergangs zwischen der Barockoper, die ihre Herkunft vom Sprechgesang bis zuletzt nicht verleugnen konnte, und der auf Kantabilität abgestimmten reinen Gesangsoper des 18. Jahrhunderts zu werden.

In den Arien der späten Opern hat Scarlatti den Übergang zur Da-Capo- bzw. Dal-Segno-Form endgültig vollzogen; bereits in der in der Mitte seines Schaffens stehenden ERACLEA finden sich nur wenig Ausnahmen von dieser Regel. Ging aber etwa bei C. Pallavicino in seiner GERUSALEMME LIBERATA (1687) mit dieser formalen Verarmung auch eine Verkleinerung, gleichsam Bagatellisierung der Arien selbst Hand in Hand, so erfüllt Scarlatti die neue Form im Gegensatz dazu mit erhöhter Ausdruckskraft und einem Pathos, das nicht selten an Händel gemahnt. Als Beispiel hierfür sei die Arie der Mirena aus I,10 der Oper CAMBISE angeführt:

Alessandro Scarlatti: CAMBISE

Daneben fehlt es nicht an lieblichen, tanzhaften Arien in der Art der folgenden aus CAMBISE I,1:

Alessandro Scarlatti: CAMBISE

Alle Gesänge sind ihrer Haltung nach dem jeweiligen Text angemessen. Dabei lassen sich in den früheren Opern einzelne Typen unterscheiden, so vor allem der lieblich-kantable im 3/2 bzw. 12/8-Takt mit weitgeschwungenen Melodiebögen und dagegen der deklamatorische aus knappen zweitaktigen Phrasen im geraden Takt. In den späten Opern ist jedoch der musikalische Erfindungsreichtum so groß, daß sich kaum Typen herausstellen lassen. — In den Arien der komischen Dienergestalten, die sich stets nur am Rande der Handlung bewegen, sowie in der komischen Oper IL TRIONFO DELL'ONORE (Der Triumph der Ehre; 1718) macht sich bereits die Sprache der opera buffa mit ihrem parlando, ihren gewollt simplen Motivwiederholungen und ihren volkstümlichen Wendungen bemerkbar.

Ensembles sind in Scarlattis frühen wie in seinen späten Opern so selten wie bei den Venezianern; meist handelt es sich um knappe Duette in Form und Haltung der Arien, in denen die Stimmen miteinander alternieren oder konzertieren. Als besonders charakteristisch stechen die oft an den beiden ersten Aktschlüssen stehenden Buffoduette hervor.

Mit seiner letzten erhaltenen Oper GRISELDA (1721) hat Scarlatti dann, ohne sich selbst untreu zu werden, den letzten Schritt zum textlich wie musikalisch einheitlichen neuen Operntyp des 18. Jahrhunderts getan. Komische Figuren fehlen hier ganz, ebenso auch das Ineinandergreifen von Rezitativ und Arie, wie es noch im ATTILIO REGOLO wirkungsvoll hervortrat. Vor allem aber haben die Arien hier durch größere Dimensionen von wohlausgewogenen musikalischen Perioden, kühne Harmonik, stets charakteristische melodische Phrasen und enges Zusammenwirken von Singstimme und Instrumenten nicht nur musikalisch, sondern auch für das Drama als Ganzes eine ausschlaggebende Bedeutung erlangt. Handlung und Musik, Rezitativ und Arie sind zwar äußerlich eindeutig voneinander getrennt, die Affekte aber, die das Geschehen innerlich tragen bzw. aus ihm erwachsen, erfahren durch die Arien eine so intensive Ausdeutung, daß die Musik und der seelische Gehalt des Dramas insgesamt darin letztlich doch eins werden.

## Die Textreform um 1700 — Pietro Metastasio

Hundert Jahre nach dem Entstehen der Oper vollzog sich, wieder um eine Jahrhundertwende, zwar nicht die erste, aber eine der einschneidendsten geistesgeschichtlich bestimmten Wandlungen der Gattung. Sie streifte das buntscheckige barocke Gewand aus mehr oder weniger durchschaubaren, eng miteinander verflochtenen pathetisch-ernsten und grotesk-komischen Handlungselementen, das Durcheinander von mythologischen, allegorischen, fantastischen, historischen und grob realistischen Handlungsträgern, zugleich aber auch die bunte Fülle an Formen und deren Verbindungsmöglichkeiten ab und wandte sich einem neuen Ideal der Einheit und strengen Regelhaftigkeit zu, ohne daß freilich die innere Dynamik der Handlung darunter gelitten hätte.

War die italienische Barockoper textlich im Wesentlichen ein italienisch-spanisches Produkt gewesen, so machte sich bei dem Umschwung — nun deutlich erkennbar — zum ersten Mal französischer Einfluß bemerkbar. In Ermangelung ebenbürtiger einheimischer Vorbilder begannen jetzt gerade die Librettisten, die auf mehr als nur die Befriedigung des Publikums bedacht waren, Anregungen von der französischen Tragödie Corneilles und Racines aufzunehmen, deren strenge Rationalität und Klassizität scharf von dem unausgeglichenen Vielerlei abstach, das die italienischen Opernbühnen des ausgehenden 17. Jahrhunderts beherrscht hatte. Dies ist die erste Begegnung italienischen und französischen Geistes auf der Opernbühne, wobei allerdings das Italienertum der in der venezianischen Tradition aufgewachsenen Dichter naturgemäß die Oberhand behielt.

Wie jede epochemachende Veränderung, so vollzog sich auch dieser Übergang von der barocken Librettistik des 17. Jahrhunderts zu der des 18. ganz allmählich im Schaffen einer ganzen Generation von Operndichtern (u. a. Girolamo Frigimelica Roberti, Silvio Stampiglia, Pietro Pariati, Francesco Silvani, Antonio Salvi, Domenico Lalli), wie durch neuere Forschungen nachgewiesen worden ist[1]. Wenn die Reform vornehmlich mit dem Namen eines einzigen dieser Generation angehörigen Mannes, des Venezianers Apostolo Zeno (1668—1750), verbunden worden ist, so einmal deshalb, weil er schon unter seinen Zeitgenossen als Gelehrter und Schriftsteller besonders angesehen war, dann aber auch, weil er sich vor anderen darum bemühte, der über die Achsel angesehenen Gattung des Librettos zu einem gewissen Ansehen zu verhelfen.

Die Mittel, deren er sich dabei bediente, finden sich in verschiedener Zusammenstellung teilweise schon vor ihm in Werken seiner Zeitgenossen. Im Mittelpunkt stand dabei die Straffung der Handlung durch Beschränkung der fast ins Uferlose angewachsenen Personenzahl und Zurückdrängung der Nebenhandlungen, der anfangs nur zögernd, im Laufe der Zeit aber in zunehmendem Maße die Göttergestalten und die komischen Figuren zum Opfer fielen.

Ihre Stoffe nahmen Zeno und seine Zeitgenossen, wie ihre Vorgänger, vorwiegend aus der antiken Mythologie und Geschichte, wobei sie mit mehr oder weniger Erfolg danach strebten, die handfesten praktischen Forderungen der Opernbühne mit den theoretischen des klassischen französischen Dramas in Einklang zu bringen. Wie beispielsweise auch sein Zeitgenosse Frigimelica Roberti gefiel sich Zeno darin, sich in langen, wissenschaftlichen Abhandlungen gleichenden Vorreden über die Herkunft des jeweiligen Stoffes, die Art seiner Behandlung und deren Verhältnis zu den Regeln des Aristoteles auszulassen. Diese betont gelehrte Einstellung traf häufig auf den Spott zeitgenössischer Kritiker[2] und anderer Librettisten, die bedenkenlos den Forderungen des Publikums nachgaben, doch waren die Libretti, die diesen Einleitungen folgten, gewöhnlich nicht weniger bühnenwirksam als jene; waren doch auch ihre Verfasser, voran der gebürtige Venezianer Zeno, in der gleichen Libretto-Tradition aufgewachsen.

Hand in Hand mit der allmählichen inhaltlichen Straffung und Glättung der Texte ging ein Streben nach formaler Vereinheitlichung. Hatte die Verlegung des musikalischen Schwergewichts vom Rezitativ auf die Arie schon seit der Mitte des Jahrhunderts zunehmend zu einer Vermehrung der Arien und einem regelmäßigen Wechsel von Arie und Rezitativ geführt, so wurde dieser jetzt mehr und mehr in den Dienst des Szenenaufbaus und des Personenverkehrs gestellt: Als vorherrschende Szenenform kristallisierte sich jetzt, neben kurzen reinen Rezitativszenen, das Schema Rezitativ-Arie heraus, wobei die Arie zumeist die Funktion der Abgangsarie erhielt.

So erscheint die Librettistik um 1700, weit stärker als die Musik, als charakteristisches Spiegelbild des Übergangs zwischen der Freude am regellosen Spiel mit Gegensätzen und Absonderlichkeiten der mannigfachsten Art und dem Streben, dieses bunte Geschehen zu systematisieren und durch Straffung zu verfeinern.

---

1 Vgl. Robert Freeman, Opera Without Drama (1967) und Apostolo Zenos Reform of the Libretto (1968) sowie K. Leich, Girolamo Frigimelica Robertis Libretti (1972).
2 Vgl. Benedetto Marcello, Il Teatro alla Moda, Venedig o.J. (1720?).

# Pietro Metastasio

Dieses farbige Gewimmel, das aus den Federn der verschiedensten Librettisten stammte, wurde nun durch das Schaffen eines Mannes gebändigt, der wie keiner vor ihm die Fähigkeiten der dichterischen Durchdringung seine Stoffes und dessen ganz auf die Belange der Musik abgestimmter Wiedergabe verband. Pietro Metastasio (ursprünglich: Trapassi; 1698—1782) hatte als Schüler des angesehenen Literaten und Rechtsgelehrten Gian Vincenzo Gravina in Rom eine glänzende humanistisch-literarische Bildung empfangen und seine dichterische Begabung in intensiver Beschäftigung mit den Dichtungen Tassos und Guarinis selbständig weiterentwickelt. Schon frühzeitig erwarb er sich durch elegante, festliche Gelegenheitsdichtungen einen Namen und wurde bald in den römischen Gelehrten- und Dichterkreis der „Arcadia" aufgenommen. Selbstverständlich war auch er daneben mit der klassischen französischen Tragödie vertraut und hatte, last not least, tiefe Einblicke in die Operndichtung seiner Zeit getan. Sein Werk, das ihn zum Abgott seiner Zeit machen sollte, erwuchs also auf einer denkbar breiten, vielgestaltigen Basis. Ausschlaggebend für seinen außergewöhnlichen Ruhm war vor allem seine Fähigkeit, gleichzeitig als Dramen- wie als Operndichter zu brillieren.

Sein „dramma per musica" galt allgemein als das italienische Drama des 18. Jahrhunderts schlechthin. Er betonte mit Stolz, daß seine Dramen auch ohne Musik ihre Wirkung ausübten; andererseits aber äußerte er, der auch gründliche musikalische Kenntnisse besaß, er habe nie eine Arie gedichtet, ohne sie sich nicht vertont vorgestellt zu haben. Auf diesen, den knappen und eleganten, bilderreichen, meist zweistrophigen Arientexten beruhte denn auch der Hauptreiz von Metastasios „poesia per musica", dem sich kein zeitgenössischer Komponist entziehen konnte, während die freien, meist reimlosen, gewandten Verse, denen die raffiniert-intrigenreiche Handlung anvertraut war, in der Tat der Musik auch entraten konnten. Aufgrund dieser geschickten Gattungsverschmelzung hatte es der Dichter auch nicht nötig, sich, wie Zeno und andere Librettisten, in Briefen oder Vorreden wegen seiner Beschäftigung mit der verachteten Gattung des Operntextes quasi zu entschuldigen.

## Die Technik des metastasianischen Libretto

Die Grundlage der metastasianischen „drammi per musica" bildete, allen höheren Ambitionen des Dichters zum Trotz, gerade in seiner Blütezeit bis gegen 1740 die Librettistik der vorangehenden Jahrzehnte mit ihrem buntbewegten Treiben, nur daß er dieses — weit über die straffenden Ansätze bei älteren Librettisten hinausgehend — von allen Nebensächlichkeiten (Göttergestalten, komischen Figuren und unmotivierten Nebenhandlungen) rigoros gereinigt hatte und die Intrigen, die es bewegen, raffiniert durchdacht und aufs Feinste gesponnen waren. — Auf seine engen und vielgestaltigen literarischen Beziehungen zu den Dramen Corneilles und Racines ist in der Literatur oft und eingehend hingewiesen worden[3], zugleich aber auch darauf, daß der Heroismus seiner Helden teils durch die Bestimmung seiner Dichtungen für die Musik, teils aber auch durch die Bindung dieser Kunst des kaiserlich Wiener Hofpoeten an die gesellschaftliche Konvention der Zeit, verglichen mit dem Ernst der französischen Tragiker, bedeutend leichter, ja virtuosspielerisch aufgelockert wirkt.

---

[3] Vgl. vor allem A. Trigiani, Il teatro raciniano e i melodrammi di Pietro Metastasio.

Die Bedeutung von Metastasios librettischem Schaffen beruhte einmal auf der Konstituierung eines festen und doch wandelbaren Handlungsschemas, zum anderen auf der Verwendung typischer und doch gleichfalls wandelbarer Figuren und endlich auf der Meisterschaft, mit der er für deren ebenfalls typische Affektäußerungen immer wieder neue, elegante Variationen fand. Als Sujets wählte er, wie seine Vorgänger, vorwiegend Stoffe aus der antiken Mythologie oder Geschichte. Das „lieto fine" war bei ihm wie schon früher quasi eine conditio sine qua non. Selbst ein Literaturpapst wie er wagte nur in wenigen Fällen (DIDONE ABBANDONATA, CATONE IN UTICA, ATTILIO REGOLO), von dieser für den festlichen Gelegenheitscharakter der Gattung so charakteristischen Regel abzuweichen.

Als Beispiel für viele sei hier die Handlung des dramma OLIMPIADE (1733) angeführt, da sie besonders deutlich zeigt, wie fest Metastasio im Boden des librettistischen Herkommens wurzelte, aber auch den neuen Geist erkennen läßt, mit dem er es erfüllt hat. Träger der Handlung sind traditionsgemäß zwei Liebespaare und eine königliche Vatergestalt. Zur Lösung des Knotens benötigt der Dichter hier noch zwei Nebenfiguren, so daß die sonst bei ihm übliche Sechszahl der Personen um eine erhöht ist. Die beiden jungen Liebenden Licida und Megacle haben jeweils ihre Heimat verlassen, weil die Väter ihrer Geliebten Argene und Aristea ihnen deren Hand verweigerten. Auf diese Weise war Licida nach Elis gekommen, wo gerade die olympischen Spiele stattfanden. Als Siegespreis hatte der König Clistene die Hand seiner Tochter Aristea ausgesetzt. Licida wird nun von so heftiger Liebe zu ihr ergriffen, daß er Argene darüber vergißt und sie zu gewinnen trachtet. Da er aber im Wettkampf ungeübt ist, bittet er seinen Freund, den mehrfachen olympischen Sieger Megacle, für ihn den Preis zu erringen. Megacle, dem Licida früher einmal das Leben gerettet hat, sagt aus Dankbarkeit und Freundestreue zu, erfährt aber erst danach, daß es sich bei dem Preis um seine Geliebte Aristea handelt, um derentwillen er die Heimat verlassen hatte. Nun entbrennt in ihm ein furchtbarer Kampf zwischen dem gegebenen Wort sowie der Verpflichtung gegenüber dem Lebensretter und dem Wunsch, die Geliebte für sich selbst zu erobern. Die Ehre siegt: Er kämpft, wie versprochen, für den Freund. Doch der Betrug wird entdeckt, und Licida wird zum Tode verurteilt. Da enthüllt im letzten Moment ein Vertrauter, daß er der Sohn des Königs Clistene und der Bruder Aristeas ist (er war als Kind auf einen Orakelspruch hin ausgesetzt worden). Doch Clistene will um der Gerechtigkeit willen auch an dem wiedergefundenen Sohn das Todesurteil vollstrecken lassen. Megacle bedeutet ihm jedoch, der Tag, für den ihm die Herrschaft über die Spiele übertragen war, sei bereits vorbei, und so finden sich sehr plötzlich unmittelbar vor dem Schluß zwei glückliche Paare zusammen.

Das Geschehen mutet so bunt an wie nur je in einem Libretto des 17. Jahrhunderts; typisch für ein solches sind auch Einzelheiten wie die Kindesaussetzung, die Annahme falscher Namen (auch Argene hatte sich nämlich, unter dem Schäfernamen Licori, nach Elis begeben) und die Wandelbarkeit des einen Liebenden. Doch das alles spielt sich ohne jede ablenkende Zutat zwischen einer Mindestzahl von Handelnden ab. Vor allem aber ist dieses fein gesponnene Intrigenspiel nicht, wie früher, Selbstzweck, sondern es ruft seelische Konflikte hervor, die zur moralischen Läuterung der Helden und zum Sieg der sittlichen Ordnung führen.

## *Überblick über die Dramen Metastasios*

Die erste selbständige Oper Metastasios, LA DIDONE ABBANDONATA (*Die verlassene Dido*), erschien in der Komposition von Domenico Sarro 1724 in Neapel. Es folgten von 1726 bis 1730 sechs weitere Werke, fünf davon von Leonardo Vinci vertont und größtenteils in Rom aufgeführt. 1730 wurde Metastasio als Nachfolger Zenos und Poeta Cesareo an den Wiener Hof berufen, wo er bis zu seinem Ende blieb. Hier entfaltete er besonders im ersten Jahrzehnt eine rege Tätigkeit; die Dramen des Jahres 1733, OLIMPIADE und DEMOFOONTE, und LA CLEMENZA DI TITO (*Die*

*Milde des Titus*) von 1734, alle drei erstmals von Antonio Caldara komponiert, bilden Höhepunkte seines Schaffens. Mit dem Tode Kaiser Karls VI. 1740 fanden allerdings die regelmäßigen Aufführungen italienischer Opern am Wiener Hof ein Ende. Die Opernpflege wurde durch die kriegerischen Ereignisse, die die ersten Regierungsjahre Maria Theresias beschatteten, stark beeinträchtigt. Die opera seria erschien jetzt nur noch bei ganz besonderen Gelegenheiten und wurde bald fast völlig von der von Hof und Aristokratie bevorzugten französischen Dramenkunst einschließlich der neuen Vaudevillekomödie verdrängt. Diese Verhältnisse spiegeln sich in Metastasios Librettoschaffen quantitativ wie qualitativ deutlich erkennbar wider: In den drei Jahrzehnten von 1741 bis zu seiner letzten Oper, dem von Johann Adolf Hasse komponierten RUGGIERO von 1771, hat er zusammengenommen nur 9 Libretti, d. h. eines weniger als allein im ersten Jahrzehnt seines Wiener Aufenthalts, geschrieben. Vor allem aber zeigen diese Werke eine ganz starke inhaltliche Abhängigkeit von früheren Dramen des Meisters, nur daß von dem Reichtum der Blütezeit nichts als der glasklare Aufbau übriggeblieben ist; so wirkt beispielsweise RUGGIERO wie ein Gerippe von OLIMPIADE, NITTETI (Madrid 1756) wie eine Abstraktion von DEMOFOONTE. Der von Gegnern des Dichters erhobene Vorwurf, er habe sich zuletzt selbst ausgeschrieben, ist also nicht unberechtigt. Dabei kommt seine Meisterschaft in der Führung der Handlung aber auch, ja besonders, hier deutlich zur Geltung.

Unter seinen Aufgaben als kaiserlicher Hofdichter spielten auch festliche dramatische Gelegenheitsdichtungen, meist als „festa" oder „azione teatrale" bezeichnet, keine geringe Rolle. In diesen mythologisch-allegorischen, eleganten Huldigungsgedichten (z.B. IL NATALE DI GIOVE [*Die Geburt des Zeus*] 1760, IL SOGNO DI SCIPIONE [*Der Traum des Scipio*] 1743, ALCIDE AL BIVIO [*Alkides am Scheideweg*] 1740, PARTENOPE 1767) feierte Metastasio, der glänzende Arkadier und gewandte Beherrscher der gesellschaftlichen Konvention, wahre Triumphe, während seine Oratorientexte in Aufbau und Ausdrucksweise ganz mit den Dramen übereinstimmen.


## *Die Wirkung Metastasios auf die Oper seiner Zeit*

Pietro Metastasio hat die italienische Opernbühne seiner Zeit beherrscht wie kein Textdichter vor oder nach ihm. Sein großes Ansehen gründete sich, abgesehen von seiner anerkannten Doppelfunktion als Dramen- und als Operndichter, vor allem auf die Tatsache, daß er seiner Zeit aus der Seele sprach. Er zeigte ihr im Spiegel einer in die Antike versetzten höfischen Welt, wie Edelmut, Pflichtgefühl, Treue und Selbstbeherrschung letztlich über die niederen Triebe den Sieg davontragen, wie die naturgegebene Ordnung über das Chaos der Leidenschaften triumphiert. Für die Komponisten aber, die scharenweise zu seinen Libretti griffen, kam als ausschlaggebendes Merkmal noch hinzu, daß er die vor anderen zu musikalischer Ausdeutung bestimmten Teile, d. h. die Arienstrophen, bereits aus dem Geiste der Musik heraus erfunden hatte.

Einige Beispiele mögen einen Einblick in die Vielseitigkeit seiner Ausdruckskraft und in seinen Formenreichtum geben. Die folgende Gleichnisarie aus OLIMPIADE I,3, in der die unbezähmbare Ungeduld des Pferdes, das den Stall wittert, mit der Ungeduld der von freudiger Hoffnung erfüllten Seele gleichgetzt wird, gibt schon durch ihre aus Trochäen und Daktylen zusammengesetzten Zehnsilbler bildhaft die schlagenden Pulse des erregten Sprechenden wieder:

> Quel destrier, che all'albergo è vicino,     Tal quest'alma, che piena è di speme,
> Più veloce s'affretta nel corso;     Nulla teme, consiglio non sente;
> Non l'arresta l'angustia del morso,     E si forma una gioja presente
> Non la voce, che legge gli dà.     Del pensiero che lieta sarà.

Vorwiegend in leicht dahinfließenden Fünfsilblern bewegt sich die ironische Betrachtung über die Treue des Liebenden in I,7 derselben Oper:

> Più non si trovano
> Fra mille amanti
> Sol due bell'anime
> Che sian costanti,
> E tutti parlano
> Di fedeltà.
>
> E 'l reo costume
> Tanto s'avanza
> Che la costanza
> Di chi ben ama
> Ormai si chiama
> Semplicità.

Mit einem temperamentvollen Wutausbruch beschließt ein von Furien besessener Liebhaber in Siebensilblern den zweiten Akt:

> Gemo in un punto e fremo;
> Fosco mi sembra il giorno;
> Ho cento larve intorno,
> Ho mille furie in sen.
>
> Con la sanguigna face
> M'arde Megera il petto;
> M'empie ogni vena Aletto
> Del freddo suo velen.

Zwei aufeinander bezogene Arien aus EZIO (1728) sind Beispiele für ein tieferes Eindringen in das Empfindungsleben der Darsteller: In I,4 bekennt sich Fulvia zu ihrem Vater Massimo, wendet sich aber von seinen verräterischen Plänen ab:

> Caro padre, a me non dei
> Rammentar che padre sei;
> Io lo so, ma in questi accenti
> Non ritrovo il genitor.
>
> Non son io chi ti consiglia;
> È il rispetto d'un Regnante,
> È l'affetto d'una figlia,
> È il rimorso del tuo cor.

In II,4 stellt er ihr aufgebracht frei, ihn, den Vater, zu verraten.

> Va' dal furor portata!
> Palesa il tradimento;
> Ma ti sovvenga ingrata,
> Il traditor qual'è.
>
> Scopri la frode ordita;
> Ma pensa in quel momento
> Ch'io ti donai la vita,
> Che tu la togli a me.

Seit dem Erscheinen der ersten Oper über ein Libretto Metastasios gab es im 18. Jahrhundert kaum ein Jahr, in dem nicht ein Werk von ihm herausgekommen wäre, wohl aber viele, in denen zwei bis vier und mehr von ihm das Rampenlicht erblickten. Unter seinen Komponisten finden sich die bedeutendsten Namen des Jahrhunderts. Aber auch kleinere Meister griffen mit Vorliebe zu seinen Libretti, von denen einige unzählige Male komponiert worden sind, kurz: die Bezeichnung „metastasianische Oper" für die ernste italienische Oper des 18. Jahrhunderts, die Rudolf Gerber vorschlug[4], hat, da Metastasios Schaffen ja auch weitgehend für die musikalische Seite der Opern maßgebend war, durchaus ihre Berechtigung. Der Dichter war als Librettist das Sprachrohr seiner Zeit, und der Ruhm der opera seria ist aufs Engste mit seinem Namen verknüpft. Als aber das ancien régime, dessen Abbild diese Oper gewesen war, in der französischen Revolution zusammenbrach, da verschwand mit der alten Gattung auch ihr vornehmster geistiger Vertreter. Zwar wurden Texte von ihm, allerdings mehr oder weniger stark umgearbeitet, noch bis gegen die Mitte des 19. Jahrhunderts hie und da vertont, aber sie wirkten dann, wie schon im Falle von Mozarts TITUS (1791), nur noch als Anachronismus. Dies gilt in verstärktem Maße für die Libretti seiner Epigonen, die in der zweiten Jahrhunderthälfte neben den Seinen die Opernbühnen bevölkerten, unter ihnen der Stuttgarter Hofdichter Mattia Verazi sowie Vittorio Amadeo Cigna-Santi und Giovanni de Gamerra, die Librettisten des frühen Mozart.

---

[4] Rudolf Gerber, Der Operntypus Johann Adolf Hasses und seine textlichen Grundlagen, Leipzig 1925.

# Die opera seria im 18. Jahrhundert

## Ihre Benennung

Über die Bezeichnung der italienischen Oper des 18. Jahrhunderts hat es in der Forschung in den jüngstvergangenen Jahrzehnten mancherlei Meinungsverschiedenheiten gegeben. Bürgerte sich für die Oper seit etwa 1640 an Stelle der zu engen alten Umschreibung „venezianisch" der umfassende und vor allem stilgeschichtlich geprägte Name „Barockoper" ohne weiteres ein, so gibt es für die Werke des 18. Jahrhunderts noch immer kein einhellig anerkanntes Epitheton. Die bis in jene Zeit selbst zurückgehende Bezeichnung „neapolitanische Oper" wird noch immer verwendet, teils einfach in Ermangelung eines besseren, teils weil Neapel in der Tat seit ungefähr dem dritten Jahrzehnt eine, wenn auch nicht die alleinige, führende Rolle auf der Opernbühne zu spielen begann. Der am Ende des vorigen Kapitels erwähnte Vorschlag „metastasianische Oper" hat sich nicht durchgesetzt, obwohl er Entscheidendes über die geistige Haltung der Gattung aussagt und präziser ist als die mehrfach vorgeschlagene Lösung „frühklassisch"[1], die das adäquate Gegenstück zur „Barockoper" wäre, aber wegen der mangelnden Schärfe dieser Epochenbezeichnung jeglicher Anschaulichkeit entbehrt. Dazu kommt, daß der im vorherigen Textkapitel beschriebene Stilwandel sich naturgemäß auch in der Komposition allmählich und regional verschieden schnell und stark vollzog und von einer Fülle bedeutender Komponisten getragen wurde, die dem Typ der „metastasianischen" Oper ihren „frühklassischen" Stempel meist in sehr persönlicher Weise aufprägten. Da sehr viele von ihnen ihre Ausbildung in einem der bereits im 16. Jahrhundert als Waisenhäuser gegründeten, im 17. Jahrhundert mehr und mehr auf die musikalische Ausbildung der Zöglinge gerichteten und im frühen 18. Jahrhundert zu wahren Pflanzstätten italienischer Opernkunst erwachsenen neapolitanischen Konservatorien empfangen hatte, ist der Anteil süditalienischen Geistes an der Herausbildung des neuen Stils nicht zu verkennen, doch darf dabei nicht vergessen werden, daß sich die Wandlung auf dem Boden der norditalienischen, der „venezianischen" Tradition und gleicherweise in Norditalien vollzog und daß Neapel neben Venedig emporkam, ohne dieses aus dem Felde zu schlagen. Vielmehr ging der lebhafte Betrieb in den zahlreichen öffentlichen Theatern der Dogenstadt mit Werken einheimischer wie auswärtiger Komponisten ungehindert weiter wie zuvor.

Man wird der opera seria des beginnenden 18. Jahrhunderts mit dem Versuch einer Scheidung in „venezianisch" und „neapolitanisch" so wenig gerecht wie der der Mitte des 17. mit einer Trennung in „römisch" und „venezianisch". Was man da in beiden Fällen räumlich voneinander abhebt, sind im Grunde — selbstverständlich nicht unbeeinflußt von örtlichen Gegebenheiten — stilistische Entwicklungsstadien, die sich in der großen italienischen Opernlandschaft früher oder später bald hier, bald dort bemerkbar machen. Muß man doch stets im Auge behalten, wie vielgestaltig die Fäden waren, die zunächst die Wandertruppen, dann die Impresarii der einzelnen Bühnen durch die Verpflichtung von Komponisten, Sängerpersonal und Bühnenbildnern von überall her zwischen den verschiedenen größeren und kleineren Opernzentren knüpften.

---

[1] Vgl. Donald J. Grout, A Short History of Opera, S. 181f. und Edward O. D. Downes, The Neapolitan Tradition in Opera, in: Kongreß-Bericht New York 1961, Band I, S. 277—284.

# Die Meister der Übergangszeit

Die jüngeren Zeitgenossen Alessandro Scarlattis, deren Werke um die Jahrhundertwende und in den folgenden beiden Jahrzehnten vor anderen die Opernbühnen Italiens und darüber hinaus vielfach auch Deutschlands und Englands beherrschten, stammten noch zum überwiegenden Teil aus Venedig und Oberitalien. Sie schrieben für die verschiedensten Bühnen, darunter auch für Neapel. Von ihnen haben sich vor allem Attilio Ariosti (1666—1740) sowie die Brüder Giovanni und Marc Antonio Bononcini (1670—1747 bzw. 1677—1726) im Ausland (Berlin, Wien und London) einen Namen gemacht. Auch andere Meister, wie z. B. Antonio Lotti (1667—1740) und Giovanni Porta (1690—1755), waren zeitweilig in Dresden bzw. London und München tätig, doch schufen sie, wie auch Francesco Gasparini (1668—1727), Antonio Vivaldi (1675-1741) und Giuseppe Maria Orlandini (1688—1750) in erster Linie für italienische Bühnen. Ihre Werke, die in den neunziger Jahren des 17. Jahrhunderts hervorzutreten begannen, sind anfangs der Barockoper noch ebenso verhaftet wie die Frühwerke Scarlattis. Als Beispiel hierfür sei Giovanni Bononcinis seinerzeit weit verbreitete Oper IL TRIONFO DI CAMILLA (Neapel 1696)[2] angeführt, die noch viele nur vom Cembalo begleitete Arien, relativ zahlreiche Duette und eine Reihe wirkungsvoller Buffoszenen enthält und in der die Arie noch durchaus nicht immer an das Szenenende verbannt ist. Alles in allem aber verkörpern die Opern dieser Generation recht eigentlich den Durchschnittsstil dieser Übergangszeit, auf dessen Boden sich die weitere Entwicklung der Gattung vollzog.

Die Komponisten griffen vornehmlich zu Libretti der um Zeno gescharten Reformer-Generation, wodurch bereits der äußere Rahmen der vorherrschenden Dreiaktigkeit mit vornehmlich aus Rezitativ und Abgangsarie bestehenden Szenen und nur einer beschränkten Personenzahl festgelegt war. Ihr Secco-Rezitativ zeichnet sich ganz allgemein durch prägnante Deklamation aus, ist melodisch wie rhythmisch bewegt und nicht selten auch harmonisch recht abwechslungsreich, aber zum Akkompagnato gesteigert wird es nur in Ausnahmefällen. Unter den Arien überwiegt bei weitem die fünfteilige Dacapo-Form nach dem Schema A (a und b) B A (a und b). Dabei ist der Teil Aa mitunter noch sehr kurz, ja gelegentlich wirkt er geradezu nur wie das Thema, das dann in Ab weiter durchgeführt wird. Der Mittelteil B ist gewöhnlich eng mit A verwandt, wo nicht melodisch, so doch wenigstens rhythmisch, und pflegt in der Dominant- oder Paralleltonart zu stehen. Die Begleitung der Arien obliegt in der Regel einem meist vierstimmigen Streichorchester, zu dem nur in besonderen Fällen verstärkend oder selbständig Blasinstrumente (Flöten, Oboen, Hörner oder Trompeten) hinzutreten. Es eröffnet die Nummer mit einem Ritornell, das zumindest den Themenkopf der Arie vorwegnimmt und sich dann entweder in Figurenwerk ergeht oder den musikalischen Gehalt des Ganzen kurz zusammenfaßt. Es kehrt teilweise oder vollständig zwischen den Arienteilen wieder. Oft werden die beiden Violinen im Ritornell unisono, die Bratschen dagegen selbständig geführt, während sich beim Einsatz der Singstimme das Verhältnis umkehrt: Hier geht vielfach die Bratsche „col basso", die 1. Violine „colla parte" und die zweite erscheint als selbständige Mittelstimme. Mitunter wird bei der Begleitung auch der Baß ganz ausgespart. Seltener sind die Fälle, in denen die Violinen die Singstimme mit Figurenwerk umspielen bzw. in denen diese von einem dichten Orchestersatz umhüllt ist.

Die Singstimme selbst beginnt meist mit einer prägnanten, syllabisch deklamierten Phrase, die entweder mehr oder weniger ausgedehnte Koloraturen aus sich heraustreibt, so z. B. in der auf S. 72 oben zitierten Arie der Albina aus I,12 von A. Lottis ALESSANDRO SEVERO ‚Venedig 1716, oder durch eine metrisch gleichgewichtige Wendung harmonisch zu einem ersten Abschluß geführt wird, wie etwa in der im mittleren Beispiel auf S. 72 wiedergegebenen Arie des Corrado in III,5 von A. Bononcinis GRISELDA, Mailand 1718/19.

---

[2] Diese Oper wurde früher häufig Giovannis Bruder Antonio zugeschrieben.

Antonio Lotti: Alessandro Severo

Antonio Bononcini: Griselda

Der Themenkopf bestimmt zumindest metrisch den gesamten Fortgang, besonders deutlich spürbar, wenn er, wie in den Arie des Roberto in der gleichen Oper II,4, synkopisch geprägt ist.

Antonio Bononcini: Griselda

Zahlreich sind daneben ausgesprochen lyrische, oft volkstümlich anmutende Arien im 3/8-, 6/8- oder 12/8-Takt in der Art des Duetts zwischen Arricida und Tito aus dem II. Akt von Ariostis VESPASIANO (London 1724), dessen Beginn an Händel gemahnt.

Attilio Ariosti: VESPASIANO

Im Ganzen machen sich in allen diesen Werken bereits grundsätzlich die Arientypen bemerkbar, die im weiteren Verlauf des Jahrhunderts noch schärfer voneinander abgehoben und in der zeitgenössischen Literatur durch bestimmte Namen charakterisiert werden sollten; am bekanntesten waren die von John Brown in den *Letters on the Italian Opera* (London ²1791) zusammengestellten Begriffe, unter denen die „aria parlante" und „di mezzo carattere" sowie die „aria di bravura" und die „aria cantabile" sich in den Werken der genannten Komponisten schon deutlich abzeichnen.

Der Ausdrucksgehalt der Arien ist, dem Textinhalt entsprechend, weitgehend schematisch. Viele von ihnen muten konventionell an. Sie sind der jeweiligen Situation gegenüber indifferent und wären darum beliebig austauschbar — schöne, zeitgemäße, oft auch virtuose Musik. Hierher gehören viele der ja auch textlich konventionellen „Gleichnis-Arien", deren erste Textstrophe gewöhnlich ein für eine tonmalerische Wiedergabe geeignetes Naturbild enthält, das in der zweiten Strophe dann gleichnishaft gedeutet wird. In Ausnahmesituationen aber, vor allem bei wilden Leidenschaftsausbrüchen und bei bewegenden Äußerungen des Schmerzes, bemühen sich die Komponisten alle mehr oder weniger intensiv um eine angemessene Affektausdeutung. So kommt es zur Situationscharakteristik, ja, wenn ein und dieselbe Person mehrfach Arien gleichen Ausdrucks zu singen hat, sogar zu einer gewissen Personencharakteristik. In Orlandinis NERONE (Hamburg 1720) erscheint z. B. Agrippina, die Mutter des Titelhelden, als dessen unversöhnliche Feindin, was sich in mehreren leidenschaftlichen Gesängen äußert. Die Arie in II/5, die, wie es bei Temperamentausbrüchen häufig der Fall ist, ohne Vorspiel unmittelbar aus dem Rezitativ herauswächst, beginnt z. B. folgendermaßen:

Giuseppe Maria Orlandini: NERONE

In Antonio Vivaldis Oper LA FIDA NINFA (*Die treue Nymphe;* Verona 1732) werden auf diese Weise zwei Personen, der Tyrann Oralto und der lyrische Liebhaber Morasto, streckenweise charakteristisch voneinander abgehoben. In III/3 bricht Oraltos Gewaltnatur, ohne Vorspiel, mit fast Händelscher Wucht hervor.

Antonio Vivaldi: LA FIDA NINFA

Ähnlich wirkt seine unisono vom ganzen Orchester begleitete Arie in III/9, während Morasto in der nächsten Szene seinen Liebeskummer in einem schlichten, kurzen und — in der Zeit eine Sel-

Antonio Vivaldi: LA FIDA NINFA

tenheit! — nur vom Cembalo begleiteten Moll-Gesang Ausdruck gibt. Vivaldis reiches Opernschaffen ist bisher in der Forschung nur sporadisch[3], jedoch nicht in extenso gewürdigt worden, obwohl der Meister zu seiner Zeit auch als Opernkomponist hohes Ansehen genoß. Mit der überragenden Bedeutung des Instrumentalkomponisten Vivaldi konnte der Opernkomponist allerdings nicht wetteifern und wollte es offenbar auch nicht[4].

Zu den Werken aller der oberitalienischen Meister, die die gesamt-italienischen Bühnen beherrschten, gesellten sich alsbald, nicht weniger weit verbreitet, solche von nur wenig jüngeren Neapolitanern, die die gleiche Abkunft und übereinstimmende Entwicklungstendenzen deutlich erkennen lassen, an ihrer Spitze Nicola Porpora (1696—1766), Leonardo Vinci (1690—1730) und Leonardo Leo (1694—1744). Es ist höchst bezeichnend für die enge Verschmelzung oberitalienischen und neapolitanischen Opernschaffens, daß die Erstlingsopern des Bolognesen Orlandini und des Neapolitaners Porpora 1708 beide in Neapel herauskamen und daß Werke der genannten drei Meister bald auch die venezianischen Bühnen eroberten. Entwicklungsgeschichtlich aber ist es vor allem charakteristisch, daß jene erste Oper von Porpora, L'AGRIPPINA, noch eine Fülle „barocker" Merkmale aufweist und so die Bindung der Neapolitaner an das Herkommen besonders deutlich macht. Zu diesen Kennzeichen gehören u. a. der relativ geringe Umfang der Arien, die oft nur vom Cembalo begleitet werden, Szenen mit zwei und mehr geschlossenen Formen, die häufige Verwendung des Basses als gleichberechtigte Gegenstimme des Gesangs, der kontrapunktische Satz so mancher Ritornelle, die verhältnismäßig große Zahl von Ensembles, in denen sich die Stimmen meist nach kurzem Wechselgesang sehr bald eng umeinanderschlingen, und endlich noch das Vorkommen komischer Dienergestalten, die hier allerdings bereits im Begriff sind, aus der Oper heraus an die Aktenden und weiter in die Intermezzi gedrängt zu werden. Als Beispiel für Porporas Buffosprache sei hier der Beginn einer Arie aus L'AGRIPPINA I,10 angeführt:

Nicola Porpora: L'AGRIPPINA

In späteren Werken verkörpert der Komponist dann aber mit Vinci und Leo zusammen genau das gleiche, oben beschriebene Entwicklungsstadium der frühklassischen Oper wie die Meister Oberitaliens. Allgemein ist die Tendenz innerhalb des Schaffens aller dieser Komponisten der Haltung der Libretti entsprechend auf eine Konsolidierung des Akt- wie des Szenenaufbaus und der Arienform gerichtet und innerhalb dieser wieder auf ein Gleichgewicht der Teile. Überall gewinnt die Melodiestimme in Arien wie Instrumentalstimmen eindeutig die alleinige Herrschaft und wird häufig entsprechend mit Figurenwerk und Verzierungen versehen. In den Arien steht diesem rein musikalischen Anspruch allerdings noch immer deutlich erkennbar das Streben nach sorgfältiger Wortbehandlung und prägnanter Deklamation entgegen. So kommt es, daß die affektgeladensten Arien der Protagonisten vielfach „arie parlanti" sind und Koloraturen sich noch in recht gemäßig-

---

3 Vgl. R. Giazotto, Vivaldi, Mailand 1965; Walter Kolneder, Antonio Vivaldi, Leben und Werke, Wiesbaden 1965; M. Rinaldi, Alla scoperta di Vivaldi operista, in: Collectanea Historiae Musicae XIV, Florenz 1966, S. 239—253; H. Chr. Wolff, Vivaldi und der Stil der italienischen Oper, in: Acta musicologica 40, 1968, S. 179—186.
4 Vgl. hierzu besonders Reinhart Strohm, Zu Vivaldis Opernschaffen, in: Venezia e il melodramma nel Settecento, Firenze 1978, S. 237—248.

ten Grenzen halten; meist treten sie in konventionellen Gleichnisarien der Sekundarier auf. Eine eindrucksvolle „aria parlante" ist z. B. die des Artabano aus I,12 von Vincis ARTASERSE (1730):

Leonardo Vinci: ARTASERSE

eine Arie der zweiten Art (di bravura) die der Selena aus II,14 von desselben Meisters DIDONE ABBANDONATA (1726):

Leonardo Vinci: DIDONE ABBANDONATA

Ensembles treten je länger je mehr in den Hintergrund, während Akkompagnato-Rezitative an dramatisch hervorragenden Stellen an Bedeutung gewinnen, vor allem bei Vinci. Buffohafte Dienergestalten erscheinen nun nicht mehr innerhalb der Opern selbst, sondern, wenn überhaupt, nur noch an den Aktschlüssen oder als Intermezzi zwischen den Akten. Neben buffohaftem Geplapper in der Art des obigen Beispiels finden sich in derartigen Szenen auch liebliche, volkstümliche Weisen im Stil des Duetts vom Schluß des 1. Aktes in Leos ZENOBIA IN PALMIRA (1725):

Leonardo Leo: ZENOBIA IN PALMIRA; Duett

## Die Zeit Johann Adolf Hasses und seiner jüngeren Zeitgenossen

Das Opernschaffen aller der genannten Meister endete, sofern sie nicht schon früher gestorben waren, in den 1740er Jahren. Es überkreuzt sich mit dem einer etwas jüngeren Generation, das in den 1730er Jahren begann. Einen Übergang zwischen beiden stellen Leben und Werk von Johann Adolf Hasse dar, der noch im 17. Jahrhundert, 1699, geboren wurde und erst ein Jahr nach der Aufführung von Mozarts ENTFÜHRUNG, 1783, starb. Er begann sein Operschaffen 1721, also annähernd gleichzeitig mit dem Trio Porpora — Vinci — Leo, beendete es aber erst 1771, rund drei bzw. vier Jahrzehnte später als diese, zu einer Zeit, da bereits die nächste Generation der um 1730 geborenen Komponisten die Opernbühnen beherrschte. Als Schüler Alessandro Scarlattis in dessen letzten Lebensjahren und Gönner des jungen Mozart in dessen Anfängen umgreift er geistig den weiten Raum vom Spätbarock zur Klassik, ohne ihn jedoch künstlerisch zu durchschreiten. Vielmehr wurde er neben den genannten drei Meistern, den etwas jüngeren, teils aus Nord-, teils aus Süditalien stammenden Baldassare Galuppi (1706—1785), Giovanni Battista Lampugnani (1706—1784), Giovanni Battista Pergolesi (1710—1736), Gaetano Latilla (1711—1788), Giuseppe Bonno (1710—1788), Davide Perez (1711—1778), dem Spanier Domenico Terradellas (1713—1751) und seinem deutschen Altersgenossen Karl Heinrich Graun (1703 oder 1704—1759) nicht zuletzt aufgrund seiner langen Schaffenszeit zum profilierten Vertreter der „frühklassischen", der „metastasianischen" Oper; stand er doch obendrein in enger Verbindung mit dem gleichaltrigen Metastasio, dessen letztes dramma per musica RUGGIERO auch seine letzte Oper war. Hasse hat den Operntyp seiner Zeit stabilisiert, aber nicht grundsätzlich verändert. Die weitgehende Übereinstimmung zweier textlich einander entsprechender Arien aus I,5 von Metastasios DIDONE ABBANDONATA in den Kompositionen von Vinci (1726) und Hasse (1742) läßt die enge stilistische Verwandtschaft der beiden Werke deutlich erkennen (S.78).

Johann Adolf Hasse: DIDONE ABBANDONATA

Leonardo Vinci: DIDONE ABBANDONATA

Von dieser gemeinsamen Basis aus hat Hasse dann den Typ im Laufe der Zeit in erster Linie musikalisch und im Zusammenhang damit teilweise auch dramatisch aufgelockert, im Einklang mit jüngeren Meistern wie etwa Francesco di Majo und Johann Christian Bach, deren Opern um 1760 zu erscheinen begannen, ja vielleicht nicht ohne deren Einwirkung. Die alte fünfteilige Arienform wird jetzt dadurch gestrafft, daß als Dacapo entweder nur der Teil Ab oder eine Verknüpfung des Anfangs von Aa mit der Fortsetzung von Ab erscheint; der Mittelteil B, früher eng mit A verwandt, dann vielfach kontrastierend, ist nun meist inhaltsentsprechend ausgeglichen. Das Orchester wird durch stärkere Hinzuziehung der Bläser erweitert, verselbständigt und mehr und mehr von bloßer Begleitung und Stütze zum Partner der Singstimme erhoben, diese selbst wird rhythmisch abwechslungsreicher und melodisch weiträumiger. In Hasses RUGGIERO II,5 äußert Bradamante z. B. ihren wilden Schmerz über Ruggieros vermeintliche Untreue folgendermaßen:

Johann Adolf Hasse: RUGGIERO

Vor allem bemerkenswert und zukunftsweisend aber sind in dieser letzten Oper des Komponisten die Akkompagnato-Rezitative, die die Rollen der Protagonisten in dichter Folge durchsetzen und deren Seelenkämpfen durch jeweils inhaltsbedingte charakteristische Einwürfe des Streichorchesters besonderen Nachdruck verleihen. Mit ihrer Hilfe werden die letzten Szenen des II. Aktes zu einem großen dramatischen Komplex zusammengeschlossen; der Beginn des ihn einleitenden Akkompagnato Ruggieros ist auf S. 79 wiedergegeben.

Das Schaffen Hasses bildet nicht nur zeitlich eine Brücke zwischen mehreren Generationen, sondern auch räumlich zwischen verschiedenen Regionen: Er, der Deutsche, der seine ersten Opernerfolge in Neapel errang, dann in Venedig wirkte, sich alle Bühnen Italiens und dann von Dresden und Wien aus auch Deutschlands eroberte, ist so recht ein Symbol für die Einheit und die internationale Geltung der opera seria bis zum Ausgang des Jahrhunderts, die, wie noch zu zeigen sein wird, wohl angegriffen werden konnte, doch niemals ernstlich in Frage gestellt wurde.

Wie Hasse war auch Karl Heinrich Graun, der Hofkapellmeister Friedrichs des Großen, im Gegensatz zu Händel, Gluck und Mozart als Opernkomponist mit Erfolg ganz Italiener geworden, In seinen letzten Opern ging er auf Wunsch des Königs, der auch Texte für ihn schrieb, dazu über,

Johann Adolf Hasse: Ruggiero

die Dacapo-Arie weitgehend durch kürzere zweiteilige Cavatinen zu ersetzen. Dadurch erhielt seine ausgesprochenen seriahafte Sprache vielfach einen liedhaft-volkstümlichen Anstrich, so z. B. in dem Gesang Erissenas in der Szene I,4 der Oper MONTEZUMA (1755):

Karl Heinrich Graun: MONTEZUMA

Unter den genannten, nur wenig jüngeren Zeitgenossen Hasses, die sich alle in den Bahnen der mächtigen Tradition bewegten, waren der Venezianer B. Galuppi und der Süditaliener G. B. Pergolesi die angesehensten. Ihr Ruhm gründete sich allerdings großenteils, bei Galuppi sogar in erster Linie, auf ihre Leistungen als Buffokomponisten, doch hat Pergolesi in seinen opere serie den Typ teils durch Anleihen bei der Buffomotivik (besonders in IL PRIGIONIERO SUPERBO [*Der stolze Gefangene*] 1730), teils durch seinen melodischen Erfindungsreichtum (vor allem in L'OLIMPIADE 1735) wesentlich bereichert. Im Laufe des Schaffens so mancher Meister dieser Gruppe, z. B. bei Davide Perez und Domenico Terradellas, finden sich in weitgehend konventioneller stilistischer Umgebung Übergänge von Secco in Akkompagnato und Arie, wie sie beim späten Hasse beschrieben wurden.

Fast unmerklich wurde die Gattung so zum Sammelbecken der verschiedensten Bestrebungen, ohne daß ihre fest gegründete Struktur und ihre geistige Einheit dadurch in Frage gestellt worden wäre. Dies gilt zumindest für Italien, wo sie mit ihrer getrennten Wiedergabe der Handlung im bewegten, melodisch oft nicht reizlosen und meist sorgfältig deklamierten Secco-Rezitativ und deren Ausdeutung in Arien, die entweder typenhaft, aber bravourös oder affektgetränkt und bewegend sein konnten, dem Publikum, d. h. recht eigentlich dem Volk, aus der Seele sprach. Auf ihrem Boden begannen in Italien alle Opernkomponisten des 18. Jahrhunderts, welcher Nation sie auch angehören und welchen Weg sie im Laufe ihres Schaffens auch einschlagen mochten, ja, sie kehrten — dies der deutlichste Beweis für die Kraft der italienischen Tradition — meist wieder zu dieser zurück, wenn sie in Italien auftraten, auch wenn sie inzwischen im Ausland andere Ziele verfolgt hatten.

## Musikdramatische Bestrebungen unter fremden Einflüssen

Um die Mitte des Jahrhunderts traten drei Meister hervor, deren künstlerisches Streben im Laufe ihres Schaffens mehr und mehr darauf gerichtet war, Musik und Drama wechselseitig in engere geistige Beziehungen zueinander zu bringen: der Deutsche Christoph Willibald Gluck (1714–1787) [über ihn vgl. das Kapitel *Deutsche Kosmopoliten,* S. 351ff.] und die Süditaliener Niccolò Jommelli (1714–1774) und Tommaso Traëtta (1727–1779). Alle drei begannen innerhalb Italiens erfolgreich im Rahmen der Konvention, die sie in der oben erwähnten Art auflockerten. „Der nie zufriedne Geist, der stets auf Neues sinnt" in ihnen allen aber brachte sie früher oder später mit außeritalienischen Strömungen in Berührung, die ihrer Einstellung zum Libretto entgegenkamen und ihre Ausdrucksmöglichkeiten erweiterten. Für Jommelli wurde, nachdem er sich in den vierziger Jahren auf den bedeutendsten italienischen Bühnen einen Namen gemacht hatte, zunächst ein Aufenthalt in Wien 1749, dann aber vor allem seine Berufung an den Hof des Herzogs Karl Eugen von Württemberg in Stuttgart 1753 von entscheidender Bedeutung[5]. Hier wirkten von den Brennpunkten Wien und Mannheim die deutsche vorklassische Instrumentalmusik, von Frankreich her die französische Oper und das Ballett auf ihn ein, sämtlich Gattungen, an deren Pflege der musikverständige und -liebende Fürst selbst tatkräftigen Anteil nahm. In Jommelli berührten diese Anregungen verwandte Saiten. Schon in seinen für Italien geschriebenen Opern war er je länger je mehr auf eine Verselbständigung der einzelnen Orchesterstimmen einschließlich der Bläser und auf ihre Verwendung im Dienste der Textausdeutung bedacht gewesen; gelegentliche Imitationen zwischen Singstimme und Instrumenten ließen schon damals seine Neigung zu kontrapunktischer Satzweise erkennen. Sie zeigt sich auch in so manchen Ensembles, so z. B. in dem Quartett am Ende des II. Aktes seiner Oper BAJAZETTE (Turin 1753). Besondere Bedeutung aber gewann die Rolle der Instrumente in den Akkompagnati, die in den Stuttgarter Opern des Meisters, vor allem in DEMOFOONTE (1764), an Zahl, Ausdehnung, Abwechslungsreichtum und Ausdruckskraft ihren Höhepunkt erreichten.

Was aber diesen Opern vor allem ihr neues Gesicht verlieh, war der plötzliche Einfluß der französischen Oper mit ihren selbständigen Orchestersätzen, den festlichen Aufzügen und Tänzen und den programmatischen Tongemälden, mit ihren ausgedehnten Chören und mit ihren großen Tableaux, zu denen Soli und Ensembles der verschiedensten Art durch Chöre zusammengeschlossen wurden. Hier stand der Italiener Jommelli, der soeben erst in Wien durch persönliche Beziehungen zu Metastasio besonders in seiner Bindung an dessen Operntyp bestätigt worden war, vor der problematischen Aufgabe, diesem Typ auf ausdrücklichen Wunsch des Herzogs jene französischen Bestandteile aufzuoktroyieren, ohne die Einheit zu verletzen. Das gelang ihm dadurch, daß er grundsätzlich am alten Operntyp festhielt, ihn aber weiterhin auflockerte und alle neuen Stilelemente gleichmäßig in den Dienst des Dramas stellte. In diesen seinen musikdramatischen Neigungen traf er sich mit Jean Georges Noverre, dem französischen Schöpfer des Tanzdramas, der eine Zeitlang am Stuttgarter Hof neben ihm wirkte. Jommelli griff nach wie vor zu Texten Metastasios, arbeitete nun aber auch mit dem herzoglichen Hofdichter Mattia Verazi zusammen, einem Epigonen des Wiener Dichters. Verazi bot seinem Komponisten in seinen Libretti (besonders in PELOPE (*Pelops;* 1755), ENEA NEL LAZIO (*Äneas in Latium;* 1755) und FETONTE (*Phaëton;* 1768) zwar ein konfuses Gemisch von Haupt- und Nebenhandlungen, aber darin eine Fülle von Gelegenheiten, bei denen der Komponist seine Gabe musikalischer Affektausdeutung in Arien, musikalischer Seelenmalerei in Akkompagnati, musikalisch-dramatischer Charakterisierungskunst in mit Ensembles gemischten Szenenkomplexen und großer musikalischer Al-Fresko-Malerei in pompösen, kriegerischen oder weihevollen, festlichen oder turbulenten instrumental-vokalen Massenszenen voll entfalten konnte. Als Beispiel sei hier auf FETONTE verwiesen, dessen Partitur in den Denkmälern deutscher Tonkunst 32/33 veröffentlicht ist. Mit ihren vielen programmatischen Intrumentalsätzen, Ensembles und Chören und deren Zusammenschluß zu großen Szenenblöcken läßt diese Oper den französischen Einfluß besonders deutlich erkennen. Die Sinfonia ist eine der ersten der Geschichte, die bereits einen Teil der Handlung darstellt. Im Gegensatz zu den meisten seiner Zeitgenossen hat Jommelli dann — ohne jede reformerische Absicht — an diesem seinem eigengeprägten Stil auch nach seiner Rückkehr nach Italien festgehalten und mit seinen Mißerfolgen bewiesen, daß die Weiterentwicklung der Gattung hier in ganz anderen Bahnen erfolgte.

---

[5] Vgl. hierzu Hermann Abert, Niccolò Jommelli als Opernkomponist, Halle 1908.

Auch der 13 Jahre jüngere Tommaso Traëtta begann auf dem Boden der Konvention, kam aber früher als Jommelli mit fremden Einflüssen in Berührung, denn er wurde 1758 an den Hof von Parma berufen, dessen französischer Minister Du Tillot zusammen mit dem Dichter Innocenzo Frugoni eine Verschmelzung italienischen und französischen Opernstils anstrebte. Man experimentierte mit Frugonis Übersetzungen von Texten Rameauscher Opern ins Italienische (IPPOLITO ED ARICIA 1759, I TINDARIDI 1760), ein bewußt geplantes, aber nicht innerlich gewachsenes Unternehmen, bei dem es mehr zu einem Gemenge als zu einer wirklichen chemischen Verbindung italienischer und französischer Stilmerkmale kam. Immerhin war Traëtta durch die enge Berührung mit dem fremden Operntyp hellhörig geworden für den großen Reichtum an musikalisch-dramatischen Ausdrucksmitteln, den die Verschmelzung der beiden Opernstile mit sich bringen konnte. Das zeigt sich sogleich in seinem weiteren Opernschaffen, und zwar in erster Linie in den für ausländische Bühnen bestimmten Werken: in SOFONISBA (Mannheim 1762), IFIGENIA IN TAURIDE (Wien 1763) und ANTIGONA (Petersburg 1772) — alle drei auf original italienische Libretti, die beiden letzten von Marco Coltellini, der Raniero Calzabigi, dem Dichter von Glucks italienischen Reformopern, nahestand — hat der Italiener Traëtta aus seinem eigenen musikdramatischen Empfinden heraus wie Jommelli, nur rascher als dieser, die Handlung in Gestalt von Akkompagnati musikalisiert, die Betrachtungen der Arien durch intensive Textausdeutung dramatisiert, den Gegensatz zwischen ihnen aber weitgehend aufgehoben und die so aneinander angenäherten Sologesänge durch Ensembles zu dramatischen Szenen erweitert. Der französische Einfluß macht sich dann vor allem in den großen Szenenblöcken bemerkbar, zu denen programmatische Orchestersätze und betrachtende oder handelnde Chöre noch gliedernd hinzutreten. Als Beispiel für einen fast nahtlos durch Akkompagnati zusammengeschlossenen Soloszenen-Block seien die Szenen 7—11 aus Akt III der SOFONISBA angeführt; Chortableaux in der Art Glucks enthalten die Szene I,6 der IFIGENIA sowie der Beginn des I. und des II. Aktes von ANTIGONA (sämtlich veröffentlicht in den Denkmälern der Tonkunst in Bayern XIV,1 und XVII). Auch Traëtta kehrte am Ende seines Lebens wieder nach Italien zurück, doch blieben ihm Enttäuschungen, wie Jommelli sie erleben mußte, erspart.

So nahe Traëtta Gluck oft zu stehen scheint, so haben doch weder er noch Jommelli je, wie jener, bewußt eine grundsätzliche Reform der opera seria angestrebt. Das geht schon allein daraus hervor, daß sie beide immer wieder zu metastasianischen bzw. pseudometastasianischen Texten griffen, die, wie immer sie auch in Musik gesetzt sein mochten, die traditionelle Marschroute im Großen festlegten. Auch mit der Auflockerung im Einzelnen taten sie nichts, worin ihnen die älteren Zeitgenossen nicht schon hie und da vorangegangen wären. Sie schrieben noch Secco-Rezitative, kleideten Gleichnisarientexte in die Gestalt von „arie di bravura" und behandelten Sekundarierarien als konventionelle „arie di mezzo carattere", aber schon die Umarbeitungen der Texte, die sie benutzten, zeigen doch mit der Kürzung der Rezitative und der Einfügung von Ensembles und Chören, daß sich das Schwergewicht von der alten, auf Typisierung gegründeten statischen Aneinanderreihung auf ein mehr dynamisches Aus- und Miteinander verschoben hatte. Die musikdramatische Neigung, die sich hierin ausdrückt, war den beiden Meistern zweifellos von Natur eigen. Eben darum waren sie für die Anregungen, die sich ihnen durch die Konfrontation mit der Kunst von jenseits der Alpen boten, besonders empfänglich, und darum gelang es ihnen auch, die neuen Ausdrucksmittel mit dem Typ, dessen Boden sie nicht verließen, organisch zu verbinden.

# Die musikalische Weiterentwicklung in Italien

Jommelli und Traëtta eilten ihrer Zeit voraus, denn die Entwicklung der Oper war in der Tat auf die Länge gesehen auf eine Verschmelzung italienischen und französischen Operngeistes, ja auf eine Internationalisierung der Gattung ausgerichtet. In ihrer Zeit selbst aber brachten sie es zwar zu hohem Ansehen, die unmittelbare Zukunft aber gehörte den Meistern, die um sie herum die italienische Tradition geradlinig fortsetzten. Unter ihnen ragen in der Geschichte der opera seria vor allem zwei hervor, deren Ruhm sich ausschließlich auf diese Gattung stützt: Francesco di Majo (1732—1770) und Johann Christian Bach (1735—1782). Die anderen, unter ihnen Pasquale Anfossi (1727—1797), Nicolo Piccinni (1728—1800), Pietro Guglielmi (1728—1804), Giuseppe Sarti (1729—1802) und Antonio Sacchini (1730—1796), haben nicht nur, wie die bisher genannten, die opera buffa nebenbei auch, sondern sogar vornehmlich gepflegt; vor allem haben sie, wie auch die jüngeren Giovanni Paisiello (1740—1816), Domenico Cimarosa (1749—1801) und Antonio Salieri (1750—1825), mit Ausnahme Sartis, ihr Schaffen mehr oder weniger intensiv auf ihrem Boden begonnen und zum großen Teil hier eigentlich ihren Ruhm begründet.

Hier wäre auch ihr deutscher Altersgenosse Joseph Haydn zu nennen, der sicher seiner Stellung als Hofkapellmeister, aber auch seiner eigenen primär musikalischen Veranlagung folgend, sich auf dem Gebiet der Opernkomposition ganz dem italienischen Vorbild verschrieb, d. h. er erfüllte den konventionellen Rahmen der italienischen Operngattungen mit seiner nicht dramatisch, aber musikalisch unverwechselbaren Musik. Das Gebiet der opera seria betrat er erst mit seinen drei letzten Opern, deren erste, ORLANDO PALADINO (*Roland, der Paladin;* Text von Nunziato Porta, Esterhaz 1782) zwar den Untertitel „dramma eroico comico" trägt, da vor allem der ernste Titelheld mehrfach in lächerliche Situationen gerät, die aber mit ihren großen, anspruchsvollen Szenenblöcken weit über die früheren „drammi giocosi" hinausgehend eindeutig auf die beiden folgenden, das „dramma eroico" ARMIDA (J. Durandi, Esterhaz 1784) und das „dramma per musica" L'ANIMA DEL FILOSOFO OSSIA ORFEO ED EURIDICE (*Die Seele des Philosophen oder Orpheus und Eurydike*) (C. F. Badini, Uraufführung geplant für London 1791, aber nicht ausgeführt, 1. Aufführung Florenz 1951) hinweist. Diese beiden Werke sind gattungsmäßig-formal eindeutige opere serie, nur daß Haydn musikalisch die dramatischen Schwerpunkte erfolgreich von den eher traditionsgebundenen Arien auf die zahlreichen, entweder in diese hineinführenden oder aus ihnen erwachsenden Akkompagnati verlegt hat. Sie fordern beide wegen der Übereinstimmung des Gegenstandes zu einem Vergleich mit den gleichnamigen Werken von Gluck heraus, der anschaulich den Gegensatz zwischen dem primären Musiker und dem primären Dramatiker zum Ausdruck bringt: Rinaldos Akkompagnato in Armidas Zauberhain in III,2 beispielsweise ist bei Haydn ganz von lieblicher Naturmalerei erfüllt, bei Gluck ist die entsprechende Szene Renauds dagegen ausschließlich auf die Atmosphäre im Ganzen abgestimmt — und ebenso gibt der Furienchor in Haydns ORFEO die Schrecken gleichsam objektiviert in Gestalt einzelner Bilder wieder, während Gluck sie zu einer monumentalen Gesamtwirkung voll dramatischer Wucht zusammenfaßt.

Francesco di Majo und Johann Christian Bach[6] haben den Typ der opera seria, wie er ihnen von Hasse überkommen war, nicht, wie Jommelli und Traëtta, in erster Linie im Sinne einer dramatischen Belebung abgewandelt, sondern im Wesentlichen um der musikalisch-formalen Bereicherung willen. Dabei wurde die Grundstruktur der Nummern-Oper nicht angetastet, das statische

---

6 Zum Opernschaffen dieser beiden Meister vgl. Edward O. D. Downes, The Operas of Johann Christian Bach as a Reflection of the Dominant Trends in opera seria 1750—1780, Diss. Harvard University 1958, und David Di Chiera, The Life and Operas of Gian Francesco di Majo, Diss. University of California, Los Angeles 1962.

Prinzip der Reihung blieb bestehen, wenn auch die Kürzung der langen metastasianischen Rezitative und die Streichung so mancher allzu sentenziöser Arien bzw. ihre Ersetzung durch handlungsbezogenere auch in diesen Werken einen Zug zu einer gewissen Dramatisierung erkennen lassen. Das zeigt ebenfalls die wechselnde Zahl an Akkompagnati, aber die Gesamtwirkung der Opern dieser beiden Komponisten beruht auf rein musikalischen Eigenschaften, vor allem auf der berückenden Schönheit der Arienmelodik. Als in jeder Hinsicht typische Beispiele seien von di Majo eine Arie der Emirena aus II,3 der Oper ADRIANO IN SIRIA (Rom 1769):

Francesco di Majo: ADRIANO IN SIRIA

und von Bach eine Arie des Temistocle aus dem I. Akt der gleichnamigen Oper (Mannheim 1772) angeführt (S. 85).

Beide sind charakteristisch für die überquellende Musizierlust ihrer Komponisten, die sich bereits unverkennbar der Sprache Mozarts bedient. Aus ihren umfangreichen Ritornellen mit Kontrastthematik erwächst nach dem Einsatz der Singstimme eine Partnerschaft mit dieser, sei es, daß die Instrumente stimmungsmalend begleiten, daß sie, hie und da, solistisch mit ihr konzertieren oder daß diese frei in einen sinfonischen Orchestersatz hineindeklamiert. Formal verkörpert die Arie di Majos den modernen Typ der Dal-Segno-Arie, bei der nur der Teil Ab wiederholt wird. Die Arie Bachs ist zweiteilig (AA'), wobei in jedem der beiden ausgedehnten Teile der Text zweimal durchgeführt wird. Neben diesen häufig gebrauchten Formen findet sich im Schaffen der beiden Meister an Stelle der ehemals herrschenden fünfteiligen Dacapo-Form, die kaum noch vorkommt, noch eine Fülle anderer, von der schlichten zweiteiligen Cavatine und der einfachen Dreiteiligkeit nach dem Schema ABA über die Dacapo-Form, deren Wiederholungsteil eine Zusammenfassung von Aa und Ab darstellt, bis zu ganz freien, rondoartigen Gebilden, wobei Taktwechsel auf weite Strecken den Einfluß der opera buffa erkennen läßt.

Die Opernkomposition, die sich geistig in den Bahnen der metastasianischen Tradition fortbewegte, bedeutete also mit der Auflockerung der Formelemente und der Erweiterung und Verfeinerung der Rolle des Orchesters sowie mit dem weitgehend enttypisierten melodisch-harmonischen Erfindungsreichtum keineswegs eine Stagnation. Sie bildete vielmehr musikalisch den Bo-

Johann Christian Bach: TEMISTOCLE

den, aus dem die Werke der Mozart-Generation u.a. von Domenico Cimarosa, Antonio Salieri und Nicola Antonio Zingarelli (1752—1837) erwachsen sollten.

Sehr bezeichnend ist, das sich die beiden Hauptträger dieser musikalisch, aber nicht dramatisch erneuerten opera seria nur in Werken für ausländische Bühnen mit der Aufnahme von in den dramatischen Zusammenhang einbezogenen Ensembles und Chören und der Bildung dramatischer Szenenblöcke in die unmittelbare Nähe Jommellis und Traëttas begeben haben. Di Majos IFIGENIA IN TAURIDE (1764) und Christian Bachs TEMISTOCLE (1772), die beide für Mannheim geschrieben sind, lassen den dortigen, von der Blüte der vorklassischen Instrumentalmusik und der Nähe Frankreichs geprägten genius loci deutlich erkennen. David di Chiera[7] bezeichnet die IFIGENIA geradezu als Majos „Reformoper". Die Ouvertüre ist hier bereits programmatisch mit in die Handlung einbezogen. An Bachs TEMISTOCLE[8], dessen Text eine von Verazi stark umgearbeitete Fassung des metastasianischen Originals darstellt, ragen vor allem die großen Szenenblöcke am Ende des 2. und 3. Aktes hervor. Sie sind inhaltsbedingte Konglomerate aus ineinandergreifenden Akkompagnati, Ariosi, Cavatinen und Ensembles, die sich von Buffa-Finales nur durch die ausgesprochen seriahaft-ariose Haltung ihrer einzelnen Bestandteile unterscheiden. — Einen letzten Schritt zur Erweiterung des traditionellen seria-Typs hatte Bach schon 11 Jahre früher mit seiner ersten für London komponierten Oper ORIONE OSSIA DIANA VENDICATA (Orion oder Die gerächte Diana; 1763) getan, in der ausdrucksvolle Akkompagnati und vor allem Chöre eine große Rolle spielen. In seiner letzten Oper AMADIS DE GAULE (Paris 1779) auf einen französischen Text ist er weitgehend in die Haut der französischen Oper hineingeschlüpft, ohne doch den italienischen Charakter seiner Musiksprache ganz verleugnen zu können.

Wie Hasse war auch Bach zumindest als Opernkomponist ganz Italiener geworden (im Gegensatz zu Händel, Gluck und Mozart, von denen noch die Rede sein wird). Das Auftreten in Paris gegen Ende seines Schaffens hat er mit vielen seiner italienischen Generations- und jüngeren Zeitgenossen gemein. Hier begann sich das zu vollenden, was schon seit der Mitte des Jahrhunderts die Geister von Literaten und Dichtern, von Philosophen, Theoretikern und Ästhetikern (z. B. Josse de Villeneuve, Diderot, Du Tillot, Algarotti, Calzabigi und anderen) bewegt hatte und was die weitere Entwicklung der europäischen Opernkomposition entscheidend beeinflussen sollte: die Annäherung und schließliche Verschmelzung der beiden ehemals getrennten Operntypen Italiens und Frankreichs. Wohl hatten beispielsweise Jommelli und Traëtta (und auch Joh. Chr. Bach vor seiner Pariser Oper) an französisch beeinflußten Höfen (Stuttgart, Mannheim, Parma) diesen Weg beschritten. Bei den Pariser Experimenten der 70er und 80er Jahre aber war, wie bei Bachs AMADIS, das Entscheidende der französische Text, der die italienischen Komponisten besonders und noch zusätzlich zu den sonstigen französischen Stilmerkmalen in Bann schlug. N. Piccinni, A. Sacchini und A. Salieri sollten im Zusammenhang mit Glucks epochemachendem Auftreten in Paris und im Anschluß daran bei der Herausbildung und Verbreitung des italienisch-französisch-deutschen Opernideals eine maßgebende Rolle spielen, wobei vor allem Salieri wegen der Bedeutung seines Wirkens auf allen drei Gebieten — z. B. mit dem RAUCHFANGKEHRER (Wien 1781) LA GROTTA DI TROFONIO (J. B. Cesti, Wien 1785) und TARARE (tragédie lyrique von Caron de Beaumarchais, Paris 1787) — hervorzuheben ist. Ihrer aller Grundlage aber war die musikalisch erneuerte opera seria, wie sie zuletzt geschildert wurde, gleichgültig, ob die sie vertretenden Meister vorwiegend in Italien wirkten, wie Anfossi und Guglielmi, oder im Norden und Osten Europas (in Dänemark und Rußland) wie Sarti, Paisiello und Cimarosa. Sie alle machten sich zunächst auf den Bühnen ihrer italienischen Heimat einen Namen und lockerten, da bei vie-

---

7 Vgl. Anmerkung 6.
8 Vgl. die Veröffentlichung der Oper, herausgegeben von Edward O. D. Downes und H. C. Robbins Landon in der Universal Edition, Wien.

len von ihnen ja die opera buffa im Vordergrund ihres Schaffens stand, Motivik und Formenschatz der Seria durch Anleihen aus dem musikalisch-dramatischen Reichtum der heiteren Gattung auf. Dies zeigt sich in der oft volkstümlich lied- oder kanzonettenhaften Melodiebildung, in der zunehmenden Freiheit der Arienformen, der wachsenden Zahl an Ensembles und der dramatischen Belebung so mancher Aktschlüsse in der Art von Buffa-Finales. Als wesentlichste Träger der modernen Dramatisierungsbestrebungen aber erscheinen nach wie vor an Höhepunkten des Geschehens Akkompagnati, deren nicht selten stimmungsgeprägte Orchestervorspiele oft charakteristischer sind als die Einleitungsritornelle der Arien. Sie treten auch als Mittelteile in Arien auf und spielen vor allem in den Finales häufig in Verbindung mit oder in der Gestalt von Ensembles eine große Rolle. Hier wird der Übergang von der musikalischen Nummer zur dramatischen Szene besonders deutlich. Bei alledem nimmt das nunmehr allgemein durch Bläser verstärkte Streichorchester als musikalisch gleichberechtigter Partner der Singstimme auch weitgehend selbständig an der Ausdeutung des Textgehalts teil. Beispiele für diese Seria des ausgehenden 18. Jahrhunderts sind die Werke der genannten jüngeren Meister vor allem aus den 90er Jahren. Unter ihnen muten Paisiellos ELFRIDA (Neapel 1792, auf einen Text von Glucks ehemaligem Dichter Raniero Calzabigi) und GLI ORAZI ED I CURIAZI von Cimarosa (Venedig 1796/97) besonders fortschrittlich an. Grundsätzlich liegt zwar auch ihnen noch der regelmäßige Wechsel zwischen Sprechgesang und geschlossener Form zugrunde, doch sind die Secco- weitgehend durch Accompagnato-Rezitative ersetzt, und den Arien treten Ensembles nahezu gleichberechtigt zur Seite. Die Finales der ELFRIDA aber stellen nicht nur musikalisch, sondern nach Buffa-Weise auch dramatisch bewegte Szenen dar.

Solchergestalt lebte die alte Gattung der Seria in den Werken derselben italienischen Meister, die gleichzeitig in Paris die Verschmelzung mit der französischen Oper vollzogen, über die Jahrhundertwende hinweg weiter und beherrschte in ihrer modernisierten Gestalt die italienischen und ausländischen Opernbühnen wie eh und je.

# Die opera buffa im 18. Jahrhundert

Bis zur zenonisch-metastasianischen Reform, d. h. bis zum Beginn des 18. Jahrhunderts, lag der italienischen Oper (damals „favola" oder „dramma musicale" oder auch „dramma in musica" genannt) ein Drama meist über einen Stoff aus der antiken Mythologie oder Geschichte zugrunde, dessen oft recht verworrene Handlung von zahlreichen Personen getragen wurde. Ganz am Rande erschienen dabei schon frühzeitig lustige Personen — so die Gestalten des Fährmannes Caronte in LA MORTE D'ORFEO (1619) und die beiden Pagen in IL S. ALESSIO (1632), beides Opern von Stefano Landi —, die im Laufe des Jahrhunderts die Opern mit einem immer dichter werdenden Netz von die Handlung persiflierender Komik durchzogen. Ihre Träger waren Dienergestalten, deren Ursprung in dem großen, durch die wandernden Komödiantentruppen verbreiteten Reservoir von „commedia erudita", „commedia dell'arte" und spanischem Drama zu suchen ist. Aus dieser Quelle haben auch die — wenigen — vollständigen komischen Opern des 17. Jahrhunderts geschöpft, die vor allem in Rom und Florenz[1], aber auch in Venedig und Modena herauskamen[2].

---

1 Vgl. das Kapitel *Die barocke Adels- und Fürstenoper bis gegen 1700*, S. 20ff.
2 Vgl. Nino Pirotta, Tre Capitoli su Cesti, in: La Scuola Romana, hrsg. von der Accademia Chigiana, Siena 1953, S. 28—31, und: Commedia dell'arte and Opera, in: Musical Quarterly 41, 1955, S. 303—324.

Wie groß aber auch immer die Rolle des komischen Elements in diesen Opern sein mochte: Sie stützt sich stets auf Situationen oder Probleme des plattesten Alltags, auf urtümliche Anschauungen des Volkes, deren Wirkung gerade durch den Kontrast zu den in höheren Sphären schwebenden Ständen erst ins rechte Licht gesetzt wird.

Den auf Stilisierung und Rationalisierung gerichteten Reformbestrebungen der Jahrhundertwende fielen diese derb-komischen Gestalten und Episoden aus dem Volksleben vor anderen zum Opfer. Sie erschienen mehr und mehr nur noch an den Akteden bzw. verschwanden ganz aus den Opern, doch waren sie beim Publikum viel zu beliebt, als daß sie auch ganz von der Opernbühne hätten verschwinden können. Vielmehr zogen sie sich in Gestalt der Intermezzi, wie der Name sagt, von den Akteden in die Zwischenakte zurück, die schon früher nach dem Vorbild der gesprochenen Dramen vielfach von heiteren Darbietungen verschiedener Art, oft auch von Tänzen, ausgefüllt worden waren. Standen die komischen Szenen innerhalb der Opern bis zuletzt in wenigstens lockerer Verbindung zur Handlung, so machten sich die Intermezzi davon unabhängig. Dafür bildeten aber ihre Teile — der erste zwischen den beiden ersten Akten der Oper, der zweite zwischen Akt II und III, der dritte (wenn vorhanden) während der letzten Verwandlung in der Oper — einen dramatischen Zusammenhang. Die Personen dieser anspruchslosen kleinen Komödien — nur zwei singende und eine oder mehrere stumme — waren Typen, wie die ernsten Gestalten der Opern, die sie begleiteten; sie setzten die Tradition der komischen Opernfiguren fort, die sich mit dem Einfluß der commedia erudita- und commedia dell'arte-Figuren mannigfach kreuzte. Da gab es vor allem den schlau-verschmitzten, prahlerischen und den tölpelhaften, feigen Diener, die raffinierte, vielfach geldgierige Zofe, den mißtrauischen und geizigen alten Hagestolz, um dessen auf die verschiedenste Weise bewerkstelligte Überlistung es gewöhnlich ging. Der Dialog bediente sich einer mitunter derben Umgangssprache mit im Gegensatz zur Dialektkomödie nur gelegentlichem Einschub von Dialektwendungen. Ihrer Funktion als Zwischenaktsdarbietungen entsprechend umfassen diese Intermezzi zunächst nur, in Rezitative eingebettet, in jedem Teil je eine Arie pro Person sowie ein Schlußduett. Die Rezitative zeichnen sich durch eine äußerst bewegliche Deklamation aus, wie sie in komischen Szenen bereits im 17. Jahrhundert herausgebildet worden war. Unter den geschlossenen Formen findet sich die Seria-Arie als übertreibende Parodie, daneben verschieden geformte Buffa-Arien mit den Situationen angemessenen typischen Inhalten und im übrigen liedhafte Gesänge der verschiedensten Art. In dieser Weise durchsetzten die Intermezzi seit dem ersten Jahrzehnt des 18. Jahrhunderts die Opernaufführungen in allen Opernzentren Italiens. Dabei ging Venedig um 1706 voran, während Neapel noch länger an komischen Szenen in den Opern selbst festhielt, so daß der Name „Intermezzo" hier erst in den zwanziger Jahren auftauchte[3]. Dafür erwuchs hier die neapolitanische commedia musicale („cummedeja pe'mmuseca"), die offenbar aus Aufführungen gesprochener Komödien mit Einfügung von Kanzonen entstanden ist[4]. In der Öffentlichkeit erschien sie zuerst 1709 mit dem PATRÒ CALIENNO DE LA COSTA von Agasippo Mercotellis (die Musik von Antonio Orefice ist verloren). Die Handlung dieser derb-volkstümlichen Stücke spielte sich zwischen zahlreichen, sämtlich neapolitanischen Dialekt sprechenden Personen, ab und war außerordentlich verwickelt. Im Gegensatz zu den nur komischen, kurzen Intermezzi spielten in ihnen die „Innamorati" (Verliebten) eine große Rolle, die Vorläufer der parti serie, der ernsten Personen in der opera buffa. Als Textdichter ragten in jener frühen Zeit neben Agasippo Mercotellis Francesco Antonio Tullio und Bernardo Saddumene, im weiteren Verlauf Gennaro Antonio Federico, Pietro Trinchera und

---

[3] Vgl. Michael F. Robinson, Naples and Neapolitan Opera, Oxford 1972, Kap. V.
[4] Vgl. Helmut Hucke, Die szenische Ausprägung des Komischen im neapolitanischen Intermezzo und in der Commedia musicale, in: Kongreß-Bericht Bonn 1970, S. 183—185.

Antonio Palomba hervor. Um 1730 verzichtete man auf den durchgehenden Gebrauch des Dialekts, der einer weiteren Verbreitung der Komödien im Wege stand, und verwendete ihn nur noch zur Charakterisierung besonders drastisch komischer Gestalten, der späteren „partie buffe". Um die gleiche Zeit machten sich die Intermezzi, die sich inzwischen mehr und mehr erweitert hatten, von den Opern, zu denen schon vorher inhaltlich keine Verbindung mehr vorhanden war, unabhängig. Als selbständige Stücke bildeten sie zusammen mit den commedie musicali einen großen Teil des Repertoires wandernder Operntruppen.

Die Komponisten waren Meister der Seria, die sich die Erweiterung ihrer Ausdrucksmittel in den beiden neuen Gattungen geschickt zunutze machten. Sie schrieben Intermezzi teils für eigene Opern, teils übernahmen sie solche von anderen Komponisten. Diese kleinen, spritzigen Stücke entstanden in Nord- und Mittelitalien (z. B. von Giuseppe Maria Orlandini, Antonio Lotti, Francesco Gasparini, Niccolò Jommelli) wie im Süden des Landes. Hier waren, neben dem Ausländer J. A. Hasse, ihre Hauptvertreter die in Neapel tätigen Leonardo Leo, Leonardo Vinci und Giovanni Battista Pergolesi, die auch die musikalische Dialektkomödie pflegten. Besonders viele derartige Werke schuf L. Vinci, jedoch ist nur zu einem von ihnen, LE ZITE 'N GALERA (*Die Jungfer auf der Galeere;* 1722, über einen Text von Bernardo Saddumene) die Musik erhalten. Das lebhaft deklamierte Rezitativ ist darin in dichter Folge von arien- und liedhaften Gesängen der verschiedensten Formen durchsetzt, vom Strophenlied bis zur dreiteiligen Dacapo-Arie. Charakteristisch ist dabei vor allem die dem Inhalt entsprechende, vorwiegend einfache, volkstümlich anmutende Melodik aus kurzen, syllabisch deklamierten Phrasen, die die Nähe neapolitanischer Volksmusik vermuten läßt. Schon buffaartig muten die Ensembles an den drei Aktschlüssen an, das erste ein Quintett, eine dramatische Szene, in der sich die Stimmen mit spritziger Achteldeklamation ablösen und gruppenweise übereinander schieben, ohne daß jedoch ein Tutti zustandekäme, die beiden anderen Quartette mit akkordischem Ende. Ein Terzett im zweiten und zwei Duette im dritten Akt sind ähnlich wie das Quintett, wie später in der opera buffa, in das dramatische Geschehen eingegliedert.

Hält man ein solches Stück gegen Intermezzi, etwa die nur wenig später (1726) entstandenen LARINDA E VANESIO von Hasse (Text von Antonio Salvi nach Molière), so erscheint es in seiner Urwüchsigkeit vergleichsweise primitiv, das andere Werkchen dagegen mit seinen humoristisch-parodistischen Szenen fast raffiniert. In der prima parte erteilt Larinda dem Vanesio z. B. Fecht- und Tanzunterricht, wobei er sich in seiner Arie zunächst mit wilden Dreiklangssprüngen als wütender Mars, dann in einem lieblichen, menuettartigen Teil als „amorino bello" gebärdet. In der seconda parte macht sie ihm einen unverkennbar parodistischen Heiratsantrag, worauf er am Anfang der terza parte seiner Wut über den Betrug in einer monströsen Akkompagnato-Szene voller übertriebener Gegensätze Ausdruck verleiht.

Als Prototyp der Gattung haben sich Pergolesis Intermezzi LA SERVA PADRONA (*Die Magd als Herrin;* Text von Gennaro Antonio Federico), deren beide Teile 1733 zwischen den Akten von des Komponisten opera seria IL PRIGIONIERO SUPERBO (*Der stolze Gefangene*) aufgeführt wurden, durch die Jahrhunderte hindurch lebendig erhalten, denn die beiden Gestalten dieses Werkes, der alte Hagestolz Uberto und seine raffinierte Magd Serpina, beide schon textlich Prachtstücke von Komödientypen, sind durch die Musik darüber hinaus in lebendige Charaktere verwandelt worden und stehen damit im begrenzten Rahmen ihrer Gattung späteren Buffa-Figuren in nichts nach.

Den Schritt zur eigentlichen opera buffa hat von den süditalienischen Vertretern von Intermezzo und Dialektkomödie nur Leonardo Leo getan, und zwar wächst sie bei ihm dergestalt aus der ernsten Oper mit scene buffe heraus, daß diese inhaltlich wie musikalisch mehr und mehr an Bedeutung gewinnen, die Sprache der Seria aber gleichzeitig vielfach durch Übertreibung parodiert und dadurch dem Geist der Buffa angenähert wird. In der Oper AMOR VUOL SOFFERENZA (*Liebe will*

*Leiden;* 1739, Text von G. A. Federico)[5] stehen z. B. 15 Seria- 14 Buffa-Nummern und 4 Seria- 3 Buffa-Rollen gegenüber, von denen zwei neapolitanischen Dialekt sprechen. Unter den Arien der parti serie finden sich liebliche Klagegesänge im Stil des folgenden:

Leonardo Leo: AMOR VUOL SOFFERENZA; Arie

und daneben erregte Gleichnisarien, unter denen der parti buffe eine typische, vom colascione begleitete neapolitanische Canzone im Dialekt, Strophengesänge der verschiedensten Art und echte Buffo-Arien mit scharfer Deklamation, bizarren Sprüngen und Motivwiederholungen wie etwa die des alten Fazio aus I,12, der ein parodistisches Akkompagnato-Rezitativ vorangeht.

Leonardo Leo: AMOR VUOL SOFFERENZA

Ebenfalls als Parodie findet sich im Munde des Dialekt sprechenden Mosca dann auch eine Gleichnisarie, in der das übliche Pathos durch buffoneske Wendungen lächerlich gemacht wird. Die Ensembles der Oper sind mit Ausnahme eines ernsten Liebesduettes alle Sache der parti buffe und konzentrieren sich auf die Aktenden. Das lebhaft bewegte Terzett am Ende des I. Aktes und die auf zwei Personen verteilte mehrstrophige Canzone am Ende des II. Aktes können als Vorformen der späteren Buffo-Finales angesehen werden.

Opern dieser Art lassen den starken Einfluß der Seria auf die heranwachsende opera buffa erkennen. Waren doch alle Meister, die sich gleichsam nebenbei auch der Intermezzi und der commedia musicale annahmen, im Hauptberuf Seria-Komponisten; eine enge Berührung konnte also nicht ausbleiben. So kam es, daß die junge Gattung im vierten Jahrzehnt des 18. Jahrhunderts als eine Parallele zu jener mit umgekehrtem Vorzeichen hervortrat: Sie war ihr an Umfang und Anlage und je länger je mehr auch an Ansehen gleich, geistig aber mit ihrer bewußten Abkehr von jeder Konvention und mit ihrem starken Komödienerbe ihr absoluter Widerpart. Im Zeichen dieser Diskrepanz zwischen Gleichberechtigung und Gegensatz vollzog sich nun die weitere Entwicklung, ja, auf ihr beruhte zu einem nicht geringen Teil der Reichtum der jüngeren Gattung an Ausdrucksmöglichkeiten und Formen. Die Komponisten bedienten sich auch in ihr für die parti serie

---

5 Vgl. Graham Hood Hardie, Leonardo Leo (1694—1744) and his Comic Operas „Amor vuol sofferenza" and „Alidoro" (Phil. Diss. Cornell University 1973. University Microfilms, A Xerox Company, Ann Arbor, Michigan.

der ihnen geläufigen Sprache der Seria, freilich nun vielfach in parodistischer Absicht übertreibend, griffen aber daneben mit Wohlgefallen in das große Reservoire kunstloser Formen naiv-volkstümlichen Inhalts. Das Streben nach Natürlichkeit brachte eine Rückkehr zu den vier naturgegebenen Stimmlagen Sopran, Alt, Tenor und Baß mit sich, und dies wiederum hatte eine Fülle der verschiedenartigsten Ensembles zur Folge, die sich im Laufe der Zeit vor allem in den ersten beiden Finales zu ausgedehnten, musikalisch komplizierten Szenenblöcken auswuchsen, ja, bald gab der Komponist auch gleich in der Introduktion zum I. Akt auf diese Weise seine Visitenkarte ab.

Vorbedingung für diese musikalische Bereicherung und zugleich Konsolidierung der Gattung war natürlich eine Verfeinerung und Vereinheitlichung der anfangs oft kunstlos aneinandergereihten, teilweise zusammenhangslosen Szenen der Libretti. Parti serie und parti buffe wurden inhaltlich wie auch in ihrer Ausdrucksweise einander angenähert und enger aufeinander bezogen, sie durchdrangen die Akte gleichmäßig und konnten so auch beliebig zu Ensembles wie zu Introduktion und Finales zusammentreten. Was gerade diese letzteren auch an die Librettisten für Anforderungen stellten, beschreibt der Textdichter Lorenzo Da Ponte sehr anschaulich in seinen Memoiren, wo er sie als „una specie di commediola o di picciol dramma da sè" (eine Art kleine Komödie oder kleines Drama für sich) bezeichnet. Eine wesentliche Rolle bei der Weiterentwicklung der Buffa-Librettistik spielte um die Jahrhundertmitte der Venezianer Carlo Goldoni, der als Komödiendichter die Gattung über das Niveau der commedia dell'arte hinaushob. Mit der Natürlichkeit ihres Inhalts und der Ungezwungenheit ihrer Sprache erfreuten sich diese Dramen über die Grenzen Italiens hinaus allgemeiner Beliebtheit. Nebenbei schrieb der Dichter mit leichter Hand Libretti und schuf dadurch vor allem zusammen mit Baldassare Galuppi der opera buffa auch in Venedig eine Heimstatt. Galuppi war ein versierter Komponist der opera seria metastasianischer Prägung, zugleich ist er aber der älteste Meister, dessen besondere Bedeutung auf dem Gebiet der Buffa-Komposition liegt. Dies dürfte nicht zuletzt seiner Zusammenarbeit mit Goldoni zu verdanken sein, die 1749, also noch in der Anfangsphase der Gattung, begann.

Als typisch für diese Werkgruppe kann die Oper IL FILOSOFO DI CAMPAGNA (*Der Philosoph auf dem Land*) gelten, die 1754 in Venedig ihre Uraufführung erlebte. Sie enthält außer dem ernsten Liebespaar fünf Buffo-Figuren, darunter den von dem Paar genasführten Alten, eine heiratslustige junge Bäuerin, eine kokette Zofe und den Bauern Nardo, den „filosofo di campagna", der die Fäden in der Hand hält. Trotz der Typenhaftigkeit der Handlung entbehren die Personen weitgehend der Drastik. Es ist eine bürgerliche Komödie, in der nur der Liebhaber Rinaldo, schon als Sopranrolle und durch seine ausgesprochenen Seria-Arien, als parte seria betont aus dem Rahmen fällt, während seine Geliebte Eugenia sich daneben auch zu einer eindeutigen Buffa-Arie versteigt. Umgekehrt erscheint, zweifellos in parodistischer Absicht, im Munde der Bäuerin Lena in I,6 mit langem Vorspiel eine im Stil halb seria-, halb buffahafte ausgedehnte Arie mit ausgeschriebenem variierten Da Capo. Der Übergang zwischen den Gruppen ist also fließend. Im übrigen ist die Ausdrucksweise der Buffo-Gestalten stets volkstümlich, mit kurzen, scharf rhythmisierten und syllabisch deklamierten Phrasen und einfacher Harmonik in der Art des Auftrittsgesanges des alten Tritennio in I,3 (Bespiel S. 92 oben). Eine besondere Rolle spielt der Siciliano; der Titelheld stellt sich in I,5 gleich mit einem solchen vor (Beispiel S. 92 Mitte). Eine liebliche Canzonette, die nach Zwischenrezitativen in derselben Szene gleich noch von zwei entsprechenden weiteren gefolgt wird, stimmt die Zofe Lesbina in I,2 an (Beispiel S. 92 unten). Die Begleitung der Arien obliegt in der Regel dem vierstimmigen Streichorchester. Nur Cembalo-begleitete Arien sind selten, auch Bläser (meist Flöten und Hörner) treten nur ausnahmsweise inhaltsbedingt hinzu. Das Secco-Rezitativ zeichnet sich nach echter Buffaweise durch lebhafte Sechzehntel-Deklamation aus, während diese plappernde Textbehandlung in den geschlossenen Formen nur eine geringe Rolle spielt. Die in der Seria vorherrschende Dacapo-Form erscheint in der opera buffa, und so auch

Baldassare Galuppi: IL FILOSOFO DI CAMPAGNA
DON TRITEMNIO

Baldassare Galuppi: IL FILOSOFO DI CAMPAGNA
RINALDO

Baldassare Galuppi: IL FILOSOFO DI CAMPAGNA
LESBINA

bei Galuppi, nur ausnahmsweise. Im FILOSOFO DI CAMPAGNA taucht sie nur zweimal auf, in der obengenannten parodistischen Arie der Lena und in der Arie Eugenias in I,1, wogegen die beiden Seria-Arien des Liebhabers Rinaldo nur zweiteilig sind. Diese Form herrscht auch unter den Buffa-gesängen vor, sei es, daß der zweite Teil eine Art Variation des ersten darstellt, oder daß die Teile sich nach Taktart und Tempo voneinander unterscheiden. Die große vierteilige Buffa-Arie gibt es hier nicht, wohl aber, in II,14, ein abwechslungsreiches Rondo Nardos und einige kurze, nur einteilige Gesänge, wie Nardos über dem pizzicato der Streicher zum Chitarrino vorgetragenes Ständchen in II,12.

Zeigt die Oper so den für die Buffa typischen Formenreichtum, so enthält sie, wie auch andere Opern Galuppis, nur relativ wenige Ensembles: ein Duett zu Beginn des ersten Aktes gleichsam als Introduzione und ein weiteres zwischen dem Liebespaar Lesbina/Nardo als Einleitung zum dritten Finale kurz vor dem Schluß-„Coro" der Oper. Die Finales I und II werden jeweils nur von vier Buffo-Figuren getragen. Das erste stellt eine Reihung geformter liedhafter Perioden dar, die nur gelegentlich, wo die Handlung es fordert, von rascherem Gesprächswechsel unterbrochen wird. Zum Schluß vereinen sich die Stimmen nach vorangegangener buffahafter Erregung zu einem heiteren homophonen Satz. Das Gleiche gilt auch für das zweite Finale, nur daß hier die Handlung stärker im Vordergrund steht. Es ist die bewegte Szene der Ausstellung von Heiratsurkunden für das ernste und das heitere Paar, die zu einem Zornesausbruch Tritemios und anschließend zu einem erregten Wortwechsel führt.

Galuppi hat zur opera buffa bis zum Ende seines Opernschaffens 1773 Beiträge geleistet, zuletzt auch über Texte anderer Librettisten wie Giovanni Bertati und Giuseppe Petrosellini. Sein gleich ihm aus Oberitalien stammender Altersgenosse Giovanni Battista Lampugnani begann ebenfalls als Seria-Komponist, widmete sich dann (ab 1758) aber vornehmlich der Buffa-Komposition, wobei er gleichfalls Texte von Goldoni bevorzugte. Der etwas jüngere Gaetano Latilla fing dagegen als echter Süditaliener gleich mit einer Reihe von opere buffe über Texte neapolitanischer Dichter an und pflegte dann bis zuletzt beide Operngattungen nebeneinander. — Bezeichnenderweise haben die Meister, die für eine dramatische Auflockerung der opera seria besonders empfänglich waren, Niccolo Jommelli und Tommasi Traëtta, in schwächerem Maße auch Davide Perez und Domingo Terradellas, die heitere Gattung nur in ganz geringem Maße mit Beiträgen bedacht, ja, es darf wohl als ein Zeichen für deren gerade in den vierziger Jahren wachsende Anziehungskraft gewertet werden, daß sie es eben in jener Zeit überhaupt getan haben.

Von der etwas jüngeren Generation, die neben ihnen heranwuchs, hat Giuseppe Sarti sein Opernschaffen mit opere serie angefangen und dann in buntem Wechsel Buffe — darunter die in Mozarts DON GIOVANNI zitierte Oper FRA I DUE LITIGANTI IL TERZO GODE (*Wo sich Zwei streiten, freut sich der Dritte*; 1782) — und Serie einander folgen lassen, während Pietro Anfossi und Pietro Guglielmi gleich mit der Buffokomposition begannen und dann die Reihe ihrer opere buffe nur hie und da durch opere serie unterbrachen. So verschob sich das Gleichgewicht im Schaffen der jüngeren Meister allmählich zugunsten der opera buffa, bis diese bei Nicola Piccinni, Giovanni Paisiello und Domenico Cimarosa bei weitem das Übergewicht gewann.

Etwa seit der Mitte der fünfziger Jahre begann die opera buffa mit ihrer Ungezwungenheit und Lebensnähe im Sinne des zeitgemäßen Strebens „zurück zur Natur" der in Konvention und antikisierendem Heroismus erstarrten ernsten Schwester den Rang abzulaufen. Dabei war diese aber textlich wie musikalisch trotz ihres diametralen Gegensatzes immer deutlich spürbar gegenwärtig, sei es in Gestalt der partie serie und ihrer Ausdrucksweise als solcher, sei es in Gestalt vereinzelter parodistischer Wendungen oder ganzer Seria-Parodien. Derartige Stücke (u. a. LA BELLA VERITÀ [*Die schöne Wahrheit*] von Piccinni 1762, LA CRITICA von Jommelli 1766, LA CANTERINA [*Die Sangesfreudige*] von Haydn 1767, L'IMPRESARIO IN ANGUSTIE [*Der Theaterunternehmer in Nöten*] von Cimarosa 1786) zeigen mit ihrer beißenden Satire die Gegnerschaft, gleichzeitig aber auch mit der Gewandtheit der Wiedergabe die enge Verwandtschaft der beiden Gattungen. War es doch im Grunde eine Selbstverspottung der Komponisten. — Aber auch in dem Maße, in dem die Buffa sich nicht zuletzt durch die Integration der parti serie in ihre heitere Umgebung von der possenhaften zur bürgerlichen Komödie und schließlich durch das Eindringen sentimentaler Züge zum „bürgerlichen" Rührstück wandelte, die Seria aber umgekehrt in der Hand der Buffa-Komponisten musikalisch verschiedenartig aufgelockert wurde, näherten sich beide Gattungen zumindest musikalisch aneinander an.

Rein stofflich war die opera buffa der Seria an Mannigfaltigkeit bei weitem überlegen, wenn es sich auch um ein kunterbuntes Allerlei von vielfach geringem musikalischen Wert handelte. Als ausschlaggebend für die Stücke im Einzelnen erscheint dabei stets die Rolle, die feinere und grobschlächtige Komik darin spielten bzw. das Verhältnis, in dem sie zueinander und zu den parti serie standen. Besonders fein ausgewogen ist dieses Verhältnis beispielsweise in Giovanni Battista Lorenzis ausgezeichnetem Text zu Paisiellos SOCRATE IMMAGINARIO (*Der eingebildete Sokrates* 1775), wobei die auf geistvolle Weise durch ihren Wahn lächerlich gemachte Titelfigur durch zwei derbe parti buffe in diesem Wahn bestärkt wird, während zwei parti serie sie davon abzubringen suchen. Auch Lorenzis DON CHISCIOTTE DELLA MANCIA (1769) ist ganz auf den Wahn des Titelhelden abgestimmt, der sich ausschließlich in Seria-Parodien äußert, während alle übrigen Gestalten ihn gnadenlos mehr oder weniger derb zum Besten halten. Der Grad der Komik wird hier wie in anderen Stücken durch Verwendung eines Dialekts noch verstärkt. Einem Wahn erliegt auch Buonafede, der Held von Haydns IL MONDO DELLA LUNA (*Die Welt auf dem Mond;* 1777), der sich weismachen läßt, er befinde sich auf dem Mond. Hier tritt allerdings die handfestere Komik hinter einer lyrischen Stimmungsmalerei des Zauberreiches zurück.

Im Gegensatz zu Stücken dieser Art, deren Helden der Lächerlichkeit preisgegeben werden wie z. B. besonders wirkungsvoll der furchterregende Ritter Orlando in Haydns gleichnamiger Oper (vgl. oben S. 83), steht die große Gruppe derjenigen, in denen Buffofiguren Motor und Mittelpunkt des ganzen Geschehens bilden. Sie stehen als Vertrauenspersonen zwischen parti serie und den primitiven parti buffe und halten alle Fäden der Intrige in der Hand. Der Prototyp eines solchen Helden ist Figaro im BARBIERE DI SIVIGLIA von Giuseppe Petrosellini (1782), dem beispielsweise die Wirtin Smeraldina in der LOCANDIERA DI SPIRITO (*Die geistvolle Wirtin*) von Piccinni (1768) zur Seite gesetzt werden kann. Sie ist für die (sämtlich Dialekt sprechenden) urwüchsigen parti buffe wie für die deutlich von ihnen geschiedenen parti serie Helferin in allen Nöten und paßt sich in ihren Äußerungen immer den jeweiligen Gesprächspartnern an. Allen diesen Buffa-Texten ist bei aller Verschiedenheit eines gemeinsam: Die parti serie spielen eine relativ untergeordnete Rolle und erscheinen neben den handfesten Buffa-Gestalten nicht selten in parodistischer Beleuchtung. Dieses Verhältnis wird umgekehrt, je mehr sich die Texte von der Posse zur bürgerlichen Komödie wandeln. Ein hervorragendes Beispiel für die letztere ist Goldonis LA BUONA FIGLIUOLA (*Die gute Tochter*; nach Samuel Richardsons Roman *Pamela or Virtue Rewarded*), die erstmals 1756 von Egidio Romualdo Duni, dann 1760 von Piccinni vertont wurde. Hier steht keine wie immer geartete Buffofigur im Mittelpunkt, freilich auch keine Seria-Gestalt, sondern ein rührendes Mädchen aus dem Volke, ein armes Findelkind, das sich im Laufe des Geschehens jedoch als Gräfin entpuppt. Sie unterscheidet sich von den parti serie durch das Fehlen jeglichen ,Pathos', von den parti buffe durch die zarte Empfindsamkeit ihrer Äußerungen. Ihre vornehme Herkunft wird mit Hilfe eines derben Buffotyps, des bramarbasierenden deutschen Landsknechts Tagliaferro, enthüllt, der an Stelle des Dialekts ein mit fremden Brocken durchsetztes Kauderwelsch spricht. Hier spielt auch, in der Buffa-Librettistik nicht eben häufig, der Standesdünkel der Vornehmen eine große Rolle, die eine Heirat zwischen dem Marchese und der armen Gärtnerin erst anerkennen, als deren hoher Stand offenbar geworden ist.

Piccinni hat aus diesem „bürgerlichen Rührstück" fast eine Charakterstudie gemacht. Die Gesänge der Heldin Cecchina sind mit vorwiegend freien Formen und oft rührender, schlichter Natürlichkeit zwischen den Gattungen stehende lyrische Gefühlsergüsse — besonders ausdrucksvoll der Beginn ihrer Schlummerarie aus II,12 (S. 95 oben). Ihr Liebhaber, der Marchese, paßt sich weitgehend ihrem Stil an (so z. B. in seiner vielteiligen Arie in I,5, Beispiel S. 95 unten), während seine Schwester, die Marchesa, und ihr Liebhaber Armidoro in ihrem Standesdünkel meist durch Bravourarien in Dacapo-Form leicht parodistisch charakterisiert werden. Demgegenüber erscheinen Sandrina und Paoluccia als echte Kinder des Volkes teils herzhaft volkstümlich, teils buffohaft kokett. Auch der Bauer Mengotto erweist sich als Buffo-Gestalt; seine Arie über die Frauen deutet bereits auf Leporellos Registerarie aus Mozarts DON GIOVANNI hin (S. 96 oben).

Nicola Piccinni: La buona Figliuola

CECCHINA
*Largo con moto*

Vie — ni, il mio se — no Di duol ri — pie — no, di duol ri — pie — no,

Nicola Piccinni: La buona Figliuola

MARCHESE

È pur bel - la la Cec - chi - na! Mi fa tut - to, mi fa tut - to, tut - to, tut - to, tut - to giu - bi - lar

Nicola Piccinni: La buona Figliuola
MENGOTTO

Der handfesteste Vertreter des Buffotones aber ist Tagliaferro, z. B. in seiner Instrumentenarie in II,6:

Nicola Piccinni: La buona Figliuola
TAGLIAFERRO

obwohl auch er wie die anderen echte Gefühlsregungen zeigt.

Die BUONA FIGLIUOLA, die wohl am besten als lyrische Komödie zu bezeichnen wäre, ist symptomatisch für die Neigungen ihres Komponisten: Auch in echten Komödien von ihm spielen neben handfesten Seria-Parodien und derben Arien mit Buffo-Geplapper, kurzatmigen Motivwiederholungen und volkstümlichen Wendungen lyrische Gesänge eine Rolle, die Schwärmerei und naive Unschuld verbinden und auf der Grenze zwischen Seria und Buffa stehen. Die Personen erscheinen dadurch in doppelter Beleuchtung. So beweist z. B. Origille in II,6 der gleichnamigen Oper (1760) mit der schlichten Innigkeit ihres Gesanges, daß sie in der Tat zwischen dem ernsten

Nicola Piccinni: ORIGILLE

Helden Raniero und dem Buffo-Helden Martano steht, und in der LOCANDIERA DI SPIRITO erklärt die Heldin Smeraldina ihrem Dialekt sprechenden Geliebten Giancola ihre Liebe nach einem langen, lieblichen Vorspiel in einer verhalten schwärmerischen Arie, aber ebenfalls im Dialekt.

Nicola Piccinni: LOCANDIERA DI SPIRITO

Hier, wie auch in anderen Opern Piccinnis, gehören überhaupt alle Gestalten mit Ausnahme der parti serie gleichsam zwei Sphären an: Sie tendieren bald mehr zur derben Buffa, bald mehr zum bloß heiteren Lustspiel. Ihr mehr oder weniger gehäuftes Zusammentreten in den dramatisch bewegten Finales bewirkt deren Gliederung entweder mehr als Reihung oder als Wiederholungsform (Ketten- bzw. Rondofinale). Abgesehen von diesen großen, vielgliedrigen Komplexen und den meist sehr charakteristischen Introduktionen enthalten die Opern relativ wenige Ensembles, die vielfach aus buffonesken Wechselgesprächen mit abschließender homophoner Vereinigung der Stimmen bestehen. Wo es der Text zuläßt oder gar fordert, werden die Instrumente wirkungsvoll zur Stimmungsmalerei herangezogen.

Auch Piccinnis deutscher Altersgenosse Joseph Haydn hat sein Opernschaffen im Rahmen der heiteren Oper begonnen und ihr schon bald seinen Stempel aufgedrückt. Bereits in seiner Frühoper LE PESCATRICI (*Die Fischerinnen*; Text nach Goldoni, Esterhaz 1769/70) kommt es beim Zusammentreffen der deutlich voneinander geschiedenen parti serie und buffe nicht nur zu konventioneller Buffo-Musik, sondern in gewissen zwielichtigen Situationen zu hervorragenden, ja parodistischen Wirkungen, wozu Haydn auch in reichem Maße Bläser heranzieht. Seine „drammi giocosi" der 70er Jahre vertreten, trotz ihrer engen zeitlichen Nachbarschaft und gattungsbedingten Verwandtschaft, inhaltlich ganz verschiedene Typen: L'INCONTRO IMPROVVISO (*Die unerwartete Begegnung;* Übersetzung der opéra comique LA RENCONTRE IMPRÉVUE von Karl Friberth, Esterhaz 1775) hat alle dramaturgischen Vorteile der französischen Textvorlage, die Haydn und sein Übersetzer sich glänzend zunutze gemacht haben. Parti serie und parti buffe wechseln hier nicht bunt miteinander ab, sondern sind einander mit rationaler französischer Konsequenz von Anfang an gruppenweise gegenübergestellt. So beginnt der I. Akt mit einem großen, die Szenen 1—4 umfassenden Block aus Chor und Soli der Calender, wozu sich ganz zuletzt noch der Diener Osmin mit einer volkstümlich-liedhaften Canzonette gesellt. Die Atmosphäre wird durch die Vorherrschaft eintöniger Phrasen und quasi ostinater Orchester-Motivik umschrieben. Dieser fremdländischen und gleichzeitig primitiven Welt der parti buffe tritt in den beiden folgenden Szenen die Welt der Seria mit allen ihren Reizen entgegen: einer Koloratur-Arie der Heldin Rezia, einem abwechslungsreichen Terzett mit 2 Corni inglesi für 3 Soprane und einem Monolog des Helden Ali, der von einem langen, affektvollen Akkompagnato-Rezitativ eröffnet wird und mit einer dreiteiligen Koloraturarie endet. In den letzten drei Szenen des Aktes gehen die beiden Welten eine abwechslungsreiche Verbindung ein, das Ende ist ein konventionelles Tableau. — Der II. Akt enthält zwei ausgesprochene Höhepunkte: zunächst gegen Ende der 7. Szene beim Preise des Wiederfindens von Vaterland und Freiheit eine enge Vermischung von Buffa- und Seria-Stil im Dienste des Textes, und dann mitten im Finale über liegenden Dreiklängen in Hörnern und Streichern eine Vereinigung aller 5 Stimmen, die wie erstarrt vor Schrecken auf einem Ton die Worte „Oh che giorno di sventure" deklamieren — ein typisch mozartischer Effekt! — Besonders bemerkenswert im III. Akt ist in der 5. Szene die Arie, in der Ali den verrückten Maler spielt und mit pathetischer Anschaulichkeit dessen Bilder beschreibt, darunter auch das des murmelnden Baches — eine der wenigen Stellen, an der man trotz des weiten Abstandes zwischen dem Werk Haydns und seinem Gluckschen Vorbild deutlich auf dieses hingewiesen wird[6]. Die zeitlich benachbarte Goldoni-Oper IL MONDO DELLA LUNA (Esterhaz 1777) steht ihrer Vorgängerin stilistisch nahe, nur daß einerseits das liedhaft-volkstümliche Element in ihr stärker hervortritt, zum anderen die textbedingte Ironie zu ganzen parodistischen Szenen führt.

Mit dem Übergewicht des buffonesken Geistes in dieser Oper hat sich Haydn zwar nicht ganz von der Gattung als solcher verabschiedet, wohl aber griff er nun zu Texten, die im gleichen Rahmen mannigfaltigere inhaltliche Möglichkeiten boten. So trat er bereits ein Jahr nach seinem „letzten Goldoni" mit LA VERA COSTANZA (*Die wahre Beständigkeit;* Text von Francesco Puttini, ebenda 1778/79), auch einem dramma giocoso, hervor, dessen Titel aber bereits das Vorhandensein einer leitenden Idee erkennen läßt. In ihrem Schatten verliert der Gegensatz zwischen parti serie und parti buffe viel von seiner Bedeutung. Zwar gibt es noch ausgesprochene Seria- bzw. Buffa-Nummern, doch erscheinen sie hier als Ausdruck eines Standesunterschiedes, der in den früheren Opern Haydns noch keine Rolle gespielt hatte[7]. Im allgemeinen aber begegnen sich die beiden Gegensätze im Rahmen des Liedhaft-Volkstümlichen: In der Gestalt der Heldin Rosina, einem Ebenbild von Piccinnis Cecchina. Hier zeigt sich mit besonderer Deutlichkeit, daß auch Haydn vom Geist des „Rührstücks" berührt war. — Das Gleiche gilt für seinen letzten Beitrag zur Gattung des dramma giocoso, LA FEDELTÀ PREMIATA (*Die belohnte Treue;* nach Giovanni Battista Lorenzi, ebenda 1780/81), wo es bereits durch den Zusatz „pastorale" im Untertitel zum Ausdruck gebracht wird. Die Verschmelzung von Seria und Buffa ist hier trotz des Reichtums an charakteristischen Akkompagnato-Szenen und ebensolchen Ensembles allerdings dramaturgisch weniger gelungen als in dem früheren Werk. Mit dem zunächst tastenden, dann endgültigen Übergang zur opera seria am Ende seines Opernschaffens hat Haydn hieraus eine energische Konsequenz gezogen. — Eine ähnliche Zwischenstellung zwischen Buffa und Seria zeigt sich in den

---

6 Vgl. hierzu Anna Amalie Abert, Haydn und Gluck auf der Opernbühne, in: Internationaler Joseph-Haydn-Kongreß, Wien 1982.
7 Vgl. hierzu oben Goldonis *Buona figliuola*.

Opern des mit Haydn annähernd gleichaltrigen Lehrers und Vorgängers Antonio Salieris als Wiener Hofkapellmeister, Florian Leopold Gassmann (1729—1774). Er hat zwar noch zahlreiche Texte Metastasios komponiert, doch neigte auch er zur heiteren Gattung, die er mit deutsch-liedhaften Zügen durchsetzte[8].

Die Buffoopern Giovanni Paisiellos tendieren mehr zu einer drastischen Komik, wiewohl auch hier oft ernste und heitere Töne rasch miteinander abwechseln, und zwar nicht nur im Nebeneinander von parti serie und parti buffe, sondern auch ganz besonders in Arien der letzteren, deren erster Teil nicht selten heiter-lieblich oder sogar pathetisch gehalten ist, während der zweite sich in handfestem Buffo-Geplapper ergeht. Besonders viele Misch-Arien dieser Art enthält das „dramma eroi-comico" IL RE TEODORO (1784, Text von Giovanni Battista Casti). Dabei wird das Pathos oft durch die Nachbarschaft buffonesker Phrasen ins Lächerliche gezogen, wie etwa in der Arie Teodoros im 2. Akt. In dieser Oper ist keine Person grotesk buffonesk, aber auch keine ganz

Giovanni Paisiello: IL RE TEODORO

ernst, während beispielsweise in L'AMOR CONTRASTATO (*Die Launen der Liebe,* späterer Titel LA MOLINARA, 1788, Text von Giovanni Palomba) lyrische Gegensätze gegenüber zwei- oder vielteiligen lebhaft bewegten Buffo-Arien ganz in den Hintergrund treten. Diese Arien sind häufig kleine Buffoszenen für sich. Eine große Rolle spielt in allen Opern der parodistische Gebrauch von pathetischen Seria-Wendungen. Besonders stark ist dies in Werken wie DON CHISCIOTTE DELLA MANCIA und SOCRATE IMMAGINARIO der Fall, wo der Titelheld den übrigen Personen zum Gespött dient. Don Chisciotte äußert z. B. als einzige Gestalt der Oper bei einem seiner Abenteuer in I,6 seine jämmerliche Klage in Gestalt eines höchst ausdrucksvollen Akkompagnato-Rezitativs; im übrigen wird seine Narrheit durch Arien oder Arienanfänge im Stil von „arie parlanti" — z.B. die folgenden aus I,9 und III,12 ins hellste Licht gesetzt.

Giovanni Paisiello: DON CHISCIOTTE DELLA MANCIA

Giovanni Paisiello: DON CHISCIOTTE DELLA MANCIA

---

8 Vgl. sein dramma giocoso *La Contessina* in den Denkmälern der Tonkunst in Österreich XXI.

SOCRATE IMMAGINARIO enthält zur Verspottung des Helden Tammaro in II,10 eine berühmte Parodie auf die Furienszene aus Glucks ORFEO ED EURIDICE, in der sowohl Sologesänge als auch Furientanz und -chöre alle Merkmale des Gluckschen Vorbilds täuschend ähnlich wiedergeben und dadurch in Verbindung mit dem wahnbetörten Tammaro von der lächerlichsten Wirkung sind. Eine simplere Beschwörungsparodie findet sich auch in I,5 von LA GROTTA DI TROFONIO (*Die Grotte von Trofonio;* 1785, Text von Giovanni Battista Casti). Passive Buffohelden wie Don Chisciotte und Socrate regen jedoch die übrigen Personen nicht nur zu heiteren, sondern vorwiegend zu Äußerungen drastischer Komik an. Ihre Gesänge sind gemeinhin neben dem rasch geplapperten Secco-Rezitativ Buffo-Arien vom reinsten Wasser, größtenteils mit stark volkstümlichem Einschlag, wie z. B. die Arie Figaros aus dem I. Akt des BARBIERE DI SIVIGLIA:

Giovanni Paisiello: BARBIERE DI SIVIGLIA

Von ihnen heben sich die Gesänge der parti serie teils durch ihr Pathos — so die Arie der Emilia aus I,3 von SOCRATE IMMAGINARIO:

Giovanni Paisiello: SOCRATE IMMAGINARIO

teils durch ihre schwärmerische Kantabilität — so die Arie des Artemidoro aus I,7 der GROTTA DI TROFONIO ab:

Giovanni Paisiello: GROTTA DI TROFONIO

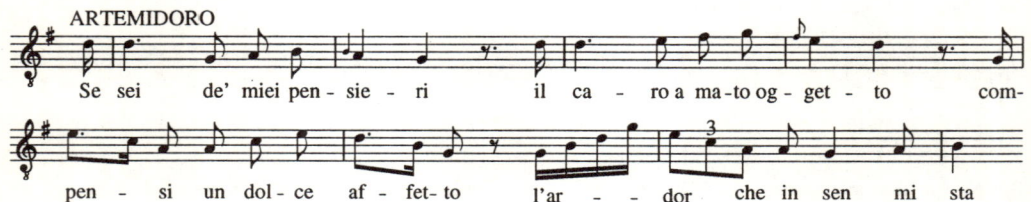

Von den relativ zahlreichen Ensembles stehen die Duette noch überwiegend dem alten Typ der „aria à due" nahe, während die größer besetzten, im allgemeinen mehr oder weniger bewegten dramatischen Szenen nach Art der Finales gleichen. In diesen selbst kulminiert gewöhnlich die allgemeine buffoneske Verwirrung in einer Reihe von turbulenten Szenen, die entweder nur locker aneinandergefügt oder durch Wiederaufnahme charakteristischer Motive miteinander verbunden sind. Hier wie auch in den meisten Arien nehmen die Instrumente, häufig in Gestalt prägnanter, kurzer Motive, am musikalischen Geschehen lebhaften Anteil; Bläser spielen dabei eine große Rolle.

Alle diese Züge finden sich in verstärktem Maße in den Buffo-Opern des etwas jüngeren Domenico Cimarosa wieder. Dafür bietet seine berühmteste Komödie IL MATRIMONIO SEGRETO (*Die heimliche Ehe;* 1792, Text von Giovanni Bertati) mit ihrer Fülle dramatisch bewegter Ensembles, ihrem geschmeidigen, textbedingten Wechsel zwischen eleganter Kantabilität und leichtfertigem, raschen Herunterdeklamieren des Textes und der selbständigen Behandlung des Orchesters charakteristische Beispiele. Auf diesem Boden, dem auch die opere buffe Mozarts entstammen, erwuchs wenig später das Buffoschaffen Rossinis. Dessen BARBIERE DI SIVIGLIA und derjenige Paisiellos zeigen den nahtlosen geistigen Übergang der Gattung vom 18. ins 19. Jahrhundert und gleichzeitig die gesteigerten Ausdrucksmittel der musikalischen Sprache in dem jüngeren Werk.

# Von der Nummern-Oper zur „scena ed aria"

Wie jeder scheinbare Einschnitt zwischen historischen Epochen, je näher man ihn betrachtet, desto mehr zur allmählichen Wende wird, so ist auch der Übergang von der italienischen Oper des 18. zu der des 19. Jahrhunderts ein sich über Jahrzehnte erstreckender fließender, nicht nur wegen der Meister, deren Schaffen zeitlich diese Spanne umfaßt, sondern vor allem, weil sich eine solche „Wende" immer, und hier zumal, geistig und daher auch stilistisch schon lange Zeit vorher hie und da ankündigt und andererseits viele Relikte darüber hinaus ein zähes Leben haben. „Scene ed arie" z. B., das heißt Komplexe, in denen sich die Handlung der Musik und diese sich der Handlung öffnet, finden sich, wenn auch noch nicht in der später zum Schema erstarrten Form, durchaus schon in Opern des 18. Jahrhunderts, andererseits kann man auch später noch auf außerhalb der Handlung stehende Gesangs-„Nummern" treffen.

Grundsätzlich aber vollzieht sich in jener Zeit des Übergangs eine Neuverteilung und Differenzierung der bisher weitgehend eindeutig festgelegten Rollen von Rezitativ und Arie, die sich mehr oder weniger ausschließlich der getrennten Wiedergabe von Handlung und Betrachtung gewidmet hatten. Unter dem Einfluß der gesteigerten Emotionalität einer heraufdämmernden Romantik und der damit verbundenen klanglichen Steigerung und Verselbständigung der Instrumentalmusik wurden die sachlich dargestellte Handlung wie auch die unpersönliche Betrachtung gleichermaßen von Leidenschaften durchtränkt, d. h. das Akkompagnato-Rezitativ verdrängt das Secco allmählich ganz und gar und übertrifft an Ausdruckskraft nicht selten die Arie, die sich dann nur noch durch die geschlossene, nun mannigfach variable Form von ihm unterscheidet.

Hand in Hand mit dieser dramaturgisch-musikalischen Entwicklung vollzog sich, teilweise durch sie bedingt, teilweise aber auch sie bedingend, ein grundsätzlicher Wandel der Librettistik. Sie rückte aus dem klaren Licht klassizistisch-rationalistischer Geisteshaltung, wie sie die Dramen Metastasios und seiner Epigonen widergespiegelt hatten, ins unheimliche Halbdunkel kontrastierender Leidenschaftsausbrüche, die sie nicht mehr in der Mythologie und Geschichte des klassischen Altertums, sondern in Chroniken oder Legenden des Mittelalters und der neueren Geschichte fand, wie sie in den Werken romantischer Dichter und Schriftsteller überliefert waren. Auch dieser Wandel ging langsam vor sich, so daß man um die Wende des Jahrhunderts nebeneinander Werke der alten klassischen Textrichtung, ja sogar metastasianische Texte, und romantisch anmutende Libretti finden kann, die sich musikalisch durchaus noch nicht grundsätzlich voneinander zu unterscheiden brauchten.

Wesentlich für diese Zeit des Übergangs ist endlich das allmähliche Zurücktreten der in der zweiten Hälfte des 18. Jahrhunderts auf den Opernbühnen vorherrschenden heiteren Operngattung hinter der ernsten. Zwar erreichte die opera buffa im Schaffen Gioacchino Rossinis noch einmal einen Höhepunkt sui generis, verfiel aber danach, von einigen Ausnahmen abgesehen, mehr oder weniger der Bedeutungslosigkeit, während die opera seria allgemein geistig und speziell musikalisch zum Sprachrohr des neuen Jahrhunderts wurde, wie sie es für das vergangene gewesen war. Sie erreichte dieses Ziel in geradliniger Entwicklung unter zunehmender Öffnung der Grenzen sowohl zur heiteren Schwestergattung als auch zu den französischen Operngattungen hin, die ihrerseits durch das Wirken italienischer Meister in Frankreich von italienischem Geist nicht unberührt geblieben waren.

Aus dieser Zeit des Umbruchs sind neben den bereits im vorigen Kapitel angeführten Meistern einige jüngere zu nennen, deren Werke die Bühnen Italiens und zum Teil auch Frankreichs und Deutschlands beherrschten, bevor der aufgehende strahlende Stern Rossinis ihren Ruhm verdunkelte: Simon Mayr (1763—1845), ein Deutscher, der gleich Hasse seine geistige Heimat in Italien fand, Ferdinando Paër (1771—1839), der in Italien begann, dann in Deutschland tätig war und sein Schaffen in Paris beendete, und Pietro Generali (1783—1832). Alle drei wirkten in den entscheidenden Jahrzehnten zwischen 1790 und 1830, zunächst vor, dann ab 1812, neben Rossini.

Mayr war einer der fruchtbarsten und vor Rossinis Auftreten auch erfolgreichsten italienischen Opernkomponisten des beginnenden 19. Jahrhunderts. Er pflegte, wie seine Zeitgenossen, neben der ernsten auch die heitere Gattung, doch folgte er hier, wie diese, mehr der großen Heerstraße, während seine opere serie trotz ihrer Verwurzelung in der Tradition eine zukunftsweisende Rolle spielen. Melodisch spricht er noch deutlich erkennbar die Sprache des Herkommens, doch ist sie, im Zusammenhang mit der farbigen Harmonik, stark von Chromatik durchsetzt. Vor allem setzte er die bereits begonnene Auflockerung der Form fort. Nicht selten begegnen Gebilde, die mit der Einbeziehung eines Chores und im Charakter der einzelnen Teile schon auf die spätere „scena ed aria" hinweisen. Sein großes Ansehen in seiner Zeit stützte sich nicht zuletzt auf seine Instrumentationskunst, besonders die starke Heranziehung der Bläser sowohl solistisch als auch als Tutti-Effekte. Alle diese Neuerungen erscheinen vielfach einzeln oder vereint in geeigneten, bewegenden Situationen im Dienst der Textausdeutung und führen dann zu musikalisch-dramatischen Höhepunkten. In der Szene und Cavatine Ariodantes am Anfang des II. Aktes von GINEVRA DI SCOZIA (*Ginevra von Schottland;* 1801) wird die Waldesstimmung eindrucksvoll durch Flöten-, Klarinetten- und Horn-Soli wiedergegeben. Vereint finden sich die fortschrittlichen Stilmittel beispielsweise in der Szene Polinessos mit Chor (Nr. 19) im II. Akt der gleichen Oper, einem der „scena ed aria" nahekommenden Komplex, in dem der Intrigant Schmerz über die von ihm selbst betriebene Verurteilung Ginevras heuchelt, zunächst in einem Akkompagnato-Rezitativ mit dem Text angemessenen Orchestereinschüben voll schmerzlichster Empfindung und voller Chromatik, die beide das Unwahre dieser Gefühlsäußerung meisterhaft zum Ausdruck bringen (Beispiel S. 103 oben). Das Gleiche ist der Fall in dem anschließenden c-Moll-Andante der Arie, das in Moll-Klängen geradezu schwelgt. Da hinein schleudert der Chor in C-Dur mit Trompeten und Pauken die Aufforderung, dann solle Polinesso doch für Ginevra kämpfen. Dies veranlaßt ihn dazu, in einem zweiten, cabaletta-artigen Arienteil mit reicher Bläserbesetzung ebenfalls in C-Dur

Simon Mayr: GINEVRA DI SCOZIA

zunächst seinen Mut zu betonen, dann nochmals bald mit übertriebenen Intervallsprüngen, bald mit chromatischen Fortschreitungen sein geheucheltes Entsetzen zu äußern:

Simon Mayr: GINEVRA DI SCOZIA

dazwischen aber seiner Freude über den gelungenen Betrug in einer lustigen Phrase über punktierten Rhythmen Ausdruck zu geben:

Simon Mayr: GINEVRA DI SCOZIA

Derartige dem Text entsprechende scharfe musikalische Kontraste auf engem Raum sind in Mayrs Opern keine Seltenheit und tragen entscheidend zur musikalisch-dramatischen Wirkung der Werke bei. Allerdings finden sich daneben auch Stellen, an denen der Komponist routinemäßig den Sängern zuliebe am Text vorbei musiziert, melodiöse, reich mit Koloraturen geschmückte, aber dramatisch nichtssagende Arien oder auch Ensembles. Sie runden das Bild eines Komponisten der Übergangszeit ab, das noch durch die große Zahl von auf die Nähe der Buffa hinweisenden Ensembles und französischen Einfluß widerspiegelnden Chören vervollständigt wird.

Ferdinando Paër beschritt als Opernkomponist ungefähr den gleichen Weg. Neben traditionellen opere buffe und opere serie, die dem Herkommen noch mehr verpflichtet waren als diejenigen Mayrs, pflegte er vor allem in den Jahren um die Jahrhundertwende auch die opera semiseria, eine Mischgattung zwischen Seria und Buffa, deren Werke nicht selten auch unter einer dieser Bezeichnungen erschienen. Sie behandeln ernste Stoffe unter Beteiligung von parti buffe, die trotz ihrer inhaltlich geringfügigen Rolle durch ihre musikalisch rein buffoneske Sprache zur Belebung des Ganzen beitragen, sei es mit kontrastierenden Solonummern, sei es als heiter umspielende Partner in Ensembles. Auf diese Weise werden auch bei Paër, beispielsweise in den Opern CAMILLA OSSIA IL SOTTERRANEO (*Camilla oder Das Kellergeschoß;* Wien 1799) oder SARGINO OSSIA L'ALLIEVO DELL'AMORE (*Sargino oder Der Schüler der Liebe;* Dresden 1803), die Personen deutlich erkennbar, in Ensembles sogar mitunter simultan, voneinander abgehoben. In der Introduzione zu CAMILLA umplappert der Diener Cola nach echter Buffa-Weise die weitgeschwungenen Melodiebögen seines Herrn Loredano. Zu dieser handgreiflichen Mischung der beiden italienischen Stilarten gesellen sich bei dem weitgereisten Paër dann noch Einwirkungen des deutschen Singspiels und der französischen Opéra comique. Singspielartig mutet z. B. das rührende kanonische Terzettino (Camilla II, Nr. 16) an, in dem Camillas lange vermißter Sohn die Mutter begrüßt (Beispiel S. 105 oben), während diese diesem Ereignis eine frohgestimmte zweiteilige Arie voranschickt, die im Rahmen des Schemas Cantabile — Cabaletta italienischen Belcanto und französische Marschrhythmen nebeneinanderstellt (S. 105 unten).

Nicht zufällig liegen den Libretti von CAMILLA und SARGINO, wie übrigens auch dem wenige Wochen vor Beethovens FIDELIO 1804 erschienenen dramma semiserio LEONORA OSSIA L'AMOR CONIUGALE (*Leonore oder Die eheliche Liebe*), französische Libretti von opéras comiques zugrunde. So spiegelt Paërs Opernschaffen, obwohl es demjenigen Mayrs nicht an zukunftsweisender Bedeutung gleichkommt, als Schmelztiegel der verschiedensten Einflußphären doch stärker als dieses die Lockerung der Gattungsgrenzen wieder, die auf die Länge gesehen ganz allgemein die Entwicklung der Oper im 19. Jahrhundert bestimmen sollte. — Das Opernschaffen Pietro Generalis bewegte sich in den von Simon Mayr gewiesenen Pfaden, ohne ihnen neue Aspekte abzugewinnen.

Mitten im Wirken der drei genannten Meister, 1812, betrat der junge Gioacchino Rossini gleich mit einer ganzen Hand voller Werke, größtenteils einaktiger „farse", die Bühne, und schon ein Jahr danach gelang ihm mit dem melodramma eroico TANCREDI der Durchbruch in die vorderste Reihe seiner Zeitgenossen. Von da an folgten zunächst heitere und ernste Werke in buntem Wechsel dicht aufeinander, bis nach etwa 5 Jahren die ernsten allmählich die Oberhand gewannen. Rossini hat auf beiden Gebieten Epochemachendes geleistet. Auf dem der heiteren Oper bedeutet sein Schaffen eine ganz eigenständige Zusammenfassung und gleichzeitig einen krönenden Abschluß der alten Gattung, auf dem der ernsten bedeutet es, weit über Mayr hinausgehend, eine zukunftsweisende Brücke zwischen den Jahrhunderten und letztlich eine ähnliche Synthese zwischen italienischem und französischem Opernstil, wie sie schon vor ihm die in Frankreich tätigen Italiener vollzogen hatten. Es ist symbolisch für das Schaffen, ja grundsätzlich für die Einstellung des Meisters, daß Meisterwerke beider Gattungen unmittelbar nebeneinander entstehen konnten,

Ferdinando Paër: CAMILLA OSSIA IL SOTTERANEO

CAMILLA
Adagio

Pie - to - so ciel che ve - di tut - ti i pen-sie - ri mie - i che ca - ro fi - glio d'ab-brac-ciar____ mi con-ce-di in-nan - zi mor-te, io ti son gra - ta il do-no, il do - no

Ferdinando Paër: CAMILLA OSSIA IL SOTTERANEO; Terzettino (Beginn)

Adagio non troppo

Sen-to, oh quel - li sguar - di fa-vel - la-no al cor mi - o, ne in-ter-pre-tar pos' i - o si____ dol - ce fa-vel-lar____.

beispielsweise das melodramma eroico TANCREDI und das dramma giocoso L'ITALIANA IN ALGERI (*Die Italienerin in Algier*; Februar bzw. Mai 1813), die commedia ALMAVIVA OSSIA L'INUTILE PRECAUZIONE (IL BARBIERE DI SIVIGLIA, *Almaviva oder Die nutzlose Vorsicht* bzw. *Der Barbier von Sevilla*) und das dramma per musica OTELLO OSSIA IL MORO DI VENEZIA (*Othello oder Der Mohr von Venedig*; Februar bzw. Dezember 1816). Eine derartige Parallelität zeigt, daß bei Rossini das Streben nach Verjüngung von Buffa und Seria Hand in Hand ging. Dabei verwendete er in beiden Fällen weitgehend übereinstimmende Stilmittel und Formelemente. So tritt z. B. in beiden Gattungen die Blockbildung „scena ed aria", die per definitione eine gegenseitige Annäherung von Handlung und Betrachtung mit sich bringt, mehr und mehr an Stelle der bloßen Reihung von Rezitativ und Arie. Locker gefügte Gesprächsszenen und längere Akkompagnato-Monologe hingegen werden durch prägnante, quasi ostinate Orchestermotive zusammengehalten, die auch oft zur Gliederung von größeren Szenenteilen oder ganzen Szenen, vor allem in den langen Ensembles und den Finales, dienen. Dabei spielt ebenfalls in Buffa wie in Seria das Orchester als gleichberechtigter Partner der Singstimme und als Träger der Form eine entscheidende Rolle.

Ein Zeichen für Rossinis trotz aller Fortschrittlichkeit feste Verwurzelung im Boden der Klassik ist, gleichfalls in beiden Gattungen, die auf engem Raum wie in größerem Rahmen hervorstechende Durchsichtigkeit der Form. Das zeigt sich beispielsweise in dem bekannten ersten Finale des BARBIERE DI SIVIGLIA, dessen turbulentes Geschehen übersichtlich in musikalisch aufeinander bezogene bzw. scharf voneinander abgehobene Abschnitte aufgeteilt ist. Der ausgedehnte erste Teil ist obendrein ein Schulbeispiel für die erwähnte Gliederung durch wenige scharf umrissene Orchestermotive, die sich inhaltsentsprechend in verschiedenen Abständen ablösen und die eigentlichen Träger des musikalischen Geschehens sind. Man kann die Freude am möglichst großen szenischen Durcheinander in möglichst durchsichtigem musikalischen Rahmen geradezu als eines der wesentlichsten Kriterien von Rossinis opere buffe bezeichnen.

Daß die gleiche Technik der übersichtlichen Gliederung durch charakteristische Orchestermotive auch die opere serie beherrscht, zeigt z. B. das 2. Finale der dem BARBIERE zeitlich benachbarten Oper OTELLO, nur daß sie hier nicht im Dienst des Gewimmels einer Massenszene, sondern des seelischen Auf und Ab eines quasi-Monologs steht. Zwei Motive, das letztere über einem langen Orgelpunkt, tragen dort abwechselnd die abgerissenen Klagelaute der verzweifelten Desdemona, und nur wo sie aussetzen, verdichtet sich der Gesang zu weiter geschwungenen Linien und zu Koloraturen.

Waren also Buffa und Seria bei Rossini einander rein musikalisch stark angenähert, abgesehen von der weit größeren Zahl von Ensembles und den ausgesprochenen Buffo-Partien in der ersten, und erstrebte und erreichte der Komponist in beiden Gattungen gleichermaßen eine vordem kaum gekannte theatralische Erregung, so war das dramaturgische Ergebnis doch von einer großartigen Gegensätzlichkeit: In den opere buffe ging es um die musikalische Spiegelung menschlicher Schwächen im Lichte dionysischer Heiterkeit (hierfür bieten etwa L'ITALIANA IN ALGERI, IL TURCO IN ITALIA [*Der Türke in Italien*; 1814], IL BARBIERE DI SIVIGLIA Ketten von Beispielen, während z. B. in LA GAZZA LADRA [*Die diebische Elster*; 1817] das Buffahafte nach Art der Semiseria hinter der rührenden Handlung zurücktritt), das Wesen der opere serie wurde dagegen in steigendem Maße durch die Erfüllung großer dramatischer Leidenschaften mit musikalischem Leben geprägt. Bezeichnenderweise ist dies in Rossinis erstem großen Opernerfolg TANCREDI noch kaum der Fall; hier erscheinen die Arien in erster Linie als hübsche oder auch virtuose Gesangsstücke mehr am Rande des Geschehens. Mit dem III. Akt des drei Jahre später entstandenen OTELLO ist dem Komponisten dann aber ein musikdramatischer Wurf gelungen, der an Wirkungskraft selbst den Vergleich mit Verdis Meisterwerk nicht zu scheuen braucht. Hier ist das bewegte Rezitativ von ausdrucksvollen Motiven aus den gewaltigen orchestralen Szeneneinleitun-

Gioacchino Rossini: OTELLO

gen durchsetzt, und die kurzen geschlossenen Formen, die Canzone des Gondoliere sowie die dreistrophige Romanze von der Weide und Desdemonas Gebet wachsen daraus hervor bzw. gehen darin über. Das abschließende ausgedehnte Duett verbindet affektgetränkten Koloraturgesang mit erregtem, akkompagnatohaftem Zwiegespräch und mündet in eine unheimliche d-Moll-Betrachtung der unheilvollen Nacht (Beispiel S. 108), der sich zu der gleichen erregten Orchesterbegleitung nicht weniger schaurig Desdemonas Ermordung anschließt. Von da an bis zum En-

Gioacchino Rossini: OTELLO

de spielt sich das Geschehen über meist von Tremolo getragenen, charakteristischen Orchestermotiven in ausdrucksvollem ariosen Wechselgespräch ab — eine Szene, in der die Handlung Glied für Glied in angemessener, der Zeit weit vorauseilender Weise in Musik getaucht ist.

Freilich finden sich in Rossinis opere buffe wie serie daneben auch zahlreiche Stellen, an denen der Meister unbekümmert neben dem Text her, ja an ihm vorbeimusiziert, wo also der Musiker in ihm und in Zusammenhang damit auch seine zeitbedingte Neigung zum Ziergesang die Oberhand gewinnt und die Koloraturen mitunter aus bloßen Verzierungen einer melodischen Substanz zur Substanz selbst werden. Von den Werken seiner Reifezeit um 1816 an gewinnen sie, geschmeidig und frei von Floskeln, mehr und mehr an Bedeutung.

Neben OTELLO ragt aus Rossinis 1823 mit SEMIRAMIDE beschlossenem Seria-Schaffen vor allem die azione tragico-sacra MOSÈ IN EGITTO (*Moses in Ägypten;* Neapel 1818) hervor, ein Werk, das musikalisch auf dem gleichen Boden steht, dramatisch aber mit vielen großen Blöcken aus Ensembles und Chören einen oratorienhaft weiteren Atem verspüren läßt als die übrigen Opern. Der Anfang des kanonischen As-Dur-Quartetts (S. 109) weist deutlich auf das gleichfalls kanonisch beginnende große Ensemble im 2. Finale von Verdis NABUCCO voraus. Es ist kein Zufall, daß der Komponist gerade dieses Werk 1827 (unter dem Titel MOÏSE ET PHARAON) als vieraktige große Oper für Paris bearbeitet hat. Es wurde dadurch, nur durch die französische Komödie LE COMTE ORY von diesem getrennt, zum unmittelbaren Vorläufer von Rossinis letztem dramatischen Werk, dem GUILLAUME TELL (1829), seiner vielleicht künstlerisch, auf jeden Fall aber entwicklungsgeschichtlich bedeutendsten Oper. Mit ihr hat er, gleich dem 18 Jahre älteren Spontini, aber

Gioacchino Rossini: MOSÉ IN EGITTO; Quartett (Beginn)

mehr in die Zukunft weisend, der französischen Oper durch einen kräftigen Schuß italienischen (in diesem Falle speziell rossinischen) Blutes neues Leben eingeflößt, indem er sich die pathetische und zugleich pointierte Audrucksweise der tragédie lyrique zu eigen machte, sie aber so eng mit der kantablen und koloraturenreichen Sprache der opera seria verband, daß ein organisch gewachsenes Ganzes sui generis dabei entstand. So wies er der alten Gattung neue Wege. Dank der geschickten, operngerechten Bearbeitung des Schillerschen Dramas durch Victor Joseph Etienne de Jouy und Hippolyte Louis Florent Bis gelang ihm hier eine „große Oper", in der die Solo-Nummern fast ganz von gewaltigen Ensemble- und Massenszenen verdrängt bzw. durch lange Akkompagnati in diese einbezogen sind. Die großen Szenenblöcke werden durch wiederkehrende, markante Orchestermotive zusammengehalten, Chöre und selbständige Instrumentalsätze spielen nach französischem Brauch inhaltsentsprechend eine große Rolle; vor allem bemerkenswert sind die charakteristisch voneinander abgehobenen Chöre der Rütli-Szene.

So wirkt Rossinis Opernschaffen bis zu seinem vorzeitigen Ende — der Meister überlebte die Aufführung von GUILLAUME TELL um fast 40 Jahre, ohne auch nur eine weitere Oper zu schreiben — musikalisch wie ein großes Sammelbecken, in dem sich zunächst opera seria und buffa, dann opera seria und tragédie lyrique einander anverwandelten. Im ersteren Fall wurde der Seria- und Buffa-Geist dadurch nur insofern berührt, als ihn das gleiche rossinische Brio nach entgegengesetzten Seiten hin durchdrang, im zweiten entstand tatsächlich eine Annäherung der Gattungsgeister. Stärker als die vor ihm in Paris tätigen Italiener und ganz bewußt hat er in GUILLAUME TELL einerseits sein Italienertum hervorgekehrt, andererseits aber gleichzeitig stofflich wie musikalisch den damals erst von Wenigen beschrittenen Weg zu der neuen französischen Gattung der „grand opéra" eingeschlagen, zu deren frühesten Werken eben der TELL gehört. Nicht nur sein Ruhm drang also, mehr noch als der seiner italienischen Zeitgenossen, über die Grenzen Italiens hinaus — vielmehr fand er mit seinen Werken für Paris (den beiden Bearbeitungen LE SIÈGE DE CORINTHE (*Die Belagerung von Korinth;* von MAOMETTO II) und MOÏSE ET PHARAON (von MOSÈ IN EGITTO), dem COMTE ORY und vor allem dem TELL) auch selbst Zugang zur französischen Oper, in deren Geschichte er einen Markstein bildet.

Die italienischen Opernbühnen aber wurden gleichzeitig von Werken zahlreicher einheimischer Komponisten überschwemmt, die alle mehr oder weniger in seinem Schatten standen. Nur wenigen von ihnen gelang es, sich hie und da davon zu befreien, unter ihnen die annähernd gleichaltrigen Giovanni Pacini (1796—1867) und Saverio Mercadante (1795 bis 1870). Vor allem dieser letztere erwies sich mit zunehmender Selbständigkeit als Meister großer dramatischer Szenen, in denen Arien, Ensembles und Chöre durch ausdrucksvolle Akkompagnati und Ariosi zu bewegten musikalischen Komplexen zusammengeschlossen werden. Gespräche in Form von Arienstrophen sind keine Seltenheit. So ist z. B. der I. Akt einer seiner berühmtesten Opern IL GIURAMENTO (*Der Schwur;* 1837) mit der durch eine Häufung von Ensembles und Chören hervorgerufenen al-fresco-Wirkung der Introduktion, dem ebenso gewaltigen Finale und den vielgliedrigen Szenen dazwischen ganz von einem erregenden dramatischen Atem durchweht; die Soloformen erscheinen hier wie auch in den beiden anderen Akten vielfach nur als kurze, schlichte, aber stets sehr melodiöse Einschübe in den musikalischen Fluß, der durch eine Fülle von überraschenden Modulationen, durch starken Gebrauch von Chromatik und durch eine farbige Instrumentation charakterisiert wird. Bei der Vorliebe Mercadantes für abwechslungsreiche Massenwirkungen ist in dieser Oper wie auch in den ihr zeitlich benachbarten ELENA DA FELTRE (1838) und LA VESTALE (1840) der schlichte, fast entrückte Schluß ohne jeden Aufwand besonders ergreifend; ELENA schließt z. B. mit einem ganz sparsam begleiteten Abschiedsgesang der sterbenden Heldin, dem nur noch ein kurzer, verhaltener Chor folgt (S. 111).

Der Meister war erfolgreich bis weit in die Wirkungszeit Verdis tätig, doch wurden die Werke seiner Generation, darunter u. a. die der Brüder Luigi und Federico Ricci, alsbald besonders musikalisch in den Schatten gestellt von den annähernd gleichaltrigen Gaetano Donizetti (1797—1848) und Vincenzo Bellini (1801—1835). Auch sie stehen auf Rossinis Schultern, vermochten es aber mehr als andere, ihre Eigenart dem Meister gegenüber musikalisch zu behaupten und die italienische Oper dadurch vor einem Versinken in die Routine zu bewahren. Sie haben die von Rossini erneuerte opera seria in sich gefestigt und recht eigentlich zur Plattform gemacht, von der aus der ihnen musikalisch ebenbürtige, aber je länger je mehr kompromißloser als sie aus dem Geiste des Dramas heraus komponierende Verdi seine Meisterwerke schaffen konnte.

In Donizettis Œuvre spielt die heitere Oper zahlenmäßig noch eine ähnliche Rolle wie bei Rossini; Bedeutung erlangten jedoch nur die Rossini nahestehenden opere buffe L'ELISIR D'AMORE (*Der Liebestrank;* 1832) und DON PASQUALE (1843) sowie die für die Pariser Opéra geschriebene LA FILLE DU RÉGIMENT (*Die Regimentstochter;* 1840), eine echte opéra comique. Bellini hat ihm auf diesem Gebiet außer den komischen Szenen seiner ersten Oper ADELSON E SALVINI nichts an die Seite zu setzen. Aber auch in Donizettis Schaffen liegt das Schwergewicht auf den zahlreichen opere serie und semiserie, die vom Ende der zwanziger Jahre an allmählich die Bühnen der Welt eroberten. Der etwas jüngere Bellini trat annähernd gleichzeitig hervor und errang mit IL PIRATA (1827) und LA STRANIERA (*Die Fremde;* 1829) noch vor dem Älteren seine ersten großen Erfolge. Sein früher Tod beendete sein Schaffen allerdings zu einer Zeit, in der Donizetti noch im Zenit seines Ruhmes stand. Die Werke der beiden Komponisten haben mit ihrer vielfach aus dem Text gespeisten musikalischen Durchschlagskraft recht eigentlich der Periode zwischen dem Abgang

Saverio Mercadante: ELENA DA FELTRE

Rossinis und dem Auftreten Verdis auf der Opernbühne ihren Stempel aufgedrückt, ihre Namen stehen vor der Nachwelt stellvertretend für die unendlich vieler, längst vergessener Zeitgenossen. Sie sprechen grundsätzlich die gleiche musikalische Sprache, die in Einklang steht mit den übersteigerten Leidenschaften der in geheimnisvoll-schaurige Geschehnisse verwickelten Gestalten der romantischen Librettistik.

Einer ihrer bedeutendsten Vertreter war Felice Romani, mit dem Bellini besonders eng zusammenarbeitete. Auch Donizetti hat zahlreiche Libretti von ihm vertont, bevorzugte aber daneben auch beispielsweise Texte von Domenico Gilardoni und Salvatore Cammarano, der in Verdis Opernschaffen eine Rolle spielt. So scharf sich diese Textdichtung inhaltlich und formal von der des 18. Jahrhunderts unterscheidet, so verfiel doch auch sie alsbald wieder einer Typisierung, die zwangsläufig durch die Rücksicht auf die Komposition hervorgerufen wurde. Es erschienen heitere, genrehafte Volks- und finstere Verschwörungs-Szenen, Gebets- und Wahnsinnsszenen, Verzweiflungsszenen Unschuldig-Schuldiger und vor allem Szenen, in denen sich vor einem heiteren Hintergrund ein tragisches Geschehen vollzieht. Sie alle ergeben in bunter Folge ein dichtes Geflecht zwiespältigen Charakters, das von nicht weniger zwiespältig typisierten Personen getragen wird, meist Gestalten, deren Identität durch ein Doppelleben, das sie führen, durch

Unkenntnis ihrer Abkunft, durch geistige Umnachtung, durch Heuchelei etc. in Frage gestellt ist.

Dieses Geschehen findet bei Bellini wie Donizetti seinen Niederschlag vorwiegend in großen Szenenblöcken, in denen alle Formelemente einander in raschem Wechsel ablösen und in denen nicht selten der Unterschied zwischen freiem Rezitativ und geschlossener Form weitgehend aufgehoben ist. Im bewegten Gespräch können z. B. nur durch wenige Akkorde gestützte seccohafte Passagen von orchestral untermalten akkompagnatohaften oder von kantablen Ariosi durchsetzt sein, so z. B. inhaltsbedingt im I. Akt von Bellinis SONNAMBULA (*Die Nachtwandlerin;* 1831), wo Rodolfo die schlafwandelnde Amina überrascht (S. 113 oben). Auch kann sich ein rezitativisches Gespräch über einer fließenden Orchester-Melodie abspielen, wie im II. Akt von Donizettis LUCREZIA BORGIA (1833) (S. 113 unten).

Die gleiche Oper enthält mit der Menuett-Begleitung der dramatischen Szene zwischen dem unschuldigen Gennaro und dem heuchlerischen Herzog im 2. Finale einen deutlich erkennbaren Vorläufer der berühmten Szene im I. Akt von Verdis RIGOLETTO.

Ganz allgemein ist das Gewicht in den „scene ed arie" bzw. „scene e duetti" beider Meister gleichmäßig auf beide Bestandteile verteilt: Die „scene" mit ihren ausgedehnten, eindrucksvoll in die Stimmung einführenden Orchestereinleitungen und ihren ausdrucksvollen Akkompagnato-Gesprächen sind meist musikalisch kaum weniger wirksam als dramatisch, während die „Cantabili" und „Cabalette" der Arien derart glücklich das Fazit aus ihnen ziehen, daß ihre dramatische Wirksamkeit der musikalischen kaum nachsteht. Hervorragende Beispiele hierfür bieten die berühmte Szene der Norma („Casta diva") mit Chor aus dem I. Akt der gleichnamigen Oper (1831) von Bellini und aus Donizettis LUCIA DI LAMMERMOOR (1835) die Wahnsinnsszene der Heldin aus dem letzten Akt; in ihr vor allem herrscht, bevor es zur eigentlichen Arie kommt, ein der Situation angemessenes, ganz freies Ineinander von Akkompagnato, Chor und Arienbruchstücken.

Sicherlich gibt es sowohl bei Bellini als auch vor allem bei Donizetti ebenso Partien — Sologesänge wie Chöre —, in denen die Routine bzw. der rein musikalische Elan über die dramatische Textausdeutung die Oberhand gewinnt, aber sie sind relativ selten (dies besonders in den bedeutendsten Werken der beiden, STRANIERA, SONNAMBULA und NORMA von Bellini und ANNA BOLENA, LUCREZIA BORGIA und LUCIA DI LAMMERMOOR von Donizetti) und kommen zudem in dem dichten dramatisch-musikalischen Geflecht der großen Szenenblöcke kaum zum Tragen.

Sehr bedeutsam ist in den Werken der beiden Komponisten auch die Rolle des Chores, der nicht nur zur Untermalung der Massenszenen benutzt wird, sondern mitunter auch als Gesprächspartner auftritt, so z. B. im I. Akt von Bellinis SONNAMBULA, wo er von der unheimlichen Erscheinung des vermeintlichen Phantoms berichtet, in einem regelrechten Chor-Rezitativ im I. Akt von LA STRANIERA und im Gespräch zwischen dem ahnungslosen Protagonisten Fernand und dem Chor der Ritter im 3. Finale von Donizettis LA FAVORITE (1840).

Symptomatisch für die starke Anziehungskraft, die Paris noch immer auf italienische Opernkomponisten ausübte, ist es, daß auch diese beiden Meister, wie vor ihnen Rossini, ihr Schaffen dort beendeten, Bellini 1835 mit I PURITANI im Théâtre Italien, Donizetti mit LA FAVORITE und DON SÉBASTIAN DE PORTUGAL 1843 (dieser sogar über einen Text von Eugène Scribe) in der Opéra. Besonders die Opern Donizettis mit ihren französischen Texten lassen mit den knappen, klar gegliederten und häufig von stereotypen Rhythmen vorangetriebenen Sologesängen und den wuchtigen Massenszenen den französischen Einfluß deutlich erkennen. Dennoch ist es im Wesentlichen diesen beiden Komponisten zu verdanken, daß die italienische Oper sich gerade zu der Zeit, da die französische durch Meister wie Auber, Meyerbeer und Halévy einen gewaltigen Aufschwung nahm, bis zum Auftreten Verdis ebenbürtig neben ihr behaupten konnte.

Vincenzo Bellini: SONNAMBULA

Gaetano Donizetti: LUCREZIA BORGIA

# Giuseppe Verdi

Als der junge Verdi die Opernbühne betrat, herrschte dort ein reges Leben. Neben den im vorigen Kapitel genannten Komponisten waren noch unzählige andere, von denen viele nur einmalige Erfolge errangen, damit beschäftigt, das unersättliche italienische Opernpublikum mit immer neuen Werken zu versorgen.

Mit seinem Erstlingswerk OBERTO, CONTE DI SAN BONIFAZIO (Mailand 1839) reihte sich der junge Komponist ebenbürtig in die Schar dieser Vielen ein. Die Oper wurde dank der Geschicklichkeit, mit der der Anfänger die herkömmliche musikalische Opernsprache beherrschte, mit großem Beifall aufgenommen. Sie enthält schwungvolle italienische, aber noch nicht typisch verdische Musik, da deren entscheidendes Kriterium, ihre Ausrichtung auf einen wie immer gearteten außermusikalischen Inhalt hin, noch fehlt. Immerhin hat Verdi bereits in dieser Oper in keiner einzigen Nummer am Text vorbeikomponiert. Es ist jedoch bezeichnend, daß er später sein Opernschaffen nicht von OBERTO, sondern von dem zweieinhalb Jahre später erschienenen NABUCCO an gerechnet hat.

Seine zweite heitere Oper UN GIORNO DI REGNO (Einen Tag König; Mailand 1840) wurde ein glatter Mißerfolg. Eine nähere Betrachtung dieses Werkes zeigt zwar, daß es besser ist als sein durch das Fiasko der Uraufführung bestimmter Ruf, aber freilich: Die spritzige Melodiesprache der opere buffe Rossinis lag Verdi nicht, und wo er sie versucht, überzeugt er nicht. Im Gegensatz zu den meisten anderen italienischen Opernkomponistsen, die die ernste und die heitere Gattung nebeneinander pflegten, ist er nie wieder auf die opera buffa zurückgekommen. Das heitere Alterswerk FALSTAFF steht auf einem anderen Blatt.

In dem nun folgenden Jahrzehnt bis 1850 spielte sich in dem 14 Opern[1] umfassenden Schaffen Verdis der Kampf zwischen Konvention und eigener Aussage ab, der je nach der Zeit, die dem Komponisten jeweils zur Verfügung stand, mannigfach hin und her wogte und in dem auch die bis dahin zweitrangige Textfrage eine große Rolle spielte.

Verdis Weg führte, genau wie der Richard Wagners, von der Oper zum Musikdrama, nur daß er das Ziel nicht, wie jener, durch einen Bruch mit dem Herkommen, sondern in den Bahnen der Tradition durch eine allmähliche Evolution erreichte[2], deren Anfänge bereits in jener Frühzeit zu erkennen sind. Die Texte dieser Opern stammen zum überwiegenden Teil von den angesehenen Librettisten Temistocle Solera, Francesco Maria Piave und Salvatore Cammarano, die sich, wie es in der Zeit Brauch war, stofflich an große literarische Vorbilder anlehnten. Die Revolutions- und Gelegenheitsoper LA BATTAGLIA DI LEGNANO (Die Schlacht von Legnano) ist die einzige in Verdis gesamtem Schaffen, der kein solches Vorbild zugrundeliegt. Verdi setzte sich, wenn das Drängen der Impresarii dazu Zeit ließ, sehr intensiv mit seinen Texten auseinander und zwang den Dichtern häufig seinen Willen auf. Bereits in NABUCCO hat Solera auf Wunsch des Komponisten ein dramatisch wesentliches, wirkungsvolles Stück, die Prophezeiung des Zacharias im dritten Finale, eingefügt. Zu ERNANI (nach Victor Hugo), ATTILA (nach Zacharias Werner) und MACBETH (nach Shakespeare) schrieb Verdi den Librettisten durch eigene Entwürfe von An-

---

1 Nabucco, Mailand 1842; I Lombardi alla prima Crocciata, Mailand 1843; Ernani, Venedig 1844; I due Foscari, Rom 1844; Giovanna d'Arco, Mailand 1845; Alzira, Neapel 1845; Attila, Venedig 1846; Macbeth, Florenz 1847; I Masnadieri, London 1847; Jérusalem = Umarbeitung der Lombardi, Paris 1847; Il Corsaro, Triest 1848; La Battaglia di Legnano, Rom 1849; Luisa Miller, Neapel 1849; Stiffelio, Triest 1850.
2 Anna Amalie Abert, Verdi und Wagner, in: Colloquium Verdi-Wagner, Rom 1969, Bericht, herausgegeben von Friedrich Lippmann, Köln-Wien 1972, S. 1—13.

fang an die Marschroute weitgehend vor, und auch an der Textgestaltung von LUISA MILLER (nach Schillers *Kabale und Liebe*) nahm er regen Anteil, konnte sich hier allerdings dem routinierten, energischen Cammarano gegenüber nicht immer durchsetzen. Mit Hugo, Schiller und Shakespeare tauchen bereits in jener Frühzeit Dichter auf, die für sein späteres Schaffen von Bedeutung werden sollten.

Verdis Ruhm gründete sich zu Beginn seiner Laufbahn mit NABUCCO vor allem auf seine Chöre. Schon frühzeitig legte man ihm den Ehrennamen eines „papà dei cori" bei; verstand er es doch, dem unterdrückten italienischen Volk des Risorgimento die Freiheitsträume mit einschmeichelnden, von zündenden Rhythmen vorwärtsgetriebenen Chorweisen, deren Effekt durch den Wechsel von Unisoni und wuchtigem mehrstimmigen Satz noch erhöht wurde, zu deuten. Hierauf beruhte die gewaltige Wirkung des berühmten Chores „Va pensiero sull'ali dorate" aus NABUCCO, des kaum weniger berühmten Sehnsuchtsgesanges „O Signore, dal tetto natio" aus den LOMBARDI ALLA PRIMA CROCCIATA (*Die Lombarden beim ersten Kreuzzug*) und des begeisterten Verschwörergesanges „Si ridesti il Leon di Castiglia" aus ERNANI. In NABUCCO (NABUCODONOSOR) stehen die Völker und damit die Chöre so weitgehend im Vordergrund, daß die Solisten in erster Linie als ihre — charakteristisch voneinander abgehobenen — Repräsentanten erscheinen. — Die nächste Oper, I LOMBARDI, die ebenfalls aufgrund ihrer Chöre begeisterten Widerhall fand[3], hat als erste Verdis keine der nach dem Brauch der Zeit aus dem Werk zusammengeflickte Potpourri-Ouvertüre, sondern eines jener kurzen, stimmungshaften „preludi", in denen die Quintessenz des dramatischen Gehalts musikalisch schlagartig umrissen wird. Besonders eindrucksvoll ist dem Komponisten dieses Verfahren in den Vorspielen zu ERNANI, RIGOLETTO und AIDA gelungen.

Die Bedeutung der sich nun in lückenloser Reihe anschließenden Opern ist ungleich, wie auch ihr Erfolg ganz verschieden war. In manchen, wie z. B. ALZIRA, IL CORSARO (*Der Korsar*) und den beiden Schillernopern GIOVANNA D'ARCO (*Die Jungfrau von Orléans*) und I MASNADIERI (*Die Räuber*), überwiegt aus Zeitmangel die Routine, und sie hatten nur wenig Erfolg. Um die Textgestaltung hat sich Verdi in ihnen allen kaum gekümmert. Trotzdem enthalten sie einzelne Szenen, die musikalisch über das übliche Mittelmaß hinausgehen, so etwa die ausdrucksvolle Traumerzählung Alziras im ersten Akt und die freie dramatische Duettszene Gulnara/Corrado im letzten Akt des CORSARO. Die beiden Schiller-Opern leiden unter dem literarischen Vorbild. In GIOVANNA D'ARCO hat Solera aus der „romantischen Tragödie" Schillers ein primitives, opernhaft aufgeputztes Zauberstück gemacht, das Verdi zur Komposition bewegter, aber meist durch ausgesprochen konventionelle Cabaletten abgeschlossener dramatischer Szenen veranlaßte. In den von Andrea Maffei ebenfalls auf die plattesten Äußerlichkeiten zurechtgestutzten MASNADIERI ragen musikalisch die frischen, mitunter das Brutale streifenden Räuberchöre hervor, die schon die Zigeunerchöre des TROVATORE ahnen lassen, sowie die Traumerzählung Francescos vom jüngsten Gericht, in der Verdi, ähnlich wie in der Nachtwandlerszene aus MACBETH, jeder Einzelheit des bilderreichen Textes musikalisch ausdeutend nachgegangen ist.

Diesen im wesentlichen als Routinearbeiten des compositore scritturato zu bezeichnenden Opern gegenüber stehen nun die Werke, bei denen Verdi bereits an der Textgestaltung lebhaften Anteil genommen hatte und deren Musik durch dieses betonte Interesse mehr und mehr an dramatischer Ausdruckskraft gewann. Einen ersten Höhepunkt auf diesem Wege von der Konvention zur eigenen musikdramatischen Aussage bildet ERNANI (von Piave nach Victor Hugo). Hier besteht der I. Akt noch aus einer Aneinanderreihung zwar sehr einfallsreicher, aber in ihrer Haltung

---

[3] Die Oper wurde 1847, für französische Verhältnisse umgearbeitet, unter dem Titel „Jérusalem" in Paris aufgeführt.

traditioneller Nummern, während der kurze IV. Akt von einer einzigen dramatischen Szene gebildet wird, in der sich vor dem gespenstischen Hintergrund drohenden Unheils ein kaleidoskopartiger Wechsel der Empfindungen vollzieht. Dieses Nebeneinander von bester Tradition und Fortschritt dürfte in Verbindung mit den schwungvollen Chören und dramatisch bewegten Finales den großen Erfolg des Werkes bestimmt haben. Den hier beschrittenen Weg der Vereinigung von sehr ausgedehnten, freien musikalisch-dramatischen Szenen mit Cantabiles und Cabaletten der gebräuchlichen Art setzte Verdi mit Erfolg in I DUE FOSCARI (*Die beiden Foscari;* von Piave nach Lord Byron) fort. Besonders bemerkenswert an dieser Oper ist die konsequente Verwendung bestimmter Begleitmotive beim Auftreten der Hauptpersonen, eine sehr sinnfällige, etwas primitive Form der Leitmotivtechnik.

Hervorragenden Einfluß auf Textwahl und -gestaltung nahm Verdi auch bei ATTILA. Die Umarbeitung der Tragödie von Zacharias Werner fand mit der musikalisch zündend wiedergegebenen, politisch deutbaren Tendenz und den vielen abwechslungsreichen Chören trotz ihrer vergleichsweise konservativen Haltung begeisterte Aufnahme. Das Gleiche gilt für die BATTAGLIA DI LEGNANO, die von Cammarano und Verdi ausdrücklich als Bekenntnis zum Aufstand Italiens gegen die Fremdherrschaft gedacht war.

Und doch hatte Verdi sich in jener Zeit von der auf die Wiedergabe typischer Situationen, plakathafter Wirkungen und um ihrer selbst willen angebrachter Kontraste ausgerichteten Operntradition bereits weitgehend gelöst. Das Schlüsselwerk für diesen Umschwung ist MACBETH (von Piave nach Shakespeare). An dieser ersten Shakespeare-Oper Verdis, an deren Textgestaltung er intensiv beteiligt war, zeigt sich schon seine starke Affinität zu dem Dichter. Angesichts so mancher Auftritte der beiden Hauptpersonen, vor allem der Duettszene Macbeth/Lady im I. Akt und der „Gran Scena del Sonnambulismo" der Lady im IV. Akt kann durchaus von einer musikalischen Charakterisierungskunst im Sinne des späteren Verdi gesprochen werden. Die nur teilweise umgearbeitete Wiederaufnahme des Werkes in der Zeit seiner reifen Meisterschaft (Paris 1865) läßt erkennen, wie deutlich er die fortschrittliche Haltung dieses Jugendwerkes empfand. Die Aufnahme der Oper beim Publikum war allerdings ebenso wie die von LUISA MILLER (von Cammarano nach Schiller), in der Verdi ebenfalls auf die charakteristische musikalische Wiedergabe dramatischer Zusammenhänge bedacht gewesen war, enttäuschend. STIFFELIO (nach einem französischen Schauspiel von Piave) hingegen, die letzte Oper aus Verdis erstem Schaffensjahrzehnt, erlebte ein völliges Fiasko, was jedoch vermutlich größtenteils durch den Text verursacht worden war. Sieben Jahre später brachte Verdi das Werk textlich verändert und um einen IV. Akt erweitert unter dem Titel AROLDO erneut heraus.

Mit 16 Werken in 11 Jahren hatte sich Verdi in die Schar italienischer Opernkomponisten eingereiht, von Anfang an als ein Meister, der Routinewerke im besten Sinne einer Beherrschung des Handwerks zu schreiben verstand und der musikalische Einfälle hatte. Das Neue und Eigene, was in jedem Werk, und sei es noch so versteckt, enthalten war, bezog sich nicht oder doch nur in zweiter Linie auf Änderungen dieses Handwerkszeugs, sondern vor allem auf dessen Deutung. Verdi wuchs immer dort über den Status des bloßen Routiniers hinaus, wo eine dramatische Situation oder Gestalt ihn besonders berührte. Dann erfüllte er die „scene ed arie" oder Duetti, die Cantabiles, Cavatinen und Cabaletten so überzeugend mit eigenem Leben, daß diese Träger der Konvention eigens für jene Gelegenheiten neu von ihm geschaffen zu sein schienen, wenn er ihre Grenzen unter der Gewalt der dramatischen Vision nicht überhaupt sprengte und freie Szenenkombinationen an ihre Stelle setzte.

Der Unterschied zwischen den bis 1850 entstandenen Opern und den unmittelbar folgenden besteht nun einfach darin, daß das, was in jenen die Grundlage gebildet hatte, nämlich die primär musikalisch bestimmte Konvention, in diesen ganz an die Peripherie gedrängt wurde, während die dort mehr oder weniger vereinzelt herausragenden inhaltsbezogenen, d. h. recht eigentlich musikdramatischen Bestandteile hier das ganze Werk tragen. Der Übergang war also fließend, wie denn auch STIFFELIO, das letzte Werk des primär musikalischen Routiniers, und RIGOLETTO, das erste des primär dramatischen Opernkomponisten, zeitlich eng beisammen liegen. Mit RIGOLETTO (Text von Piave nach Victor Hugo, Venedig 1851), IL TROVATORE (*Der Troubadour*; Text von Cammarano und Leone Emanuele Badare nach Garcia Gutierrez, Rom 1853) und LA TRAVIATA (Text von Piave nach Alexandre Dumas d.J., Venedig 1853) beschloß Verdi die Reihe der unter Zeitdruck geschriebenen Werke, zugleich aber sind sie die ersten seiner Opern, in denen das Einmalige, Individuelle über den Gattungsstil dominiert. Von hier an wurde jede weitere Oper für ihn zum immer wieder neu zu lösenden Problem. Die Trias ist also gleichzeitg Abschluß und Erfüllung des Vorangegangenen wie Ausgangspunkt für das Kommende. Was sie inhaltlich bei aller Gegensätzlichkeit zusammenhält und zugleich scharf von allen früheren und späteren Opern Verdis abhebt, ist die von Verdi besonders begrüßte Ambivalenz ihrer tragenden Gestalten: Rigoletto, der bösartige mißgestaltete Narr und liebende Vater, Azucena, die unversöhnliche Rächerin der Mutter, voll inniger Zuneigung zu dem angenommenen Sohn, und Violetta, die „Traviata" und hingebungsvoll Liebende. Außerdem sind sie alle drei Ausgestoßene der Gesellschaft, was mehr oder weniger ihr Schicksal bestimmt.

In RIGOLETTO ist Verdi, begünstigt durch Hugos glänzend zur Veroperung geeignetes Drama *Le roi s'amuse*, das dem Text zugrundeliegt[4], zum ersten Mal als Musikdramatiker großen Stils hervorgetreten. In dem düsteren Leitklang des Fluches, der vom Vorspiel an die ganze Oper durchsetzt, in dem unheimlichen Chiaro-Oscuro des Festes in der Introduktion, in der finsteren Grandezza der nächtlichen Szene zwischen Rigoletto und Sparafucile, in der klanglich grauenhaft gespannten Gewitterszene des letzten Akts hat er den dramatischen Gehalt der jeweiligen Situationen in Form von frei dahinfließenden Szenen unmittelbar in Musik eingefangen. Getragen aber werden sie nicht von typischen Opernhelden, sondern von individuellen Persönlichekeiten, die sich durch ihre Ausdrucksweise — Rigoletto, der Aggressive, Ruhelose z. B. durch emotional bewegten Sprechgesang, der leichtsinnige, verführerische Herzog durch anmutige, quasi nonchalante Strophenlieder — charakteristisch voneinander unterscheiden. Das Quartett „Bella figlia dell'amore" im letzten Akt gilt als eines der bedeutendsten Beispiele feinster Simultancharakteristik in der Operngeschichte. Im TROVATORE hat es Verdi offensichtlich gereizt, im Gegensatz zu RIGOLETTO das Schicksal eines Außenseiters der Gesellschaft, das durch seine Doppelnatur bestimmt wird, als „Oper" im Sinne des Herkommens zu behandeln. Mit seiner dichten Folge von ausgedehnten, musikalisch höchst vielseitigen geschlossenen „Nummern" im alten Sinne stellt dieses Werk recht eigentlich die Krönung von Verdis früherem Opernschaffen dar. Es enthält nur eine ausgeprägte Charakterfigur, die Heldin Azucena, die dem Rigoletto an Großartigkeit und Fremdartigkeit durchaus ebenbürtig ist, nur daß sie sich nicht, wie jener, vorwiegend in freien dramatischen Szenen äußert, sondern sich, wie alle Gestalten der Oper, ausschließlich geschlossener, allerdings nach Form wie nach Ton- und Taktart besonders geprägter, fast volkstümlich anmutender Nummern bedient. Beide Opern errangen große Erfolge, RIGOLETTO, weil er neben oder auch in den dramatisch aufgelockerten Szenen viel fortreißende verdische Musik enthält, der TROVATORE, weil die Fülle dieser Musik durch einen scharf umrissenen musikalischen Charakter zusammengehalten wird.

Das den Werken der Trias gemeinsame menschliche und gesellschaftliche Problem wird nun in LA TRAVIATA aus außergewöhnlichen Umgebungen und Ausnahmesituationen mitten in das All-

---

4 Vgl. Leo Karl Gerhartz, Die Auseinandersetzungen des jungen Giuseppe Verdi mit dem literarischen Drama (Berliner Studien zur Musikwissenschaft 15), Berlin 1968.

tagsleben hineinversetzt, wodurch es weniger spektakulär, aber desto herzbewegender wirkt[5]. Die Personen sind hier weder scharf umrissene Charaktere noch blasse Operntypen, sondern Träger allgemein menschlicher Empfindungen, die gesellschaftlichen Vorurteilen zum Opfer fallen. Als Individualitäten stehen sie also gleichsam zwischen den Gestalten von RIGOLETTO und denen von TROVATORE. Dementsprechend stellt das Werk, das gleichzeitig mit dem TROVATORE entstand, auch musikalisch eine Art Synthese der jene beiden Opern beherrschenden Tendenzen dar, nur im Rahmen der intimeren Atmosphäre verinnerlicht und verfeinert. Die geschlossenen Nummern sind denen des TROVATORE verwandt, in die Nähe von RIGOLETTO weisen die Vorspiele zum ersten und dritten Akt, die das Grundgeschehen der Oper charakterisieren, die großen Gesellschaftsszenen mit dem Chiaro-Oscuro und die dramatisch bewegten Duettszenen. In diesen erscheint zum ersten Mal der von Verdi einmal als „parlante misto" bezeichnete Stil, in dem die verschiedenen Möglichkeiten der Textbehandlung vom unbegleiteten Rezitativ über das Arioso bis zu arienhaften Bruchstücken nach dramatischen Gesichtspunkten zu einer Einheit verschmolzen sind. Einer der wirkungsvollsten Leidenschaftsausbrüche, die Verdi je geschrieben hat, die Phrase „Amami, Alfredo" im II. Akt, erscheint als krönender Abschluß einer solchen Szene:

Giuseppe Verdi: LA TRAVIATA

Trotz Verdis enger Beziehungen zu Paris hatte sich der Einfluß der großen französischen Oper in seinen Werken bis zur Jahrhundertmitte nur wenig, z. B. in dem aufwendigen zweiten Finale von TRAVIATA bemerkbar gemacht. Mit LES VÊPRES SICILIENNES (*Die sizilianische Vesper*; Text

---

[5] Ursprünglich ließen Verdi und Piave die Handlung, wie in dem zugrundeliegenden, später zum Drama umgearbeiteten Roman *La Dame aux Camélias* von A. Dumas d. J., in der damaligen Gegenwart spielen; erst in der auf das Fiasko der Uraufführung hin erfolgten (geringfügigen) Umarbeitung wurde das Geschehen ohne die geringste Veränderung in die Zeit um 1700 verlegt. Von da an war die Oper ein Erfolgswerk.

von Eugène Scribe und Charles Duveyrier, Paris 1855) begab er sich hingegen ganz und gar in ihr Fahrwasser. In dieser Oper treten die Sologesänge an Bedeutung ganz hinter raffinierten, farbenprächtigen Massenszenen zurück, in denen sich bereits der Meister von DON CARLOS und AIDA ankündigt. Besonders die Finales 2 und 3 gehen an sehr effekt- und kunstvoll verwendetem musikalischen Aufwand weit über alles bisher Gebotene hinaus und zeigen Verdi erfolgreich im Gefolge Meyerbeers, freilich zu einem guten Teil auf Kosten des eigenen Stils, den er soeben in der Trias herausgebildet hatte. Immerhin brachte die Auseinandersetzung mit der al-fresco-Malerei der französischen Oper, mit der pointierten französischen Sprachbehandlung und scharf periodisierten, graziösen französischen Melodiebildung, wie seine späteren Opern zeigen, eine wesentliche Bereicherung seiner Palette.

Umschlossen aber wird die ganze Periode der Herausbildung und Erweiterung des reifen verdischen Opernstils von 1850 bis 1855 durch den immer wieder auftauchenden und dann zurückgedrängten Plan zu einer — nie ausgeführten — Oper über Shakespeares *King Lear*. Verdis Textentwürfe und Briefe hierzu lassen das Ringen des Musikdramatikers um eine angemessene neue Ausdrucksweise besonders deutlich erkennen[6]. In praxi sind im Grunde genommen alle seine Opern von jener Zeit an mehr oder weniger wesentliche Stationen auf dem Wege zu deren Verwirklichung. Noch waren sie bis einschließlich AIDA nach altem italienischen Brauch Auftragswerke, aber Verdi konnte es sich jetzt als Mann von Weltruf leisten, nur Texte zu nehmen, die ihm zusagten, und nur dann, wenn ihm genügend Zeit zu eingehender Auseinandersetzung damit, zur Komposition und zur Einstudierung, auf die er je länger je mehr Wert legte, gelassen wurde. Dementsprechend sind die hauptsächlichsten äußeren Kriterien dieser bis 1871 (AIDA) reichenden Periode, die sie von der vorhergehenden Schaffenszeit abheben, die wachsenden zeitlichen Abstände zwischen den fünf Werken (SIMONE BOCCANEGRA Venedig 1857, UN BALLO IN MASCHERA [*Ein Maskenball*] Rom 1859, LA FORZA DEL DESTINO [*Die Macht des Schicksals*] St. Petersburg 1862, DON CARLOS Paris 1867, AIDA Kairo 1871), und die Bestimmung der drei letzten für außeritalienische Festaufführungen. Wie eng sich Verdi in dieser Zeit jedem einzelnen Werk verbunden fühlte, geht aus der Tatsache hervor, daß er drei von ihnen (SIMONE BOCCANEGRA, LA FORZA DEL DESTINO und DON CARLOS) einer späteren Umarbeitung würdigte. Das Ritardando im Schaffen aber wurde teilweise durch Neufassungen früherer Opern (STIFFELIO — AROLDO, MACBETH) ausgefüllt. Dienen diese Bearbeitungen auch großenteils einfach der Anpassung an andere Theaterverhältnisse, so sind sie doch symptomatisch für Verdis Übergang von einer extensiven zu einer zunehmend intensiven Schaffensweise.

SIMONE BOCCANEGRA (Text von Piave nach Garcia Gutierrez) erscheint wie eine — bewußte oder unbewußte — Reaktion auf die mit innerem Widerstreben vollzogene Anpassung an die Forderungen der französischen Oper in der *Sizilianischen Vesper*. Verdi verzichtet hier von vornherein auf alle dort im Übermaß vorhandenen Kontraste und Theatereffekte, kehrt aber auch in einer Fülle von nach Anlage wie nach Ausdrucksgehalt recht konventionellen „Nummern" fast demonstrativ seine Verwurzelung in der italienischen Tradition hervor. Jedoch verleugnet er andererseits auch die Errungenschaften von RIGOLETTO und TRAVIATA nicht. Einige Dialogszenen zwischen tiefen Männerstimmen (vor dem Finale des ersten Aktes und am Beginn des zweiten) weisen mit dem düsteren Ambiente und der Koppelung von scharfer Rezitation und musikalischem Fluß im Orchester deutlich auf das Vorbild der Szene Rigoletto/Sparafucile im I. Akt von RIGOLETTO hin. Und gerade an inhaltlich entscheidenden Stellen bedient sich Verdi in hervorragendem Maße wie in TRAVIATA unter charakteristischer Beteiligung des Orchesters großer, nicht

---

[6] Vgl. hierzu Alessandro Pascolato, Re Lear e Ballo in Maschera. Lettere di Giuseppe Verdi ad Antonio Somma, Città di Castello 1902.

mehr nach primär musikalischen, sondern nach dramatischen Gesichtspunkten gegliederter Szenen und Szenenblöcke. Diese stilistische Zwiespältigkeit der Musik dürfte zusammen mit der kontrastlosen Düsterkeit des Dramas in erster Linie der Grund für das Fiasko gewesen sein, das SIMONE BOCCANEGRA zu Verdis Kummer bei der Uraufführung erlebte und das fast ein Vierteljahrhundert später die Neubearbeitung veranlaßte.

Nach der Selbstbesinnung dieses Werkes fand Verdi den endgültigen Ausgleich zwischen der eigenen, primär italienischen Ausdrucksweise und den Errungenschaften der intensiven Auseinandersetzung mit der französischen Oper, wie sie in der *Sizilianischen Vesper* erfolgt war, mehr oder minder deutlich erkennbar und in verschiedener Weise in den nun folgenden vier Werken bis einschließlich AIDA. — UN BALLO IN MASCHERA (Text nach Eugène Scribe von Antonio Somma) kann schon textlich mit seinen scharfen Kontrasten und prächtigen Massenszenen die französische Herkunft nicht verleugnen. Verdi fand jedoch an Sommas Bearbeitung Gefallen und hat an ihrer Ausgestaltung bis in Einzelheiten hinein lebhaften Anteil genommen[7]. Die Grundlage der Oper bildet inhaltlich und daher auch musikalisch ein fast allgegenwärtiges Chiaro-Oscuro, das Nebeneinander des strahlenden Helden Richard und seines Hofes und der finsteren gegen ihn Verschworenen. Beide Sphären werden gekennzeichnet durch die bereits im Vorspiel aufgestellten kontrastierenden Themen: das tiefe Lagen bevorzugende, durchweg staccato vorzutragende, sich gleichsam bedrohlich aufbäumende der Verschwörer und Richards Liebesmelodie von überströmender Kantabilität. Die Themen durchsetzen mannigfach abgewandelt, oft auch nur durch ihren allge-

Giuseppe Verdi: UN BALLO IN MASCHERA; Vorspiel

meinen Habitus vertreten, quasi leitmotivisch die ganze Oper. Bedeutet Verdis Opernschaffen seit 1851 in erster Linie eine Erfüllung der überkommenen musikalischen Sprache mit dramatischem Leben, so wird von jetzt an eine Weiterentwicklung dieser Sprache selbst spürbar. Der BALLO IN MASCHERA enthält nicht nur keine herkömmlich geformte scena ed aria mehr, sondern auch kaum noch Cantabile- und Cabaletten-Melodik alten Schlages. Ohne „typische" rhythmische und melodische Floskeln schwingen die Melodielinien in edler Einfachheit als unmittelbarer Ausdruck der Empfindungen frei aus, am deutlichsten erkennbar in den Szenen der Liebenden am Anfang des II. Aktes, wo auch das Gespräch größtenteils in diese Sphäre gesteigerter Gefühlswiedergabe einbezogen ist. Zu dieser von den Fesseln der Konvention weitgehend gelösten neuen verdischen Kantabilität gesellt sich als Gegenstück eine graziöse, fast tändelnde Art der Melodiebildung, die, obwohl gleichfalls echtester Verdi, auf die Nähe der französischen Oper hindeutet. Die textbezogene Wandelbarkeit dieser musikalischen Sprache Verdis tritt vor allem in den Szenen bei der Wahrsagerin Ulrika im I. Akt hervor — einer typisch französischen Kontrasthäufung in typisch verdischem Gewand — sowie in den großen Finales. Einen ganz spezifischen Einfluß von Scribe/Meyerbeers *Hugenotten* verkörpern die dramatisch völlig überflüssige Koloratursopran-Rolle des Pagen Oskar und der Racheschwur der Verschwörer im III. Akt, für die der Page Urban bzw. die Schwerterweihe aus jener Oper Vorbilder gewesen sind.

Die Verfeinerung und individuelle Erweiterung der verdischen Tonsprache im BALLO IN MASCHERA wurde in den drei folgenden Opern in großem Stil fortgesetzt. Von ihnen ist LA FORZA

---

[7] Vgl. Anmerkung 6.

DEL DESTINO am reichhaltigsten, zugleich aber auch am uneinheitlichsten — ein Reservoir, in dem sich Älteres und weit in die Zukunft Weisendes, Tragik und Komik, großartige Leidenschaftsausbrüche und buntbewegte Massenszenen der verschiedensten Art stärker kontrastierend als in irgendeiner anderen Oper Verdis nebeneinander finden. Der Auftrag der kaiserlichen Oper Petersburg hatte den Komponisten zu einer Generalrevue aller ihm zur Verfügung stehender Ausdrucksmittel angeregt, und dazu eben war das wieder unter stärkster Anteilnahme von Verdi durch Piave zum Libretto umgearbeitete Drama *Don Alvaro o La fuerza del sino* des Spaniers Angelo Pérez di Saavedra gerade recht. Zu der düsteren Handlung stehen heitere Lagerszenen in denkbar starkem Gegensatz. So schlägt denn auch das Pendel der verdischen Kunst hier besonders weit nach den Seiten tiefster leidenschaftlicher Erregung der Protagonisten und volkstümlich-kanzonettenhafter, solistisch-chorischer Äußerungen ihrer Umgebung aus. Die neue, persönlich geprägte Kantabilität des BALLO IN MASCHERA erscheint hier in den Szenen der Heldin Leonora als Ausdruck religiöser Ekstase. In den Gesängen der männlichen Protagonisten sind die Merk-

Giuseppe Verdi: LA FORZA DEL DESTINO

male dieses Stils dagegen mit solchen überkommener Ausdrucks- und Formtypen zu einer neuen, verinnerlichten Einheit verschmolzen. Die großen Massenszenen am Anfang des II. und am Ende des III. Aktes stellen von Chören getragene heitere Genrebilder dar und dienen in erster Linie dem Effekt und der Ausstattung, doch hat Verdi in den zündenden Kriegsgesängen der Zigeunerin Preziosilla auch hier wieder einen neuen Ton angeschlagen. Mit dem Laienbruder Fra Melitone aber erscheint zum ersten Mal in einer Oper von Verdi eine ausgesprochene Buffofigur. Seine Kapuzinerpredigt (nach Schiller)[8] im III. Akt, ein freier, vielgliedriger Monolog und seine liedhaft-

---

8 Vgl. hierzu Leo Karl Gerhartz, Verdi und Schiller. Gedanken zu Schillers „Wallensteins Lager" und den Schlußszenen des dritten Aktes der „Forza del Destino", in: Verdi. Bollettino dell'Istituto di Studi Verdiani, Parma, Vol. II, Nr. 6 (1966), S. 1589—1610.

deklamatorische „Aria buffa" zu Beginn des vierten Aufzugs weisen gleichermaßen auf den Stil des FALSTAFF voraus. — 1869 erschien das mit großem Beifall aufgenommene Werk in Mailand in einer zweiten Fassung, die seither die Bühne beherrscht. In ihr wurde vor allem der Schluß, der durch eine extreme Häufung von Schrecknissen schon bald nach der Uraufführung Unbehagen bei den Autoren und Kritik beim Publikum hervorgerufen hatte, durch eine versöhnlichere Lösung ersetzt. Auch erhielt die Oper an Stelle des kurzen ursprünglichen Vorspiels eine Ouvertüre, die programmatisch die Quintessenz des folgenden Geschehens vorwegnimmt[9].

Die Neubearbeitung der Frühoper MACBETH in dieser Zeit zunehmender Ausdehnung und Vertiefung der musikalischen Ausdrucksbereiche zwischen der FORZA DEL DESTINO und DON CARLOS war naturgemäß auf eine Verfeinerung, Auflockerung und Individualisierung im Sinne des inzwischen Erreichten abgestimmt. Daß die Oper, die jetzt auch in Paris wieder wenig Anklang fand, aber trotz des in ihr enthaltenen Nebeneinander von Altem und Neuem geschlossen wirkt, ist ein lebendiger Beweis für die Kontinuität von Verdis Entwicklung. Wohl gelangte er dramaturgisch wie musikalisch zu neuen Aspekten, aber ohne sich je aus dem Boden zu lösen, aus dem er erwachsen war. In seinem Schaffen ist bis zum Ende stets alles enthalten, was es je bestimmt hat, nur mit verschiedener Verteilung der Schwerpunkte und in verschiedener Beleuchtung.

DON CARLOS war nach der *Sizilianischen Vesper* Verdis zweiter Originalauftrag für Paris, doch hatte sich der Komponist darin dem genius loci weit weniger verschrieben, einerseits wegen der in der Zwischenzeit vollzogenen Erweiterung und Konsolidierung seines eigenen Kompositionsstils, zum anderen wegen des ihm sehr zusagenden Schillerschen Dramenstoffes. Das Libretto von Joseph Méry und Camille Du Locle zieht die intrigenreiche Handlung der Vorlage geschickt zu einer Folge leidenschaftlicher Auseinandersetzungen und gefühlsbetonter Betrachtungen zusammen, zeigt aber im I. Akt noch die Vorgeschichte: Carlos und Elisabeth als glückliches Liebespaar und ihr Entsetzen bei der furchtbaren Nachricht, daß Elisabeth zur Braut Philipps bestimmt sei. Dadurch erhält das Paar eine der musikalischen Einkleidung entgegenkommende, weit größere Bedeutung als bei Schiller. — In DON CARLOS ist die Zwiespältigkeit der FORZA DEL DESTINO überwunden. Dabei fehlt es der Oper nicht an Mannigfaltigkeit des Geschehens, aber dennoch enthält sie keine einzige Szene und keine Gestalt, die nicht notwendig mit diesem verbunden wäre. Selbst das prächtige Finale des II. Aktes, das die Pariser Bestimmung am stärksten erkennen läßt, ist eng in die Handlung einbezogen. Der Schwerpunkt des Werkes liegt auf lebhaft bewegten Duett- und größeren Ensembleszenen, in denen die Personen mit- oder gegeneinander eine weitgespannte Skala menschlicher Empfindungen durchlaufen. Dies bot Verdi eine willkommene Gelegenheit, auf engstem Raum den ganzen Reichtum seiner sich immer mehr vervollkommnenden Sprache zu entfalten, von der ganz am Text orientierten, rasch wechselnden Aneinanderreihung sachlich deklamierter, in höchstem Affekt herausgeschleuderter und gefühlvoll verströmender Abschnitte bis — ebenfalls textbedingt und sogar leitmotivisch hervorgehoben — zum typischen Cabalettenton im martialischen Freundschaftsduett Carlos/Posa. Hervorragenden Anteil an der Wirkungskraft dieser musikalisch in allen Farben schillernden dramatischen Szenen haben auch die Harmonik mit ihren raffinierten Modulationen, die feine, oft fast kammermusikalische Instrumentation und der vielfach kunstvoll aufgelockerte Orchestersatz, der nicht selten zur Charakterisierung des Gesagten mit der Singstimme zusammenwirkt oder zum Träger der Melodie wird. Mit den gleichen Mitteln hat Verdi manche der Sologesänge zu wahren Charakter-

---

9 Zu den verschiedenen kleineren Abweichungen vgl. F. Mompellio, Musica provvisoria nella prima Forza del Destino, in: Verdi. Bollettino dell'Istituto di Studi Verdiani, Parma, Vol. II, Nr. 6 (1966), S. 1611—1680.

stücken gemacht. Das gilt vor allem für die düstere Soloszene des Königs Philipp, die in krassem Gegensatz zu der unmittelbar vorangehenden Offenbarung seiner königlichen Macht im 2. Finale den III. Akt eröffnet. Als Seelengemälde weist sie auf das Spätwerk des Meisters voraus, so wie umgekehrt die anschließende Szene zwischen Philipp und dem Großinquisitor mit ihrem charakteristischen ostinaten Baßmotiv auf die Szene Rigoletto/Sparafucile in RIGOLETTO zurückweist.

Giuseppe Verdi: DON CARLOS
IL CONTE DI LERMA

DON CARLOS und sein Schwesterwerk AIDA stellen nach den Neuansätzen, die die vorangehenden Opern gebracht hatten, eine Festigung und Vereinheitlichung des verdischen Opernstils dar. In ihnen macht sich stärker als zuvor, nicht ohne Zutun der gehaltvollen Texte, die Durchdringung der italienischen Oper alten Stils mit musikdramatischem Geist bemerkbar.

In AIDA (Text von Du Locle nach einer Erzählung von François Auguste Ferdinand Mariette, in italienische Verse gebracht von Antonio Ghislanzoni) spielt dabei die die Handlung umgebende exotische Atmosphäre des Textes eine große Rolle. Die Verbindung von scharf umrissenen Individualitäten mit einer höchst charakteristischen Umgebung, die auf diese Weise zustandekommt, dürfte Verdi an der Textvorlage besonders angezogen haben und weiterhin auch der Grund für die selbst für seine Verhältnisse außergewöhnlich starke Anteilnahme an der endgültigen Textgestaltung gewesen sein[10]. Auch musikalisch meißelt er die Helden und das Ambiente eindringlicher

---

[10] Vgl. hierzu seine Briefe an Ghislanzoni von August 1870 bis August 1871 in: I Copialettere di Giuseppe Verdi, herausgegeben von G. Cesari und A. Luzio, Mailand 1913, die grundlegend wichtige Aufschlüsse über die Anforderungen geben, die Verdi zur Zeit seiner reifen Meisterschaft im Ganzen und in Einzelheiten an ein Libretto stellte.

heraus als je zuvor, die einen durch den Gebrauch sinnfälliger Leitmotive, das andere durch ein Klangkolorit von bildhafter Wirkung, die in erster Linie auf der farbigen, vielfach zwischen Dur und Moll schwankenden Harmonik und der aufs höchste verfeinerten, kontrastreichen Instrumentation beruht. Mit Hilfe mannigfach verschiedener Koppelung dieser Ausdruckselemente werden die einzelnen Personen ungeachtet ihrer Eigenprägung stets mehr oder weniger als Bestandteile jener allgegenwärtigen, aber verschieden beleuchteten Atmosphäre dargestellt und diese dadurch zum wesentlichsten Handlungsträger erhoben. Dies wird besonders deutlich im III., dem sogenannten Nil-Akt mit der in Erfindung und Instrumentation raffinierten Wiedergabe der fremdartig verschleierten und zugleich erregenden Mondnachtstimmung am Nil, den unheimlich lockenden Gesängen erst Amonasros und dann Aidas und den wilden Ausbrüchen des Äthiopierfürsten, ebenso aber auch in der großen Tempelszene des I. Aktes und in der Chor- und Tanzszene zu Beginn des II. Aktes. — Stärker noch als in DON CARLOS entfalten die Gestalten ihr Wesen in dramatisch bewegten, frei gebildeten Duett- und größeren Ensembleszenen. Nur die Titelheldin macht mit ihrem zwischen heftigen Gefühlsaufwallungen und schwärmerischer Liebesklage schwankenden Monolog im I. Akt hiervon eine Ausnahme. Die beiden Romanzen hingegen, Radamès' „Celeste Aida" im I. Akt und Aidas „O cieli azzurri" im III. Akt, wirken trotz ihrer charakteristischen Haltung als lyrische Ruhepunkte im alten Sinne und lassen zusammen mit Radamès/Aidas Cabaletta „Si fuggiam da queste mura" aus dem III. Akt erkennen, daß Verdi trotz der in dieser Oper besonders neuartigen und intensiven Durchdringung von Musik und Drama die Bindung an das Herkommen bewußt gewahrt hat. Die Schlußszene der Oper faßt mit dem Abschiedsduett der Liebenden an das Leben und dem kontrastierenden Priesterchor im Hintergrund noch einmal gleichsam wie hinter Schleiern den bereits im Vorspiel durch die Leitmotive symbolisierten Grundkonflikt zwischen der in Aida verkörperten Liebe und der starren Unbeugsamkeit des Gesetzes zusammen. — Die Forderungen, die AIDA als Fest- und Ausstattungsoper an den Komponisten stellte, hat Verdi so gut wie in DON CARLOS mit denen des Dramas in Einklang gebracht. Steht doch die Hierarchie, deren Macht sich in den Priesterchören entfaltet, recht eigentlich im Mittelpunkt des Geschehens, und im prächtigen 2. Finale wird nicht nur ihr Glanz und der des siegreichen Heeres musikalisch charakteristisch zur Schau gestellt, sondern zugleich auch die Katastrophe folgerichtig vorbereitet. Die Uraufführung der Oper in Kairo wurde allgemein als Ereignis von internationaler Bedeutung betrachtet und errang einen entsprechend großen Erfolg.

AIDA ist Verdis letzte nach alter Weise auf Bestellung für einen bestimmten Termin geschriebene Oper. An Hand des seinen Intentionen weit entgegenkommenden Textes hatte er sich dem von ihm wie von seinem deutschen Altersgenossen Wagner erstrebten Ideal des Musikdramas so weit genähert, wie es unter grundsätzlicher Beibehaltung überkommener italienischer Opernformen möglich war. In seinen Spätwerken OTELLO (Mailand 1887) und FALSTAFF (Mailand 1893) gingen auch noch deren letzte Reste in dem nur noch nach dramatischen Gesichtspunkten gegliederten, weitgehend freien Szenenfluß unter. Wie eng sich aber auch der alte Meister zunächst noch mit dem Herkommen verbunden fühlte, geht aus den beiden Umarbeitungen der 80er Jahre hervor, der des SIMONE BOCCANEGRA und der des DON CARLOS (Mailand 1881 bzw. 1884).

In SIMONE BOCCANEGRA hat Arrigo Boito, der damals schon wegen des Textes zu OTELLO mit Verdi in Verbindung stand, vor allem durch die Neugestaltung des großen 1. Finales und des Beginns des III. Aktes die in der ursprünglichen Fassung klischeehaften Gestalten des Titelhelden und des Intriganten vermenschlicht und schärfer profiliert und zugleich die vordergründige Handlung vertieft. Dementsprechend schuf Verdi hier zwei ganz neue dramatische Szenenblöcke, in denen Orchester und Singstimmen gleichermaßen frei dem Gang der Ereignisse folgen; sie sind bereits stilistische Vorboten von OTELLO. Die Potpourri-Ouvertüre wurde durch ein einthemiges kurzes Vorspiel ersetzt, dessen Motivik auch die 1. Szene des Prologs durchsetzt. Im allgemeinen aber stimmt dieser sowie der II. Akt und die zweite Hälfte des III. Akts weitgehend mit der Erstfassung überein. Im I. Akt erscheinen verschiedentlich an Stelle konventioneller Cabaletten schlichte, auf die jeweilige Situation abgestimmte ariose Schlußabschnitte, wie denn überhaupt die gesamte musikalische Überarbeitung in BOCCANEGRA und DON CARLOS im allgemeinen auf eine Straffung im Sinne der „parola scenica"[11], auf eine unmittelbarere Übersetzung der dramatischen Spannung in Musik und auf eine Verfeinerung des Orchestersatzes gerichtet war[12]. — Der wesentlichste Unterschied zwischen den beiden Fassungen von DON CARLOS besteht in der bei der Umarbeitung vorgenommenen Streichung des I. Aktes. Auf diese Weise wurde die Oper dem Schillerschen Vorbild nähergerückt, aber die Szenen des Paares Elisabeth/Carlos verloren durch das Fehlen der in jenem Akt dargestellten Vorgeschichte an Wirkung. Deshalb erschien 1886 eine von Verdi autorisierte Mischfassung, die den I. Akt von 1867 mit den Umarbeitungen von 1884 vereinigt[13]. Diese waren allerdings bei weitem nicht so zahlreich und so einschneidend wie die des BOCCANEGRA — hatte sich Verdis Stil doch gerade in dem Jahrzehnt zwischen den beiden Erstfassungen mehr und mehr von der Oper zum Musikdrama hin entwickelt. Als Beweise für Verdis positive Stellung zu seiner eigenen Vergangenheit und damit zur Operntradition selbst noch in der Entstehungszeit von OTELLO sind die beiden Bearbeitungen von besonderer Bedeutung.

Von dieser Plattform aus ist auch das Neue zu betrachten, das in den Spätopern OTELLO und FALSTAFF zutage tritt. Es war nicht das Ergebnis einer Revolution, sondern einer allerdings sehr kühnen Weiterentwicklung aller der auf eine enge Durchdringung von Musik und Drama hinzielenden Bestrebungen. Ein äußerer Ausdruck des neuen Geistes ist schon die Entstehung der Werke: ohne Auftrag, ohne Termin, einzig aus dem steigenden Gefallen heraus, das der Komponist an den Libretti Boitos fand.

In Arrigo Boito hatte Verdi am Ende seines Schaffens einen schlechthin idealen, ja zum ersten Mal einen kongenialen Mitarbeiter gefunden, einen hochgebildeten, feinfühligen Dichter, der zugleich als Opernkomponist aufs engste mit den Anforderungen vertraut war, die die Musik im Drama an das Wort stellt, der Verdis eigene Kompositionen genau kannte und liebte und der sich der großen, verantwortungs- und ehrenvollen Aufgabe, für ihn zu schreiben, mit Stolz bewußt war. Seinen großen Fähigkeiten ist es zuzuschreiben, daß der alte Meister es nach den Mißerfolgen mit Piave (in MACBETH) und Somma (im nicht ausgeführten RE LEAR) noch einmal wagte, zu seinem Lieblingsdichter Shakespeare zurückzukehren.

In OTELLO hat Boito den I. Akt des Dramas, der nur die Vorgeschichte enthält, weggelassen und die übrigen Akte gleichsam aus dem Geist der Oper heraus neu geschaffen, indem er das ganze Geschehen zum Widerspiel weniger großer Leidenschaften verdichtete. Verdi erkannte die großen Vorzüge dieses Textes klar und nahm wieder lebhaften tätigen Anteil an seiner Ausgestaltung[14], wobei es ihm, wie stets, auf eine Straffung und Intensivierung der Gefühls- und Handlungswiedergabe ankam. Musikalisch beruht das eminent Neue dieses Werkes zu einem guten Teil auf der „Kunst der Übergänge", durch die der Komponist die Szenen der vier großen Bilder miteinander verflicht. Sie wird ermöglicht durch eine völlige Neuorganisation des Orchesters. Nicht nur, daß es erst hier endgültig mit den Singstimmen zusammen, ja noch vor ihnen zum Träger des dramatischen Geschehens und vor allem von dessen seelischen Hintergründen wird — es ist auch erfüllt

---

11 Darunter verstand Verdi die knappste und zugleich treffendste Wiedergabe einer Situation im Libretto.
12 Vgl. hierzu auch Wolfgang Osthoff, Die beiden „Boccanegra"-Fassungen und der Beginn von Verdis Spätwerk, in: Analecta Musicologica I, 1963, S. 70.
13 Vgl. hierzu auch Ursula Günther, La Genèse de Don Carlos, Opéra en cinq Actes de Giuseppe Verdi, représenté pour la première fois à Paris le 11 Mars 1867, in: Revue de Musicologie 58, 1972, S. 16.
14 Zu den von Verdi inspirierten Stellen gehören Angelpunkte der Oper wie z. B. Jagos Credo im II. Akt und der ganze Schluß des letzten Aktes. Näheres hierzu in: Alessandro Luzio, Carteggi Verdiani II.

von ganz neuem, eigenem Leben. Kurze Motive tauchen auf, aus denen sich im Zusammenspiel der Stimmen eine ausgedehntere Phrase entfaltet oder die ganz allmählich auf etwas Verwandtes oder Gegensätzliches hinleiten, kurz, die im Dienste des Dramas eine Umdeutung und musikalische Entwicklung durchmachen. Zu Beginn des II. Aktes bildet z. B. die Sechzehnteltriole mit anschließendem Viertel in wechselnder Beleuchtung die musikalische Keimzelle der Szene zwischen Jago und Cassio und leitet dann auch noch in Jagos teuflisches Credo hinüber, das sie, wiederum umgedeutet, gleichfalls durchsetzt. Vorbedingung für ein solches Vorgehen ist die in OTELLO vollzogene weitgehende Trennung von instrumentaler und vokaler Thematik, die mit dem Aufgehen der geschlossenen musikalischen „Nummer" in den musikalisch-dramatischen Fluß der Szene zusammenhängt. Wo solche musikalisch abgerundeten Formen noch auftauchen, geschieht es zur charakterisierenden Hervorhebung besonderer Situationen, so in Othellos Abschied von seiner strahlenden Vergangenheit und Racheschwur im II. Akt, vor allem aber in Jagos Trinklied im I. und Desdemonas Lied von der Weide im IV. Akt, die als Äußerung des satanischen Verführers bzw. als Verkörperung banger Todesahnung mit ihrem Moll-Dur-Wechsel und ihrer unregelmäßigen Periodenbildung betont fremdartig und als Einlage wirken. Unmittelbar charakterisiert Verdi seine Personen dagegen stets in engem Wechselspiel zwischen Singstimmen und Orchester im freien Fluß der musikalisch-dramatischen Szene.

Es fragt sich, ob Verdis neue Kunst der dramatisch bedingten orchestralen Motiverfindung und -entwicklung der Grund zur Wahl des Othello-Textes gewesen ist oder ob umgekehrt dieser Text den Anstoß zur Herausbildung jener Kunst gegeben hat. Denn das Wesentliche an diesem Libretto ist ja eben die Hintergründigkeit der Handlung, die eine ständige Wandelbarkeit der Personen und damit in Singstimmen und Orchester ein charakteristisches Auf- und Abwogen ihrer Äußerungen mit sich bringt. Jago z. B., die Gestalt, die Verdi von Anfang an am meisten reizte, ist nur im Credo wirklich er selbst und wächst dank Verdis Kunst zu dämonischer Größe empor, enthüllt aber im übrigen seine Bosheit nur in immer neuen, auf seine Gesprächspartner abgestimmten Masken (am musikalisch raffiniertesten in der Traumerzählung gegen Ende des II. und der Szene mit Cassio und dem im Hintergrund lauernden Othello des III. Aktes). Auch Othello trägt einmal, in der Szene mit Desdemona zu Beginn des III. Aktes, eine Maske, doch nur für kurze Zeit. Seine Wandelbarkeit äußert sich vielmehr in rasch und heftig wechselnden Stimmungen, vor allem in den Szenen mit Jago, in denen sich seine Klagen und unkontrollierten Leidenschaftsausbrüche scharf von der betont verhaltenen Ausdrucksweise seines hinterhältigen Gegenübers abheben. Nur dort, wo er noch nicht oder nicht mehr unter dem Einfluß Jagos steht, in der Liebesszene des I. und am Ende des letzten Aktes, zeigt er sein wahres, edles Wesen. In den sich fortlaufend neu auseinander gebärenden, frei ausschwingenden und doch durch scharfe Deklamation gebändigten beseelten Linien des Duetts ist er mit Desdemona eins, obwohl sich ihre Stimmen erst in den drei letzten Takten vereinigen. Die Reminiszenzen an die Liebesszene im letzten Akt legen musikalisch einen weit über das grausige irdische Geschehen hinausweisenden Rahmen um das Werk. — Im Gegensatz zu den beiden männlichen Charakteren, deren großer Reiz auf ihrer gewollten und ungewollten Wandlungsfähigkeit beruht, ist ihr wehrloses Opfer Desdemona unbeirrt sich selber, ihrem in der Liebesszene des I. Aktes enthüllten hingebungsvollen Wesen treu. Selbst in den erregten Szenen mit Othello hält sie an den entscheidenden Stellen wie einen Schild ihrer Unschuld eine ihrer aus dem kurzgliedrigen Wortwechsel hervorleuchtenden edlen kantablen Phrasen vor sich; das wird im Finale des III. Aktes besonders deutlich. In ihrer großen Soloszene des IV. Aktes mit dem Lied von der Weide und dem Gebet, über der schon die Schatten des Todes liegen, hat Verdi sie durch eine in ihrer Sparsamkeit raffinierte Instrumentation und schillernde Harmonik, durch das Nebeneinander seltsamer Volkstümlichkeit und kirchlicher Litanei dem Kreis der Handelnden bereits entrückt.

Die musikdramatische Einheit von OTELLO wird durch die Gestaltung der Chöre abgerundet.

Vor allem die des I. Aktes haben teils en bloc, teils in Stimmgruppen aufgespalten, lebhaftesten Anteil am Geschehen. Sie bewegen sich zwischen wilden Ausbrüchen und gespenstischem Getuschel hin und her und deuten gleich zu Beginn die erregte Atmosphäre an, in der die Tragödie Othellos sich allein vollziehen konnte. Im Gegensatz dazu bildet der liebliche Huldigungschor für Desdemona im II. Akt, der auf Verdis Veranlassung als lichter Kontrast in die düstere Handlung eingefügt worden war, den angemessenen Hintergrund für das unschuldige Wesen von Othellos Gattin. Das große 3. Finale stellt mit seiner Vereinigung von stets charakterisierend geführten Solostimmen, Chor und Orchester einen Höhepunkt von Verdis Kunst der Simultancharakteristik dar.

Schon seit RIGOLETTO hatte Verdi die Formen der italienischen Oper zunehmend mit neuem, dramatischem Leben erfüllt, in DON CARLOS und AIDA waren sie mehr und mehr in großen dramatischen Szenen und Szenenblöcken aufgegangen. Mit OTELLO verließ er jene alte Welt nun ganz und tat damit den entscheidenden Schritt zum Musikdrama. Im Gegensatz zum Wagnerschen Musikdrama wird das Orchester aber bei ihm vom Diener nur zum Partner des Gesangs, nie zum Herrscher über ihn. Ist die Singstimme auch im Dienste des Dramas häufig mehr charakteristisch deklamierend als belcantohaft schön geführt, so ist doch immer sie es, die an entscheidenden Stellen den Ausschlag gibt. Bei aller dramatischen Belebung und Auflockerung des Orchesters hat Verdi nach wie vor an der Tradition der italienischen Gesangsoper festgehalten. — OTELLO errang teils trotz, teils wegen seiner Neuartigkeit einen rauschenden Erfolg. Allerdings mehrten sich jetzt die schon vor AIDA, ja schon beim BALLO IN MASCHERA laut gewordenen Stimmen, die Verdi Abhängigkeit von Wagner anlasteten. Gegen diesen Vorwurf setzte sich der alte Meister sehr energisch zur Wehr, mit Recht, denn hier handelte es sich um die Offenbarung einer ganz eigenständigen Entwicklung, die zwar, wie diejenige Wagners, auf die Durchdringung von Musik und Drama gerichtet war, die sich aber im Grunde schon seit MACBETH folgerichtig in den Bahnen des italienischen Herkommens vollzogen hatte.

Die wichtigste Folgeerscheinung der Oper OTELLO wurde die commedia lirica FALSTAFF, mit deren aus Shakespeares *Lustigen Weibern von Windsor* und *Heinrich IV.* zusammengestellten Text Arrigo Boito den Komponisten noch einmal auf die Opernbühne zurückzulocken verstand. Er erfüllte Verdis lange gehegten Wunsch nach einem heiteren Gegenstand mit einem Libretto, in dem die skurrile Turbulenz der nordischen Dramen im glasklaren Rahmen einer italienischen Oper auftritt. Noch stärker als der Jago des OTELLO war dem alten Meister die Figur des Falstaff wegen ihrer von Ort und Zeit unabhängigen Wahrheit ans Herz gewachsen. Er steht allein als ausgeprägter Charakter im Mittelpunkt der Oper, er ist durch seine naiv sich auswirkende Kraftnatur der alleinige Motor des Geschehens und geht am Schluß, obwohl von allen gefoppt, mit souveräner Selbstverständlichkeit ungeschwächt und fast als Sieger aus dem Trubel hervor. Seine beherrschende Stellung in der Oper verdankt er der Tatsache, daß die Gegenspieler — die lustigen Weiber, die erbosten Männer, das Liebespaar — im wesentlichen als Gruppencharaktere erscheinen. Wo sie ihm, wie Mrs. Quickly und Mr. Ford im II. Akt, einzeln gegenübertreten, spielen sie nur eine ganz auf ihn abgestimmte Komödie. — In dieser commedia lirica, dem heiteren Musikdrama, in dem derbe neben feiner Komik, gespielte neben echten Leidenschaften, parodistische Übertreibungen neben verhaltener Ironie stehen, ergibt sich für Singstimmen wie für Instrumente von vornherein, stärker noch als in OTELLO, die Notwendigkeit einer von rein musikalischen Rücksichten freien, nur inhaltsbezogenen Textausdeutung und des intrikatesten Zusammenspiels. Geschlossene Gesangsnummern enthält die Oper nur zwei, die betont als Darbietungen wirken: Falstaffs anmutig-chevalereskes Pagenlied im II. und Nannettas zweistrophiges Elfenlied im III. Akt. Im übrigen stellen die Sologesänge einen bunten, stets charakteristischen Wechsel von mitunter unbegleitet dahergeplappertem Rezitativ, volkstümlich-liedhaften Phrasen, galanten ariosen Wendungen und Leidenschaftsausbrüchen im Arienstil dar, dies alles gestützt, verstärkt oder durchsetzt von immer bedeutungsvollen orchestralen Motiven. — Das Orchester umreißt am Anfang der sechs großen Bilder, aus denen die Oper besteht, anschaulich mit teils polternden, teils leicht dahinhuschenden Bewegungsmotiven die Situation, im weiteren Verlauf der Akte aber ist es in Soli wie Ensembles mit den Singstimmen zu einem dichten und doch durchsichtigen Geflecht verbunden. Besonders sinnfällig treten alle diese Merkmale des neuen Verdischen Buffostils im 1. Bild des II. Aktes hervor, wo in den Szenen Falstaff/Quickly und Falstaff/Ford — diesen Komödien in der Komödie — jedes Wort hintergründige Bedeutung gewinnt und dementsprechend von Verdi mit souveräner Leichtigkeit in feinstem Wechselspiel von Singstimmen und Orchester bald mit parodistisch übertriebenem Pathos („Reverenza"), bald betont nebensächlich hingeworfen („dalle due alle tre"), bald voll blanken Hohnes artikuliert wird. Auch Falstaffs selbstzufriedener Monolog zu Beginn dieses Aktes und seine Betrachtungen über die Ehre im I. Akt sind von gleich inhaltsbedingt wechselndem vokal-instrumentalem Motivspiel getragene Charakterstücke. — Einen Unterschied zwischen primär instrumentaler und vokaler Melodiebildung gibt es bei diesem engen, beziehungsvollen Zusammenwirken nicht; ist doch die Singstimme nur ein Klangelement unter anderen. Die große Kunst des italienischen Musikdramatikers Verdi aber zeigt sich eben darin, daß der Gesang nie im Brodeln des sinfonischen Orchesters untergeht.

Der Hauptreiz des FALSTAFF besteht in der fortwährenden Gegenüberstellung des e i n e n gravitätisch-skurrilen Helden und seiner zahlreichen, ständig durch ihn in Atem gehaltenen Gegenspieler. Die spritzigen Dialoge der graziösen, übermütigen Frauen, aus denen bald hier, bald da ein Ensemble herauswächst, und die polternden Ausrufe der cholerischen Männer mit ihrer Phalanx werden aneinandergereiht und übereinandergeschoben, ohne daß das atemberaubende Tempo je unterbrochen würde. Es sind Offenbarungen reinsten Buffogeistes, wie sie Verdi bis dahin noch nicht geschrieben hatte. Ein besonderes Licht haben ihnen Dichter und Komponist noch durch das sporadische Auftreten des Liebespaares Nannetta/Fenton aufgesetzt. Die verhaltene Kantabilität dieses anmutigen Wechselgesprächs läßt die Hektik und zugleich die Fragwürdigkeit des umgebenden Tohuwabohu desto eindrucksvoller hervortreten. Außerdem benutzt Verdi sie geschickt zur Gliederung der umfangreichen Szenen und darüber hinaus als roten Faden, der alle drei Finales miteinander verbindet. — In dem Maße, in dem sich die Handlung durch das Auftreten Falstaffs in diesen Ensembleszenen verdichtet, steigert sich die Mannigfaltigkeit in der großen buffonesken Einheit: im 2. Finale durch die galant-ironische Liebesszene zwischen dem betrogenen Ritter und Alice, im 3. Finale durch den ebenfalls nur gespielten, musikalisch aber ohne jede parodistische Absicht mit zauberischer Grazie wiedergegebenen Elfenspuk. Mit ihm, dem gleich anschließend mit verstärkter Wucht hervorbrechenden tollen Maskentreiben samt dem zarten Menuett, das mit feiner Ironie den Auftritt des falschen Brautpaars begleitet, und mit der gigantisch ausgeweiteten Schlußfuge endet Verdis Schaffen in Extremen, wie er sie so oft geschaffen hatte, jedoch jetzt in der Sphäre des reinen Spiels: der Elfengesang ist kein blutvolles Cantabile, sondern ein quasi unirdischer, ätherischer Lockruf, die Bestrafung Falstaffs keine pathetische Gerichtsszene, sondern ein wilder Reigen von Kobolden, und mit der seine Altersweisheit „Tutto nel mondo è burla, l'uom è nato burlone" verkündenden Schlußfuge krönt der alte Meister jene Sphäre, indem er das Reich der Oper mit dem der reinen Musik verschmilzt.

Die Uraufführung des FALSTAFF war, wie die des OTELLO, ein Ereignis von weltweiter Bedeutung, ihr Erfolg ebenfalls triumphal, obwohl das Ungewohnte des Werkes so manche Hörer verblüffte. Diese Neuheit sicherte ihm allgemeine Bewunderung, verhinderte aber ein unmittelbares Weiterwirken, denn es war die einzigartige, unnachahmbare Neuheit eines Spätwerks. Mit OTELLO und FALSTAFF hatte Verdi, der zunächst als einer unter vielen anderen italienischen Opernkomponisten, von RIGOLETTO an mehr und mehr als führender und spätestens mit AIDA als der führende Vertreter der Gattung hervorgetreten war, bewußt losgelöst vom Opernbetrieb und ganz auf sich gestellt, mit altmeisterlicher Souveränität die Grenzen des Herkommens durchbrochen und einen Höhenweg eingeschlagen, auf dem eine Nachfolge unmöglich war.

# Die italienische Oper um und nach Verdi — Opernprobleme des 20. Jahrhunderts

Giuseppe Verdi sah im Laufe seiner langen Lebenszeit Generationen von jüngeren und jungen Opernkomponisten an sich vorüberziehen, deren Schaffen er, wie seine Briefe zeigen, mit regem Interesse und scharfer Kritik, aber auch mit freundlicher Anerkennung verfolgte. Das Gewimmel auf der Opernbühne um ihn herum war unverändert groß. Darin erschien er zunächst nur als einer von vielen. Abgesehen von den unzähligen Eintagsfliegen, die sofort wieder verschwanden, erlebte auch er, wie die anderen Komponisten, Erfolge und Mißerfolge, nur daß die ersteren bei weitem überwogen und seinen Meisteropern mehr als ein Jahrhundert hindurch einen Platz auf den Opernbühnen der Welt gesichert haben.

Das ist unter seinen Nachfolgern mit Ausnahme von Puccini, dessen Werke sich als ähnlich lebenskräftig erweisen dürften, keinem gelungen. Seine unmittelbaren Altersgenossen, beispielsweise Lauro Rossi (1812—1885), Enrico Petrella (1813—1877) und Carlo Pedrotti (1817—1893), die ihr Schaffen längst vor dem seinen beschlossen, bewegten sich mehr oder weniger erfolgreich in den Bahnen der Tradition, ohne dieser, wie Verdi es tat, einen eigenen Stempel aufzudrücken, und sind daher der Vergessenheit anheimgefallen.

Ähnlich ist es dem Gros der etwas jüngeren Opernkomponisten ergangen, so z. B. Filippo Marchetti (1831—1902), dessen Oper GUSTAV VASA Verdi in einem Brief an den Grafen Arrivabene vom 11. Dezember 1885 trotz darin enthaltener Längen vor allem deshalb anerkennt, weil sie weder vom „mal francese nè di tedesco" (weder vom französischen noch vom deutschen Übel) befallen sei. Doch finden sich unter den Vielen, deren Werke gleich den seinen die italienischen Opernbühnen in den 60er und 70er Jahren überschwemmten, immerhin einige, die aus dem Rahmen der übrigen herausragten und in dieser oder jener Richtung auf künftige Entwicklungen hindeuteten, wie einerseits das Freundespaar Arrigo Boito (1842—1918) und Franco Faccio (1840—1891), andererseits Amilcare Ponchielli (1834—1886).

Boitos und Faccios Bedeutung beruht nicht, oder doch nicht in erster Linie, auf ihrem eigenen Opernschaffen, sondern vielmehr auf ihrem Wirken für das Schaffen anderer. Beide waren fortschrittlich und souverän genug, um zwei Herren zu dienen, die zwar in jeder Hinsicht Antipoden waren, aber doch auf der Opernbühne von verschiedenen Seiten her auf das gleiche Ziel des musikalischen Dramas hinsteuerten: Verdi und Wagner. Faccio diente ihnen als hervorragender Dirigent, Boito als Literat, Übersetzer und Textdichter. Er half mit, Wagners Kunst in Italien den Weg zu ebnen und ermöglichte zugleich als einziger Verdi ebenbürtiger Librettist mit den Texten zu OTELLO und FALSTAFF die großartige letzte Entfaltung des Verdischen Genius. Seine beiden Opern MEFISTOFELE (Mailand 1868, Neubearbeitung Bologna 1875) und NERONE (Mailand 1924, bearbeitet von Vincenzo Tommasini und Arturo Toscanini), deren Texte von ihm selbst stammen, erschienen mit der Problematik ihrer Stoffe in ihrer Zeit als Einzelgänger, MEFISTOFELE durch die gekürzte und teilweise fast wörtlich übersetzte Übernahme des Goetheschen *Faust*, NERONE als ein im Übermaß von Problemen ersticktes und daher unvollendet gebliebenes Experiment. MEFISTOFELE mutet mit dem an polyphonen Chören reichen Prolog im Himmel, auf den der Epilog zurückgreift, oratorienhaft an. Auch die vier Akte dazwischen sind von Chorblöcken durchsetzt. Der Hauptreiz der Oper aber besteht in der Verquickung von engem, beziehungsvollem Zusammenschluß der einzelnen Glieder durch notengetreue oder etwas variierte Wiederaufnahme von Motiven oder ganzen Teilen, meist mit neuen Texten, und dem Grundprinzip des Kontrastes, das die Oper beherrscht und sich auf die scharfe musikalische Personencharakteristik gründet. Meist sind es Faust und Mephisto, die in teils mehr rezitativischen, teils ariosen Gesängen hart aufeinanderprallen. Im Ganzen zeigt sich Boito in dieser Oper trotz seiner Wagner-Verehrung primär als italienischer Opernkomponist. An manchen Stellen ist die Nähe zu Verdi unverkennbar, wie etwa in Fausts hymnisch gesteigertem Gesang aus dem Epilog:

Arrigo Boito: MEFISTOFELE

Charakteristisch für Boitos Verwurzelung im Geist der italienischen Oper ist es auch, daß er imstande war, ungefähr gleichzeitig mit der Neubearbeitung des MEFISTOFELE, 1875, für Ponchielli den Text zu LA GIOCONDA zu schreiben — aber höchst bezeichnend andererseits, daß er ihn nicht selbst vertont hat!

Ponchielli, der Lehrer von Puccini und Mascagni, war zu seiner Zeit ein angesehener Opernkomponist, doch hat nur eines seiner Werke die Zeiten überdauert: LA GIOCONDA (Mailand 1876). Daran dürfte auch Boitos Text mit schuld gewesen sein; er bot dem Komponisten eine pausenlos dahinfließende Folge von dramatisch bedingten krassen Kontrasten — im Aufbau trotz des inhaltlichen Gegensatzes zu MEFISTOFELE diesem ähnlich. Ponchielli hat die Verwirrungen des Schauerdramas musikalisch in einen einschnittlosen Wechsel von Solo-, Ensemble- und Chorszenen eingefangen. Ein dichtes Geflecht von Leit- bzw. Erinnerungsmotiven, unter ihnen das des Rosenkranzes und vor allem das des Bösewichts, des Spions Barnabà, stellen, wie in MEFISTOFELE, Beziehungen zwischen den einzelnen Abschnitten her. Die beiden genannten Motive sind im Finale des II. Aktes inhaltsentsprechend kontrastierend aneinandergereiht:

Amilcare Ponchielli: LA GIOCONDA; II. Finale, Leitmotive

Besonders charakteristisch für die ganze Oper aber ist die textbedingte Häufung von Simultankontrasten, Stellen, an denen Ponchiellis musikalische wie musikalisch-dramatische Fähigkeiten eindrucksvoll hervortreten. Seine stets in den musikalischen Fluß eingebetteten geschlossenen oder ariosen Sologesänge sind teils von hinreißendem Schwung, teils von unheimlicher dramatischer Wirkungskraft, wie die beiden folgenden Beispiele zeigen mögen:
Das erstere ist ein entrücktes Gebet der Laura aus dem II. Akt, das zweite eine dämonische Betrachtung des Schurken Barnabà aus dem I. Akt. Beide lassen die Nähe Verdis deutlich erkennen, das Gebet als Nachfolger so mancher Preghiera-Szenen, der schurkische Monolog als textlich bedingter Vorläufer von Jagos Credo in OTELLO (vgl. die Beispiele S. 132f.).
Es versteht sich von selbst, daß sich die Angehörigen dieser Generation, auch und gerade wenn sie bedeutende Persönlichkeiten waren, dem Einfluß von Verdis Meisterwerken nicht entziehen konnten, ohne daß sie dadurch zu Eklektikern geworden wären. Bei den jüngeren, nach 1850 geborenen Meistern, deren Werke etwa von 1880 an auf den Bühnen erschienen, blieb wohl, vor allem bei den weniger bedeutenden, noch eine gewisse Gemeinsamkeit der Sprache bestehen, doch war inzwischen der Einfluß Wagners in Italien so stark geworden, daß sich viele in ihren Werken mit diesem Phänomen auseinandersetzten, indem sie sich oftmals in der Wahl mythisch-mystischer Texte zu ihm bekannten und diese dann mehr oder weniger in eine italo-wagnerische Musik einhüllten. Andererseits führte diese Auseinandersetzung in den neunziger Jahren daneben zu einer scharfen Abwendung vom wagnerischen Ideendrama im Verismo, einer kurzlebigen, literarisch-musikalischen Unterströmung des Realismus, deren Werke in alltäglichem Milieu und unter raffinierter Verwendung der emotionalen Kräfte der Musik die Nachtseiten des Lebens in möglichst krasser Weise auf die Bühne bringen. Es ist jedoch bezeichnend für die Vielgestaltigkeit des italienischen Opernlebens jener Zeit, daß Stücke beider Richtungen nebeneinander an die Öffentlichkeit traten. Auch waren die einzelnen Meister keineswegs immer auf eine Richtung eingeschworen — brach doch der Verismo auch nur hie und da eruptionsartig aus dem Boden der zeitgenössischen italienischen Oper hervor. Allerdings erregten seine Werke auch ein derartigen Naturereignissen angemessenes Aufsehen, das gemeinhin über ihre im Verhältnis zur gesamten italienischen Opernproduktion geringe Zahl hinwegtäuscht.
Auch bei Komponisten, deren Werke wagnerschen Einfluß erkennen lassen, wie Alfredo Catalani (1854—1893), Antonio Smareglia (1854—1929) und Alberto Franchetti (1860—1942), ist dieser nicht überall gleich stark vorhanden und im Ganzen nicht so intensiv, daß man sie als Wagner-Epigonen bezeichen könnte. Bei Catalani tritt er besonders deutlich in dessen erster Oper ELDA (Turin 1880) hervor, einem vieraktigen „dramma fantastico", dessen romantischer Text wagnerische Klänge förmlich angezogen hatte. Zehn Jahre später brachte der Komponist das Werk text-

Amilcare Ponchielli: La Gioconda

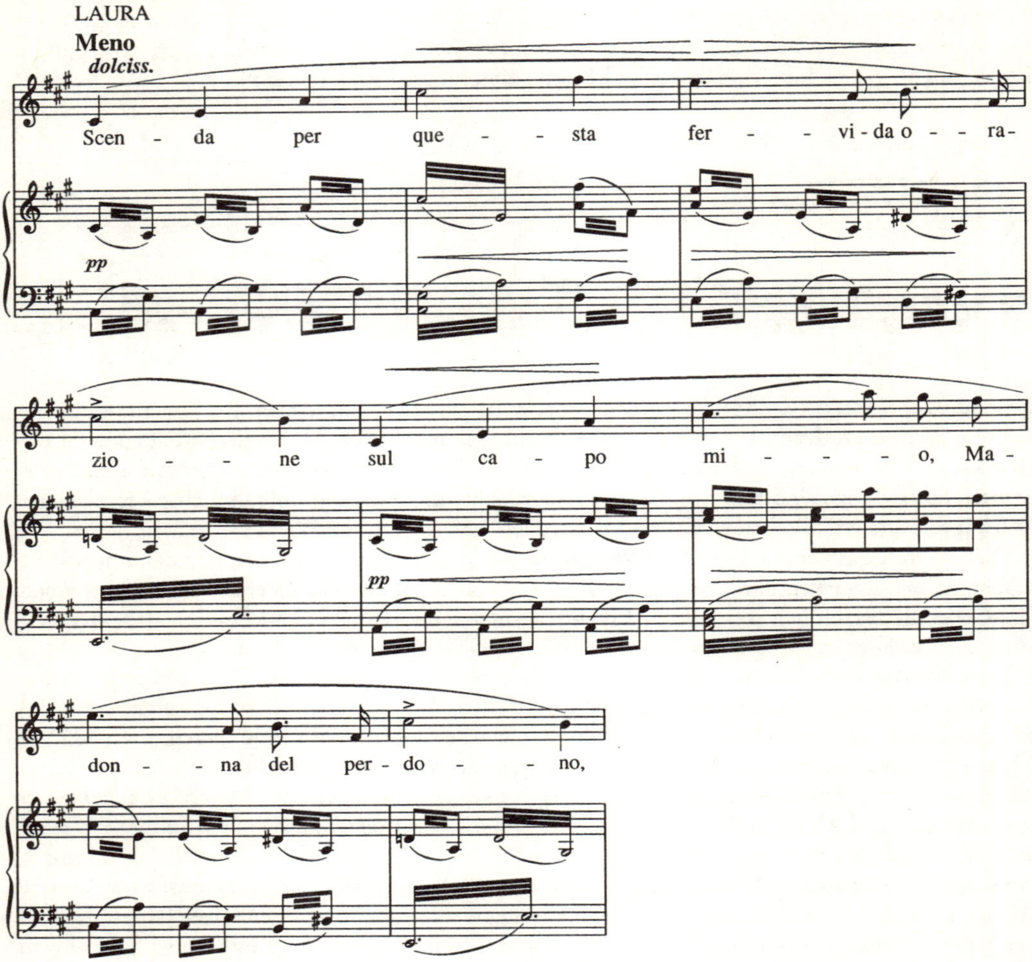
LAURA
Meno
dolciss.
Scen - da per que - - sta fer - - vi - da o - - ra-
pp
zio - - - ne sul ca - po mi - - - - o, Ma-
pp
don - - na del per - do - - no,

Amilcare Ponchielli: La Gioconda

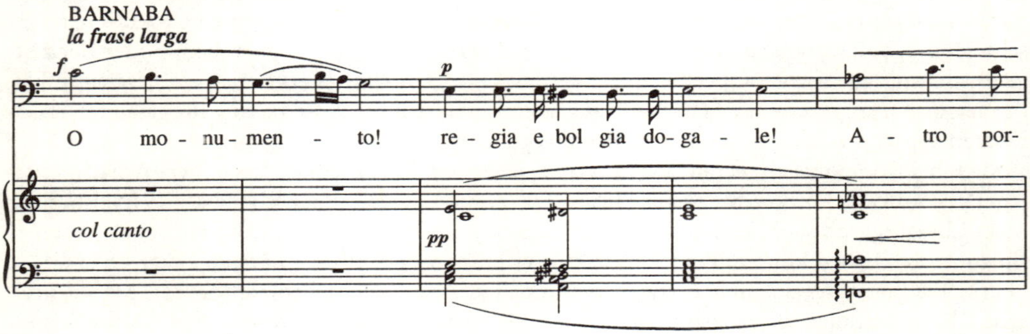
BARNABA
la frase larga
f
p
O mo - nu - men - to! re - gia e bol gia do- ga - le! A - tro por-
col canto
pp

lich und musikalisch umgearbeitet als dreiaktige „azione romantica" unter dem Titel LORELEY neu heraus, in der, da die Handlung nun am Rhein spielt, der Einfluß Wagners auch auf die Musik nicht geringer geworden ist. Seine letzte und bedeutendste Oper LA WALLY (Mailand 1892) hielt sich bis weit ins 20. Jahrhundert hinein auf den italienischen Bühnen. — Auch Smareglia, der in seinen zwischen 1875 und 1914 erschienenen Opern eine ähnlich häufig von Wagner geprägte musikalische Sprache sprach, fand in seiner Zeit, aber nicht darüber hinaus sein Publikum. — Bei Franchetti trat der Einfluß Wagners, wie bei Catalani und noch stärker als bei jenem, in seiner ersten Oper ASRAEL (Reggio Emilia 1888) besonders stark hervor; hatte er doch in Deutschland studiert. Das als „leggenda" bezeichnete Werk deutet mit seinem biblischen Stoff und dem von diesem geforderten Chorreichtum auf die Nähe des Oratoriums hin, doch die Haltung der Musik war im Einklang mit dem im Mittelpunkt der Handlung stehenden Erlösungsgedanken eindeutig von Wagner geprägt, wenn sich auch, besonders im III. Akt, zwischen ausgesprochenen Wagner-Reminiszenzen auch echt italienische kantable Leidenschaftsausbrüche finden. Diese Durchdringung italienischen Operngeistes mit dem artfremden wagnerischen Fluidum dürfte mit zur Kurzlebigkeit der Werke dieser Meister beigetragen haben. Es ist sicher kein Zufall, daß der mit feinem Stilgefühl begabte Boito trotz seiner großen Wagner-Verehrung in seinen Opern seinem Italienertum treu geblieben ist.

Der „Ausbruch" des Verismo brachte mit Pietro Mascagnis (1863—1945) CAVALLERIA RUSTICANA (*Sizilianische Bauernehre*; Rom 1890) und Ruggiero Leoncavallos (1858—1919) PAGLIACCI (*Der Bajazzo;* Mailand 1892) zum ersten Male wieder Welterfolge, die die Zeiten überdauert haben. Die Komponisten traten mit diesen Einaktern beide zum ersten Mal hervor und haben in ihrem ganzen weiteren und nicht unbedeutenden Opernschaffen nie wieder vergleichbare Erfolge erzielt, allerdings auch nirgends wieder die für den Verismo charakteristische krasse Verbindung des Schrecklichen mit dem Alltäglichen mit gleicher Intensität verwirklicht wie dort. Beide Stücke stellen auf engstem Raum eine atemberaubende Folge von Kontrasten dar, die in PAGLIACCI noch dichter ist und noch bestürzender wirkt als in CAVALLERIA, wie denn überhaupt das Werk Leoncavallos, dessen Text von ihm selbst stammt, auch dramatisch-musikalisch farbiger und wirkungsvoller ist als dasjenige Mascagnis; dieses wirkt lockerer gefügt, weil es der musikalischen Wiedergabe der Atmosphäre mehr Raum gönnt. In ihren folgenden Opern wandten sich beide Komponisten vom Verismo ab und treten damit wieder mehr ins zweite Glied zurück. In GUGLIELMO RATCLIFF (Mailand 1895), einem romantischen Schauerdrama nach Heinrich Heine, kleidet Mascagni die quälend langen Monologe und Dialoge der unheimlichen Stimmung entsprechend in verwischte, spukhafte Farben, was von der grellen Beleuchtung, in der das Geschehen in CAVALLERIA RUSTICANA vorüberhuscht, scharf absticht. Noch weiter von diesem Erstlingswerk entfernt ist die recht erfolgreiche Oper IRIS (Rom 1898), mehr lyrisches Mysterium voller

Symbolik als Drama, in dem Mascagnis Meisterschaft in der musikalischen Wiedergabe von gegensätzlichen Sphären in Natur und Menschenleben deutlich wird. Die Heldin zeichnet sich vor allem durch kindliche Unschuld und enge Naturverbundenheit aus; ihr Gesang an ihre Blumen aus dem I. Akt möge dies zeigen:

Pietro Mascagni: IRIS

Der Prolog enthält ein großartiges Tongemälde von Nacht und Sonnenaufgang. Im letzten Akt wird mit Rückgriff darauf das Schicksal der Heldin im Sinne des „durch Nacht zum Licht" symbolisch zusammengefaßt. Ob man in diesem Rückgriff eine Anlehnung an Boitos MEFISTOFELE erblicken darf, sei dahingestellt; auf jeden Fall läßt die die ganze Handlung tragende, durch eine gleitende Melodik und Rhythmik und äußerst farbige Harmonik wiedergegebene Symbolik zwar nicht musikalisch, aber allgemein geistig die Nähe Wagners erkennen.

Von Leoncavallos späteren Opern ist LA BOHÈME (Venedig 1897) wegen der textlichen Parallelität zu Puccinis gleichnamigem Werk von Bedeutung. Im Gegensatz zu Mascagni, der sich in späteren Jahren ganz vom Verismo abwandte, setzt Leoncavallo hier in gemäßigter Weise die Linie von PAGLIACCI fort. Er gestaltet auch LA BOHÈME, anders als Puccini, zu einer handfesten veristischen Oper voller scharfer Kontraste und Leidenschaftsausbrüche, nur daß er gezwungenermaßen von der Atmosphäre, in die die Tragik des Geschehens gehüllt ist, auch musikalisch Notiz nehmen mußte. So ist denn die reichlich buntscheckige Handlung (er hat sich auch diesen Text nach einer Novelle von Henri Murger selbst geschrieben) gelegentlich, vor allem im II. und IV. Akt, von stimmungshaft gedeuteten Szenen durchsetzt, die die Kraßheit der Kontraste mildern. Musikalisch fällt an dem Werk der Reichtum an geschlossenen Formen, besonders im III. Akt, auf, die sich scharf vom Rezitativ abheben und sich durch bezaubernde Kantabilität, abwechslungsreiche Rhythmik und farbige Harmonik auszeichnen, und als Gegensatz dazu z. B. im II. Akt große tumultuarische Ensemble- und Chorszenen und derbe Parodien.

Daß diese Oper in den Augen der Mit-, aber vor allem der Nachwelt dem ein Jahr früher herausgekommenen gleichnamigen Werk Giacomo Puccinis (1858—1924) gänzlich unterlegen ist, liegt wohl weniger an ihren Mängeln als vielmehr an Puccinis meisterhafter Fähigkeit, das einen jeden Text (und so auch BOHÈME) durchdringende bzw. von ihm ausgehende Fluidum zu erfühlen und in seine Musik hineinzusaugen. Leoncavallo hatte ein farbiges, musikalisch reizvolles Werk hinterlassen, das sich jedoch ganz in den Bahnen des damals Gebräuchlichen bewegte. Puccini hatte ihm, ohne diese Bahnen zu verlassen, seinen eigenen, besonderen Stempel aufgedrückt und damit auf der nach wie vor dicht bevölkerten italienischen Opernbühne seine unverwechselbare Visitenkarte abgegeben. Das hatte er bereits in seiner 1893 in Turin aufgeführten ersten Erfolgsoper MANON LESCAUT getan. Hier hatte er bei der für ihn charakteristischen sorgfältigen Suche nach einem neuen Opernstoff in der Erzählung MANON LESCAUT des Abbé Antoine François Prévost den ihm gemäßen Stoff gefunden, den Typ von BOHÈME und BUTTERFLY, in dem ein hingebend liebendes Mädchen als Exponentin eines ganz bestimmten Milieus erscheint. Er griff zu diesem Stoff ohne Rücksicht darauf, daß dieser auf der französischen Opernbühne bereits mehrfach, zuletzt 1884 von Jules Massenet, behandelt worden war. Nach seiner Gewohnheit nahm er schon an der Textgestaltung regen Anteil. Er konnte im Grunde ein Libretto nur komponieren, wenn er sich bis in Einzelheiten hinein mit ihm zu identifizieren vermochte. MANON LESCAUT wirkt wie eine Vorstufe zu LA BOHÈME. Auch in der früheren Oper ist die Handlung eingebettet in ein vom Komponisten liebevoll ausgemaltes Milieu, nur mit dem Unterschied, daß dieses mit der Handlung selbst nichts zu tun hat, während die Handlung in LA BOHÈME (wie auch in BUTTERFLY) nur aus ihm heraus verständlich ist. Diese drei den gleichen Stofftyp verkörpernden Opern gehören auch musikalisch eng zusammen. Mit ihnen hat Puccini seinen eigenen, unverkennbaren Stil geschaffen, wobei allerdings jedes Werk seinen ganz besonderen Stempel trägt. Ganz scharf aber heben sich alle drei von der herausfordernden Art, der Brutalität ab, mit der der Verismo sich bei seinen Altersgenossen Mascagni und Leoncavallo zur selben Zeit Bahn brach. Gewiß zeigen auch sie veristische Züge, aber die grellen Leidenschaften sind gedämpft, die keck hingeworfenen musikalischen Effekte sind verfeinert. Es sind ja keine Erstlingswerke, wie CAVALLERIA RUSTICANA, sondern (nach LE VILLI 1884 und EDGAR 1889) schon Werke der Meisterschaft und der Besinnung auf das dem eigenen Ingenium Angemessene. Musikalisch enthält MANON LESCAUT im Grunde schon alles das, was dann reifer durchgebildet in BOHÈME wiedererscheint und was in BUTTERFLY teilweise zur Manier erstarrt ist. Im Vergleich zu diesem Werk zeigt MANON durchaus die Vorzüge eines Jugendwerks, nämlich eine größere Frische und Mannigfaltigkeit der gesamten Sprache; dafür fehlt freilich noch die später so stark spürbare Ausgewogenheit und Geschlossenheit des Aufbaus.

LA BOHÈME (nach dem Roman von Henri Murger von Luigi Illica und Giuseppe Giacosa, Turin 1896) steht gleichsam in der Gefolgschaft von CARMEN einerseits und LA TRAVIATA andererseits, doch ohne sich musikalisch an diese Werke anzulehnen. Die Übereinstimmung besteht vielmehr nur in dem Bestreben der drei Komponisten, entscheidende Situationen der Handlung mit ihrer ganzen „Atmosphäre" wiederzugeben, ja, sie durch diese zu charakterisieren. Puccini hat auf diese Weise den Begriff der BOHÈME dargestellt. Er ist der eigentliche Held der Oper; die Personen erscheinen alle nur als dessen Emanationen, die ihr Licht von ihm erhalten — dies der entscheidende Unterschied zu Leoncavallos Oper, in der sie drastisch in die Atmosphäre hineingesetzt sind. Musikalisch ist der Träger dieser Atmosphäre das glänzend instrumentierte Orchester, das mit charakteristischen Erinnerungsmotiven die Verbindung zwischen den vier Bildern herstellt und diese selbst mit einem bunten Wechsel von Klangfarben wie mit einer tonal schimmernden Harmonik untermalt. Diese enthält so manche stereotype Wendungen wie etwa Fortschreitungen in Quarten und Quinten, kühne Dissonanzen etc. Als Beispiele für alle diese Merkmale seien die Anfänge der ersten beiden Bilder angeführt, die mehrfach quasi atmosphärisch im Laufe der Oper wieder auftauchen:

Giacomo Puccini: LA BOHÈME; Einleitung zum 1. Bild (Beginn)

Giacomo Puccini: LA BOHÈME; Einleitung zum 2. Bild (Beginn)

Diese ganz persönliche Stileigenheit Puccinis, die in all seinen Opern mehr oder weniger zutage tritt, macht sich in der Musik in der Vorliebe für das Umkreisen bestimmter Intervalle bemerkbar, die im Verein mit dem kantablen Schwung der Melodielinie insgesamt seine musikalische Sprache unverwechselbar prägt.

Alle diese Eigenschaften treten in MADAME BUTTERFLY (nach dem gleichnamigen Drama von David Belasco von Illica und Giacosa, zweiaktige Fassung Mailand Februar 1904, dreiaktige Fassung Brescia Mai 1904) noch stärker hervor. Ist doch die Atmosphäre hier durch das exotische Kolorit weit greifbarer umschrieben als in den früheren Opern. Wohl nicht zuletzt unter dem

Einfluß Debussys hat Puccini nicht nur original japanische Melodien und Instrumente benutzt, sondern auch seine eigene Tonsprache durch Aufnahme exotisch wirkender Klänge und Leiterbildungen (Pentatonik und Ganztonleiter) erweitert. Butterfly selbst ist Fleisch gewordene Atmosphäre, zu der es keinen Gegensatz gibt, denn alle, die mit ihr in Berührung kommen, werden bis zu einem gewissen Grade davon aufgesogen. Neben ihr sind alle anderen Personen farblos, vor allem der haltlose Linkerton. Sie ist auch die einzige, die, ihrer dramatischen Funktion entsprechend, an beiden musikalischen Welten, der exotisch-japanischen und der europäischen, Anteil hat, zwischen denen sie ja vergeblich zu vermitteln versucht. Nicht nur in ihren Gesprächen mit Europäern, sondern vor allem auch in ihren Monologen stoßen die verschiedenen musikalischen Sprachen oft inhaltsbedingt hart aufeinander, wie denn der Gegensatz zwischen ihnen recht eigentlich den Gegenstand des Werkes darstellt.

Als eigenartiger Kontrast erschien zwischen den beiden verwandten „atmosphärischen" Werken BOHÈME und MADAME BUTTERFLY die Oper TOSCA (Text nach dem gleichnamigen Drama von Victorien Sardou von Illica und Giacosa, Rom 1900), Puccinis repräsentativster Beitrag zum Verismo. An Stelle der Einheitlichkeit des Milieus in jenen Opern steht hier das Aufeinanderprallen schärfster Gegensätze, an Stelle rührender menschlicher Regungen erscheinen brutale Leidenschaften, deren Folgen kraß und erbarmungslos ausgemalt werden. Selbst lichtere Kontraste wie etwa das Tedeum im I. Akt und die hinter der Bühne aufgeführte festliche Kantate bei der Königin im II. Akt dienen dadurch, daß sie gleichzeitig mit Szenen des Schreckens erklingen — zu den Klängen des Tedeum entwickelt Scarpia seine verbrecherischen Pläne, die Klänge der Kantate tönen in die Folterung Cavaradossis hinein —, nur diesen als gräßliche Folie. Musikalisch wird der Charakter der Oper schon durch ihre Hauptpersonen umschrieben: Tosca ist keine Manon oder Mimi, sondern eine Primadonna, eine Heroine, Scarpia ein teuflischer Bösewicht großen Stils, Cavaradossi kein lyrischer, sondern ein heldischer Liebhaber. Demgemäß sprechen sie alle die Sprache der großen Oper in pathetischen und anspruchsvollen Arien und Ensembles, die durch das von Leitmotiven durchzogene Orchester gestützt und beziehungsvoll umhüllt werden. Der Orchesterklang ist von äußerster Pracht und Mannigfaltigkeit. Die stimmungshafte Einleitung zum III. Akt steigert sich zu einem wahren Klangrausch und verklingt dann unter den Morgenglocken in der Ferne — ein lyrischer Ruhepunkt, der die Kraßheit des umgebenden Geschehens noch stärker hervortreten läßt.

Nach den drei Meisterwerken der Jahrhundertwende, die in enger Zusammenarbeit mit den Librettisten Illica und Giacosa entstanden waren, folgten in langen Abständen zwei ganz gegensätzliche Experimente: LA FANCIULLA DEL WEST (*Das Mädchen aus dem goldenen Westen*, New York 1910), eine Art von Synthese veristischer Brutalitäten und intimer Milieuschilderung, und LA RONDINE (*Die Schwalbe*, Monte Carlo 1917), ein ebenfalls nicht recht lebensfähiger Zwitter zwischen Oper und Operette. Sie lassen ein etwas hilfloses Suchen nach einem geeigneten Gegenstand erkennen. Das Gleiche gilt zum Teil auch noch für das aus den drei Einaktern IL TABARRO (*Der Mantel*), SUOR ANGELICA und GIANNI SCHICCHI bestehende „Trittico" (New York 1918). IL TABARRO stellt einen gelungenen Abschiedsgruß des Komponisten an den Verismo dar. Dagegen fällt die auf sacraler Grundlage ruhende und mit einer mystischen Vision endende SUOR ANGELICA stark ab. Mit GIANNI SCHICCHI, dessen Stoff der Librettist Gioacchino Forzano Dantes *Divina Commedia* entnommen hatte, ist Puccini hingegen ein ganz großer Wurf gelungen. Es scheint, als hätte er die spürbare Verkrampfung der letzten Jahre in dieser seiner ersten (und leider einzigen) opera buffa abreagiert. Das ganze Werk spielt sich im wesentlichen in höchst bewegten Ensemble-Szenen ab, die durch immer wieder auftauchende, den jeweiligen Situationen angemessene Motive im Orchester zusammengehalten werden. Die drei geschlossenen Sologesänge erscheinen alle im Munde des Liebespaares, zwei von ihnen dienen mit hymnischem Schwung der Verherrlichung von „Fiorenza", die gleichsam als ideale Heldin des Milieus hinter dem Ganzen steht.

Mit seiner letzten (unvollendeten) Oper TURANDOT (Text von Giuseppe Adami und Renato Simoni nach Gozzi, ergänzt von Franco Alfano, Mailand 1926), an deren Textgestaltung er wieder regen Anteil nahm, hat Puccini eine krönende Synthese seines gesamten Opernschaffens hinterlassen. Die Betonung des exotischen Milieus hat das Werk mit BUTTERFLY gemein, die glänzenden Mittel aber, mit deren Hilfe sie erreicht wird, die verschwenderische, raffinierte Verwendung des Orchesters, hat er zum ersten Mal im *Mädchen aus dem goldenen Westen* ausprobiert. Die Kraßheit mancher Szenen, vor allem die der Folterung Lius, weist auf TOSCA hin, große stimmungshafte Chorszenen zeigen eine innere Verwandtschaft mit BOHÈME. Das Ganze aber ist von einer erst jetzt erreichten höheren Warte aus zur Einheit verschmolzen. Wie in dem Meisterwerk der Frühzeit, der BOHÈME, sind die Personen gleichsam Ausgeburten der Atmosphäre; für deren musikalische Einheitlichkeit sorgt schon das durch langes Festhalten an Pentatonik und Ganztonleiter, durch parallele Fortschreitungen, vor allem aber durch die Instrumentation mit der reichlichen Verwendung von auch chinesischen Gongs allgegenwärtige exotische Kolorit. Doch erheben sich die Gestalten gleichzeitig, weit mehr als in den früheren Werken, über das Milieu und werden zu eigenständigen, stark gegensätzlichen Charakteren: der hingebend liebenden Liu vom Schlag einer Mimi oder Butterfly steht z. B. als Heroine von der Art einer Tosca Turandot gegenüber. Die Massenszenen aber gehen an klanglicher Pracht und Farbigkeit weit über alles hinaus, was Puccini bis dahin geschrieben hatte, und stehen gleichfalls weitgehend im Dienst der Atmosphäre, eines geheimnisvollen Zwitters von Lyrik, Exotik und Grausamkeit. Meisterhaft hat er auch die drei den Buffogeist des GIANNI SCHICCHI verkörpernden Minister Ping, Pang und Pong in die Handlung verwoben, ohne daß der Stil der großen exotischen Ausstattungsoper dadurch durchbrochen würde.

Als einziger Meister seiner Generation hat sich nur Puccini mit weiten Teilen seines Schaffens neben Verdi auf den Opernbühnen der Welt lebendig erhalten. Das dürfte zum Teil am spezifischen Charakter der Texte liegen, die er selbst, meist aufgrund von Kenntnis der zugrundeliegenden literarischen Vorlagen, sorgfältig ausgesucht hatte. Schon in ihnen erspürte er das Fluidum, dessen seine Musik zur Entfaltung ihrer charakteristischen melodischen, vielfältigen rhythmischen und vor allem nervös flimmernden harmonischen Kräfte bedurfte, und das gemeinsam mit den Librettisten ausgearbeitete Textbuch war dann ein aufnahmebereiter Boden für die Komposition. Diese innere Einheit von Text und Musik im Ganzen, eine andere als die auf einzelne Gestalten ausgerichtete Charakterisierungskunst des mittleren und späten Verdi, ist das entscheidende Kriterium, durch das sich die Opern Puccinis von denen vieler Zeitgenossen, denen er im Grunde musikalisch nicht einmal überlegen zu sein braucht, unterscheiden und aus dem sich das Überleben seiner Werke erklärt.

Unter seinen jüngeren Zeitgenossen sind zwei, Francesco Cilèa (1866—1950) und Umberto Giordano (1867—1948), deren Opernschaffen ein ähnliches Schicksal gehabt hat wie dasjenige von Mascagni und Leoncavallo: Nur jeweils ein Werk hat seinen Schöpfer überlebt. ANDREA CHENIER von Giordano, 1896, wenige Wochen nach Puccinis BOHÈME in Mailand uraufgeführt und gleichfalls über einen Text von Illica, verkörpert im besten Sinne das Niveau, von dem sich Puccinis Werke abheben. Es ist eine textlich wie musikalisch wirkungsvolle Oper, ganz auf den Gegensatz zwischen der Revolution mit ihren Schrecken und der Welt des Dichters Chenier abgestimmt, wobei diese sich durch großartige lyrische Betrachtungen des Helden voll hymnischen Schwungs, die musikalisch die Nähe Puccinis erkennen lassen, deutlich sichtbar als musikalische Höhepunkte aus der quasi unendlichen, bald rein rezitativischen, bald mehr ariosen, hie und da von den aggressiven Revolutionsgesängen getragenen Tonsprache herausheben, in der sich das revolutionäre Treiben äußert. Hier war für Atmosphäre im Sinne Puccinis kein Platz, und das Gleiche gilt auch für ADRIANA LECOUVREUR von Cilèa (Mailand 1902). Diese Oper mutet schon mit ihrem auf einem Drama von Eugène Scribe beruhenden Text für die Zeit ihres Entstehens etwas retrospektiv an. Musikalisch verrät sie gelegentlich den Einfluß Wagners. Ausschlaggebend für den Gesamteindruck ist die beherrschende Rolle des Orchesters. Es trägt das gesamte abwechslungsreiche Geschehen und schlingt ein dichtes Netz von beziehungsvoll immer wiederkehrenden Leit- und Erinnerungsmotiven darum. Die lebhaften rezitativisch-ariosen Gespräche der wenig charakteristischen Personen verdichten sich nur selten zu arien- oder liedhaften, melodisch wie harmonisch sehr reizvollen Gesängen. Beide Werke sind eindeutig dem Geist des Verismo verpflichtet, der in jenen Jahren des Erscheinens von Puccinis drei frühen Meisterwerken in Blüte stand.

Aber auch jüngere Meister konnten sich seinem Einfluß nicht entziehen, so Italo Montemezzi (1875—1952) und Riccardo Zandonai (1883—1944). Besonders deutlich zeigt er sich in Zandonais relativ frühem Werk FRANCESCA DA RIMINI (Turin 1914), das — ähnlich wie die beiden frühen Einakter von Mascagni und Leoncavallo — seinen Ruhm recht eigentlich begründete. Der Text (von Tito Riccordi nach D'Annunzio) ist ein rechtes Schauerdrama, dessen krasser Realismus aber textlich durch hintergründige Gespräche, musikalisch durch stimmungshafte Chorszenen und im Ganzen vor allem durch beziehungsvolle, abwechslungsreiche Behandlung des glänzend instrumentierten Orchesters abgeschwächt wird. Über große, bald mehr rhythmisch pointierte, bald mehr melodisch fließende Klangflächen dominieren die Singstimmen durch Aufnahme der Orchestermelodik vor allem im I. Akt, während etwa im II. Akt ein schönes Gleichgewicht zwischen der vielfach liedhaft gegliederten, auf Früheres zurückgreifenden Singstimme und den charakteristischen Motivflächen der Instrumente herrscht. Als Leitmotiv der großen, verbotenen Liebe zwischen Francesca und Paolo Malatesta geht eine schwungvoll-pathetische Liebesmelodie durch alle vier Akte. In Montemezzis Erfolgsoper L'AMORE DEI TRE RÈ (*Die Liebe der drei Könige*; Text von Sem Benelli, Mailand 1913) ist der veristische Einfluß nur im Hintergrund spürbar. Die Kraßheit der Handlung — auch hier geht es um eine verbotene Liebe und deren Folgen — ist eingehüllt in eine düster-unheimliche Atmosphäre. Ihr Träger ist der blinde König Archibaldo, der das geheimnisvolle Geschehen um sich herum ahnend erfaßt und mit seinem hinkenden Synkopenmotiv (s. Beispiel) immer in den entscheidenden Situationen erscheint. Seine Auftritte die-

Italo Montemezzi: L'AMORE DEI TRE RE

nen so stets als gliedernde Kontraste zwischen den großen Gefühls-, ja Leidenschaftsausbrüchen der Liebenden, die den Hauptinhalt der Oper ausmachen. Sie rücken sie musikalisch nicht selten in die Nähe des TRISTAN; der durch die Allgegenwart des Blinden geprägte Druck, der ungreifbar auf Allen lastet, aber entkleidet die Figuren, ähnlich denen in Debussys PELLÉAS ET MÉLISANDE, weitgehend ihrer Realität und läßt sie, wie auch die veristischen Züge des Geschehens, gleichsam hinter Schleiern erscheinen.

Hier bahnt sich unverkennbar eine Wandlung im italienischen Operngeschehen an. Die meisten Altersgenossen der beiden zuletzt genannten Meister begannen zu experimentieren. Sie wendeten sich nach Inhalt wie nach Form mehr oder weniger von den überkommenen vertrauten Schemata ab, indem sie textlich nach neuen Gegenständen oder formal nach neuen Mischgattungen griffen oder beides miteinander vereinten. Das Opernschaffen von Riccardo Pick-Mangiagalli (1882—1949), Gianfrancesco Malipiero (1882—1973), Alfredo Casella (1883—1942) und Adriano Lualdi (1885—1971) wird z. B. durch eine Vielzahl von intermedien-, ballett- oder oratorienartigen Zwischenformen charakterisiert. Malipieros TRE COMMEDIE GOLDONIANE (*Drei Komödien von Goldoni*; Mailand 1924) etwa stellen eine lockere Folge von buffonesken Genrebildern dar. Musikalisch wird eine jede von ihnen durch ein dichtes Geflecht kleiner Leitmotive bei weitgehend gleichbleibender Motorik und betont unbestimmter Tonalität zusammengehalten und dadurch eine ebenso simple wie raffinierte Wiedergabe der volkstümlichen Atmosphäre erreicht. In ähnlicher Weise ist der Komponist in den *Sette Notturni* des TORNEO NOTTURNO (*Das nächtliche Turnier*; 1929) verfahren. Auch hier beweist er seine glänzende Satzkunst, sein souveränes Spiel mit wenigen inhaltsgebundenen Motiven im Dienste wechselnder dramatischer Situationen, nur daß es hier um eine Auseinandersetzung mit der Unentrinnbarkeit des Schicksals geht. Das Stück steht dem Mysterium oder Oratorium näher als der Oper. Wieder einen anderen Ton schlägt Malipiero in GIULIO CESARE (Mailand 1935) an, dem er den von ihm selbst übersetzten Shakespeareschen Text gekürzt und nur ganz unwesentlich verändert zugrundegelegt hat. Hierin hatte er nur einen Vorgänger in dem ähnlich vielseitigen Boito, der für seinen MEFISTOFELE Goethes Faust benutzte. Die Übernahme des Originaltextes weist schon darauf hin, daß es sich hier weniger um eine Oper im herkömmlichen Sinn als vielmehr um ein „Musikdrama" ohne geschlossene Formen handelt, in dem die Singstimmen durch das Orchester kommentiert werden, aber auch selbst Teile des Dramas sind. Zugrunde liegt dem ganzen Werk das Motiv des alles beherrschenden Caesar, das schon das Vorspiel des I. Akts eröffnet und dann das Nachspiel des letzten beschließt. Besonders charakteristisch ist die große Rede des Antonius im III. Akt. Ihre Hintergründigkeit kommt in reinem, aber in Singstimme und Orchester ungeheuer abwechslungsreich gestaltetem Sprechgesang meisterhaft zum Ausdruck. — In dem Spätwerk DON GIOVANNI (nach Puschkin, Neapel 1963) ist Malipiero grundsätzlich seiner musikdramatischen Haltung treu geblieben, nur daß er dieses Gefäß mit einem zeitgemäßen, ganz neuen Inhalt erfüllt hat.

Einen etwas anderen Weg als die oben genannten Meister, die, wie am Beispiel Malipieros gezeigt wurde, die Möglichkeiten der Opernbühne auf verschiedenen Wegen zu erweitern suchten, schlugen Komponisten wie Ildebrando Pizzetti (1880—1968) und Ottorino Respighi (1879—1936) ein. Sie blieben bei der herkömmlichen Gestalt der Oper im Ganzen, aber der Sinn des darin Dargestellten liegt nicht in dem vordergründigen Geschehen um seiner selbst willen, sondern hintergründig in den seelischen Kräften, die ihm zugrundeliegen. Besonders deutlich tritt dies in Pizzettis FEDRA (Gabriele D'Annunzio, Mailand 1915) zutage. Außer der schrecklichen Opferung der Sklavin geschieht hier im Grunde nichts, selbst von der Katastrophe des Ippolito erfährt man nur durch eine Erzählung. Die ganze Oper ist letztlich nur ein Seelengemälde der vor Liebe rasenden Fedra, ein Psychodrama, das ganz und gar nur als Ausdruck von deren furchtbar pervertierter Psyche erscheint. Dabei spielen Singstimmen und Orchester gleich bedeutende Rollen: Die Singstimmen wirken durch die Macht des affektvoll deklamierten Wortes, das Orchester lotet die Tiefen aus, die hinter den Worten liegen. Besonders eindrucksvoll tritt dies in dem ausgedehnten Gespräch Fedra/Ippolito im II. Akt hervor. Wie die ganze Oper, so gelangt auch dieses kaum je zu kantablen Linien, aber die Personen werden schon durch die Verschiedenheit ihrer Deklamationsweise und eine inhaltsentsprechend wechselnde Orchesterbegleitung charakteristisch voneinander abgehoben. Die Rolle des Chores beschränkt sich in dieser vornehmlich auf lange solistische Betrachtungen abgestimmten Oper im wesentlichen auf die große „Trenodia per Ippolito morto", die in ebenso kunst- wie affektvollem Satz den III. Akt eröffnet. — Nach dem extremen Experiment diese Psychodramas zeigte Pizzetti, daß Hintergründigkeit des Inhalts und Farbigkeit des Geschehens durchaus vereinbar sein können. Geschickt wählte er mit DEBORA E JAELE (nach einem eigenen Text, Mailand 1922) einen alttestamentarischen Stoff mit Figuren voller überlebensgroßer Leidenschaften, die zugleich als Repräsentanten ganzer Völker erscheinen. So gesellt sich hier zu dem stets ausdrucksvoll deklamierten Wort als Träger der Seelenhaltung nicht nur ein die Affekte untermalendes Orchester, sondern auch eine Fülle von polyphon aufgelockerten, dramatisch bewegten Chören, deren Stimmen auch als Einzelindividuen auftreten. Das Werk ist gleichsam ein Oratorium im bunten Gewand einer wirkungsvollen Oper.

Eine ähnliche Neigung zu Mystifizierung des Inhalts und Annäherung der Oper an Oratorium oder Mysterienspiel zeigt sich auch bei Ottorino Respighi etwa in MARIA EGIZIACA (*Maria von Ägypten;* New York 1932), LA FIAMMA (*Die Flamme;* Rom 1934) oder LUCREZIA (Partitur vollendet von Elsa Respighi, Mailand, posthume Uraufführung 1937); alle drei Texte stammen von Claudio Guastalla. Wie LA FIAMMA zeigt, räumt Respighi der Kantabilität der Singstimmen in langen, bewegten Linien, teilweise sogar in geschlossenen Formen, einen breiteren Raum ein, als es Pizzetti in seinen Opern tut. Es sind primär Gesangsopern mit stimmungshaft untermalendem, von Leitmotiven durchsetztem Orchester. Besonders oratorienhaft muten in LUCREZIA die erzählenden Einschübe einer „Voce" an, die jeweils den Fortgang der Handlung schildert.

Die jüngere Generation der um die Jahrhundertwende geborenen Komponisten, u. a. Mario Castelnuovo-Tedesco (1895—1968), Lodovico Rocca (1895—1986), Goffredo Petrassi (geb. 1904), Renzo Rossellini (1908—1982), Mario Peragallo (geb. 1910) hat zur Gattung der Oper relativ wenig und jedenfalls nichts Entscheidendes beigetragen. Eine Ausnahme macht hier jedoch Luigi Dallapiccola (1904—1975), dessen Opernschaffen nicht quantitativ, aber qualitativ eindeutig weit über das seiner Zeitgenossen hinausragt. Mit der Stoffwahl für die von ihm selbst verfaßten Texte führte er die von Pizzetti und Respighi eingeschlagene Richtung zu höchster, packender Vervollkommnung. VOLO DI NOTTE (*Nachtflug;* nach dem Roman *Vol de Nuit* von Antoine de Saint-Exupéry, Florenz 1940) verkörpert anhand von mehreren anschaulichen Berichten und Gesprächen den Gedanken des durch schwere Opfer errungenen Sieges einer neuen Zeit. In der gleichfalls einaktigen Oper IL PRIGIONIERO (*Der Gefangene;* nach der Erzählung *La torture par l'espérance* des Grafen Villiers de l'Isle-Adam, Turin 1949, Florenz 1950) tritt die Handlung noch mehr hinter dem teuflischen Grundgedanken der Inquisition zurück, die Folter eines Gefangenen durch immer neu erweckte und stets getäuschte Hoffnung zu verschärfen. In den Dienst dieser sich unheimlich zwischen Fantasie und Realität bewegenden Texte stellt Dallapiccola dann eine Musik, in der die Zwölfton-Technik mit tonalen Wendungen durchsetzt ist, wodurch die Fülle der Ausdrucksmöglichkeiten wirkungsvoll vermehrt wird. In VOLO DI NOTTE erscheint gleich am Anfang des kurzen Vorspiels in der Solobratsche über einem gehaltenen Bläserdreiklang als Leitmotiv der Grundidee eine Zwölftonreihe, die an entscheidenden Stellen der Handlung sowie am Schluß wiederkehrt (S. 142). Im PRIGIONIERO ist das ganze Stück durchsetzt von dem nur dreitönigen Motiv „fratello", mit dem der Kerkermeister den Gefangenen immer wieder zu täuschen sucht. Wie noch einige andere auf die Grundidee bezügliche Leitmotive tritt es in den verschiedensten Veränderungen, doch stets erkennbar, im kunstvoll verschlagenen Liniengewirr des Orchesters auf. Dieses beziehungsvolle Motivspiel wird hie und da durch fast erschreckend wirkende Kontraste unterbrochen, wie z. B. das auf die Psyche des Gefangenen berechnete unmittelbare Nebeneinander des kriegerischen Geusengesangs und der lieblichen, beinahe kindlichen Klänge, einer falschen Tröstung, in der 2. Szene und kurz vor dem Schluß der vierten auf eine unbegleitete im vierfachen piano geflüsterte heuchlerische Frage des Großinquisitors in dreifachem Forte der gewaltige Ausbruch des Gefangenen „S'è fatta luce".

In VOLO DI NOTTE werden die einzelnen Szenen oder doch Teile davon, dem etwas bunteren Schauplatz entsprechend, vielfach durch verschiedene quasi ostinate Klangflächen zusammengehalten.

Luigi Dallapiccola: VOLO DI NOTTE; Zwölftonreihe

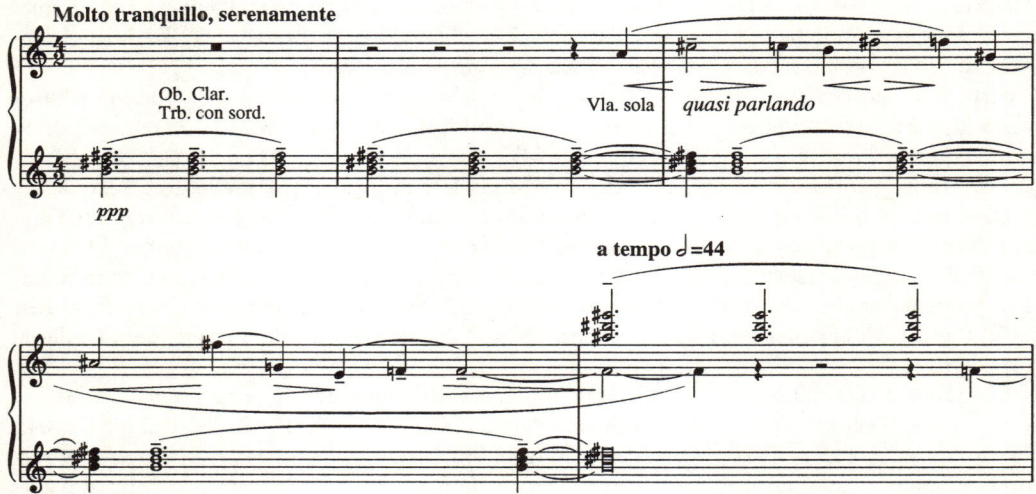

Dazu gesellt sich in beiden Opern eine raffiniert abgestufte Instrumentation, die häufig auf engstem Raume wechselt, und endlich erstreckt sich die Artikulation der Gesangsstimmen vom parlando über mehrere rhythmisch oder auch diastematisch geprägte Zwischenformen bis zum reinen Gesang. Der vielseitigen klanglichen Mannigfaltigkeit des Orchesterparts tritt also in beiden Werken eine ebensolche der Singstimmen zur Seite und bringt eine neue, gesteigerte Art von teilweise auch simultaner Personencharakteristik mit sich. Musik und Drama sind hier auf engem Raum zum „Musikdrama" verschmolzen. — An Dallapiccolas letzter Oper ULISSE (Berlin 1968 bzw. Mailand 1970) vermissen die Kritiker bei aller Bewunderung für die musikalische Kunst des Komponisten im allgemeinen diese durchgehende, vorwärtstreibende Einheit. Trotzdem hat Leonardo Pinzauti sicher Recht, wenn er Dallapiccola als den größten italienischen Opernkomponisten der Zeit nach Puccini bezeichnet.

Luigi Dallapiccola: Volo di Notte; Klangflächen

# Die Oper in Frankreich

Spanien und Portugal

# Italienische Einflüsse und erste eigene Versuche

Hof und Gesellschaft Frankreichs hatten bis weit ins 17. Jahrhundert hinein ihre Festlichkeiten mit „ballets de cour" geschmückt, so wie die italienische Aristokratie noch lange Zeit über 1600 hinaus an „balli" und „Intermedien" festgehalten hatte. Während diese aber mehr und mehr hinter der anspruchsvollen Oper zurücktraten, die sich seit 1600 ihren Weg bahnte, blieb die Stellung der ballets de cour zunächst unerschüttert, obwohl mindestens seit dem Beginn des 17. Jahrhunderts enge kulturelle Beziehungen zwischen Frankreich und Italien bestanden. War doch bereits Peris erste vollgültige Oper EURIDICE 1600 als Festoper zur Hochzeit des französischen Königs Heinrichs IV. mit Maria de' Medici in Florenz uraufgeführt worden. Diese Königin rief nicht nur bald danach Rinuccini und Caccini mit Frau und Töchtern für mehrere Jahre an ihren Hof, sondern sie ließ auch die bedeutendsten italienischen Komödiantentruppen nach Frankreich kommen, die dort bald ebenso begehrt waren wie in Italien und durch ihr mehrfaches Hin und Her zwischen den beiden Ländern eine wertvolle Vermittlerrolle spielten. So war der „stile nuovo" in Frankreich keineswegs unbekannt, wenn er auch durch den Gegensatz zu der streng metrisch gebundenen französischen Vokalmusik vielfach auf Widerstand stieß. Ganz deutlich schieden sich jedoch die Geister, als Kardinal Mazarin, ein gebürtiger Florentiner, der seit dem Tod Ludwigs XIII. 1643 mit dessen Witwe, Anna von Österreich, zusammen die Regentschaft für den erst 4 1/2-jährigen Ludwig XIV. führte, zum ersten Male italienische Opern in Paris aufführen ließ. Dabei beschränkte er sich nicht auf eine Komödiantentruppe, sondern stellte in umfangreicher Korrespondenz mit den verschiedensten italienischen Höfen ein ausgesuchtes italienisches Opernpersonal zusammen. Mit diesem, zu dem auch der berühmte italienische Maschinenmeister Torelli gehörte, brachte er zwischen 1645 und 1647 vier verschiedene Werke heraus, darunter 1645 die einige Jahre vorher in Venedig aufgeführte Oper LA FINTA PAZZA (*Die verstellte Wahnsinnige*; Text von Giulio Strozzi, Musik von Francesco Sacrati), 1646 Francesco Cavallis Oper EGISTO und 1647 endlich die erste eigens für Paris komponierte Oper L'ORFEO von Luigi Rossi über einen Text von Francesco Buti. Die Aufführungsberichte über LA FINTA PAZZA lassen erkennen, daß das Werk mehr im Sinne eines ballet de cour aufgefaßt worden war: Sie sprechen über Kostüme, Dekorationen und vor allem über die maschinellen Bühneneffekte, erwähnen aber weder Text noch Musik. L'EGISTO, eine stark rezitativisch gehaltene Frühoper Cavallis ohne wesentliche Prachtentfaltung, wurde denn auch ein völliger Mißerfolg. Ganz anders bei Rossis ORFEO. Diese Oper wirkt schon an sich wie eine Übersetzung des Prinzips des ballet de cour ins Italienische: Wie das ballet eine lockere Folge von Tänzen und Entrées ist, so stellt diese Oper eine lockere Folge von Arien und Ensembles dar. Die Handlung dient in beiden Fällen nur als äußerer Anlaß und Zusammenhalt. Da obendrein für eine prächtige Ausstattung gesorgt war und Ballette nicht fehlten, wurde die Aufführung ein großer Erfolg und erlebte mehrere Wiederholungen. Die Gegner Mazarins nahmen die ungeheuren Kosten der ORFEO-Aufführung zum Anlaß, um gegen ihn und gleichzeitig gegen die ganze italienische Richtung vorzugehen. Das war jedoch nicht nur ein künstlerischer Vorwand für ein im Grunde politisches Unternehmen, sondern es steckte auch eine ehrliche Abneigung gegen die fremde Kunst dahinter. Die Musik Rossis, die affektgesättigten Arien mit den weitgeschwungenen, lieblichen Melodielinien, das Verströmen des Gesangs um seiner selbst willen, das alles lag dem französischen Geist fern. Dessen Verfechter erkannten die Andersartigkeit dieser Kunst, und sie lehnten diesen Import vor allem deshalb ab, weil sie wußten, daß die eigene Nation auf der Bühne etwas ganz Gleichwertiges, wenn auch ganz andersartiges zu schaffen imstande war. Dies ist der große Unterschied zwischen der Aufnahme der italienischen Oper in Frankreich und derjenigen in Deutschland, wo dieses Gefühl der Ebenbürtigkeit damals nicht vorhanden war und daher kein Streit um die Vorzüge der italienischen und der einheimischen Kunst entstehen konnte. Mazarin jedoch, der während des Aufstandes der Fronde Paris verlassen hatte, setzte 1653 nach seiner Rückkehr seine Bemühungen um die Einführung der italienischen Oper unbekümmert und charakteristisch umgeformt fort. Mit der Oper LE NOZZE DI TETI E DI PELEO (*Die Hochzeit von Thetis und Peleus;* Text wieder von Buti, Musik von Carlo Caproli) versuchte er einen Kompromiß, für den es sehr bezeichnend ist, daß die begeisterten Berichte das Werk teils „ballet", teils „comédie" nennen und daß es für den König die Gelegenheit bot, in sechs Entrées mitzuwirken. Diese Verbindung von italienischer Oper und französischem ballet de cour war ein sehr geschickter Schachzug des Kardinals. Das Ballett stammte von dem französischen Hofdichter Isaac de Benserade. Die Musik ist bis auf die Airs des Balletts verloren, aber aus dem Libretto geht hervor, daß die Handlung ganz auf das Eingreifen des Balletts hin angelegt war. König Ludwig XIV. war von diesem Werk, das mehrfach aufgeführt wurde, wohl vor allem wegen der Möglichkeit zu eigener Mitwirkung sehr entzückt — ein Beweis dafür, wie sehr auch hier wieder der Gedanke des Gesellschaftskunstwerks im Vordergrund stand.

In der Tat wurde das höfisch-aristokratische Gesellschaftsleben Frankreichs nach wie vor vom ballet de cour beherrscht, das durch das Wirken Benserades seit der Mitte des Jahrhunderts dramatisch auf eine höhere Stufe gehoben worden war. Es wurde dadurch, nicht zuletzt durch die Zusammenarbeit mit Jean-Baptiste Lully (1632 bis 1687), zu einem der Pfeiler, auf den sich die im Kommen begriffene französische Oper stützen konnte. Trotzdem unternahm es Mazarin noch einmal, noch dazu für ein so hohes Fest wie die Hochzeit des Königs, eine Oper bei einem der damals angesehensten italienischen Opernkomponisten, bei Francesco Cavalli, zu bestellen. Er veranlaßte auch die Berufung des alten Meisters selbst nach Paris. Hier wurde zunächst, da das neue Theater in den Tuilerien noch nicht fertig war, im Jahr der Hochzeit 1660 eine ältere Oper Cavallis, SERSE (1654), aufgeführt. Erst 1662 folgte die Hochzeitsoper ERCOLE AMANTE (*Der liebende Herkules*). Beide Werke wurden trotz glänzender Besetzung und Ausstattung Mißerfolge, auch der ERCOLE, obwohl Cavalli in diesem Werk entgegen venezianischem Brauch dem französischen Geschmack mit vielen wirkungsvollen Chören und Ensembles entgegengekommen war. In den Berichten wurde er totgeschwiegen, nur die Ballette wurden gepriesen, die aber stammten von Lully!

Nun war zwar auch dieser ein Italiener (er stammte aus Florenz), doch kam er schon mit 14 Jahren nach Frankreich, gerade zu der Zeit, da der Kampf um die italienische Oper begann. Hier, in der höfischen Atmosphäre des ballet de cour, erwuchs er zum Schaffen, und da er nicht nur kompositorisch, sondern auch darstellerisch und tänzerisch begabt war, bildete jene Gattung für ihn zunächst das geeignete Betätigungsfeld. In ihr hat er sich denn auch, erst als Tänzer, dann, seit der Mitte der fünfziger Jahre, als Komponist von Tänzen, Chören, Airs, aber auch von musikalischen Szenen in Balletten und schließlich von ganzen Balletten die Sporen verdient, sehr bezeichnenderweise zuerst nur mit der Komposition italienischer Texte. Hier wird schon die ihm von der Natur zugedachte Vermittlerrolle deutlich: Mitten in der rein französischen Kompositionspraxis beschränkte er sich auf seine italienische Muttersprache. Offensichtlich fühlte er sich zunächst den Feinheiten der französischen Sprache noch nicht gewachsen — ein Zeichen für sein ausgeprägtes Sprachgefühl. Darüber hinaus aber zeigt die Möglichkeit der Verwendung von italienischen Texten im ballet de cour auch, wie viel der italienische Einfluß schon an Boden gewonnen hatte. So eignete sich der junge Lully die Kompositionstechnik der beliebten französischen Gattung, der Tänze wie auch der Vokalsätze, an, ohne seine italienische Abkunft zu verleugnen; dabei wuchs er aber mehr und mehr in seine französische Umgebung hinein. Vor allem gelang es ihm, anhand von Werken der klassischen französischen Dichter, besonders Racines, tief in den Geist der französischen Sprache einzudringen, und darüber wurde er in der Tat zum Franzosen. Schon in dieser Zeit der Vorbereitung kam es zu der merkwürdigen Vertauschung der Rollen, die sich in der Geschichte der französischen Oper noch mehrfach wiederholen sollte: Der französische Komponist

Marc-Antoine Charpentier (1636—1704) machte sich zum Verteidiger der italienischen Kunst gegen den Italiener Lully, den Führer der französischen Partei, dem es nach dem Tode Mazarins 1661 sogar gelang, am Hofe die Verabschiedung einer italienischen Truppe durchzusetzen.

Bei dieser hier schon während der Herausbildung der französischen Oper spürbaren Parteibildung spielten auch außerkünstlerische Gesichtspunkte eine nicht unwesentliche Rolle. War die französische Gattung doch von Anfang an nicht nur ein künstlerisches, sondern gleichzeitig ein im weitesten Sinne gesellschaftliches Ereignis, ja eine Angelegenheit der ganzen Nation. Dadurch erhielt der Streit um sie eine besondere Schärfe. Der tiefere Grund für die Rivalität zwischen der italienischen und der französischen Oper aber dürfte in der Verbindung zwischen herkunftsmäßig enger Verwandtschaft und einer wesensmäßig diametral entgegengesetzten Entfaltung zu suchen sein.

Dazu kam, daß der französische Geist gerade in jener Zeit in der klassischen französischen Tragödie seine sublimste Offenbarung gefunden hatte. 1635 war Pierre Corneille mit seinem ersten Beitrag dazu, der *Médée*, hervorgetreten. Die Weiterentwicklung der Gattung vollzog sich nun parallel mit den italienischen Opernversuchen in Paris und hat sicher das Ihrige zur Stärkung der französischen Partei beigetragen. Auf der Bühne siegte die streng den aristotelischen Regeln folgende gesprochene Tragödie, das Gesellschaftsleben hingegen wurde vom ballet de cour beherrscht, in dem Musik und Ausstattung die dramatischen Ambitionen weitgehend erstickten. Auch in den seltenen Fällen, wo sich beide Richtungen begegneten, wie z. B. in Corneilles ANDROMÈDE (1650) mit (nicht erhaltener) Bühnenmusik von Charles Dassoucy, gelangte diese (nach Corneilles eigenen Worten im Vorwort „à satisfaire les oreilles tandis que les Yeux sont arrestés à voir descendre ou remonter les machines" [die Ohren zu befriedigen, während die Augen gebannt sind, das Ab und Auf der Maschinen zu sehen]) nicht über die Rolle eines akustischen Gegenstücks zur Bühnenmaschinerie hinaus.

Fruchtbarer für das Zustandekommen einer französischen Oper erwiesen sich neben dem ballet de cour, an dem sich Lully heranbildete, Versuche französischer Künstler. Sie knüpften an das textlich stark von Tasso und Guarini beeinflußte, mehr lyrische als dramatische Pastoraldrama an. 1659 traten der Dichter Pierre Perrin und der Komponist Robert Cambert mit einer in Issy bei Paris aufgeführten PASTORALE hervor, einem anspruchslosen Schäferstück mit den traditionellen beiden Liebespaaren. Die Musik ist verloren, bemerkenswert aber ist das Stück außer durch seinen großen Erfolg durch die charakteristische Bemerkung in der Vorrede, es sei ein „essai d'opéra entièrement français fait à l'imitation des pièces en musique italienne" (Versuch einer ganz französischen Oper in Nachahmung italienischer Musikstücke). Die PASTORALE von Issy bedeutet also — gleichsam eine Parallele zur Florentiner DAFNE — auf dem Boden der Hirtendichtung und mit Blickrichtung auf Italien einen ersten französischen Versuch zur Durchkomposition einer Handlung. Ihr folgte, auf Veranlassung von Mazarin, noch im selben Jahr die comédie ARIANE ET BACCHUS, deren Musik gleichfalls nicht erhalten und die nicht aufgeführt worden ist. 1671 erschien dann die Pastorale POMONE als erstes Werk im Rahmen des den beiden Künstlern 1669 verliehenen königlichen Opernprivilegs.

Inzwischen hatte Lully mit Benserade zusammen das ballet de cour durch Einfügung von Rezitativen weiter der Oper angenähert und seit 1664 in enger Zusammenarbeit mit Molière mit der Zwischengattung des comédie-ballet einen weiteren Schritt in dieser Richtung getan. Hier verband sich die vielseitige Darstellung von Charakteren und Situationen und die Ausdruckskraft des großen Dichters mit Lullys im ballet de cour herangereifter Fähigkeit zur angemessenen Wiedergabe und Ausdeutung dieser Texte in Entrées und Chören, liedhaften Airs und vor allem dramatisch bewegten récits. Zu den bedeutendsten Produkten dieser Zusammenarbeit gehören die bekannten Molièreschen Komödien GEORGE DANDIN (1668), MONSIEUR DE POURCEAUGNAC (1669) und LE BOURGEOIS GENTILHOMME (*Der Bürger als Edelmann;* 1670). Diese Arbeiten, bei denen Molière den Ton angab, führten Lully bis unmittelbar an die Schwelle seines Opernschaffens im engeren Sinne.

# Die tragédie lyrique als Abbild des ancien régime

## Die Ära Jean-Baptiste Lullys und Philippe Quinaults und deren Nachfolger

Lullys letztes comédie-ballet PSYCHÉ (nach Molière und Corneille) erschien 1671 — bereits im folgenden Jahr wandte er sich mit der Pastorale LES FÊTES DE L'AMOUR ET DE BACCHUS einem neuen Dichter, seinem zukünftigen Librettisten Philippe Quinault (1635—1688), zu, und 1673 traten die beiden mit ihrer ersten tragédie lyrique CADMUS ET HERMIONE hervor. Erst dies war recht eigentlich die Geburtsstunde der französischen Oper, denn erst hier vollzog sich die Durchdringung der klassischen „tragédie" mit der in den Vorformen bis zum comédie-ballet entwickelten charakteristisch-repräsentativen Musik zur „tragédie lyrique". Der Name umschreibt prägnant das Wesen der neuen Gattung: Es war eine Tragödie im klassisch-französischen Sinn, jedoch insofern „lyrischer" gestaltet, als rational verklausulierte Dialoge und rhetorisch komplizierte lange Monologe durch der Musik zugänglichere, d. h. lyrische, Betrachtungen ersetzt wurden. Schon vorher, 1672, hatte Lully nach der Schließung des Opernunternehmens von Perrin und Cambert ein neues königliches Privileg zur Aufführung von Opern erhalten; dies führte zur Gründung der „Académie royale de Musique", die über ein Jahrhundert lang und weit darüber hinaus unter geänderten Namen die Heimstatt der französischen Oper bleiben sollte.

In diesem Rahmen vollzog sich nun die Zusammenarbeit zwischen dem hoch gebildeten französischen Dichter und dem gleichaltrigen, zum Franzosen gewordenen Italiener, und wiederum spricht es für dessen literarischen Geschmack und sein feines Sprachgefühl, daß er einen Mitarbeiter wählte, der außer dichterischen auch librettistische Fähigkeiten besaß. Quinault hatte sich als Dichter von Komödien und Tragödien bereits einen Namen gemacht, bevor er für Lully zu arbeiten begann — er war also mit Geist und Technik der „tragédie" vertraut, bevor er die Grundlage zur „tragédie lyrique" schuf. Aber im Gegensatz zum comédie-ballet, in dem Lully im wesentlichen den Spuren seines Dichters gefolgt war, trat er dem neuen Librettisten oft sehr selbstherrlich gegenüber. Die Bereitschaft Quinaults zur Unterordnung unter die Autorität des Komponisten trug viel zu der idealen Zusammenarbeit der beiden Künstler bei. Andererseits studierte Lully seinerseits eingehend die Textdeklamation in Aufführungen Racinescher Tragödien und richtete sich in der musikalischen Wiedergabe danach[1]. Im übrigen bewegten sich Librettist wie Komponist stets in den recht engen Grenzen der gesellschaftlichen Bande: Wählte doch der König selbst aus den Vorschlägen des Dichters die Stoffe aus, deren Bearbeitung dann immer noch von der Académie française begutachtet wurde. So wurden Geschmacklosigkeiten im Stile gleichzeitiger italienischer Libretti vermieden. Quinault besaß obendrein ein feines Empfinden für die Forderungen der Musik und verstand es ausgezeichnet, die antiken Sagengestalten und die Helden aus den Epen Tassos und Ariosts in geschmackvoller Weise in die den Werken übergeordnete höfische Konvention einzuordnen.

In allen Opern ging den fünf Akten eine Ouvertüre voran, in ihrer ausgeprägten Form aus einem langsamen, pathetischen, von punktierten Rhythmen getragenen und einem lebhaften, imi-

---

[1] Sein Vorbild war, wie Dominique Muller in seinem Aufsatz „Aspects de la Déclamation dans le Récitatif de J.-B. Lully" in: Basler Studien zur Interpretation der alten Musik, Winterthur 1980, S. 231—251, überzeugend nachgewiesen hat, nicht die halb singende, „chant" genannte alte Wiedergabe der klassischen französischen Tragödie, sondern gerade die durch Racine von ihr gereinigte neuere und natürlichere Art, die Lully von Racines Schülerin, der Schauspielerin Champsmeslé, gehört hatte.

tierend beginnenden und frei kontrapunktisch dahinfließenden Satz eine Schöpfung Lullys, die weit über seine Zeit und die Grenzen Frankreichs hinausgewirkt hat. Mit ihr wurde das Publikum stets von neuem auf die konventionelle Feierlichkeit der folgenden Oper eingestimmt. Dann folgte ein prächtig mit Chören, Entrées, Märschen und Tänzen aller Art ausgezierter, allegorischer Prolog zu Ehren des Königs. Er war gleichsam das große Eröffnungs-Divertissement, dem dann an allen Aktschlüssen, mitunter auch noch im Mittelpunkt der Akte, mehr oder weniger umfangreiche folgten. Sie alle waren selbstverständlich inhaltsbedingt, doch stand ihre dramatische Bedeutung gewöhnlich in keinem Verhältnis zu dem ungeheuren darstellerischen und musikalischen Aufwand, den sie erforderten und auf den hin sie erfunden waren. In ihren von instrumentalen wie vokalen Airs durchsetzten Ketten von Menuetten, Gavotten und Rondeaus, in ihren großen durch Ensembles und Soli aufgelockerten Chorblöcken hielt sich der Musiker, obwohl auch hier in den Banden fester Typen, sozusagen für den Zwang schadlos, den Wortbetonung und Versmetrum im Drama selbst auf ihn ausübten. Hier kam auch der Instrumentalkomponist zur Geltung, der sonst, abgesehen von der Ouvertüre, nur sporadisch in Form von kurzen Ritornellen und, dann besonders wirkungsvoll, zur stimmungsmalenden Begleitung einzelner Arien (z. B. in Renauds Soloszene II,3 in ARMIDE) herangezogen worden war.

Die Handlung bewegte sich in den Bahnen der klassischen Tragödien, besonders Racines, dessen Schaffen zu demjenigen Quinaults zeitlich weitgehend parallel verlief und sicher nicht ohne Einfluß darauf geblieben ist. Wesentlich ist, vor allem im Vergleich zu dem Kunterbunt der italienischen Textbücher jener Zeit, ihre Einheit, eine der Hauptforderungen der klassischen Tragödie. Alles entwickelt sich mit einer der höfischen Konvention angemessenen Förmlichkeit streng nach den Regeln der ratio. Auch die — verhaltene — Komik der Dienergestalten, die, sicher nach italienischem Vorbild, in den beiden ersten Opern, CADMUS ET HERMIONE (1673) und ALCESTE OU LE TRIOMPHE D'ALCIDE (*Alkestis oder Der Triumph des Alkeides;* 1674), noch vorhanden war, findet sich, da sie Anstoß erregte, in den folgenden Werken nicht mehr oder höchstens nur noch andeutungsweise. War diese geschmackliche Reinigung auch für die Dramen insgesamt von Vorteil, so wurden sie musikalisch doch so mancher Reize beraubt. Lustige Gesänge, wie der des Dieners Lychas in I,3 der ALCESTE

Jean-Baptiste Lully: ALCESTE

und das Lied des Fährmanns Charon in IV,1 derselben Oper

Jean-Baptiste Lully: ALCESTE

oder etwa das harmlos-liebliche Lied von Hermiones Gefährtin Charite in I,3 aus CADMUS ET HERMIONE

Jean-Baptiste Lully: CADMUS ET HERMIONE

bildeten wirkungsvolle Gegensätze zu der pathetischen Grundhaltung der Opern. Deren Träger, die Protagonisten, äußerten sich in jenen frühen Werken fast ausschließlich in dem von ariosen Wendungen durchsetzten Rezitativ, das grundsätzlich für Lullys gesamtes Schaffen charakteristisch ist, wie etwa die folgende Stelle aus der Abschiedsszene Admet/Alceste aus ALCESTE II,8 zeigen möge:

Jean-Baptiste Lully: ALCESTE

Demgegenüber war den Nebenpersonen ganz allgemein das Gebiet des anspruchslosen Air, die geschlossene Form, vorbehalten, durch deren oft volkstümlichen Charakter auch musikalisch der Standesunterschied zwischen Herren und Dienern deutlich zum Ausdruck gebracht wurde. In Lullys späteren Opern lockert sich dieser Gegensatz in dem Maße, in dem die Nebenpersonen zwar nicht an Zahl, aber an Bedeutung verlieren und die Hauptpersonen desto farbiger hervortreten. Jetzt erscheinen auch in deren Munde geschlossene Formen, situationsbedingt vom einfachen Air bis zur umfangreichen Arie. Häufig sind sie von charakteristischen Refrains umgeben, die einleitend und abschließend den Affektgehalt des ganzen Gesangs zusammenfassen. So ist es z. B. in der Szene I,3 der zehn Jahre nach ALCESTE entstandenen Oper AMADIS, wo die Heldin Oriane ihrem Unwillen über Amadis' angebliche Untreue in weitgeschwungenem Melodiebogen temperamentvoll folgendermaßen Ausdruck verleiht:

Jean-Baptiste Lully: AMADIS

während die Zauberin Arcabonne in II,1 derselben Oper rezitativisch beginnend und dann gleichsam Hals über Kopf in das Air hineinstürzend der Liebe eine Absage erteilt:

Jean-Baptiste Lully: AMADIS

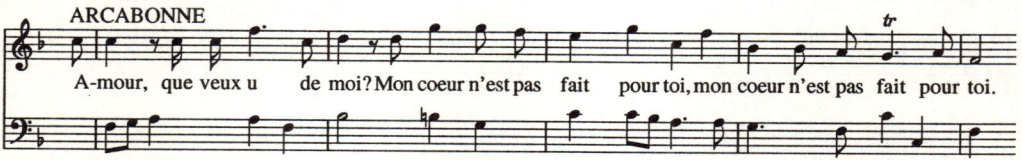

Auf solche Weise wird der Spielraum der Musik und ihrer Ausdrucksmöglichkeiten erweitert und der Wegfall der grob-komischen Gegensätze auf feinere Weise ausgeglichen. Besonders deutlich tritt die primär musikalisch bedingte Auflockerung von Lullys Tonsprache in seiner letzten Oper ARMIDE (1686) hervor, wo stellenweise freie und geschlossene Form (Rezitativ und Arie) in den Äußerungen der Hauptpersonen kaum noch zu unterscheiden sind (so etwa in Renauds Soloszene II,3) und andererseits beide in höchster Vollkommenheit, aber deutlich voneinander geschieden, aufeinander folgen (wie in Armides Szene vor dem schlafenden Renaud II,5). Das Rezitativ dieser Szene ist ein eindrucksvolles Beispiel für die Musikalisierung des Sprechgesangs beim späten Lully, ohne daß er dabei die Rücksicht auf das Textmetrum außer Acht gelassen hätte (S. 153).

Kann so in der Auseinandersetzung mit dem Wort im einzelnen wenigstens andeutungsweise von einer Entwicklung in Lullys Opernschaffen gesprochen werden, so stellen die Werke im Ganzen insgesamt Verkörperungen ein und desselben von der höfischen Konvention für die höfische Gesellschaft zu deren Verherrlichung geschaffenen Typs dar. Von 1673 bis 1686, ein Jahr vor Lullys Tod, erschien (mit Ausnahme des Jahres 1681) pünktlich an jedem Jahresbeginn, meist im Januar oder Februar, eine Oper, die mit großem Beifall aufgenommen und deren Partitur auch von 1679 an sofort veröffentlicht wurde. Im Gegensatz zu dem Eintagsfliegendasein, zu dem die nur

Jean-Baptiste Lully: ARMIDE

handschriftlich überlieferten gleichzeitigen italienischen Opern in der Regel verdammt waren, überlebten die Werke Lullys ihren Schöpfer bei weitem. Alle erschienen noch im 18. Jahrhundert auf der Bühne, die meisten blieben bis in dessen zweite Hälfte lebendig, so daß sie sogar die von Lullys großem Nachfolger Rameau überdauerten. Sie lebten so lange wie der Geist der höfischen Konvention, zu dessen sublimsten Äußerungen sie zählten, und sanken mit ihm genau so dahin, wie die Werke der jüngeren Meister, die sich in den gleichen Bahnen bewegt hatten.

Wenn Lully auch in der Wahl seiner Texte und damit in der Haltung und Anlage seiner Opern von den Anordnungen des Königs und den Ansichten der Gesellschaft abhängig war, so führte er doch auf der Opernbühne selbst ein strenges Regiment. Seine vielseitige Veranlagung und seine reiche praktische Erfahrung befähigten ihn dazu, als „Surintendant" der Hofmusik die Wiedergabe seiner Werke bis in Einzelheiten hinein zu überwachen. Von der sorgfältigen Auswahl des Orchester-Personals und der berühmten, von ihm eingeführten Orchester-Disziplin über das persönliche musikalische wie auch darstellerische Rollenstudium mit den Sängern bis zur Einstudierung der Ballette hielt er den gesamten Aufführungsapparat fest in der Hand. Auf dieser seiner Leistung als Komponist und Kapellmeister, Ballettmeister und Regisseur dürfte die große Wirkung seiner Werke zu einem beträchtlichen Teil beruht haben. Der Nachteil dieser glücklichen Konstellation war dann allerdings, daß bei seinem plötzlichen Tod zunächst ein Vakuum entstand. Seine Schüler füllten es im Laufe der Zeit mit nicht unbedeutenden einzelnen Werken, wobei aber keiner Lullys Ansehen und vor allem keiner dessen Autorität erlangte.

Pascal Collasse (1649—1709), der Lullys letzte geplante Oper ACHILLE ET POLIXÈNE vollendete, bewegte sich weitgehend in dessen Bahnen, ebenso der vor allem als Lautenkomponist hervorgetretene Marin Marais (1656—1728). Die um die Jahrhundertwende erschienenen Opern des jüngeren André Cardinal Destouches (1672—1749) zeichneten sich im gleichen Rahmen durch eine musikalische Belebung des Rezitativs und durch eine programmatische Erweiterung der Rolle des Orchesters aus; mit seinen großen Orchester-Gemälden weist er über Lully hinaus bereits auf Rameau hin. Am deutlichsten wird das Suchen nach neuen Wegen im Schaffen von André Campra (1660—1744). Dieser war, wenn auch selbstverständlich von Lully beeinflußt, doch nicht dessen Schüler und, ähnlich wie Rameau, nicht in der Atmosphäre der Pariser Oper aufgewachsen, so daß er deren Tradition mit etwas mehr Abstand betrachtete. So ist es zu erklären, daß er sie nach zwei Richtungen hin durchbrach: einerseits durch eine Annäherung an den Geist der bei Lully verpönten italienischen Musik, zum anderen aber und eigentlich im Gegensatz hierzu durch ein Wieder-Anknüpfen an die so typisch französische Gattung des ballet de cour mit der quasi neuen Gattung des „opéra-ballet". In Werken dieser Art stellten die einzelnen Akte, hier in Anlehnung an das Ballett „Entrées" genannt, kleine Szenen für sich dar, die entweder durch einen Oberbegriff miteinander verbunden waren oder ganz beziehungslos aufeinander folgten. Gemeinsam war ihnen nur stets das Zurücktreten der Handlung hinter der Entfaltung von Musik und Tanz. Campra eröffnete die Reihe dieser vom Publikum mit Begeisterung begrüßten Darbietungen mit dem opéra-ballet L'EUROPE GALANTE 1697, wenige Wochen, nachdem Destouches mit seiner Oper ISSÉ seinen ersten großen Erfolg errungen hatte. So liefen die beiden Gattungen, auch im Schaffen der einzelnen Meister selbst, nebeneinander her, wiewohl die jüngere zumindest zahlenmäßig der älteren bald den Rang ablief. Besonders deutlich zeigt sich Campras Neigung zu italienischem Wesen in seinen FÊTES VÉNITIENNES (*Venezianische Feste;* 1710), einem opéra-ballet, dessen Entrées Szenen aus dem venezianischen Volksleben wiedergeben; diese Gelegenheit zur Übernahme bzw. zur Nachempfindung italienischer Musik ließ sich der Komponist natürlich nicht entgehen. Daneben pflegte auch er aber, genau wie seine Zeitgenossen, die tragédie lyrique (sein Hauptwerk auf diesem Gebiet war TANCRÈDE, 1702). Der Einfluß des opéra-ballet macht sich da in erster Linie rein musikalisch in einer Auflockerung von Melodik und Rhythmik und einer Bereicherung von Harmonik und Instrumentation bemerkbar.

Es ist bezeichnend, daß die Auseinandersetzung mit dem italienischen Geist auf der Opernbühne, die vor Lullys Auftreten die Gemüter erregt hatte, während seiner Herrschaft aber verstummt war, nun nach seinem Verschwinden wieder auflebte. Dies geschah nicht nur gleichsam versteckt in den Werken der jüngeren Generation. Vielmehr erhob sich gleichzeitig eine echt französisch mit geschliffener Feder geführte literarische Fehde um die Vorzüge der beiden Operngattungen, die, anstatt, wie die Komponisten, auf eine Annäherung hinzuzielen, die Kluft zwischen ihnen aggressiv vertiefte. Den Auftakt zu diesen Auseinandersetzungen, die sich über das ganze Jahrhundert erstrecken sollten, bildete die 1702 erschienene Schrift des Abbé François Raguenet, *Parallèle des Italiens et des Français en ce qui regarde la musique et les opéras* (Gegenüberstellung der Italiener und der Franzosen in Bezug auf die Musik und die Opern), in der der Verfasser, immer um Objektivität bemüht, der italienischen Oper zwar den Vorzug gibt, aber auch der französischen Gerechtigkeit zu erweisen versucht. Darauf erschien 1704 in der *Comparaison de la musique Italienne et de la musique Française* (Vergleich der italienischen und französischen Musik) von Jean Laurent Le Cerf de la Viéville eine scharfe Erwiderung zur Verteidigung der französischen Oper. In der Folgezeit wogte der Federkrieg weiter hin und her — ein deutliches Zeichen dafür, daß unter den Nachfolgern Lullys ungeachtet ihrer musikalischen Bedeutung keiner die Autorität des Meisters besaß. Dazu kam noch, daß mit dem Tode Ludwigs XIV. 1715 das „ancien régime" zwar nicht zerbrach, aber doch in seinen Sitten und Anschauungen aufgelockert wurde. Dies trug viel zu der bereits begonnenen Neuorientierung auf der Opernbühne bei.

## Jean-Philippe Rameau

In diese zwischen Stagnation und neuen Ansätzen schwankende Situation hinein wurde Jean-Philippe Rameau (1683—1764) geboren, nicht nur einer der größten französischen Musiker des 18. Jahrhunderts, sondern auch eine der interessantesten Gestalten der Operngeschichte. Hat er doch sein Opernschaffen erst im Alter von 50 Jahren begonnen, als er bereits als Musiktheoretiker und

Klavierkomponist einen großen Namen besaß. Sodann wurde er zunächst von den Anhängern Lullys als zu fortschrittlich bekämpft, von Jean-Jacques Rousseau und den Parteigängern der italienischen Oper aber gleichzeitig als altmodisch abgetan, während er in Wahrheit Tradition und Fortschritt zu einer großartigen Synthese vereint und dadurch die Machtstellung der tragédie lyrique auch für das 18. Jahrhundert wieder gefestigt hatte. Er starb als ihr eindeutiger Beherrscher. Was fortschrittlich in seinen Werken war, wirkte weit über seine Schaffenszeit hinaus, aber das grundsätzliche Festhalten an der alten, fest im ancien régime verwurzelten Gattung verhinderte ein Weiterleben der Werke selbst über die große Geisteswende am Ende des Jahrhunderts hinaus.

Rameau ließ sich 1722, dem Jahr, da sein aufsehenerregender *Traité de l'harmonie* (Harmonielehre) erschien, endgültig in Paris nieder. Daß er hier von dem Geschehen auf der Opernbühne nicht unberührt geblieben war, das wurde nach langem Schweigen schlagartig offenbar, als er diese, 1733 beginnend, mit einer Fülle gewichtiger Werke gleichsam im Sturm eroberte. Sehr bezeichnend für die Souveränität, mit der dies geschah, ist es, daß gerade am Anfang tragédie lyrique und opéra-ballet immer umschichtig erschienen: Auf die tragédie HIPPOLYTE ET ARICIE (1733) folgte das opéra-ballet LES INDES GALANTES (1735), auf die tragédie CASTOR ET POLLUX (1737) das opéra-ballet LES FÊTES D'HÉBÉ (1739), auf die tragédie DARDANUS (1739) die comédies ballets LA PRINCESSE DE NAVARRE und PLATÉE (1745) sowie im gleichen Jahr zwei weitere opéras-ballets. Nach weiteren kleinen Stücken trat der Komponist dann 1749 mit seiner vierten tragédie lyrique ZOROASTRE hervor. Im anschließenden Jahrzehnt entstanden in bunter Folge und unter den verschiedensten Bezeichnungen vor allem Werke, die ihrer Haltung nach bezeichnenderweise dem opéra-ballet zuzuordnen sind. Zur tragédie lyrique hat Rameau nur einmal, kurz vor seinem Tode, noch gegriffen; das Werk ABARIS OU LES BORÉADES gelangte aber nicht mehr zur Aufführung.

Rameaus Bühnenschaffen als Ganzes wird von einer deutlich erkennbaren Tendenz zum reinen, von literarischen Rücksichten nur wenig behinderten Musizieren beherrscht. Im Gegensatz zu Lully wie zu Gluck hatte der Musiker in ihm bei weitem den Vorrang vor dem Dramatiker[2]. Zwar enthalten auch seine tragédies lyriques dramatisch hervorragende Stellen, aber ihre Texte, die den Dramen Quinaults nicht das Wasser reichen können, boten relativ wenig Gelegenheiten dazu, und der Komponist glich diesen Mangel instinktiv aus. Rein äußerlich betrachtet waren seine tragédies lyriques reinste Vertreter ihrer Gattung, aber er hatte, was den Zeitgenossen nicht verborgen blieb, vermöge seiner stärkeren musikalischen Potenz neuen Wein in alte Schläuche gegossen, indem er den Belangen der Musik einen breiteren Raum einräumte. Der schon bei seinen Vorgängern bemerkbare italienische Einfluß wird bei ihm noch stärker und vor allem noch organischer in den großen musikalischen Zusammenhang integriert. Das melodisch wie harmonisch abwechslungsreiche Rezitativ, wie es ein Abschnitt aus dem Gespräch Jupiter/Pollux aus CASTOR ET POLLUX II,4 zeigen möge (S. 156 oben), wird einerseits durch ariose Einschübe und durch inhaltsentsprechende ausdrucksvolle Beteiligung von Instrumenten der Arie angenähert, diese selbst aber wird andererseits durch rein musikalisch bedingte Wortwiederholungen, durch mancherlei Verzierungen und regelrechte Koloraturen schärfer von jenem abgehoben und über den Umfang liedhafter Airs hinaus bis zur Dacapo-Arie erweitert. Als Beispiele hierzu seien der Haßgesang der Phébé, der nach langem Instrumentalritornell den V. Akt von CASTOR ET POLLUX einleitet, und das knappe, nur generalbaßbegleitete Air des Pollux aus II,2 der gleichen Oper angeführt (S. 156 unten und S. 157).

---

[2] Trotzdem ist sein Einfluß auf Gluck vor allem in CASTOR ET POLLUX nicht zu verkennen; vgl. vor allem die Trauerfeierlichkeiten für Castor am Anfang des I. Aktes und Castors Szene im Elysium zu Beginn des IV.

Jean-Philippe Rameau: CASTOR ET POLLUX

Jean-Philippe Rameau: CASTOR ET POLLUX

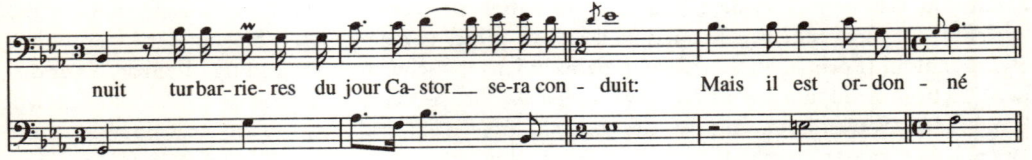

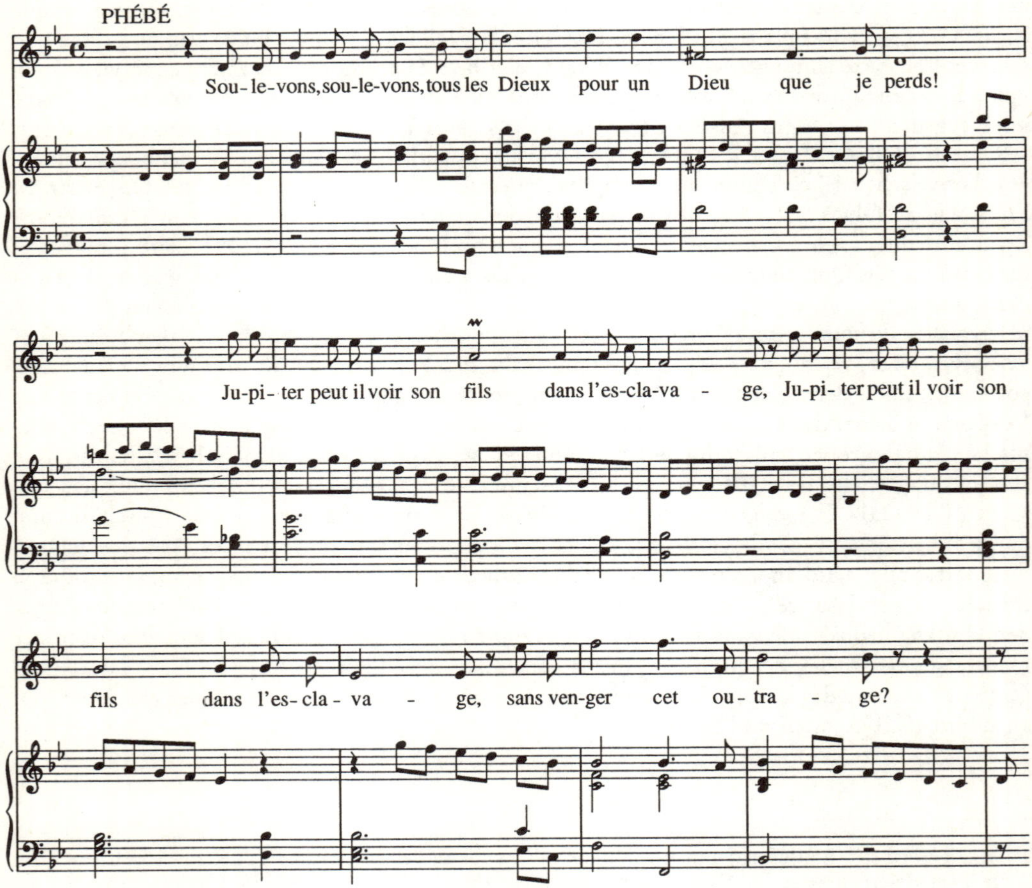

Jean-Philippe Rameau: CASTOR ET POLLUX

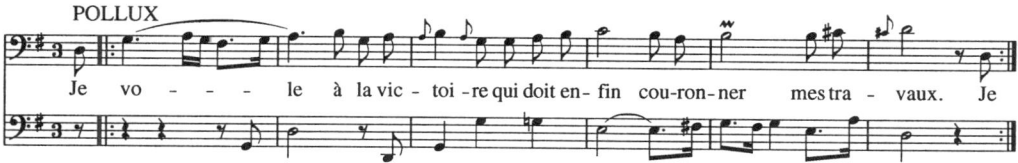

Der weitere musikalische Atem, der die vokalen Teile von Rameaus Bühnenwerken, sowohl die Soli als auch die monumentalen Chorsätze, nicht selten über die Szeneneinschnitte hinweg beflügelt, macht sich mit gleicher Unwiderstehlichkeit in den Aufzügen, Märschen und Tänzen der Divertissements und in den häufig an dramatischen Höhepunkten erscheinenden programmatischen Instrumentalsätzen wie Sturm-, Gewitter- und Schlacht-Musiken oder Begleitmusiken überirdischer Erscheinungen bemerkbar, wie z. B. in der „Descente de Jupiter" in V,5 von CASTOR ET POLLUX (Beispiel S. 158).

Die meist auf Kontrastwirkungen hin angelegte Folge der Tänze in den Divertissements ist von einem bestechenden Einfallsreichtum in der Melodik wie in der farbigen Harmonik und in der stark verfeinerten Instrumentation, und dasselbe gilt in noch gesteigertem Maße für die großen Orchestergemälde.

Von einer Entwicklung innerhalb von Rameaus Opernschaffen kann, ähnlich wie im Falle Lullys, kaum die Rede sein. Allerdings fällt in seiner späten Oper ZOROASTRE, vor allem in ihrer neuen Fassung von 1756, gegenüber den früheren tragédies lyriques eine stärkere Neigung zu großen Szenenblöcken und zu einem fließenden Gesangsstil auf — ein deutlicher Schritt in Richtung auf die musikdramatische Szene.

Bei alledem hat Rameau wohl kaum die Absicht gehabt, als Reformator aufzutreten, obwohl er es de facto getan hat. Er sprach einfach unbekümmert die Sprache seiner Generation — immerhin war er rund ein halbes Jahrhundert jünger als Lully — und vermochte es, sie der alten Gattung einzupassen, ohne diese zu zerbrechen. Das war vielleicht das Erstaunlichste an seiner Leistung. Sein Auftreten gab den leicht erregbaren, streitlustigen Pariser Literatenkreisen wieder einmal Gelegenheit zu einem erbitterten Parteienkampf: Die Anhänger Lullys, die „Lullisten", glaubten, ihren Abgott gegen die scheinbar revolutionären Bestrebungen des Neulings verteidigen zu müssen, um den sich die „Ramisten" scharten. Der Streit wogte lange hin und her, konnte aber Rameaus endgültigen Sieg nicht verhindern. Er wurde schließlich nicht trotz, sondern wegen seiner kunstvoll gearbeiteten und klangvoll-modernen Musik und zugleich als neuer Beherrscher der Académie royale anerkannt.

Da der musikalische Reiz seiner Werke dem dramatischen vielfach überlegen war, stehen seine opéras-ballets und ähnliche Stücke den tragédies lyriques nicht nach. Zwar fehlen ihnen mit der zusammenhängenden Handlung auch weitgehend Gelegenheiten zu großen dramatisch-musikalischen Höhepunkten, dafür waren aber ihre Texte von vornherein viel stärker als jene auf die Musik hin bzw. aus ihr heraus erfunden, so daß der Komponist seinen Reichtum hier viel unbefangener entfalten konnte. Ein besonders charakteristisches Beispiel hierfür ist das opéra-ballet

Jean-Philippe Rameau: CASTOR ET POLLUX

LES INDES GALANTES, das obendrein als Prototyp der Gattung gelten kann. In seinen vier Entrées, LE TURC GÉNÉREUX (*Der großmütige Türke*), LES INCAS DE PÉROU, LES FLEURS, FÊTE PERSANE (*Die Blumen, persisches Fest*) und LES SAUVAGES (*Die Wilden*), werden vier verschiedene Völkerschaften dargestellt, nicht aus dem Bedürfnis nach der Wiedergabe verschiedenen exotischen Lokalkolorits heraus, das erst gegen Ende des Jahrhunderts hervorzutreten begann, sondern einfach um der Entfaltung einer möglichst großen musikalischen und szenischen Mannigfaltigkeit willen. Besonderes Aufsehen erregte der Vulkanausbruch im 2. Entrée, bei dem Rameau Gelegenheit fand, seine große Kunst der Orchester- und Chorbehandlung in Verbindung mit dynamischen Effekten voll zu entfalten. — Unter den vielen Mischgattungen, die sein œuvre enthält, zeichnet sich die Pastorale héroique ZAIS (1748) durch großartige Orchestergesänge aus; Ouvertüre und Prolog z. B. schildern die Entstehung der Welt aus dem Chaos. In den Sologesängen ist der Gegensatz zwischen Rezitativ und Air, Handlung und Betrachtung weitgehend aufgehoben.

Eine Sonderstellung nimmt Rameaus dreiaktiges comédie-ballet PLATÉE ein, eine Farce, deren buffahaft grobe Komik im Gewand eines französischen Balletts schon die Zeitgenossen überraschte. Platée, die häßliche, mannstolle, alte Nymphe aus dem Sumpf, der man vorspiegelt, Jupiter werbe um sie, wird durch die Diskrepanz zwischen dem übersteigerten Pathos und der betonten Simplizität ihrer Gesänge auch musikalisch eindeutig charakterisiert und ist dadurch, daß alle Personen ihr auf die gleiche Weise begegnen, die alleinige Trägerin der Komik. Diese fast parodistischen Gesänge wirken in dem Übermaß von mannigfaltigen Tänzen und Chören besonders kraß. Als Beispiele seien der Beginn ihrer Ariette aus I,5 und ihr „Légèrement" aus III,3 angeführt.

Jean-Philippe Rameau: PLATÉE

Jean-Philippe Rameau: PLATÉE

Keine musikalische Gattung ist so eng mit den gesellschaftlichen Verhältnissen ihrer Zeit verknüpft, ja von ihnen abhängig, wie die Oper, die als Gesamtkunstwerk so viele von deren Ausdrucksmöglichkeiten berührt. So wird denn auch das Schicksal ihrer Träger, oft auch ihrer einzelnen Werke durchaus nicht immer allein von ihrer künstlerischen Bedeutung, sondern nicht selten entscheidend von der Zeit ihres Hervortretens bzw. ihrer Stellung zu ihrer Umwelt bedingt. Diese Erscheinung macht sich bei der Betrachtung des Weiterlebens von Rameaus Opern besonders eindringlich bemerkbar. Als Lully 1687 starb, war die Stellung der von ihm geschaffenen tragédie lyrique, das prächtigste Aushängeschild des ancien régime, so fest gegründet wie dieses selbst. Sie war der sublimste Ausdruck ihrer Zeit — es gab keine anderen Götter neben ihr. Bei Rameaus Tod 1764 hatte sich die Lage geändert. Zwar stand die alte Gattung immer noch in hohem Ansehen, wie das Regime, das sie verherrlichte, doch erstand neben ihr eine Rivalin, in der sich der Geist der neuen Zeit niederschlug, nicht zu vergleichen mit dem nach Lullys Abgang aufgekommenen opéra-ballet, das ja auf dem Boden der tragédie lyrique erwachsen war und sich von ihr nur durch eine Verschiebung der Schwerpunkte unterschied. Die neue Gattung der opéra-comique aber entstand nicht als Ableger der alten, sondern vielmehr als scharfe Reaktion auf sie. Rameau hat die Anfänge dieser Entwicklung noch miterlebt, aber als Beherrscher der Académie royale und maßgebender Vertreter der alten Gattung natürlich keinen Beitrag zur neuen geleistet. Trotz dieser seiner retrospektiven Stellung hat sein Opernschaffen aber musikalisch weit in die Zukunft gewirkt, obwohl die einzelnen Werke selbst ihren Schöpfer nicht lange überlebten. Schuld daran war nicht nur die steigende Beliebtheit der modernen opéra-comique, sondern vor allem der sie bedingende geistige Niedergang des ancien régime, das die offizielle Opernbühne getragen hatte. Diese verfiel mehr und mehr der Stagnation und behalf sich weitgehend mit mehr oder weniger bearbeiteten Wiederaufnahmen, darunter bis in die 70er Jahre hinein Werke Rameaus, aber große Ereignisse fehlten.

# Der Einfluß Glucks und die Gluck-Schule

Da tauchte rechtzeitig, d. h. sicherlich mit durch dieses Vakuum begünstigt, ein Meister auf, dessen Werke den kaum beruhigten Opernstreit der Pariser Literaten aufs Neue entfachten und den Glanz der Académie royale wieder hell erstrahlen ließ: Christoph Willibald Gluck[3]. Dieser hatte rund zehn Jahre zuvor schon entscheidend bei der Herausbildung der opéra-comique mitgewirkt und dabei sein Einfühlungsvermögen in den Geist der französischen Sprache und deren Verhältnis zur Musik bekundet. Nun gelang es ihm, auch zur Académie royale Verbindungen anzuknüpfen und mit den fünf Opern IPHIGÉNIE EN AULIDE, ORPHÉE ET EURIDICE, ALCESTE, ARMIDE und IPHIGÉNIE EN TAURIDE in den Jahren 1774 bis 1779 eine Stellung zu erobern, die, obzwar nicht unumstritten, derjenigen Rameaus an Bedeutung nicht nachstand. Die Werke beweisen, daß er mit Rameaus Schaffen wohl vertraut war, und zeigen zugleich umgekehrt dessen Fortschrittlichkeit. Denn wenn Gluck auch, im Gegensatz zu ihm, ganz bewußt als energischer Reformer auftrat, so läßt doch die musikalische Anlage sowohl von Solo- als auch von Chor- und Ensemble-Szenen auf Schritt und Tritt das Vorbild des großen Franzosen erkennen. Abgesehen von den direkten Parallelen zwischen Rameaus CASTOR ET POLLUX und Glucks ORFEO ED EURIDICE[4] macht sich, schon aufgrund der französischen Sprache, die innere Verwandtschaft zwischen den beiden Meistern in Einzelheiten der Kompositionstechnik noch deutlicher bemerkbar. Vor allem in Rameaus späteren Werken findet sich bereits das Verfließen von sachlicherem und ausdruckshaftem Rezitativ, das auch für die Tonsprache Glucks charakteristisch ist; hier wie dort wachsen kurze, liedhafte Gesänge und anspruchsvollere Arien mitunter unmittelbar daraus hervor, die Massenszenen sind häufig durch chorische Refrainabschnitte zu großen Blöcken zusammengeschlossen, die Szeneneinschnitte vielfach musikalisch überbrückt. Dazu kommt noch, daß beide Meister auf eine Annäherung der beiden geistig einander meilenfern stehenden Opernstile, des französischen und des italienischen, bedacht waren — der ältere Rameau unbewußt als fortschrittlich gesinnter, nach einer Bereicherung seiner Ausdrucksmittel strebender Musiker, der jüngere Gluck, der sich seine Sporen als italienischer Opernkomponist verdient hatte, ganz bewußt als Reformer auch eine Internationalisierung des musikalischen Dramas anstrebend.

Die gleiche musikalische Sprache erwuchs hier also aus gänzlich verschiedenen Voraussetzungen und war auf gänzlich verschiedene Ziele hin ausgerichtet: Rameau ging es um die Entfaltung seiner unerschöpflichen musikalischen Erfindungskraft in kunstvollem Gewande; die Libretti bedeuteten ihm demgegenüber nicht viel mehr als den notwendigen Anlaß hierzu. Für Gluck erhielt die Musik dagegen ihren wahren Wert erst durch ihre dramatische Aussage. Sein Ziel war das Musikdrama, in dem das gesamte Geschehen von Musik durchdrungen und diese von ihm geprägt sein sollte. Es ist für diesen Unterschied zwischen den beiden Meistern, von denen Rameau zweifellos der bedeutendere Musiker, Gluck hingegen eindeutig der bedeutendere Musikdramatiker war, recht bezeichnend, daß die Tanzsätze der Divertissements, sofern sie außerhalb oder doch ganz am Rande der Handlung stehen, bei Rameau meist Höhepunkte eines bezaubernden Musizierens sind, bei Gluck jedoch nicht selten eine gewisse trockene Routine verspüren lassen. Auf jeden Fall hat er aber das Erbe Rameaus dadurch, daß er es dramatisch mit neuem Leben erfüllte, in die Zukunft gerettet, so wie dieser seinerzeit das Erbe Lullys durch seine überragende musikalische Schöpferkraft neu belebt hatte.

---

3 Vgl. das Kapitel *Deutsche Kosmopoliten* S. 351ff.
4 Vgl. oben Anmerkung 2.

Der heiße Federkrieg, den Gluck durch sein Erscheinen entfachte, war im Grunde nur eine Fortsetzung des 20 Jahre zurückliegenden Buffonistenstreites[5]. Allerdings ging es jetzt in erster Linie um die Frage nach der Vorherrschaft von Drama oder Musik in der Oper, die aber letzten Endes auf den Gegensatz zwischen französischer (d. h. in diesem Falle gluckischer) und italienischer Kompositionsweise hinauslief. Indem man 1776 als Gegenpapst gegen Gluck den italienischen Opernkomponisten Nicola Piccinni (1728—1800) nach Paris rief, eröffnete man eine neue Phase nunmehr handgreiflicherer französisch-italienischer Opernbeziehungen. Hatten diese sich bisher mehr auf gelegentliche Begegnungen beschränkt, so begann jetzt, offenbar durch die Ereignisse auf der Pariser Opernbühne angezogen, die Invasion italienischer Opernkomponisten in Paris, die bis Giuseppe Verdi nicht aufhören sollte.

Aus dem von beiden Seiten temperamentvoll und wortreich geführten Kampf der „Gluckisten" mit den „Piccinnisten" ging Gluck vor allem deswegen als Sieger hervor, weil seine italienischen Gegner, so wenig sie ihre „italianità" musikalisch verleugneten, musikdramatisch in seinen Bann gezogen wurden. Den Reigen eröffnete Piccinni selbst 1778 mit seinem ROLAND, dem er in den achtziger Jahren zahlreiche weitere Opern folgen ließ. Zwischen ihnen erschienen Werke anderer Meister der sogenannten Gluck-Schule, unter ihnen die Italiener Antonio Sacchini (1730—1786) mit DARDANUS (1784) und OEDIPE À COLONE (Ödipus in Kolonos; 1786) und Antonio Salieri (1750—1825) mit LES DANAIDES (1784, ursprünglich unter Glucks Namen) und TARARE (1787), der Franzose Jean-Baptiste Lemoyne (1751—1796) mit PHÈDRE (1786) und NEPHTÉ (1789) und der Deutsche Johann Christoph Vogel (1758—1788) mit LA TOISON D'OR (*Das goldene Vlies;* 1786) und DÉMOPHON (1789). Obwohl also Gluck Paris 1779 endgültig verlassen hatte, blieb sein Geist auf der Bühne der Académie royale noch bis unmittelbar vor dem Sturz des ancien régime lebendig. Er lebte darüber hinaus auch in Werken der Opéra comique weiter, die als „Revolutions- und Schreckensoper" gleichfalls von seinem Pathos und hymnischen Schwung nicht unberührt blieb.

# Die opéra comique

## Vorläufer

Wie in Italien, so entstand auch in Frankreich neben der für den Hof bzw. für die Aristokratie bestimmten aufwendigen Oper eine anspruchslosere Gattung, die sich an ein weniger vornehmes Publikum wandte, im Laufe der gesellschaftlichen Entwicklung schließlich zum Sprachrohr des „dritten Standes" wurde und am Ende sogar der tragédie lyrique den Rang ablief. Aber im Gegensatz zur opera buffa, die ganz aus dem Boden italienischen Volksgutes erwuchs, wirkten bei der Entstehung der opéra comique französischer und italienischer Geist zusammen, und wenn auch der erstere der Gattung letztlich eindeutig seinen Stempel aufdrückte, so verdankte sie doch ihre volle Entfaltung wiederum italienischen Einflüssen. Erste Anfänge sind schon im Wirken der verschiedenen italienischen Komödiantentruppen zu sehen, die seit dem Ende des 16. Jahrhunderts in raschem Wechsel in Paris erschienen, aber trotz großer Erfolge meist rasch wieder ausgewiesen

---

5 Vgl. unten die Ausführungen über die opéra-comique.

wurden. Erst in den sechziger Jahren des 17. Jahrhunderts gelang es ihnen, in Paris Fuß zu fassen und, auch jetzt noch mit Unterbrechungen, ihre Stellung auszubauen. Ihr Repertoire umfaßte zuerst nur reguläre italienische Dramen und improvisierte Komödien (commedie dell'arte), in die im Laufe der Zeit aus Rücksicht auf das Publikum auch französische Szenen eingefügt wurden. Die Rolle der Musik beschränkte sich auf kleine französische und italienische Airs, bescheidene orchestrale Tänze und von den „théâtres de la Foire" übernommene „Vaudevilles", d. h. allgemein bekannte Gassenhauerweisen, denen jeweils andere, anzüglich auf die Situation geschriebene Textstrophen unterlegt wurden. Sie bilden die andere, die französische Wurzel der opéra comique. Die Théâtres de la Foire waren kleine Vorstadtbühnen, auf denen seit dem Ende des 17. Jahrhunderts auf den beiden Pariser Jahrmärkten („foires") von Saint-Germain und Saint-Laurent kleine, simple Stücke in französischer Sprache mit Vaudeville-Einlagen aufgeführt wurden. Sie erfreuten sich mit witzigen Anspielungen auf Tagesereignisse verschiedener Art bald allgemein großer Beliebtheit. Von den staatlich anerkannten Bühnen, der Académie royale de Musique und der Comédie Française, wurden sie darum mit Argwohn betrachtet, mit einengenden Vorschriften überhäuft und ihre Aufführungen in Abständen ganz verboten. Ganz unterdrücken ließen sich diese „forains" aber nicht, da sie es in der raffiniertesten Weise verstanden, die Verbote zu umgehen und eben dadurch das Publikum erst recht anzogen. Eine besondere Rolle spielte unter ihren zeit- und gesellschaftskritischen Anliegen schon frühzeitig die Opernparodie. Sie bezog sich, im Gegensatz zu den späteren italienischen Parodien, die meist den gesamten Opernbetrieb aufs Korn nahmen, grundsätzlich auf einzelne Opern und richtete sich gegen die mythologischen Texte und das sie erfüllende Pathos. Dieses Parodiewesen nahm im Laufe des 18. Jahrhunderts so sehr zu, daß man schließlich die Beliebtheit einer Oper an der Zahl und der Güte ihrer Parodien ablesen konnte; auch Werke von Meistern wie Lully, Rameau und Gluck waren davon nicht ausgeschlossen. Es ist neben den zahlreichen literarischen Fehden eines der deutlichsten Symptome für die enge Einbindung der Oper in das Geistes- und Gesellschaftsleben der Nation. Der Name „opéra comique" tauchte zum ersten Male im Zusammenhang mit derartigen Parodien auf, längst bevor die Gattung sich konsolidiert hatte.

Bei der weitgehenden Übereinstimmung in den Tendenzen der seit 1716 staatlich anerkannten „Comédie italienne" und der nunmehr unter dem Namen „Opéra-Comique" spielenden Forains konnte es nicht ausbleiben, daß sie sich in ihrem Repertoire mehr und mehr einander näherten, obwohl sich die „italiens" zeitweise am Kampf gegen die Schwestergattung beteiligten. 1762 endlich vereinigten sich beide unter dem Namen der ersteren, die von da an zur alleinigen Heimstatt der rasch aufblühenden Gattung wurde. Erst in der Revolutionszeit 1793 wurde dieser Name wieder durch die Bezeichnung „Opéra Comique" („Théâtre de l'Opéra-Comique National") ersetzt.

Die Vaudeville-Komödien waren ursprünglich nichts als unterhaltsame Eintagsfliegen, die weder textlich noch musikalisch künstlerische Ansprüche erhoben. Es sollte jedoch nicht lange dauern, bis sich auch angesehene Schriftsteller ihrer annahmen. Zunächst war es Alain René Lesage (1668—1747), der in seiner 1723 erschienenen neunbändigen Sammlung Théâtre de la Foire ausdrücklich auf die Bedeutung der Vaudevilles für die Wirkung der Komödien hinwies. In der Tat dürften die bekannten Schlagermelodien schon den Reiz der einfachen Stücke erhöht haben, noch viel mehr aber den der Opernparodien, in denen die simplen Weisen gänzlich unangemessen in hochdramatischen Szenen und in einem Kauderwelsch aus Arien- und Schlagertexten erschienen, wie z. B. in der Parodie der kurz zuvor in der Académie royale aufgeführten tragédie lyrique TÉLÉMAQUE von André Destouches. Als Beispiel sei der Gesang der Calypso aus I,3 dieser Parodie angeführt[6] (S. 164).

---

6 Aus: Georgy Calmus, Zwei Opernburlesken aus der Rokokozeit, Berlin 1912, S. 23.

Alain René Lesage: TÉLÉMAQUE

Die Übernahme der Vaudevilles und ihre wichtige Rolle hat nicht zuletzt den Ausschlag für den ausgesprochen französischen Charakter der aus italienisch-französischen Wurzeln erwachsenen Vaudevillekomödie, die bald den Namen „comédie mêlée d'ariettes" erhielt, gegeben.

Mit ihr hatte der französische Geist eine zwar primitive, aber sichere Plattform gewonnen, die seit den vierziger Jahren durch das Wirken des Dichters Charles Simon Favart (1710—1792) noch verfeinert worden war. Der Anstoß zu deren Verwandlung in eine Gattung von hohem künstlerischem Wert ging dann allerdings, zumindest äußerlich, wieder von Italien aus. Sie war gleichsam das folgenschwerste praktische Nebenprodukt des sogenannten „Buffonistenstreits", eines neuerlich wilden Aufflammens der Kämpfe um die Vorzüge der französischen und italienischen Oper, bzw. letztlich der französischen und italienischen Musik überhaupt, die seit dem Beginn des Jahrhunderts nie ganz zur Ruhe gekommen waren. Den Anstoß hierzu gab eine Aufführung des Intermezzos LA SERVA PADRONA (*Die Magd als Herrin*) von Giovanni Battista Pergolesi am 1. August 1752 durch eine italienische Buffonistentruppe in der Académie royale. Sie rief bei deren Publikum einen Sturm der Begeisterung hervor. Man war entzückt, auf dieser Bühne, die sonst die Heimstatt antiker Sagengestalten war, auf einmal Menschen des Alltags aus Fleisch und Blut zu sehen und zu hören.

Dieser Zusammenprall zweier gegensätzlicher geistesgeschichtlicher Epochen in Gestalt der erstarrenden französischen Tradition des ancien régime und der konventionslosen, aber musikalisch nicht weniger wertvollen italienischen Verkörperung volkstümlicher Drastik rief die literarischen Vertreter beider Parteien auf den Plan. Sie verteidigten mit Leidenschaft die Vorzüge der italienischen bzw. der französischen Musik, ohne in Betracht zu ziehen, daß opera buffa und tragédie lyrique als Ausdruck grundsätzlich verschiedener Zeitalter und Geistesrichtungen gar nicht zu vergleichen sind. Der Einzige, der aus der prekären Situation in praxi einen die Gegensätze versöhnenden Schluß zog, war Jean-Jacques Rousseau (1712—1778). Er ließ als Praktiker unmittelbar unter dem Eindruck der Buffonistenaufführungen bereits im Oktober 1752 sein Intermède LE DEVIN DU VILLAGE (*Der Dorfwahrsager*) erscheinen, mit dessen Inhalt er gleichzeitig dem Vorbild der opera buffa und seinem Grundprinzip „zurück zur Natur" folgte und dessen musikalische Anlage durch den Wechsel von Rezitativ und Arie gleichfalls diesem Vorbild verhaftet war, dessen Textbehandlung und Melodiebildung im Einzelnen aber unverkennbar französischen Charakter trägt. Dies möge eine Arie der Colette aus der 2. Szene zeigen[7]:

---

[7] Aus Amalie Arnheim, Le Devin du Village von J.-J. Rousseau, in: Sammelbände der Internationalen Musikgesellschaft IV, 1902/03, S. 713.

Jean-Jacques Rousseau: LE DEVIN DU VILLAGE

Mit dieser kleinen Oper, die mit großem Beifall aufgenommen wurde, hatte er in der Tat bewiesen, daß die neue Geisteshaltung auch in französischer Sprache und Musik ausgedrückt werden konnte. Allerdings fand das Werk keine Nachfolge. Auch trat Rousseau selbst zwei Jahre später in seiner *Lettre sur la musique française* als glühender Verfechter der italienischen Musik hervor. Man begnügte sich, mit Ausnahme von Antoine d'Auvergne, der, obwohl ein Komponist der alten Schule, neben seinen tragédies lyriques mit seinem Intermède LES TROQUEURS (*Die Tauscher*) 1753 auf der Bühne der Opéra-Comique einen gleichfalls duchkomponierten Einakter im italienischen Fahrwasser herausgebracht hatte, zunächst mit der Übersetzung und Bearbeitung der bewunderten italienischen Vorbilder, kehrte aber, durch diese Erfahrungen bereichert, wieder auf den Boden der „comédie mêlée d'ariettes" zurück.

## Konsolidierung der opéra comique

Mehr und mehr tauchten nun in diesen Stücken neben den altbekannten Vaudevilles neue Kompositionen auf, die musikalisch anspruchsvoller und den jeweiligen Situationen besser angepaßt waren als die primitiven Schlager. Hand in Hand damit ging eine Wandlung der Libretti von bloßer, locker gestalteter, aktueller Skizze zum fest geformten bürgerlichen Drama. Diese Entwicklung wurde im Wesentlichen von Charles Simon Favart begonnen und weiterhin getragen von Jean Michel Sedaine (1719—1797) und Jean François Marmontel (1723—1799), die sich, im Gegensatz zur Mehrzahl der Buffa-Librettisten, im französischen Geistesleben eines hohen Ansehens erfreuten.
    Musikalisch entfaltete sich die Gattung gleichzeitig in den Werken von Egidio Romoaldo Duni (1709—1775), François André Danican Philidor (1726—1795) und Pierre Alexandre Monsigny (1729—1817) in Paris und in denen Christoph Willibald Glucks in Wien[8]. In ihnen allen verschob

---

8 Vgl. das Kapitel über Gluck, S. 351ff..

sich für die Komponisten im Laufe der Zeit der Schwerpunkt zunehmend von der Tätigkeit eines bloßen Bearbeiters vorgegebener „airs" zu der des Schöpfers von einigen „airs nouveaux", bis schließlich diese allein übrig blieben. Damit stand die opéra comique von der Mitte der sechziger Jahre an endlich als selbständige Gattung, bald sogar als Rivalin, neben der tragédie lyrique. Sie vertrat diesem Symbol des ancien régime gegenüber einen neuen Geist der gewollten Schlichtheit und oft bis zur Empfindsamkeit gesteigerten Natürlichkeit, der nicht selten der alten Konvention als Spiegel vorgehalten wurde.

In der Anlage unterschied sie sich von der alten Gattung vor allem durch den gesprochenen Dialog, den sie von der comédie mêlée d'ariettes beibehalten hatte. Er wurde im Laufe der Jahre in dem Maße, in dem die musikalische Sprache der opéra comique über ihre bescheidenen volkstümlich-liedhaften Anfänge hinauswuchs und sich mit dramatischem Leben erfüllte, zu ihrem entscheidenden Merkmal, denn abgesehen vom „lieto fine" war auch in den Texten von Heiterkeit, geschweige denn von Komik, schon sehr bald kaum noch die Rede. In den Opern der genannten Meister, die hauptsächlich in den sechziger Jahren die Bühne der „Comédie-Italienne" überschwemmten, standen, gleichsam als Relikte der alten Vaudeville-Komödie, einfache, volkstümliche Lieder neben anspruchsvolleren Arien, eine Fülle von teilweise schon auf Simultancharakterisierung abgestimmter Ensembles und endlich größere, szenenübergreifende dramatisch bedingte Formkomplexe, in denen Akkompagnati, Arien und programmatische Instrumentalsätze ineinander wirken konnten. Als Beispiel für dies charmante, charakteristische Gegeneinander der Personen in einem Ensemble sei der Beginn eines Terzetts aus Szene 7 der Oper LE JARDINIER ET SON SEIGNEUR (*Der Gärtner und sein Herr*; 1761) von Philidor angeführt; hier äußert der Seigneur sehr unverhohlen sein Wohlgefallen an der Tochter des Ehepaares[9] Simon, die aber beide sehr verschieden darauf reagieren:

Francois André Danican Philidor: LE JARDINIER ET SON SEIGNEUR

---

9 Die beiden begleitenden Violinen tragen zur Charakterisierung nichts bei und sind daher hier weggelassen worden.

Auf diese Weise gelangte die Gattung musikalisch allmählich in die Nähe der einst bekämpften Rivalin, zumal sie auch inhaltlich durch Aufnahme romantisch-märchenhafter und historischer Gegenstände den engen Stoffkreis des bürgerlichen Rührstücks mehr und mehr sprengte. Diese Entwicklung setzte sich im Opernschaffen des jüngeren André Ernest Modeste Grétry (1741— 1813) fort und gipfelte schließlich in ihm. Auch er schrieb in erster Linie für die Comédie-Italienne, versuchte sich aber, im Gegensatz zu seinen beiden Vorgängern, deren jeder nur je einmal die Bühne der Académie royale betreten hatte, mehrfach auch in deren Rahmen — ein Zeichen für die wachsende Annäherung der Gattungen. Eine seiner erfolgreichsten Opern war RICHARD COEUR DE LION (*Richard Löwenherz*; 1784, Text von Sedaine). Sie vereint alle die genannten Eigenschaften. Außerdem zeigt sie mit ihrer besonderen musikalischen Vielseitigkeit, daß Grétry auch als anerkannter französischer Opernkomponist die italienischen Eindrücke seiner Jugend nicht vergessen hatte. Im II. Akt stehen diese Gegensätze in Gestalt der Arie Richards (Nr. 9) und der berühmten, als „Leitmotiv" bekannt gewordenen Romanze Blondels unmittelbar nebeneinander[10] (Beispiele S. 168).

André Ernest Modeste Grétry: RICHARD COEUR DE LION

André Ernest Modeste Grétry: RICHARD COEUR DE LION

Grétrys Schaffen, wie auch das des überaus fruchtbaren, reinen comique-Komponisten Nicolas-Marie Dalayrac (1753—1809), reicht in die Revolutionszeit hinein und über sie hinaus, doch ohne, wie das der rund 20 Jahre jüngeren Meister, das in jener Zeit recht eigentlich erst begann, den düsteren Stempel der „Revolutions- und Schreckensoper" im engeren Sinn zu tragen. So retteten sie die vielseitige Kunst und den fortschrittlichen Geist der reifen, vorrevolutionären Gattung über den großen Umbruch hinweg. So manches davon sollte dann den Werken der revolutions- und kriegsmüden Generation, die in den 1820er Jahren die Bühne der Opéra-Comique bevölkerten, als Grundlage dienen.

# Tragédie lyrique und opéra comique zur Zeit der Revolution

Der gewaltige Umsturz, der sich in den Jahren der großen Revolution im französischen Geistes- und Gesellschaftsleben in steigendem Maße vollzog, brachte bezeichnenderweise das Pariser Opernleben keineswegs ganz zum Erliegen, sondern verlieh ihm im Gegenteil neue Impulse. Denn auch und gerade jetzt erwies sich die Oper wieder als Spiegelbild und Sprachrohr der Nation. Aber so, wie sich deren Struktur, ihre Ideale und Anschauungen insgesamt grundsätzlich geändert hatten, erfuhr naturgemäß auch ihr Abbild auf der Opernbühne eine einschneidende Wandlung. Die auf hohem Kothurn einherschreitenden antiken Sagengestalten, die sich im erdenfernen Milieu von Geistern und Göttern bewegten und sich im Wechsel von streng gemessenen Rezitativen und pathetischen Arien äußerten, hatten dem statischen Lebensgefühl des in sich ruhenden ancien régime entsprochen, standen aber der leidenschaftlichen Dynamik des explosiv herausbrechenden revolutionären Geistes meilenfern. Sie ergoß sich vielmehr in das als Sprachrohr des Dritten Standes wohl vorbereitete Bett der lebensnahen, beweglicheren opéra comique, der textlich eine schier unbegrenzte Vielfalt von Gegenständen und musikalisch eine ebensolche Fülle von Audrucksmöglichkeiten vom gesprochenen Wort über Lied und Arie bis zum dramatisch bewegten Ensemble zur Verfügung stand. Sie trat nunmehr die Herrschaft auf den Bühnen der Revolutionszeit an, während die tragédie lyrique nur noch ein bescheidenes Dasein führte. Daß sie nicht ganz verschwand, daß ein CASTOR ET POLLUX von Pierre Joseph Candeille über den Text der 54 Jahre alten Oper von Rameau mit einzelnen Originalstücken von diesem 1791 in unmittelbarer zeitlicher Nähe von zwei typischen „Schreckensopern" wie den beiden Bearbeitungen des *Lodoïska*-Stoffes von Cherubini und Rodolphe Kreutzer erscheinen konnte, zeigt einmal mehr, wie tief die alte Gattung im französischen Nationalempfinden verwurzelt war. Außerdem näherte sich die opéra comique in dem Maße, in dem sie textlich von dem heißen Atem der Revolution ergriffen wurde, musikalisch nicht selten der pathetisch gesteigerten Ausdrucksweise der alten Schwestergattung, so daß der Unterschied zwischen ihnen sich, abgesehen von dem strikt beibehaltenen gesprochenen Dialog, mehr und mehr verwischte.

Mit der tragédie lyrique verlor zugleich die Académie, die ihre Heimstatt gewesen war (und die ab 1794 Théâtre des Arts hieß), ihre Herrscherstellung. Das fortschrittliche Opernleben der Zeit spielte sich jetzt auf den Bühnen der opéra comique, den Théâtres Favart und Feydeau, ab, die 1801 zur Opéra-Comique vereinigt wurden. Die alte Académie erhielt erst 1806 durch Napoleon als „Académie impériale de musique" ihre alten Privilegien zurück.

Daß die französische Musik in der Revolutionszeit geradezu eine neue Blüte erlebte, hat aber neben dem geistig-emotionalen noch einen praktischen Grund, nämlich die Gründung einer Pariser Musikschule, die 1793 unter dem Namen „Institut national de musique", 1795 als „Conservatoire de musique" Mittelpunkt des Musiklebens und ein Rückhalt für dessen Träger wurde. Fast alle Komponisten, deren Werke in jener Zeit die Pariser Opernbühnen bevölkerten, von den älteren Grétry und Dalayrac an bis zu den jüngeren Catel, Isouard und Boieldieu sind in irgendeiner Funktion dort tätig gewesen.

Führend waren dabei vor allem die drei Altersgenossen Luigi Cherubini (1760—1842), Jean François Lesueur (1760—1837) und Etienne Nicolas Méhul (1763—1817), in deren Opernschaffen sich zugleich die Annäherung des alten und des jungen Opernstiles im Zeichen des neuen revolutionären Geistes besonders eindrucksvoll vollzog und deren Hauptwerke alle in die beiden die Jahrhundertwende einrahmenden Jahrzehnte fallen. Lediglich Cherubini war vorher schon in seiner italienischen Heimat mit etlichen, im wesentlichen der opera seria zugehörigen Opern hervorgetreten. In Paris erschien er zuerst 1788 auf der noch von der Gluck-Schule beherrschten Bühne der Académie royale mit dem DÉMOPHOON, der sich textlich wie musikalisch ganz dieser Umgebung anpaßte. Mit seiner zweiten Oper, der „comédie héroique" LODOÏSKA (1791) setzte der Komponist hingegen bereits drei Jahre später einen der ersten und eindrucksvollsten Meilensteine auf dem Wege der neuen opéra comique. Textlich ist sie mit ihrer düsteren Atmosphäre, in der sich die Schrecken häufen, und mit der Rettung Unschuldiger durch edelmütige Helden der Inbegriff einer „Schreckens"- bzw. „Rettungsoper" und durch ihren gesprochenen Dialog als opéra comique kenntlich — aber eben eine „comédie héroïque"! Diese Mischung zeigt sich auch in der Komposition. Für sie ist das Urteil eines Kritikers des *Journal de Paris*, das Stück sei in der Art der großen Oper, d. h. der tragédie lyrique gehalten — im Hinblick auf die Annäherung der beiden Gattungen sehr bezeichnend. Die Arien dieser Oper verbinden das Pathos der alten und den hymnischen Schwung der neuen Gattung und sind ausgesprochene Charakterstücke[1]. Ensembles spielen, der Praxis der opéra comique entsprechend, eine große Rolle. Am bedeutsamsten aber sind an diesem Werk die Finales, Aneinanderreihungen großer dramatischer Szenen, deren jede für sich musikalisch geschlossen und auf charakteristischen Orchestermotiven aufgebaut ist. Das war nichts grundsätzlich Neues, vielmehr hatte die opéra comique derartige dramatisch-musikalische Verdichtungen an den Aktenden bereits aus der opera buffa übernommen. Bei Cherubini aber ragen die drei Szenenkomplexe sowohl nach Umfang als nach Stärke der Kontraste und nach Reichhaltigkeit der orchestralen Mittel weit über ihre Vorgänger hinaus. Sie sind unmittelbare Vorstufen der gewaltigen Finali in der späteren „grand opéra", in der zu der Kunst der musikalischen Satzbehandlung und der dramatischen Spannung dann noch die Prachtentfaltung der Divertissements hinzukam.

Zwei Jahre nach diesem Werk folgte gleichfalls auf dem Théâtre Feydeau Lesueurs erste Oper LA CAVERNE (*Die Höhle*), die mit LODOÏSKA zusammen als Prototyp der Schreckensoper gelten kann. Sie ist in der Tat ein Schauerstück wie jene, ja, ihre Anlage läßt eine direkte Anlehnung an jenes Vorbild vermuten, nur daß hier die gesamte Atmosphäre noch düsterer wirkt. Die „caverne", eine Räuberhöhle, ist als Titelheldin nicht nur Schauplatz, sondern Trägerin des finsteren Milieus. Im Gegensatz zu LODOÏSKA, wo der Diener Varbel als echte Buffo-Figur für Abwechslung sorgt, fällt in dieses Dunkel kein Lichtstrahl. Musikalisch besteht einer der wesentlichsten Unterschiede zwischen den beiden Opern, der zugleich trotz Cherubinis Einfühlsamkeit in den französischen Geist seine italienische Herkunft erkennen läßt, in der großen Rolle, die die in LODOÏSKA völlig fehlende Romanze in der CAVERNE spielt. Diese einfachen, syllabisch deklamierten Strophenlieder, die gewöhnlich im 6/8tel-Takt und in Moll stehen und von den Streichern ganz schlicht begleitet werden, bilden, auch unter den Namen „chanson" oder „air", das Erbe, das die Revolutionsoper am getreuesten aus der vorrevolutionären opéra comique übernommen hat. Als Beispiel sei hier die erste Strophe einer Romanze angeführt, in der die alte Dienerin Léonarde sehnsüchtig der guten alten Zeit gedenkt (S. 171).

Cherubinis spätere opéra comique LES DEUX JOURNÉES (*Der Wasserträger*; 1800) zeigt mit Gesängen dieser Art, daß er sich nunmehr völlig in der französischen Gattung akklimatisiert hatte.

Die Finali der CAVERNE werden geprägt durch die wuchtigen, scharf deklamierten, oft durch eine nervös fluktuierende Dynamik aufgelockerten Chöre. Man spürt hier besonders, daß es Lesueur in erster Linie auf die Wahrung einer monumentalen dramatischen Einheitlichkeit ankam, nicht, wie Cherubini, darauf, innerhalb der Atmosphäre des Schreckens immerhin noch ein musi-

---

[1] Die große Szene Lodoiskas im II. Akt deutet schon auf die Leonoren-Szene in Beethovens FIDELIO voraus. Bekanntlich war dieser Meister ein großer Verehrer Cherubinis.

Jean François Lesueur: LA CAVERNE

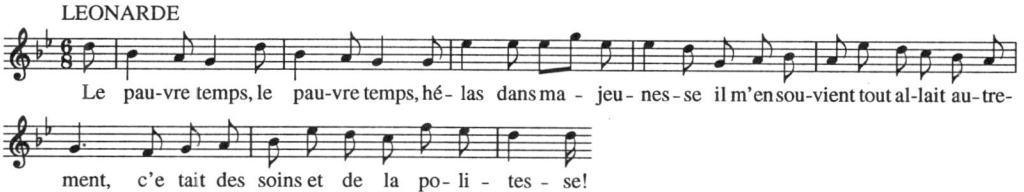

LEONARDE
Le pau-vre temps, le pau-vre temps, hé- las dans ma - jeu - nes-se il m'en sou-vient tout al-lait au-tre-ment, c'e tait des soins et de la po - li - tes - se!

kalisch möglichst kunstvoll gestaltetes, abwechslungsreiches Bild zu entrollen. Dementsprechend ist denn auch seine Chor- wie seine Orchester-Behandlung mehr auf eine al-fresco-Wirkung hin angelegt. Das Orchester spielt zwar dramatisch eine ebenso wichtige Rolle wie bei Cherubini, nicht aber musikalisch. Es gibt den dramatisch bedingten Hintergrund meist durch wie immer geartete begleitende Lärm-Motivik, die Melodie aber liegt gewöhnlich in der Singstimme, so daß das Verhältnis der beiden Klangkörper weitgehend umgekehrt ist wie bei Cherubini. Dessen intrikate Orchesterbehandlung und sein Einbinden der Singstimme in das große musikalische Geschehen waren sicher für das französische Publikum weniger leicht faßbar. Dagegen nahm es Lesueurs Werk mit Begeisterung auf. Gingen doch zur Zeit seiner Aufführung am 12. Februar 1793, knapp vier Wochen nach der Hinrichtung des Königs, die Leidenschaften besonders hoch — für sie war das Schauerstück mit seiner gleichzeitig monumentalen und im Sinne der Revolutionshymnen aufreizenden Musik das rechte Ventil.

Nach dieser Parallelität des Anfangs verlief das Opernschaffen Cherubinis und Lesueurs auch weiterhin in überraschend parallelen Bahnen. Beide waren sich offenbar darüber klar, daß man dem Publikum in dieser Zeit einer übersteigerten Erregung, die auch noch von anderen Komponisten angeheizt wurde, wenigstens auf der Bühne eine Atempause gönnen müsse, und die Theaterleiter stimmten mit ihnen überein. Sie traten daher 1794 beide mit „harmloseren" Stoffen hervor, Lesueur mit PAUL ET VIRGINIE, wo nach dem Roman des Rousseau-Anhängers Bernardin de Saint-Pierre der Segen reiner Naturverbundenheit und die verderblichen Einwirkungen der Kultur behandelt werden[2], Cherubini mit ELISA OU LE VOYAGE AUX GLACIERS DU MONT SAINT-BERNARD (Elisa oder Die Reise auf dem Gletscher des St. Bernhard). Dies ist zwar eine „Rettungsoper", doch wird die Katastrophe, aus der der Held gerettet wird, nicht von Menschenhand, sondern von der Natur herbeigeführt. ELISA dürfte eines der ersten Werke der Opernliteratur sein, in denen die majestätische und bedrohliche Natur des Hochgebirges im Mittelpunkt steht.

Als diese beiden Opern sich als Mißerfolge erwiesen, griffen beide Komponisten in einer Einmütigkeit, die kaum als Zufall betrachtet werden kann, auf Stoffe aus der antiken Mythologie, also textlich quasi auf die tragédie lyrique zurück. Lesueurs TÉLÉMAQUE DANS L'ÎLE DE CALYPSO OU LE TRIOMPHE DE LA SAGESSE (Telemachos auf der Insel der Kalypso oder Der Triumph der Besonnenheit) trug auch, obwohl 1796 auf dem Théâtre Feydeau aufgeführt, den Untertitel „tragédie lyrique". Hatte der Komponist das Werk doch ursprünglich für die Académie royale geschrieben, die die Aufführung aber so verzögerte, daß es schließlich mit gesprochenem Dialog, aber durch viele Divertissements und an Gluck gemahnende große Akkompagnati noch stark auf ihre Herkunft hinweisend, im Gewande der opéra comique herauskam.

Cherubinis großartige MÉDÉE (1797, Théâtre Feydeau) ist, obwohl von vornherein als opéra comique konzipiert, einer der Abkömmlinge der Gluck-Schule, die den Geist des Meisters in neu-

---

[2] Drei Jahre vor Lesueurs Werk war bereits eine Oper von Rodolphe Kreutzer über den gleichen Stoff erschienen.

em Gewand am getreuesten widerspiegeln. Die Handlung und ihre musikalische Einkleidung gemahnen mit ihrer monumentalen Einheitlichkeit an Glucks ALCESTE. Wie dort die Idee der Gattenliebe, so ist es hier die der gekränkten Gattenliebe, aus der heraus sich das ganze Geschehen mit quälender Folgerichtigkeit und in überlebensgroßen Dimensionen entwickelt. Dies war nicht zuletzt das Verdienst des Librettisten François Benoît Hoffman, der neben Benoît Marsollier und Jean Nicola Bouilly zu den fruchtbarsten und geschicktesten Textdichtern jener Komponistengeneration gehörte. — Die Komposition verbindet das klassische Streben nach klarer Formung im Ganzen mit intensivster musikalisch-dramatischer Einzelausdeutung. Diese wird noch konsequenter als in LODOÏSKA von dem kunstvollen, beziehungsreich wechselnden Motivspiel des Orchesters getragen, über dem sich die Singstimme in weitgeschwungenen, sprüngereichen, affektentsprechend von Chromatik durchsetzten Linien ergeht. Hierfür seien zwei Beispiele aus dem Ensemble Nr. 9 des II. Aktes angeführt. Das kurze Rufmotiv des ersten Beispiels geht wie ein Leitmotiv durch viele Gesänge Medeas:

Luigi Cherubini: MÉDÉE

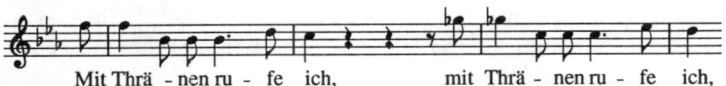

Im Gegensatz zur klassischen Abgeklärtheit Alcestes schillert Medea bald als liebende Gattin, bald als Mutter oder als dämonische Rachegöttin und Zauberin in allen Farben (darin Glucks Armide in der grandiosen Schlußszene der gleichnamigen Oper ähnlich) und bestimmt damit den Charakter des ganzen Werkes; alle übrigen Personen, selbst Jason, treten demgegenüber in den Hintergrund. Vor allem aber macht sich die intrikate motivische Arbeit, die Beethovens besondere Anerkennung fand, in den drei großen Orchestersätzen des Werkes, der Ouvertüre und den umfangreichen Einleitungen zum II. und III. Akt, bemerkbar, die in ihrer großartig leidenschaftlichen Haltung das Ihre zum musikalischen Porträt der Heldin beitragen. Mit allen diesen Eigenschaften, textlich als psychologische Studie, musikalisch als streng „gearbeitete" Komposition, ging Cherubinis MÉDÉE weit über die Gattung hinaus, in deren Rahmen sie erschien, und auch über das Verständnis des Publikums, für das sie bestimmt war[3].

Während Lesueur nach TÉLÉMAQUE auf der Opernbühne zunächst schwieg, versah Cherubini nach MÉDÉE das Théâtre Feydeau in den nächsten Jahren noch mit einigen komischen Einaktern, bis er ebendort mit seiner „comédie lyrique" LES DEUX JOURNÉES (*Der Wasserträger*) 1800 wiederum eine Rettungsoper schuf, die aber von LODOÏSKA so weit entfernt ist, wie es eine „comédie lyrique" nur von einer „comédie héroique" sein kann. Hat doch der Dichter Bouilly die Rettungsgeschichte aus jener düsteren Schreckensatmosphäre mitten ins Leben des Volkes versetzt und dem Komponisten dadurch Gelegenheit zu zahlreichen kontrastierenden Bildern aus dem

---

[3] Die störende Diskrepanz zwischen dem monumentalen Inhalt und der singspielhaften Wiedergabe mit gesprochenem Dialog versuchte man später (so Franz Lachner 1854 in München) durch Einfügung von Rezitativen zu überbrücken, ohne die Oper jedoch für die Nachwelt retten zu können.

Soldaten- und harmlosen Volksleben gegeben. Ein weiterer charakteristischer Unterschied zu der früheren Komposition besteht in der fast gänzlichen Verlegung des Schwerpunktes auf Ensembles und Chöre. Die Sologesänge der DEUX JOURNÉES beschränken sich lediglich auf die beiden Romanzen, die die Oper eröffnen und deren Weisen leitmotivisch im weiteren Verlauf des Werkes mehrfach auftreten. Dadurch wird der Gedanke edelmütigen Einsatzes für die großen Ideen der Menschheit, den die Revolution verwirklichen wollte und der dem Text zugrundeliegt, gleichsam allgegenwärtig. Wie Bouillys Libretto sich so inhaltlich zwischen seinen LÉONORE-Opern von Pierre Gaveaux (1795) und Ferdinando Paër (1804) und im Vorfeld von Beethovens FIDELIO bewegt, so steht Cherubinis Komposition dem letzteren besonders nahe bzw. dieser ihr. Die Motivik ist noch prägnanter, die motivische Arbeit des Orchesters zugleich noch strenger und noch abwechslungsreicher als in den früheren Opern, die Gliederung noch übersichtlicher. Die großen dramatischen Ensemble- und Chorszenen zeigen die gleiche hymnische Hochstimmung, die auch die Revolutionsgesänge durchsetzt, die aber auch für die Musik des FIDELIO charakteristisch ist[4].

Nachdem Cherubini und Lesueur bis zur Jahrhundertwende teils aus eigenem Antrieb, teils der Not gehorchend, für eine Bühne der opéra comique geschrieben und dabei den leidenschaftsdurchglühten Geist der Revolution in den verschiedensten Zusammenhängen geoffenbart hatten, kehrten sie wieder auf die Bühne und damit in den Rahmen der alten Académie zurück, Cherubini u. a. mit dem opéra-ballet ANACRÉON (1803) und der Oper LES ABENCÉRAGES OU L'ÉTENDARD DE GRENADE (*Das Feldlager in Granada;* 1813)[5], Lesueur mit der Oper OSSIAN OU LES BARDES (*Ossian oder Die Barden;* 1804) und der fast skurrilen „tragédie religieuse" LA MORT D'ADAM (*Der Tod Adams*) — ein Zeichen dafür, daß die beiden während der Revolutionszeit mehr und mehr ineinander verschmolzenen Gattungen sich nun wieder voneinander entfernten und die alte durchkomponierte Oper zu neuem Leben erwachte. Dies vollzog sich als Folge des politisch-gesellschaftlichen Übergangs von der Revolution über das Konsulat Napoleons (1803) zum Empire (1804), der Dichtern wie Komponisten neue Möglichkeiten der Textwahl erschloß, sie zugleich aber auch häufig zum Experimentieren verleitete.

Zeigte sich dieser Vorgang bereits in dem sehr bunten Bild, das das spätere Opernschaffen Cherubinis und Lesueurs bietet, so tritt er im Werk ihres fruchtbaren Altersgenossen Méhul noch deutlicher hervor. Von dessen zahlreichen, um die Jahrhundertwende entstandenen Opern waren nur wenige dem Inhalt nach „Schreckens- oder Rettungs-Opern", aber auch in Kompositionen neutraler Gegenstände ist der kämpferische Elan von Méhuls zahlreichen Revolutionshymnen zu spüren. Seine besonders erfolgreiche „comédie héroique" STRATONICE (1792, Text, wie bei den meisten seiner frühen Werke, von François Benoît Hoffman) war mit ihrer zeitgemäßen Musik im antiken Gewand des Textes eine Art Parallele zu TÉLÉMAQUE und MÉDÉE. Das Jahr 1799 sah ihn gleichzeitig auf den Bühnen der ehemaligen Académie und des Théâtre Favart mit ADRIEN, einer tragédie lyrique, deren Aufführung längst vorher geplant gewesen war, und ARIODANT, einer Cherubini gewidmeten opéra comique mit ausgedehnten Arien, in denen die charakteristisch den jeweiligen Trägern angemessene Singstimme stets über das Orchester dominiert; in dieser Hinsicht stand er Lesueur näher als Cherubini, obwohl die inhaltsbedingten Erregungsmotive im Orchester auch auf eine Verwandtschaft mit diesem hinweisen. Durch raffinierte Instrumentationseffekte und fein abgestufte Dynamik gelingen Méhul hie und da romantisch anmutende Wirkungen, so vor allem in der nächtlichen Tanz- und Chorszene zu Beginn des II. Aktes, die nur

---

[4] Bei der großen Hochschätzung, die Beethoven für Cherubini empfand, ist der Anklang seiner Chorfantasie op. 80 an das Duett Nr. 4 aus den DEUX JOURNÉES vielleicht kein bloßer Zufall.

[5] Näheres siehe weiter unten.

zur Festigung der unheimlich-düsteren Stimmung dient. Zur Rettungsoper im engeren Sinne hat Méhul nur einen Beitrag geleistet: mit der 1803 erschienenen HÉLÉNA, deren gleichfalls von Bouilly stammender Text viel Ähnlichkeit mit Cherubinis DEUX JOURNÉES hat. Im Gegensatz zu dem großen dramatisch-musikalischen Atem, der jene Komposition durchweht, spielt sich in HÉLÉNA aber die ganze erregte Rettungsgeschichte in dem sehr ausgedehnten gesprochenen Dialog ab, während die Musiknummern im wesentlichen das ländliche Milieu wiedergeben — ein Schulbeispiel für die allmähliche Verwandlung der ideenträchtigen Revolutionsoper in ein unterhaltsames Genrestück.

Drei Jahre später, 1806, griff der experimentierfreudige Meister zu zwei ganz anderen Stoffgebieten: Mit der einaktigen Oper UTHAL zollte er, vielleicht von Lesueurs OSSIAN angeregt, der in der Zeit umgehenden Begeisterung für jenen keltischen Sänger seinen Tribut und gab die düstere Stimmung musikalisch wirkungsvoll dadurch wieder, daß er auf die Mitwirkung der Violinen ganz verzichtete. Mit der dreiaktigen GABRIELLE D'ESTRÉES bewegte er sich schon im Vorfeld der heroisch-kriegerischen Atmosphäre Spontinis. Im folgenden Jahr experimentierte er mit seinem „drame mêlé de chants" JOSEPH wieder in einem anderen Stoffkreis, dem geistlichen, womit er nun seinerseits der MORT D'ADAM von Lesueur und dem ABEL von Rodolphe Kreutzer voranging. Das Werk atmet mit seinem Verzicht auf alle „opernhaften" Effekte, mit seinem strengen Festhalten am biblischen Geschehen, das keine Frauenrolle, geschweige denn ein Liebespaar zuläßt, gluckisch-oratorienhaften Geist. Musikalisch schlägt sich dieser in der feierlichen, zwischen schlichter Liedhaftigkeit und dem sittlich gehobenen „éclat triomphale" der Revolutionsgesänge stehenden Gebetshaltung seiner Komposition nieder. Als Beispiele hierfür seien Josephs Romanze Nr. 2 und sein Gesang aus dem Finale des II. Aktes angeführt:

Nicolas Méhul: JOSEPH

Nicolas Méhul: JOSEPH

Trotz dieser Ausnahmestellung ist das Werk in seiner Anlage eine echte opéra comique, in der Ensembles und besonders Chöre bei weitem dominieren; erscheint doch der Chor, d. h. das Volk, hier ausgesprochen als Mitträger der Handlung.

Um die Werke der drei führenden Meister herum rankten sich u. a. die gleichgerichteten Opern der älteren Grétry und Dalayrac sowie der jüngeren Rodolphe Kreutzer (1766—1831) und Henri Montan Berton (1767—1844). Für sie alle aber ist charakteristisch, daß ihr Bühnenschaffen im ersten Jahrzehnt des 19. Jahrhunderts nach der kurzen Periode des Experimentierens allmählich versickert.

# Die tragédie lyrique auf dem Wege zur grand opéra

Der Anfang des 19. Jahrhunderts bedeutet, wie in der französischen Geschichte, so auch in der Operngeschichte einen wesentlichen Einschnitt. Nicht nur, daß zwischen der Revolutionsgeneration und den jüngeren Meistern des Empire und der Restauration eine Wachablösung stattfand — vielmehr vollzog sich jetzt, nachdem der Zwang des revolutionären Schreckens von ihnen gewichen war, zugleich die Trennung und Rückverwandlung der beiden Operngattungen in eine ihrem früheren Wesen angemessene Gestalt: Die tragédie lyrique wurde mit ihrem Pomp und unter Betonung des napoleonischen „éclat triomphale" zum Aushängeschild des Kaiserreiches, wie sie einst das des Königtums gewesen war, die opéra comique wandelte sich zur spritzigen, unterhaltsamen Spieloper. Beide standen sich nun, obwohl jede von den gewandelten gesellschaftlichen Verhältnissen geprägt war, genau so meilenfern wie zur Zeit des ancien régime; waren doch ihre Funktionen, die Verherrlichung des Regimes und zugleich der ganzen Nation und andererseits die zeitkritische Belustigung im Grunde gleich geblieben. Hand in Hand mit dieser Trennung der Gattungen ging, wie in der Zeit vor der Revolution, eine Scheidung der Komponisten in Meister, die vorwiegend die durchkomponierte ernste Oper (die jetzt nur noch teilweise unter dem Gattungsnamen „tragédie lyrique" auftrat) pflegten und andere, die sich fast ausschließlich der opéra comique widmeten. Zu den letzteren gehörten vor anderen der Malteser Nicolò Isouard (1775 bis 1818) sowie der gleichaltrige Adrien Boieldieu (1775—1834), an der Spitze der ersteren stand Gasparo Spontini (1774—1851), während Charles Simon Catel (1773—1830), zwar hauptsächlich Komponist der opéra comique, mit SÉMIRAMIS (1802) und LES BAYADÈRES (1810) wertvolle Werke für die in jenen Jahren nicht allzu reich mit Neuerscheinungen versehene Bühne der Académie impériale lieferte. Vor allem die offensichtlich von Spontini beeinflußten BAYADÈRES können als Schulbeispiel für die erneuerte tragédie lyrique angesehen werden, in der das gravitätische Pathos der alten durch den kriegerischen Schwung von prunkvoll instrumentierten Marschrhythmen ersetzt wurde. — Der jüngste dieser Gruppe, Daniel François Esprit Auber (1782—1871), nimmt schon dadurch, daß sein sehr langes Schaffen zum Teil noch das der nächsten Generation überdauert hat, eine Sonderstellung ein, vor allem aber deswegen, weil er, obwohl ursprünglich ein reiner Meister der opéra comique, als einziger französischer Opernkomponist seiner Zeit im Rahmen beider Gattungen gleich Bedeutendes geleistet hat. Auf seine bahnbrechende Mitwirkung bei der Herausbildung der „Grand opéra", einer Erneuerung der tragédie lyrique aus dem Geist der Revolution von 1830 heraus, wird weiter unten eingegangen werden.

Bis zu diesem epochemachenden Ereignis führte die Gattung je länger je mehr nur ein Schattendasein. Die Académie impériale (seit der Rückkehr der Bourbonen wieder Académie royale) brachte besonders in der Restaurationszeit nur wenige Neuerscheinungen und erhielt ihren stagnierenden Betrieb im Wesentlichen mit Wiederaufnahmen älterer Werke aufrecht. In dieser Situation erschien der Italiener Spontini in ähnlicher Weise als Retter wie vor ihm der Deutsche Gluck. Er hat zwar die Gattung nicht, wie jener, bewußt reformiert, aber er war imstande, ihr ein neues Leben einzuflößen; war doch seine Neigung zu majestätischem Pathos und kriegerischem Schwung das ideale Sprachrohr für den Geist des Empire, was der „Empereur" selbst dankbar anerkannte[6]. Wie alle italienischen Meister, die sich in jener bewegten Zeit von Paris angezogen fühlten, so kam auch Spontini als versierter italienischer Opernkomponist, erkannte aber das Gebot der Stunde

---

[6] Napoleon verlieh ihm seit 1805 verschiedene Ämter. Er schätzte die italienische Musik besonders und hatte vor bzw. neben Spontini schon Paisiello und Paër nach Paris berufen.

rasch. Mit nur zwei auf der Bühne der opéra comique aufgeführten Einaktern, MILTON (1804) und JULIE OU LE POT DES FLEURS (*Julie oder Der Blumentopf*; 1805) eroberte er sich den Zugang zur französischen Sprache und machte sich gleichzeitig an die Komposition seiner ersten Oper für die Académie, LA VESTALE (*Die Vestalin*), deren Aufführung bis zum Dezember 1807 hinausgeschoben wurde. Wie der Text von dem angesehenen Librettisten Victor Joseph Etienne de Jouy (1774—1846), so atmet auch die Musik dieses Werkes den die Académie noch immer beherrschenden Geist der Gluck-Schule. Die Handlung, die übrigens weitgehend mit Glucks INNOCENZA GIUSTIFICATA (*Die gerechtfertigte Unschuld*; 1755) übereinstimmt, ist von äußerster Einheitlichkeit und bietet dem Komponisten im großartigen Rahmen des römischen Imperiums ebenso Gelegenheiten zu prächtigen, inhaltsbedingten Massenszenen wie zu gewaltigen Leidenschaftsausbrüchen der wenigen sie tragenden Personen. Es ist Spontini in dieser Oper gelungen, das Streben der napoleonischen Ära nach Prachtentfaltung und heroischen Gegenständen in Glucksche Bahnen zu lenken, und zwar mit Hilfe eines neuen, seiner Tonsprache speziell eigenen Ausgleichs zwischen dem musikalischen Belcanto der italienischen und dem rhetorischen Pathos der französischen Musik. Mehr an eine opera seria als an eine tragédie lyrique läßt z. B. die Arie der obersten Vestalin aus dem I. Akt denken:

Gasparo Spontini: LA VESTALE

der Einzug des siegreichen Feldherrn und seine Ehrung durch das Volk im 1. Finale ist dagegen die reinste Verkörperung des napoleonischen Prunkstiles:

Gasparo Spontini: LA VESTALE; Huldigschor

Stilistisch dazwischen aber liegt als Höhepunkt von Spontinis und damit der jüngeren Gluck-Schule dramatisch-musikalischer Ausdruckskraft der große, durch ein glänzend instrumentiertes, stimmungshaftes Orchester-Vorspiel eröffnete Szenenkomplex der beiden Hauptdarsteller Julia und Licinius im II. Akt. Hier wechseln verschiedene Arien und Arienteile mit charakteristischen Akkompagnato-Abschnitten mannigfach ab, das Ganze eingehüllt in eine stark chromatisch gefärbte Harmonik, durchsetzt von einer ständig inhaltsbedingt vibrierenden Dynamik und getragen von einem in den verschiedensten Farben schillernden Orchesterklang. Dieser italienisch-französisch geprägte Spontini-Stil riß die Zeitgenossen fort, aber letzten Endes verdankte der Meister den großen Erfolg seiner *Vestalin* der Tatsache, daß er ähnlich wie Weber mit dem FREISCHÜTZ, einen seiner künstlerischen Veranlagung zutiefst entsprechenden Gegenstand gerade zu einem Zeitpunkt gefunden und herausgestellt hatte, als diese Kunst dem Geist der Nation aus der Seele sprach.

Dasselbe gilt auch für seine zweite große Oper FERNAND CORTEZ OU LA CONQUÊTE DU MEXIQUE (*Ferdinand Cortez oder Die Eroberung Mexikos*), die 1809 in der Académie herauskam[7]. Hier zeigt sich Spontini besonders deutlich als Komponist des Empire; sollte die Oper doch auf Wunsch des Kaisers den Franzosen durch die Verherrlichung der spanischen Eroberer die Bedeutung Spaniens, das sich gerade in jenen Jahren gegen ihn zur Wehr setzte, recht sinnfällig vor Augen führen. Der Text gab Spontini die Gelegenheit, das französisch-romantische Streben nach einem exotischen Milieu mit der Heldenverehrung der napoleonischen Ära zu verbinden. Trotz der textbedingten Häufung von Massenszenen, die die Oper prächtiger, aber auch grobschlächtiger erscheinen lassen als die *Vestalin*, ist jedoch gluckscher Geist auch in ihr noch spürbar, und zwar in der Konsequenz und Anschaulichkeit, mit der Dichter wie Komponist über alle Einzelschicksale hinweg den scharfen Gegensatz zwischen den Völkern in den Mittelpunkt des Werkes gestellt haben. Seine Offenbarung in den beiden ersten Szenen des I. Aktes mutet an wie eine romantisierende Vergrößerung des klassizistisch gebändigten Gegensatzes zwischen Griechen und Skythen in Glucks *Iphigenie auf Tauris*. Für den Gesamteindruck werden die Sologesänge von der Häufung der Massenaufzüge mit Chören, Märschen und zahlreichen sehr reizvollen Balletten ganz in den Hintergrund gedrängt, ganz abgesehen davon, daß der etwas lärmende Chorton mitunter auf sie abfärbt. Als Beispiel für diesen seien die Texte angeführt, mit denen Cortez den Schlußchor des 2. Finales einleitet:

Gasparo Spontini: FERNAND CORTEZ OU LA CONQUÊTE DU MEXIQUE

Freilich gibt es daneben auch Szenen, wie z. B. die Szene II,4 zwischen den Hauptpersonen im Stile der *Vestalin*, die von Spontinis ganz persönlichem französisch rhythmisierten, italienischen Belcanto beherrscht werden. Diese Verquickung von zwei unvereinbar scheinenden Gegensätzen war Spontinis eigenste Leistung; in ihr liegt das Geheimnis seines Stils begründet.

---

7 1817 erschien sie in einer wesentlich umgearbeiteten Fassung, 1823 versah Spontini sie mit einem neuen Schluß.

Nach FERNAND CORTEZ gab es in Spontinis Schaffen zunächst eine Pause von zehn Jahren, in der außer der stark bearbeiteten Fassung dieser Oper (1817) nur unwesentliche Werke erschienen. Diese Stagnation machte sich auf der Bühne der Académie stark bemerkbar. Hier gab es außer der von Spontini beeinflußten tragédie lyrique LES BAYADÈRES von Catel und Cherubinis LES ABENCÉRAGES OU L'ÉTENDARD DE GRENADE keine nennenswerte Neuerscheinungen. Cherubinis prächtig aufgezogene Oper steht mit der großen Zahl an kriegerischen Märschen, Tänzen und Chören, die von punktierten Marschrhythmen getragen werden, Spontini nahe, doch sind zumindest die Chöre nicht so flächig auf große Chormelodien hin angelegt wie etwa die des CORTEZ, sondern lassen stets Cherubinis Streben nach kontrapunktischer Arbeit erkennen, d. h. sie sind im allgemeinen kunstvoller als jene, aber nicht so wirkungsvoll. Die Sologesänge aber sind teilweise von einem hinreißenden Schwung, der die italianità des Meisters verspüren läßt; der Beginn des Liebesduetts aus dem I. Akt möge dies zeigen:

Luigi Cherubini: LES ABENCÉRAGES OU L'ÉTENDARD DE GRENADE;

Qu'il est doux de pou-voir se di - re, la gloire au-to-ri - se mon choix

Sechs Jahre später, 1819, betrat Spontini endlich mit seiner dritten tragédie lyrique OLIMPIE (Text von Michel Dieulafoy und Charles Brifaut nach Voltaire) zum letzten Mal die Bühne der Académie. Sie erfüllte die großen Erwartungen des Publikums nicht. Die Gründe dafür dürften textlich wie musikalisch bedingt gewesen sein. Im Ganzen war die Oper ihren Vorgängerinnen in der Eindringlichkeit der musikalischen Situationswiedergabe sicher ebenbürtig, in der Mannigfaltigkeit und Prägnanz der Charakterisierungskunst sogar überlegen. Auch war sie noch von einem Hauch Gluckscher Größe umwittert. Andererseits konnte der napoleonische Fanfarenton, der in ihr immer noch eine Rolle spielte, 1819 nicht mehr so wirken wie 1809, und endlich konnte Spontini wohl hie und da meisterhaft charakterisieren, aber nicht mehr so schwungvoll musizieren wie früher, und um diesen Mangel zu verdecken, griff er oft zu einer übermäßigen und daher leer wirkenden Häufung der klanglichen Mittel[8].

Aber trotz ihres Mißerfolgs war OLIMPIE doch im Rahmen der tragédie lyrique das letzte große Ereignis. Der Gattung fehlte im Grunde schon seit dem Beginn der Restaurationszeit das starke, von der ganzen Nation als Spiegelbild anerkannte Regime, dem sie wie früher als Aushängeschild hätte dienen können. Ohne diesen weltanschaulichen Rückhalt blieb schließlich nur noch die leere Konvention übrig.

---

[8] Das hinderte nicht, daß das Werk in einer umgearbeiteten zweiten Fassung 1821 in Berlin, wohin Spontini inzwischen als Generalmusikdirektor berufen worden war, mit großem Beifall aufgenommen wurde.

# Die grand opéra

Dieses Vakuum aber rief nun eine Revolution auf der Opernbühne hervor, der die alte tragédie lyrique zum Opfer fiel. Nicht nur daß der Stoffkreis der Libretti sich unter dem Einfluß der neuen romantischen Anschauungen grundsätzlich wandelte — die ganze Gattung wurde auf einmal — zum ersten Mal — von allen außerkünstlerischen Fesseln frei. Es gab keine Bindung mehr an eine Tradition, keine Rücksicht auf die Wünsche eines Herrschers. Maßgebend war jetzt nur noch — eine bedenkliche Freiheit — der Geschmack des Publikums.

Der erste, der die Zeichen der Zeit klar erkannte, war der Dramendichter Eugène Scribe (1791—1861), der seine Laufbahn mit Vaudevillekomödien begonnen hatte und dann zum fruchtbarsten Librettisten der französischen Oper im 19. Jahrhundert wurde. Er schrieb zunächst für Komponisten der opéra comique, besonders für Auber, und vollbrachte dann gemeinsam mit diesem mit der Oper LA MUETTE DE PORTICI (*Die Stumme von Portici*) 1828 den Übergang zur „grand opéra". Eine „große Oper" war zwar auch die tragédie lyrique gewesen, sofern man darunter Opern versteht, die gesanglich wie instrumental, solistisch wie chorisch, darstellerisch wie bühnentechnisch und vor allem in ihrer Ausstattung höchste Ansprüche an alle Mitwirkenden stellen. In der „grand opéra" wurde jedoch dieser Prunk, der vorher Mittel zum Zweck gewesen war, als Selbstzweck zum Bombast gesteigert, die Handlung aber erschien in diesem Rahmen als eine Folge raffiniert aneinandergereihter Kontraste und war erfüllt vom Geist der Zeit, d. h. im Jahr, da die *Stumme von Portici* hervortrat, von der Erregung, die der Juli-Revolution von 1830 voranging. Dem Text dieser Oper liegt der unter Führung des Fischers Masaniello inszenierte Aufstand der Fischer von Neapel gegen die spanische Herrschaft von 1647 zugrunde. Dieser Gegenstand interessierte Scribe und Auber jedoch nicht als historisches Faktum, sondern er animierte sie zur künstlerischen Wiedergabe des revolutionären Geistes der Gegenwart schlechthin.

In dieser Hinsicht ist die *Stumme von Portici* als erste große Oper geistig der opéra comique vom Ausgang des 18. Jahrhunderts verwandt — wie diese erscheint sie als Kritikerin des Regime, nicht mehr als dessen Sprachrohr. Und wie in den „Revolutionsopern" verbindet sie den Aufwand und das Pathos der großen Oper mit der erregenden Aktualität der alten opéra comique. Darauf dürfte nicht zuletzt ihre große Wirkung beruht haben. Zudem bewahrte die geistige Bindung an die Gattung den Dichter wie den Komponisten noch davor, allzusehr in Bombast und Raffinesse zu schwelgen. Eine nur um der Raffinesse willen angebrachte Zutat ist allerdings die Stummheit der Titelheldin[9], über die Wagner in *Oper und Drama* als dem Symbol für die an den Haaren herbeigezogene Effekthaschereien der grand opéra die Schale seines Zornes ausgoß. Musikalisch liegt der Schwerpunkt der Oper, deren Held im Grunde das Volk ist, auf den großen, verschiedenartigen Chorszenen und auf den volkstümlichen Gesängen von dessen einzelnen Vertretern. Die beiden Barkarolen im II. bzw. V. Akt sind in ihrer scheinbar rührenden Schlichtheit wirkungsvolle Träger der spannungsgeladenen Revolutionsatmosphäre; besonders deutlich wird diese Hintergründigkeit in der schwankenden Tonalität der letzteren, deren Anfang als Beispiel angeführt sei (S. 181).

Im Gegensatz zur Charakterisierung des Volkes ist dem comique-Komponisten Auber die der höfischen Atmosphäre im I. Akt weniger überzeugend gelungen; erscheint er hier doch als bloßer Gefolgsmann Spontinis und Rossinis, die ihm, dem Urfranzosen, meilenfern lagen.

---

9 Vgl. hierzu Webers SILVANA weiter unten.

François Auber: LA MUETTE DE PORTICI

Immerhin weist diese Anknüpfung auf ein weiteres wichtiges Merkmal der grand opéra hin: Die neue Gattung war als Nachfolgerin der tragédie lyrique und in ihrer ersten Erscheinung aus der Feder eines typischen Meisters der opéra comique zwar ein Produkt rein französischen Geistes, doch erhielt sie aufgrund des neuen weiten Feldes ihrer Möglichkeiten sehr schnell internationalen Zulauf, der ihr im Gegensatz zu der streng national ausgerichteten tragédie lyrique mehr und mehr einen weltbürgerlichen Charakter verlieh. Dies offenbarte sich bereits ein Jahr nach Aubers Werk, 1829, in Rossinis letzter Oper GUILLAUME TELL[10]. Dieses Werk, in dem sich der große Italiener die grand opéra zu eigen gemacht hatte, ohne sich auch nur im Geringsten selbst zu verleugnen, war eine „Revolutionsoper" wie LA MUETTE DE PORTICI, aber der Atem der Revolution, der in dieser Oper in erregten, einfachen, von Marschrhythmen vorangetriebenen Chören und volkstümlich-hintergründigen Sologesängen unmittelbar zum Ausdruck kam, wird hier von dem Übermaß an großartiger rossinischer Musik erstickt, vor allem von den vielfach nur als Klanghintergrund fungierenden, glänzend gearbeiteten Chören. Die *Stumme* hatte bei ihrer Aufführung in Brüssel 1830 den Anstoß zur Revolution gegeben — der *Tell* hätte das nie gekonnt, wiewohl oder gerade weil auch er sehr erfolgreich war und obendrein musikalisch bedeutend reichhaltiger und kunstvoller ist als jenes Werk.

Als erste grand opéra eines Ausländers eröffnet GUILLAUME TELL eine Reihe von Bühnenwerken, die über Donizettis drei Spätopern LA FAVORITE (1840), LES MARTYRS und DON SEBASTIEN (1843) und über deutsche Beiträge wie L. A. Niedermeyers MARIA STUART (1847) und Friedrich von Flotows L'ÂME EN PEINE (*Seelenangst*; 1846) zu Verdis VÊPRES SICILIENNES (*Die sizilianische Vesper;* 1855) und DON CARLOS (1867) führte.

In dieser Zeitspanne aber erhielt die Gattung der grand opéra ihre endgültige, unverwechselbare Gestalt im Schaffen von Giacomo Meyerbeer, das mit magischer Gewalt unzählige Meister verschiedener Nationen, darunter Wagner und Verdi, in seinen Bann gezogen hat. Meyerbeer (1791—1864) war als Opernkomponist ein typisches Produkt seiner Herkunft und seiner Zeit. Als gebürtiger Deutscher versuchte er sich nach gründlichem Studium des musikalischen Handwerks zunächst im Rahmen der deutschen Oper, an deren damaliger stilistischer Richtungslosigkeit[11] er jedoch scheiterte. Erfolge errang er dagegen seit 1817 in Rossinis Fahrwasser in Italien, und mit seiner letzten hier (für Venedig) geschriebenen Oper IL CROCIATO IN EGITTO (*Der Kreuzfahrer in Ägypten*; 1824) gelang ihm dann der Sprung nach dem längst ersehnten Paris, und zwar gleich auf die Bühne der Académie, was nicht einmal Rossini auf Anhieb gelungen war. Als deutsch geschulter, italienischer Opernkomponist erschien er nun auf der französischen Opernbühne als lebendiges Symbol für deren weltweite Ausstrahlung und machte sich bereits mit seiner ersten

---

10 Siehe oben, Kapitel *Von der Nummernoper zur Scena ed Aria*, S. 101ff..
11 Vgl. das Kapitel *Die Oper in Deutschland*, S. 220ff.

grand opéra ROBERT LE DIABLE (*Robert der Teufel*; 1831) eindeutig zu deren Beherrscher. Dieses Eröffnungswerk kann mit der Buntheit der Schauplätze, der Häufung von krassen Kontrasten, der großen Zahl von überraschenden szenischen Wirkungen, kurz, mit einer größtmöglichen Steigerung der Grundeigenschaften Bombast und Raffinesse schon geradezu als übersteigerter Prototyp der Gattung betrachtet werden, wie ein Programm, das überdeutlich den Weg in die Zukunft weist. Es war keine Revolutionsoper, wie seine beiden Vorgänger, aber trotzdem nicht minder aktuell als jene — bedeutete doch der Text von Scribe einen vehementen Durchbruch französisch-romantischen Geistes, wie der FREISCHÜTZ zehn Jahre früher mit gleichem überwältigendem Erfolg als Inbegriff deutsch-romantischen Geistes verherrlicht worden war. Gerade die inhaltliche Verwandtschaft der beiden Stoffe läßt die Verschiedenheit der sie tragenden französischen und deutschen Geisteshaltung besonders deutlich hervortreten: Hier die Versponnenheit in ein unsichtbares, Natur und Menschenleben gleichermaßen durchdringendes Geisterreich, dort ein schauriger, aber handfester Teufelsspuk, der dem Menschenleben als scharfe Antithese gegenübersteht, anstatt es unheimlich zu durchdringen.

Meyerbeer hat die inhaltliche antithetische Vielfalt, die ihm Scribes Libretto bot, mit Begeisterung aufgenommen und sie in ihrer Wirkungskraft durch den raffinierten Einsatz aller ihm in reichem Maße zu Gebote stehenden musikalischen Mittel noch ins Höchstmögliche gesteigert. Die Musik verdeckt dabei zugleich das Kunterbunt des dramatischen Geschehens, da sie jede Situation für sich „raffiniert und bombastisch" ausdeutet und das Publikum durch diesen kaleidoskopartigen Wechsel, der sich jedoch in streng geordneten Großformen vollzog, in ihren Bann schlug. In diesem Werk sind alle Stilmittel der französischen und italienischen Oper vereinigt und je nach Maßgabe der jeweiligen Atmosphäre verwendet, z. B. die Ballade der opéra comique im I. Akt (die Oper war anfangs als solche geplant gewesen), die halb volkstümlich, halb schaudernd in das Geschehen einführt, die spritzigen Chöre der gleichen Gattung, die Beschwörung im 3. Finale, die auch die Ouvertüre eröffnet, mit dem typischen Dreiklangsmotiv der tragédie lyrique, die der

Giacomo Meyerbeer: ROBERT LE DIABLE

italienischen Überlieferung angehörende Arie der Isabelle zu Beginn des II. Aktes — sie alle aber nicht mit bestimmten Personen verbunden, sondern frei über die Oper verstreut und dadurch, sowie durch kleine Feinheiten besonders in Rhythmik und Harmonik, mit dem Stempel Meyerbeers versehen.

Mit ihren beiden nächsten Gemeinschaftswerken, LES HUGUENOTS (*Die Hugenotten;* 1836) und LE PROPHÈTE (*Der Prophet;* 1849; die Partitur war aber im wesentlichen schon 1840 vollendet) gingen Scribe und Meyerbeer von der romantischen zur historischen Oper über. Dadurch erhielt das Geschehen einen festen Rahmen, innerhalb dessen sich die Schicksale der Personen mannigfach ineinander verschlangen; den Ausschweifungen der librettistischen Phantasie à la ROBERT aber waren Grenzen gesetzt. Allerdings ist die Historie — in den *Hugenotten* die Glaubenskämpfe in Frankreich bis zur Bartholomäusnacht, im *Propheten* das Schicksal des Wiedertäufers Jan van Leyden in Münster — in beiden Opern nur wenig mehr als farbiger Hintergrund für die buntbewegte Handlung. Dies gilt vor allem für den *Propheten,* obwohl hier der Held eine — freilich opernhaft verzerrte — historische Figur ist, während die frei erfundene Handlung in den *Hugenotten* zum Vorteil des Werkes schon vor dem Einmünden in die Schrecken der Bartholomäusnacht stärker in die historische Situation eingebunden ist. Der auf beiden Seiten mit Fanatismus geschürte Glaubensgegensatz zwischen Katholiken und Hugenotten ist gleichsam allgegenwärtig, auch die Fülle der im Einzelnen oft unmotiviert, ja peinlich wirkenden Antithesen (wie z. B. im I. Akt der Choral mitten im Trinkgelage, die Gleichzeitigkeit von Litanei, protestantischem Soldatenlied und Rachegesang der Katholiken am Anfang des dritten und der Wechsel zwischen verzerrten Choralbruchstücken und einem brutal realistischen Chor der Mörder am Ende des fünften) ist von ihm erfüllt und trägt zur Einheit des farbigen Ganzen bei. Die Rolle des Chorals „*Ein feste Burg*" und seine Behandlung ist seit jeher ein Stein des Anstoßes gewesen, mit Recht, wenn man ihn als bloße prickelnde musikalische Antithese betrachtet. Meyerbeer rechtfertigte ihn auf Angriffe hin als Leitmotiv der protestantischen Sache im allgemeinen und ihres getreuesten Verfechters, des Knappen Marcel im besonderen. Diese Gestalt wird allerdings nicht zuletzt dadurch als einziger „Charakter" aus der Schar der übrigen, vom jeweiligen Geschehen geformten Personen herausgehoben und ihnen nicht selten als willkommene Antithese entgegengestellt. Die ersten drei Akte, in denen sich der Zusammenprall beider Parteien unter der Oberfläche besonders zahlreicher musikalisch reizvoller, dramatisch jedoch überflüssiger Prunkszenen mit Chören vorbereitet, verkörpern das von Meyerbeer nach der schillernden Eruption des *Robert* erreichte ausgeglichen hohe Niveau seiner grand opéra, in den beiden letzten aber ist der Komponist darüber hinausgewachsen, nicht nur durch den fast vollständigen Verzicht auf alle Zutaten, sondern durch eine großartige Identifikation von hinreißender Musik mit dramatischem Ausdruck (im IV. Akt sind Schwur und Schwerterweihe und vor allem das Schlußduett der Liebenden, im V. die nur von einer Baßklarinette sparsam begleitete Trauung des Paares zu nennen).

Die dritte grand opéra LE PROPHÈTE, die nur wenig später als die *Hugenotten* entstanden ist, steht diesem Werk nicht nur stilistisch nahe, sondern ist ihm, was die darin entwickelte Kunst der Satztechnik, der motivischen Verknüpfung und der betonten Gegensätze, der Raffinesse der Massenbehandlung auf der Bühne und im Orchester und vor allem der Instrumentation betrifft, durchaus ebenbürtig, in der Erzielung glänzender Effekte vielleicht sogar noch raffinierter. Der Schwerpunkt liegt, noch mehr als in den *Hugenotten,* auf den prächtigen Massenszenen, den Chören und Tänzen, die in dem von dem einst berühmten Krönungsmarsch eingeleiteten 4. Finale kulminieren. Die Sologesänge treten demgegenüber an Bedeutung zurück, auch die der Mutter des Propheten, Fides, die textlich als einziger „Charakter" unter den übrigen schemenhaften Operngestalten erscheint. Der Prophet selbst ist ein schwächlicher Spielball in den Händen seiner Umwelt; seine anfangs vordeutend von Motiven des Krönungsmarsches untermalte Traumerzählung im II. Akt, in der die Singstimme bald mehr rezitativisch, bald dem Text angemessen arios in das Abschnitt für Abschnitt stimmungsmalende Orchester hineindeklamiert, aber stellt eine großartige musikalische Synthese seiner Tragik dar. Die Verwandtschaft mit Eriks Traumerzählung aus Wagners FLIEGENDEM HOLLÄNDER und Tannhäusers Romerzählung ist evident.

Der Trias folgte zunächst eine Pause, in der Meyerbeer zwar an einer vierten grand opéra arbeitete, jedoch nur mit zwei Beiträgen zur opéra comique, L'ETOILE DU NORD (*Der Nordstern*; 1854) und LE PARDON DE PLOËRMEL (DINORAH) [*Dinorah oder Die Wallfahrt nach Ploërmel*]; 1859), hervortrat, beides Gelegenheitswerke, das erstere eine Umarbeitung des 10 Jahre zuvor für Berlin geschriebenen Singspiels EIN FELDLAGER IN SCHLESIEN, beide die Formenwelt der heiteren Gattung mit dem Aufwand der großen Oper verbinden. Das Werk, das gleichzeitig mit ihnen heranwuchs, ohne seine endgültige Gestalt zu finden, war die fünfaktige Oper L'AFRICAINE (*Die Afrikanerin*), auch sie auf ein Libretto von Scribe geschrieben. Sie wurde in einer nicht vom Komponisten autorisierten Fassung 1865 posthum aufgeführt. Die darin enthaltene Musik zeigt Meyerbeer auf dem Wege zur formal aufgelockerten, bis in Einzelheiten hinein affektfüllten dramatischen Szene, wie sie sich am eindrucksvollsten in der großen Szene unter dem todbringenden Manzanilla-Baum im letzten Akt präsentiert. Derartige luftige, ganz in Atmosphäre getauchte, häufig von exotischem Kolorit erfüllte Szenen in der Nachbarschaft gewaltiger Massenszenen lassen an Verdis AIDA denken.

Meyerbeers mit Unterbrechungen über 30 Jahre währendes Wirken für die grand opéra — er war der einzige Meister der französischen Oper, der sich ganz dieser Gattung verschrieben hatte — zeigt mit der Entwicklung, die es von ROBERT LE DIABLE bis zu L'AFRICAINE durchmachte, daß es keineswegs die Tat eines bloßen Eklektikers war — einem solchen wäre es wohl auch kaum gelungen, einer ganzen Epoche auf der Opernbühne seinen Stempel aufzudrücken und die bedeutendsten Zeitgenossen in seinen Bann zu ziehen —, sondern daß dahinter ein ungeheuer kenntnisreicher, ja genialer Komponist stand. Daß er daneben ein feines Gespür für das Gebot der Stunde besaß, tut seiner künstlerischen Bedeutung keinen Abbruch.

Er war in den dreißiger und vierziger Jahren des 19. Jahrhunderts zweifellos mit seinem Librettisten Eugène Scribe zusammen der Beherrscher der Pariser Opéra, ja, dieser war für die Gattung der grand opéra noch maßgebender als er. Hatte er doch den Dramentyp aufgestellt und war nun mit seinen Texten auf den Pariser Bühnen, allein oder in Zusammenarbeit mit anderen, fast allgegenwärtig.

Die Komponisten, deren Werke neben denjenigen Meyerbeers auf der Bühne der Opéra erschienen, stehen alle mehr oder weniger unter seinem Einfluß, allein schon durch ihre fast stets von Scribe stammenden Texte. Auber hat in seiner zwei Jahre nach ROBERT LE DIABLE, 1833, erschienenen prächtigen grand opéra GUSTAVE III OU LE BAL MASQUÉ weder dessen prickelnden Reiz noch den volkstümlich-revolutionären Schwung seiner eigenen MUETTE DE PORTICI erreicht.

Besonders erfolgreich in Meyerbeers Fahrwasser war der etwas jüngere Jacques Fromental Halévy (1799—1862), vor allem mit seinem ersten Beitrag zu der Gattung LA JUIVE (*Die Jüdin*, 1835). In diesem Drama hat Scribe der übersteigerten Antithesensucht des ROBERT noch stärker den Rücken gekehrt als in den *Hugenotten*. Die Gegensätze sind gemäßigt und erwachsen stets aus der jeweiligen Situation heraus; um so stärker wirkt der Schluß, da der Jude Eleazar seine Rache an dem Kardinal Brogni, also einem Christen, in dem Augenblick vollzieht, als der Chor der Christen die Rache an Israel preist. Wie in den *Hugenotten* geht es auch hier um einen Glaubensgegensatz, doch ohne daß, wie dort, wesentlich hellere Lichter darin aufgesetzt wären. So sind denn vor allem die Soli und die zahlreichen Ensembles in eine düstere Atmosphäre eingehüllt. Sie alle stehen, wie auch die Chöre, den Werken Meyerbeers an melodischer Erfindungskraft sowie an Farbigkeit der Harmonik und der Instrumentation nicht nach, nur daß die Palette des älteren Meisters im Ganzen reichhaltiger ist. Auch in anderen Opern zeigt sich Halévys Meisterschaft vor allem in der Wiedergabe düsterer Situationen. Besonders eindringlich ist ihm dies in der 1838 erschienenen Oper GUIDO ET GINÈVRA OU LA PESTE DE FLORENCE (*Guido und Ginevra oder Die Pest von Florenz*) gelungen, hier vor allem in der Grabesszene im III. Akt, wo die Stimme der vom Scheintod erwachten Heldin in einen raschen, unheimlichen Wechsel von Streicherpizzicati und kurzen gehaltenen Akkorden von Blech- und von Holzbläsern hineinklingt. Diese Oper enthält auch am Ende des IV. Aktes ein Duett des Liebespaares in Todesnot, dessen Situation deutlich das Vorbild des berühmten Ges-Dur-Duetts an der entsprechenden Stelle der *Hugenotten*, gleichzeitig aber den weiten Abstand zwischen der Ausdruckskraft Meyerbeers und Halévys erkennen läßt. Eine besonders krasse Antithese innerhalb, ja zur Steigerung einer schrecklichen Situation enthält Halévys Oper LA REINE DE CHYPRE (*Die Königin von Cypern*; 1841) im II. Akt. Hier droht der Bösewicht Mocenigo der Heldin Catarina mit der Ermordung ihres Geliebten Gérard, wenn sie nicht auf ihn verzichte, während unmittelbar danach dessen Liebesgesang ertönt (S. 186).

Auch jüngere Zeitgenossen wie Félicien David (1810–1876), Auguste Mermet (1810–1889), Ambroise Thomas (1811–1896) und Charles Gounod (1818–1893) bewegten sich hie und da noch in den alten Bahnen. Ein besonders deutlich erkennbares Produkt Scribeschen Geistes ist LA NONNE SANGLANTE (*Die blutige Nonne*) von Gounod (1854), deren Text wohl wegen des Mangels an zündenden dramatischen Höhepunkten von bedeutenden Meistern wie Halévy, Meyerbeer, Berlioz und Verdi abgelehnt worden war. Daß Gounod ihn wählte, jedoch auch keinen Erfolg damit hatte, zeigt, daß er mehr Lyriker als Dramatiker war. Die Höhepunkte seiner Komposition liegen mehr in lyrischen Betrachtungen wie etwa der Cavatine Nr. 14 des Helden Rodolphe, die an Glucks berühmtes „Le calme rentre dans mon cœur" aus IPHIGÉNIE EN TAURIDE gemahnt. An solchen Stellen tritt Gounods große musikalische Erfindungsgabe besonders deutlich hervor, während ihm zur Wiedergabe ausgedehnter erregter Handlungsszenen der weite Atem Meyerbeers, ja auch Halévys fehlt. Nicht umsonst ist das „drama lyrique" FAUST[12] sein Meisterwerk geworden. Typisch für die grand opéra sind die mit bestürzender, weil unmotivierter Plötzlichkeit auftretenden Antithesen. In der acht Jahre später erschienenen LA REINE DE SABA (*Die Königin von Saba*), deren Text nicht von Scribe, sondern von den beiden beliebten jüngeren Librettisten Jules Barbier und Michael Carré stammt, tritt dieses Kriterium hinter der einheitlichen Betonung des Wunderbaren und des Exotischen zurück, das beides der Prachtentfaltung dient.

Wie Gounod, so trugen auch David und Mermet nichts Neues zu dem Bild bei, das die grand opéra um die Mitte des Jahrhunderts bot. Die Oper HERCULANUM des ersteren (1859) ist im Einzelnen wie im Großen ganz auf den Gegensatz zwischen der derben, frivolen oder zügellosen Ausdrucksweise der Welt Satans und der lieblichen oder choralartigen der Christenwelt gestellt, die Oper ROLAND À RONCEVEAUX (*Roland in Roncevaux*) von Mermet (1864) ist ziemlich einheitlich von kriegerischem Elan getragen. Alle diese Werke waren ganz oder teilweise erfolglos. Das dürfte zu einem guten Teil an den Texten gelegen haben, doch mehr noch an ihrer epigonalen Musik. Da grundsätzlich nie von Personen-, sondern immer nur von Situationscharakteristik die Rede sein konnte, diese aber in mehr oder weniger übersteigerter Leidenschaftlichkeit im Grunde immer die gleiche war, stimmten auch die Mittel ihrer musikalischen Wiedergabe weitgehend überein. Sie gehören zum Vokabular der grand opéra, wie es von deren Begründern und frühen Vertretern eingeführt worden war, im Laufe der Zeit aber abgenutzt wurde. So finden sich überall schlichte, balladenähnliche Gesänge und üppige, mehrteilige Koloratur-Arien nebeneinander, die das Vorbild der zweiteiligen, aus Cantabile und Cabaletta bestehenden italienischen Arie erkennen lassen, spritzige, sehr abwechslungsreiche Ballette und prunkvolle kriegerische Aufzüge mit

---

12 Siehe weiter unten.

Jacques Fromental Halévy: LA REINE DE CHYPRE

Jacques Fromental Halévy: LA REINE DE CHYPRE

Hector Berlioz: BENVENUTO CELLINI

großen, festlichen Chören, und, als wesentlichste Träger der Handlung, große Szenen, in denen Secco-Rezitative, Akkompagnati, Ariosi und geschlossene Formen zu großen Blöcken zusammengeschlossen sind. In ihnen allen zeigt sich eine Vorliebe für tiefe B-Tonarten mit häufigen enharmonischen Verwechslungen und überraschenden Modulationen, und dazu gesellen sich zur Musikalisierung seelischer Spannungen chromatisch aufsteigende Linien in Singstimme oder Baß, oder auch sequenzierend auf- oder absteigende kurze Motive im Orchester. Steigerungen in Ensemble- und Chorszenen werden besonders gern durch plötzliche Unisoni verstärkt.

Dies alles findet sich auch in der Oper HAMLET von Thomas (1868), deren Text, von dem überraschenden „lieto fine" abgesehen, eine von Barbier und Carré recht geschickt operngerecht gestaltete Bearbeitung des shakespeareschen Dramas darstellt. Sicherlich aufgrund dieser Text-Unterlage enthält dieses Werk eine Reihe von wirklich charakteristischen Situationen, wie z. B. die große Szene des Geistes im I. Akt mit der über Tremolo verzerrt hereinklingenden Festmusik, im II. Akt der Gegensatz zwischen Hamlets gespieltem Wahnsinn und dem nüchternen, klaren Secco, in dem er gleich darauf den Komödianten seine Anweisungen gibt, das Terzett Ophelia/Königin/Hamlet Nr. 15 im III. Akt, eine aus verschiedenen Ariosi erwachsende, dramatisch wie musikalisch wirkungsvolle Zusammenfassung der vorher einzeln geäußerten Empfindungen, die zunächst rührende, dann mehr und mehr unheimliche Szene der wahnsinnigen Ophelia mit der gespenstischen c-Moll-Ballade im IV. Akt und endlich die düster verhangene Szene der beiden Totengräber zu Beginn und die „Tristan-Steigerung" in der Trauerszene vor dem Finale des V. Aktes.

Es ist aber bezeichnend, daß dieses Werk, obwohl zu Recht erfolgreicher als die vorher genannten, nicht die Beliebtheit der zwei Jahre zuvor erschienenen MIGNON von Thomas erreicht hat, genau so wie die beiden erwähnten Opern von Gounod neben dem zwischen ihnen aufgetretenen FAUST (1859) verblaßten. Hier wird die sich um die Mitte des Jahrhunderts vollziehende Verschiebung des Schwergewichts von der „grand opéra" auf das „drame lyrique" offenbar, die sich schon geraume Zeit in einer allmählichen Annäherung und Verschmelzung von „grand opéra" und „opéra comique" angekündigt hatte. Nicht als ob die grand opéra nun verschwunden sei. Dazu war sie mit ihrer Verwurzelung in der tragédie lyrique und der daraus herrührenden Vorliebe für bühnentechnisch wie musikalisch prächtigen Aufwand und die Wiedergabe großer Leidenschaften noch immer viel zu sehr Ausdruck und Aushängeschild der französischen Nation. Aber die enge Berührung mit der opéra comique hatte sie textlich wie musikalisch so weit aufgelockert, daß ihr Name nicht mehr dem Kern ihres Wesens entsprach: Die Werke des viel jüngeren Georges Bizet etwa sind der wohl deutlichste Schritt auf diesem Wege. Auf diese Entwicklung soll jedoch weiter unten im Rahmen der Betrachtung der opéra comique eingegangen werden.

Eine Sonderstellung zwischen den Gattungen auf der Opernbühne nehmen die Werke von Hector Berlioz (1803—1869) ein. Bereits seine erste Oper BENVENUTO CELLINI (Text von Léon de Wailly und Auguste Barbier, Paris 1838) fiel mit ihrer oft unvermittelten Verbindung von Ernst und derber Komik aus dem Rahmen, obwohl oder gerade weil der Komponist beides wirkungsvoll wiedergegeben hat. In den großen Ensembles und Chören entwickelt er in ernsten wie heiteren Situationen seine feinsten kontrapunktischen Künste. Unter den Sologesängen ragt vor allem die großartige Erzählung Cellinis von seiner Flucht im III. Akt hervor, ein stimmungsvolles, vom Tremolo der Bratschen über quasi ostinaten schleichenden Baßmotiven begleitetes Akkompagnato-Rezitativ (S. 187).

Ähnliches wie das oben Gesagte gilt auch für die opéra comique BÉATRICE ET BÉNÉDICT (1862), in deren Text (vom Komponisten nach Shakespeare, *Viel Lärm um nichts*) zwar Ernst und Komik nicht so weit auseinanderklaffen wie in der früheren Oper, deren gehaltvoller Musik aber trotz parodistischer Effekte die leichte Spritzigkeit der Gattung fehlt. Es ist weniger eine typische opéra comique als vielmehr eine heitere Oper des Außenseiters Berlioz.

Beide Opern lassen jedoch alle die musikalischen Merkmale erkennen, die in Berlioz' dramatischem Hauptwerk LES TROYENS (*Die Trojaner*; Text vom Komponisten nach Vergil, 1856—58) zur völligen Entfaltung kommen sollten. Das Werk wurde von Berlioz als fünfaktige Oper konzipiert und komponiert, aus Gründen der leichteren Aufführbarkeit aber in zwei Opern aufgeteilt. Akt I und II erhielten den Titel LA PRISE DE TROIE (*Die Belagerung Trojas*), Akt III—V LES TROYENS À CARTHAGO (*Die Trojaner in Karthago*). Letztere wurde bereits 1863, LA PRISE DE TROIE jedoch erst posthum 1879 erstmals aufgeführt. Beide Opern erschienen 1883 als Klavierauszug, eine ungekürzte Partitur-Ausgabe des fünfaktigen Gesamtwerkes jedoch erst 1969/70 im Rahmen der New Berlioz Edition. LES TROYENS ist zwar eine „große Oper", aber durchaus keine „grand opéra". Es besitzt zwar musikalisch mit einer Fülle von Chören und Aufzügen deren Bombast und vor allem in der Instrumentation deren Raffinesse, aber nicht deren textliche Grundlagen. Dem bunten Wechsel der Handlungsebenen, auf denen dort übersteigerte menschliche Leidenschaften und finstere Mächte wild aufeinanderprallen, stehen hier große weltgeschichtliche Aspekte gegenüber. Schon der Text, der vom Komponisten selbst stammt, läßt dessen geistige Hinneigung zu Gluck erkennen[13]: Es geht hier um der Menschheit große Gegenstände, um Völkerschicksale, denen die Einzelschicksale unterworfen sind. Dementsprechend spielen monumentale Chöre eine hervorragende Rolle, vor allem im ersten Teil (den Akten I und II) und zu Beginn des zweiten Teils (Akt III), dann erst wieder am Ende des zweiten Teils (Akt V), da vom Erscheinen des Aeneas in Karthago im III. Akt an und den ganzen IV. Akt hindurch die von Zwiespältigkeit beschattete Liebe zwischen Dido und Aeneas im Mittelpunkt steht — auch sie aber trotz des bezaubernden Liebesduetts am Ende des IV. Aktes in das Weltgeschehen eingeordnet und daher überlebensgroß. So hat das Werk im Ganzen, ungeachtet zahlreicher dramatisch wirksamer Szenen, wie z. B. der Erscheinung von Hektors Geist mit der eine Oktave hindurch deklamierend absteigenden Voraussage vom Falle Trojas im 1. Teil (II. Akt) und dem ersten Zusammentreffen Didos mit Aeneas im 2. Teil (Ende des III. Aktes) einen stark oratorischen Charakter, der es auf der Opernbühne seiner Zeit als Fremdling erscheinen lassen mußte. Inhaltlich sind beide Teile parallel gestaltet, die Heldin des 1. Teils, Cassandra, beschließt den Teil mit ihrem Selbstmord nach der Prophezeiung eines neuen Trojas in Italien, die Heldin des 2. Teils, Dido, beschließt die Oper ebenfalls mit ihrem Selbstmord und der Prophezeiung eines neuen Karthago in Rom. — Daß das Werk trotz der düsteren Monumentalität, die es beherrscht, nicht monoton und bedrückend wirkt, verdankt es lyrischen Abschnitten, wie z. B. dem an Glucks „Che puro ciel" aus ORFEO gemahnenden Andante, mit dem Cassandras Geliebter Chorèbe im I. Akt deren Erregung zu beruhigen versucht:

Hector Berlioz: LES TROYENS

---

[13] Eine textliche, jedoch nicht musikalische Anknüpfung an Glucks IPHIGÉNIE EN TAURIDE II,3, die Worte Didos „Je sens rentrer le calme dans mon cœur", findet sich am Ende der Oper.

und Didos sehr menschlicher Reaktion auf Aeneas' Erscheinen im III. Akt:

Hector Berlioz: LES TROYENS

Vor allem aber erhält das gewaltige Drama insgesamt seinen Glanz durch die ständig situationsgerecht wechselnde, glänzende Instrumentation. Die „Marche Troyenne" erscheint z. B. im I. Akt noch im vollen Bewußtsein trojanischer Macht in der gewaltigen Besetzung von drei Bläsergruppen in verschiedenen Entfernungen hinter der Bühne, im III. Akt aber, bei der Ankunft der geschlagenen Trojaner in Karthago, nicht nur nach Moll gewendet, sondern auch karg besetzt. Eine Parallele dazu bildet der „Chant National", zuerst ganz eindeutig und quasi unkompliziert prächtig bei Didos erstem Erscheinen am Anfang des 2. Teils (Akt III), dann, im IV. Akt nach dem Aufkeimen der unseligen Liebe, mit dem Thema in den von drei Harfen verstärkten Holzbläsern, das von einer pausenlos dahinsäuselnden Achtelbewegung in den sordinierten ersten Violinen umspielt wird — eine glänzende musikalische Deutung von Didos veränderter Psyche. Ganz besonders bunt und raffiniert instrumentiert ist die „Danse des esclaves Nubiennes" in dem anschließenden Divertissement; hier gesellen sich zu den traditionellen Merkmalen der Janitscharenmusik noch mehrere ausgefallene Schlaginstrumente, und das Ganze wird getragen vom pizzicato der tiefen Streicher in Doppelgriffen. Sehr häufig macht Berlioz auch von Soloinstrumenten, meist Bläsern, Gebrauch, die von Streichern begleitet werden (so etwa in der Pantomime Nr. 6 des I. Aktes). — Trotz seiner eminent modernen Musik war das Werk aber seiner geistigen Haltung und seiner formalen Anlage nach im Grunde ein Anachronismus, an dem die Entwicklung zu ganz anderen Ufern vorbeiflutete.

# Die opéra comique im 19. Jahrhundert

Während der tragédie lyrique in der Restaurationszeit durch den Mangel einer des Verherrlichens werten starken Zentralgewalt weitgehend der Boden entzogen war und sie ihr Dasein mühsam mit Rückgriffen auf ältere Werke fristen mußte, befreite sich die opéra comique mit der gleichen Gewandtheit, mit der sie Jahrzehnte zuvor in den Dienst des revolutionären Gedankengutes getreten war, aus dessen Fesseln und bot dem pathos-müden Publikum wieder die leichtere Kost der vor-revolutionären Zeit, nur daß deren gesellschaftskritische Komponente häufig durch Ausflüge in eine zauberisch-märchenhafte Atmosphäre ersetzt wurde.

Allerdings läßt das Schaffen ihrer ältesten Vertreter, Adrien Boieldieu (1775—1834) und Nicolò Isouard (1775—1818) erkennen, daß die alte, bürgerliche opéra comique Grétrys und seiner Vorgänger auch während der Revolution nicht ganz verschwunden war. Boieldieus erste Oper LA FILLE COUPABLE (*Die schuldige Tochter*) erschien z. B. (1793) gleichzeitig mit Lesueurs blutrünstiger LA CAVERNE (*Die Höhle*), sein harmlos-märchenhafter CALIFE DE BAGDAD 1800 mit Cherubinis Rettungsoper LES DEUX JOURNÉES. Von da an aber beherrschten die harmlos unterhaltenden Werke der beiden Komponisten die Bühnen der opéra comique, bis sie vom dritten Jahrzehnt an von denen Aubers abgelöst wurden.

Boieldieus zweiaktiger JEAN DE PARIS (*Johann von Paris;* 1812) zeigt die Gattung noch in betontem Gegensatz zum Prunk der großen Oper. Das Werk wirkt wie ein simpler Neuanfang auf einem Gebiet, das einmal zum Sprachrohr der Revolution geworden war. Die ein Jahr später erschienene Oper LE NOUVEAU SEIGNEUR DE VILLAGE (*Der neue Gutsherr*) ist zwar nur eine kleine einaktige Farce, jedoch musikalisch kunstvoller und abwechslungsreicher und mit der spritzigen Parodierung des falschen Gutsherrn schon ein typischer Vertreter ihrer Art. Mit LE PETIT CHAPERON ROUGE (*Das Rotkäppchen;* 1818) knüpft Boieldieu textlich an die märchenhafte

Tradition der vorrevolutionären opéra comique an. Anstatt den Stil der ernsten Gattung bewußt zu vermeiden, benutzt er ihn hier zur Situations-, ja zur Personencharakteristik. Der Don-Giovanni-artige Schürzenjäger Graf Rodolphe etwa wird durch Arien voller schmelzender, weitgeschwungener Melodielinien von der Art des folgenden Beispiels von den von ihm verfolgten

Bauernmädchen mit ihren bescheiden-volkstümlichen Tanzliedern oder Romanzen abgehoben.

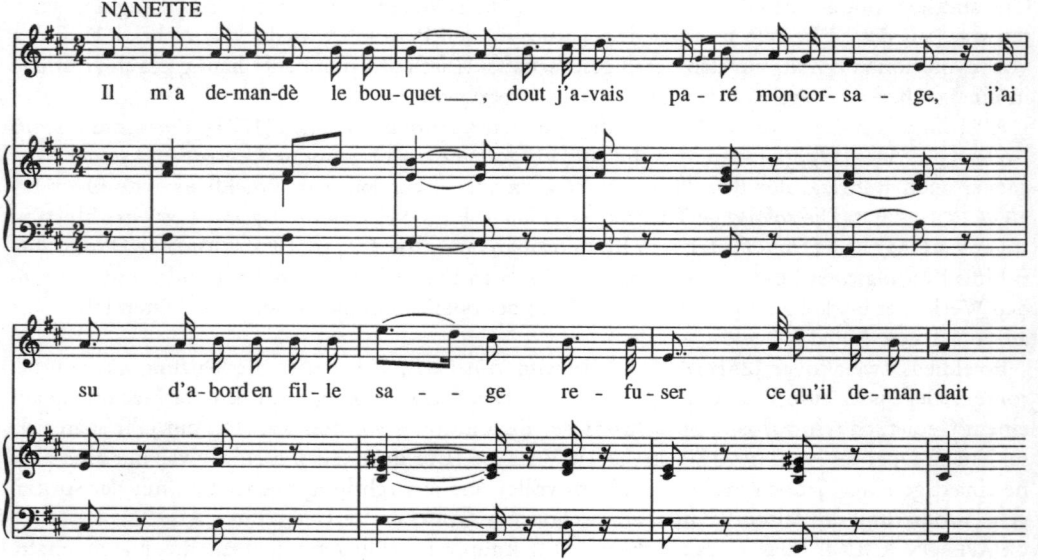

In der aus einem dramatisch-pathetischen Rezitativ und einer ebensolchen Arie bestehenden großen Szene der romantischen Figur des Eremiten Nr. 15 im III. Akt steht die Große Oper dicht vor der Tür.

Auch über Boieldieus erfolgreichster und langlebigster opéra comique LA DAME BLANCHE (*Die weiße Dame*; 1825, über einen Text von Scribe) liegt ein geheimnisvoller Schleier, der erst ganz am Schluß gelüftet wird. Hier handelt es sich jedoch nicht um handfesten Zauberspuk, wie bei Zauberring und -käppchen des CHAPERON, sondern um die unheimliche Atmosphäre, die das Schloß und seine Bewohner umgibt. Sie erscheint oft, besonders deutlich im ersten Finale, an Stelle dramatischer Bewegung. Im übrigen findet sie im allgemeinen ihren musikalischen Ausdruck in Sologesängen und Ensembles, vor allem aber in den Chören im Vorherrschen des volkstümlichen Charakters, der das national-schottische Element verkörpern soll. Dadurch steht diese Oper trotz allen darin erforderlichen Aufwands stärker auf dem Boden der opéra comique als LE CHAPERON ROUGE, das auch musikalisch mehr zur ernsten Oper tendiert. Auf dieser ihrer Einheitlichkeit dürfte die große Wirkung der DAME BLANCHE beruht haben.

Wie die Opern Boieldieus das Frühstadium der neu erstarkten opéra comique verkörpern, so führen die Aubers zu der vielseitigeren Gestalt und den anspruchsvolleren Formen hinüber, mit denen die Gattung bald wieder in die Nähe der Großen Oper rücken sollte. Die Oper LE MAÇON (*Maurer und Schlosser*; 1825) wirkt schon mit ihrer inhaltlichen Parallele zu Cherubinis LES DEUX JOURNÉES, der musikalisch eine herausragende „Leitmelodie" entspricht, mit ihrer musikalischen Anspruchslosigkeit und mit ihrer im Verhältnis zur gleichzeitig erschienenen DAME BLANCHE noch ganz unromantischen Haltung ausgesprochen retrospektiv. FRA DIAVOLO (1830, Text von Scribe) steht dagegen bereits auf einem ganz anderen Blatt. Trotz des gesprochenen Dialogs sind die umfangreichen Musiknummern nicht nur betrachtende Einlagen, sondern eng in das dramatische Geschehen eingebunden. Das gilt vor allem für die vielen mit dramatischem Leben erfüllten Ensembles, wohingegen die Solonummern vorwiegend den spritzigen Geist der echten opéra comique atmen, ja, einen gewissen operettenhaften Zug nicht verleugnen können. Aus dieser Einkleidung unbeschwerter Heiterkeit in ein anspruchsvoll opernhaftes Gewand erklärt sich die große Beliebtheit und die Langlebigkeit dieses Werkes.

Mit wechselndem Erfolg setzte Auber in seinem ungewöhnlich langen Opernschaffen Hand in Hand mit Scribe diesen Weg fort. In LE DOMINO NOIR (*Der schwarze Domino*; 1837) sind die Musiknummern, abgesehen von den Finali, mehr Zutaten als Träger des Dramas, das sie aber häufig sehr wirkungsvoll parodieren, so etwa in der schelmischen Ariette Nr. 10 und ganz beson-

François Auber: LE DOMINO NOIR

ders in dem anschließenden aufwendigen Gesang der Heldin Angela, einer Bravour-Arie à la Offenbach. — Durch LA PART DU DIABLE (*Des Teufels Anteil*; 1843) zieht sich, ähnlich wie in

LE MAÇON, als Leitmelodie eine Romanze des Helden Carlo Broschi, die wesentlich zu dem primär lyrischen Charakter dieser Oper beiträgt; vor allem der III. Akt wirkt wie ein früher Wegweiser zum „Drame lyrique", zu dem Auber und Scribe mit MANON LESCAUT (1856) einen charakteristischen Beitrag geleistet haben. Der gesprochene Dialog tritt hier ganz hinter den ausgedehnten, stets vom Textgehalt erfüllten Sologesängen und dramatisch bewegten Ensembles zurück. Im Gegensatz zu früheren Werken spielt hier auch die Personencharakteristik eine Rolle; zwei Beispiele mögen die Wandlung der leichtlebigen Manon zur entrückten Ergebung in ihr Schicksal verdeutlichen:

François Auber: MANON LESCAUT

Mit der in der Opéra aufgeführten Oper LE PHILTRE (*Der Liebestrank*; 1831), deren Text Romanis/Donizettis L'ELISIR D'AMORE als Vorbild diente, hat Auber zwar dem Geiste nach eine opéra comique, der Gestalt mit den Secco-Rezitativen nach aber im Grunde eine französische opera buffa geschaffen — ein Zeichen dafür, wie durchlässig die Gattungsgrenzen in jener Zeit zu werden begannen.

Auf diesem schmalen Grat bewegte sich das Opernschaffen der ganzen um die Jahrhundertwende herum geborene Generation, das die Bühnen der Opéra-Comique bzw. des Théâtre-Lyrique bis zur Mitte des Jahrhunderts beherrschte. Typisch sind dafür die Werke von Ferdinand Hérold (1791—1833), der von LES ROSIÈRES (*Die Rosenmädchen*; 1817), einer echten opéra comique der nachrevolutionären Zeit, über die romantische Zauberoper ZAMPA OU LA FIANCÉE DE MARBRE (*Zampa oder Die Verlobte aus Marmor*; 1831) durch Verschmelzung rezitativischer und arioser Abschnitte und zugleich durch Dramatisierung und Ausweitung der musikalischen Formen in LE PRÉ AUX CLERCS (*Die Schreiberwiese*; 1832) ganz in die Nähe der historischen Oper im Stile von Meyerbeers *Hugenotten* gelangte.

Besonders abwechslungsreich ist das Verhältnis zwischen grand opéra und opéra comique in den

François Auber: MANON LESCAUT

Bühnenwerken des nur wenig jüngeren Halévy (1799—1862)[14]. Im Jahr der JUIVE, 1835, erschien auf der Bühne der Opéra Comique die dreiaktige Oper L'ECLAIR (*Der Blitz*), die dem düsteren Pathos jener grand opéra die spritzige Leichtigkeit, beschwingte Volkstümlichkeit und geistvolle Parodie der heiteren Gattung entgegensetzte. Den gleichen deutlich spürbaren Abstand zur ernsten Gattung zeigt auch, trotz ihres historischen Gegenstandes, die opéra comique LES MOUSQUETAIRES DE LA REINE (*Die Musketiere der Königin;* 1846), obwohl auch sie reich an melodiösen, einfallsreichen Gesängen ist. Dagegen hat Halévy in dem Opernpaar des Jahres 1841, der fünfaktigen grand opéra LA REINE DE CHYPRE (*Die Königin von Cypern*) und der dreiaktigen opéra comique LE GUITARRERO (*Der Gitarrist*) die Gattungen erstaunlich stark aneinander angenähert. Das liegt nicht nur an dem beiden Werken zugrundeliegenden historischen Stoff, sondern vor allem in den auch im GUITARRERO diesem angemessenen großen, von dramatischem Leben erfüllten musikalischen Formen, die nicht selten die Nähe Meyerbeers erkennen lassen. Das der Gat-

---

14 Vgl. hierzu oben S. 184ff.

tung entsprechende Vorhandensein von gesprochenem Dialog fällt demgegenüber nicht ins Gewicht.

Noch bevor die Auseinandersetzung der beiden Gattungen zum Zentralproblem der französischen Oper wurde, erschien mit Adolphe Adam (1803—1856), dem Schüler Boieldieus, noch einmal ein echter Vertreter der opéra comique, dessen ungefähr gleichzeitig mit Halévys Werken auf der gleichen Bühne erschienene Opern noch einmal bzw. erneut und nun mit besonderer Schärfe die Gegensätzlichkeit zum Ausdruck brachten, deren das Treiben auf der französischen Opernbühne fähig war. Nicht nur, daß sie sich inhaltlich ausschließlich in ländlich-bürgerlichem Milieu bewegten — sie erfüllten dieses auch mit einer betont leichtbeschwingten, oft volkstümlichen Musik, der zur Operette nur die zwielichtige, pikante Deutung fehlte. Adams berühmtestes, langlebigstes Werk, LE POSTILLON DE LONGJUMEAU (1836), ist voller reizvoller, lyrischer Gesänge, von denen sich die große Koloratur-Arie der Madame Latour im II. Akt als Parodie wirkungsvoll abhebt. Eine nicht minder typische opéra comique ist LE ROI D'YVETOT (*Der König von Yvetot*; 1842), in der der weise Bürgerkönig musikalisch durch die Würde einer simplen Romanze von dem aufwendigen, kriegerischen Treiben seiner Umgebung abgehoben wird.

Auch die jüngeren Komponisten um Adam herum, die sich mit mehr oder weniger Erfolg auf dem Gebiet der grand opéra hervorgetan hatten, traten gleichfalls erfolgreich auf den Bühnen der heiteren Gattung auf, so u. a. Ambroise Thomas mit dem stark italienisch gefärbten LE CAÏD (*Der Kadi*; 1849), Victor Massé (1822—1884) mit der spritzige Heiterkeit und ernstes Pathos verbindenden GALATHÉE (1852) und der reinen Verkörperung des comique-Geistes in LES NOCES DE JEANNETTE (*Die Hochzeit der Jeanette;* 1853), sowie Louis Aimé Maillart (1817—1871) mit der sehr erfolgreichen, volkstümlich-sentimentalen Oper LES DRAGONS DE VILLARS (*Das Glöckchen des Eremiten*; 1856) und Félicien David mit der heiteren Märchenoper LALLA—ROUKH (1862).

# Drame lyrique und späte „Große Oper"

Auch nach der Jahrhundert-Mitte lebte die opéra comique noch weiter, doch wurde die Zahl der Werke dieser Gattung gemessen an der gesamten französischen Opernproduktion immer kleiner. Zwar gab es den gesprochenen Dialog in der Oper noch lange, doch verlor dieses gattungsspezifische Merkmal immer mehr an Bedeutung und wurde vollends zur bloßen Äußerlichkeit, die durch Hinzukomposition von Rezitativen leicht beseitigt werden konnte. Die Verbindung von unbeschwerter Fröhlichkeit und feiner Satire, die musikalisch in schlichter, oft volkstümlicher Innigkeit und spritziger Beweglichkeit zum Ausdruck kam und die den Geist der opéra comique ausgemacht hatte, ging bei der textlichen Annäherung an die große Oper mehr und mehr verloren. Es entstand jetzt eine Zwittergattung, die sich, wie die alte opéra comique, vor allem anfangs von jener meist durch den gesprochenen Dialog abhob und inhaltlich von der großen Oper zwar ernste Gegenstände übernahm, jedoch, ihrem Namen „drame lyrique" entsprechend, nicht in Gestalt von Haupt- und Staatsaktionen, sondern im intimeren Rahmen der Darstellung von seltsamen, vom Hauch des Wunderbaren oder auch des Exotischen berührten Einzelschicksalen. Die musikalische Sprache, derer sich die Komponisten zu ihrer Wiedergabe bedienten, schöpfte aus beiden überkommenen Quellen, wobei sie sowohl das starke Pathos der einen als auch die derbe Ausgelassenheit der anderen auf ein mittleres, eben das „lyrische" Maß zurückschraubte. So standen auf den französischen Opernbühnen auch in der zweiten Hälfte des 19. Jahrhunderts zwei verschiedene Gattungen nebeneinander, die einander allerdings näher verwandt waren als die früheren[15].

Das von beiden nicht erfüllte Verlangen des Pariser Publikums nach prickelnder, die Ereignisse des Tages witzig kommentierender Unterhaltung stillten beide nicht. Hier trat die Operette Hervés und vor allem Offenbachs in die Schranken und übernahm mit Glück und der Zeit des zweiten Kaiserreichs angepaßt die Rolle, die die opéra comique 100 Jahre zuvor gespielt hatte. Das ungeheuer umfangreiche Schaffen Jacques Offenbachs (1819—1880) in den Jahren 1840 bis 1880, das seinen Höhepunkt in den Werken vom Ende der fünfziger (ORPHÉE AUX ENFERS [*Orpheus in der Unterwelt*]; 1858) bis zum Ende der sechziger Jahre (LA GRANDE DUCHESSE DE GÉROLSTEIN [*Die Großherzogin von Gerolstein*]; 1867) erlebte, und, weniger genial und fortreißend, die annähernd gleichzeitig erschienenen Operetten von Florimond Ronger, genannt Hervé (1825—1892), nahmen, gestützt durch ihre geschickten Librettisten (darunter vor allem Hector Crémieux, Henri Meilhac und Ludovic Halévy, der Sohn des Komponisten), zum Entzücken der Pariser Hörerschaft mit spitzer Feder das gesamte gesellschaftliche und kulturelle Leben voll Witz und Charme und nicht ohne Sarkasmus unter die Lupe. Auf diese Weise wurden sie zum Ausdruck und getreuen Abbild ihrer Zeit. Die neben ihnen auf den Bühnen erscheinenden Opern dienten, wie zur Zeit Lullys und Rameaus, als beliebte Gegenstände ihres Spottes.[16]

Angesichts einer derartigen Spaltung der opéra comique in zwei geistig so meilenweit voneinander entfernte Richtungen konnte auch zwischen Vertretern von Operette und drame lyrique kaum eine Personalunion zustandekommen. Von den wenigen Ausnahmen seien hier Leo Delibes (1836—1891) mit LE ROI L'A DIT (*Der König hat gesprochen;* 1873), Emanuel Chabrier (1841—1894) mit L'ETOILE (*Der Stern;* 1877) und LE ROI MALGRÉ LUI (*Der König wider Willen;* 1887) und Camille Saint-Saëns (1835—1921) mit PHRYNÉ (1893) genannt, alles Stücke, in denen, nach Art der Operette, nur musikalisch in anspruchsvollerem Gewand, Probleme der ernsten Oper durch Übertreibung von deren Ausdrucksmitteln ins Lächerliche gezogen werden. Dem Operettenkomponisten Offenbach gelang der Sprung zur Oper mit seinen posthum (1891) aufgeführten CONTES D'HOFFMAN (*Hoffmanns Erzählungen*) dagegen erst ganz am Ende seines Schaffens.

Bestand also zwischen Operette und Oper im weitesten Sinne (d. h. Reste der opéra comique, drame lyrique und grand opéra umfassend) ein klar erkennbarer Unterschied — die eine mehr oder weniger geistvoll oder frivol auf die augenblicklichen Bedürfnisse des Publikums abgestimmt, textlich versteckt oder offen gesellschaftskritisch auf Ereignisse des Tages anspielend, musikalisch immer darauf bedacht, die Pointen des Textes parodistisch hervorzuheben, die andere ohne außerkünstlerische Absichten Gegenstände der verschiedensten Art so in eine ihnen angemessene Musik einhüllend, daß deren Gestaltung für die Wirkung des Ganzen ausschlaggebend wurde —, so sind die oben genannten Untergattungen der Oper vor allem musikalisch eng ineinander verzahnt; wurden sie doch auch von fast allen Komponisten nebeneinander gepflegt.

Hier ist vor allem der Beherrscher der französischen Opernbühne im dritten Viertel des 19. Jahrhunderts, Charles Gounod, zu nennen[17], der zwischen textlich so ausgesprochenen grands

---

15 „Drame lyrique" ist ein terminus technicus, der Stücke eines bestimmten, oben definierten Charakters zusammenfaßt, ohne daß sie ausdrücklich so bezeichnet zu sein brauchen. Auf Titelblättern von Textbüchern, Klavierauszügen und Partituren setzte sich im Laufe der Zeit allmählich für alle Operngattungen mehr und mehr der neutrale Name „Opéra" durch.
16 Hervés „opéra bouffe" LE PETIT FAUST (*Der kleine Faust;* 1869) war z. B. eine Parodie auf FAUST von Gounod, CHILPERIC (1868) auf die „grand opéra" im allgemeinen; hier wurden hochpathetische Szenen mit einer möglichst banalen Musik versehen.
17 Vgl. auch weiter oben.

opéras wie LA NONNE SANGLANTE (*Die blutige Nonne*; 1854), LA REINE DE SABA (*Die Königin von Saba*; 1862) und ROMÉO ET JULIETTE (1867) den FAUST (1859) und MIREILLE (1864) komponierte, die textlich wie musikalisch alle Kennzeichen eines drame lyrique besitzen. FAUST (in Deutschland *Margarethe* betitelt) ist eines der ältesten Werke dieser species, das es zu Welterfolg brachte und seinen Schöpfer weit überlebte. Es ist, im Gegensatz zu den es zeitlich einschließenden großen Opern, eine Schöpfung aus einem Guß, in der der Komponist ganz seine eigene, eine vorwiegend lyrische Sprache gefunden hat. Hierfür sei vor allem auf das trotz des verschiedenartigen Geschehens durchweg von dem lieblichen Walzer getragene zweite Finale, auf die Cavatine Fausts im III. Akt, auf dessen ganz auf die Wiedergabe der Naturstimmung abgestimmten Schluß und nicht zuletzt auf den dreimaligen, von G- über A- nach H-Dur gesteigerten entrückten Gebetsruf „Anges purs" Gretchens, den Höhepunkt der Oper, verwiesen. Daß Gounod sich auch auf wirkungsvolle Situationscharakterisierung verstand, zeigt die Quartettszene der beiden Paare im III. Akt, an deren Anfang diese musikalisch scharf voneinander abgehoben werden. — FAUST erschien zunächst, seiner Gattung gemäß, mit gesprochenem Dialog auf der Bühne des Théâtre lyrique, wurde ein Jahr später mit Rezitativen versehen und fand in dieser Gestalt endlich auch Eingang in die Opéra — auch äußerlich ein typisches Beispiel für die Verschmelzung der Gattungen.

Das neben FAUST erfolgreichste drame lyrique jener Jahre war die Oper MIGNON von Ambroise Thomas (1866). Dieser Meister war bereits mit LE CAÏD als ausgesprochener comique-Komponist hervorgetreten und erschien zwei Jahre später mit HAMLET auf der Bühne der Opéra[18]. Mit MIGNON hat er sich von der heiteren wie der ernsten Oper gleichermaßen abgewandt — das Werk ist wohl die reinste Verkörperung des drame lyrique seiner Zeit. Noch weit mehr als in FAUST überwiegt hier die Lyrik, selbst ein so hochdramatisches Geschehen wie der Theaterbrand und die Rettung Mignons im 2. Finale hebt sich musikalisch nur wenig von dem lyrischen, nicht selten durch Koloraturen ins Spielerische gewendeten Stil des Ganzen ab. Von der goetheschen Textvorlage sind beide Werke naturgemäß gleich weit entfernt. Der Welterfolg, der bis ins 20. Jahrhundert hineinreichte, dürfte wohl nicht zuletzt auf der Überzeugungskraft der stilistischen Einheit beruht haben, mit der sie die neue Gattung konstituierten und durch die sie sich von dem zwiespältigen Charakter, der diese noch lange beherrschen sollte, abhoben.

Ein typischer Zwitter dieser Art ist noch Delibes' Oper JEAN DE NIVELLE (1880). Ihr liegt die Geschichte von einem als Hirt verkleideten Herzog zugrunde, die für die Komposition von vornherein eine Verquickung von musikalischer Schlichtheit und höfisch-kriegerischem Pomp nahelegte. Weniger deutlich motiviert zeigt sich der Zwiespalt der Gattung in den beiden zwischen FAUST und MIGNON erschienenen Opern LA STATUE (1861) des jüngeren Ernest Reyer (1823—1909) und LALLA—ROUKH (1862) des älteren Félicien David, die erstere die kleinen Formen der opéra comique mit dem Aufwand der großen Oper verbindend, die letztere ein harmlos-heiteres Märchenspiel, beide aber früheste Vertreter jener wunderbaren, fremdartigen Atmosphäre, die für das drame lyrique im Laufe der Zeit immer mehr Bedeutung gewinnen sollte. Als charakteristische Beispiele hierfür aus späterer Zeit seien PAUL ET VIRGINIE von Victor Massé (1876), LAKMÉ von Léo Delibes (1883) und SALAMMBÔ von Ernest Reyer (1890) genannt. Alle drei sind Alterswerke ihrer Komponisten. Die Oper Massés ist der äußeren Erscheinung nach eine grand opéra alten Schlages; das Liebesduett im II. Akt steht mit einem krönenden Unisono der beiden Stimmen, mit Arpeggienbegleitung und fortissimo-Zwischenschlägen geradezu in der Gefolgschaft Meyerbeers[19]. Dem Geiste, d. h. der sehr lyrischen, teilweise exotischen Atmosphäre nach,

---

18 Zu beiden siehe oben.
19 Auch die Tonart As-Dur ist die des berühmten Hugenotten-Duetts.

in die das ganze Werk getaucht ist, aber gehört es dem drame lyrique an. Umgekehrt ist LAKMÉ der Form nach eine opéra comique (die Rezitative sind nachkomponiert), ausschlaggebend für ihren Eindruck aber ist ihre lyrische, vorwiegend fremdartige Atmosphäre. In beiden werden die Angehörigen der fremden Rassen — in PAUL ET VIRGINIE die Schwarzen, in LAKMÉ die Inder — musikalisch scharf von den „Weißen" abgehoben, jedoch nicht durch Verwendung original exotischer Musik, wie später etwa bei Puccini, sondern vor allem durch eine Auflockerung, ja Umgehung einer festen Tonalität, durch deren häufigen Wechsel, durch eine Fülle von Chromatik, durch eine Bevorzugung übermäßiger und verminderter Intervalle und (in LAKMÉ) durch den Gebrauch halbtonloser Pentatonik (dies alles in charakteristischem Gegensatz zur „Türkenmusik" des 18. Jahrhunderts, in der die Harmonik gerade die geringste Rolle spielte). In LAKMÉ ist die Titelheldin, die Tochter eines indischen Priesters, die einen Europäer liebt, geradezu eine Emanation der gesamten Atmosphäre. Als Beispiel für viele von deren charakteristischen Merkmalen sei ein Stück aus ihrem Strophenlied aus I,5 angeführt:

Léo Delibes: LAKMÉ

In Reyers viel später entstandener SALAMMBÔ überwiegt der Charakter einer ganz durchkomponierten farbenprächtigen großen Oper im Stile, aber nicht mit der Durchschlagskraft von Verdis AIDA.

Aus diesem in vielen Farben schillernden Leben heraus, das die Bühnen der Opéra-Comique und des Théâtre-Lyrique erfüllte, erwuchs, folgerichtig fortschreitend, das Opernschaffen von Georges Bizet (1838—1875). Dieser Meister betätigte sich zwar, wie seine Altersgenossen, in allen Sparten, doch ist es auffallend, daß so viele dieser Werke nicht nur unveröffentlicht, sondern auch unvollendet geblieben sind. Intensiver als andere wandte er sich dem drame lyrique zu. Mit seinen vier Beiträgen hierzu hat er die Gattung von verschiedenen Seiten beleuchtet. Das Ende dieser Entwicklung, die Oper CARMEN, bildete als Synthese zugleich den Höhepunkt der Gattung und etwas weit darüber hinaus weisendes, Einmaliges, das die Zeiten überdauert hat.

Mit dem ersten seiner drames lyriques, LES PÊCHEURS DE PERLES (*Die Perlenfischer*; 1863) lieferte Bizet einen der frühesten Ausblicke in die geheimnisvolle Welt des Fremdartigen, dessen Atmosphäre erst in der Musik recht eigentlich zum Ausdruck kommt. Dies ist schon in der mehrfach leitmotivisch wiederkehrenden orchestralen Einleitung der Fall, die von einem kurzen, quasi ostinaten, aufreizend wirkenden Baßmotiv getragen wird. Derartige Orgelpunkte dienen mehrfach, meist in Verbindung mit chromatischer Melodieführung, erregter Deklamation und fluktuierender Harmonik an entscheidenden Stellen zur Erhöhung einer unheimlichen Spannung. Chöre und Tänze sind die Hauptträger des exotischen Ambiente. Von der Reihe der dieser Umgebung entsprechenden lyrischen Sologesänge und Ensembles stechen nur die zwischen Wagner und Verdi stehenden beiden Arien Zurgas aus dem I. und III. Akt sowie das an Wagners RIENZI gemahnende Duett Leila/Zurga ab, das den ersten Teil des III. Aktes beschließt — ein Zeichen dafür, daß die Oper den Zwittercharakter des drame lyrique noch nicht ganz abgestreift hatte. — Musikalisch einheitlicher ist das zweite drame lyrique Bizets, LA JOLIE FILLE DE PERTH (*Das schöne Mädchen von Perth*; 1867). An Stelle der exotisch-geheimnisvollen Sphäre steht hier eine schlicht bürgerliche Umgebung, in der ein Herzog der Genasführte ist, in der aber auch eine Zigeunerin eine wichtige Rolle spielt. Bezeichnend für den Charakter dieser Oper ist vor allem der Anfang des II. Aktes, eine spritzige Carnevalszene, in deren Mitte ein ausgelassenes Trinklied des Herzogs, ein Zigeunertanz und ein mehrteiliges ironisches Strophenlied der Zigeunerin erscheinen. Diese Szene und die Tatsache, daß der Zigeunertanz später in CARMEN übernommen wurde, lassen erkennen, daß zwar nicht der Dramatiker, aber doch der Musiker Bizet auch in diesem im Ganzen konventionellen Werk von seinem Weg zur Vollendung nicht abgewichen ist. — Sicher sein eigenständigstes Werk vor CARMEN ist jedoch der 1872 uraufgeführte Einakter DJAMILEH (Text nach Alfred de Musset von Louis Gallet), ein von opéra comique wie von großer Oper gleich weit entferntes kleines drame lyrique. Es ist ganz und gar in eine einheitliche exotische couleur locale getaucht, die vor allem durch die ständig zwischen Dur und Moll schwankende Melodik und Harmonik sowie durch den häufigen Gebrauch ostinater Rhythmen oder auch Motive verwirklicht wird.

Hatte Bizet auf diese Weise mit den drei bisher genannten Opern wesentliche, charakteristische Beiträge zur Gattung des drame lyrique geleistet, dessen stilistische Uneinheitlichkeit darin weitgehend überwunden und so gleichsam den Boden für künftige Taten bereitet, so fehlte noch das Bedürfnis oder die Fähigkeit, die bloßen, nur nach den jeweiligen Situationen verschieden beleuchteten Gestalten in lebendige Charaktere zu verwandeln. Dies gelang dem Komponisten dann an Hand des geradezu dazu prädestinierten Librettos CARMEN von Henri Meilhac und Ludovic Halévy (nach Prosper Mérimées gleichnamiger Novelle, uraufgeführt am 3. März 1875 in der Pariser Opéra-Comique). Hier wächst aus einer souverän gezeichneten folkloristischen Atmosphäre heraus, die das Drama vom ersten bis zum letzten Chor einhüllt, eine kraß realistische Handlung. Diese Gegensätze, aufreizend dargestellte Folkloristik und notwendig daraus erwachsende Tragik, sind in der Gestalt der Titelheldin vereinigt: durch die Habanera (Nr. 5), die Seguidilla (Nr. 10), das Zigeunerlied (Nr. 12) und den Tanz (Nr. 17) wirft sie gleich einer Naturgewalt ihre magischen Schlingen über den Mann, den sie vorübergehend gerade an sich ziehen will; auf der anderen Seite wird sie gekennzeichnet durch das unheimliche chromatische Schicksalsmotiv, dessen Durchführung den Schluß der Ouvertüre bildet und das auch weiterhin leitmotivisch auftritt, so im f-Moll-Teil des Terzetts im III. Akt, als ihr die Karten den Tod voraussagen, und vor allem in der Schlußszene, als sich ihr Schicksal erfüllt (hier in erschütterndem Zusammenprall mit dem begeisterten Torero-Gesang des Volkes). Diese von der Wiedergabe zynischer Harmlosigkeit bis zu erschütternder Tragik reichende musikalische Palette, zu der auch die spritzigen Chöre und Ensembles sowie die Charakterisierung des derb populären Escamillo gehören, ist das frappierend Neue an der Oper. Seine Wirkungskraft wird durch den gegensätzlichen herkömmlichen, lyrischen Opernstil des drame lyrique, der der Micaela[20] vorbehalten ist, noch verstärkt. In diese Welt gehört ebenfalls Don José, der auch musikalisch zum Opfer des Zusammenstoßes zwischen den beiden Sphären wird, denn er allein hat, selbst im Gegensatz zu dem unproblematischen Torero, keinen ausgesprochenen Charakter. — So sprengt dieses Werk, der Form nach eine opéra comique[21], als Charakter-, ja, wenn man Carmen als Inkarnation einer Naturgewalt betrachtet, als Schicksals-Drama trotz der allgegenwärtigen Atmosphäre auch die Grenzen des drame lyrique. Es steht als opus sui generis jenseits aller Gattungen als reinster Ausdruck französischen Geistes, aber auch als Fremdling unter den Werken, die um es herum die französischen Opernbühnen bevölkerten.

Bei ihnen begann sich die Waage zunächst mehr und mehr zugunsten der „Großen Oper" zu neigen. Es war textlich wie musikalisch ein Wiederaufleben der grand opéra, das aber zugleich Hand in Hand ging mit dem Hervorbrechen des „wagnérisme", jener Bewegung, die in den achtziger Jahren von dem gesamten Kulturleben Frankreichs Besitz ergriff und deren Organ die von den bedeutendsten französischen Schrifstellern ihrer Zeit getragene Revue wagnérienne war. Natürlich wurde auch die französische Opernbühne davon berührt, jedoch keineswegs überschwemmt. Im Rahmen der in sich gefestigten französischen Operntradition kam es zu keiner geschlossenen Wagner-Nachfolge; hatte doch die grand opéra auch ihrerseits bereits eine Durchkomposition großer Szenen, eine Technik von Leitmotiven, ein dramatisch bedingtes Verhältnis von Singstimme und Orchester entwickelt, so daß ein eklektisches Nachahmen weitgehend entfiel. Die Beeinflussung erfolgte auch weniger durch Wagner, den Musiker, als vielmehr durch den Dichtermusiker.

Wohl hatte die zeitgenössische französische Kritik schon vorher wagnerische Klänge in neueren Opern moniert, wobei es sich aber häufig nur um eine fälschliche Gleichsetzung von „modern" und „wagnerisch" handelte. Gewiß kann man in Werken der fünfziger Jahre hie und da TANNHÄUSER- oder LOHENGRIN-Reminiszenzen, später vor allem TRISTAN-Klänge finden, aber sie blieben vereinzelt und waren in keiner Weise dramaturgisch mit dem Text verknüpft. Der wirkliche Wagnerismus auf der Opernbühne aber äußerte sich primär in der Stoffwahl. Das wird besonders deutlich in der 1884 erschienenen Oper SIGURD von Ernest Reyer, in der der germanische Sagenstoff ganz in den Zauberspuk der grand opéra eingehüllt ist und deren Musik ohne spezielle Wagner-Reminiszenzen und mit nur wenig Leitmotivik, mit vielen genrehaften Chören und geschlossenen Formen fest in der französischen Tradition wurzelt. Eine ähnliche Stellung in der Operngeschichte nimmt die gleichfalls in den achtziger Jahren entstandene (1894 posthum aufgeführte) Oper HULDA von Reyers Altersgenossen César Franck ein. Auch sie ist vor allem durch ihren Sagenstoff Wagner verpflichtet, wenngleich die vereinzelten packenden musikalischen Stimmungsbilder, die sie enthält, stellenweise auch wagnerschen Geist atmen. Handgreiflicher, aber weniger feinsinnig zeigt sich der „wagnérisme" in der zweiaktigen Oper GWENDOLINE von Emanuel Chabrier (1886) abgesehen von dem Sagenstoff in dramaturgisch-musikalischen Einzelheiten, wie z. B. dem den I. Akt durchsetzenden Schlachtruf „Ehejo" der Dänen, in dem musikalisch untermalten, langen, schweigenden Gegenüberstehen des Liebespaares, dem wirkungsvollen musikalischen Gemälde des Sonnenaufgangs zu Beginn des I. und vor allem in dem tristanhaften Liebesduett des II. Aktes[22].

Weit über der mehr äußerlichen Anlehnung an Wagner in diesen Werken steht die geistig-musikalische Auseinandersetzung mit ihm in Vincent d'Indys Oper FERVAAL (1897). Bezeich-

---

20 Diese Gestalt kommt in der Novelle Mérimées nicht vor.
21 Die Rezitative wurden auch hier erst später hinzukomponiert.
22 Die gleiche Stellung zwischen „Großer Oper" und „Wagnérisme" nimmt auch die Oper LE ROI ARTHUS (König Artus; 1903) von Ernest Chausson ein.

nend ist schon, daß der Text vom Komponisten selbst stammt und daß der Untertitel „Action dramatique" auf den Titel „Handlung" des TRISTAN hindeutet. Musikalisch lassen viele Merkmale und Teile des Werkes, wie z. B. die Liebesszene im I. Akt, die atmosphärische Natur- und Situationsmalerei in den drei Akteinleitungen, manche szenisch-musikalischen Effekte und die häufige Durchdringung des Orchestersatzes mit einem dichten Netz von mannigfach verarbeiteten Leitmotiven an Wagner denken, textlich deutet die Wahl eines mythischen Stoffes auf seinen Einfluß hin, und doch ist das versponnene Mysterienspiel voller liturgischer Weisen mit seinem esoterisch-jenseitigen Ideengehalt meilenweit von Wagners handfester Theatralik entfernt. Auch über dem gleichfalls vom Komponisten stammenden Text von d'Indys zweiter Oper, der „action musical" L'ÉTRANGER (*Der Fremdling*; 1903) liegt der Schleier eines Geheimnisses, doch ist hier die Handlung und mit ihr die Musik durch genrehafte Chöre und volkstümliche Gesänge aufgelockert und dadurch bühnenwirksamer gestaltet. Auch bei diesem geglückten Schritt vom oratorienhaften Mysterienspiel zur Oper hat der Komponist aber seine geistige Verwandtschaft zu Wagner in aller Selbständigkeit gewahrt.

Die mehr oder weniger stark vom Wagnerismus geprägten Werke befanden sich jedoch gegenüber dem urfranzösischen Gros der neubelebten grand opéra und des neben dieser weiterwirkenden drame lyrique bei weitem in der Minderzahl. Ihre führenden Meister waren Camille Saint-Saëns (1835—1921) und Jules Massenet (1842—1912). Die Tatsache, daß das erfolgreichste, langlebigste Werk des ersteren, SAMSON ET DALILA (Weimar 1877), eine „große Oper" war, das des letztern, MANON (1884), dagegen ein „drame lyrique", wirft ein schlagendes Licht auf die verschiedene Veranlagung der beiden Komponisten. Für Saint-Saëns war der Stil der großen Oper mit seinem Aufwand, seinen großen „Tableaux" und seinem Kontrastreichtum ein willkommenes Vehikel zur musikalischen Wiedergabe besonderer Charaktere in Ausnahmesituationen, für Massenet war er eher ein starrer Panzer, der die im drame lyrique mit leichter Hand zu verwirklichende Personencharakterisierung nur erschwerte. Das zeigt eine Gegenüberstellung von SAMSON ET DALILA mit Massenets gleichfalls 1877 erschienener Oper LE ROI DE LAHORE, gerade wegen der beide Opern umgebenden exotischen Atmosphäre, besonders deutlich. Während dies bei Saint-Saëns in raffiniert instrumentierten Solo- wie in prunkvollen Massenszenen als integrierender Bestandteil des musikalischen Dramas erscheint, stehen entsprechende Szenen bei Massenet mehr außerhalb des Geschehens. Ein ähnlicher Unterschied besteht auch zwischen historischen Opern beider Meister. In ETIENNE MARCEL (1897) und HENRI VIII (1883) von Saint-Saëns z. B. ist der dem Geiste der großen Oper besonders eng verhaftete Ausdruck martialisch-herrscherlicher Ansprüche steigernd oder kontrastierend nahtlos in den musikalischen Fluß eingebunden — in Massenets CID (1885) hingegen heben sich derartige, reichlich durch Fanfarenklänge charakterisierte Szenen deutlich spürbar und fast als bloße Zutaten vom musikalisch-dramatischen Geschehen ab. Auch in anderen Opern weniger spektakulären Inhalts, wie z. B. dem etwas später entstandenen ASCANIO (1890), zeigt sich Saint-Saëns mit seiner Fähigkeit, die schärfsten Gegensätze durch oft raffinierten Gebrauch aller musikalischer Elemente (vom unbegleiteten Rezitativ und Lied bis zum glänzend instrumental ausgedeuteten Akkompagnato, vom schlichten Strophengesang bis zur anspruchsvollen Koloraturarie, vom einfachen akkordisch-syllabisch deklamierenden Ensemble oder Chor zur polyphonen, klangvollen Massenszene) zu einer musikalisch-dramatischen Einheit zusammenzuzwingen, als ein wahrer Nachfahre Meyerbeers und damit zugleich als ein französischer Gegenpol zu Wagner, von dem er weder in seiner Textwahl noch in seiner Kompositionsweise beeinflußt war.

In dieser Hinsicht stimmt Massenet mit ihm überein, nur daß er die Verwirklichung seiner musikalisch-dramatischen Absichten nicht vorwiegend innerhalb einer Gattung, sondern auf vielen verschiedenen Gebieten suchte und sie schließlich in dem seiner Veranlagung entsprechenden „drame lyrique" fand. Mit MANON (1884) folgte er 28 Jahre später dem Beispiel Aubers, der 1856 mit seiner MANON LESCAUT recht eigentlich den Übergang von der opéra comique zum drame lyrique vollzogen hatte. Die beiden Werke stehen einander gattungsentsprechend sehr nahe, nur daß das jüngere mit seiner Fünfaktigkeit, dem Ballet im III. Akt, der weitgehenden Durchkomposition und manchen scharfen Kontrasten die inzwischen erreichte Verwandtschaft der Gattung auch mit der Großen Oper deutlicher erkennen läßt. Zudem ist der gesprochene Dialog durch eine — zurückhaltende — Orchesterbegleitung dem Rezitativ angenähert. Die beiden textlich etwas verschieden gestalteten Schlüsse geben einander an Wirkungskraft nichts nach. Im Ganzen ist die Oper Massenets durch eine sich dem Geschehen raffiniert anschmiegende, ständig wechselnde musikalische Sprache in eine aus Volkstümlichkeit, Zweideutigkeit, Grobheit und Unschuld zusammengesetzte Atmosphäre gehüllt, die programmatisch schon den ganzen I. Akt erfüllt und recht eigentlich den Reiz der Oper ausmacht.

Im Gegensatz zu dieser Mannigfaltigkeit zeichnet sich Massenets drame lyrique WERTHER (1892) durch eine extreme musikalische Enthaltsamkeit aus, die das verinnerlichte Seelengemälde des goetheschen Vorbildes fast maniert wiedergibt. Schon die Atmosphäre im Hause des Amtmanns im I. Akt erscheint musikalisch in Gestalt einer ständigen Wiederholung weniger, primitiv wirkender Motive oder deren Bruchstücke, ja, die ganze Oper ist von Erinnerungsmotiven dieser Art durchsetzt, kurzen Phrasen, die entweder als Ostinati auftreten oder sequenzierend weitergetrieben werden. Aus dieser gewollten Monotonie stechen die pathetischen Gesänge des Protagonistenpaares gegen Ende der Oper dann um so wirkungsvoller hervor.

Die Verhaltenheit, die dieses Werk beherrscht, ist auch für spätere Opern von Massenet charakteristisch, so für THAIS (1894) und vor allem für das Miracle in drei Akten LE JONGLEUR DE NOTRE DAME (*Der Gaukler unserer lieben Frau*; 1902). THAIS ist dem Geiste nach ein drame lyrique, dem Aufwand der Wiedergabe nach aber eine „große Oper"; dementsprechend wurde das Werk auch in der „Opéra" uraufgeführt. Alle seine großen, als „Tableaux" bezeichneten Szenen sind Ausgeburten gegensätzlicher, vom Orchester getragener Atmosphären, von denen die jeweiligen Gestalten eingehüllt werden. Auch das „Miracle" ist im Einzelnen wie letztlich auch im Ganzen beherrscht von dem musikalisch glänzend ausgedeuteten Gegensatz zwischen volkstümlichem Realismus und entrückter Jenseitigkeit, wozu hier wie auch in THAIS und MANON liturgische Weisen herangezogen werden.

Diese textlich bedingte, musikalisch noch vertiefte Zwiespältigkeit, die das drame lyrique mit dem Aufwand, den sie erforderte, wieder vielfach in die Nähe der „großen Oper" führte, sollte der französischen Opernkomposition um die Jahrhundertwende vor anderen Merkmalen ihren Stempel aufdrücken. Zu ihren bedeutendsten und ältesten Vertretern gehören Alfred Bruneau (1857—1934) und Gustave Charpentier (1860—1956). Auch Bruneaus LE RÊVE (*Der Traum;* 1891) zeigt Folkore und Liturgik vor einem von einem dichten Netz von Leitmotiven durchzogenen mystischen Hintergrund, in MESSIDOR (1897) hat das naturalistische Geschehen des Textes von Emile Zola dagegen zunächst die Oberhand — der Aufstand der Goldwäscher gegen den Fabrikanten gemahnt geradezu an Hauptmanns *Weber*. Durch die große Pantomime zu Beginn des III. Aktes, „La Légende d'or", aber wird der Gedanke des Goldrausches ins Mystische erhoben. Dieser Welt gehört auch die namenlose Gestalt des „berger" an, dessen verhaltene, ja pastorale musikalische Sprache sich scharf von dem dramatisch bewegten Gesangsstil der übrigen typischen Operngestalten abhebt. — Zolas Libretto zu L'ENFANT ROI (*Der Kinderkönig;* 1905) wurzelt dagegen ganz im Alltagsleben der Gegenwart und gab dem Komponisten Gelegenheit, die Gestalten in diesem einheitlichen Rahmen musikalisch durch um so charakteristischere Leitmotive gegeneinander abzusetzen. Alle fünf Akte aber werden zusammengehalten durch das mannigfach abgewandelte Motiv der geliebten, verherrlichten Stadt Paris, die in der verschiedensten Beleuchtung den allgegenwärtigen Hintergrund des Geschehens bildet. Damit haben Zola und sein Komponist an Charpentiers fünf Jahre zuvor erschienene, als „roman musical" bezeichnete LOUISE (1900) angeknüpft.

Dieses Werk, eine der meist gespielten französischen Opern ihrer Zeit, verdankte seinen großen Erfolg der vom Komponisten selbst stammenden, textlich geschickten Darstellung der ungeheuren Gegensätze, die die einzigartige Stadt in sich birgt und deren verschiedenartiges Milieu von vornherein auf eine musikalische Ausdeutung hin angelegt war. Schon der I. Akt, der ganz in der kleinbürgerlichen Atmosphäre von Louises Elternhaus spielt, enthält einen musikalisch wirkungsvollen Kontrast zwischen dem durch eintönige, abgehackte Motivik und erregte, sprüngereiche Deklamation charakterisierten, gespannten Bereich der zänkischen Mutter und den sich bis zu geschlossenen Formen verdichtenden, kontrastreicheren oder sequenzierend fortschreitenden längeren Melodielinien des gütigen Vaters. Mit der Rückkehr Louises in diese Sphäre und ihre Flucht daraus im IV. Akt bildet diese den Rahmen der Oper, innerhalb dessen sich die andere, die orgiastische Seite der unheimlichen Stadt vom II. zum III. Akt zunehmend entfaltet, zunächst im Kreise des Volkes auf dem Markt bzw. im lustigen Trubel der Näherinnen, unter denen Louise arbeitet, dann, im III. Akt, im Rausch der tristanhaften, monumentalen Liebesszene, die durch den Aufzug der gesamten Bohème zum Lobgesang auf Paris als deren Sinnbild gedeutet wird. Mit dem Auftritt der Mutter, die die zur Muse des Montmartre gekrönte Louise zum kranken Vater zurückholt, stoßen die Gegensätze zwischen dem Naturalismus des Textes und dessen musikalisch unterstützter rauschhafter Übersteigerung kraß zusammen.

Auf dieser Bahn bewegte sich die französische Oper ins 20. Jahrhundert hinein, getragen von einer Fülle von Komponisten, deren Werke weitgehend der Vergessenheit anheimgefallen sind und aus der hier nur eine kleine beispielhafte Auswahl genannt werden kann. Die Oper LE JUIF POLONAIS (*Der polnische Jude*; 1900) von Camille Erlanger (1863—1911) ist ganz auf einen ständigen Wechsel zwischen krassem, von Folklore unterstütztem Realismus und einer quälenden Traumwelt hin angelegt und zeichnet sich durch diesen, auch musikalischen, Kontrastreichtum vorteilhaft vor Erlangers späterem drame musical APHRODITE (1906) aus, dessen exotisch-erotische Atmosphäre zu einem gegensatzlosen, die Sinne auf die Dauer abstumpfenden Schwelgen in chromatisch verschränkten Klängen führt. — In der Oper MIARKA (1905) von Alexandre Georges (1850—1938) liegt die Zwiespältigkeit des Textes im Zigeunermilieu mit seiner Mischung von exotischer und schlicht volkstümlicher Naturverbundenheit, die der Komponist vor allem durch zahlreiche, gegensätzlich gestaltete geschlossene Formen innerhalb der rezitativisch durchkomponierten Szenen wirkungsvoll wiedergibt. Xavier Leroux (1863—1919) hat aus der conte dramatique LA REINE FIAMETTE (*Königin Fiamette*) von Catulle Mendès (1903) eine farbenprächtige Oper gemacht, in der intrigante Akkompagnato-Gespräche über quasi ostinaten Rhythmen bzw. Motiven mit fröhlichen Volksszenen voll sequenzierender Melodik abwechseln. Deutlicher tritt der das Geschehen bewegende Gegensatz der Sphären in seinem drame lyrique LE CHEMINEAU (*Der Vagabund*; 1907) hervor, wo der Protagonist, ein wandernder Schnitter, als Symbol der künstlerischen Freiheit von aller Konvention dem Bauernmilieu gegenübergestellt wird. Die Kontraste werden musikalisch durch charakteristische, schwärmerische bzw. volkstümliche Leitmotive oder auch leitmotivische Klangflächen zum Ausdruck gebracht, die jeweils fast plakathaft in den ausgedehnten orchestralen Vorspielen der vier Akte erscheinen. — Eine Sonderstellung nimmt die Oper LA HABANERA (1908) von Raoul Laparra (1876—1943) ein, in der dieser Tanz bzw. dessen Rhythmen mit einer Vielzahl von Varianten allgegenwärtig ist. Besonders kraß wird der innere Zwiespalt der Handlung — ein Brudermord zu den Klängen der Habanera — musikalisch am Ende der Oper dargestellt, wo die Tanzrhythmen zu den liturgischen Gesängen auf dem Kirchhof ertönen.

Vom gleichen Geiste beseelt wie die genannten Opern sind auch die folgenden, nur daß sie ihn stärker in den Aufwand der großen Oper einhüllen. Hier ist vor allem die Oper LA CARMÉLITE (*Die Karmeliterin;* 1902) von Reynaldo Hahn (1875—1947) zu nennen. In ihren vier Akten wird abwechselnd höfisches und kirchliches Milieu mit viel Pomp dargestellt. Zwischen ihnen wirkt unheilverkündend eine düstere Sphäre von Zauberei, die auch diesem Geschehen einen zwiespältigen Anstrich verleiht. Mit der höfischen Musik des I. Aktes wie auch mit der Polyphonie der geistlichen im letzten knüpft der Komponist spürbar an die französische Tradition des 17. und 18. Jahrhunderts an, während in den beiden Zwischenakten die individuellen Gegensätze zwischen den Hauptpersonen im Wechsel von pathetischen Ariosi und leichtfertigen oder volkstümlichen Liedern, jedoch stets musikalisch durchsichtig und melodisch eingängig wiedergegeben werden. — Das drame lyrique MONNA VANNA (1909) von Henry Février (1875—1957) steht trotz des Textes von Maurice Maeterlinck mit ausgedehnten, sehr bewegten Massenszenen und langen Soli aus viel Secco-Rezitativ, Akkompagnati und wirkungsvollen Ariosi, aber fast ohne geschlossene Formen, der großen Oper erstaunlich nahe. — Typische Beispiele für diese sind dagegen QUO VADIS (1909, Text nach dem Roman von Henryk Sienkiewicz) von Jean Nouguès (1875—1932) und HELIOGABALE (1910, trotz des Untertitels „tragédie lyrique" eine eigenartige Mischung von Gesangs- und Sprechrollen) von Déodat de Sévérac (1873—1921), beide ausgesprochene Ausstattungsstücke, deren Musik den im Text verankerten Zwiespalt zwischen Grausamkeit und Gläubigkeit mitunter recht grob kontrastierend wiedergibt.

Eine Librettistik, die, wie diejenige um die Jahrhundertwende, in zunehmenden Maße nur auf Kontraste an Stelle von Entwicklung gerichtet war, mußte die Musik aus dem Drama heraus in die Rolle von mehr oder weniger isolierten Tongemälden drängen; je mehr sich die Werke der „großen Oper" näherten, desto mehr fielen die Komponisten dieser Gefahr anheim. Sie konnten ihr nun zwar durch eine Hinwendung zu simpleren, lyrischen Stoffen begegnen, wie es z. B. Sévérac in seinem Pastoraldrama LE COEUR DU MOULIN (*Das Herz der Mühle;* 1909) und Guy Ropartz (1864—1955) in seiner Oper LE PAYS (*Das Land;* 1912) getan haben, sie konnten, noch weiter, auf heitere Gegenstände ausweichen wie Henry Rabaud (1873—1949) mit seiner komischen Oper MÂROUF, SAVETIER DU CAIRE (*Mârouf, Schuhflicker von Kairo;* 1914), aber ausschlaggebend war im Grunde nicht der Stoff des Textes, sondern dessen homogener, musikalisch deutbarer dramatischer Gehalt. Eine solche recht eigentlich musikalisch-dramatische Neubelebung der Gattung liegt beispielsweise in den Opern PROMÉTHÉE (1907) und PÉNÉLOPE (1913) von Gabriel Fauré (1845—1924) und MACBETH (1910) von Ernest Bloch (1880—1959) vor. Bei Fauré steht vor allem in PÉNÉLOPE im Rahmen großflächiger Kontraste die überaus feine (leit-)motivische Arbeit des Komponisten im Einzelnen stets im Dienste des Bühnengeschehens; Blochs MACBETH ist, da der Librettist Edmond Fleg mehr eine Übersetzung als eine Veroperung des shakespearischen Dramas vorgenommen hat, eher als Musikdrama denn als Oper zu bezeichnen — ein interessanter Gegensatz zu dem gleichnamigen Werk Verdis. Beruht bei Bloch doch die gesteigerte dramatische Wirkung vor allem auf Höhepunkten, wie in dem Monolog des Titelhelden und der anschließenden Szene der Lady im I. Akt, aber auch in nebensächlichen Szenen, wie z. B. der des betrunkenen Pförtners ebenda, eben auf der minutiösen orchestralen Ausdeutung des an sich schon so anschaulichen originalen shakespeareschen Textes.

# Das 20. Jahrhundert

## Impressionistische Experimente

Aber obwohl sich diese Werke durch die in ihnen vollzogene enge Verschmelzung von Text und Musik über das Niveau der französischen Opernbühne jener Zeit erheben, bewegen doch auch sie sich weitgehend auf dem Boden der „Großen Oper". Ihn hatte nur einer schon vor ihnen, 1902, im Jahr von Massenets „Miracle" LE JONGLEUR DE NOTRE DAME und in unmittelbarer zeitlicher Nachbarschaft von Charpentiers so überaus populärem „roman musical" LOUISE verlassen: Claude Debussy (1862—1918) mit seinem drame lyrique PELLÉAS ET MÉLISANDE.

Der Meister, der in seiner Jugend ein begeisterter Anhänger Wagners gewesen war, hatte mit seinem Werk trotz der nicht zu übersehenden inhaltlichen Beziehungen zu TRISTAN ein ausgesprochen anti-wagnerisches Musikdrama erstrebt, wobei er sich aber auch zugleich und noch rigoroser von der französischen Oper seiner Zeit abwandte. Dies geschah bereits durch die nur unwesentlich gekürzte Übernahme des Dramas von Maurice Maeterlinck als Text. In dem Werk dieses flämischen Dichters, der der französischen Gruppe der Symbolisten nahestand, geht es um eine Welt des Unbestimmten, Geheimnisvollen, in der alle Wesen, ihrer selbst unbewußt, verloren umherirren, duldend, und wenn einmal handelnd, dann nur aus einem ihnen selbst nicht erklärbaren, dunklen Drang heraus. Die Komposition eines solchen Textes, der von der damals handfesten französischen Librettistik gleich weit entfernt ist wie vom psychologisierenden Musikdrama Wagners, war ein Experiment. Es schien von vornherein zum Scheitern verurteilt zu sein, wie das bei einem Bühnenwerk, das auf eine Vermeidung aller Eigenschaften hin, die es bühnenwirksam machen könnten, angelegt ist, nicht verwunderlich gewesen wäre, doch führte die imponierende Konsequenz, mit der der Impressionist Debussy die Legende des Symbolisten Maeterlinck in die ihr angemessene verschleierte und nur hie und da durch orchestrale Farbflecke aufgehellte oder auch getrübte Atmosphäre eingehüllt hat, alsbald dazu, daß der Versuch als epochemachendes Ereignis zwischen allen Fronten, d. h. sui generis, anerkannt wurde[1]. Die Oper mutet an wie eine einzige große Monodie, denn da der Text in Rede und Gegenrede ganz gleichförmig dahinfließt, fehlte auch das Problem, Handlung und Betrachtung aufeinander abzustimmen, völlig. Die Freiheit, die der Text der musikalischen Gestaltung läßt, zwang den Komponisten dazu, den Fluß durch sparsame Verwendung eigener, der alten Oper entnommener Mittel, von instrumentalen Akteinleitungen und Szenenübergängen sowie hie und da von Leitmotiven einzudämmen. Mit diesen verfuhr er, in bewußtem Gegensatz zu Wagner, besonders zurückhaltend, sowohl was die Zahl (nur drei für die drei Hauptpersonen) als auch was die Gestalt betrifft: Sie sind alle kurz, wandelbar und assimilierbar und erscheinen dementsprechend in den verschiedensten Gestalten und Kombinationen, gehen aber gleichsam als Nebenerscheinungen in den farbigen „impressions" des Orchesters unter. Um diese mit allen harmonischen und klanglichen Reizen seiner Instrumentalmusik ausgestattete orchestrale Untermalung der verschleierten szenischen Vorgänge ging es Debussy in erster Linie, auf sie hin waren die in dieser Umgebung auch musikalisch herumirrenden Singstimmen erfunden. Sie deklamieren, ohne daß sie je im Brodeln des Orchesters untergingen, mit echt französischer Korrektheit und Deutlichkeit, häufig monoton, im Stile einer unendlichen, jedoch vielfach in kurze und kürzeste Phrasen zerrissenen Monodie. Nur ganz selten

---

[1] Vgl. zu dieser Oper auch Gösta Neuwirth, Parsifal und der musikalische Jugendstil, in: Richard Wagner, Werk und Wirkung, herausgegeben von Carl Dahlhaus, in: Studien zur Musikgeschichte des 19. Jahrhunderts, Band 26, Regensburg 1971, S. 175—198.

einmal verschiebt sich das Schwergewicht auch musikalisch vom Orchester auf die Singstimme, so am Anfang der Szene III,1, in der Mélisande am Fenster ganz unbegleitet ihr Lied singt: und gelegentlich in der Liebeszene IV,4.

Claude Debussy: PELLÉAS ET MÉLISANDE

Im Ganzen liegt der Oper jedoch textlich wie musikalisch trotz des bewußten Verwischens der Konturen ein glasklarer Aufbau zugrunde: Ihre 13 Bilder folgen einander in regelmäßigem Wechsel von durchsichtig-atmosphärischen Szenen im Freien und düster-gegenständlicheren im Interieur, wodurch auch zugleich die Gestalten charakteristisch voneinander abgehoben werden.
Das Werk wurde in seiner meisterhaften Andersartigkeit bewundert und anerkannt, aber es fand nur eine einzige Nachfolge in der „conte en trois actes" ARIANE ET BARBE-BLEU (1907) von Maeterlinck und Paul Dukas (1865—1935), in der das dramatische Geschehen allerdings der es verschleiernden Atmosphäre gegenüber vom Dichter etwas stärker hervorgehoben wird als in PELLÉAS, und der Komponist ist ihm darin gefolgt. Auf diese Weise wurde die Oper ein nicht minder großartiges, sogar bühnenwirksameres Gegenstück zu dem Werk Debussys, nur daß ihm dessen einzigartige, kompromißlose Einheit der verschleierten Atmosphäre fehlt. Es steht etwa mit der handfesten Tonmalerei beim Öffnen der verschiedenen Türen im I. Akt, aus denen Schmuckstücke aller Art hervorquellen, und den Massenszenen im I. und III. Akt der „Oper" näher, aber um so stärker hebt sich die unheimlich sparsame, doch stets farbig instrumentierte Begleitung in den inhaltlich hervorragenden Szenen ab, wie z. B. in der Auffindung der fünf Frauen im I. Akt unmittelbar nach den Tongemälden und im ganzen II. Akt. Dieser spielt in der bedrückenden Atmosphäre der unterirdischen Höhle, in die dann plötzlich durch das Aufstoßen des großen Fensters als großartiges Klanggemälde aus verschiedenen Motivflächen das Licht hereinbricht.
Das durchsichtige Motivgeflecht des Orchesters ist der musikalische Träger des Geschehens, in das die Singstimmen hineindeklamieren. Einige kurze Leitmotive, allen voran das Oktav-Motiv des Blaubart, das die Oper eröffnet und schließt, treten inhaltsentsprechend hie und da hervor, ohne, genau wie bei Debussy, besondere Bedeutung zu erlangen. Besonders deutlich wird die geistige Verwandtschaft mit dem anderen Werk Maeterlincks in den verwischten Konturen des offen bleibenden Schlusses: Nur Ariane hat die Kraft, sich von Blaubart, dem die Frauen alle verfallen sind, loszureißen. Nachdem sie ihnen vergeblich die Atmosphäre der Natur im Orchester in den leuchtendsten Farben vorgestellt hat, geht sie allein hinaus, vielsagend von seinem Oktav-Motiv über pianissimo-Tremolo im Orchester begleitet.
Eine ähnliche Sonderstellung wie die beiden impressionistisch-symbolistischen Werke von Debussy und Dukas im Rahmen der ernsten französischen Oper nehmen der Einakter L'HEURE ESPAGNOLE (*Die spanische Stunde,* 1911) und die fantaisie lyrique in zwei Teilen L'ENFANT ET LES SORTILÈGES (*Das Kind und die Zauberdinge*; 1925, Text von Colette), beide von Maurice Ravel (1875—1937), im Rahmen der heiteren ein. Die übliche Bezeichnung „komische Oper" würde dem Wesen der beiden Werke nicht gerecht werden, denn an Stelle der die Gattung textlich wie musikalisch charakterisierenden, etwas groben Typik erscheint in ihnen ein feiner, im ersten

Werk oft zwiespältiger, im zweiten märchenhaft verbrämter Humor. — In L'HEURE ESPAGNOLE steht die Musik insgesamt wie in Einzelheiten im Dienst einer behutsamen, mitunter parodistischen Personen- und Situationscharakteristik. Alle Gestalten werden sowohl gesanglich als leitmotivisch, aber vor allem klanglich charakteristisch voneinander abgehoben, sind jedoch zugleich durch den in Abständen wiederkehrenden Leitklang des Uhrmacherladens, in dem das Stück spielt, von dessen Atmosphäre umfangen. Diese wird hier wie im wesentlichen in allen Szenen von dem trotz häufiger Verflechtung von gegensätzlicher Motivik, Rhythmik und Harmonik stets durchsichtigen, situationsentsprechend farbig instrumentierten Orchester getragen; spanische Tanzrhythmen spielen dabei eine große Rolle. — Im Gegensatz zu diesem heiteren Musikdrama „en miniature" stellt die „fantaisie lyrique" L'ENFANT ET LES SORTILÈGES ein kaleidoskopartig wechselndes Tongemälde, eine Mischung von Oper, Melodram und Ballett dar, wozu eine nicht weniger raffiniert instrumentierte, rhythmisch, melodisch und harmonisch auf ein Verwischen der Schwerpunkte hin angelegte Musik den stimmungsmalenden Hintergrund bildet. Alles, was in L'HEURE ESPAGNOLE primär im Dienst der dramatischen Charakterisierung steht, wird in diesem Märchen weitgehend zum Selbstzweck, zu einem fröhlichen, mit feinstem Kunstverstand ausgeführten Spaß.

## Erneuerung aus dem Geiste der Avantgarde

Die französische Oper des 19. Jahrhunderts lebte, bald mehr zur grand opéra, bald mehr zum drame lyrique tendierend, im Schaffen Massenets, seiner Schüler (u. a. Alfred Bruneau, Gustave Charpentier, Reynaldo Hahn, Henri Rabaud) und vieler anderer Komponisten grundsätzlich unverändert bis weit in das 20. Jahrhundert hinein. Wie fest sie als Gattung im Sattel saß, wird durch die Tatsache, daß das großartige Experiment Debussys (abgesehen von dem Werk Dukas') ohne Nachfolge blieb, nur allzu deutlich offenbart.

Erst sehr viel später erfolgte ihre Erneuerung aus dem Geiste der Avantgarde heraus, die sich, angeregt vor allem durch den Dichter Jean Cocteau (1891—1963) und den Komponisten Eric Satie (1866—1925), im Schaffen von Musikern der „Groupe des Six", Arthur Honegger (1892—1955), Darius Milhaud (1892—1974) und Francis Poulenc (1899—1963) vollzog. Sie war eine scharfe Reaktion auf die musikdramatische Überladenheit der alten Oper, zugleich aber auch auf den Impressionismus Debussys, ohne sich freilich ganz aus diesen Bahnen lösen zu können. Es wirkt wie ein Fanal, daß diese die folgenden Jahrzehnte beherrschende Opernproduktion von der einzigen Oper Saties, dem „drame symphonique en trois parties avec voix sur dialogues de Platon" (symphonisches Drama in 3 Teilen mit Stimme über Dialoge von Platon) SOCRATE eröffnet wurde (erste öffentliche Aufführung 1920 konzertant in Paris, szenisch 1925 in Prag), die schon durch ihren gänzlich opernfernen Untertitel und ihre undramatische Textvorlage den Gegensatz zur Oper im landläufigen Sinne eindeutig manifestiert. Der Text Platons (in französischer Übersetzung) wird nicht dialogisch, sondern durchgehend als betont schmucklos und nüchtern rezitierte, teilweise psalmodierend anmutende Erzählung wiedergegeben. Sie orientiert sich stets streng an der Sprache des Textes, ohne von dessen Inhalt Notiz zu nehmen. Das Gleiche gilt auch für die selbständige, aber stets durchsichtige Begleitung des Orchesters, die den Fluß des Ganzen durch meist motorisch wirkende ostinate Motive aufgliedert. Trotz dieses offensichtlichen Strebens nach Vermeidung „opernhafter" Effekte im Einzelnen ist doch eine Orientierung am Textinhalt im Ganzen nicht zu verkennen. Die Folge der drei Teile („Portrait de Socrate" — „Bonds de l'Ilissus" — „Mort de Socrate") ist gleichzeitig eine Rahmenform und eine Steigerung auf den krönenden Schluß hin. Teil I und III entsprechen sich durch den geraden Takt und heben sich durch ihn von dem 6/8-Takt des Mittelteils ab, der die lyrische Atmosphäre am Ufer des Flusses Ilissus wiedergibt, die „Mort de Socrate" aber wird nicht nur durch die mehrfach an entscheidenden Stellen wiederkehrenden Dreiklangsfortschreitungen charakterisiert, die den Teil erregend eröffnen, sondern sie zeichnet sich auch durch eine weit bewegtere und sprüngereichere Führung der Singstimme vor den andern Teilen aus, so daß die Todesszene des Philosophen eindeutig auch als Höhepunkt des dramatischen Geschehens wirkt.

Obwohl Satie den Komponisten, deren Werke die französischen Opernbühnen bis über die Mitte des 20. Jahrhunderts hinaus bevölkern sollten, an Jahren weit voraus war, hat sich doch keiner von diesen so ostentativ und weit von Wesen und Zielen des noch immer lebendigen „Musikdramas" entfernt. Besonders deutlich als dessen Vertreter erscheint das „opéra-ballet" PADMAVATI (1923) des nur wenig jüngeren Albert Roussel (1869—1937), dessen Untertitel eindeutig auf die bewußte Anknüpfung an die alte französische Operntradition hinweist. Der Gattung des opéra-ballet entsprechend spielen ausgedehnte, abwechslungsreiche Tänze, Pantomimen und Aufzüge in den beiden Akten eine sehr große Rolle, sie alle, wie auch die ganze Handlung, in eine allgegenwärtige exotische Atmosphäre eingehüllt, die musikalisch ihren Niederschlag gleichermaßen in Melodik, Rhythmik und Harmonik findet. Innerhalb einer kunstvollen motivischen Arbeit treten Ostinati jeder Art, häufig auch im Dienste der Inhaltsausdeutung, auf, und die beiden Gegner Ratan-Sen von Tchitor und der mongolische Sultan Alaouddin werden durch gegensätzliche Motivik sogar musikalisch voneinander abgehoben. So stellt das Werk im Ganzen eine harmonische Verquickung von dramaturgischer Tradition und musikalischem Fortschritt dar.

Eine ähnliche Vermittlerstellung nehmen die dramatischen Werke von Jacques Ibert (1890—1962), vor allem die einaktige ANGÉLIQUE (1927) und, vieraktig, LE ROI D'YVETOT (*Der König von Yvetot;* 1929), im Rahmen der heiteren Gattung ein. Das Gleiche gilt auch für die in Zusammenarbeit mit Honegger entstandene Operette LES PETITES CARDINALES (*Die kleinen Kardinäle;* 1938) und für dessen eigene Operette LES AVENTURES DU ROI PAUSOLE (*Die Abenteuer des Königs Pausole;* 1930), beide auf Texte von Albert Willemetz und in den Bouffes-Parisiens uraufgeführt. In Honeggers Werk ist das rasch und graziös deklamierte Rezitativ von vielen sehr eingänglichen, aber nie trivialen Strophenliedern durchsetzt. Rhythmisch und harmonisch sehr abwechslungsreiche Tänze, die die verschiedenen Temperamente treffend charakterisieren, stehen den ersten Werken des Komponisten an Raffinesse der Orchesterbehandlung nicht nach.

In ihnen hat Honegger dagegen obendrein auf seine besondere Weise die alten Gattungsgrenzen durchbrochen, indem er nicht, wie Satie, die musikalischen Ausdrucksmittel aufs Äußerste beschränkte, sondern sie im Gegenteil durch die Verknüpfung verschiedener Gattungen noch vermehrte. Keines seiner Bühnenwerke ist ursprünglich als „Oper" entstanden, sofern es überhaupt eine solche geworden ist. *König David* und JUDITH entstanden beide als Bühnenmusiken zu biblischen Handlungen von René Morax und wurden als solche 1921 bzw. 1925 in Mézières (Schweiz) uraufgeführt. Unter der Bezeichnung „Psaume symphonique" kam *David* dann erstmalig 1923 konzertant mit einem die Teile verbindenden Erzähler in deutscher Sprache in Winterthur, 1924 in französischer Sprache auf der Bühne der Champs-Élysées in Paris heraus, JUDITH erschien 1926 in einer Bearbeitung als dreiaktige „opéra sérieux" auf der Bühne von Monte Carlo. Auch der dreiaktigen ANTIGONE (Text von Jean Cocteau nach Sophokles), die 1927 im Théâtre de la Monnaie in Brüssel uraufgeführt wurde, lag ursprünglich nur eine kurze Szenenmusik zugrunde. Von vornherein auf eine Zweigleisigkeit der Gattungen hin angelegt war hingegen das „Oratorio dramatique" JEANNE D'ARC AU BÛCHER (*Johanna auf dem Scheiterhaufen*) über einen Text von Paul Claudel, das 1938 konzertant in Basel uraufgeführt und 1942 in Zürich erstmals szenisch dargestellt wurde.

Um diese großen dramatischen Werke herum rankt sich eine Vielzahl von kleineren, Szenenmusiken, Melodramen, Ballette oder Mischungen zwischen diesen Gattungen; auch das weltliche

Oratorium CRIS DU MONDE (*Schreie der Welt*) ist hier zu nennen. Alle diese Kompositionen unterstreichen noch das enge, aber ganz unkonventionelle Verhältnis des Künstlers zum Wort bzw. zur szenischen Darstellung. Er setzte sich mit ihnen häufig und auf die verschiedenste Weise auseinander, ohne im Grunde je zur Oper im engeren Sinne gelangt zu sein.

Die drei Teile von *König David* hat Honegger dem Text folgend auch musikalisch im Einzelnen wie im Ganzen als große Steigerung angelegt. Im ersten bestehen die in dichter Folge in die gesprochene Erzählung eingefügten Musikeinlagen, von der feierlichen orchestralen Einleitung und dem kriegerischen Heereszug in der Mitte abgesehen, aus überwiegend solistisch oder in schlichtem Chorsatz vorgetragenen, knappen, liedhaften, sehr eindringlich deklamierten Psalmenstrophen. Im zweiten Teil erscheinen an ihrer Stelle, dem bewegten Schicksal des zur Herrschaft berufenen Hirtenknaben entsprechend, anspruchsvollere Sätze, in denen Soli, Chor und Orchester in mannigfache Wechselwirkung miteinander treten, darunter die Beschwörung der Hexe von Endor als Melodram über affektmalendem Orchester, und als krönender Abschluß Davids Tanz vor der Bundeslade wie eine große Kantate für sich. Der dritte Teil greift zunächst, aufgrund des errungenen Friedens, auf den Ton des ersten zurück, der allerdings durch die stärkere Verwendung des Chores und den Rückgriff auf Choralelemente geistig wie klanglich gleichsam überhöht wird. Auf diese Weise wird der Höhepunkt des Werkes, die aus einem majestätischen Instrumentalsatz und einem vom Chor beschlossenen Melodram bestehende Krönung Salomons und der Tod Davids vorbereitet. Dieser erhält eine besondere Weihe durch die Choralstrophe, die zunächst als Verheißung des Engels im Solosopran erscheint, zuletzt aber im Baß des Chores, während in den drei Oberstimmen das Halleluja aus dem Tanz vor der Bundeslade erklingt. Wie dort am Ende des zweiten Teiles, so kulminiert auch hier am Schluß des ganzen Werkes Honeggers meisterhafte Verfügung über alle klanglichen Mittel in Singstimmen wie Orchester und seine souveräne Beherrschung der Satztechnik zwischen strenger Polyphonie und schlichter Akkordik gleichsam unabsichtlich im Dienst des Textgehaltes. Mit allen diesen dramatisch-musikalischen wie auch rein musikalischen Eigenschaften, wozu sich noch der bei jenen Meistern beliebte häufige Gebrauch motivischer oder auch nur rhythmischer Ostinati und die vielfach polytonale Harmonik gesellen, umreißt das Jugendwerk *König David* bereits eindringlich den Weg, den das weitere Bühnenschaffen Honeggers einschlagen sollte.

Die „opéra sérieux" JUDITH ist ihm musikalisch eng verwandt, steht aber dramaturgisch, wie der Untertitel zeigt, der Oper näher als jener „Psaume symphonique". Oratorienhaft ist allerdings, daß die Helden des Werkes eigentlich die Völker sind, als deren charakteristische Vertreter die einzelnen Personen erscheinen. Dementsprechend beruht seine hauptsächliche Wirkung weniger auf Einzelszenen als vielmehr auf großen Klanggemälden wie der wild-barbarischen Opferszene mit anschließender Orgie im Zelt des Holofernes im II. Akt sowie der Schlachtmusik im ersten Bild und der ebenso kunstvoll gesetzten wie ergreifenden Schlußkantate in Bethulien im zweiten Bild des III. Aktes. Damit ist zugleich der Rahmen für die Sphäre der Hauptpersonen abgesteckt: Aus Holofernes spricht der Barbar, seinem ganzen Gespräch mit Judith liegt jene wilde Festmusik zugrunde, die jedoch in einem Tremolo verklingt, als er einschläft. Ähnlich unheimlich verklingt auch der ganze II. Akt mit dem nicht sichtbaren, aber musikalisch von einem ostinaten Oktavmotiv im Schlagzeug, schleichenden chromatischen Viertelgängen und dahinhuschenden Sechzehnteln angedeuteten Mord. Der III. Akt führt aus Trostlosigkeit durch Judiths anfeuernde Gegenwart und Glaubensstärke zum Triumph. Diese Grundidee des Werkes, der Glaube an die Macht Jehovas, wird recht eigentlich durch ein weitgeschwungenes Motiv verkörpert, das mannigfach abgewandelt, aber immer unverkennbar die beiden Außenakte durchzieht und den letzten in einer großartigen instrumentalen Verarbeitung beschließt. Mit dieser meisterhaften motivischen Arbeit steht das Orchester hier wie in der ganzen Komposition stets und weit stärker als in dem früheren Werk im Dienste der jeweiligen Situationsatmosphäre, auch und besonders mit Hilfe verschieden gestalteter Ostinati.

Mit ANTIGONE hat sich Honegger nach seiner eigenen Aussage noch stärker der Oper zugewandt („Ich glaube, daß Antigone einen kleinen Baustein zur Oper beigetragen hat"). Er sieht das wesentlichste Charakteristikum hierfür in einer neuen Prosodie, einer engeren kausalen Verbindung zwischen dem Wort und seiner melodischen Wiedergabe; dabei vertritt er eine Akzentverschiebung auf die jeweils erste Silbe.

In dem „Oratorio dramatique" JEANNE D'ARC AU BÛCHER (*Johanna auf dem Scheiterhaufen*) hat Honegger anhand des ideenmäßig weltumspannenden Textes von Paul Claudel mit den musikalischen Mitteln des 20. Jahrhunderts das mittelalterliche Mysterienspiel neu belebt und damit zugleich eine Synthese seines gesamten dramatischen Schaffens dargestellt. Das Werk besteht aus einer überwältigenden Fülle scharf kontrastierender, textlich wie musikalisch farbenprächtiger Bilder, die direkt oder symbolisch mit dem Geschick der Heldin verbunden sind — einer Heldin, die (zusammen mit vier kleineren Rollen) durch eine Sprechstimme verkörpert wird. Schon dies zeigt den weiten Abstand des „Oratorio" zur „Oper". Johanna ist keine Opern-, aber auch keine Dramenheldin, ihr Schicksal in Vergangenheit und Gegenwart wird vielmehr schlaglichtartig durch Ereignisse und Erlebnisse, Erinnerungen und Stimmungen aus ihrem Leben und ihrer Umgebung wiedergespiegelt, die scharf kontrastierend aneinandergereiht sind. So folgen z. B. auf die lebhafte Szene des Kartenspiels (Nr. 6) die Katharina und Margarete gewidmete Szene mit dem Tod kündenden Glockenostinato (Nr. 7) und auf das buntbewegte Volksfest in Reims (Nr. 8) unter dem Titel „Das Schwert der Jungfrau" (Nr. 9) volkstümlich gefärbte, in Naturstimmungen eingehüllte Erinnerungen. Honegger hat diesen Text zwar mit dem größtmöglichen Aufwand von Soli, Chor und raffiniert instrumentiertem Orchester, unter Entfaltung seiner gesamten satztechnischen Kunst, mit allen Mitteln moderner Harmonik und unter textentsprechender Verwendung von Volks- und Tanz- wie auch kirchlichen Weisen, aber doch so in Musik gesetzt, daß das Gleichgewicht zwischen den beiden hier einander ebenbürtigen Künsten, ihre geistige Einheit nicht nur nicht gestört, sondern gleichsam noch überhöht wurde und ein einmaliges Werk sui generis dabei zustande kam.

Wird Arthur Honeggers bedeutende Rolle innerhalb der Operngeschichte recht eigentlich dadurch bestimmt, daß im Grunde keines seiner ernsten dramatischen Werke ihr eindeutig zuzurechnen ist, so gebührt seinem Freund und Altersgenossen Darius Milhaud (1892—1974) ebenso zweifelsfrei der Ruhm, als führender französischer Opernkomponist des 20. Jahrhunderts angesehen zu werden. Allerdings zeigen sich auch in seinem Opernschaffen hie und da oratorienhaftundramatische Züge, doch ohne daß die Gattungszugehörigkeit dadurch in Frage gestellt würde.

Schon seine zwischen 1910 und 1915 entstandene erste Oper LA BREBIS ÉGARÉE (*Das verirrte Schaf*; Text von Francis Jammes, Paris 1923) läßt einen solchen Einschlag erkennen. Werden doch die vielen einzelnen Szenen sämtlich durch Ensembles von drei „Récitantes" eingeleitet, die teils unisono, teils real dreistimmig den Fortgang der Handlung kurz erzählen. Im übrigen enthält das Werk keinerlei Ensembles, es ist vielmehr eine einzige Folge langer, vorwiegend rezitativischer Monologe (seltener Gespräche). Diese sind in einen durchsichtigen, motivisch ganz selbständigen Orchestersatz eingehüllt, dem auf langen Strecken quasi ostinate, rhythmisch prägnante und dem jeweiligen Textgehalt angemessene Motive zugrundeliegen. Das Stück trägt den Untertitel „Roman musical": Diese Anspielung auf Charpentiers zehn Jahre zuvor erschienenes Erfolgswerk LOUISE, die in der Tat einer ähnlichen Stellung beider Texte zwischen Naturalismus und Entrücktheit entspricht, zeigt aufs Deutlichste, daß der junge Milhaud, während er musikalisch schon ganz die neue Sprache seiner Generation beherrschte, dramaturgisch noch der Tradition verhaftet war.

Eine derartige Bindung an das Herkommen findet sich in seinem weiteren Opernschaffen nicht mehr, so weit dessen Stoffkreis auch gespannt war. Hier ging er, vielfach wechselnd, immer neue Wege, wobei er sich dem Oratorium bald mehr, bald weniger näherte. Schon in den großen

1913—1922 entstandenen Chorszenen seiner ORESTIE, der Trilogie des Äschylos in der Übersetzung von Paul Claudel, zeigt sich diese Neigung wieder, obwohl oder gerade weil nur das letzte Drama, LES EUMÉNIDES (*Die Eumeniden*), als Oper durchkomponiert worden ist, während die beiden anderen eben nur durch die Chöre deren Bereich angenähert wurden. In dem zweiten Drama, LES CHOÉPHORES, hat der Komponist auch zum ersten Male rhythmisch gesprochene, von einer Fülle verschiedener Schlaginstrumente gestützte Chöre eingeführt — eine Besetzung, die später vor allem in dem gewaltigen Klanggemälde des CHRISTOPHE COLOMB eine Rolle spielen sollte.

Zunächst aber beschritt der Opernkomponist Milhaud einen ganz entgegengesetzten Weg, den zu äußerster Enthaltsamkeit der verwendeten Mittel in jeder Hinsicht. Er begann mit einer (seiner einzigen) opéra bouffe ESTHER DE CARPENTRAS (Text von Armand Lunel, komponiert 1925, aufgeführt 1938 an der Opéra-Comique, Paris), deren Atmosphäre voller komischer Typen und Situationen Milhaud nach seinen Äußerungen in der Autobiographie *Notes sur Musique* (Paris 1949) besonders zur Komposition angeregt haben. Dann folgte die von ihm selbst als „Kammeroper für Soloinstrumente" bezeichnete kleine Idylle LES MALHEURS D'ORPHÉE (*Das Unglück des Orpheus*) über einen Text von Armand Lunel (Brüssel 1926), über die er in seiner Autobiographie schreibt, er habe die Musik nur auf das Allerwesentlichste beschränkt und alle Personen außer Orpheus und Eurydike als Gruppen behandelt. Die Sologesänge des Protagonistenpaares, voran das erste Air des Orpheus, geben die lyrische Haltung des Stückes schlicht liedhaft wieder, die beiden Duette erscheinen mehr als ariose Gespräche denn als Ensembles, in den Nummern 3 und 5 tritt auch der Chor als Gesprächspartner des Helden auf. Er spielt aber auch allein in den verschiedensten Gestalten eine Rolle, besonders eindrucksvoll in Form des großartigen gesungenen Trauermarsches der Tiere für Eurydike (Nr. 14), der ganz und gar auf einer gleichförmigen Folge wuchtiger Akkorde ruht.

Eine besonders glückliche (und darum auch erfolgreiche) Verbindung ging Milhauds auf raffinierte Anspruchslosigkeit ausgerichtete Musik mit der „Complainte en trois Actes" LE PAUVRE MATELOT (*Der arme Matrose*) von Jean Cocteau ein, mit der er ein Jahr später, 1927, in Paris hervortrat. Hier ist die ganze Komposition von volkstümlichen Weisen — Seemannsliedern — bzw. Abschnitten daraus durchsetzt und auf diese schlichte, eingängige Weise eng mit dem hintergründigen Text verbunden, ohne diesen zu überdecken. — Ihren Höhepunkt erreichten Milhauds Bemühungen um knappste Konzentration zur gleichen Zeit mit parodistischem Einschlag in den drei nur wenige Minuten dauernden „opéras minutes": L'ENLÈVEMENT D'EUROPE (*Die Entführung der Europa*), L'ABANDON D'ARIANE (*Die Verlassenheit der Ariadne*) und LA DÉLIVRANCE DE THÉSÉE (*Die Errettung des Theseus*), um unmittelbar danach mit dem mächtigen kulturgeschichtlichen Gemälde des CHRISTOPHE COLOMB (Text von Paul Claudel, Berlin 1930) die Grenzen der „Oper" an Vielgestaltigkeit der Ausdrucksmittel fast zu sprengen. Oper, Oratorium und Mysterienspiel greifen hier, auch noch unter Heranziehung des Films, ähnlich ineinander wie in Honegger/Claudels JEANNE D'ARC, nur daß dort im Ganzen das Oratorische, hier dagegen, dem Untertitel „Opéra" entsprechend, mehr das Opernhafte dominiert, denn das Geschehen wird zwar von der Sprechstimme eines „Explicateurs" vorgelesen, aber gleichzeitig auch dramatisch wie musikalisch sehr farbig, mitunter auf zwei Ebenen zugleich, dargestellt. Diese Mannigfaltigkeit ergibt sich aus der hintergründigen Vieldeutigkeit des Titelhelden, der aufgrund seines Namens Christophe (= Christophorus) Colomb (colombe = Taube) der Heilsgeschichte der Welt verbunden ist, dadurch aber auch als Mensch zwiespältig zwischen religiösem Fanatismus und Eroberungslust, Idealismus und Abenteurertum hin und her schwankt, so daß er gelegentlich sogar in doppelter Gestalt als Colomb und Colomb II erscheint.

Ausschlaggebend für die besondere Wirkung der Komposition dieser „Legende" ist der durch die Allgegenwart des Explicateurs verursachte ständige Wechsel zwischen Gesang und einer

Sprechstimme, die nicht selten auch ihre Gesprächspartner in ihren Bann zieht, die vor allem streng rhythmisiert ist und von einem ebensolchen wechselnden Ensemble der verschiedensten Schlaginstrumente gestützt wird. Dadurch erhalten derartige Stellen einen ganz besonderen Nachdruck, so in erster Linie einer der Höhepunkte der Oper, die Szene zwischen Colomb und den meuternden Matrosen gegen Ende des I. Aktes, in der auch er und der Chor zu diesem „Sprechgesang" übergehen.

Kompositionstechnisch spielt in diesem Werk Milhauds sowohl in den „Sprech"- als in den Gesangs-, in den Solo- wie in den Chorszenen die übliche Verwendung von mannigfachen Ostinati eine besonders große Rolle. Sie sind nicht inhaltlich gebunden, sondern stehen im Dienste einer rein musikalischen Gliederung großer Komplexe und rufen durch ihre Überlagerung häufig die für die Musik dieser Zeit charakteristische Polytonalität hervor. — Der Rückgriff des Chores am Schluß des ersten Teils auf den Einleitungschor wie auch die Rückwendung der Schlußszene des ganzen Werkes — Colomb in einer ärmlichen Herberge in Valladolid — zum ersten Auftreten des Helden am Anfang des I. Aktes zeigen, wie viel dem Dichter und dem Komponisten an einer deutlich erkennbaren, straffen Zusammenfassung der stofflich-gedanklichen Überfülle gelegen war.

Nachdem Milhaud so in der kurzen Zeit von 1926 bis 1930 mit der Oper, ihren Grenzen und Möglichkeiten eindrucksvoll experimentiert hatte, setzte er in seinen folgenden großen Bühnenwerken, ohne seine musikalische Sprache zu verändern, dramaturgisch durch die Wahl der Texte und deren Behandlung in neuer Gestalt die Tradition der grand opéra fort. Dies begann mit der „opéra historique" MAXIMILIEN (Text von Armand Lunel nach einem Drama von Franz Werfel, Paris 1932), in der Chor und Instrumentalmusik gattungsgemäß eine große Rolle spielen. Die Handlung aber vollzieht sich in einer Fülle von Gesprächsszenen über kontrapunktisch aufgelockertem Orchester, die oft als musikalische Blöcke gestaltet und ihrem Inhalt entsprechend charakteristisch voneinander abgehoben werden. Diese musikalische Charakterisierung bezieht sich jedoch, abgesehen von den stets betont liedhaft-ariosen Äußerungen Maximilians, vorwiegend auf Situationen und Personengruppen; hierzu gehören beispielsweise auch das „indianische" Lied, das die Soldaten am Anfang des III. Aktes hinter der Bühne singen, sowie gelegentliche gesprochene Einschübe. Es kommt dem Komponisten hier, wie dem Dichter, mehr auf das schwer durchschaubare Intrigenspiel im Ganzen als auf dessen einzelne Träger an.

Etwas ganz anderes suchte und fand Milhaud dagegen in seiner nächsten großen Oper MÉDÉE (Antwerpen 1939) über ein Libretto seiner Gattin Madeleine Milhaud. Das furchtbare Geschehen zwischen den vier Hauptpersonen gab ihm die Gelegenheit, alle seine Kompositionsmittel weit mehr als in seinen früheren Werken in den Dienst einer minutiösen Personencharakteristik zu stellen. Im Mittelpunkt steht dabei der scharfe Gegensatz zwischen Creusa, deren Harmlosigkeit im ersten und dritten tableau in lieblichen, koloraturenreichen, weitgeschwungenen Melodien zum Ausdruck gebracht wird, und der tief verletzten, dämonischen Medea, die sich auf scharf deklamierte, oft hartnäckig wie rasend wiederholte Motive beschränkt (Beispiel S. 214).

Geradezu realistisch wirken im dritten tableau die Verzweiflungsgesänge Creusas und Creons vor ihrem Tod und ebenso Jasons Verzweiflungsausbruch, als er von der Ermordung der Kinder erfährt. Die übliche ostinate Orchestermotivik trägt auch in diesen Gesängen zur Erhöhung der Wirkung bei. Auf jeden Fall hat Milhaud mit dieser seiner Behandlung des antiken Stoffes ein ebenbürtiges modernes Gegenstück zu dem gleichnamigen, 142 Jahre älteren, gleichfalls französischen Werk von Luigi Cherubini geschaffen.

Zehn Jahre später verfolgte er mit BOLIVAR noch einmal einen ähnlichen Weg, um dann mit DAVID (Text von A. Lunel, Jerusalem 1954) zur Feier des dreitausendsten Bestehens der Hauptstadt von Davids Königreich noch einmal zum Opern-Oratorium zurückzukehren. Grundsätzlich ist das fünfaktige Werk nach Haltung und Anlage eine echte grand opéra voll szenischen Prunkes, mit orchestralen Zwischenspielen zwischen den Szenen und großartigen, anspruchsvollen Akt-

Darius Milhaud: MÉDÉE

schlüssen. Oratorisch an ihm sind jedoch die zahlreichen betrachtenden oder die Handlung vorwärtstreibenden erzählenden Chöre (seltener Sololesungen), die es von der ersten bis zur letzten Szene durchziehen, die auf die festliche Gelegenheit, zu der es geschaffen wurde, hinweisen und seine besondere Stellung zwischen den Gattungen unterstreichen.

Seltsam mutet es nach diesem monumental-bekenntnishaften opus an, daß Milhaud mehr als zehn Jahre danach mit LA MÈRE COUPABLE (*Die schuldige Mutter;* Text von Madeleine Milhaud nach Beaumarchais, Genf 1966) noch einmal zu einem zumindest stofflich herkömmlichen Libretto gegriffen hat. Er hüllt es, ohne auf Einzelheiten des Textes einzugehen, nach seiner Weise in ein kunstvolles Motivgeflecht im Orchester, wobei der rhythmische Impetus einer melodisch wechselnden Sechzehntelfigur fast allgegenwärtig ist.

Sein Opernschaffen umschließt auf diese Weise zeitlich auch noch das des jüngeren, gleichfalls der „Groupe des Six" angehörenden Francis Poulenc (1899—1963), dessen drei Bühnenwerke LES MAMELLES DE TIRÉSIAS (*Die Brust des Teiresias*), DIALOGUES DES CARMÉLITES (*Dialoge der Karmeliterinnen*) und LA VOIX HUMAINE (*Die menschliche Stimme*) in den Jahren 1947, 1957 und 1959 herauskamen, alle drei grundverschieden und doch textlich durch gewisse surrealistische Züge verbunden. LES MAMELLES DE TIRÉSIAS ist eine opéra bouffe auf einen Text von Guillaume Apollinaire, deren zweideutig-sarkastischer Inhalt durch eine spritzige Melodik in vielen chansonhaften geschlossenen Formen wiedergegeben wird. LA VOIX HUMAINE, mit dem widersprüchlichen Untertitel „Tragédie lyrique en un Acte", ist ein ähnlich knapp gehaltenes Monodram von Jean Cocteau, das (wirkliche oder nur gedachte) Telefongespräch einer verlassenen Geliebten kurz vor ihrem Tod, inhaltlich ein quälendes Psychogramm, das der Komponist unter Verwendung eines großen Orchesters mit geradezu bestürzender Eindringlichkeit musikalisch nachgezeichnet hat. Die Stimme deklamiert oft unbegleitet und hastig, aber stets prononciert, wobei die feinsten psychischen Schattierungen zum Ausdruck gebracht werden. Der Titel LA VOIX HUMAINE erscheint durch diese Wiedergabe in der Tat in einem surrealistischen Licht.

Der dreiaktigen Oper DIALOGUES DES CARMÉLITES, die 1957 in der Mailänder Scala uraufgeführt wurde, liegt ein Text von Georges Bernanos (nach der Novelle *Die Letzte am Schafott* von Gertrud von Le Fort) zugrunde, ein Stoff also, bei dem es um jenseitige Fragen geht, den aber Dichter wie Komponist ohne jeden oratorischen Einschlag als Oper dargestellt haben, allerdings als eine Oper, deren stets verhaltene dramatische Wirkungen, wie der Titel sagt, fast ausschließlich durch bloße Dialoge erreicht werden. Im II. und III. Akt wird die äußere Handlung durch Zwischenspiele zwischen den Szenen vorangetrieben, die sich größtenteils vor dem Vorhang abspielen; das Interlude 2 des III. Aktes ist die einzige Szene der Oper, in der der Komponist vom schlagzeugbegleiteten gesprochenen Wort Gebrauch macht. Der übergeordneten Idee entsprechend kommt es nirgends zu Einzelcharakteristik, wohl aber zur Charakteristik der verschiedenen Sphären, besonders deutlich im 2. Tableau des III. Aktes in der Zelle der gefangenen Nonnen, wo die entrückte Kantabilität der Ansprache der Priorin der primitiv-gewalttätig wirkenden Verlesung des Todesurteils durch den Kerkermeister unmittelbar vorangeht. Die Sphäre der Nonnen wird vor allem im II. Akt durch liturgische Gesänge unterstrichen, ein solcher, das *Salve Regina*, bildet dann auch den erschütternden Schluß der Oper. — Musikalisch wird der behutsam-gleichförmige Fluß des Ganzen durch teilweise inhaltsbedingte motivische Rückgriffe auf vorangehende Szenen gegliedert.

Ausschlaggebend für die französische Oper von den zwanziger Jahren an bis über die Mitte des Jahrhunderts hinaus war ihre starke Prägung durch zeitgemäße außermusikalische, geistige Strömungen, deren Vermittler, zunächst auf dem Wege über das Ballett (PARADE mit Musik von Satie 1919, LE BOEUF SUR LE TOIT [*Der Ochse auf dem Dach*] mit Musik von Milhaud 1920, LES BICHES [*Die Hirschkühe*] mit Musik von Poulenc 1924), später dann auch als einfallsreicher Opernlibrettist (ANTIGONE von Honegger, LE PAUVRE MATELOT von Milhaud und LA VOIX HUMAINE von Poulenc) Jean Cocteau war. Neben dieser betont avantgardistischen Aggressivität, die vor allem in den Balletten zum Ausdruck kam, lief aber von Anfang an eine nicht minder moderne, konträr entgegengesetzte Strömung einher, die die gewünschte Erneuerung aus dem Geiste des biblischen Dramas, aus der Nähe des Oratoriums zunächst im Rahmen von Bühnenmusiken für das bescheidene Theater in Mézières bei Lausanne (Honegger, *König David* 1921 und *Judith* 1926) in Angriff nahm. Sie fand ihre Erfüllung durch Paul Claudel viele Jahre später in CHRISTOPHE COLOMB (1930) und JEANNE D'ARC AU BÛCHER (1938), die beide die Freunde Milhaud und Honegger zur höchsten Entfaltung ihrer Kunst führten. Daß der Zwiespalt zwischen der geistlichen und der profanen Richtung ganz am Ende der hier betrachteten Periode, in den DIALOGUES DES CARMÉLITES von George Bernanos und Cocteaus tiefernster, surrealistischer VOIX HUMAINE, weitgehend gegenstandslos geworden war, ist ein Zeichen dafür, daß sich die Gattung Oper in Frankreich nunmehr aufs Neue gefestigt hatte.

# Die Oper in Spanien und Portugal

Der Entwicklung einer eigenständigen Oper in Spanien stand, abgesehen von den engen politischen und kulturellen Beziehungen des Landes zu Italien, ähnlich wie in England die hohe Bedeutung des gesprochenen Dramas und sein Ansehen im Wege. Zwar spielte die Musik darin, wie auch im Drama Shakespeares, als Zutat eine nicht unwesentliche Rolle, am Drama selbst aber hatte sie keinen Anteil. Trotzdem entwickelte sich auf diesem Boden im 17. Jahrhundert unter Beteiligung der beiden großen Dramatiker Lope de Vega (1562—1632) und Calderon de la Barca (1600—1681) eine eigene, dramatisch zunächst bescheidenere, mehr singspielhafte Gattung, die „Zarzuela" (so genannt nach einem Palast dieses Namens bei Madrid, in dem diese Stücke zunächst aufgeführt wurden[1], die sich bald in Gestalt festlicher, bald mehr volkstümlicher Darbietungen großer Beliebtheit erfreuten. Eines der frühesten Beispiele dieser Gattung war LA SELVA SIN AMOR (*Der lieblose Wald*) von Lope de Vega (1629), zu dem aber keine Musik erhalten ist. Calderon strebte mit seinem Komponisten Juan Hidalgo zusammen mehr nach einer opernhaften Einkleidung seiner Dramen, verschmähte aber daneben auch die anspruchslosere zweiaktige Zarzuela nicht. Sie war bei ihm vorwiegend heroisch-mythologischen Inhalts, nahm aber im Laufe des 18. Jahrhunderts textlich wie musikalisch mehr und mehr einen volkstümlichen, d. h. nationalen Charakter an. Dazu kamen in der zweiten Hälfte des Jahrhunderts weitere volkstümliche Gattungen wie die „Sainete" und vor allem die „Tonadilla", eine Art von komischer Kurz-Oper im Stil der italienischen Intermezzi oder auch der opéra comique, die auch als Zwischenaktsmusiken für gesprochene Komödien verwendet werden konnten und sich bis in den Anfang des 19. Jahrhunderts hielten — dann fiel ihre musikalische Volkstümlichkeit allerdings dem ständig zunehmenden Einfluß der beiden fremden Gattungen zum Opfer. Hingegen erfuhr um die Mitte des Jahrhunderts die Zarzuela, nunmehr dreiaktig, im Schaffen von Komponisten wie Francisco Asenjo Barbieri (1823—1894), Joaquín Gaztambide (1822—1870), Emilio Arrieta (1823—1894) und anderen unter der Bezeichnung „Zarzuela grande" eine nationale Wiederbelebung. Diese führte sie in die Nähe der ernsten Oper, von der sich ihr heiteres, einaktiges Gegenstück, das spritzige „genero chico", wirkungsvoll abhob.

So herrschte im 19. Jahrhundert ein reges Leben auf den Opernbühnen von Madrid, von einer großen Zahl einheimischer Komponisten getragen und zwischen eigener Prägung und fremden Einflüssen schwankend. Zu ihnen gesellte sich nach der Jahrhundert-Mitte auf Anregung des als Kenner des spanischen wie des ausländischen Musikwesens, als Musikforscher wie als Musiker gleich bedeutenden Felipe Pedrell (1841—1922) auch noch der Einfluß des Wagnerschen Werkes. Zu Pedrells Schülern gehörten die auch als Opernkomponisten angesehenen Isaac Albeniz (1860—1909), Enrique Granados (1867—1916) und Manuel de Falla (1876—1946). Auf diese Weise halten sich hier die „spanische Oper" und die „Oper in Spanien" ungefähr die Waage, während in Portugal das letztere, eine — sehr rege — Opernpflege, überwog.

---

[1] Vgl. Grout, A short history of opera, S. 270.

# Die Oper in Deutschland

Österreich, Schweiz

# Erste Anfänge einer deutschen Oper

Die Geschichte der Oper in Deutschland reicht zwar genau so weit zurück wie die der beiden großen romanischen Schwestergattungen, aber sie verlief unter deren Einfluß zwischen bloßer Opernpflege und wechselnden Versuchen in einem wesentlich bescheidenerem, vielfach landschaftlich geprägtem Rahmen. Dieses „Mankos" war man sich in Deutschland durchaus bewußt. Immer wieder tauchte die Sehnsucht nach einer „teutschen Opera" auf, besonders stark im 18. Jahrhundert im Kreise der klassischen Dichter und, mit etwas verändertem Vorzeichen, noch einmal zu Beginn des 19., als es mit dem Übergang vom Singspiel zur durchkomponierten großen Oper endlich zur Erfüllung dieses Sehnens kam. Zur „Weltgeltung", die die anderen beiden Gattungen schon seit dem 17. Jahrhundert unbestritten besaßen, gelangte die deutsche Oper also erst rund 200 Jahre später und müßte somit streng genommen zu den jüngsten Vertretern der Gattung „Oper" gerechnet werden, wenn sie nicht auf andere Weise, gleichsam in Verkleidung, schon vorher ihre Ansprüche darauf eindrucksvoll angemeldet hätte.

Dies dürfte schon am Anfang ihrer Geschichte geschehen sein, der in unmittelbarer zeitlicher und stilistischer Nachbarschaft zu dem der italienischen stand, sicherlich ohne eine bloße Nachbildung darzustellen, in Gestalt der berühmten DAPHNE von Heinrich Schütz über einen Text von Martin Opitz (nach Ottavio Rinuccini, Torgau 1627), deren Musik nicht erhalten ist. Anhand der Textgestaltung und vor allem aufgrund der Kenntnis von der Meisterschaft, mit der Schütz in seinem gesamten Werk italienische Monodie und deutschen Geist in Einklang gebracht hat, kann man zwar das Werk nicht rekonstruieren, aber doch zu dem Schluß gelangen, daß die deutsche Oper zwar äußerlich im Gewand der italienischen erschienen ist, aber trotzdem nicht selbständiger und nicht großartiger hätte hervortreten können.

Das Gleiche, was Schütz hier (vermutlich) vollbracht hat, führte dann in größerem Maßstab im 18. Jahrhundert zum Schaffen der drei „Kosmopoliten" Händel, Gluck und Mozart (siehe besonderes Kapitel), deren Werke zumindest auch der deutschen Operngeschichte angehören und die dadurch über die örtlichen Versuche hinweg die Weltgeltung der Gattung schon vor deren nomineller Entstehung im 19. Jahrhundert eindeutig offenbart haben.

Die Anfänge der Oper lagen in Deutschland wie in anderen Ländern an den Höfen, nur daß sie wegen der Wirren des dreißigjährigen Krieges, denen ja auch die Partitur der DAPHNE zum Opfer gefallen ist, später als dort hervortraten. Neben der Oper Schützens ist in der Kriegszeit nur ein einziges opernhaftes Werk deutscher Sprache erschienen: das GEISTLICHE WALDGEDICHT SEELEWIG (Nürnberg 1644), ein allegorisches Schäferspiel von Georg Philipp Harsdörffer, dessen Komponist Sigmund Theophil Staden (1607–1655) sich im wesentlichen auf eine Aneinanderreihung schlichter Strophenlieder beschränkt und nur ab und zu zu einer freieren rezitativischen Textbehandlung gegriffen hat. Diese zeitliche Nachbarschaft einer zweifellos denkbar vollkommenen Assimilation der fremden Gattung und des anspruchslosen Versuches einer mehr zum Liederspiel als zum musikalischen Drama tendierenden einfachen Nachahmung mit vertrauten Mitteln wirkt wie ein symbolisches Programm für die verschlungenen Wege, die die Oper in Deutschland zu gehen haben sollte.

Grundsätzlich erwuchs die Gattung auch hier aus den festlichen Darbietungen, wie sie als typische Ausdrucksform höfisch-aristokratischen Gesellschaftslebens unter den verschiedensten Bezeichnungen seit dem ausgehenden Mittelalter überall im Abendland gebräuchlich waren. Als „Singballett" folgten sie in Deutschland vor allem dem Vorbild des französischen „ballet de cour". Was sich aber in dem von allen Seiten fremden Einflüssen ausgesetzten, in eine Fülle von kulturell selbstbewußten kleinen und kleinsten Fürstentümern und reichsfreien Stadtstaaten zerrissenen „heiligen römischen Reich deutscher Nation" daraus entwickelte, das erschien zunächst als eine geistige Fortsetzung des vom Kriege hervorgerufenen Chaos.

## Die Oper an den großen Höfen

Die großen Höfe wie Wien und München, dazu Dresden und später auch Stuttgart, konnten sich den Luxus leisten, Hochburgen der italienischen Oper zu werden[1]. Hier kam es, allerdings als Ausnahme, mit der DAFNE von Giovanni Andrea Bontempi und Marco Giuseppe Peranda (Dresden 1671) zu einer Annäherung italienischer und deutscher Stilmerkmale (s. oben). In Wien aber, am Kaiserhof, an dem die italienische Oper am längsten zu Hause war und darum am festesten im Sattel saß, gelang es dem Hofkapellmeister Johann Joseph Fux (1660—1741) als einzigem, der Oper, ohne den Boden der Gattung zu verlassen, nicht nur selbst einen eigenen Stempel aufzudrücken, sondern auch die beiden jüngeren, unter ihm in der Hofkapelle tätigen italienischen Opernkomponisten Antonio Caldara (1670—1736) und Francesco Conti (1682—1732) in dessen Bann zu ziehen, so daß man für den Anfang des 18. Jahrhunderts von einer spezifischen Wiener Schule der italienischen Oper sprechen darf. Als ihr Prototyp kann die schon zu ihrer Zeit berühmte „festa teatrale" Fuxens COSTANZA E FORTEZZA (*Beständigkeit und Festigkeit;* über einen Text von Pietro Pariati)[2] gelten, die zur Feier des Geburtstages der Kaiserin Elisabeth Christina und der Krönung Kaiser Karls VI. zum König von Böhmen 1723 in Prag aufgeführt wurde. Ihren großen, in der italienischen Oper der Zeit ungebräuchlichen Reichtum an Chören der verschiedensten Art verdankt sie ihrem Charakter als festliches, höfisches Gelegenheitswerk, der auch textlich hie und da und vor allem an den Aktschlüssen zum Ausdruck gebracht wird; der ganz persönliche Stil des Komponisten aber zeigt sich in der konsequenten Durchdringung der durchaus modernen Formenwelt dieser Oper mit strenger Kontrapunktik in Chor- und Instrumentalsätzen, vor allem aber in der häufigen gleichberechtigten Einbeziehung der Solostimmen in das kontrapunktische Geflecht des nicht nur begleitenden Orchesters.

## Die „frühdeutsche" Oper an Höfen und in Städten

Längst vor dieser selbständigen musikalisch-stilistischen Prägung der fremden Gattung in der unmittelbaren Nachbarschaft ihres Heimatlandes hatte man jedoch schon in anderen Teilen des deutschen Reiches versucht, sie sich mit den zur Verfügung stehenden bescheideneren Mitteln nunmehr auch allgemein geistig, d. h. vor allem sprachlich, anzuverwandeln. Die Auseinandersetzung mit dem von den großen Höfen her lockenden und doch so unerreichbaren Vorbild brach

---

1 Vgl. *Die barocke Adels- und Fürstenoper...,* oben S. 20ff.
2 Veröffentlicht in: Denkmäler der Tonkunst in Österreich VII.

im Schaffen der zwischen ca. 1640—1680 geborenen Komponisten-Generation von etwa 1680 an von den verschiedensten Seiten wie ein Sturmwind über Deutschland herein. Ihre Stützpunkte waren auch hier die Träger einer organisch gewachsenen gesellschaftlichen und kulturellen Tradition und anderer Gemeinwesen, die wirtschaftlich imstande waren, mit ihnen zu wetteifern, d. h. eben die ehrgeizigen kleinen Höfe und die aufstrebenden größeren Handelsstädte.

Nord-, Mittel- und Süddeutschland wirkten gleichermaßen und annähernd gleichzeitig bei diesen Bestrebungen zusammen, wobei sich das Schwergewicht im Laufe der Zeit mehr und mehr vom Süden auf den Norden verschob. Daß sie aber überall mehr oder weniger auf Schwierigkeiten und auf Unverständnis stießen, ja, daß ihnen insgesamt etwas Abenteuerliches anzuhaften schien, das war nicht Schuld der Komponisten, sondern es lag vor allem an dem Mangel an jeglicher eigenständiger dramaturgischer bzw. literarischer Tradition, auf deren Boden die Gattung in Italien wie in Frankreich recht eigentlich erwachsen war, zum anderen aber auch an dem Fehlen einer dort ausgeprägten organischen Entwicklung, an deren Stelle hier ein ziemlich wahlloses Experimentieren mit überkommenem und fremdem Gut trat. Wenn sich im Laufe der Zeit aus diesen chaotischen Anfängen auch um die Jahrhundertwende und kurz danach besonders in Hamburg musikalisch bedeutende Werke herausgebildet haben, so dürfte der Grund für das überaus kurze Leben, das dieser „frühdeutschen" Oper beschieden war (ihre letzten Opernhäuser schlossen ihre Pforten gegen Ende der 1730er Jahre), doch wohl mit in jenem buntscheckig-unsystematischen Beginn ihrer Laufbahn gelegen haben.

Der deutschen Kleinstaaterei entsprechend war die Zahl der Pflegestätten der jungen Gattung unverhältnismäßig groß (an Höfen seien besonders Ansbach, Bayreuth, Durlach und Karlsruhe, Gotha, Meiningen und Weißenfels, Braunschweig, Wolfenbüttel und Hannover, an Städten Nürnberg, Leipzig und Hamburg hervorgehoben), der Kreis ihrer Träger hingegen war ziemlich begrenzt, so daß sie vor allem in den mitteldeutschen Zentren und letztlich in Hamburg, das bald die Führung übernehmen sollte, immer wieder zusammentrafen und stilistisch immer in Verbindung miteinander standen. Ein vorausweisendes Symbol für die Engigkeit des Netzes, das die Meister der frühdeutschen Oper von Anfang an umschloß, ist das Schaffen eines der Ältesten von ihnen, Johann Wolfgang Franck (1641—ca. 1710), das mit drei Opern — DIE UNVERGLEICHLICHE ANDROMEDA (1675), DER VERLIEBTE FÖBUS (1678) und DIE DREY TÖCHTER CECROPS (nach neuesten Forschungen in den 80er Jahren)[3] in Ansbach begann und sich dann mit zahlreichen weiteren an die Spitze der aufblühenden Hamburger Opernproduktion setzte. Neben ihm wirkten zur selben Zeit seine mitteldeutschen Altersgenossen Johann Valentin Meder (1649—1719) sowie die beiden Nürnberger Johann Löhner (1645—1705) und Johann Philipp Krieger (1649—1725), von dessen reichhaltigem Opernschaffen für den Weißenfelser Hof jedoch außer den Libretti nur zwei gedruckte Ariensammlungen erhalten sind. Löhner arbeitete hingegen in seiner Vaterstadt, wo die Oper eben damals Fuß zu fassen begann[4]. Vollständig überliefert von ihm ist aber nur die 1679/80 am Ansbacher Hof aufgeführte Oper DIE TRIUMPHIERENDE TREU (auf einen Text von Christian Heuchelin[5]. Dieses Werk steht damit nicht nur zeitlich, sondern vor allem auch stilistisch in unmittelbarer Nähe von Francks dritter Ansbacher Oper DIE DREY TÖCHTER CECROPS (Text von

---

3 Vgl. hierzu Werner Braun, Vom Remter zum Gänsemarkt (Saarbrücker Studien zur Musikwissenschaft, Neue Folge Bd. 1, 1987, S. 89—123).
4 Vgl. Adolf Sandberger, Zur Geschichte der Oper in Nürnberg in der 2. Hälfte des 17. und zu Anfang des 18. Jahrhunderts, in: Archiv für Musikwissenschaft 1918, und in seinen Ausgewählten Aufsätzen zur Musikforschung, München 1921, S. 188—217.
5 Sie wurde als Band 6 der Denkmäler der Tonkunst in Bayern, Neue Folge 1984, mit einer ausführlichen Einleitung von Werner Braun herausgegeben.

Maria Aurora von Königsmarck)[6]. Auch von Meder ist nur eine einzige Oper, DIE BESTÄNDIGE ARGENIA (Textdichter unbekannt) erhalten, deren Erscheinen 1680 in Reval den weiten Aktionsradius dieser deutschen Opernbestrebungen besonders deutlich macht[7]. Diese drei Werke verkörpern die Anfänge der frühdeutschen Oper und sind sämtlich in Neudrucken vorgelegt worden, da ihre Partituren vollständig, d. h. mit Rezitativen, erhalten sind, im Gegensatz zu dem sonst in jener Frühzeit der Gattung üblichen Brauch, nur Ariensammlungen aus den Opern zu veröffentlichen. So aufschlußreich diese nun auch für die Beurteilung ihrer Schöpfer als Musiker sind, so ist doch über den auch für eine Oper ausschlaggebenden dramatischen Gehalt nichts Wesentliches daraus zu ersehen. Diese Feststellung wird durch eine Betrachtung der drei vorliegenden Partituren noch besonders erhärtet, da der Unterschied zwischen Rezitativ und Arie in ihnen grundsätzlich noch fließend ist. Es gab nicht nur Rezitative mit liedhaftem und Lieder bzw. Arien mit rezitativischem Einschlag, sondern es konnte auch mitten in einem langen Rezitativ ein kleines Lied auftauchen, ganz abgesehen davon, daß auch Zwiegespräche in Strophenform keine Seltenheit bildeten. Die Zwischenformen Akkompagnato-Rezitativ und Arioso, die sich in der italienischen Oper jener Zeit allmählich herausbildeten, fehlen bei Meder und Löhner ganz, sind dagegen bei Franck, wenn auch nur selten, zu finden. Dies ist eines der Zeichen dafür, daß dieser Meister, obwohl er mit der Mannigfaltigkeit der meist knappen und vielfach liedhaften geschlossenen Formen und deren sehr freier Verteilung über die Szenen mit seinen Altersgenossen grundsätzlich durchaus übereinstimmt, dem ihnen allen gleichermaßen vorschwebenden italienischen Vorbild schon in diesen seinen Frühopern näher gekommen war. Das geht bereits aus der Textwahl deutlich hervor. Das Libretto der DREY TÖCHTER CECROPS von der angesehenen Operndichterin Maria Aurora von Königsmarck unterscheidet sich schon durch seinen handfest opernhaften Titel von den altväterlich wirkenden beiden anderen, die mit ihrem moralisierenden Unterton auf die enge Verbindung dieser frühen Versuche mit der geistlichen Liedkomposition der Zeit im allgemeinen und auf Sigmund Theophil Stadens GEISTLICHES WALDGEDICHT SEELEWIG im besonderen hinweisen (s. oben). In den Texten selbst macht sich diese Haltung allerdings nur wenig bemerkbar, jedoch hebt sich das Libretto der Gräfin Königsmarck durch größere Folgerichtigkeit und Geschlossenheit der Handlung sowie durch feine Charakterisierung der Hauptpersonen vorteilhaft von dem chaotisch wirkenden Gewimmel blasser Gestalten ab, das jene typischen Frühwerke beherrscht.

Der Stoff (aus Ovids Metamorphosen) bot dem Komponisten schon mit den drei so ganz verschieden charakterisierten Heldinnen, dem würdigen alten König, ihrem Vater, dem lyrischen Liebhaber und dem in die ernste Handlung einbezogenen, sehr menschlich gezeichneten Dienerpaar eine wohlgeordnete Fülle von Gelegenheiten zu scharfer, musikalischer Personen- und Situationscharakteristik. Der Liebhaber Pirante wird beispielsweise in der Szene I,3 durch drei verschiedene Arien — eine gleichförmig-gemäßigte mit langer Koloratur, einen im Adagio in langen Linien dahinfließenden Liebesgesang und eine teils liedhaft im geraden, teils tanzhaft im Dreivierteltakt an Amor gerichtete Bitte um Hilfe von drei verschiedenen Seiten dargestellt und gleichzeitig von den betont schlichten Viertaktern der Strophengesänge abgehoben, die das Dienerpaar in der anschließenden Szene anstimmt. Eine ähnliche Kette charakteristischer Gegensätze enthält etwa der Anfang des IV. Aktes mit der durch lange Koloraturen illustrierten Schlangenbeschwörung des Neides im Dreivierteltakt, dem Adagio Lamentoso 3/2, mit dem die erwachende Aglaure ihre Todessehnsucht zum Ausdruck bringt, der melismenreichen, aber nur vom Continuo begleiteten,

---

[6] Sie erschien 1938 als Band 38 der Denkmäler der Tonkunst und Bayern, herausgegeben von Gustav Heinrich Schmidt. Vgl. dazu auch dessen Aufsatz *Johann Wolfgang Francks Singspiel ‚Die drey Töchter Cecrops'*, in: Archiv für Musikforschung IV, 1939, S. 257—316, und Braun, a.a.O.
[7] Veröffentlicht von Braun 1973 als Band 68 des Erbe deutscher Musik.

Johann Wolfgang Franck: DIE DREY TÖCHTER CECROPS

Johann Wolfgang Franck: DIE DREY TÖCHTER CECROPS

Johann Wolfgang Franck: DIE DREY TÖCHTER CECROPS

vergleichsweise nüchternen Arie des Cecrops, der in sich schon gegensätzlichen Klagearie der Herse aus einem c-Moll-Adagio mit Koloraturen und gefühlsbetonter Melodik und einem beschwingt-deklamatorischen g-Moll-Teil im 3/4-Takt und der dann in den nächsten Szenen durch die liedhaft-burschikose (Szene 4), ja buffohafte (Szene 5) Haltung der Gesänge des Dieners Silvander wieder die Diener-Atmosphäre gegenübergestellt wird.

Diese stets inhaltsbedingte Mannigfaltigkeit der musikalischen Ausdrucksweise erfüllt die gesamte Oper. Zu ihr trägt auch das abwechslungsreiche Rezitativ wesentlich bei, das sich in den Szenen II,1 und V,6 zu stimmungsvollen Akkompagnati verdichtet. Unter den geschlossenen Formen hebt Franck nur die besonders affektvollen, recht eigentlich arienhaften durch mehrstimmige Instrumentalbegleitung hervor, wie z. B. die oben genannten der Aglaure und der Herse aus dem IV. Akt, während das Gros der schlicht liedhaften Gesänge zeitüblich nur vom Generalbaß gestützt wird.

Francks DREY TÖCHTER CECROPS und in schwächerem Maße die beiden zuvor genannten Opern seiner gleichaltrigen fränkischen Landsleute sind für die Anfänge der frühdeutschen Oper von großer Bedeutung, nicht, weil sie etwa zeigten, daß die Wiege der Gattung in Franken gelegen habe, sondern einfach nur, weil sie deren früheste erhaltene Zeugen sind. Annähernd gleichzeitig hatten nämlich zwei weitere, ebenfalls aus Mitteldeutschland stammende gleichaltrige Komponisten, Johann Theile (1646—1724) und Nicolaus Adam Strungk (1640—1700), in Hamburg ihr Opernschaffen begonnen, Theile 1678 mit der Oper DER GESCHAFFENE, GEFALLENE UND AUFGERICHTETE MENSCH (Text von Christian Richter) und ORONTES (nach einer italienischen Vorlage), Strungk 1680 mit DIE LIEBREICHE, DURCH TUGEND UND SCHÖNHEIT ERHÖHETE ESTHER (Text von Johann Martin Köler). Von allen dreien sind die Textbücher und außerdem die Arien aus ORONTES und ESTHER erhalten[8]. Auch von Francks reichhaltigem Opernschaffen für Hamburg sind nurAriensammlungen aus einigen Werken — AENEAS (1680), VESPASIAN (1681), DIOCLETIAN (1682) und CARA MUSTAPHA (1686) — auf uns gekommen[9]. Ebenso ungünstig ist die Quellenlage für die etwas jüngeren Johann Philipp Förtsch (1652—1732), Johann Georg Conradi (gestorben 1699) und Johann Sigismund Kusser (1660—1727). Wie Franck sind auch sie in wechselnder Reihenfolge nacheinander oder zugleich in nahezu allen Zentren der frühdeutschen Opernpflege tätig gewesen, wobei es aufgrund der lückenhaften Überlieferung der Partituren nicht selten zu zweifelhaften Zuschreibungen an verschiedene Komponisten kommen konnte. Von Conradis neun für Hamburg geschriebenen Opern ist allerdings eine, DIE SCHÖNE UND GETREUE ARIADNE (Text von Christian Heinrich Postel, 1691 in Hamburg aufgeführt), 1972 von George Buelow in der Library of Congress in Washington wieder entdeckt worden, wo sie unter dem Namen Reinhard Keisers aufbewahrt worden war[10]. Buelow beschreibt diesen historisch bedeutsamen Fund der ersten vollständig überlieferten Hamburger Opernpartitur anhand zahlreicher Notenbeispiele ausführlich. — Von Kussers umfangreichem Opernschaffen sind uns nur zwei gedruckte Ariensammlungen (zu der 1692 in Braunschweig aufgeführten ARIADNE und dem 1694 in Hamburg herausgekommenen ERINDO, beide auf Texte von Friedrich Christian Bressand) überliefert[11].

Diese über ganz Deutschland verbreiteten Anfänge der frühdeutschen Oper stellten zum überwiegenden Teil textlich wie musikalisch schwerfällige Auseinandersetzungen bzw. Nachahmungen der ja im Lande selbst ansässigen italienischen Oper dar, mit der die Komponisten teils hier, teils durch Reisen in das Mutterland selbst in Verbindung gekommen waren. Sie fühlten sich von dieser Gattung besonders angezogen, ja, sie übernahmen großenteils in deutschen Übersetzungen deren Texte, weil diese ihrem Verlangen nach einer möglichst buntscheckigen Wiedergabe regellos wechselnder Situationen und daraus erwachsender Affekte entgegen kamen. Die geistigen Voraussetzungen waren trotz aller Verschiedenheiten im Einzelnen am Jahrhundertende in beiden Ländern einander verwandt, das Schwergewicht lag in beiden Fällen auf der Musik. — Zur französischen Oper bestanden dagegen keine so engen Beziehungen. Wurzelte diese Gattung doch musikalisch, aber vor allem textlich allzu fest in der ausgeprägten geistigen Atmosphäre ihrer Nation, als daß sie als Ganzes einer anderen als Vorbild hätte dienen können. Übernommen wurde dagegen im Laufe der Zeit in zunehmendem Maße durch den häufigeren Gebrauch von Chören und orchestralen Sätzen das stärkere Pathos, das von der Ouvertüre bis zu den aufwendigen Divertisse-

---

8 Auszugsweise veröffentlicht von Hellmuth-Christian Wolff im II. (Beispiel-) Band seines grundlegend wichtigen Buches *Die Barockoper in Hamburg*, Wolfenbüttel 1957.
9 Beispiele daraus ebenfalls bei Wolff II, a.a.O.
10 Vgl. hierzu George Buelow, Die schöne und getreue Ariadne (Hamburg 1691): A Lost Opera by J. G. Conradi Rediscovered, in: Acta Musicologica XLIV, 1972, S. 108—121.
11 *Erindo*, herausgegeben von Helmut Osthoff, in: Das Erbe deutscher Musik, Landesdenkmale Schleswig-Holstein III, 1938, und von Wolff, a.a.O., Beispielband. Hier finden sich auch Arien von Förtsch und Conradi.

ments der Aktschlüsse den Charakter der Oper bestimmte, so daß Buelows Charakterisierung der ARIADNE von Conradi als „cosmopolitan mixture of Venetian, German, and French musical Styles[12] („kosmopolitische Mischung von venezianischem, deutschem und französischem Musik-Stil) sicherlich von der Jahrhundertwende an für die gesamte Hamburger Opernkomposition zutrifft. Als ehemaliger Schüler Lullys wurde Kusser, vor allem auch wegen der von ihm eingeführten strengen französischen Orchesterdisziplin, vornehmlich als Vermittler des französischen Einflusses angesehen.

Infolge der lückenhaften musikalischen Überlieferung der frühdeutschen Oper ist die Betrachtung der Librettistik für die Erkenntnis der Gattung um so bedeutsamer. Zwar zeigt sich auch auf diesem Gebiet der ausländische Einfluß, doch heben sich gerade von der häufigen Beschränkung auf bloße Übersetzungen italienischer Libretti und Bearbeitungen französischer Vorbilder die selbständigen literarischen Leistungen deutscher Librettisten wie Christian Heinrich Postel (1658—1705), Barthold Feind (1678—1721), Christian Friedrich Hunold (Menantes; 1681—1721) und Johann Ulrich von König (1668—1744) besonders eindrucksvoll ab. Neben ihren Operntexten haben sich vor allem die drei letzteren auch in besonderen Abhandlungen und in Vorreden zu ihren Libretti energisch für eine selbständige deutsche Opernkunst eingesetzt. Mit anderen Librettisten zusammen, wie z. B. Hinrich Hinsch und Lucas von Bostel, die beide für Franck geschrieben haben, Friedrich Christian Bressand, der von Wolfenbüttel aus vor allem Kusser mit Texten versah, und Friedrich Christian Feustking, dem Textdichter von Händels erster Oper ALMIRA, schufen sie recht eigentlich den Nährboden, aus dem die frühdeutsche Oper erwuchs und auf dem sie zuletzt in Hamburg kulminierte. Denn wie deren Komponisten, so waren auch die Dichter in der Hansestadt oder wenigstens letztlich für sie tätig, hier spielten sich auch die literarischen Kämpfe um die Oper selbst bzw. zwischen deren Vertretern ab, in deren Mittelpunkt der streitbare Barthold Feind stand.

So nachteilig aber auch diese Unruhe wie überhaupt die anfängliche Unselbständigkeit der deutschen Librettistik für die Gattung war, so hatte sie doch auf die Länge gesehen denen der beiden anderen Länder gegenüber einen großen Vorteil: Sie blieb experimentierfreudig und lebte nicht lange genug, um der Erstarrung in routinemäßige Typisierung zu verfallen wie die venezianische oder der durch das Regime bedingten geistigen Gleichschaltung wie die französische. Sie war weder in der Wahl noch in der Behandlung ihrer Stoffe eingeschränkt. Wohl nahmen solche aus der antiken Mythologie oder Geschichte den breitesten Raum ein, daneben aber erschienen, wie beispielsweise gleich zu Beginn der Oper in Hamburg, biblische Texte sowie Stoffe aus der älteren (*Ludwig der Fromme* von Christian Ernst Simonetti 1726) und der neuesten deutschen Geschichte (so *Cara Mustapha* von Lucas von Bostel, ein Text, in dem 1686 die nur drei Jahre zurückliegende Belagerung Wiens durch die Türken behandelt wurde). Eine große Rolle spielte in Stücken jeder Art die komische Person, die entsprechende Figuren der italienischen Libretti in jeder Hinsicht an Mannigfaltigkeit bei weitem übertraf. Ihr Abwechslungsreichtum von der Funktion über die Charakteristik bis zur Kleidung kann recht eigentlich als wesentlichstes Unterscheidungsmerkmal der auch von den englischen Komödianten und über sie von Shakespeare beeinflußten frühdeutschen Librettistik von den Operndichtungen Italiens und Frankreichs angesehen werden[13]. Waren derartige Szenen doch auch obendrein textlich wie musikalisch die vornehmlichsten Träger des volkstümlichen Elements.

---

12 A.a.O., S. 111.
13 Vgl. hierzu besonders Wolff, Barockoper, a.a.O., S. 132ff.

# Der Höhepunkt der Hamburger Barockoper

So deutlich spürbar und im Einzelnen nachweisbar die fremden Einflüsse auf Texte und Musik der frühdeutschen Oper auch immer waren, so wird ihre Wirkungskraft doch noch bei weitem durch die Übereinstimmung der allgemein wirtschaftlich-gesellschaftlichen Zustände übertroffen, die die großen Handelsstädte Venedig und Hamburg verbindet und auf deren Boden die deutsche Barockoper letztlich in Hamburg ihren Höhepunkt erreichte. Es ist kein Zufall, daß sich hier nicht nur alle an der Verbindung von Musik und Drama interessierten Künstler zusammenfanden — mit Ausnahme des gebürtigen Hamburgers Johann Mattheson stammten sie alle aus Mittel- oder Süddeutschland —, sondern daß gerade hier die vordem diffusen Versuche dazu sich zu einer eigenständigen Gattung konsolidierten. Dies vollendete sich bezeichnenderweise im Schaffen der jüngeren Generation, an deren Spitze Reinhard Keiser (1674—1739), Johann Mattheson (1681—1764) und Georg Philipp Telemann (1681—1767) standen. Sie bildeten gleichzeitig die Brücke zu den Hamburger Anfängen des Opernkomponisten Georg Friedrich Händel[14]. Diese drei Meister haben recht eigentlich die „Hamburger Barockoper", cum grano salis das deutsche Gegenstück zur venezianischen Oper, verkörpert, wobei jedoch nur Keiser als ausgesprochener Opernkomponist im Stile der Venezianer in die Geschichte eingegangen ist, während die nicht minder bedeutenden einschlägigen Werke der beiden anderen Meister mehr am Rande ihres vielseitigen Schaffens standen.

Der Operntypus, den Keiser in seinen schier unzähligen Werken schuf (ihre Anzahl läßt sich nicht mehr genau feststellen), ist, wie schon seine Vorläufer, nach Form wie nach Inhalt textentsprechend am venezianischen Vorbild orientiert. Ausgedehnte Gespräche in scharf deklamiertem, oft sehr bewegtem Secco-Rezitativ wechseln mit ganz verschiedenartigen Arien ab, aber trotz dieser engen, äußerlichen Bindung an das überkommene Schema im Ganzen, die von der Oper DER VERFÜHRTE CLAUDIUS (1703)[15] an sogar bis zum mehr oder weniger häufigen Gebrauch italienischer Arientexte führt, lassen zahlreiche musikalische und musikalisch-dramatische Charakteristika im Einzelnen die Eigenständigkeit dieser deutschen Oper deutlich erkennen. Dies zeigt sich von Anfang an in einer Vorliebe für kurze, sehr schlichte Arien, die sich melodisch bei ernsten Personen durch liebliche Kantabilität, bei komischen Dienergestalten durch volkstümliche Liedhaftigkeit auszeichnen. Daneben aber finden sich, sobald es der Text erlaubt, auch die anspruchsvollsten Bravourarien, so daß der Gegensatz zwischen schwärzester Bosheit und lichtester Unschuld oder selbstbewußter Eitelkeit und bescheidener Zurückhaltung hier oft sehr anschaulich zum Ausdruck gebracht wird. In MASANIELLO FURIOSO (1706, Text von Barthold Feind) fällt dieser Kontrastreichtum im Dienste der Personencharakterisierung aufgrund der „furiosità" des Titelhelden besonders ins Auge, kann aber schon in den vorangehenden Opern und muß vor allem in den folgenden bis zur zweiten Fassung des CROESUS von 1730[16] als wesentlichstes Charakteristikum des Musikdramatikers Keiser angesehen werden.

Eine Sonderstellung nimmt in dieser Hinsicht gerade unter den späten Werken des Meisters DER LÄCHERLICHE PRINZ JODELET (1726) ein[17]. Der Reiz dieser Oper beruht vor allem auf der Selbstverständlichkeit, mit der der Komponist die Ausdrucksmittel der Gattung hier in den

---

14 Siehe Kapitel *Deutsche Kosmopoliten*, S. 331ff.
15 Als Faksimile veröffentlicht in: Handel Sources, Band 3.
16 Neudruck in Denkmäler deutscher Tonkunst 37/38.
17 Neudruck in Publikationen der Gesellschaft für Musikforschung XVIII.

Dienst der Komödie gestellt hat, ohne sich dabei weder auf den Boden der opera buffa, noch auf den der opéra comique zu begeben. Ähnlich wie kurz vor ihm Telemann in seinem GEDULDIGEN SOKRATES (1721) ist er vielmehr, seiner fünfaktigen Textvorlage von Johann Philipp Praetorius (nach einer Komödie von Thomas Corneille) folgend, ganz im Rahmen der selbstgeschaffenen Gattung geblieben. Dabei erwies sich deren musikalisch-formale und sprachliche Vielseitigkeit geradezu als praedestiniert für die Wiedergabe komischer, ernster und vor allem parodistischer Äußerungen.

Zu der Vielfalt an Ariencharakteren gesellt sich als weitere Auflockerung des italienischen Schematismus die weitgehend freie Szenenanlage. Nicht nur, daß Szenen mit zwei und mehr Arien (oftmals einer mit deutschem und einer mit italienischem Text) ganz gebräuchlich sind — es erscheinen auch aparte Komplexe aus Ensembles und Soli, Rezitativen und Arien. Dadurch gelingt es Keiser ohne besonderen Aufwand und vielfach unabhängig vom italienischen Vorbild, Handlung und Betrachtung, Drama und Musik organisch miteinander zu verbinden. Daß er auch das wichtigste Mittel der Italiener zur Erreichung dieses Zieles, das Akkompagnato-Rezitativ, wirkungsvoll einzusetzen verstand, hat er, wo immer es der Text fordert oder erlaubt, bewiesen.

Ein besonderes Kennzeichen dieses gefestigten deutschen Operntyps, das ihn von seinen Anfängen abhebt, ist die große Rolle, die die Instrumentalmusik darin spielt. Bloße Generalbaß-Arien sind bei weitem in der Minderzahl und erscheinen meist nur im Munde von Sekundariern, gewöhnlich mit volkstümlichem Einschlag. Umsomehr bevorzugt Keiser in den Gesängen der Hauptpersonen Solo-Intrumente, auch sie stets im Dienste der Textausdeutung, z. B. Holzbläser (Oboen und Flöten) oder Streicher zur Unterstreichung und Ausdeutung zärtlicher oder trauriger Empfindungen, Trompeten zur Wiedergabe eines kriegerischen Ambientes. Dabei setzt das Soloinstrument vielfach schon einleitend die Atmosphäre der ganzen Arie fest (so z. B. die Trompete in der kriegerischen Bravourarie in I,7 der FORZA DELLA VIRTÙ [*Die Kraft der Tugend;* 1700] und die Oboe in II,16 des CLAUDIUS [1703], die mit ihrer sprüngereichen Bewegung und der gehäuften Chromatik den inneren Zwiespalt der Messalina wiedergibt) und dient im weiteren Verlauf der Sätze teils konzertierend als mehr oder weniger virtuoser Partner der Singstimme, teils umspielend als deren klanglich erläuternder Hintergrund. Bemerkenswert sind auch die vielfach ausgefallenen Kombinationen von Soloinstrumenten und einzelnen Besetzungseffekten, wie z. B. eine vollständige Arienbegleitung durch das gesamte Streichorchester unisono pizzicato in III,3 der Oper DIE GROSSMÜTIGE TOMYRIS (1717)[18]. In den gleichen Funktionen wie die Soloinstrumente wird auch das Orchester insgesamt oder in verschiedenen Gruppen textentsprechend in den Aufbau der Arien einbezogen, ganz abgesehen von den oft recht umfangreichen Ritornellen, die die Thematik der Arien vorwegnehmen oder am Ende noch einmal zusammenfassen. Wie eng vokales und instrumentales Empfinden bei den deutschen Opernkomponisten jener Zeit verbunden sein konnten, zeigt mit besonderer Eindringlichkeit die eigenartige gesungene Suite in der Szene III,5 von Keisers früher Oper DER GELIEBTE ADONIS (Text von Postel, Hamburg 1697)[19]. Sie wird eröffnet durch eine Aria Courante der Nymphe Dryante, ihr folgen eine Aria Sarabande der Venus, eine Aria Menuet der Nymphe Eumene, ein schlichtes Duett Bourrée, eine Wiederholung des Menuetts durch Venus mit anderem Text, ein weiteres einfaches Tanzlied der Dryante und zuletzt eine Aria Gigue der Eumene.

Diesem deutschen Operntypus, dessen mannigfache, vielfach einander entgegengesetzte Ausdrucksmittel in Keisers letzter Oper, der zweiten Fassung des CROESUS von 1730, noch einmal

---

18 Neudruck, herausgegeben von Klaus Zelm, in: Die Oper, Band I, 1975.
19 Als Faksimile veröffentlicht in: Handel Sources Band 1.

besonders nachdrücklich zusammengefaßt erscheinen, gehören auch, individuell verschieden geprägt, die Werke von Keisers Altersgenossen Georg Kaspar Schürmann (1672—1751), Christoph Graupner (1683—1760), Johann Mattheson und Georg Philipp Telemann an, nur daß deren Opernschaffen weit weniger vollständig erhalten ist. Schürmanns Bedeutung für die deutsche Oper besteht vor allem darin, daß er ihr nach nur kurzem Aufenthalt in Hamburg am Hofe der Herzöge von Braunschweig-Wolfenbüttel zu hohem Ansehen und auf Jahre hinaus zu einer festen Heimstatt verholfen hat. Ähnlich hat auch Graupner in sehr jungen Jahren sein Opernschaffen in Hamburg begonnen, die Gattung dann aber, einem Ruf des Landgrafen Ernst Ludwig von Hessen-Darmstadt folgend, am dortigen Hofe eingebürgert.

Das Wenige, was von Matthesons Opern erhalten geblieben ist, stellt einen deutlichen praktischen Beweis für seine Vertrautheit mit der Gattung dar, die seine theoretisch-kritischen Schriften erkennen lassen. Das Secco-Rezitativ mutet durch gelegentlichen Wechsel von Achtel- und Sechzehnteldeklamation vielfach lebendiger an als dasjenige Keisers, die Arien wirken häufig gerade wegen ihrer Kürze und Schmucklosigkeit besonders eindrucksvoll (so z. B. Cleopatras Abschiedsarie in I,3 der UNGLÜCKSELIGEN CLEOPATRA (1704)[20], und wenn innerhalb einer Szene zwei Arien ein und derselben Person vorkommen, so benutzt sie der Komponist zu einer Doppelcharakterisierung dieser Gestalt. In II,9 derselben Oper reagiert Antonius z. B. auf Anschuldigungen eines römischen Generals zunächst betont geringschätzig mit einer nur vom Cembalo begleiteten, durch laufende Motivwiederholungen besonders simpel wirkenden Arie (Nr. 34), gleich darauf aber weist er die Forderung, auf Cleopatra zu verzichten, mit einer ebenfalls nur zweiteiligen, aber von den Violinen all'unisono eingeleiteten, beendeten und durchbrochenen Arie (Nr. 36) zurück, in der Singstimme und Instrumente, teilweise tonmalerisch („Phoebus wird eh stille stehn"), zur Wiedergabe flammender Empörung zusammenwirken:

Johann Mattheson: DIE UNGLÜCKSELIGE CLEOPATRA

Telemanns nur lückenhaft erhaltenes Opernschaffen stammt, beginnend mit der Oper DER GEDULDIGE SOKRATES (1721), ausschließlich aus seiner Hamburger Zeit. Er trat also wesentlich später damit hervor als seine Altersgenossen (seine Frühwerke sind mit Keisers Spätwerken annähernd zeitgleich). Er konnte sich mithin, ganz abgesehen von seinen vielfältigen früheren musikalischen Erfahrungen, allein in seiner nächsten Umgebung, in Hamburg, bereits auf eine durch viele Jahre hindurch gefestigte Operntradition stützen, d. h. er gehörte, obwohl ein Generationsgenosse der oben genannten Meister, künstlerisch quasi schon einer jüngeren Generation an. Diese

---

20 Herausgegeben von George Buelow als Band 69 des Erbe deutscher Musik, 1975.

Zeitverschiebung auf dem Gebiet der Opernkomposition dürfte die eigenartige Zwitterstellung, die er darin einnimmt, erklären: Er war seinem Alter nach ein „frühdeutscher" Opernkomponist und seiner Wirkungsstätte nach ein Komponist der „Hamburger Barockoper". Aber gerade weil er fest in dieser Gattung wurzelte, konnte er ihr, ohne sie zu verändern, neue, auf eine stärkere und individuellere Verbindung von Musik und Drama gerichtete Impulse geben, die seinen Werken kaum merklich einen moderneren Anstrich verliehen.

Das zeigt sich bereits deutlich in seinen glücklicherweise vollständig erhaltenen Erstlingswerken DER GEDULDIGE SOKRATES (1721) und DER NEUMODISCHE LIEBHABER DAMON ODER DIE SATYRN IN ARKADIEN (1724)[21]. Dem ersteren liegt das von Johann Ulrich von König übersetzte Libretto *La pazienza di Socrate* von Niccolò Minato (komponiert von Antonio Draghi 1680) zugrunde, der Textdichter des zweiten ist nicht bekannt. Beides sind Lustspiele, und es ist sicher kein Zufall, daß Telemann seine musikalisch-dramatische Auflockerung der deutschen Oper gerade auf diesem noch weitgehend jungfräulichen Boden begann, der ihm besonders viele Gelegenheiten dazu bot. Sein Einfluß auf das Spätwerk Keisers, den JODELET (s. oben), ist unverkennbar. Auf einem ganz anderen Blatt stehen hingegen Telemanns Intermezzi DIE UNGLEICHE HEYRATH ODER DAS HERRSCHSÜCHTIGE KAMMERMÄDGEN (1725), die ihn als versierten Buffokomponisten ausweisen (s. weiter unten).

In SOKRATES und DAMON hat sich der Komponist keine Gelegenheit entgehen lassen, Personen wie auch Situationen charakteristisch auszudeuten. Beide Texte sind mit ihren gegensätzlichen Personengruppen dazu besonders gut geeignet. In SOKRATES wird der Titelheld gleich in seiner ersten, von vier Violinen begleiteten Arie (in I,1) auch musikalisch in seiner ganzen Geduld dargestellt (vgl. S. 231), ja, diese Eigenschaft durchsetzt als kurzes, quasi ostinates Leitmotiv, zuerst am Ende des I. Aktes auftauchend, bis zum letzten Finale die ganze Oper. Um so wirkungsvoller ist es dann, wenn er am Anfang des II. Aktes mit einer ganz anders gearteten, koloraturenreichen Bravourarie einmal auftrumpft und die ständig streitenden beiden Frauen dadurch aus dem Konzept bringt. Ihre Ausdrucksweise besteht im Wesentlichen aus erregten Rezitativen und ebensolchen Duetten. — Diesen Trägern des Geschehens im engeren Sinne steht jedoch eine zahlenmäßig größere Gruppe von weniger charakteristischen Figuren gegenüber, die auch musikalisch einen wirkungsvollen, mehr lyrischen Gegensatz zu jenen bilden. Sie erscheinen mit lieblichen Liebes-Arien und -Ensembles bald mit italienischem, bald mit deutschem Text oder auch mit lustigen Gesängen (z. B. Pitho mit zwei Trinkliedern in II,3 und 12) mehr als Operntypen denn als Charaktere, wenn sich auch der große musikalische Reichtum dieser Oper recht eigentlich in ihnen verkörpert.

In DAMON tritt aufgrund der insgesamt lyrischeren Haltung des pastoralen Textes der Gegensatz der Gruppen nicht so deutlich hervor; er beschränkt sich hier hauptsächlich auf den Kontrast zwischen der wilden Liebesglut der Satyrn und der arkadisch-pastoralen Schwärmerei der Hirten und Nymphen und äußert sich weniger im Nebeneinander verschiedener Sphären als vielmehr in deren ständigem wirkungsvollen Zusammenprall. So stellt auch die Musik dieser Oper eine Kette von gegensätzlichen Gesängen dar, die ihre Wirkung gegenseitig beständig erhöhen. Die Szene II,5 beginnt z. B. mit einer Arie Damons (S. 233), in der die animalische Leidenschaft des Satyrn durch ein durchgehendes Unisono sämtlicher Instrumente mit der Singstimme zum Ausdruck gebracht wird, dann folgt die Hirtin Mirtilla, die als Göttin Diana verkleidet ihrem Zorn in einer von zwei corni da caccia begleiteten Koloraturarie Luft macht, und zuletzt eine ganz zarte Arie der Hirtin Elpina.

---

[21] Beide herausgegeben von Bernd Baselt als Band 20 und 21 der Telemann-Ausgabe, Kassel 1967 und 1969.

Georg Philipp Telemann: DER GEDULDIGE SOKRATES

Zu dieser Vielfalt der Ausdrucksmöglichkeiten im allgemeinen gesellt sich dann aber als besondere Anregung noch vor allem die in beiden Texten fast allgegenwärtige Neigung zur Parodie. Das zeigt sich inhaltsentsprechend vor allem in SOKRATES, und zwar meist in Zusammenhang mit italienischen Versen (so z. B. in II,9 mit dem zähneknirschenden „Versöhnungs"-Gesang der beiden wutbebenden Frauen in Gestalt eines schmeichelnden italienischen Liebesduetts und in III,7 mit dem neckischen, gleichfalls italienischen Hirtengesang der von den Schülern verhöhnten alten

Georg Philipp Telemann: DER GEDULDIGE SOKRATES

Xantippe), aber auch in DAMON (ohne italienische Texte) etwa mit der betont tändelnd graziösen Arie, mit der der als Nymphe Caliste verkleidete Hirt Tyrsis auf die Werbung des Satyrn Damon reagiert, oder mit der Liebesarie Damons in II,2, deren Leidenschaft bald in plappernder Buffa-Deklamation oder in simplen Sequenzen, bald in übertriebenen Koloraturen zum Ausdruck gebracht wird.

Georg Philipp Telemann: DER NEUMODISCHE LIEBHABER DAMON

Rein musikalisch spricht Telemann durchaus die Sprache seiner Altersgenossen, doch ist der frühere Reichtum an geschlossenen Formen in Arien und Ensembles weitgehend durch eine Vorherrschaft der Dacapo-Form ersetzt. Auffallend ist in beiden Opern die verhältnismäßig große Zahl von Ensembles, die, sofern sie wirklich als solche behandelt sind, Telemanns Neigung zur polyphonen Satzweise erkennen lassen; dies zeigt sich besonders deutlich im Duett in SOKRATES I,6 und teilweise auch im Zankduett der beiden Frauen in I,2, wo alle Abschnitte quasi kanonisch beginnen und die Stimmen sich dann allmählich locker konzertierend vereinen. Nicht selten aber stellen besonders die größer besetzten Ensembles mehr musikalisch geformte Zwiegespräche dar. So ist z. B. das Terzett zwischen Sokrates und den beiden Frauen in III,2 eine Auseinandersetzung zwischen ihm einer- und ihnen andererseits und das Quintett zwischen dem Meister und seinen vier Schülern in III,3 ein Frage- und Antwortspiel zwischen ihnen. Noch häufiger finden sich derartige dramatisch aufgelockerte Ensembles in DAMON. Das Duett zwischen Elpina und Laurindo in II,3 z. B. ist mit dem raschen Alternieren der beiden Stimmen mehr eine auf zwei Stimmen verteilte schlichte Arie als ein Zwiegesang, und das Terzett Mirtilla/Tyrsis/Laurindo in II,8 eher ein kurzes geformtes Gespräch in sich beantwortenden Phrasen. Besonders bemerkenswert ist hier das Quartetto in III,13, dessen erster Teil aus zwei ineinandergeschobenen, kanonischen Duetten der beiden Liebespaare besteht. Hier greifen musikalische Satzkunst und musikdramatische Wirkungskraft besonders eindringlich ineinander. Bei der Orchesterbegleitung macht auch Telemann viel Gebrauch von Soloinstrumenten, die entweder mit der Singstimme konzertieren oder aber, wie verschiedentlich in SOKRATES (z. B. in I,10 und II,4), virtuos über diese dominieren — ein besonders deutlicher Hinweis auf die wichtige Rolle, die der deutsche Opernkomponist dem Instrumentalpart zuerkannte.

Als Beispiel für eine ernste Oper Telemanns sei hier nur auf DIE LAST-TRAGENDE LIEBE, ODER EMMA UND EGINHARD (1728) hingewiesen, von deren verloren gegangener Partitur Hellmuth Christian Wolff verdienstvollerweise in seiner *Barockoper in Hamburg* anhand zahlreicher abgedruckter Beispiele ein lebendiges Bild erhalten hat[22]. Schon die vielfältigen zitierten Satzanfänge

---

22 Vgl. auch drei Arien daraus in den von Wolff herausgegebenen *Deutschen Barockarien* Band 1.

lassen erkennen, daß dieses Werk an musikalischem Einfalls- und Formenreichtum, an Mannigfaltigkeit der Instrumentation und der Satztechnik, aber auch an Kraft der Textausdeutung jenen beiden Lustspielen zumindest ebenbürtig ist. Wolff bezeichnet es geradezu als „Höhepunkt der Hamburger Barockoper, der schon deutlich die weitere Entwicklung der deutschen Oper vorausahnen läßt."

Eine Sonderstellung in deren Kreis nehmen nur Telemanns oben erwähnte Intermezzi DIE UNGLEICHE HEYRATH ZWISCHEN VESPETTA UND PIMPINONE (1725) ein, ein Zwischenspiel, das die fortschrittliche Haltung des Komponisten im fremden stilistischen Rahmen der opera buffa besonders eindringlich sichtbar macht. Von dem italienischen Text (1708 von Pietro Pariati für Tommaso Albinoni) wurden die Rezitative und einige wenige geschlossene Formen von Johann Philipp Praetorius ins Deutsche übersetzt[23]. Das trotz der deutschen Sprache stets lebhafte Buffo-Rezitativ erhält nach kurzen Pausen immer durch drei auftaktige Sechzehntel wieder neuen Schwung, so daß seine Spannung auch in langen Szenen erhalten bleibt. Mit gleicher Meisterschaft beherrscht Telemann den Buffo-Stil mit plappernder Deklamation, mit Wiederholungen einzelner Silben und kurzer Motive oder mit übertriebenen Ausdrucksmitteln der opera seria wie z. B. Koloraturen oder chromatischen Wendungen auch in den Arien und Duetten. Dramatisch-musikalische Höhepunkte sind die geschickte Verwendung des in der opera buffa als krasses Mittel der Ironisierung beliebten Falsetts zu Beginn des 3. Intermezzos und die simultane gegensätzliche Personencharakterisierung im Schlußduett.

Georg Philipp Telemann: DIE UNGLEICHE HEYRATH ZWISCHEN VESPETTA UND PIMPINONE

---

23 Das Werk wurde 1936 von Theodor Wilhelm Werner als Band 6 des Erbe deutscher Musik herausgegeben.

# Das Ende der deutschen Barockoper

Hat sich die frühdeutsche Oper geographisch wie gesellschaftlich, literarisch wie musikalisch, nicht zuletzt noch unter dem Einfluß des Dreißigjährigen Krieges aus chaotischen Anfängen heraus entwickelt und war es ihr gelungen, in der letzten Generation um die Jahrhundertwende in Hamburg eine angemessene Heimstatt zu finden, so verlor sie diese genau so unerwartet, wie sie sie gefunden hatte. Sicherlich gibt es für dieses plötzliche „Ende" hier und in anderen ihrer Stützpunkte viele Gründe, vor allem die von Johann Christoph Gottsched mit Verve vertretene rationalistische Einstellung, aufgrund derer er die Oper als Inbegriff der Unnatur bekämpfte. Dem widerspricht allerdings die Tatsache, daß in Hamburg auch nach der Schließung des Opernhauses (1738) Opern aufgeführt worden sind, nun allerdings, durch die Mingottische Operntruppe, italienische. Hier zeigt sich also doch wieder die Neigung zu dem alten Vorbild, wo nicht sogar dessen Sieg, der sich unübersehbar durch den abrupten Abgang des jungen Händel 1706 nach Italien bereits angekündigt hatte. Außerdem waren ja auch die italienische wie die französische Oper in jener Zeit nicht minder Ziele von gleichgerichteten Angriffen gewesen, ohne daß sie davon entscheidend berührt, geschweige denn vernichtet worden wären. Das wäre bei den organisch und allmählich aus dem Boden der heimischen Kulturen erwachsenen Gattungen auch kaum denkbar gewesen. Das Produkt eines zunächst gleichsam abenteuerlustigen Experimentierens hingegen fiel trotz bedeutender Leistungen letztlich allen Anwürfen als relativ leichte Beute zum Opfer, zumal es, wie das Hamburger Beispiel zeigt, vom Publikum ohne weiteres verschmerzt wurde. So kam es, daß sich die deutsche Oper nicht nur in ihren Anfängen den anderen gegenüber im Nachteil befunden hatte, sondern daß ihre Entwicklung trotz des durch Meister wie Keiser und Telemann erreichten hohen Niveaus aufgrund der in ihr verborgenen Zwiespältigkeit dort, wo ihre ausländischen Schwestergattungen den Epochenwandel wiederum organisch und allmählich überwanden, als deutsche Barockoper brüsk abbrach, und erst nach geraumer Zeit das zaghafte Ringen um eine „teutsche Opera" unter ganz anderen Umständen völlig von neuem begann.

# Das deutsche Singspiel

Das abrupte Ende der „frühdeutschen Oper" bedeutete ausschließlich das Verschwinden einer nicht mehr zeitgemäßen Gattung — die Opernpflege in Deutschland wurde davon nicht berührt, schon gar nicht an den größeren Höfen, die nach wie vor fest in italienischer Hand waren, aber auch ebensowenig im Bereich der Wandertruppen, die im 18. Jahrhundert mehr und mehr auch für die Oper an Bedeutung gewannen.

Die Lücke von ca. 30 Jahren in der deutschen Opernproduktion, die jetzt entstand, wirkte sich daher unter der gleichförmig italienisierten Oberfläche der Opernpflege in erster Linie nur als Generationswechsel aus. Dabei war das Ziel der neuen Generation, wie das der alten, die „deutsche Oper", nur verfolgte sie es, ohne auf jene Bestrebungen zurückzublicken, wiederum zeitbedingt auf ganz anderen Wegen, allerdings, schicksalhaft für alle jene deutschen Bemühungen um die ersehnte Gattung, auch sie im Anschluß an fremde Vorbilder. Während aber die frühdeutsche Oper grundsätzlich dem anspruchsvollen Beispiel der durchkomponierten alten Gattungen Italiens und Frankreichs gefolgt war, hielt sich die neue Generation an die junge Gattung der opéra comique, die den modernen Geist der Einfachheit und Natürlichkeit verkörperte und sich auf gesprochenen Dialog beschränkte. Als Vorläufer und Anreger erschien hier zunächst schon 1743 eine gattungsmäßig der opéra comique verwandte englische Ballad Opera, THE DEVIL TO PAY OR THE WIVES METAMORPHOSED von Charles Coffey mit originaler Musik in deutscher Übersetzung in verschiedenen deutschen Städten. In der Bearbeitung des Dichters Christian Felix Weiße errang das Stück dann 1752 unter dem Titel DER TEUFEL IST LOS ODER DIE VERWANDELTEN WEIBER mit Musik von Johann C. Standfuß in Leipzig einen großen Erfolg, bis mit dem Weißeschen Text in der Vertonung von Johann Adam Hiller (1728-1804) 1766 ebendort durch die Kochsche Theatergruppe die neue deutsche Opern-Gattung des „deutschen Singspiels" (damals „deutsche Operette" genannt) aus der Taufe gehoben wurde. Sie war, wie schon die Bezeichnung „Operette" zeigt, bescheidener als die alte, denn sie war von vornherein den Anforderungen einer Wandertruppe angepaßt, aber getragen von einem routinierten Dichter, der die opéra comique an der Quelle in Paris studiert hatte und dem es meisterhaft gelang, die typisch französische Haltung ihrer Texte dem Geist des deutschen Publikums anzuverwandeln, und einem Komponisten, der als Liedermeister wie kein anderer dazu praedestiniert schien, der Gattung musikalisch seinen Stempel aufzudrücken. So kam hier im Gegensatz zu der buntscheckigen „frühdeutschen Oper", die letzten Endes an dieser Eigenschaft gescheitert war, ein aus wenigen Quellen gespeistes und von wenigen Männern inspiriertes, von weiten Kreisen des Volkes begrüßtes, anspruchsloses Werk zustande, das zur gleichen Zeit, da Gluck den deutschen Geist in seinen italienischen Reformopern verborgen zum Ausdruck brachte (vgl. Kapitel *Deutsche Kosmopoliten*), ihn zumindest musikalisch mit einer auf den Bühnen bisher nicht gekannten Deutlichkeit offenbarte. Eine deutsche Oper, d. h. eine Durchdringung von Musik und Drama, stellte diese an einer simplen Handlung aufgereihte Kette von eingänglichen Liedern zunächst allerdings nicht dar, sie wurde es aber unter Hillers Händen dadurch, daß er, der Bewunderer der italienischen Opern von Hasse und Graun, sich gelegentlich zum Zwecke musikalischer Personen- und Situationscharakterisierung auch stilistisch in deren Bahnen bewegte. Wie klar er die Gefahr einer solchen Stilvermischung erkannte, geht deutlich aus der Vorrede zum Klavier-Auszug seines dritten Singspiels, LOTTCHEN AM HOFE (Leipzig 1768), hervor; hier rückt er energisch von dem seiner Meinung nach zu häufigen Gebrauch von Seria-Arien in seiner vorangegangenen „romantisch-comischen Oper" LISUART UND DARIOLETTE ab, der in der „comischen Oper" nicht angebracht sei. In der Tat enthält LOTTCHEN AM HOFE keine Dacapo- oder gar Bravourarien, auch Koloraturen kommen kaum vor, wie denn Hiller in diesem Charles Simon Favarts NINETTE À LA COUR nachgebildeten Werk den in allen Texten Weißes nach französichem Vorbild im Mittelpunkt stehenden krassen Gegensatz der Stände musikalisch ziemlich zurückhaltend wiedergegeben hat. Der liebliche Liedton, der bald tanzhaft, bald mehr volkstümlich deklamatorisch die Gesänge der einfachen Leute charakterisiert, beherrscht im Grunde, nur getragener und mit arienhaft geweiteten Linien, auch die der Vornehmen, nur daß hier auch gelegentlich Koloraturen eingefügt sind. Als Beispiel hierfür sei ein Stück aus der Arie des Fürsten Astolph vom Ende des II. Aktes eingefügt (S. 237 oben).

In seinen etwas später entstandenen Singspielen, der JAGD (von Weiße nach Sedaine, Weimar 1770) und dem AERNDTEKRANZ (original von Weiße, Leipzig 1771) hat Hiller zur musikalischen Erhellung des dramatischen Geschehens wieder mehr auf die vordem abgelehnte Stilmischung zurückgegriffen. Vor allem in dem späteren Werk wird das vornehme Paar Amalia und Lindfort besonders im III. Akt durch galante Dacapo-Arien (Lindfort sogar durch eine Bravourarie, vgl. S. 237 unten) hervorgehoben. Das hinderte jedoch den Komponisten nicht daran, der vornehmen Dame kurz danach eine buffohafte zweiteilige Lacharie (Nr. 32) in den Mund zu legen und am Anfang des II. Aktes zwischen ihr und der Pächterstochter Lieschen gleichsam einen Rollentausch vorzunehmen: Diese eröffnet den Akt mit einer koloraturenreichen Blumenarie mit obligater Flöte (Nr. 13), die Edelfrau entgegnet mit einem sehr schlichten siebenstrophigen Lied (Nr. 14).

Johann Adam Hiller: LOTTCHEN AM HOFE

Diese Entwicklung zur dramatischen Belebung durch eine Erweiterung der stilistischen Mittel, die Hiller im Laufe seines eigenen Schaffens schon begonnen hatte, setzten seine Nachfolger auf der Singspielbühne in verstärktem Maße fort. Schon der DORFJAHRMARKT (Text von Friedrich Wilhelm Gotter, Gotha 1775) des etwas älteren Georg Benda (1722-1795)[1] enthält eine Fülle von anspruchsvollen Dacapo-Arien, teils Bravourarien im Sinne der opera seria, teils typische Buffo-

---

[1] Hrsg. von Theodor Wilhelm Werner in Denkmäler deutscher Tonkunst 64.

Georg Benda: DER DORFJAHRMARKT

Arien (wie z.B. die Militär-Arie Nr. 8 des Feldwebels), auch eine gattungstypische f-Moll-Romanze mit einer ständig inhaltsentsprechend wechselnden Instrumental-Begleitung, aber kaum noch schlichte Singspiel-Lieder in Hillers Art. Ähnliches gilt auch für einschlägige Werke des jüngeren Johann André (1741-1799), unter dessen zahlreichen Singspielen sich außer zweien auf Texte von Goethe — ERWIN UND ELMIRE (1775) und CLAUDINE VON VILLABELLA (1778) — auch eine Vertonung von Bretzners ENTFÜHRUNG AUS DEM SERAIL (1781) findet, sowie des Hiller-Schülers Christian Gottlob Neefe (1748-1798), dessen Einakter AMORS GUCKKASTEN (Leipzig 1772) wie beispielsweise auch seine Schauspielmusik zu *Heinrich und Lyda* (1776) eine bunte Folge von gefälligen Liedern, aufwendigen pathetischen Arien und ausgelassenen Buffa-Gesängen darstellen. Eine kurze Nachblüte erlebte die Gattung noch in Stuttgart im Schaffen von zwei Altersgenossen Mozarts, Christian Ludwig Dieter (1757-1822) und Johann Rudolf Zumsteeg (1760-1802), dessen GEISTERINSEL (1789) dramatisch wie musikalisch bereits eindeutig romantischen Geist erkennen läßt. Indessen spielen in allen diesen späteren Singspielen auch Ensembles der verschiedensten Art und opernhafte Szenenblöcke eine größere Rolle, so daß sich der Unterschied zwischen Singspiel bzw. „Operette" und Oper allmählich mehr und mehr verwischte. Gleichzeitig verlor das Singspiel allerdings seine vornehmste ursprüngliche Eigenschaft, die stilistische Einheit, und wurde zu einem beispiellosen Stilgemisch.

Das gleiche stilistisch bunte Bild aber bieten auch die Bühnenwerke aller deutschen Komponisten der Generation Mozarts insgesamt, die vor oder unmittelbar nach der Jahrhundert-Wende erschienen sind. Schon im Schaffen Johann Friedrich Reichardts (1752-1814), in dem typische italienische Opern (z. B. BRENNO 1788 und OLIMPIADE 1790) unmittelbar mit der Vertonung Goethescher Singspieltexte (CLAUDINE VON VILLABELLA 1789 und ERWIN UND ELMIRE 1791) abwechseln, macht sich das Weltbürgertum dieser Meister deutlich bemerkbar, auch Franz Danzi (1763-1826) hat verschiedene Gattungen nebeneinander gepflegt, in seiner MITTERNACHTSSTUNDE (1788) aber die Formenwelt der opera buffa mit deutsch-singspielhaftem Geist erfüllt.

Reichardt hingegen ging nach seinen Singspielen mit seinen drei einaktigen Liederspielen aus den Jahren 1800 und 1804 den entgegengesetzten Weg zu einer größeren „Simplicität", auf dem ihm zahlreiche angesehene Meister folgten. Auch Mendelssohns HEIMKEHR AUS DER FFREMDE (Berlin 1829) trägt noch diesen Untertitel. Im Ganzen aber entwickelte sich die Gattung, bedingt durch den ihr anhaftenden Mangel an Dramatik und der zeitbedingten Vorliebe für Mischformen im allgemeinen wie der Neigung des deutschen Singspiels zur opéra comique im besonderen folgend, als eine Art von Parallele zum Wiener Singspiel zu einer als „Liederposse", ja, sogar als „Vaudeville" bezeichneten Stilmischung, die in der ersten Hälfte des 19. Jahrhunderts das volkstümliche Berliner Opernleben beherrschen sollte[2]. Besonders eindringlich tritt das stilistische Anpassungsvermögen jener Generation in den Opern Peter von Winters (1754—1825) hervor. Er leistete stilgerechte Beiträge zu opera seria wie zu opera buffa und komponierte auch Singspieltexte von Goethe, aber in den deutschsprachigen Werken, in denen er zwar den gesprochenen Dialog nach Singspielart beibehielt, das Schwergewicht jedoch dem effektvolleren Inhalt entsprechend eindeutig auf die musikalischen Nummern verlegte, wie z.B. in seinem erfolgreichsten Werk, der „heroisch-komischen Oper" DAS UNTERBROCHENE OPFERFEST (1796), brachte er ein Durcheinander der Gattungsstile zustande, das das des früheren Singspiels noch bei weitem übertraf. Daß Mozart dieses bereits in der ZAUBERFLÖTE überwunden hatte, blieb Winter trotz mancher Anklänge daran im UNTERBROCHENEN OPFERFEST und, obwohl er sich ein Jahr später mit der „heroisch-komischen Oper" DAS LABYRINTH ODER DER KAMPF MIT DEN ELEMENTEN, ZWEITER TEIL DER ZAUBERFLÖTE (Text von Emanuel Schikaneder) in die unmittelbare Nähe dieses Werkes begeben hatte, vielleicht eben deswegen verborgen. Dagegen weisen seine späteren Opern, DER STURM (1798) und vor allem COLMAL (nach Ossian, 1809), ähnlich wie Zumsteegs GEISTERINSEL (1789), deutlich erkennbar auf die deutsche romantische Oper voraus.

---

2 Vgl. hierzu die Ausführungen von Susanne Johns, Das szenische Liederspiel zwischen 1800 und 1830 (Quellen und Studien zur Musikgeschichte von der Antike bis in die Gegenwart 20, Frankfurt 1988) und die Ausführungen über die Berliner Operette auf S. 248.

# Das Melodram

Während das deutsche Singspiel aus dem Boden der opéra comique heraus erwuchs und zugleich musikalisch mehr und mehr zum Träger deutschen Geistes wurde, erfolgte gleichzeitig ebenfalls von Frankreich aus der Anstoß zu einer neuen Gattung, die als ganz neuer Versuch zur Lösung des Wort-Ton-Problems allgemeines Aufsehen erregte und ihre Erfüllung recht eigentlich in Deutschland finden sollte, das Melodram. Seine unscheinbare Wurzel war die kleine „scène lyrique" PYGMALION, deren Text und ein Teil der Musik von Jean Jacques Rousseau stammte und die 1770 in Lyon aufgeführt worden war. Im Gegensatz zur Oper ging es hier um eine Verbindung von Drama und Musik unter Vermeidung nicht nur des Gesangs, sondern überhaupt jeglicher Durchdringung der beiden Elemente, dergestalt, daß das Geschehen teils rein sprachlich, teils pantomimisch wiedergegeben und jeweils nachträglich abschnittweise von Instrumentalstücken ausgedeutet wurde. Es war ein Experiment, das vor allem von den überall nach neuen Ausdrucksmitteln für die Opernbühne suchenden deutschen Komponisten spontan aufgenommen, erweitert und vervollkommnet wurde. Bereits fünf Jahre nach der Anregung Rousseaus, 1775, erschienen die beiden als Duodramen bezeichneten Werke Georg Bendas, ARIADNE AUF NAXOS (Text von Johann Christian Brandes, Gotha 27. Januar) und MEDEA (Text von Friedrich Wilhelm Gotter, Leipzig 1. Mai), die unter den anderen Singspielkomponisten zahlreiche begeisterte Nachahmer fanden. In der Tat haben erst sie durch die stärkere Betonung der Rolle der Musik nach dem Vorbild großer Akkompagnato-Szenen der Oper und durch die den wechselnden Affekten angemessene bald langsamere, bald raschere Ablösung von Sprache und Musik bis zu deren Überschneidung an den Höhepunkten die Gattung über das Stadium eines geistvollen Experiments hinaus zum wahren großen Kunstwerk erhoben. Auch Goethe hat mit seiner *Proserpina* einen Beitrag dazu geleistet, sich allerdings im *Triumph der Empfindsamkeit* wieder spöttisch von ihr abgewandt.

Freilich scheiterte das Melodram als selbständiges Bühnenwerk schon nach kurzer Zeit an seinem in größerem Rahmen störenden Zwitterwesen, doch benutzten es bereits die jüngeren deutschen Singspielkomponisten (z.B. Neefe in ADELHEID VON VELTHEIM und Mozart in ZAÏDE), aber ebenso auch die Meister der opéra comique gern zur musikalischen Hervorhebung dramatischer oder auch seelischer Ausnahmesituationen, so daß es schließlich im 19. Jahrhundert in allen Operngattungen mit gesprochenem Dialog zum gebräuchlichsten und zugleich wirkungsvollsten Ausdrucksmittel für die musikalische Wiedergabe einer unheimlichen Atmosphäre und schrecklicher Ereignisse wurde, wie sie das Wesen der romantischen Librettistik bestimmten.

# Klassizistische deutsche Opernversuche

Das zweite große Ringen um eine „teutsche Opera", das die ganze zweite Hälfte des 18. Jahrhunderts einnahm, hatte, dem gewählten Vorbild der opéra comique entsprechend, in Mitteldeutschland nur zur „Operette", d. h. zum deutschen Singspiel geführt, und dieses enttäuschende Ergebnis war sicherlich ein Grund dafür, daß die Komponisten daneben auch die „wirklichen", d. h. durchkomponierten, italienischen Opern pflegten und deren Stil mit dem der Singspiele vermischten. Auffallend aber ist, daß dieses Ringen bis dahin ganz in den Händen der Komponisten lag. Von den klassischen Dichtern hat nur Goethe dabei mitgewirkt, sich aber ganz in den von den Komponisten gesteckten Grenzen bewegt, d. h. durch seine eigenen erlesenen Singspieltexte nur das textliche Niveau der bescheidenen Gattung gehoben, ohne sie, wohl wissend, daß ein solcher Versuch erfolglos bleiben würde, dem ersehnten Ziel der „Opera" näher zu bringen. Einen geradezu vom Schicksal vorgezeichneten direkten Schritt in dieser Richtung taten dagegen Klopstock, Wieland und Herder, indem sie versuchten, mit dem von ihnen bewunderten Gluck Verbindung aufzunehmen, was aber tragischerweise an der allzu kosmopolitischen Einstellung des Opernkomponisten scheiterte (s. Kapitel *Deutsche Kosmopoliten*). So sind denn nur zwei (durchkomponierte) „deutsche Opern" auf Texte eines klassischen Dichters, Wielands, zustandegekommen, die allerdings vom Dichter selbst beide als „Singspiele" bezeichnet wurden: ALCESTE (Weimar 1773) und ROSAMUNDE (1778, Mannheim 1780), beide komponiert von Anton Schweitzer (1735-1785), einem Meister des deutschen Singspiels und des Melodrams im Stile der Zeit. Von den zahlreichen von diesem vertonten Werken Wielands errang jedoch nur die als erste deutsche „Nationaloper" angesehene ALCESTE einen Augenblickserfolg, blieb aber ein vereinzeltes Experiment ohne Nachfolge. Freilich nahm sie sich mit der geschickt in das Gewand der opera seria gekleideten schlichten Würde ihres Librettos unter den ihr zeitlich benachbarten, stilistisch unbekümmert bunten Singspielen seltsam genug aus — ein erstes Beispiel für das entscheidende Übergewicht eines klassischen Textes über die musikalischen Verlockungen der Gattung. Es ist bemerkenswert, wie der Singspielkomponist Schweitzer von den nur vier Personen der Handlung, vor allem aber dem Protagonistenpaar Alceste und Admet, denen von den fünf Akten jeweils ein ganzer Akt (I und IV) gehört, durch unmittelbares Ineinanderwirken von Secco, Akkompagnato und charakteristischen Arien bewegende musikalische Seelengemälde zustande gebracht hat. Als Beispiel sei der Beginn der Arie der Titelheldin aus der Szene I, 2 angeführt.

Anton Schweitzer: ALCESTE

Kurz nach dem Wieland/Schweitzerischen Werk, aber nicht in dessen Gefolge, erschien eine zweite „deutsche Oper" auf der Bühne: GÜNTHER VON SCHWARZBURG (Text von Anton Klein, Mannheim 1777) von Ignaz Holzbauer[3]. Dieses Werk zeigt so recht deutlich den Einfluß der chaotischen Zustände, die auf den deutschen Opernbühnen der Zeit herrschten, auch auf die Bemühungen um die ersehnte Nationaloper: Der Komponist kam nicht, wie Schweitzer, vom Singspiel her, sondern hatte sich ausgesprochen als italienischer Opernkomponist einen Namen

---

3 Hrsg. von Hermann Kretzschmar in Denkmäler deutscher Tonkunst 8/9.

gemacht. Diese Abkunft kann auch diese Oper trotz ihres deutschen Textes und ihres Gegenstandes aus der deutschen Geschichte nicht verleugnen, doch hat der Komponist die Typik der Gattung dadurch, daß er ihre Formelemente dem Drama völlig unterordnete, weitgehend verwischt. Auf diese Weise kam ein gleichfalls nur als Singspiel bezeichnetes Werk zustande, das der ALCESTE zwar an musikalischem Reichtum überlegen, an Ausdruckskraft aber verwandt ist und insofern ebenso den Namen einer „teutschen Opera" verdient. Es ist kein Zufall, daß Mozart, der es in Mannheim hörte, so tief davon beeindruckt war[4]. Das Auffallendste an dieser Oper ist die große Rolle, die das Akkompagnato darin spielt, ja es bildet, sei es, daß es aus einem secco in eine Arie oder aus dieser wieder zurück in ein Secco-Gespräch führt, oder daß es, wie z.B. in den Soloszenen II,1 und III,1 zu großartiger Personencharakterisierung dient, auch schon durch seine gewaltigen Ausmaße und abwechslungsreiche Instrumentation recht eigentlich das musikalisch-dramatische Gerüst der ganzen Oper. Als Beispiel sei ein Teil des Akkompagnato der teuflischen Asberta aus

Ignaz Holzbauer: GÜNTHER VON SCHWARZBURG

---

[4] Vgl. Brief vom 14. 11. 1777, in: Mozart. Briefe und Aufzeichnungen, Kassel 1962/63 Band II, S. 125.

III,8 angeführt. Auch die Arien sind durch ihre Eingliederung in den dramatischen Fluß vielfach sehr frei geformt und obendrein die vornehmlichsten Träger von Holzbauers blühender melodischer Erfindungskraft, die noch bei Mozart ihren Widerhall gefunden hat.

Ignaz Holzbauer: GÜNTHER VON SCHWARZBURG

Die grundsätzliche Verschiedenheit der beiden ersten „deutschen Opern", der ersten Vertonung eines klassischen Textes durch einen Singspielkomponisten und die Komposition eines trotz des nationalen Stoffes mehr herkömmlichen Librettos durch einen Seria-Komponisten, und die Tatsache, daß sie beide trotz beachtlicher Erfolge keine Nachfolge gefunden haben, zeigt, daß offensichtlich die Zeit für eine Konsolidierung der neuen Gattung noch nicht reif war. Den schlagendsten Beweis hierfür hatte ja annähernd gleichzeitig bereits Gluck durch seine verhängnisvoll negative Reaktion auf die Angebote der klassischen Dichter geliefert. Auch war das Ansehen, dessen sich die Werke des großen Kosmopoliten in Deutschland erfreuten, für die Herausbildung einer „deutschen Oper" sicherlich eher ein Hindernis.

## Das Wiener Singspiel

Das Singspiel in Mitteldeutschland verdankte seine Entstehung dem nach dem Ende der „frühdeutschen Oper" neu entflammten Verlangen nach der „teutschen Opera", ohne es freilich ganz zu erfüllen — das Wiener Singspiel erstand annähernd gleichzeitig ohne ein solches Ziel unmittelbar aus der einheimischen Volkskomödie eines Stranitzky und Kurz-Bernardon heraus. Die Wurzeln beider Gattungen und damit auch ihr Geist waren also grundverschieden — dort das einzelne Werk im Dienste einer übergeordneten geistigen Idee, hier das Werk um seiner selbst willen als künstlerischer Ausdruck des Volksempfindens —, aber die musikalischen Mittel, deren sich die Komponisten bedienten, stimmten hier wie dort weitgehend überein. Sie bildeten ein buntes Stilgemisch, da die beiden gleichermaßen jungen Gattungen beliebig den Vorbildern von älteren folgen konnten, nur daß das urwüchsige, auf dem musikgetränkten Boden Wiens erwachsene Singspiel dem dramaturgisch bestimmten Regeln unterworfenen mitteldeutschen, vor allem dem Hillerschen, an musikalischer Mannigfaltigkeit weit überlegen war. Diesen seinen Charakter, der textlich mit einer Neigung zur Idylle und zu einer zauberisch-phantastischen Atmosphäre verbunden war, behielt es auch bei, als es durch die Gründung des „Nationalsingspiels" durch Kaiser Joseph II. 1778 vorübergehend ebenfalls in die Bemühungen um eine Nationaloper einbezogen worden war. Das Werk, mit dem diese Bühne eröffnet wurde, DIE BERGKNAPPEN von Ignaz Umlauff (1746-1796)[5], zeigt stets im Dienste der Personencharakteristik die ganze stilistische Vielseitigkeit der Gattung vom schlichten, syllabisch deklamierten Lied über mannigfache Zwischenformen bis zur Bravourarie mit Solo-Instrument und gipfelt, zur Wiedergabe der Katastrophe am Schluß, in einem aus Akkompagnato und Melodram gemischten großartigen Orchestergemälde, dem sich ein dem Vaudeville der opéra comique entsprechender Rundgesang anschließt (vgl. S. 245).

Das Bergmanns-Milieu wird durch schlichte Chöre und Märsche wiedergegeben. Während sich das Bühnenschaffen Umlauffs auf Singspiele beschränkte, haben der älteste und einer der jüngsten jener Wiener Singspielkomponisten, Carl Ditters von Dittersdorf (1739-1799) und Joseph Weigl (1766-1846), daneben auch andere dramatische Gattungen gepflegt. Dittersdorfs sehr umfangreiches dramatisches Œuvre umfaßt allerdings nur Werke der heiteren Muse, doch hat gerade seine gründliche Beschäftigung mit der opera buffa seinem berühmtesten Werk, dem Singspiel DOKTOR UND APOTHEKER (Text von Gottlieb Stephanie d.J., 1786), nicht zuletzt durch die hier voll-

---

5 Hrsg. von Robert Haas in Denkmäler der Tonkunst in Österreich XVIII,1.

Ignaz Umlauff: Die Bergknappen

brachte Durchdringung der beiden Gattungen zu seinem beispiellosen Erfolg verholfen. Das Werk ist nach Buffa-Art reich an dramatisch bewegten Ensembles — es beginnt mit einem Quintett als echter Buffa-Introduzione, in der Szene II,10 versammeln sich alle Hauptpersonen zu einem Sextett als Zwischenfinale, und die beiden Akte laufen in ausgedehnte und abwechslungsreiche Kettenfinali aus; sein großer musikalischer Reichtum aber steht in keinem Verhältnis zu seiner dramatischen Primitivität. Das Gleiche gilt grundsätzlich auch für die wesentlich später entstandenen Erfolgswerke des jüngeren Weigl, DAS WAISENHAUS (1808), DER BERGSTURZ (1812) und vor allem DIE SCHWEIZERFAMILIE (Text von Ignaz Franz Castelli, 1809)[6]. Die Musik dieses Singspiels besteht überwiegend aus Nummern, die sich aus einfachen Liedweisen zu Ensembles erweitern. Die wenigen reinen Sologesänge sind, abgesehen von der Cavatine Nr. 7 der Heldin Emmeline, ebenfalls schlicht liedhaft; die anspruchsvollere Cavatine gehörte für die Sängerinnen der Zeit zu den Prunkstücken dieser Rolle, obwohl sich auch sie, wie die genannten späteren Werke Weigls insgesamt, textlich wie musikalisch durch eine bemerkenswerte Sentimentalität auszeichnet.

Joseph Weigl: DIE SCHWEIZERFAMILIE

[6] Vgl. hierzu Werner Bollert: Joseph Weigl und das deutsche Singspiel, in: Aufsätze zur Musikgeschichte, Bottrop o.J.

Von den vielen anderen Vertretern der Gattung haben sich die wesentlichsten meistens durch einzelne besondere Würfe einen Namen gemacht. Von Ferdinand Kauer (1751-1831), dem Komponisten unzähliger „Zauberpossen" für das Leopoldstädter Theater, wurde vor allem DAS DONAUWEIBCHEN (Text von Karl Friedrich Hensler, 1798) als erste UNDINE-Oper berühmt, ähnlich

erging es Paul Wranitzky (1756-1808) mit seinem OBERON (1789) und ganz besonders Wenzel Müller (1767-1835), über dessen Singspiel KASPAR DER FAGOTTIST (1791) sich noch Mozart (wenig anerkennend) geäußert hat und dem er im selben Jahr auf dem gleichen Boden mit der ZAUBERFLÖTE ein Werk entgegensetzte, das keiner der damals geltenden Gattungen einzuordnen war, da es sie, als ihre stilistische Synthese, musikalisch wie geistig turmhoch überragte[7]. Die Gattung des Wiener Singspiels aber lebte als Wiener Operette bis weit ins 19. Jahrhundert hinein und erlebte an dessen Ende und darüber hinaus in Gestalt von wirkungsvollen Unterhaltungsstücken eine neue Blüte.

Im Gegensatz zu der etwas älteren französischen Operette, die im Wesentlichen das Werk eines Meisters war, erhielt die Wiener ihr buntes Bild durch das Zusammenwirken mehrerer Komponisten, die altersmäßig zwei verschiedenen Generationen angehören: die Begründer der Gattung mit dem, Offenbach gleichaltrigen, Franz von Suppé (1819-1895) und Johann Strauss (1825-1899) an der Spitze und den etwas jüngeren Karl Millöcker (1842-1899) und Carl Zeller (1842-1898) und deren modernisierende Fortsetzer Franz Lehár (1870-1948), Oscar Straus (1870-1954) und Leo Fall

---

7 Vgl. das Kapitel *Deutsche Kosmopoliten*, S. 402f.

Wenzel Müller: Das Sonnenfest der Brahminen

(1873-1925)⁸. Für das Operettenschaffen dieser Komponisten ist es charakteristisch, daß sein Umfang in umgekehrtem Verhältnis zu seiner Bedeutung steht, d.h. es war im Grunde mehr „Gebrauchs"- als „Kunst"-Musik und als solche stärkstens zeitgebunden (jedoch kaum zeitkritisch, wie die Werke Offenbachs).

Im Ganzen haben sich die Werke der älteren Generation als dauerhafter erwiesen als die der jüngeren: BETTELSTUDENT (1882) und GASPARONE (1884) von Millöcker und DER VOGELHÄNDLER (1891) von Zeller sind vor allem aufgrund ihrer possenhaft-volkstümlichen Haltung wenigstens dem Namen nach noch heute bekannt, von den beiden noch heute lebendigen Meisterwerken von Johann Strauss, FLEDERMAUS (1874) und ZIGEUNERBARON (1885) ganz zu schweigen, während von der jüngeren sich nur Lehárs LUSTIGE WITWE (1905) durch ihre musikdramatisch untermauerte Walzerseligkeit bis zu einem gewissen Grad am Leben erhalten hat.

Als eigenartiger, zugleich fremder und doch verwandter Einschub erschienen in dem Intervall zwischen den Werken der beiden Generationen die Operetten des Berliners Paul Lincke (1866-1946), von denen FRAU LUNA und IM REICH DES INDRA (beide 1899) und LYSISTRATA (1902) den Wiener Werken an Erfolg nicht nachstanden, obwohl sie ihnen rein musikalisch sicher unterlegen waren. Dafür war aber diese „instinktsicher für das Volk geschriebene Musik immer an das Berliner Lokalkolorit gebunden und strahlte eine gesunde Frische aus, ohne mehr bieten zu wollen als schlicht gebaute, einprägsame, haltbare Melodien"⁹: Hier zeigt sich die Operette mit ihrer engen Volksverbundenheit als unübertreffliches Spiegelbild zweier entgegengesetzter Volkscharaktere.

Der Gattung des Wiener Singspiels aber gelang um die Wende des 18. zum 19. Jahrhundert eine Tat von einmaliger künstlerischer Bedeutung, indem sie ihr Wesen auf breiterer Basis etwas vergröbert, aber nicht weniger anziehend weiter entwickelte und zugleich Mutterboden für die ZAUBERFLÖTE wurde, die ihrerseits den deutschen romantischen Opernkomponisten als Leitbild diente.

---

8 Von diesen Meistern waren nur Millöcker, Johann Strauss und Oscar Straus gebürtige Wiener, die übrigen stammten aus anderen Teilen der damaligen Donaumonarchie.
9 Vgl. Edmund Nick, Artikel „Lincke", in: Die Musik in Geschichte und Gegenwart, Band 8, Kassel 1960, S. 855.

# Beethoven

Bevor die Entwicklung aber so weit gelangte, erschien ebenfalls in Wien ein auf einem ganz anderen Boden erwachsenes Singspiel, der ZAUBERFLÖTE als Oper bei weitem unterlegen und auch nicht von ihr beeinflußt, ihr an geistigem Gehalt aber wohl als einziges Bühnenwerk der Zeit ebenbürtig: Beethovens FIDELIO ODER DIE EHELICHE LIEBE (Text von Joseph Sonnleithner nach Bouilly, 1. Fassung dreiaktig, Wien 1805; 2. Fassung bearbeitet von Stefan von Breuning, zweiaktig, ebenda 1806; 3. [endgültige] Fassung, ebenfalls zweiaktig, von Georg Friedrich Treitschke, ebenda 1814). Es stand nicht in der Tradition des „Wiener Singspiels", sondern in der der französischen „Schreckens- und Rettungsoper"; war sein Text doch eine deutsche Bearbeitung von Jean Nicolas Bouillys opéra comique LÉONORE OU L'AMOUR CONJUGAL, die 1798 mit Musik von Pierre Gaveaux in Paris aufgeführt worden war (eine italienische Bearbeitung des gleichen Textes war ein Jahr vor Beethovens Werk unter dem Titel LEONORA OSSIA L'AMORE CONIUGALE, komponiert von Ferdinando Paër, in Dresden herausgekommen).

Das Besondere an Beethovens einziger Oper besteht darin, daß sie zwar äußerlich den Ansprüchen der Gattung entspricht, vor allem was die Bühnenwirksamkeit betrifft, daß der Komponist, dem im Gegensatz zu Mozart die Fähigkeit des wahren Dramatikers zur Selbstentäußerung fehlte, aber nicht das Werk als Ganzes, sondern nur die Szenen mit der leidenschaftlichen Inbrunst seiner Musik zu erfüllen vermochte, die von der ihn begeisternden Grundidee getragen werden, beziehungsweise unmittelbar zu ihr in Beziehung stehen.

Auf diese Weise klafft zwischen dem Protagonistenpaar Leonore/Florestan nebst ihrem an (teuflischer) Größe entsprechenden Gegenspieler Pizarro und den „Sekundariern" Rocco, Marzelline und Jaquino musikalisch ein die dramatische Einheit störender Zwiespalt, der sich besonders am Anfang des I. Aktes, wo die Gesänge dieser Gestalten (Nr. 1: Duett Marzelline/Jaquino, Nr. 2: Arie Marzelline, Nr. 4: Arie Rocco) überwiegen, bemerkbar macht. In dem berühmten Kanon-Quartett Nr. 3, in dem sich Leonore zu diesen Personen gesellt, aber gelingt es dem Komponisten, diese sehr irdische Diskrepanz musikalisch in entrückter, reiner Menschlichkeit aufzulösen.

Dadurch wird der Zwiespalt zwar nicht völlig überwunden, aber doch grundsätzlich die dramatisch unumgängliche Möglichkeit einer Durchdringung der beiden Sphären vorbereitet, so daß die erhabene Idee nicht nur die drei großen Soloszenen ihrer Träger Leonore (Nr. 9), Florestan (Nr. 11) und (ins Gegenteil verkehrt) Pizarro (Nr. 7) durchdringt, sondern auch, dem Ensemble-Reichtum der Gattung entsprechend, mehr oder weniger stark in den vielen mehrstimmigen Gesängen zum Ausdruck gelangt, an denen immer eine dieser Personen beteiligt ist — die Duette Nr. 8 (Pizarro/Rocco), Nr. 12 (Leonore/Rocco) und Nr. 15 (Leonore/Florestan), die Terzette Nr. 5 (Rocco/Marzelline/Leonore) und Nr. 13 (Florestan/Leonore/Rocco) und das Quartett Nr. 14 (Leonore/Florestan/Pizarro/Rocco). Endlich sind auch die beiden Finali — der Gefangenen-Chor im ersten und der kantatenartige Schluß des zweiten — von diesem Geiste erfüllt.

So wird die Geschichte der deutschen Oper im 19. Jahrhundert von einem Ideendrama eröffnet, wie sie im 18. Jahrhundert mit einem ebensolchen, der ZAUBERFLÖTE, geschlossen hatte. Der Unterschied zwischen den beiden Werken besteht nur darin, daß die Idee bei Mozart vollständig in das Drama integriert, aber durchaus nicht gattungsbedingt ist, während FIDELIO als „Rettungsoper" von vornherein ihren Stempel trägt und dieser den Komponisten zu einem Hymnus inspiriert hat, demgegenüber das Drama nur mehr als Mittel zum Zweck erscheint.

Insofern ist es nicht verwunderlich, daß das Werk Beethovens einzige Oper geblieben ist: als „Bekenntniswerk" mußte sie vereinzelt bleiben und fand geistig ihre Erfüllung viel später ohne die „störenden" dramatischen Fesseln auf einem ganz anderen Boden in der 9. Sinfonie und deren

Vorstudie, der *Chorfantasie* op. 80. Vereinzelt blieb sie aber auch auf der deutschen Opernbühne: zwar äußerlich eine (ausnahmsweise an der opéra comique ausgerichtete) deutsche Oper, aber im Grunde mehr ein rein beethovensches Experiment — dieser Charakter wird noch besonders durch das Vorhandensein der drei Fassungen hervorgehoben. Als solches stand es zwischen, ja über den Gattungen, und wenn die ZAUBERFLÖTE fühlbare Spuren in den deutschen Opern vom Beginn des 19. Jahrhunderts hinterlassen hat, so fand FIDELIO trotz Beethovens nicht minder umfassendem Nachruhm zwangsläufig praktisch keine nennenswerte Nachfolge.

## Die deutsche romantische Oper

Um die Wende vom 18. zum 19. Jahrhundert boten die Opernbühnen Europas das merkwürdige Bild einer allgemeinen Völkerwanderung, während gleichzeitig das Nationalitätenproblem mehr und mehr an Bedeutung gewann. In Deutschland hatte das unentwegte Streben nach einer deutschen Oper parallel mit der Pflege, ja Vergötterung der italienischen zunächst nur zu einer Vergrößerung des gattungsstilistischen Wirrwarrs geführt. Noch immer stand den Komponisten der Generation Mozarts und Beethovens das ganze Arsenal in-, aber vor allem ausländischer Vorbilder zur Verfügung, aus dem sie sich mit souveräner Routine bedienten. Um 1800 hatte Johann Friedrich Reichardt und ihm folgend weitere deutsche Komponisten bis zu Felix Mendelssohn und Albert Lortzing der Fülle der Gattungen noch die bescheidene des Liederspiels hinzugefügt, die das Singspiel textlich wie musikalisch an Anspruchslosigkeit noch bei weitem übertraf[10]. Daß Mozart und Beethoven auf ganz verschiedenen Gebieten mit ZAUBERFLÖTE und FIDELIO wirklich „deutsche" Opern, d. h. zwar klassische, aber doch einmalige Werke gelungen waren, für deren Genialität es keine Vergleichsobjekte gab, kam so recht eigentlich erst den jüngeren Meistern, den Vertretern der deutschen romantischen Oper, zum Bewußtsein.

Diese waren endlich von dem Fluch der ständigen Suche nach einer deutschen Oper erlöst, weil sie sie nicht in irgendeiner Gattung und nicht primär in der Musik suchten, sondern sie unverwechselbar im Geist der deutschen Romantik fanden, der Text wie Musik gleichermaßen durchdrang. Bezeichnend hierfür ist es allein schon, daß sie alle zwar nach wie vor mit den fremden Operngattungen vertraut waren, aber keine eigenen Beiträge mehr dazu leisteten, so daß ihr Schaffen insgesamt ein einheitliches, national geprägtes Gesicht erhielt. Unterstrichen wird diese Eigenart noch durch die Tatsache, daß die ältesten führenden Vertreter der neuen Gattung, E. T. A. Hoffmann (1776-1822), Louis Spohr (1784-1859) und Carl Maria von Weber (1786-1826), alle auch literarisch begabt waren und daß der wirkliche „Dichter" unter ihnen, Hoffmann, gleichzeitig als scharfsinniger Ästhetiker in seinem Dialog *Der Dichter und der Komponist* und als Komponist seiner letzten und bedeutendsten Oper UNDINE (beide Werke 1813 entstanden) der neuen Gattung den Weg gewiesen hat. Im Dialog fordert er vom Dichter, er „rüste sich zum kühnen Fluge in das ferne Reich der Romantik", denn nur dort sei die Musik zu Hause. Mithin sei die romantische Oper „die einzig wahrhafte", und da er noch hinzufügt: „Nur im wahrhaft Romantischen mischt sich das Komische mit dem Tragischen so gefügig, daß beides zum Totaleffekt in Eins verschmilzt und das Gemüt des Zuhörers auf eine eigene, wunderbare Weise ergreift", so gelingt es

---

10 Ludwig Kraus, Das deutsche Liederspiel in den Jahren 1800 bis 1830 (Phil.Diss. Halle 1921).

ihm schließlich, durch geschickte, wenn auch mitunter etwas gewaltsame Argumentationen, jede gehaltvolle Oper, vor allem die Werke der beiden von ihm auch dichterisch verherrlichten Meister Gluck und Mozart[11] in den Rahmen der romantischen Oper einzubeziehen.

Diese Gattung war in der Tat eine „deutsche" Oper, aber sie war es nach Hoffmann in erster Linie textlich. Das geht nicht nur theoretisch aus dem Dialog, sondern auch praktisch zunächst aus der kurz vor UNDINE entstandenen großen romantischen Oper AURORA (1811/12) und dann vor allem aus UNDINE hervor. Ihr Text stammt von Friedrich de la Motte Fouqué, da Hoffmann, wie er im Dialog erklärt, die Personalunion von Dichter und Komponist grundsätzlich ablehnte, aber er spricht nach seinen Vorstellungen „die geheimnisvolle Sprache eines fernen Geisterreichs", in der die für die deutsche Romantik ausschlaggebende Auffassung von der Verbindung zwischen Menschen- und Geisterwelt in der allumfassenden Einheit der Natur zum Ausdruck kommt.

Musikalisch behielt Hoffmann, wie auch seine Altersgenossen, den gesprochenen Dialog des Singspiels bei, übernahm, vielleicht auch von dort, den großen Reichtum an den verschiedensten Ensembles und krönte alle drei Akte mit ausgedehnten dramatischen Finali. Deutlich spürbar in den dramatischen Zusammenhang eingebunden sind auch die vier Sologesänge: die zwischen g-Moll und G-Dur schwankende Romanze Nr. 2 des Fischers, die in variierter Strophenform die lieblich-geheimnisvolle Erscheinung der kindlichen Undine umschreibt, die Arie mit Chor Nr. 12 des wilden Kühleborn, dessen unheimlich ungestüme Rachsucht durch Oktavsprünge in der Singstimme und den Bläsern, durch quasi ostinate Rhythmen in den Bässen und ständige chromatische Rückungen hervorgehoben wird, sowie die umfangreichen Arien der beiden Rivalinnen Undine und Berthalda Nr. 10 und 16, beide gleich ausgedehnt und anspruchsvoll, beide aus zahlreichen gegensätzlichen Abschnitten bestehend und in eine koloraturenreiche Coda auslaufend, die erstere durch Motivwiederholungen mit verschiedenen Texten gegliedert, die letztere in e-Moll mit einem kriegerisch anmutenden Schlußteil in E-Dur, beide gleichermaßen in eine laufend chromatisch changierende Harmonik getaucht. Aber während die beiden Männer, der Fischer durch die Schlichtheit seiner Romanze und der Wassergeist Kühleborn durch den musikalischen Aufwand seiner Arie, eindeutig gegensätzlich charakterisiert werden, hat der große Unterschied zwischen der tragischen Gestalt der Titelheldin und ihrer ehrgeizigen Nebenbuhlerin in der Musik keinen Widerhall gefunden — sicher ein Zeichen für die mehr lyrische als dramatische Begabung des Komponisten Hoffmann. Dabei hat er die Heldin im II. und III. Akt an Stellen, wo es um die Tragik ihrer Liebe geht, durch ein wunderbar stimmungshaftes, wahrhaft „romantisches" Leitmotiv hervorgehoben, wie denn überhaupt diese „romantische Oper" Hoffmanns dem sicher bühnenwirksameren, aber mehr biedermeierlich-gemütlichen gleichnamigen Werk Lortzings (1845) an musikalisch-geistigem Gehalt überlegen sein dürfte.

Während Hoffmann, der Dichter, die ersehnte deutsche Gattung erstmals ästhetisch definierte und gleichzeitig künstlerisch verwirklichte, näherten sich die Musiker Spohr und Weber ihr gleichzeitig praktisch, gleichsam tastend und mehr professionell als „Opernkomponisten", von verschiedenen Seiten und schufen so, gefolgt von dem etwas jüngeren Heinrich Marschner (1795-1861), auf den Opernbühnen Deutschlands, auf denen immer noch fremde Gattungen herrschten, auch für sie eine Heimstatt. Allerdings waren von Spohrs zehn Opern nur wenige erfolgreich — hat er doch selbst im Zusammenhang mit dem Erfolg von Webers FREISCHÜTZ geäußert, seine (eigene) Musik sei nicht geeignet (wie diejenige Webers) „den großen Haufen zu enthusiasmieren". Diese (wenig freundliche) Bemerkung ist für die Charakterisierung des künstlerischen Unterschieds zwischen den beiden Meistern jedoch unzutreffend, denn es geht dabei nicht in erster Linie um rein musikalische, sondern vielmehr um dramatisch-musikalische Eigenschaften. Mit anderen

---

11 „Ritter Gluck" und „Don Juan", beide 1814 im 1. Band der „Phantasiestücke" veröffentlicht.

Worten: Spohr war ein hervorragender Musiker, der Komponist des FREISCHÜTZ aber war außerdem noch ein geborener Dramatiker.

Spohrs im Verhältnis zu demjenigen Webers recht umfangreiches Opernschaffen[12] bietet ein getreues Spiegelbild von der Entwicklung der deutschen romantischen Oper im ersten Drittel des 19. Jahrhunderts. Es begann 1807 mit dem kleinen Einakter DIE PRÜFUNG ganz auf dem stilistisch buntscheckigen Boden des Singspiels noch weitgehend in den Banden der Konvention, von denen er sich in den Werken bis 1830 bald mehr, bald weniger sowohl dramatisch als auch vor allem musikalisch frei machte. Schon in diesem ersten Versuch finden sich aber bereits Ansätze zu erinnerungsmotivischen Anspielungen, die in den folgenden Opern immer stärker hervortreten und zu einem der wesentlichsten Charakteristika Spohrscher dramatischer Kunst werden sollten. Spohrs erstes Erfolgswerk, seine vierte Oper FAUST (Text von Joseph Karl Bernard, der die alte Volkssage mit Einzelheiten aus dem Roman *Fausts Leben, Taten und Höllenfahrt* des Sturm-und-Drang-Dichters Friedrich Maximilian Klinger verbunden hat) ist parallel zu Hoffmanns UNDINE 1813 entstanden und, wie diese, erst 1816 (unter Weber in Prag) aufgeführt worden. Dieses gemeinsame Erscheinen an der Pforte zur deutschen romantischen Oper legt einen Vergleich der beiden Werke nahe. Den von Hoffmann selbst in dem von ihm gewählten Text zu UNDINE erfüllten Forderungen seines Dialogs entspricht der Text von Spohrs FAUST allerdings nicht im mindesten. Er spricht nicht „die geheimnisvolle Sprache eines fernen Geisterreichs", sondern die handfeste eines mit spukhaften Zügen verbrämten Spektakelstücks, und Spohr hat diese Überfülle der Gesichte musikalisch-psychologisch durch Leitmotive geordnet und in die ganze stilistische Vielfalt des Wiener Singspiels eingehüllt, wobei er diese allerdings geschickt in den Dienst der Personen- oder Situations-Charakteristik gestellt hat. Faust z.B. äußert sich, je nachdem er sich mehr dem unschuldigen Röschen oder dem Edelfräulein Kunigunde zuneigt, bald in einem volkstümlichen Ariettenstil, bald im Stil einer Seria-Arie. Auch die große Arie jener weiblichen Hauptfigur in der Szene Nr. 7 bringt ähnliche Gefühle zum Ausdruck, zuerst im Larghetto con moto zärtliche Liebesbeteuerungen, die die Nähe von Spohrs Abgott Mozart erkennen lassen, dann im Allegro über einem typisch Spohrschen Instrumentalmotiv wilde Rachegefühle wiederum im Seria-Stil. Die große Arie von Fausts Rivalen, dem Ritter Hugo (Nr. 9), weist mit ihrem kriegerischen Elan dagegen eindeutig auf das Vorbild Spontinis hin. Mephisto nimmt im Gegensatz zum Wassergeist Kühleborn in UNDINE als Vertreter des Geisterreichs unter den Menschen musikalisch keine Sonderstellung ein. Seine (einzige) große Soloszene (Nr. 18) stellt zwar von der, von Leitmotiven durchsetzten Orchester-Einleitung an über das anschließende, sehr ausdrucksvolle und ausgedehnte Akkompagnato bis zu der bewegten E-Dur-Arie einen dramatischen Höhepunkt dar, doch bedeutet er keine Äußerung eines Dämons, sondern vielmehr nur die eines intriganten Theaterbösewichts. — Von all diesen sehr anspruchsvollen Sologesangsnummern hebt sich nur Röschens einziges Solo, die g-Moll-Cavatine aus der Szene Nr. 13 ab, ein ganz schlichtes Lied, das aber mehr als alle anderen dem Charakter der Person, in deren Mund es erscheint, wirklich entspricht und das mit dem weichen, wehmütigen, in seiner Wirkung durch Chromatik noch verstärkten Mollklang und der biegsamen, abwechslungsreichen Rhythmik für Spohrs musikalische Sprache besonders charakteristisch ist (vgl. S. 253). — Nach Art des Wiener Singspiels ist auch diese Oper Spohrs reich an Ensembles, die sich in den Finali zu großen dramatischen Szenen erweitern. Besonders bemerkenswert ist das zweite Finale[13], wo vor dem Hintergrund einer festlichen

---

12 Vgl. hierzu Dieter Greiner, Louis Spohrs Beitrag zur deutschen romantischen Oper (Phil. Diss. Kiel 1960).
13 Die Oper war ursprünglich zweiaktig und hatte als Singspiel gesprochenen Dialog. 1852 aber arbeitete Spohr sie für eine Aufführung in London um, ersetzte den Dialog durch Rezitative und gliederte sie aufgrund dieser Erweiterungen in drei Akte.

Louis Spohr: FAUST

Tanzmusik verbrecherische Intrigen gesponnen werden. Hier ist die dramatische Anknüpfung an das erste Finale aus Mozarts DON GIOVANNI unverkennbar; sie führt musikalisch fast zu Reminiszenzen, nur daß das hier zugrundeliegende „Tempo di Polacca" auf die weite zeitliche Entfernung von dem Menuett des Vorbilds hinweist. Andererseits beginnt Spohrs Oper bei einem Gastmahl Faustens doch mit einem Menuett klassischen Stils, was bei einem Vergleich mit dem Beginn des nur fünf Jahre später aufgeführten FREISCHÜTZ gleich von vornherein den weltenweiten Unterschied bezeichnet, der die beiden Werke voneinander trennt.

Nachdem sich Spohr mit FAUST gleichsam als Opernkomponist freigeschrieben hatte, betrat er von dieser Plattform aus mit der Märchenoper ZEMIRE UND AZOR (Text von Johann Jakob Ihlee nach Jean François Marmontel, Frankfurt 1819) erst recht eigentlich die Bahn eines „romantischen" Opernkomponisten und errang damit wieder einen großen Erfolg. Der Text mit dem ihm zugrundeliegenden Erlösungsgedanken bot ihm besondere Gelegenheit zur Einkleidung einer romantischen musikalischen Sprache in die Spohr am Herzen liegende klassizistische Form. Trotz des gesprochenen Dialogs enthält das Werk eine Folge wirkungsvoller Stimmungsbilder und ist von Leitmotivik durchsetzt, die sich sogar in den Ensembles zu Personencharakteristik verdichtet.

Die Textwahl seiner nächsten und erfolgreichsten Oper JESSONDA (Text von Eduard Heinrich Gehe, nach Antoine Marin Lemierres Tragödie *La Veuve de Malabar*, Kassel 1823) zeigt Spohr wieder auf ganz anderen, jedoch nicht minder „romantischen" Wegen. Sie führt aus der Zaubersphäre von Sage und Märchen in ferne Länder und behandelt die Problematik exotischer Bräuche, hier das indische Gesetz der Witwenverbrennung. Da Spohr obendrein mit diesem Werk den Schritt vom gesprochenen Dialog des Singspiels zur durchkomponierten Oper zu tun gedachte, lag es für ihn nahe, ganz bewußt auf Massenwirkungen und damit verbundenen szenischen Aufwand größeren Wert zu legen. Dies zeigt sich vor allem in den Introduktionen zum I. und II. Akt, deren erste von den vorwiegend lyrischen Chören der Bajaderen geprägt wird, während die zweite mit einem kriegerischen Chor der Portugiesen konventioneller wirkt. Ihm schließt sich ein Waffentanz an, der an Spontinis große Opern gemahnt, ja schon auf ähnliche Sätze Meyerbeers vorausdeutet. Weder hier noch an anderen Stellen der Oper nimmt Spohr jedoch musikalisch von dem ethnologischen Gegensatz zwischen Indern und Portugiesen Notiz, der dem Text zugrundeliegt; beide sind vielmehr in das klassizistische Formgefüge und die von Chromatik durchtränkte, romantisch-lyrische Sprache des Musikers Spohr eingehüllt, die in diesem Werk besonders eindringlich zutagetritt. Auch die drei Finali stellen große dramatische Blöcke dar, in denen Soli, Ensembles und Chöre durch bald mehr ariose, bald rein rezitativische Phrasen verbunden werden, doch beruht die besondere Wirkung des ersten, in dem der junge Bramin Nadori Jessonda den Tod verkündet, bezeichnenderweise nicht auf Masseneffekten, sondern auf einem mehrfach raffinierten Wechsel von ganz verhaltener Deklamation und wilden Leidenschaftsausbrüchen, die in ein streng geformtes mehrteiliges Terzett einmünden. Dieses Stück, ein Höhepunkt der Oper,

Louis Spohr: JESSONDA

zeigt aufs Eindringlichste Spohrs Fähigkeit, auch dramatische Wirkungen auf lyrische Weise zu erzielen und sich so mit geeigneten Texten auf der Opernbühne zu behaupten. In dieser Szene ist es ihm auch gelungen, wirklich eine „große Opern"-Szene zu schaffen, d.h. Rezitativ, Arioso und geschlossene Form zu einer Einheit zusammenzuschließen, während dort, wo nach Art der alten „Nummernoper" die Betrachtung auch textlich scharf aus der Handlung herausgehoben wird (wie z.B. in der Szene Nr.16 des Nadori, die mit einem Rondo endet), diese in reinem Secco-Rezitativ erscheint. Ausschlaggebend für die große, auch zukunftsweisende Wirkung von JESSONDA aber ist neben der kühnen Harmonik vor allem auch die der „großen Oper" angemessene farbige Instrumentation.

Mit seiner nächsten Oper, dem BERGGEIST (Text von Georg Döring, Kassel 1825) hat sich Spohr durch eine Verlegung des Schwergewichts auf große Akkompagnato-Szenen zwischen den geschlossenen Formen der „großen Oper" weiter genähert, hier in Verbindung mit einem dem der UNDINE und auch Marschners HANS HEILING verwandten Märchenstoff, doch da hier die romantisch beziehungsvolle Diskrepanz zwischen Geister- und Menschensphäre schon im Text fehlt, hat Spohr beide gleichermaßen — und allzu kontrastlos, um bühnenwirksam zu sein — in seine hier noch weit stärker als in JESSONDA von Chromatik durchsetzte, lieblich-lyrische musikalische Sprache eingehüllt.

Zwei Jahre später schuf er mit der zweiaktigen Oper PIETRO VON ABANO (Text von Karl Pfeiffer nach Ludwig Tieck, Kassel 1827) ein Gemisch von gesprochenem Dialog und Durchkomposition, von Singspiel und großer Oper, das mit seltener Deutlichkeit die für die Zeit üblichen fließenden Übergänge zwischen den Gattungen symbolisiert. Sie alle gehen in den großen dramatischen, von leitmotivischen Beziehungen aufgehellten Komplexen ineinander, wobei sowohl Chöre als auch Rezitative eine wichtige Rolle spielen. Ein Verdienst des Textes und von dessen Vorlage ist es, dem Komponisten Gelegenheiten zur Personencharakteristik gegeben zu haben. Die unheimlichen Gestalten des dämonischen Helden und der von ihm freventlich wieder zum Leben erweckten Cäcilie sind auch musikalisch in das Drama integriert.

Formal ein ähnliches Experiment wie diese Oper stellt der 1830 ebenfalls in Kassel aufgeführte ALCHYMIST (Text gleichfalls von Karl Pfeiffer unter dem Pseudonym Fr. Georg Schmidt) dar, ein Werk, in dem sich Spohr vornehmlich um eine musikalische Wiedergabe des exotischen (spanisch-maurischen) Lokalkolorits bemüht hat, das den Text wirkungsvoll durchdringt. Es zeigt sich in Harmonik, Rhythmik und Instrumentation vor allem in den Chören und von den Sologesängen in den formal schlichten Romanzen, die von jeher und besonders in der romantischen Oper Träger naturhaft-volkstümlicher Situationen und zugleich unheimlicher Stimmungen waren. Auf diese Weise hat Spohr in diesem Spätwerk die Personencharakteristik, die derjenigen des inhaltlich verwandten PIETRO VON ABANO ebenbürtig ist, auch musikalisch noch durch typisch romantische Züge vertieft. Er hätte damit sein Opernschaffen mit einer bemerkenswerten geistig-musikalischen Synthese beschließen können, wenn er nicht nach einer Pause von 15 Jahren mit der „großen Oper" DIE KREUZFAHRER (Text vom Komponisten nach August von Kotzebue, Kassel 1845) zu der Gattung zurückgekehrt wäre, deren fortschrittliche äußere Form er nicht mehr mit einem angemessenen, aber seiner eigensten Veranlagung widersprechenden musikalischen Inhalt zu erfüllen vermochte.

Innerhalb der romantischen Oper nimmt Spohr eine seltsame Zwitterstellung ein: Er wählte wohl „romantische" Stoffe, doch häufig ohne diese Romantik dann zu musikalisch-dramatischem Leben zu erwecken; es ist kein Zufall, daß diese in so manchen seiner Texte von vornherein lediglich als äußere Zutat erscheint. Denn im Grunde war er als Opernkomponist kein Romantiker. Daß ihm z.B. der große Erfolg von Webers FREISCHÜTZ so rätselhaft blieb und daß er ihn immer wieder ausschließlich in der Volkstümlichkeit der Melodien suchte, läßt deutlich erkennen, daß er für typisch „romantische" Erscheinungen wie das Ineinanderfließen verschiedener Sphären, das bewußte Verflechten gegensätzlicher Naturkräfte, kurz das dramatische Zwielicht keinen Sinn besaß. Als reiner Musiker hingegen bewegte er sich ungeachtet der zahlreichen Bindungen an seinen Abgott Mozart vor allem durch Harmonik und Instrumentation gerade an den bedeutendsten Stellen seiner Opern eindeutig im Reiche der Romantik. Aus dem Kreise der drei Komponisten, die die Entstehung der deutschen romantischen Oper entscheidend geprägt haben, Hoffmann, Spohr und Weber, ist Spohr der einzige, dessen Verwurzelung in der klassischen Tradition nicht in erster Linie nur eine musikalisch-formale, sondern eine geistig-weltanschauliche war. So ist es nicht zu verwundern, daß er, obwohl er Hoffmann um fast 40, Weber um über 30 Jahre überlebte, für die Weiterentwicklung der deutschen romantischen Oper die geringste Bedeutung erlangt hat.

Ausschlaggebend hierfür ist natürlich auch die völlig entgegengesetzte Rolle, die die Opernkomposition im Schaffen der beiden Altersgenossen Spohr und Weber spielte. Während sie für Spohr trotz einer regelmäßigen, nur gegen das Ende hin abnehmenden Pflege stets im Schatten des Violinvirtuosen und Instrumentalkomponisten gestanden hatte, gelangte sie bei Weber nach relativ bescheidenen Vorbereitungen fast explosionsartig mit dem FREISCHÜTZ zu einem Durchbruch, der die Leistungen des Instrumentalkomponisten fast vergessen ließ. Freilich war Weber schon in sehr jungen Jahren von dem buntscheckigen Repertoire der Wanderbühne seines Vaters zu eigenen Kompositions-Versuchen angeregt worden, die teils ganz verloren, teils nur bruchstückhaft erhalten oder unvollendet sind, die aber alle der Gattung des Singspiels aus dem ersten Jahrzehnt des 19. Jahrhunderts angehören. Besonders deutlich tritt das hierfür charakteristische Stilgemisch aus deutsch-volkstümlichen und spritzigen Gesängen im Stile der opéra comique sowie italienisch beeinflußten Arien in dem ersten vollständig erhaltenen zweiaktigen kleinen Singspiel PETER SCHMOLL UND SEINE NACHBARN (Joseph Türk, entstanden 1801) hervor. Bruchstücke eines unvollendeten Singspiels DAS STUMME WALDMÄDCHEN, die schon 1800 das dramatische Schaffen des Knaben Weber eröffnet hatten, sind später, 1808-10, in sein zweites Singspiel SILVANA (3 Akte, Franz Karl Hiemer, Frankfurt 1810) übergegangen. Noch vorher, 1804/05, aber hatte sich Weber einem ausgesprochen „romantischen" Opernstoff RÜBEZAHL zugewendet, von dessen Komposition jedoch nur Bruchstücke, in erster Linie die Ouvertüre *Beherrscher der Geister*, erhalten sind. Ist nun auch in allen diesen Frühwerken der Gattungsstil im Ganzen noch eindeutig ausschlaggebend, so finden sich doch selbst in PETER SCHMOLL schon zahlreiche ausgefallene Instrumentationseffekte, die auf Webers spätere Meisterschaft einer raffinierten Orchestrierung hinweisen. Diese dürfte also durch den späteren Einfluß des von ihm hoch verehrten Abbé Vogler, von dessen Oper SAMORI (Wien 1804) Weber einen Klavierauszug anfertigte, höchstens vervollkommnet, aber nicht erweckt worden sein. Den Durchbruch zum selbständigen Opernschaffen, der Spohr mit dem FAUST gelingen sollte, erreichte Weber mit den beiden Singspielen SILVANA (1810, siehe oben) und ABU HASSAN (Text von F. K. Hiemer, München 1811). Obwohl sie sich beide grundsätzlich auf dem Boden der Gattung bewegen, drückt ihr doch jedes einen ganz besonderen, über die Gattungstypik hinausreichenden Stempel auf. SILVANA geht nicht nur an Umfang im Ganzen wie in den einzelnen Nummern, an musikalischem Aufwand und Abwechslungsreichtum wie an Eindringlichkeit der Personen- und Situationscharakteristik weit über das noch tastende Experiment des PETER SCHMOLL hinaus — vielmehr bot ihr Text mit der Stummheit der Heldin[14] dem Komponisten geradezu extrem verschiedene Gelegenheiten zur Verwendung mannigfachster, die Stimme des Mädchens ersetzender Instrumentalsoli.

Mit ABU HASSAN aber schuf Weber allein schon durch die Textwahl eine ausgesprochene Komödie, innerhalb der frühen deutschen romantischen Oper ein Unikum. Zwar ist das Werk wenigstens in ein exotisches (orientalisches) Gewand gekleidet, doch wirkt dieses mehr als äußerliche Zutat, um den realistischen Gegenstand, die „kleine Gläubigerburleske"[15], der prosaischen Wirklichkeit zu entrücken und recht bühnenwirksam zu gestalten. Die drei Personen werden hier musikalisch mit ebenso bezaubernder Grazie wie treffender Ironie charakterisiert, wobei der alte, lüsterne Geldwechsler Omar die Abkunft von Mozarts Osmin aus der ENTFÜHRUNG nicht verleugnen kann. Singspielhaft an der kleinen Komödie ist auch das Übergewicht der Ensembles über die Solonummern, dramatisch besonders wirkungsvoll der temperamentvolle Chor der Gläubiger Nr. 3, in den die Reaktionen Abu Hassans und Omars melodramatisch eingefügt sind. Die entscheidende Rolle, die SILVANA und ABU HASSAN in der Entwicklung von Webers Opernschaffen spielen, beschränkt sich jedoch nicht nur allein auf dramatisch-musikalische Belange, sondern betrifft ebenso die neue rein musikalische, die recht eigentlich „weberische" Sprache des Komponisten mit ihrem von ritterlichem Schwung erfüllten weiten Atem, durch den volkstümliche Lied-

---

14 Ein typisches Märchenmotiv, das Scribe/Auber später in der MUETTE DI PORTICI stark vergröbert in den Dienst der grand opéra gestellt haben.
15 Hans Schnoor, Weber auf dem Welttheater, Dresden 1942, S. 32.

haftigkeit und glänzende Bravour gleichermaßen, ja vereint zum Ausdruck gebracht werden können.

Es ist sehr bezeichnend, daß die Entstehungsgeschichte des FREISCHÜTZ, obwohl dieser seinen Triumph erst zehn Jahre später feierte (Berlin 1821), bis in jene Zeit zurückreicht. Zumindest hatte Weber damals schon mit großem Interesse von dem Stoff, der *Freischütz*-Novelle aus dem *Gespensterbuch* von August Apel, Kenntnis genommen, die Angelegenheit unter dem Druck der Verhältnisse jedoch erst nach seiner Anstellung in Dresden (1816) wieder aufgegriffen, wo er in Friedrich Kind, einem Angehörigen des „Dresdner Dichtertees", einen interessierten und nicht ungeschickten Librettisten fand[16]. Ein Romantiker im Sinne E. T. A. Hoffmanns war Kind freilich nicht, und wenn der FREISCHÜTZ der Nachwelt als Inbegriff einer deutschen romantischen Oper erscheint, so ist das allein Webers Werk. Immerhin darf Goethes Urteil (Eckermann gegenüber) nicht vergessen werden: „Wäre der Freischütz kein so gutes sujet, so hätte die Musik zu tun gehabt, der Oper den Zulauf der Menge zu verschaffen, wie es nun der Fall ist, und man sollte daher dem Herrn Kind auch einige Ehre erzeigen"[17]. In der Tat war es das Libretto, das es dem Komponisten ermöglichte, auf dem Boden des *Herkommens*, d.h. des deutschen Singspiels, im Rahmen einer neuen Geisteshaltung, der Romantik, und mit den dieser entsprechenden neuen Mitteln von Harmonik und Instrumentation das „Wunder" der ZAUBERFLÖTE zu wiederholen, wobei allerdings das in den Freiheitskriegen neu erstarkte deutsche Nationalbewußtsein, das die Entstehungszeit der Oper beherrschte und das in der weberisch geprägten Volkstümlichkeit ihrer Musik zum Ausdruck kam, wesentlich zu ihrem einmaligen Erfolg beigetragen hat.

Typisch singspielhaft im alten Sinn ist textlich das schlicht bürgerliche Milieu, in dem die Oper spielt, sowie die Farblosigkeit beziehungsweise Typenhaftigkeit ihrer Gestalten, vor allem der Hauptperson, des Jägerburschen Max, musikalisch das Übergewicht volkstümlicher Gesänge und der nicht selten spürbare Einfluß der opéra comique. Daß Weber selbst den Stoff für eine alte Volkssage hielt, ist ein höchst charakteristischer Irrtum; war er es doch selbst ganz allein, der die Schauergeschichte aus Apels Gespensterbuch in jene unheimlich-naturhafte Atmosphäre einhüllte, durch die sie erst recht eigentlich mit romantischem Geist erfüllt und zugleich zu einer Einheit wurde: die allgegenwärtige Atmosphäre des Waldes in ihren mannigfachen Schattierungen[18]. Auf diese Weise werden die Träger des schlichten, märchenhaften Geschehens, des Kampfes zwischen Licht und Finsternis, musikalisch über sich selbst hinausgehoben in die romantische Alleinheit von Mensch und Natur, die am Ende im Sieg des Erlösungsgedankens ihre Krönung findet. Die beiden gegensätzlichen Gesichter des Waldes, das heitere des Tages und das finstere nächtliche Antlitz, werden schon am Anfang der Ouvertüre einander gleichsam als dramatisch-musikalisches Leitmotiv gegenübergestellt, das erstere in C-Dur mit Hörnerklang und rauschender Streicherbegleitung, das andere mit unheimlichen Paukenschlägen zu Streichertremolo über einem nach dem Vorangehenden doppelt unheimlich wirkenden verminderten Septakkord. Die unbeschwerte Tagessphäre erscheint in der Oper selbst am Beginn und am Schluß, besonders verstärkt durch die schwungvoll-volkstümlichen Jägerchöre; das nächtliche Grauen aber enthüllt sich, beherrscht von dem gleichen Akkord, mit furchtbarer Gewalt in der Mitte der Oper im 2. Finale, der Wolfsschlucht, wohl dem gewaltigsten, instrumental farbigsten Melodram der Operngeschichte[19].

---

16 Vgl. hierzu Hermann Anders Krüger, Pseudoromantik. Friedrich Kind und der Dresdner Liederkreis, ein Beitrag zur Geschichte der Romantik, Leipzig 1904.
17 Allerdings dürfte die Wahl des sujets auch Webers eigenes Werk gewesen sein.
18 Hans Pfitzner: „Die Hauptperson des Freischütz' ist sozusagen der Wald". (Webers Freischütz in: Vom musikalischen Drama, München und Leipzig 1915, S. 202).

Die Hauptpersonen nun, Max, Agathe und Caspar, gehören jeweils nur einer der beiden Sphären an, kommen aber, deren gemeinsamer Grundlage entsprechend, musikalisch alle auch mit der anderen in Berührung. Das gilt vor allem für die große Es-Dur-Arie des Max „Durch die Wälder, durch die Auen" im I. Akt, in der die Gegensätze auf engstem Raum in Melodik, Harmonik und Instrumentation zweimal kraß zusammenprallen und die damit die mehr nur andeutende Leitmotivik der Ouvertüre als unüberhörbare Überschrift über die Oper setzt. — Weniger deutlich, aber dafür um so raffinierter hat Weber diese Doppelnatur im Lied des Caspar „Hier im ird'schen Jammertal" (Nr. 4) wiedergegeben. Caspar gehört als Jägerbursche der lichten, als Knecht Samiels aber zugleich der finsteren Sphäre an. So hat er denn zwar die Absicht, ein lustiges, volkstümliches Trinklied zu singen, doch schon durch die Tonart h-Moll, die grellen kurzen Vorschläge des Vorspiels und nicht zuletzt durch die wahrhaft teuflischen Triller der Pikkolo-Flöten im Zwischen- und Nachspiel enthüllt er sein wahres Wesen — infolge dieses Gegensatzes zwischen Form und Inhalt sogar noch eindringlicher als in der anschließenden, anspruchsvollen Seria-Arie Nr. 5. — Agathe, als spätere Trägerin des Erlösungsgedankens, wird in ihrer großen C-Dur-Szene Nr. 8 im II. Akt kaum von den Schatten der Finsternis berührt, aber immerhin hat Weber auch hier durch die plötzliche Eintrübung nach F-Dur bei den Worten „ist's nicht Wahn" die geheimnisvolle Einheit hergestellt. — Vor allem aber ist dies der Fall in den beiden Terzetten Nr. 2 im I. und Nr. 9 im II. Akt. Im ersteren hebt sich nicht nur Caspar als Vertreter des bösen Prinzips deutlich durch seine von den Fagotten unterstützte, nur scheinbar lustige, aus der Tiefe aufsteigende chromatische Linie von dem Ensemble ab, sondern auch die tonal unruhig hin- und herschwankenden, stellenweise vorwiegend rezitativischen Äußerungen des ihm schon verfallenen Max stehen in vielsagendem Gegensatz zu den feierlich in klarem C-Dur vorgetragenen Trostworten der Jagdgesellen. — Im Terzett Nr. 9 gesellen sich zu dem grundsätzlichen Kontrast zwischen den beiden Prinzipien, scheinbar gänzlich aus dem Rahmen fallend und doch gerade durch den Gegensatz den Schrecken des Zusammenstoßes noch verstärkend, die spöttischen, volkstümlichen Einwürfe Ännchens, der Gestalt, die als herkömmlichster Operntyp dem romantischen Geschehen am fernsten steht.

So beruht denn die besondere Wirkungskraft des FREISCHÜTZ auf der Selbstverständlichkeit und Meisterschaft, mit der Weber in Solo- wie in Ensemble- und Massenszenen die allgegenwärtige stimmungshafte Einheit des Ganzen musikalisch auf Schritt und Tritt mit Kontrasten nicht nur in Einklang, sondern durch sie recht eigentlich zum Ausdruck gebracht hat. In diesem Wissen um die dramatische Notwendigkeit von Gegensätzen zeigt sich der Unterschied zwischen Weber, dem geborenen Dramatiker, und den beiden mehr lyrisch veranlagten gleichaltrigen Opernkomponisten E. T. A. Hoffmann und Spohr besonders deutlich. Natürlich bediente er sich dabei als echter Romantiker vor allem feinster Farbigkeit der Instrumentation und äußerster Kühnheit der Harmonik[20].

Aus der Zeit des FREISCHÜTZ stammt auch noch die komische Oper DIE DREI PINTOS (Theodor Hell, 1820/21), von der jedoch nur sieben Nummern vorliegen; sie wurde von Gustav Mahler

---

19 Die fälschlich E. T. A. Hoffmann zugeschriebene Freischütz-Kritik aus der Vossischen Zeitung (vgl. W. Kron, Die angeblichen Freischütz-Kritiken E. T. A. Hoffmanns, München 1957) spiegelt die Betroffenheit des Publikums über diese Szene treffend mit den Worten wider: „Eine musikalische Szene wie diese ist nie und nirgend geschrieben worden."
20 Vgl. hierzu Hermann Abert, C. M. von Weber und sein Freischütz, in: Jahrbuch Peters für 1926, und: Gesammelte Schriften und Vorträge, Halle 1929.

unter Verwendung anderer weberischer Werke vervollständigt und in dieser Gestalt 1888 in Leipzig aufgeführt. — Annähernd gleichzeitig entstand die Schauspielmusik zu PREZIOSA, deren Hauptreiz in der Vorherrschaft des exotischen Kolorits besteht.

Mit seinem nächsten Werk, der „Großen (d. h. durchkomponierten) Romantischen Oper" EURYANTHE (Helmina von Chézy, Wien 1823) versuchte Weber, gleichzeitig mit seinem ihm wesensmäßig so fremden Altersgenossen Spohr, den die deutschen Bühnen noch immer überschwemmenden italienischen und französischen Werken etwas Gleichwertiges zur Seite zu stellen. Obwohl sich die Bezeichnung „Singspiel" für deutsche Opern damals weitgehend eingebürgert hatte, wurden diese Werke allmählich doch mit ihren kleineren, vielfach volkstümlich-liedhaften Formen und vor allem mit ihrem gesprochenen Dialog neben den anspruchsvollen fremden Opern mitunter etwas geringschätzig angesehen. Auch Weber war, trotz des gewaltigen Erfolges des FREISCHÜTZ, von dieser zeitbedingten Sehnsucht nach der „großen" deutschen Oper erfaßt. So leistete er denn, wenige Monate nach Spohrs JESSONDA[21], mit EURYANTHE bewußt als Gegensatz zum FREISCHÜTZ seinen Beitrag dazu.

Die (sicherlich unbeabsichtigte) zeitliche Parallelität dieser beiden ersten „Großen deutschen Opern" des 19. Jahrhunderts bietet eine willkommene Gelegenheit zu einer angemessenen und darum gerechten Beurteilung von Webers Werk, das von seinem ersten Erscheinen an bis in die Gegenwart hinein fälschlicherweise stets am FREISCHÜTZ gemessen worden ist. Abgesehen von der besonderen Gunst der Stunde von dessen Hervortreten[22] war dieses Werk ja eben ein „deutsches Singspiel" und als solches mit seinem gesprochenen Dialog, in dem die stark volkstümlich geprägten, stilistisch sehr verschiedenen musikalischen Nummern eine ganz eigene Rolle spielten, mit einer aus großen musikalischen Szenen bestehenden durchkomponierten Oper nicht zu vergleichen. Außerdem erschien der FREISCHÜTZ als Höhepunkt einer langen Entwicklung, während Weber mit EURYANTHE nach seinen eigenen Worten einen „Versuch", d. h. also etwas ganz Neues, gewagt hatte[23]. — Zwischen dem Singspiel DER FREISCHÜTZ und der Großen Oper EURYANTHE bestehen also wohl personalstilistische, aber kaum gattungsstilistische Beziehungen. Diese bestehen dagegen sehr wohl zwischen den beiden Großen Opern JESSONDA von Spohr und EURYANTHE, deren Vergleich sowohl die Gattungsmerkmale als auch deren grundverschiedene Manifestationen durch die beiden Komponisten verdeutlicht[24]. Eindeutig steht JESSONDA[25] textlich wie auch musikalisch auf der Seite des Herkommens. Schon ihr Libretto — literarisch dem der EURYANTHE weit überlegen — erleichterte dem Komponisten nach alter Weise formal die Trennung von Rezitativ und Arie, von Handlung und Betrachtung, wovon der mehr lyrische als dramatische Singspielkomponist Spohr nur allzu gern Gebrauch machte. Natürlich finden sich auch in EURYANTHE entsprechende Stellen, aber sie sind hier ebenso in der Minderzahl wie umgekehrt die großen, wirklich einer „Großen Oper" angemessenen Finali der drei Akte in JESSONDA Ausnahmen darstellen. Spürt man doch in Webers Werk auf Schritt und Tritt, auch wenn es im Ganzen noch in Nummern eingeteilt ist, in Sologesängen wie in Ensembles und Massenszenen das Streben nach einem Auflösen der Einzelsätze in den Fluß des dramatischen Geschehens. Es besteht überwiegend aus großen Szenen und zeigt den Komponisten eindeutig auf dem Wege vom

---

21 Vgl. oben.
22 Siehe oben.
23 Vgl. seinen Brief vom 20. Dezember 1824 an den Breslauer akademischen Musikverein, in: Friedrich Wilhelm Jähns, Carl Maria von Weber in seinen Werken, Berlin 1871, S. 372.
24 Vgl. hierzu Anna Amalie Abert, Webers „Euryanthe" und Spohrs „Jessonda" als Große Opern, in: Festschrift für Walter Wiora, Kassel 1967, S. 435-440.
25 Siehe oben S. 253ff.

Singspiel zum Musikdrama, nicht nur in der großen Introduktion am Königshofe und in den Finali, sondern beispielsweise auch in den unmittelbar aufeinander folgenden und darum besonders wirkungsvollen großartig verschiedenen Charakterbildern des Intriganten- und des Heldenpaares (II, Nr. 10/11 bzw. 12/13) und in den Szenen III, 15/16 und 19/20, in denen sich Euryanthes Geschick entscheidet. — Szenen dieser Art weisen weit über Spohrs Oper hinaus in die Zukunft: Sicher war es, mehr noch als der dramatisch verfehlte und darum auch musikalisch nicht befriedigende Schluß des Werkes, diese seine avantgardistische Grundhaltung, die — noch dazu nach dem dem Volk aus dem Herzen sprechenden FREISCHÜTZ — das zeitgenössische Publikum erschreckte und den Erfolg schmälerte. Richard Wagner hat freilich die Bedeutung der EURYANTHE erkannt[26]. Ihr Einfluß auf sein Schaffen ist noch im „Lohengrin" unübersehbar. Nun wäre es Aufgabe der Nachwelt, dem Werk so, wie es ist, d. h. nicht durch Unterlegung eines neuen Textes, wie es früher erfolglos geschehen ist[27], Gerechtigkeit widerfahren zu lassen.

Wie EURYANTHE im Schatten des FREISCHÜTZ gestanden hatte, so erschien als letztes Bühnenwerk Webers der OBERON (englischer Text von James Robinson Planché, London 1826) in deren Schatten. War dieses Werk doch nach der bewußt erstrebten „Großen Oper" musikdramatisch betrachtet als Singspiel für einen Opernkomponisten fast eine Zumutung. Weber hatte denn auch, als er den Auftrag des Londoner Covent Garden Theatre annahm, ursprünglich die Absicht gehabt, das Stück alsbald für deutsche Bühnen umzuarbeiten. Der Tod machte dies unmöglich. Was ihn anfangs an der Aufgabe vor allem gereizt haben dürfte, war der „romantische" Stoff, der märchenhafte Gestalten im Rahmen von stimmungsvollen, hie und da noch in exotisches Kolorit gehüllten Naturgemälden zeigte; aber je näher er das Libretto kennenlernte, desto klarer wurde ihm, wie besonders aus seinem Brief an den Librettisten vom 19. Februar 1825[28] hervorgeht, daß er als Musikdramatiker diesem reinen „Ausstattungsstück mit Musikeinlagen" gegenüber auf verlorenem Posten stand. Angesichts dieser Tatsache ist allerdings seine Leistung um so höher zu bewerten. Nicht nur, daß die Musik zu OBERON schon an sich vom quasi leitmotivisch durchgehenden Hornruf an, der die Ouvertüre eröffnet, der zu EURYANTHE durchaus ebenbürtig ist — jede einzelne Nummer stellt auch je nach ihrer Art ein Charakterstück dar. Der Nachteil gegenüber allen anderen Opern Webers besteht nur darin, daß der große musikdramatische Zusammenhang, der je länger je mehr das künstlerische Lebenselement des Komponisten gebildet hatte, in OBERON völlig fehlte, denn der Textdichter hatte es nicht vermocht, die verwirrende, nur in einem Epos mögliche Vielfalt der Ereignisse seiner Vorlage, des gleichnamigen Werkes von Wieland, operngerecht zusammenzustreichen. Stattdessen hatte er viele der wichtigsten Bestandteile der Handlung dem gesprochenen Dialog überlassen, so daß die sechs Gesangsrollen von einer unangemessenen Vielzahl an Sprechrollen umgeben und dadurch in ihrer Wirkungskraft beeinträchtigt waren.

Trotzdem ist es Weber gelungen, von ihnen zumindest das Heldenpaar Hüon und Rezia und das Dienerpaar Scherasmin und Fatime paarweise und als Einzelpersonen entscheidend voneinander abzuheben. Dabei erscheint Hüon vor allem in seinen beiden Arien im I. und III. Akt als Inbegriff des strahlenden Helden; diese beiden Sätze verkörpern mit ihrer lebhaften, von punktierten Rhythmen vorangetriebenen Bewegung, ihrer von Dreiklangssprüngen durchsetzten Melodik und ihrer farbigen Harmonik besonders intensiv den ritterlichen Schwung, der für Webers Stil so charakteristisch ist. Noch weit wirkungsvoller treten diese Eigenschaften in der berühmten Szene und Arie der Rezia „Ozean, du Ungeheuer" im II. Akt hervor, da sie hier auf dem Hintergrund der

---

26 Vgl. Gesammelte Schriften und Dichtungen, Band 3, Leipzig ²1887, S. 289—293.
27 Vgl. Hans Joachim Moser, Die sieben Raben, Berlin 1915.
28 Vgl. Max Maria von Weber: C. M. v. Weber, 2. Band, Leipzig 1864, S. 589f.

die ganze Szene erfüllenden maßlosen Erregung noch mit der Wiedergabe so gegensätzlicher Naturgemälde wie des Tobens der Brandung und des wunderbaren Sonnenaufgangs im Dienste einer großartigen Tonmalerei stehen, bevor die Leidenschaft im Presto con fuoco der Stretta ihren Höhepunkt erreicht. In schärfstem Gegensatz zu diesem pathetischen Gefühlsausbruch einer Heroine steht dann Rezias lieblich-lyrische f-Moll-Cavatine im III. Akt, die auch das Charakterbild dieser Gestalt musikalisch abrundet. — Von dem Dienerpaar tritt nur Fatime mit Einzelgesängen (im II. und III. Akt) hervor, wobei sie sich zumindest textlich als „Arabiens einsam Kind" (Ariette Nr. 9) zu erkennen gibt. Weber hat diese Gesänge zwar nicht durch exotisches Kolorit, wohl aber dadurch über die Typik von Dienerrollen hinausgehoben, daß sie beide die innere Zwiespältigkeit der Sklavin jeweils in einem sehnsüchtigen Moll- und einem hoffnungsfreudigen Dur-Teil zum Ausdruck bringen. Das Duett mit Scherasmin im dritten Akt eröffnet dieser, der Franzose, mit einer spritzigen Dur-Weise, worauf Fatime charakteristisch mit wehmütigen Erinnerungen in Moll antwortet. Zum Schluß vereinigen sie sich dann traditionsgemäß zu einem fröhlichen Zwiegesang im 6/8-Takt. Nur zweimal in der Oper treten Herren und Diener zusammen: Das Quartett im II. Akt vor der Abfahrt („Über die blauen Wogen") beginnt mit einem lyrischen strophischen Wechselgespräch zwischen den Männer- und Frauenstimmen und schließt mit einem erregt deklamierten Tutti, das als Allegro con fuoco bereits in der Ouvertüre erscheint. Das Terzettino im III. Akt stellt dagegen ein aus einem kurzen dramatischen Gespräch erwachsendes feierliches Gebet Fatimes, Hüons und Scherasmins an Oberon dar.

In dem einzigen Sologesang des Titelhelden, der in ihrer Knappheit besonders großartigen c-Moll-Arie „Schreckensschwur" im I. Akt wird der Affektgehalt des ganzen Stücks bereits in der ausgedehnten Orchester-Einleitung vorweggenommen. Dieser Schmerzensausbruch bildet einen wirkungsvollen Gegensatz zu dem vorangehenden lieblich-graziösen Elfenchor, der die Oper einleitet. Sie beide verkörpern recht eigentlich als überzeugende Introduktion die äußersten Gegensätze der Geistersphäre, die, abgesehen von Oberons kurzem Dankgesang an das Liebespaar im 3. Finale, nur im Ensemble Nr. 4 des I. Aktes mit der Menschensphäre zusammentrifft. Besonders nachdrücklich und stimmungsvoll-märchenhaft äußert sich ihre Macht dann wieder allein in der Sturmbeschwörungsszene des Puck im II. Akt und vor allem in dem von dem berühmtbezaubernden Chor der Meermädchen eingeleiteten zweiten Finale. In allen diesen Szenen macht sich Webers Meisterschaft einer gleichzeitig farbigen und textentsprechenden Instrumentation besonders deutlich bemerkbar.

Diesen beiden Sphären gegenüber spielt die feindliche des Kalifenhofes musikalisch nur eine geringe Rolle, doch hat Weber ihr, wo sie auftritt — im 1. und 3. Finale und im Einleitungschor des II. Aktes — nicht nur, wie allgemein zeitüblich, durch Harmonik und grelle Instrumentation ein exotisches Kolorit verliehen, sondern dieses durch in allen drei Fällen verwandte original exotische Melodien noch hervorgehoben. Im 1. Finale begleitet die Weise marschartig in Bläsern und Schlagzeug den Aufzug der Haremswache, den Chor zu Ehren des Kalifen untermalt sie stark variiert, und im 3. Finale stellt sie, vom Horn-Solo auf das ganze Orchester übergehend, Oberons Zauberweise dar, die die Sklaven zum Tanzen zwingt, die beiden Paare dadurch rettet und so letztlich die Lösung bringt.

Daß Weber in OBERON, seinem letzten Bühnenwerk, zwar dramatisch hoffnungslos in eine Sackgasse geraten war, als Komponist aber, genau wie auch in der avantgardistisch-uneinheitlichen EURYANTHE, nach wie vor mindestens auf der Höhe des FREISCHÜTZ stand, beweisen besonders deutlich die Ouvertüren der beiden Werke, die deren großartige Musik lebendig erhalten haben. Sie führen beide in mehr oder weniger frei gestalteter Sonatenform unter Verwendung der musikalisch-dramatisch hervorstechendsten Themen der Oper in deren Atmosphäre ein. Als Quintessenz dieser beiden weberischen Spätwerke können sie so überzeugend beweisen, daß Weber in der Tat, wie er es wünschte, mehr gewesen ist als „nur" der Komponist des FREISCHÜTZ.

# Von Weber bis Wagner

Wenn ein großer Meister die Bühne verläßt, so verschwindet die Gattung Oper damit keineswegs vollständig — nur wird dann erst ihr Durchschnittsniveau so recht sichtbar, aus dem jener erwachsen war und von dem er sich abheben konnte. So war es auch nach Mozart gewesen, und dieser Vorgang wiederholte sich nach Weber gleichermaßen, hier allerdings mit einer einzigartigen, für die Zeitgenossen kaum, für die Nachgeborenen aber um so deutlicher sichtbaren Ausnahme: dem Opernschaffen Franz Schuberts (1797-1828). Dieser war, obwohl elf Jahre jünger als Weber, nicht wie der ungefähr gleichaltrige Heinrich Marschner (1795-1861), dessen Nachfolger, sondern dessen Zeitgenosse oder sogar Vorgänger. In dem Jahrzehnt zwischen 1812 und 1823 entstanden, die Fragment gebliebenen Werke nicht mitgerechnet, zehn Bühnenwerke, von denen nur zwei, die einaktige „Posse mit Gesang" DIE ZWILLINGSBRÜDER und das Melodram DIE ZAUBERHARFE (beide auf Libretti von Georg Edler von Hofmann) 1820, d.h. noch zu Lebzeiten des Komponisten, in Wien aufgeführt wurden. Beide erregten, gattungsmäßig mehr als Randerscheinungen der Oper, kein besonderes Aufsehen, nach weiteren bestand in den Jahren des Freischütz-Triumphes und des Ringens der Opernkomponisten Spohr und Weber um die „große Oper" kein Bedürfnis, und so sollte es denn zwischen 26 und 69 Jahre dauern, bis sich, größtenteils aus einer Mischung von wissenschaftlicher Neugier und Pietät, deutsche Bühnen dem Opernkomponisten Schubert öffneten. An ihrer Spitze stand Weimar, wo Franz Liszt 1854 die „große Oper" ALFONSO UND ESTRELLA aufführte[29]; als letztes Werk erschien Schuberts zweite „große Oper" FIERRABRAS 1897 in Karlsruhe, wohl zur Feier von des Komponisten 100. Geburtstag.

Schuberts Opernschaffen insgesamt bietet ein getreues Abbild der so überaus buntscheckigen „deutschen Oper" im Jahrzehnt seines Entstehens. Es umfaßt noch echte Singspiele, aber ebenso auch schon die Mischgattung von Oper mit hie und da eingefügtem gesprochenem Dialog, die etwa für Marschners Werke bezeichnend werden sollte. Der Meister war also auch auf diesem Gebiet durchaus fortschrittlich eingestellt, ja seiner 1821/22 entstandenen, einzigen ganz durchkomponierten Oper ALFONSO UND ESTRELLA gebührt, trotz ihrer verspäteten „Uraufführung", in der Operngeschichte ein ebenbürtiger Platz neben JESSONDA und EURYANTHE an der Spitze der „Großen deutschen Oper".

Das von Schuberts Freund Franz von Schober stammende dreiaktige Libretto erfüllte alle damals textlich an eine, am Vorbild der französischen grand opéra orientierte, große Oper gestellte Anforderungen — eine fremdländische, wechselnd beleuchtete Atmosphäre mit einem großen szenischen Aufwand, in der Gestalten von satanischer Bosheit und triefendem Edelmut, umgeben von einer Fülle dazugehöriger Gefolgsleute, zusammentreffen, in die seltsamsten Verstrickungen geraten und sich wieder daraus befreien — zu Schuberts Unglück im Übermaß, doch wäre es ungerecht, wenn man das Scheitern des Werkes ihm allein zuschreiben wollte. Schubert ist nicht an diesem Libretto, sondern er ist, wie auch der etwas später entstandene FIERRABRAS beweist, an der Gattung gescheitert, einmal weil ihm, dem Meister der zarten Töne, der Sinn für die al fresco-Malerei der großen Oper grundsätzlich fehlte, zum anderen und vor allem aber eben darum, weil er, anders als die opernerfahrenen Spohr und Weber, in der ihm fremden Umgebung den Maßstab verlor und sich ihr durch Überdehnung der Umfänge der einzelnen Nummern, Übersteigerung der Kompositionsmittel und damit Vergröberung der dramatischen Effekte anzupassen versuchte. Dieser Versuch aber war, gerade wegen der spezifischen Größe seines Genius, von vornherein

---

29 Vgl. dazu seinen Aufsatz Schuberts ‚Alfonso und Estrella', in: Gesammelte Schriften III,1, S. 68-78.

zum Scheitern verurteilt. Hinter dem unorganisch wirkenden, weil übertriebenen musikalischen Aufwand verschwand ein gut Teil des originalen Schubertschen Geistes, und das Ergebnis war der Inbegriff einer bombastischen großen deutschen Oper, deren Musik durchweg die Hand eines Meisters, jedoch nicht immer die eines Dramatikers und kaum die unverkennbare Schuberts zeigt.

Nach Art des „deutschen Singspiels" dominieren auch in dieser Oper die Ensembles; unter den 34 Nummern finden sich nur acht Soloszenen, die die ganze Vielfalt der Schubert zur Verfügung stehenden Ausdrucksmöglichkeiten aufzeigen, von der Arie Nr. 2 des Königs Troila, einem dreiteiligen gegensätzlichen Seelengemälde, das wegen seiner gewaltigen Ausmaße eher theatralisch als dramatisch wirkt, über den einheitlichen Ausdruck einer wilden Begierde in der Arie Nr. 8 des Bösewichts Adolfo und dessen mehrteilige Rachearie mit Chor Nr. 17 bis zu den ausgesprochenen „Schubertliedern" Nr. 11 (des Troila) und Nr.15 (der Estrella). — Die Ensembles entwickeln sich vorwiegend aus einem akkompagnatohaften oder ariosen Wechselgespräch und führen dann (nicht selten kanonisch!) zu einer Vereinigung der Stimmen, gelegentlich mit einer cabalettaartigen Steigerung am Schluß. In den Finali gehen die Gattungen unter starker Beteiligung des Chores nach Maßgabe des Textes ineinander über; sie — vor allem das erste und dritte — leiden besonders unter einem Übermaß an Wiederholungen. — Die Rolle des Orchesters hat Schubert, dessen Aufgabe als mehr oder minder romantischer Stimmungsträger entsprechend, charakteristisch für die ganze Oper weitgehend einheitlich gestaltet: Violinen und Viola malen durch gleichförmig meist in Dreiklangsbrechungen auf- und abwogender Sechzehntelbewegung den stimmungshaften Hintergrund über einem vielfach zumindest rhythmisch ostinaten Baß, während die Holzbläser teils selbständig, teils colla parte mit den Singstimmen wunderschöne Glanzlichter aufsetzen und das reich besetzte Blech oft zur Unterstreichung feierlicher Situationen herangezogen wird.

Obwohl die Oper noch äußerlich in „Nummern" eingeteilt ist, gehen doch die meisten von ihnen unmittelbar ineinander über, so daß die Akte im Grunde nur aus wenigen großen Blöcken bestehen, die mitunter, wie auch gelegentlich einzelne Nummern, leitmotivisch miteinander verbunden sein können.

So ist denn ALFONSO UND ESTRELLA alles in allem ein achtunggebietendes und für seine Zeit zukunftsweisendes Werk. Ihm stand nur die Autorschaft eines Komponisten im Wege, dessen Genius imstande gewesen war, einer anderen Gattung, dem Lied, aus sich selbst heraus ein völlig neues Leben einzuflößen, während er in den Schranken der Großen Oper hängen geblieben war.

Ähnliches gilt auch für die nur wenig später entstandene, ebenfalls dreiaktige „heroischromantische" Oper FIERRABRAS (Text von Josef Kupelwieser nach Calderon), die allerdings, obwohl sie dem früheren Werk an Aufwand, Pathos und dramatischem Schwung fast noch überlegen ist, vereinzelt singspielhaft ganze gesprochene Szenen enthält und vom gesprochenen Wort auch nicht selten in melodramatischer Form gerade zur Wiedergabe besonders dramatischer Situationen Gebrauch macht. Das ist vor allem im II. Akt der Fall, wo die gegnerischen Parteien der fränkischen und der maurischen Ritter besonders scharf aufeinanderprallen. Hier zeigt sich auch das ständige Fluktuieren gegensätzlicher Empfindungen verbunden mit einem gleitenden Besetzungswechsel mannigfacher Ensembles besonders deutlich. Im Terzett mit Chor Nr. 12 zum Beispiel erklingt nicht nur Florindas liebliches Gebet gleichzeitig mit den darunter tobenden wüsten Drohungen ihres Vaters und der Mauren, sondern gleich anschließend erscheint dann noch deren drohender Unisono-Gesang in scharf deklamierten daktylischen Rhythmen zusammen mit dem Chor Rolands und der fränkischen Ritter in der gleichen daktylischen Deklamation, jedoch in doppelten Notenwerten - eine raffinierte rhythmische Gleichzeitigkeit, die zugleich die Parteien charakterisiert. Im Ganzen hat Schubert allerdings von dem „exotischen Kolorit" der Mauren nirgends Notiz genommen. Dafür wird der Protagonist Fierrabras durch ein kurzes, sehr charakteristisches Leitmotiv hervorgehoben, so stark, daß er sowohl bei seinem ersten Auftreten in I,4 als auch bei seinem „Gespräch" mit König Karl in der nächsten Szene nur durch dieses Motiv vertreten wird.

Das noch zu Schuberts Lebzeiten aufgeführte Melodram in drei Akten DIE ZAUBERHARFE wirkt mit seinem großen musikalischen Aufwand wie eine Vorstudie zu den beiden großen Opern und als Melodram speziell zu FIERRABRAS. Es besteht aus je sieben großen Chören und als „Melodramen" bezeichneten Szenen und ist wohl eine der anspruchsvollsten Verwirklichungen der seltenen Gattung. Sieben Sprechrollen steht nur eine einzige Gesangsrolle, der Troubadour Palmerin (Tenor), gegenüber, der als Solist in den Chorszenen erscheint und zuletzt durch die Klänge seiner Zauberharfe die bösen Geister vernichtet. In diesem Melodram Nr. 12, das alle Personen und den Chor vereint, gipfelt Schuberts melodramatische Kunst; die Fülle von, teilweise auch umfangreichen, Zwischenbemerkungen wird durch oft nur ganz kurze musikalische Phrasen voneinander getrennt, die vielfach miteinander verwandt sind. Auf diese Weise wird die verwirrende Vielfalt zu einer Einheit zusammengeschlossen.

Zu jener Zeit, da es Schubert nicht gelang, auf der deutschen Opernbühne Fuß zu fassen, tummelte sich auf ihr teils zu Lebzeiten Webers, teils als dessen Nachfolger, die Schar der ebenfalls noch vor der Jahrhundertwende geborenen Zeitgenossen, die sich alle dadurch auszeichnen, daß sich aus ihrem sehr umfangreichen Opernschaffen immer nur wenige Werke (mitunter nur ein einziges) mehr oder weniger auf den Bühnen gehalten haben oder sogar Erfolge geworden sind. Besonders charakteristisch hierfür ist der älteste von ihnen, Konradin Kreutzer (1780-1849), der sogar noch zur Generation der Hoffmann-Spohr-Weber gehörte, der ungefähr gleichzeitig mit diesen begann, vom Singspiel bis zur großen romantischen Oper für die Bühne zu schreiben, und von dem nur ein Werk, die zweiaktige „romantische Oper" DAS NACHTLAGER VON GRANADA (Text nach Friedrich Kind, Wien 1834) ihn überlebt hat. Dieses Werk, mehr harmloses Singspiel als Oper, nimmt sich in der unmittelbaren zeitlichen Gefolgschaft der drei Erfolgsopern von Heinrich Marschner trotz melodischen Einfallsreichtums und geschickter Gestaltung der zahlreichen Ensembles erstaunlich retrospektiv aus und dürfte seine Beliebtheit wohl weniger jenen Eigenschaften als vielmehr dem starken, Text wie Musik eigenen, Hang zur Sentimentalität verdankt haben.

Ähnlich rückständig wirkt in der Nachbarschaft der Opern Marschners die zweiaktige Oper DIE FELSENMÜHLE (Text von Karl Borromäus von Miltitz, Dresden 1831) des Dresdner Weber-Nachfolgers Karl Gottlieb Reissiger (1798-1859). Auch dieses Werk ist das einzige aus einer Fülle von großen Opern des Komponisten, das nicht sofort der Vergessenheit anheimfiel. Es ist so wenig „romantisch" im Sinne der deutschen Romantik eines Hoffmann und Weber, wie es auch die Opern Marschners sind — rückständig gegenüber den letzteren wirkt es dadurch, daß es die auf eine „große" Oper abzielende, grob spukhafte Handlung in das einfache Gewand eines Singspiels gekleidet hat, ohne sich dem unmittelbar vorher von Marschner genial eingeschlagenen Weg zur Verquickung der beiden Gattungen anzuschließen[30]. Der Singspielcharakter wird besonders dadurch betont, daß die musikalischen Einlagen in den gesprochenen Dialog alle als geschlossene Formen, nicht als dramatische Szenen erscheinen und somit nicht einmal von einem Hang zur Durchkomposition die Rede sein kann. Nur die beiden großen Finali machen hiervon eine Ausnahme.

Heinrich Marschner hingegen hat durch die oben erwähnte Wendung zur Dialogoper der Gattung zumindest mit den drei Werken der Jahre 1828 (DER VAMPYR), 1829 (DER TEMPLER UND DIE JÜDIN) und 1833 (HANS HEILING) einen Weg in die Zukunft gewiesen, der, da er problemgeschichtlich sogar eine direkte Verbindung zwischen Weber und Wagner herstellt, den Komponi-

---

30 Vgl. weiter unten.

sten in jener Zeit des Übergangs in der Tat als Nachfolger Webers und maßgebenden Träger der Tradition ausweist. Auch er entging allerdings dem Schicksal seiner Generation nicht ganz, denn von seinen zahlreichen, zwischen 1816 und 1863 entstandenen Bühnenwerken — mit Ausnahme der drei komischen Opern DER HOLZDIEB (Dresden 1825), DES FALKNERS BRAUT (Leipzig 1832) und DER BÄBU (Hannover 1838) sämtlich „romantische Opern" — sind nur die genannten drei am Leben geblieben. Sie sind alle Dialogopern, d. h. ihre einzelnen musikalischen „Nummern" werden durch gesprochene Dialoge getrennt, stellen jedoch selbst umfangreiche musikalische Szenen aus mit Akkompagnati und Ariosi vermischten Secco-Rezitativen und geschlossenen Formen der verschiedensten Art dar.

DER VAMPYR (2 Akte, Text von Wilhelm August Wohlbrück, Leipzig 1828) weist nach Titel und Inhalt noch am deutlichsten auf eine Weber-Nachfolge hin, läßt aber eben dadurch besonders eindringlich den Unterschied zwischen dem Romantiker Weber und seinem mehr biedermeierlichen Nachfahren erkennen. Die typisch gegensätzlichen, aber durch das alles umschlingende Band der Natur zusammengehaltenen Bestandteile der echten romantischen Welt — lichtes, volkstümliches (oft durch Chöre ausgedrücktes) Menschenleben und düster-unheimliches Walten der Geistersphäre — klaffen hier schroff auseinander und sind obendrein noch nach beiden Seiten hin übersteigert, das Volkstümliche fast bis ins Primitive, das Geisterhafte ins Gräßliche. Es gibt zwischen ihnen keine geistige Verbindung, daher auch am Ende keine Erlösung, sondern nur einfach den Sieg des Guten. Musikalisch sind beide Sphären mehrfach kontrastierend ineinandergeschoben, so daß jede die Wirkung der anderen noch verstärkt. Der I. Akt beginnt im Zeichen der Geisterwelt mit einer der „Wolfsschlucht" ähnlichen Szene. Sie wird durch zwei verschiedene Chöre der Hexen und Geister eingerahmt, in deren erstem sie ihre Macht selbstbewußt und furchterregend zum Ausdruck bringen, während sie sich im zweiten scharf und gleichsam verstohlen deklamierend unheimlich dahinhuschend zurückziehen. Zwischen ihnen steht das Melodram des „Meisters", in dem dieser, wie der Samiel der Wolfsschlucht, dem ihm schon verfallenen Opfer (dem Vampyr Lord Ruthven) noch eine Frist bewilligt. Die (sicher nicht zufällige) äußerliche Ähnlichkeit der beiden Situationen wirft gleich zu Beginn der Marschnerschen Oper ein schlagendes Licht auf ihre geistige und damit auch musikalische Unvereinbarkeit. Die beiden Chöre Marschners sind der Situation angemessene, wohlgebildete Sätze eines ausgezeichneten Musikers, das Melodram wird von verminderten Akkorden über einem unheimlich wirkenden Paukenwirbel getragen, der Vampyr erwidert scharf deklamatorisch über einer langsam chromatisch aufsteigenden Baßlinie — aber obwohl auch dieses alles wirkungsvoll das Grauen des Vorgangs wiedergibt, so fehlt der ganzen Szene die naturbedingte Stimmungshaftigkeit der Wolfsschlucht-Musik, die musikdramatisch bedingt ist und deren Einmaligkeit ausmacht.

Nirgends tritt der Unterschied zwischen dem wahren Romantiker und dem nicht mehr echten Nachfolger, aber auch, und noch mehr, zwischen dem Genie und dem Talent deutlicher zutage als hier. Auf welch hohem musikalischen Niveau auch dieses stand, beweisen dann allerdings gleich die ebenfalls zur Geisterwelt gehörenden Nummern 2 bis 5, an ihrer Spitze die große Szene des Vampyrs, in der er seine furchtbar-dämonische Blutgier mit hinreißendem Schwung in einem chromatisch mannigfach verfärbten d-Moll/F-Dur-Allegro con impeto zum Ausdruck bringt. Das Teuflische dieses dreiteiligen Ausbruchs wird noch durch das im kurzen gegensätzlichen Mittelteil geäußerte Mitleid gesteigert, wie überhaupt die ganze Szene ein musikalisch meisterhaft wiedergegebenes Charakterbild dieser vom Zwiespalt zwischen Menschlichkeit und Dämonie zerrissenen Titelfigur darstellt. Ein Gegenstück hierzu ist die große Szene des Vampyr Nr. 14 im II. Akt, in der er den Gegenspieler, der ihn durchschaut hat, durch eine anschauliche Schilderung aller Qualen seines Daseins mundtot zu machen versucht. In beiden Fällen stehen diese Bilder des Grauens in unmittelbarer Nachbarschaft harmlos-lieblicher Natur- oder Liebesbetrachtungen, die Marschners lyrisch-melodischen Einfallsreichtum besonders deutlich erkennen lassen.

Scheint diese Oper also, zeitentsprechend vergröbert, den Spuren des FREISCHÜTZ zu folgen, so deutet Marschners nächstes Bühnenwerk, die dreiaktige romantische Oper DER TEMPLER UND DIE JÜDIN (Text von W. A. Wohlbrück nach Walter Scotts *Ivanhoe*, Leipzig 1829) mit ihrer Verwurzelung im mittelalterlichen Rittertum auf die Nachbarschaft der EURYANTHE hin, freilich auch hier insofern vergröbert, als nicht nur deren avantgardistische Züge fehlen, sondern auch der in der Gattung der Dialogoper verborgene Zwiespalt zwischen Singspiel und großer Oper durch das Nebeneinander der betont volkstümlich gehaltenen Lieder vor allem des Narren (z. B. das Lied Nr. 2 „'S wird besser gehn") und der großen Bravourarien der Heldin und des Helden

Heinrich Marschner: DER TEMPLER UND DIE JÜDIN

(z. B. die große Szene und Arie des Bösewichts Guilbert Nr. 12 im II. Akt) besonders hervorgehoben wird. Dramatisch-musikalisch ragen hier die drei Finali hervor, an ihrer Spitze das 3., dessen Situation, das Gottesgericht mit dem in Spannung erwarteten und erst im letzten Augenblick erscheinenden Kämpfer für die fälschlich angeklagte Jüdin, unverkennbar auf LOHENGRIN vorausweist. Allerdings ist auch diese Übereinstimmung, ähnlich wie die der oben erwähnten „Wolfsschlucht-Szenen", nur äußerlich, und auch sie läßt eben dadurch den weiten Abstand selbst zwischen einem Spitzenwerk der Gattung und deren genialer Überhöhung besonders deutlich erkennen.

Mit der romantischen Oper in einem Prolog und drei Akten HANS HEILING (Text von Eduard Devrient, Berlin 1833) hat sich Marschner dagegen aus der Rolle des bloßen Epigonen bzw. Vorläufers befreit und unter Mithilfe seines hervorragenden, als Sänger wie als Schauspieler und Dramaturg gleichermaßen anerkannten Librettisten ein Werk sui generis geschaffen, das keinen Vergleich mit den opera der berühmteren Altersgenossen zu scheuen braucht. Aufgrund des Textes, in dem Geister- und Menschenwelt schon in der Gestalt des Titelhelden ineinander verschmolzen sind, bot sich dem Komponisten hier die Gelegenheit, das Problem der „deutschen romantischen Oper" ohne Rückblick auf Vorbilder eigenständig und überzeugend zu lösen. Wohl treten die beiden Welten auch getrennt sehr charakteristisch einander gegenüber — die erstere beherrscht den Prolog und dringt dann je einmal im II. und III. Akt sowie im letzten Finale Schrecken verbreitend und eindrucksvoll in die letztere ein, aber dramaturgisch wie musikalisch bedeutender sind die Stellen, an denen die unglückliche Doppelnatur Heilings, der der Verbindung der Geisterkönigin mit einem Menschen entstammt, mit dem groben menschlichen Treiben in Konflikt gerät. Das ist zuerst und mit unheimlicher Wucht in der großartigen E-Dur-Arie Heilings Nr. 3 („An jenem Tag") der Fall, gleichsam der Schlüssel-Nummer des Dramas; denn hier schon wird es offenbar, daß der heißblütige Geisterfürst und das unbedarfte Menschenkind unmöglich zusammenkommen können. Dies wird vom Komponisten noch sehr fein dadurch unterstrichen, daß das Mädchen und seine Mutter auf diesen übersteigerten Leidenschaftsausbruch nur melodramatisch in das Nachspiel hineinsprechend erwidern können. Außerdem nimmt Heiling selbst den Anfang dieser Arie im letzten Finale, als er als Rächer wieder auftritt, fast notengetreu noch einmal auf. — Im Bauernchor Nr. 5 und dem Lied Nr. 6 zeigt sich im Gegensatz dazu Marschners Kunst der Wiedergabe einer rein bäuerlich-volkstümlichen Atmosphäre ähnlich deutlich wie in entsprechenden Gesängen des VAMPYR. Um so einschneidender wirkt der Kontrast zum 1. Finale Nr. 7, in dem sich das Schicksal des ungleichen Paares im Grunde bereits entscheidet. Es beginnt bezeichnenderweise wieder mit einem melodramatischen Gespräch über der Tanzweise, die der ganzen Nummer zugrundeliegt und den Gegensatz zunächst überdeckt, zum Schluß hin aber die Verzweiflung des zutiefst getroffenen Geistes aufs Äußerste steigert und damit das Ende vorwegnimmt — neben der oben genannten Arie Heilings der glänzendste Beweis für Marschners hohen Rang nicht nur als Musiker, sondern darüber hinaus als echter Musikdramatiker. — Besonders erwähnenswert im Hinblick auf den ausgesprochen „romantischen" Charakter des Werkes sind noch die beiden großen Melodramen Nr. 12 im II. und Nr. 14 im III. Akt. Das „Melodram und Lied", mit dem die Mutter Gertrude in stürmischer Nacht angstvoll die Tochter erwartet, ist geradezu ein Schulbeispiel für die Rolle, die der Gattung in der Oper der Zeit gewöhnlich zugefallen war: Das gesprochene Wort beschreibt zunächst voller Schrecken die vom Orchester tonmalerisch und stimmungshaft wiedergegebene entfesselte Natur, dann läßt sich die Sprecherin zum Mitsummen der unheimlichen Baßweise hinreißen und geht schließlich zu einem daraus erwachsenden Lied über. — Über diese übliche Verwendung des Melodrams zur Erhöhung einer unheimlichen Stimmung hinaus hat Marschner es am Anfang des III. Aktes (in Nr. 14) zugleich in den Dienst des Dramas gestellt. Hier zeigt es Heiling in der verzweifelten Erkenntnis seines Scheiterns ganz verstört bei der nächtlichen Rückkehr in sein Reich. Auch hier aber erscheint die Deklamation über der sequenzierend aufsteigenden, glänzend instrumentierten Szeneneinleitung nur als quasi tastender Anfang eines großen und dramatischen Szenenkomplexes, in dem sich Heilings Schicksal im Gespräch mit dem lebhaft bewegten Chor der ihn zunächst höhnisch verlachenden Geister erfüllt und der mit einer, seiner ersten, der E-Dur Arie Nr. 3 an Dämonie in nichts nachstehenden Des-Dur/ f-Moll-Rache-Arie mit Chor endet. Wie im ersten Akt folgen auch hier auf die reine Manifestation der Geisterwelt mit dem lustigen Bauern-Hochzeitsmarsch Nr. 15 und dem volkstümlichen Jagdlied mit Chor Nr. 16 unverkennbare Äußerungen eines sehr harmlosen menschlichen Vergnügens, bis dann nach dem Choral und dem unbeschwerten Liebesduett der Neuvermählten Heiling im Finale mitten in dem lustigen Blindekuhspiel dem Treiben ein Ende macht. Der Zusammenprall der Welten, den Heiling mit dem Rückgriff auf die Arie Nr. 3 eröffnet hatte und den er nach dem musikalisch wahrhaft hymnischen Eingreifen seiner Mutter mit einer Wiederaufnahme seiner verzichtenden Worte „Wenn mein Kranz verblüht" aus dem Prolog beendet, schließt dann mit einem Lobgesang auf die über beiden Welten stehende Allmacht Gottes.

Unter den vielen Altersgenossen Marschners, deren Werke die deutschen Opernbühnen in den dreißiger und vierziger Jahren beherrschen, jedoch bald der Vergessenheit anheimgefallen sind, seien hier noch die Brüder Franz und Ignaz Lachner (1803-1890 bzw. 1807-1895) und Heinrich Dorn (1804—1892) genannt, dessen große fünfaktige Oper DIE NIBELUNGEN erst 1854 erschien und die sich mit ihrer zwiespältigen Mischung von gattungsbedingtem Aufwand und einer auffallenden Neigung zu fast volkstümlicher Schlichtheit sowohl der melodischen Erfindung als auch der Form in der Entstehungszeit von Wagners RING-Tetralogie seltsam genug ausnimmt. Angeführt sei auch noch, speziell im Hinblick auf Marschner, der etwas ältere Peter von Lindpaintner (1791-1856) genannt, von dem im selben Jahr 1828 mit Marschners VAMPYR in Stuttgart eine Oper gleichen Titels herauskam. Die — verschiedenen — Librettisten schöpften zwar aus derselben Quelle, doch tat Wohlbrück, der Textdichter Marschners, bzw. dieser selbst dramaturgisch den besseren Griff, indem sie den Helden in seiner seelischen Verstrickung als von Tragik umwitterte und damit auch zur musikalischen Charakterisierung geradezu herausfordernde Figur darstellen, während er bei Lindpaintner lediglich als „simpler" Bösewicht erscheint[31]. Eine zweite Ähnlichkeit mit Marschner, aber auch mit ihrer beider gleichaltrigem Kollegen Reissiger, besteht in der, zeitbedingten, Tatsache, daß sie alle drei, obwohl typische deutsch-romantische Opernkomponisten, ihr Schaffen mit italienischen Opern begonnen haben: Lindpaintner mit der 1810 in München aufgeführten opera seria DEMOPHOON (Text von Ignaz Franz Castelli), Marschner 1816 mit dem (nicht aufgeführten) TITUS von Metastasio und Reissiger mit der gleichfalls metastasianischen DIDONE, die 1824 unter Weber in Dresden herausgekommen war. Dies waren zwar, verglichen mit der Selbstverständlichkeit, mit der sich deutsche Opernkomponisten vorangehender Generationen in diesem Gebiet bewegt hatten, nur bescheidene Abstecher hinein, doch gerade als Erstlingswerke zeigen sie, wie hoch die fremde Gattung auch nach der Konsolidierung der deutschen Oper bei deren Vertretern noch immer im Kurs stand; spielte sie doch auch auf deren Bühnen neben der französischen nach wie vor eine beherrschende Rolle.

In den Werken der jüngsten Angehörigen dieses Kreises — bereits Altersgenossen Wagners — tritt die Buntheit auf deutschen Opernbühnen noch einmal besonders deutlich hervor. Bei einigen von ihnen, wie z. B. bei dem Darmstädter Carl Mangold (1813—1889), macht sich die Neigung zu Sagenstoffen (TANNHÄUSER 1846, GUDRUN 1849) wie bei Wagner bemerkbar. Auch Robert Schumann (1810—1856) wählte für seine einzige Oper, GENOVEVA (1850), einen Stoff aus diesem Gebiet. Dieses Werk, eine große vieraktige „Szenenoper" (Dahlhaus) nach dem Brauch der Zeit, nimmt in der Geschichte der Gattung eine ähnliche Stellung ein wie Webers EURYANTHE und hatte auch ein ähnliches Schicksal: Obwohl seine musikalische Bedeutung nie angezweifelt worden ist, war ihm doch auf der Opernbühne kein Erfolg beschieden. Dazu mag die Vielschichtigkeit des Textes beigetragen haben (Schumann hatte den von Robert Reinick nach Hebbels Drama verfaßten Text noch nachträglich selbst unter Heranziehung des gleichnamigen Dramas von Tieck bearbeitet) —, entscheidend aber war es wohl, daß die vorwiegend lyrisch getönte Musik dessen Schwächen nicht zu überbrücken vermochte und vor allem dessen schlagartig aufeinander folgenden krassen Scheußlichkeiten nicht gewachsen war. Wagnersche Einflüsse sind darin nicht zu spüren, wenn man nicht die relativ große Rolle der Leitmotivik darin als solche betrachten will[32].

Bei zwei weiteren Altersgenossen Wagners klaffen, obwohl sie beide im Grunde deutschromantische Opernkomponisten waren, die beiden fremden Einflußsphären noch einmal, unmittelbar bevor der überragende Einfluß Wagners die Szenerie grundlegend veränderte, greifbar auseinander: Friedrich von Flotow (1812-1883), der lange Zeit in Paris gelebt hatte und zu den Vertretern aller französischen Operngattungen in enger Beziehung stand, und Otto Nicolai (1810-1849), der erst in Italien recht eigentlich zum Opernkomponisten geworden war. Beide teilen das Los der Meister jener Übergangszeit, daß nur wenige ihrer Werke ihren Namen der Nachwelt überliefert haben. Flotows mannigfaltiges französisches Opernschaffen, das für alle Pariser Bühnen von der Opéra bis zu den Bouffes-Parisiens bestimmt war, konnte sich ebensowenig halten wie sein nicht weniger umfangreiches deutsches, von dem nur zwei Werke, beide über Texte von W. Friedrich = Friedrich Wilhelm Riese, ALESSANDRO STRADELLA (Hamburg 1844) und vor allem MARTHA ODER DER MARKT VON RICHMOND (Wien 1847), lebendig geblieben sind. Beide Opern sind durchkomponiert und zeichnen sich durch einen besonderen Reichtum an verschiedenartigen Chören aus, die zumeist als Untergrund dramatischer Massenszenen dienen und im Dienste der Situationscharakteristik stehen. Daneben spielen auch teils dramatisch bewegte, teils vorwiegend lyrische Ensembles eine große Rolle, wodurch die relativ seltenen Sologesänge (in STRADELLA z. B. die mehrstrophige Serenade des Titelhelden im I. Akt und seine Marienhymne im

---

[31] Vgl. hierzu Hermann Abert, Johann Joseph Abert, Bad Neustadt a. d. Saale ²1983, S. 114f.
[32] Vgl. die ausführliche Behandlung dieses Problems bei Hermann Abert, Robert Schumann, Berlin ⁴1920.

III., in MARTHA vor allem das als Erinnerungsmotiv verwendete Lied *Letzte Rose*) einen besonderen Nachdruck erhalten. Im Ganzen tritt der französische Einfluß, der sich in der großen Bedeutung der Chöre und hie und da in der Spritzigkeit einzelner Gesänge, wie sie sich etwa im Spinn-Quartett Nr. 8 aus MARTHA sowie im Duett Nr. 7 und dem anschließenden zweiten Finale von STRADELLA äußert, hinter der deutlich spürbaren Zugehörigkeit der beiden Werke zur deutschen romantischen Oper zurück. Leider wird dieser Eindruck zumindest für MARTHA etwas getrübt durch einen nur schwer erträglichen Hang zur Trivialität, dem das Werk seine Beliebtheit ebenso verdanken dürfte wie das zehn Jahre ältere NACHTLAGER VON GRANADA[33].

Otto Nicolai erging es mit seinen italienischen Opern nicht viel anders als Flotow mit seinen französischen; hier wie dort war die einheimische Konkurrenz trotz der Anpassungsfähigkeit der deutschen Meister eben doch zu stark. Eine Ausnahme macht nur Nicolais zweite, 1840 in Turin aufgeführte italienische Oper IL TEMPLARIO (inhaltlich weitgehend mit Marschners TEMPLER UND JÜDIN identisch), die einen großen, nachhaltigen Erfolg errang, sowie in schwächerem Maß IL PROSCRITTO (*Der Geächtete*; Mailand 1841, in deutscher Übersetzung Wien 1844), dessen Text von Gaetano Rossi Verdi abgelehnt hatte. Auch sein Name aber ist auf der Opernbühne nur noch mit einem einzigen Werk verknüpft, der dreiaktigen „komisch-phantastischen Oper" DIE LUSTIGEN WEIBER VON WINDSOR (Text von Salomon Hermann Mosenthal nach Shakespeare, Berlin 1849). Hier ist dem italienisch geschulten deutschen Romantiker ein einmaliger Wurf gelungen: die Umrahmung feinster, parodistisch verbrämter Buffokunst durch die bezaubernden Klänge eines echt deutsch-romantischen Sommernachtstraumes. Wenn auch das inhaltlich mit dieser Oper übereinstimmende grandiose Alterswerk Verdis, FALSTAFF[34], schon durch seine historische Sonderstellung „hors de concours" ist, so dürfte es aufgrund der meisterhaft verknüpften Vielfalt in dem bescheideneren und viel älteren Werk Nicolais wohl erlaubt sein, es auf annähernd gleicher Ebene zu jenem in Beziehung zu setzen. Die Umrahmung wird von der Ouvertüre und dem letzten Bild des III. Aktes (beginnend mit dem Chor Nr. 12) gebildet. Durch sie, die in der „romantischen" Sphäre des Märchens spielt, wird der Zuhörer veranlaßt, das sehr irdische Geschehen, das sich dazwischen vollzieht, belustigt aus einem gewissen Abstand, quasi sub specie aeternitatis zu betrachten. Die Handlung erscheint in Form einer Reihe von gegensätzlichen, musikalischen Charakterbildern, wobei Soli und Ensembles einander ungefähr die Waage halten und der Komponist souverän die ihm zu Gebote stehenden Ausdrucksmittel der italienischen wie der deutschen Oper bis in Einzelheiten hinein ganz nach Maßgabe des Textes einander gegenüberstellt oder miteinander vermischt.

Die drei zuletzt genannten Opern sind durchkomponiert, bilden also rein äußerlich ungeachtet ihrer geistigen Unvergleichbarkeit mit dem gleichzeitig entstandenen Frühwerk Wagners einen Übergang von der Marschnerschen Dialogoper zu diesem. Ganz im Gegensatz hierzu aber erlebte ebenfalls ungefähr zur selben Zeit das überwunden geglaubte deutsche Singspiel in neuer Gestalt in den später als „Spielopern" bezeichneten Werken Albert Lortzings (1801-1851) eine wirkungsvolle Auferstehung. Daß sich manche von ihnen zwar hauptsächlich, aber nicht ausschließlich auf deutschen Bühnen gehalten haben, dürfte mit der Breitenwirkung zusammenhängen, die von der neuen Gattung ausging. Ist doch Lortzing in der Tat der einzige seiner Generation, dessen Opernschaffen wenigstens ungefähr zur Hälfte lebendig geblieben ist. Die Spielopern sind grundsätzlich spielerisch-heiteren Inhalts, gesprochene und durchkomponierte Szenen sind von gleicher Bedeutung für das Ganze, das den komödiantischen Geist des Dichterkomponisten verkörpert. Dies

---

33 Vgl. oben S. 265.
34 Vgl. oben S. 127f.

zeigt schon, daß sie nicht „romantisch" im Sinne E. T. A. Hoffmanns sein konnten — auch die einzige nicht komische, die „romantische Zauberoper" UNDINE (Text vom Komponisten nach Fouqué, Magdeburg 1845) ist es nicht; vielmehr hat Lortzing sie durch die Zufügung der dramatisch gänzlich überflüssigen, banalen Gestalten des Schildknappen Veit und des Kellermeisters Hans zu einem Zwitter zwischen biedermeierlich-biederer Spieloper und wirklich romantischer Oper gemacht. Durch diesen Kontrast hat sie zwar an Bühnenwirksamkeit gewonnen; sie erscheint neben der rund dreißig Jahre älteren gleichnamigen Oper Hoffmanns[35] wie ein grobes, aber farbiges Gemälde neben einer feinen Pastellzeichnung, doch symbolisiert sie dadurch mit besonderer Eindringlichkeit die vergröbernde Entmythologisierung und Realisierung, die die romantische Oper nach ihrer kurzen Blütezeit erfahren hatte. Lortzings musikalische Sprache aber zeichnet sich hier sowohl in den wirklich „romantischen" Szenen des III. und IV. Aktes als auch in den biederen Liedern der genannten Nebenfiguren durch den durch die Verbindung von Grazie und Volkstümlichkeit geprägten melodischen Erfindungsreichtum aus, auf den sich auch der Erfolg der Spielopern gründet. Die vielen über ihre Entstehungszeit hinaus verbreiteten Lieder, von dem „Sonst spielt ich mit Szepter" aus ZAR UND ZIMMERMANN (1837) an über „Vater, Mutter, Schwestern, Brüder" aus UNDINE bis zu „Auch ich war ein Jüngling" aus dem WAFFENSCHMIED (1846) sind Zeugen dafür.

Formal wie dramaturgisch steht DER WILDSCHÜTZ (Text vom Komponisten nach Kotzebue, Leipzig 1842) unter den Spielopern der anspruchsvollen „Oper" am nächsten, denn die gesprochenen Szenen werden durch die hier sehr aufwendigen, aus Rezitativen, Ariosi, Arien bzw. Liedern und vor allem Ensembles bestehenden musikalisch-dramatischen Szenen mehr in den Hintergrund gedrängt. Außerdem werden alle drei Akte durch die notengetreue Wiederholung großer Chöre in zusammengehörige Blöcke aufgegliedert, die den ländlichen Charakter der Atmosphäre unterstreichen. Dazu steht die parodistisch-sentimentale Wiedergabe der Liebe zum Landleben in der Arie der Baronin „Bin ein schlichtes Kind vom Lande" (in I, 12) in wirkungsvoll-witzigem Gegensatz. Dieses Stück wie auch die anderen drei Solo-Nummern der Oper sind vielteilig und abwechslungsreich, jedoch im Gegensatz zu denen Nicolais in den LUSTIGEN WEIBERN ohne italienischen Einfluß.

So offenbaren sich in bemerkenswerten Werken eines Vertreters reinsten (ins Biedermeierliche gewendeten) deutschen Singspielgeistes und eines Meisters der nicht minder deutschen Fähigkeit der Anverwandlung fremder Stilarten in den vierziger Jahren des 19. Jahrhunderts die bis dahin gültigen Möglichkeiten einer „deutschen Oper" noch einmal deutlich erkennbar nebeneinander, just in dem Augenblick, in dem diese Oper von Gastspielen in fremden Ländern und die Opernwelt blitzartig erhellenden vereinzelten Geniestreichen mit den Werken Wagners zu kontinuierlichen heimischen Darbietungen überging, die ihrerseits die Welt anzogen und gebieterisch zur Auseinandersetzung damit zwangen.

---

35 Vgl. oben S. 250.

# Richard Wagner

Daß die deutsche Oper ihren Weg zur endlichen Weltgeltung äußerlich ausgerechnet im Schatten der Spieloper antrat — im Jahr des WILDSCHÜTZ, 1842, erschien Wagners RIENZI, 1843 DER FLIEGENDE HOLLÄNDER, und im Jahr von Lortzings UNDINE 1845 der TANNHÄUSER — wirkt überraschend, zeigt aber deutlich die Vielgestaltigkeit des Bodens, auf dem sie erwuchs, wie ja auch der Beginn von Wagners eigenem Schaffen an stilistischer Buntscheckigkeit dem seiner deutschen Altersgenossen nicht im Geringsten nachsteht. Vom Standpunkt des späteren „Musikdramas" aus betrachtet wirken diese Anfänge in ihrer harmlosen Richtungslosigkeit fast unglaubwürdig; in ihrer Gesamtheit aber begreifen die drei Werke — die „romantische Oper" DIE FEEN (Text vom Komponisten nach dem Märchen *La Donna Serpente* von Carlo Gozzi, komponiert 1833, Uraufführung posthum München 1888), die „große komische Oper" DAS LIEBESVERBOT ODER DIE NOVIZE VON PALERMO (Text vom Komponisten nach Shakespeares *Maß für Maß*, komponiert 1834, Uraufführung 29. März 1836 Magdeburg) und die „große tragische Oper" RIENZI, DER LETZTE DER TRIBUNEN (Text vom Komponisten nach dem Roman von Edward Bulwer-Lytton, komponiert 1838-1840, Uraufführung 1842 Dresden) — innerhalb eines knappen Jahrzehnts das gesamte Repertoire, das die deutschen Opernbühnen jener Zeit beherrschte, jeweils charakteristisch ausgeprägt in sich. Schon als Anfänger hatte also der junge Opernkomponist bereits das Feld abgesteckt, das ihm zur Betätigung dienen und ihm zugleich dazu die Ausdrucksmittel liefern sollte. Auch waren bereits die frühesten Werke von freilich nur kurzen und sehr allgemein gehaltenen, kritischen Betrachtungen des Komponisten begleitet (*Die deutsche Oper,* am 10. Juni 1834 anonym in der *Zeitung für die elegante Welt, Pasticcio* am 6. und 18. November 1834 unter dem Pseudonym Canto Spianato in der *Neuen Zeitschrift für Musik* erschienen), in deren erster die Möglichkeit einer deutschen Oper an sich wegen der im Wege stehenden „unseligen deutschen Gelehrtheit" geleugnet und dann etwas unmotiviert, aber im Hinblick auf das Gesamtwerk merkwürdig prophetisch wirkend der Schluß auf eine andere Weise der Opernkomposition gezogen wird, der mit den Worten schließt: „und der wird Meister sein, der weder italienisch, noch französisch — noch aber auch deutsch schreibt." Mit erstaunlicher Folgerichtigkeit verweist die zweite dann auf „Glucks meisterhafte Deklamatorik" und „Mozarts kontrastierende Melodik, Ensemble- und Instrumentalkunst" als Vorbilder, also auf zwei „deutsche Kosmopoliten", in deren Schaffen der „lächerliche Unterschied zwischen den Nationalmusiken", wie Gluck ihn einmal genannt hat, in der Tat in die unverwechselbaren genialen Individualstilarten aufgegangen ist.

Zu jener Zeit, da Wagner dieses Ideal der Überwindung nationaler Schranken auf der Opernbühne mit jugendlichem Überschwang verkündete, war es freilich durch das Aufblühen nicht nur der deutschen romantischen, sondern auch noch so mancher anderer nationaler Operngattungen weitgehend in den Hintergrund getreten, und er selbst war der erste, der dieser Tatsache mit seinen Frühwerken Rechnung trug.

DIE FEEN sind textlich wie musikalisch eine echte spätromantische deutsche Oper im Gefolge Heinrich Marschners, aber gerade die enge zeitliche Nachbarschaft zu dessen HANS HEILING, der eben, 1833, herausgekommen war, zeigt, daß es sich hier nur um eine sehr äußerliche Angleichung an den Operngeschmack der Zeit handelte, wobei gerade die charakteristischen Feinheiten sowohl dramatisch als auch musikalisch durch ein unkontrolliertes Übermaß an Ausdrucksmitteln ersetzt bzw. hinweggeschwemmt wurden.

Im Gegensatz zu den Opern Marschners sind die FEEN allerdings durchkomponiert, weisen aber durch die häufig stark secco-hafte Wiedergabe der Handlung sowie durch so manche nach dem Vorbild der „scena ed aria" angelegte Szenen deutlich auf die nach wie vor bestehende Abhängigkeit der jungen deutschen von der neben ihr die deutschen Bühnen beherrschenden fremden Gattung hin.

In Devrients Text für Marschner steht der unüberbrückbare Gegensatz zwischen Geisterwesen und Menschennatur im Mittelpunkt, der musikalisch durch den für die deutsche romantische Oper charakteristischen Gegensatz zwischen unheimlicher Natur-Romantik und diesseitig-heiterer Volkstümlichkeit allgegenwärtig gemacht wird. In den FEEN ist Wagner als Librettist den verlockenden Wundern und Schrecknissen seines Stoffes jedoch so weitgehend zum Opfer gefallen, daß er sich als Komponist darüber das so überaus wirkungsvolle Ausdrucksmittel des „menschlichen" Kontrastes hat entgehen lassen. Auf diese Weise sind die beiden Welten — mit Ausnahme des buffohaft plappernden Duetts des Dienerpaares Drolla/Gernot im II. Akt, das die Stilkopie wenig geschickt erkennen läßt — auch musikalisch kaum einmal scharf voneinander abgehoben, sondern beide gleichermaßen in ein bereits unverkennbar wagnersches Pathos eingehüllt. Aus der großen Zahl von Hinweisen auf bzw. Anklängen an den späteren Wagner seien hier nur textlich die echt romantische Romanze von der Hexe Dilnovaz aus dem I. Akt genannt, die die Prophezeiung Ortruds aus LOHENGRIN II,1 vorwegnimmt, ein Zauberer verliere seine Kraft, wenn ihm nur ein Finger (in den FEEN mit einem Ring) abgeschlagen werde, sowie das anschließende Quartett mit der auf TANNHÄUSER vorausdeutenden Warnung des als Priester verkleideten Freundes, wer sich auf immer jenem bösen Weibe ergäbe, falle ab von Gott und seinem Reich. Der Ton des Komponisten Wagner aber liegt besonders eindrucksvoll der Cabaletta von Adas, der Heldin, Arie im II. Akt zugrunde:

deren Weise bereits (in E-Dur) gegen Ende der Ouvertüre erscheint. Nicht weniger charakteristisch mutet die Cabaletta der Lora vom Beginn des II. Aktes an:

sowie die Weise, mit der der Held Arindal in höchster Ekstase die zu Stein gewordene Geliebte im letzten Finale entzaubert:

Daß die italienische Oper dem jungen Wagner wie allen seinen deutschen Altersgenossen von Anfang an vertraut gewesen war, zeigte sich schon in den FEEN, wenn es sich hier auch nur um ein routinemäßig mit der Gattung übernommenes Stilmerkmal handelte. Mit dem nur ein Jahr später komponierten LIEBESVERBOT warf sich Wagner dann allerdings in Übersteigerung seiner im selben Jahr erhobenen theoretischen Forderungen gleich zwei verschiedenen fremden Stilarten auf einmal, der italienischen und der großen französischen Oper, in die Arme. Hier wird jedoch die bewußte Stilkopie weit stärker spürbar als in dem vorangehenden Werk. An Hand einer von ihm sehr geschickt den Forderungen der Opernbühne angepaßten Bearbeitung von Shakespeares *Maß für Maß* kam so ein Werk zustande, dessen vorwiegend konventioneller künstlerischer Gehalt in keinem Verhältnis zu seinem großen äußeren Aufwand steht. Die Arien und Ensembles — unter ihnen vor allem die Szene mit Arie des Friedrich Nr. 10 sowie die Duette Isabella/Mariana (Nr. 3) und Isabella/Luzio (Nr. 4) und das geschickt nach dem Vorbild eines Buffa-Kettenfinales in Szenen gegliederte 2. Finale — folgen der italienischen Tradition, die Massenszenen, allen voran die gewaltige, durch große Chorblöcke unterteilte Introduktion und das teils durch wirkungsvolle Steigerungen, teils durch übertriebene Wiederholungen gedehnte 1. Finale lassen die Anlehnung an die grand opéra deutlich erkennen. Merkwürdig wirken in einem solchen stilistischen Zusammenhang die vereinzelt im II. Akt vorkommenden gesprochenen Szenen, die dem Geist jener Kunst grundsätzlich widersprechen.

Musikalisch steht das LIEBESVERBOT seiner fremden stilistischen Abkunft entsprechend dem späteren Wagner weit ferner als die FEEN, ja, es wirkt dadurch und durch eine bereits in der Ouvertüre auffallende Neigung zu einer vielfach unbegründeten Weitschweifigkeit farbloser als jene frühere Oper[1]. Eine Ausnahme macht nur das das ganze Werk durchziehende Motiv des LIEBESVERBOTS, einmal wegen seiner charakteristischen melodisch-harmonischen Gestalt,

zum anderen und vor allem aber wegen der Konsequenz, mit der es von der Ouvertüre an bis in das 2. Finale hinein mannigfach abgewandelt und doch unverkennbar immer wieder auftaucht.

Die enge zeitliche Nachbarschaft der beiden Wagnerschen Frühwerke läßt ihre geistig-inhaltliche und musikalisch-stilistische Unvereinbarkeit doppelt überraschend hervortreten, aber wenn sie auch beide, vor allem das LIEBESVERBOT, nicht einmal als „Vorstufen" der späteren Musikdramen bezeichnet werden können, so muß doch allein schon die Kühnheit einer solchen Gegensätzlichkeit bei einem Anfänger, die der Mitwelt verborgen blieb, von der Nachwelt als Fanal eines außergewöhnlichen Genius gedeutet werden. Der Abstand zu Wagners dritter Oper, RIENZI, war zwar zeitlich größer, stilistisch aber geringer, da der Komponist bereits im LIEBESVERBOT hie und da zu den Ausdrucksmitteln der großen französischen Oper gegriffen hatte. Dafür trat er dem neuen Plan grundsätzlich anders gegenüber als den beiden früheren: nicht mehr, wie dort, gleichsam unbefangen als deutscher, den verschiedenen Einflüssen fremder Gattungen zugänglicher Opernkomponist, sondern in der durch das Erlebnis einer Berliner Aufführung von Spontinis großer Oper FERNAND CORTEZ 1836 noch verstärkten leidenschaftlichen Absicht, die Pariser Oper mit all ihrem Prunk gezielt an Ort und Stelle geistig und musikalisch zu erobern.

In Paris gelang ihm dies zwar nicht, wohl aber in Dresden, wo er mit RIENZI seinen ersten großen Opernerfolg errang. Damit erschien er, der noch unbekannte Kapellmeister, erstmals auf der deutschen Opernbühne, und zwar als reiner Vertreter der anspruchsvollen Gattung, deren Wesen

---

[1] Ludwig Finscher bezeichnet in seinem Aufsatz *Wagner als Opernkomponist. Von den Feen zum Rienzi* (in: *Richard Wagner. Von der Oper zum Musikdrama*, herausgegeben von Stefan Kunze, Bern 1978, S. 25—46) den weiten stilistischen Abstand zwischen FEEN und LIEBESVERBOT als „eine opernästhetische und opernpraktische Kehrtwendung, wie sie radikaler kaum je ein ernstzunehmender Komponist vollzogen hat" und erklärt damit zugleich treffend die oben berührten Nachteile der zweiten Oper.

und Erscheinung er dann auch noch, seiner Veranlagung nach, „in der Übertreibung imitierte"[2]. 1837/38 entstand der Text, wobei Wagner mit der sicheren Hand des echten Dramatikers alle Nebenhandlungen aus Bulwers Roman beseitigte. Im August des gleichen Jahres begann er mit der Komposition. Von ihr waren die beiden ersten Akte fertig, als er ein knappes Jahr darauf Riga, wo er damals als Musikdirektor tätig war, überstürzt verlassen mußte und sich nach Paris begab. Dort vollendete er die Oper dann erst 1840.

Der zeitliche Bruch in der Entstehung des Werkes macht sich auch stilistisch bemerkbar, wird jedoch durch die Überlebensgröße des Helden und seiner Atmosphäre überbrückt. Allerdings heben sich in den beiden ersten Akten, in denen diese noch unangefochten hervortritt, Rezitativ und geschlossene Formen — ausgedehntes, echtes Secco-Gespräch (z. B. die lange Strafrede Rienzis an die Nobili in der Szene I,1 und das Gespräch Colonna/Rienzi in II,1) und Arien (z. B. Rienzi „Die Freiheit Roms sei das Gesetz" im 1. Finale), Ensembles (z. B. Duett Irene/Adriano in I,3 und Terzett Irene/Adriano/Rienzi in I,2) und zahlreiche Chöre — noch eindeutig voneinander ab, während sie in den drei letzten Akten, in denen das Geschehen durch Intrigen aufgelockert wird, mehr und mehr zu dramatischen Szenen zusammenwachsen und deutlich erkennbar den Weg in die Zukunft weisen.

Der V. Akt faßt als Krönung noch einmal die stilistische Vielfalt des Werkes zusammen und unterstreicht damit dessen Stellung im Schaffen seines Schöpfers. Schon in Rienzis den Akt eröffnendem Gebet wird der hymnisch verklärte Ton durch eine sorgfältig inhaltsbedingte Deklamation und eine fluktuierende Harmonik wirkungsvoll von dem bereits in der Ouvertüre aufgestellten, durch die Verzierung des Sextsprungs leicht trivial wirkenden und obendrein der Textbetonung weder am Anfang noch am Schluß angemessenen Refrain:

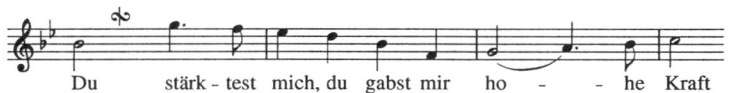

abgehoben. — Auch die anschließende Szene zwischen Rienzi und Irene verkörpert den Inbegriff eines dramatisch-musikalischen Zwiegesprächs, gipfelt dann aber überraschenderweise in einem Duett, das textlich wie musikalisch einer längst überwundenen Zeit anzugehören scheint, um so mehr, als auch die folgenden beiden Szenen dem vorausweisenden Stil angehören. Dies gilt vor allem für das Finale, dessen Chöre nicht nur Staffage, sondern sämtlich Bestandteile der Handlung sind. Musikalisch maßgebend für den Schluß der Oper aber ist das Orchester, in dem Rienzis Schlachtruf

---

[2] Vgl. Paul Bekker, Wagner. Das Leben im Werke, Stuttgart 1924, S. 102. — Zu der verworrenen, schwer durchschaubaren Überlieferung des Werkes vgl. Martin Geck, Rienzi-Philologie, in: Das Drama Richard Wagners als musikalisches Kunstwerk, herausgegeben von Carl Dahlhaus (Studien zur Musikgeschichte des 19. Jahrhunderts, Bd. 23, 1970, S. 183—197).

den Untergang des Helden begleitet. Auf diese Weise ist das letzte Finale das dramatisch bewegteste, musikalisch aber das kürzeste und am wenigsten komplizierte. Besonders umfangreich sind hingegen das 2. und das 3. Finale. Im ersteren erscheint der Schlachtruf (abgesehen von der Ouvertüre) zum ersten Mal, außerdem zeigt sich Wagners musikalisch-dramatische Kunst der gruppenweisen Simultancharakterisierung großen Stils hier besonders deutlich.

Wenn diese „große tragische Oper" sich nun auch durch ihre Gattungsgebundenheit genau so scharf von Wagners späterem Schaffen abhebt wie die beiden früheren Werke, so läßt sie doch selbst in diesem Rahmen, ja gerade darin, als erstes schon den wichtigsten Grundzug von Wagners Wesen, den Theatraliker, hervortreten. RIENZIS Stellung im gesamten dramatischen Werk des Meisters ist mithin eine zwiefältige: als letztes, ganz bewußtes Bekenntnis zu einer die Opernbühnen von Paris aus beherrschenden Kunstrichtung bedeutet er das Ende jugendlichen Experimentierens, als erste konsequente, musikalisch adäquate Auseinandersetzung mit Problemen von metaphysisch welthistorischer Bedeutung bildet er, an das „Fanal" der beiden Frühwerke anschließend, die dramatische Grundlage für das, was sich in neuem „musikdramatischen" Gewand anschließen und vom „Musikdrama" gekrönt werden sollte.

Auch dieses aber erschien, unmittelbar im Schatten jenes Werkes, jedoch zugleich als dessen vollendeter Gegensatz, noch einmal gleichsam als Fanal. Es war die „romantische Oper" DER FLIEGENDE HOLLÄNDER, der Wagner selbst in seinem Schaffen dichterisch die Rolle eines Neubeginns zugewiesen hat. Diese spielt sie aber nicht nur durch die Verpersönlichung der gattungsbedingten Typenhaftigkeit librettistischer Situationen und Gestalten sowie von deren Ausdrucksweise, sondern vor allem durch die enge autobiographische Bindung sowohl ihrer Entstehung als auch ihrer Grundhaltung. Hat Wagner doch die stimmungsmäßig-klangliche Anregung zur Komposition der HOLLÄNDER-Atmosphäre auf der Schiffsfahrt von Riga nach Calais empfangen, als das Schiff vor einem Sturm in einem norwegischen Hafen Schutz suchen mußte — das erste große von Wagner dramatisierte Naturerlebnis, das für Personen wie Handlung gleichermaßen bestimmend wurde. Auch dieser Einschnitt in Wagners künstlerischem Schaffen aber wird schicksalhaft durch die Tatsache überbrückt, daß der Anlaß zu dieser Wendung der so ganz gegensätzliche RIENZI war, um dessentwillen der Meister die abenteuerliche Seefahrt nach Paris unternommen hatte. Und — ein früher Beweis für die treffende Feststellung von Thomas Mann, Wagners Werk habe, genau genommen, keine Chronologie[3]: die beiden einander so konträr entgegengesetzten Werke entstanden quasi nebeneinander her; zwischen ihren Dresdner Uraufführungen liegen nur gut zwei Monate. Die des RIENZI fand am 20. Oktober 1842, die des FLIEGENDEN HOLLÄNDER am 2. Januar 1843 statt, und durch den großen, gattungsbedingten Erfolg des ersteren war der Mißerfolg des letzteren gleichsam schon vorprogrammiert.

Die Wirkung des eminent Neuen, das äußerlich durch die Wendung von der Historie zur Sage ermöglicht wurde[4], wird in diesem ersten Versuch Wagners, wenn man ihn vom Standpunkt der folgenden einheitlich-pathetischen romantischen Opern aus betrachtet, durch die unbekümmerte Gleichsetzung des Wunderbaren mit dem handfest Alltäglichen etwas beeinträchtigt. Daß dieser betonte Gegensatz von Wagner aber ausdrücklich beabsichtigt war, zeigt nicht nur die Ausdehnung der Rolle Dalands, sondern vor allem die Sorgfalt, mit der der Komponist in seinen *Bemerkungen zur Aufführung der Oper Der fliegende Holländer*[5] Dalands ganzen Auftritt im 2. Finale

---

[3] Thomas Mann, Leiden und Größe Richard Wagners, in: Adel des Geistes, Stockholm 1948, S. 415.
[4] Die alte Sage vom fliegenden Holländer übernahm Wagner aus den 1834 erschienenen *Memoiren des Herren von Schnabelewopski* von Heinrich Heine.
[5] In: Gesammelte Schriften und Dichtungen, Band V, 2/1888, S. 160 ff.

mit gestischen Vorschriften versehen hat[6]; gegen den buffonesken Einschlag, den die Rolle dadurch leicht erhalten kann, hat sich Wagner dagegen am Ende der genannten Schrift ausdrücklich gewandt. — Ein weiterer Beweis für die Wichtigkeit, die Wagner in diesem Werk den „Nebenpersonen"[7] beimaß, ist Eriks Traumerzählung gleichfalls im II. Akt, eine Vorahnung der „Gralserzählung" aus LOHENGRIN im Munde eines Durchschnittsmenschen, der an der geheimnisvollen Welt, von der er berichtet, selbst nicht den geringsten Anteil hat. Dies scheidet ihn besonders eindrucksvoll von Senta, die ja auch seiner Welt entstammt, sich in der der Traumerzählung vorangehenden Ballade jedoch eindeutig von ihr lossagt. Dieser von Wagner als Keim des Ganzen bezeichnete dreistrophige Gesang faßt balladesk erzählend die Handlung zusammen, die Eriks Traum bildhaft ausdeutet, beide werden von den gegensätzlichen, fast allgegenwärtigen, die Handlung tragenden Motiven des Verdammten und seiner Erlösung beherrscht. Als Krönung des so vorbereiteten Geschehens im II. Akt schließt sich dann unmittelbar an die Arie Dalands als krasser und dadurch um so wirksamerer Kontrast dazu die große Szene zwischen dem Holländer und Senta, das erste Zusammentreffen der beiden Protagonisten, an, auch sie von den beiden Motiven eingeleitet und dann vom Holländer gleichsam entrückt unbegleitet und ganz getragen deklamierend allein eröffnet — eine als Ausdruck der entscheidenden dramatischen Situation einzigartig ungebräuchliche Wiedergabe in Gestalt einer verhalten-leidenschaftlichen Arienmelodie in der bescheideneren Vortragsweise eines Rezitativs als Ausgangspunkt einer fortlaufenden Steigerung zur bewegten, von Chromatik getränkten Arie, für die das Duett zunächst kaum mehr als einen konventionellen Abschluß bedeutet. In einem zweiten Anlauf folgt auf diesen E-Dur-Schluß in e-Moll ein Versuch des Holländers, der Leidenschaft Herr zu werden, der jedoch mit Sentas Erwiderung alsbald wieder nach E-Dur in die gesteigerte Erregung des Anfangs und darüber hinaus vorübergehend nach H-Dur führt. Die einander beantwortenden Schlußweisen des Paares („Was schließt berauscht mein Busen ein" — „Licht meiner Hoffnung, leuchte nun") erscheinen nach dem anschließenden Terzett mit Daland als orchestraler Abschluß und sodann als Beginn der Introduktion zum III. Akt, wodurch sie einen etwas trivialen Ausdruck erhalten — mit dem oben erwähnten konventionellen Duettschluß zusammen eines der wenigen Kennzeichen für die Übergangsstellung, die der FLIEGENDE HOLLÄNDER auch musikalisch in Wagners Schaffen einnimmt.

Zu diesem II. Akt, in dem alle Personen hervortreten und sich das Geschehen recht eigentlich zusammenballt, verhalten sich der I. und der diesem entsprechende Anfang des III. Akts wie ein Rahmen aus gewaltigen, verschieden beleuchteten Naturgemälden, innerhalb dessen und vor dessen Hintergrund sich die ganze Handlung abspielt, ja, der sie überhaupt erst ermöglicht. Bezeichnend hierfür sind im I. Akt die Allgegenwart des in den chromatischen Läufen und den Tremoli des Orchesters tobenden Sturmes und die sich vor dieser naturhaften Kulisse begegnenden Kontraste zwischen kleinbürgerlicher Menschlichkeit und außermenschlich-tragischer Größe — eine textlich wie musikalisch gleich eindringliche Introduktion in das gesamte Werk. Im I. Akt selbst sind die wichtigsten Träger des Gegensatzes das schlichte, zweistrophige Lied des Steuermanns, das sogar den Sturm vorübergehend zum Schweigen bringt und es einmal im Orchester schüchtern selbst mit dem Holländer-Motiv aufnimmt, und anschließend die große Szene des Holländers, das erste dramatisch-musikalische Charakterbild Wagners, das er auch in seinen späteren Werken weder textlich noch musikalisch übertroffen hat. Schon in dem einleitenden, von der Motivik des Sturms durchsetzten Akkompagnato-Rezitativ ist jede Phrase bis in letzte Einzelheiten

---

6 Vgl. hierzu vor allem: Carl Dahlhaus, Die Bedeutung des Gestischen in Wagners Musikdramen, München 1970.
7 Von Dahlhaus (in: Richard Wagners Musikdramen, Friedrich Verlag, Velber 1971, S. 19) als „Träger der äußeren Handlung" bezeichnet.

der Deklamation von der maßlosen Erregung des Verzweifelten durchpulst, und das Gleiche gilt von der Arie, einem gewaltigen Monolog aus drei gegensätzlichen Großteilen, deren jeder mit einer neuen, die Verzweiflung der vorangehenden noch übersteigernden Coda endet. Eine wahrhaft erschütternde Wirkung kommt in der letzten Coda dadurch zustande, daß sie den ganz in c-Moll stehenden Satz auf dem Höhepunkt der Verzweiflung bei den Worten: „Ewge Vernichtung, nimm mich auf!" mit einem Dur-Schluß beendet! Im anschließenden Gespräch Daland/Holländer tritt der Gegensatz zwischen den beiden Welten etwas zurück, doch hebt sich die gutmütige Geschwätzigkeit des ersteren („Wie? Hör ich recht? Meine Tochter sein Weib?") immerhin das ganze Stück hindurch charakteristisch von der getragenen Melancholie des Partners („ach, ohne Weib, ohne Kind bin ich") ab[8].

Die Matrosenchöre spielen im I. Akt, wie auch der Spinnerinnenchor im II., nur, dem Brauch der deutschen romantischen Oper entsprechend, eine allgemein situationsmalende Rolle. Dabei weist die Übereinstimmung zwischen den punktierten Seemannsrufen und dem „Summen und Brummen" der Spinnräder fast unmerklich auf die gesellschaftliche Einheit jener harmlosen menschlichen Umgebung hin. — In der Introduktion des III. Aktes erscheinen die Chöre der beiden Mannschaften hingegen als ausgeprägte, verschiedene Charaktere mit ihnen angemessener Orchesterbegleitung, erst aggressiv nacheinander, dann gleichzeitig, wobei die norwegischen Matrosen angstvoll von Tonart zu Tonart gleiten — eine Dramatisierung der Massen im Sinne der Wagner wohl vertrauten Technik der großen Oper.

Das letzte Finale fällt dadurch merkwürdig aus dem Rahmen, daß es das Ziel der Erlösung, auf das hin die ganze Handlung angelegt ist, unter Zuhilfenahme eines durch die farblose Figur des Erik bewirkten höchst banalen Mißverständnisses erreicht. Dies ist wohl das eindeutigste Zeichen dafür, daß Wagner als Dramatiker hier noch am Anfang seiner Laufbahn stand, und ein Beweis für die enge Verbindung zwischen diesem und dem Musiker ist es, daß diese Szene auch musikalisch, abgesehen von dem großartigen orchestralen Schlußtableau, dessen Ende allerdings erst später dem 1860 komponierten neuen Schluß der Ouvertüre angeglichen worden ist, den hervorragenden Szenen der „inneren Handlung"[9] nicht ebenbürtig ist. Auch wird es hier noch einmal besonders deutlich, daß Wagner in der Oper, in der er recht eigentlich den Beginn seines Schaffens sah, der Leitmotivik vielleicht eine wichtigere, aber kaum eine größere Rolle eingeräumt hat als andere Komponisten vor ihm: Neben dem Holländer- und dem Erlösungsmotiv, die allein hier erscheinen, wie sie auch von der Ouvertüre an die ganze Oper durchdringen, werden nur ganz wenige andere Motive gelegentlich als lose Hinweise auf entsprechende Situationen wieder aufgenommen.

Zwischen Tradition und Fortschritt zeigt sich Wagner im FLIEGENDEN HOLLÄNDER endlich auch in der Behandlung der Form. Zunächst teilte er die Oper, die ursprünglich als aus drei großen Szenen bestehender Einakter konzipiert war, schon für die Uraufführung in drei Akte auf, deren (wenige) Szenen dramatisch deutlich voneinander geschieden, musikalisch aber überwiegend eng aufeinander bezogen sind[10]. In ihrem jeweils geschlossenen Rahmen gelang es Wagner, die denkbar größte musikalisch-formale Freiheit und Mannigfaltigkeit im Einzelnen zu entfalten. Nicht nur, daß beispielsweise die 2. Szene des I. Aktes, Rezitativ und Arie des Holländers — äußer-

---

8 Die Simultancharakteristik der gleichen Gegensätze weist auf das Vorbild des Duetts Ännchen/Agathe im FREISCHÜTZ hin.
9 Vgl. Dahlhaus, Wagners Musikdramen, a.a.O. S. 19f.
10 Angesichts dieser Anlage plädiert Dahlhaus (a.a.O. S. 18) für die Aufnahme des Begriffs der „Szenenoper", die im 19. Jahrhundert eine wesentliche Station auf dem Weg zwischen der „Nummernoper" und dem „Musikdrama" darstellt.

lich eine „scena ed aria" im herkömmlichen Sinne —, nach Form und Inhalt alle Gattungsgrenzen hinter sich läßt, auch etwa die beiden Duette Daland/Holländer im 1. und vor allem Senta/Holländer im 2. Finale entwickeln sich innerhalb ihrer Szenen ohne Rücksicht auf Formschemata ganz frei nach dramatischem Ermessen.

So ist diese „Szenenoper" zwar noch kein „Musikdrama", aber trotz der Nähe der bewußt angestrebten und genial erreichten Stilkopie des RIENZI ein Neubeginn, der an Selbständigkeit keinem der späteren Werke nachstehen dürfte. War es doch eben sein Charakter als „szenische Ballade", der seinen Schöpfer davor bewahrte, wieder, wenn auch nur sporadisch, den Verlockungen der „großen Oper" zu verfallen, wie dies stellenweise im TANNHÄUSER der Fall ist.

Die Entstehung dieses Werkes, TANNHÄUSER UND DER SÄNGERKRIEG AUF WARTBURG, ist zeitlich nicht so eng mit seinem Vorgänger verbunden wie dieser mit Rienzi. Die Dichtung entstand allerdings nur kurz nach dessen Uraufführung, die Komposition aber erstreckte sich mit mehreren Unterbrechungen über fast zwei Jahre, und erst am 19. Oktober 1845 erblickte die neue Oper erstmalig in Dresden das Rampenlicht. Doch trotz dieses Abstandes und obwohl Wagner im TANNHÄUSER deutlich erkennbar den mit dem FLIEGENDEN HOLLÄNDER beschrittenen Weg fortgesetzt hat, wirkt dieses Werk stellenweise wie eine Synthese der beiden vorangehenden Gegensätze — ein weiteres Zeichen für die erstaunliche, schicksalhafte Folgerichtigkeit des wagnerschen Schaffens. Die grundsätzliche Verwandtschaft zwischen TANNHÄUSER und HOLLÄNDER tritt besonders deutlich in der Wahl des Stoffes und dessen Bearbeitung hervor: Es handelt sich in beiden Fällen um Sagenstoffe, deren Gestalten mit Figuren aus anderen Sphären konfrontiert werden, nur mit dem Unterschied, daß die beiden Sphären im TANNHÄUSER, Venusberg und Wartburg, an Bedeutung einander ebenbürtig und dementsprechend schärfer voneinander getrennt sind. Verbunden werden sie nur durch den Titelhelden, der auch hier, wie im HOLLÄNDER, auf der ständigen Suche nach seinem „Heil" zwischen ihnen umherirrt, und wie jener, nur weniger theatralisch als vielmehr vergeistigt, durch das Wunder der Liebe erlöst wird.

Die musikalisch-dramatische Größe dieses Werkes beruht in erster Linie auf der Wiedergabe dieses Gegensatzes, der seinen Charakter im Großen wie in Einzelheiten prägt. Die Auseinandersetzung zwischen den beiden kontrastierenden Welten bildet, schematisch vereinfacht, schon den Inhalt der Ouvertüre: Ihren Eckteilen liegt allein die feierliche Weise des Pilgerchors aus dem III. Akt als (teilweise von einer schillernden Begleitung eingehülltes) Symbol des von Anfang an erstrebten und schließlich errungenen Heils zugrunde, der Mittelteil wird von der abwechslungsreichen Motivik aus dem Reich der Venus beherrscht, dessen verführerischer Charakter in diesem Rahmen mit geradezu unheimlicher Intensität hervortritt, und in dessen Mitte erscheint als einzige Einzel-Reminiszenz die Weise von Tannhäusers bedeutungsschwerem Lobgesang auf Venus, mit dem er sich von ihr und später auch von Elisabeth und deren Reich lossagt, die also durch die doppelte Wirkung eine Schlüsselstellung im Drama einnimmt[11]. In der Oper selbst sind die Gegensätze zunächst auch grundsätzlich aktweise voneinander getrennt, wenn auch der in Tannhäuser selbst schwelende Zwiespalt sowohl im I., vorwiegend dem Venusberg gewidmeten Akt — hier immer im Anschluß an den Lobgesang in den gesteigerten Äußerungen der Sehnsucht nach der Welt und zuletzt in dem verzweifelten Ausruf „Mein Heil ruht in Maria" — als auch im zweiten, dem Wartburg-Akt des Sängerkriegs — hier in der erschreckend wirkenden vierten, nach E-Dur gesteigerten Strophe des Venusliedes — zum Ausdruck kommt.

---

11 Vgl. hierzu Reinhold Brinkmann, Tannhäusers Lied, in: Das Drama Richard Wagners als musikalisches Kunstwerk, herausgegeben von Carl Dahlhaus (Studien zur Musikgeschichte des 19. Jahrhunderts 23, 1970, S. 199—211).

Im III. Akt stoßen die beiden Sphären dann, jede schon in sich gesteigert, zusammen — wie inhaltlich, so stellt er auch musikalisch eine großartige Synthese dar. Die charakteristisch verschiedene Motivik der beiden Welten wird hier leitmotivisch zueinander in Beziehung gesetzt oder voneinander abgehoben, so daß dieser Akt schon dadurch gegenüber den beiden anderen, in denen diese Technik nur eine geringe Rolle spielt, eine Sonderstellung einnimmt. Inhaltlich wie musikalisch gelangt der Gegensatz hier durch eine direkte Auseinandersetzung zu einer Lösung, wobei auch der hie und da im TANNHÄUSER als „Oper" noch spürbare Unterschied zwischen Tradition und Fortschritt überwunden wird. Nicht als ob er grundsätzlich mit den beiden Sphären identifiziert werden könnte, aber: Wenn sich aus der Konvention der großen Oper überkommenes Gut bemerkbar macht, so ist dies ausschließlich im Rittermilieu vor allem des II. Aktes der Fall. So gemahnt besonders der Einzugsmarsch mit Chor, der das gewaltige 2. Finale eröffnet, sowie der anschließende Auftritt der Sänger und die ausgedehnte, rein rezitativisch wirkende Ansprache des Landgrafen stilistisch mehr an RIENZI als an den FLIEGENDEN HOLLÄNDER, während Wagner die darauf folgenden sechs Strophen des Sängerkriegs als freie, den jeweiligen Temperamenten entsprechend bald mehr schwärmerische, bald lyrische, bald ritterliche oder kriegerische Ariosi wiedergegeben hat, die als Höhepunkt in die beiden aufeinander abgestimmten, aber kontrastierenden Arien Wolframs („Dir holde Liebe töne") in Es-Dur und Tannhäusers („Dir, Göttin der Liebe") in E-Dur einmünden. Eine so lange Kette frei geformter, aufeinander bezogener und doch charakteristisch unterschiedlicher Sologesänge war in der Oper der Zeit etwas Neues, und ihm entspricht auch das von den dramatisch bedingten ariosen Einwürfen Elisabeths durchsetzte, satztechnisch glänzend gearbeitete Schlußtableau, so daß Tradition und Fortschritt allein in diesem Finale eng miteinander verbunden sind. Der gleiche merkwürdige stilistische Gegensatz beherrscht auch den Beginn dieses Aktes, wo auf die großartige „Hallenarie" der Elisabeth und ihr anschließendes Zusammentreffen mit Tannhäuser, in denen beiden Rezitativ und Arie unlöslich zur dramatischen Szene verbunden sind, ohne den geringsten dramatisch-textlichen Anlaß ein auffallend konventionelles „Schlußduett" folgt.

Der I. Akt ist, wie der III., von derartigen „Stilbrüchen" frei, nur daß die beiden Sphären sich hier nicht miteinander auseinandersetzen, sondern gegen Ende gerade, gleichsam betont vorausweisend, überscharf einander gegenübertreten. Die Musik des Venusbergs scheint, orchestral wie vokal, chorisch wie solistisch und im Zusammenwirken aller Klangkörper in der Tat in dieser Oper von einem anderen Stern zu sein, und so enthält sie denn auch, was Kühnheit der Harmonik, der Instrumentation, der melodischen Erfindung und der motivischen Arbeit betrifft, wohl das Eigenwilligste und Modernste, was Wagner bis dahin geschrieben hatte. Spätere Umarbeitungen, die alle in erster Linie sie betreffen, zeigen, daß sie dem Komponisten offenbar besonders am Herzen gelegen hat. So wurde die Erscheinung der Venus zusammen mit dem Tod von Elisabeth und Tannhäusers Erlösung im III. Akt, die in der Fassung der Uraufführung nur rein musikalisch-symbolisch angedeutet worden waren, noch in Dresden musikalisch-dramatisch vergegenständlicht und entsprechend erweitert — vor allem aber beschränkte sich die tiefer gehende Umarbeitung, die Wagner für die aufsehenerregende Pariser Aufführung der Oper vom 13. März 1861 vorgenommen hatte, fast ausschließlich auf die Venusberg-Szene. Charakteristisch für diese Musik ist schon die lange, pantomimisch ausgefüllte instrumentale Einleitung, die die gesamte Motivik aufstellt und damit die Atmosphäre umschreibt. Deren Höhepunkt, die verführerische Fis-Dur-Arie der Venus („Geliebter komm") erhellt durch ihren Gegensatz zu Tannhäusers Gesang, der in drei von Des-Dur nach Es-Dur chromatisch aufwärtssteigenden Strophen die Szene gliedert, schlagartig dessen gröbere Erdgebundenheit. Er ist schlicht liedhaft gehalten, die Melodie wird nur am Schluß jeweils etwas variiert, während die Orchesterbegleitung von Strophe zu Strophe wechselt. Die Venus-Arie hingegen ist klanglich in die Atmosphäre des Vorspiels getaucht, ihre Begleitung von den dort aufgestellten lockenden Motiven durchsetzt und tonartlich noch weit darüber hinausgehoben. Ihr erster Achtzeiler hüllt den Geliebten schmeichelnd in eine Fülle von Chromatik ein, während der zweite („Aus holder Ferne mahnen süße Klänge") das „Freudenfest" der Liebe vor ihm erstehen läßt.

Der plötzliche Umschlag von dieser Szene schwüler Sinnlichkeit in das sonnenbeschienene Tal am Fuß der Wartburg, musikalisch nur von der Schalmeienweise und dem unbegleiteten, volkstümlichen Lied des jungen Hirten getragen, ist ein dramatisch bedingter Theatereffekt, der seinesgleichen sucht und blitzartig die Wirkung der beiden Sphären, die er trennt, in sich vereinigt. Mit dem anschließenden Einsetzen des Pilgerchors, dessen Weise Tannhäuser allein aufnimmt, der Jagdmusik und dem Auftreten des Landgrafen mit den Sängern ist die Wartburg-Sphäre des II. Aktes bereits hier erreicht, obwohl sie zunächst noch von Tannhäusers den Rittern unbekannter Vergangenheit beschattet ist. Dies zeigt sich besonders in einzelnen seiner Antworten wie etwa dem gleichsam entrückt deklamierten

und in den mehrfach wiedergegebenen, tonmalerisch zu deutenden Äußerungen:

Erst Wolframs Zauberwort „Bleib bei Elisabeth" bringt mit der Wendung zum strahlend wirkenden D-Dur auch dramatisch die Erlösung. Das locker tastende Gespräch verdichtet sich jetzt zur Arie Wolframs („War's Zauber, war es reine Macht"), deren Weise dann dem großen sechsstimmigen Ensemble zugrundeliegt, mit dem die Anwesenden Tannhäuser zum Bleiben überreden. Mit einer nicht weniger schwungvollen Arienweise („Ha, jetzt erkenne ich sie wieder") geht dieser darauf ein und eröffnet damit das Schluß-Ensemble des Aktes, obwohl inhaltlich in diametralem Gegensatz zu dem des II. Aktes, wie dieses ganz im Stil der Wartburg-Sphäre.

Ist Wagner auch mit dem Stoff zu seiner romantischen Oper LOHENGRIN zuerst schon annähernd gleichzeitig mit dem zu TANNHÄUSER, in Paris in Berührung gekommen, sind die beiden auch grundsätzlich als Sagenstoffe miteinander verwandt und sind auch Prosaentwurf und Dichtung des LOHENGRIN 1845, im Jahre der Uraufführung des TANNHÄUSER entstanden, so läßt die Komposition des Werkes doch die drei Jahre spätere Entstehungszeit (1846 bis 1848, verspätete Uraufführung am 28. August 1850 unter Liszt in Weimar) eindrucksvoll erkennen. Die Tatsache, daß gerade Lohengrin, Wagners letzte „romantische Oper", inhaltlich-dramatisch am handgreiflichsten im Boden der deutschen romantischen Oper wurzelt — das finstere Paar Ortrud/Telramund weist unverkennbar auf das Vorbild von Eglantine/Lysiart in Webers EURYANTHE, das Gottesgericht mit dem erst im letzten Moment eintreffenden Retter auf die entsprechende Szene in Marschners DER TEMPLER UND DIE JÜDIN hin — unterstreicht gerade in Verbindung mit der zukunftsträchtigen Kompositionsweise, wie lange sich Wagner noch der Kunst seiner deutschen Vorgänger verbunden fühlte. Die noch in TANNHÄUSER spürbaren starken stilistischen Gegensätze zwischen Tradition und Fortschritt sind hier zugunsten des letzteren verschwunden. Selbst die großen Finali, die durch ihren Aufwand der „großen Oper" verpflichtet scheinen, sind, nicht zuletzt durch die eindrucksvolle Verwendung der wenigen, aber besonders charakteristischen Leitmotive weit stärker als dort in das dramatische Geschehen einbezogen. Überhaupt weist LOHENGRIN, obschon noch eindeutig „Oper", eben auch dadurch auf die „Musikdramen" voraus, daß er Motive enthält, die wirklich als „Leitmotive" (des Grals, der Elsa, des Lohengrin, des Frageverbots, der Ortrud) in das Drama integriert sind[12]. Von ihnen tritt nur eins, das des Frageverbots, erstmalig mit Text als geschlossene Phrase auf:

die andern vier erscheinen im Orchester und sind dementsprechend inhaltsbezogen vorwiegend auf eine weitere Verarbeitung hin angelegt. Dies gilt vor allem für die gegensätzlichen, aber beide auf ein Weiterwirken der durch sie verkörperten Idee abgestimmten Motive von Lohengrins Aufgabe und Ortruds finsterer Saat des Mißtrauens. Wenn diese Motive dann in besonderen Situationen, wie z. B. das des Lohengrin im 1. Finale

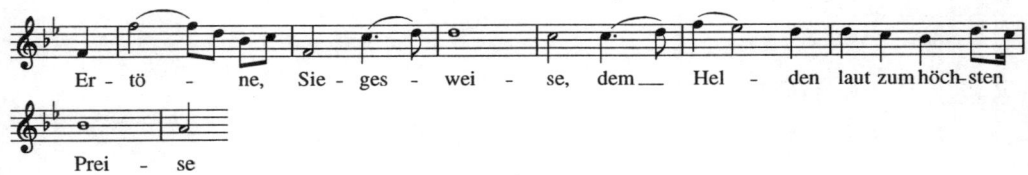

und das Mißtrauens-Motiv der Ortrud in der Szene zwischen Elsa und Lohengrin im III. Akt,

in die Singstimmen eindringen, wird ihre dramatische Wirkung wesentlich verstärkt. — Das Gralsmotiv wird vor allen anderen als das Leitmotiv der ganzen Oper dadurch hervorgehoben, daß es den alleinigen Inhalt des (zu allerletzt komponierten) Vorspiels bildet. Nicht, wie im Vorspiel zu TANNHÄUSER, der Konflikt wird hier zusammenfassend vorangestellt, sondern im Gegensatz dazu dessen Lösung, bzw. der überirdische Glanz, der die Figur des Titelhelden umgibt.

---

12 Vgl. hierzu Ulrich Siegele, Das Drama der Themen am Beispiel des Lohengrin, in: Richard Wagner, Werk und Wirkung, herausgegeben von Carl Dahlhaus (Studien zur Musikgeschichte des 19. Jahrhunderts 26, 1971, S. 41—51).

Dazu gesellt sich, als besonders deutlich gerade im Vergleich mit TANNHÄUSER hervortretendes Charakteristikum der LOHENGRIN-Musik, die große Rolle, die der freie, ganz an der Sprache orientierte „Sprechgesang" in dieser Oper spielt. Das zeigt sich gleich in der dramatisch ebenso wichtigen wie bewegten Szene I,1, wo die Textbehandlung sich zwischen fast secco-haft dahineilender Deklamation an inhaltlich nebensächlichen Stellen, pathetisch herausgehobenen würdevollen Äußerungen und nachdrücklichen, vom Orchester entsprechend begleiteten Leidenschaftsausbrüchen bewegt. Als Beispiel für das letztere sei die ausgedehnte, kontrastreiche Anklagerede Telramunds genannt, in der sowohl Textbehandlung als auch Begleitung inhaltsentsprechend ständig wechseln. Diese enge, gerade durch ihre musikalisch-formale Ungebundenheit so besonders eindringliche Rede findet, noch überhöht, ihr Gegenstück in der Gralserzählung Lohengrins im III. Akt, die Wagner eben durch die geniale Raffung zu bloßer Rezitation in Gestalt einer vollendeten Vereinigung von Sprache und Musik über einer bedeutungsschweren Orchesterbegleitung zu einem Höhepunkt der ganzen Oper und darüber hinaus zu einem frühen Symbol seines Schaffens schlechthin gemacht hat.

Ein nicht minder bedeutendes Gegenstück zu jenen beiden im Ausdruck so verschiedenartigen Triumphen solistischer Deklamation bildet die Szene II,1 zwischen Ortrud und Telramund, in der Wagner mit grundsätzlich der gleichen Technik den Inbegriff einer durchkomponierten großen dramatischen Szene geschaffen hat. Sie verdichtet sich nur in der Mitte zu der textlich zweistrophigen fis-Moll-Arie des verzweifelten Mannes, die sich von der vorwiegend rezitativischen Umgebung besonders eindringlich abhebt, und klingt in dem gerade wegen seiner Kürze und Kargheit besonders unheimlich wirkenden Unisono-Duett des finsteren Paares in derselben Tonart aus. Diese beiden Gesänge sind die einzigen geschlossenen Formen im Bereich der Verschwörer. Im übrigen erscheinen sie von Elsas erstem Auftreten in der Szene I,2 an als deren sie charakterisierendes Ausdrucksmittel, und wenn es, wie mehrfach im II. Akt, zu ariosen Gesprächen zwischen den beiden Frauen kommt, so zeigt der Musikdramatiker Wagner dadurch aufs eindeutigste, wie raffiniert Ortrud sich in Elsas Vertrauen einzuschmeicheln versteht.

LOHENGRIN wird, mit Ausnahme der Gralserzählung, durch eine vorwiegend ariose Ausdrucksweise charakterisiert, wobei dieser Eindruck vielfach, wie z. B. in den beiden verwandten Ansprachen an den Schwan im I. und III. Akt, auch durch die Gralsklänge im Orchester hervorgerufen bzw. verstärkt wird. Zu einer streng geformten Arie nimmt er — auch dies wieder ein genialer Einfall des Musikdramatikers — erst in der Liebesszene des III. Aktes seine Zuflucht, als er mit den Versen „Athmest du nicht mit mir die süßen Düfte" versucht, Elsa von ihrem immer mehr überhandnehmenden Verdacht abzubringen. — Im Ganzen stellt diese Szene des Liebespaares, die sich nur ganz kurz zum Duett verdichtet, musikalisch in ariosem Gesprächswechsel ein verklärtes Gegenbild zu jenem düsteren Tongemälde am Anfang des II. Aktes dar — textlich aber ist sie darüber hinaus ein wahres Meisterstück Wagners des Psychologen.

Eingeleitet wird sie durch eines der bekanntesten Stücke der Oper, den Chor „Treulich geführt", der durch diese „falsche Popularität" in den Geruch der Trivialität geraten ist[13]. Im übrigen beschränkt sich die Rolle des Chors in LOHENGRIN im wesentlichen auf die Introduktionen zum I. und III. Akt und auf alle drei Finali. Dabei tritt er nicht nur traditionsgemäß einleitend, abschließend oder bekräftigend en bloc auf, sondern nimmt auch häufig mit Zwischenbemerkungen am Gespräch teil. Im allgemeinen aber bilden er und die durch ihn ermöglichten großen Ta-

---

13 Vgl. hierzu Carl Dahlhaus, Richard Wagners Musikdramen, Velber 1971, S. 43: „Bereits der Brautchor, der niemals aus dem Kontext herausgerissen werden dürfte, klingt anders, wenn man die Vergeblichkeit, die ihren Schatten über die Szene wirft, mithört. Die musikalische Harmlosigkeit, die dem Stück zu falscher Popularität verholfen hat, wirkt dann bedrückend".

bleaus die stärksten Bande, die LOHENGRIN trotz aller Fortschrittlichkeit noch an die Gattung der „deutschen romantischen Oper" knüpfen und von den folgenden „Musikdramen" abheben.

Aber wenn Wagner auch im Grunde inhaltlich schon mit dem FLIEGENDEN HOLLÄNDER durch den Griff zum Sagenstoff und, darüber hinaus, durch dessen autobiographische Deutung seine eigenste Prägung der deutschen romantischen Oper vollzogen hatte, so wirkte er doch musikalisch noch immer, gleichsam unbekümmert, als deutscher romantischer Opernkomponist weitgehend auf deren Boden und mit deren Handwerkszeug, und dementsprechend leiten diese Werke als primär dichterische Erneuerung der alten Gattung organisch in die neue Schaffensphase über, deren Produkte zunächst unter den Bezeichnungen „Bühnenfestspiel" (DER RING DES NIBELUNGEN), „Bühnenweihefestspiel" (PARSIFAL) bzw. ganz ohne Bezeichnungen erschienen[14] und die von Seiten des Autors wie des Publikums dringend einer Erläuterung bedurften.

Hat sich Wagner von hier an doch nicht nur, wie in den vorangehenden drei Werken, vom „Librettisten" zum „Dichter" aufgeschwungen, sondern er hat in diesen Dichtungen die autobiographische Deutung zu einer gigantischen, durch seine spezifische Brille gesehenen Gesamtschau der gesellschaftlich-wirtschaftlichen und politischen wie auch kulturell-geistesgeschichtlichen Verhältnisse seiner Zeit im weitesten Sinne ausgedehnt. Von hier an ging es, wenigstens zunächst, nicht mehr um die „Oper", sondern um das „Kunstwerk der Zukunft", das ein „Gesamtkunstwerk" war, von hier an konnte sich die Frage erheben, ob bzw. wie weit Wagner überhaupt primär ein Musiker gewesen sei — gerade in diesem Augenblick, da er seine Dichtungen gleichzeitig mit Hilfe eines ganz neuen Verfahrens, eines in seiner Dichte und logischen Konsequenz vollendet gewobenen Netzes von Leitmotiven minutiös im wahrsten Sinne des Wortes „in Musik gesetzt" hatte, besonders zu Unrecht[15].

Allerdings führte die gewaltige Wendung zum „Kunstwerk der Zukunft" zunächst zu einem Übergewicht Wagners des Theoretikers über den Musiker — zwischen der Vollendung der Partitur des LOHENGRIN (April 1848) und der des RHEINGOLD (Mai 1854) liegen immerhin sechs Jahre — doch entstanden in jener Zeit charakteristischerweise nicht nur die großen „Reformschriften" *Kunst und Revolution* und *Das Kunstwerk der Zukunft* (beide 1849) sowie die umfangreiche Abhandlung *Oper und Drama* und die autobiographische *Mitteilung an meine Freunde* (beide 1851), sondern auch, recht eigentlich als deren geistig-künstlerischer Anlaß, bereits die 1848 entstandene Konzeption der gesamten RING-Tetralogie (die später unter dem Titel *Der Nibelungen-Mythus. Als Entwurf zu einem Drama* in Wagners Schriften erschienen ist) und die Dichtungen *Siegfrieds Tod* (1848) und *Der junge Siegfried* (1851), beides Vorformen von GÖTTERDÄMMERUNG und SIEGFRIED.

Diesem in dieser Phase besonders deutlich hervortretenden Bedürfnis nach kritischer Betrachtung, ja, philosophischer Beleuchtung seines künstlerischen Schaffens ist Wagner auch fernerhin treu geblieben und hat dadurch vor allem in Schriften wie *Zukunftsmusik* (1860), *Beethoven*

---

14 Die Bezeichnung „Musikdrama" stammte nicht von Wagner selbst. In seinem Aufsatz *Über die Benennung „Musikdrama"* hat er sich sogar, ohne sie allerdings grundsätzlich abzulehnen, etwas ironisch darüber ausgesprochen.

15 Hierzu sei auch auf das ebenso bewegende wie treffende Wort hingewiesen, mit dem Thomas Mann am Ende seines Vortrags über *Richard Wagner und der Ring des Nibelungen* (veröffentlicht in: Thomas Mann, Adel des Geistes, Stockholm 1948, S. 489) die Zweifel über den Schluß der GÖTTERDÄMMERUNG beseitigt: „Seine [Wagners] wahre Prophetie ist nicht »Gut noch Gold noch herrischer Prunk, nicht trüber Verträge trügender Bund«, — es ist die himmlische Melodie, die am Schluß der ‚Götterdämmerung' aus der brennenden Trutzburg der Erdherrschaft emporsteigt ...".

(1870) und *Über die Bestimmung der Oper* (1871) hervorragende Einblicke in die unendliche Wandelbarkeit innerhalb der Einheit seiner Kunst gegeben[16].

Die Tetralogie DER RING DES NIBELUNGEN, „ein Bühnenfestspiel für drei Tage und einen Vorabend", kann als Kernstück von Wagners Schaffen angesehen werden. Ausschlaggebend dafür ist in erster Linie, daß es aufgrund der überlangen Entstehungszeit von 26 Jahren (vom Entwurf des *Nibelungen-Mythus* 1848 bis zur Beendigung der Partitur zur GÖTTERDÄMMERUNG 1874) in Verbindung mit dem verschiedene Deutungen geradezu herausfordernden Sagenstoff zum Schauplatz von Auseinandersetzungen des Dichters und Forschers, Philosophen, Politikers und Revolutionärs Wagner mit den mannigfachen geistigen Strömungen der Zeit wurde, wobei er vor allem die Bekanntschaft mit der Philosophie Schopenhauers 1854 „als philosophischen Schock erfuhr"[17]. Dieser hat ihn stärkstens beeindruckt und in die schwersten Konflikte hinsichtlich der Ausgestaltung des „Mythus" von 1848 gestürzt. Der gleiche Zwiespalt war letztlich auch noch die Ursache für den überraschenden Abbruch der Arbeit vor der Komposition des III. SIEGFRIED-Aktes sowie, wenigstens teilweise, für die verschiedenen Umarbeitungen des Schlusses der GÖTTERDÄMMERUNG[18]. Eine ausführliche, geistvolle Darstellung dieser komplizierten Zusammenhänge, die für Wagners gerade in dieser späten Zeit besonders spürbare Auffassung des Kunstwerks als Selbstbekenntnis überaus charakteristisch sind, findet sich bei Dahlhaus[19]. Der Autor wendet sich hier übrigens mit guten Gründen gegen die in der älteren Wagner-Literatur vorherrschende Überschätzung des Schopenhauerschen Einflusses auf die Handlung des RINGS, den Wagner letztlich bis zu einer „Verkehrung ins Gegenteil" überwunden habe. Grundsätzlich bezeichnend für das Übergewicht Wagners des Künstlers (Dichters und Musikers) über den spekulativen Denker aber ist es, daß der Meister doch eben auch die mehrjährige Pause in seinem musikalischen Schaffen in erster Linie als Künstler, d.h. als auf den Musiker hin ausgerichteten Dichter überbrückt hat, denn ihr Zentralthema war eindeutig die Auseinandersetzung mit dem gewaltigen Sagenstoff, dessen vielseitige Deutung und seine dichterische Ausgestaltung[20].

Auf dem Gebiet dieser letzteren vollzog der Dichter dann mit seinem Übergang zum Stabreim, der mit dem folgenschweren des Musikers zu dem kunstvoll gedanklich-musikalisch gefügten Geflecht der Leitmotivik Hand in Hand ging[21], die Wendung von der „Oper" zum „Wort-Ton-

---

16 Es ist das große Verdienst des amerikanischen Wagner-Forschers Jack M. Stein, in seinem Buch *Richard Wagner. The Synthesis of the Arts* (Detroit 1960) die Wandlungen verfolgt zu haben, die die Idee des Gesamtkunstwerks bei Wagner erfahren hat, und auf diese Weise intensiver, als es bisher in der Wagner-Literatur geschehen ist, die so wichtigen Beziehungen zwischen Theorie und Praxis in seinem Schaffen herauszustellen.
17 Dahlhaus, a.a.O., S. 100.
18 Vgl. hierzu C. Dahlhaus, Das unterbrochene Hauptwerk. Zu Wagners „Siegfried", in: Das Drama Richard Wagners als musikalisches Kunstwerk (Studien zur Musikgeschichte des 19. Jahrhunderts 23, 1970, S. 235-238) und derselbe, Über den Schluß der Götterdämmerung, in: Richard Wagner, Werk und Wirkung (Studien zur Musikgeschichte des 19. Jahrhunderts 26, 1971, S. 97-115).
19 Richard Wagners Musikdramen, a.a.O. S. 105 ff.
20 Was allein schon die *Dichtung* des RING für ihn bedeutet hat, geht aus einem Brief an Liszt vom 9. November 1852 hervor, in dem er sie als „das Gedicht meines Lebens und Alles dessen, was ich bin und fühle" bezeichnet.
21 Dahlhaus, der in seinem Aufsatz *Wagners Begriff der dichterisch-musikalischen Periode*, in: *Beiträge zur Geschichte der Musikanschauung im 19. Jahrhundert*, hrsg. von W. Salmen (Studien zur Musikgeschichte des 19.Jahrhunderts 1, 1965, S. 179-193) den Stabreim als einen „Versuch, die musikalische Prosa als Poesie zu rechtfertigen" charakterisiert, hebt den inneren Zusammenhang der beiden maßgeblichen dichterischen und musikalischen Neuerungen in seiner Schrift *Richard Wagners Musikdramen* (a.a.O. S. 106) durch die Feststellung „Und das Korrelat der musikalischen Prosa ... bildet die Leitmotivtechnik, genauer: deren Ausbreitung über das ganze Werk" eindringlich hervor.

Drama", die große künstlerische Tat, die, beginnend mit der Komposition des RHEINGOLD (1853/54), dem schweren geistigen Ringen der Reformschriften als Krönung und Befreiung entsprungen war. Hier fand Wagner in der Leitmotivtechnik zur Vereinigung seiner beiden Naturen als Dichter und als Musiker, die er in TANNHÄUSER und LOHENGRIN getrennt entwickelt hat, und dokumentierte dabei durch die dramatisch bedingte, vor allem aber musikalisch meisterhafte gleichzeitige Verarbeitung der verschiedensten Motive eindeutig den Primat des Musikers vor dem Denker, ja auch dem Dichter.

Trotz ihrer langen Entstehungszeit und ihrer großen Ausdehnung ist die Tetralogie grundsätzlich nur als Ganzes zu betrachten. Nicht umsonst ist ja zumindest die Dichtung vom Ende her konzipiert worden[22], so daß die gesamte, musikalisch durch die Leitmotivik wiedergegebene Problematik vom Beginn der Komposition des RHEINGOLD (1853/54) an bereits vorhanden war. Dies wird bei der Betrachtung des RHEINGOLD besonders deutlich, das trotz seines Charakters als „Vorabend" und seiner Beschränkung auf nur einen Akt eine unverhältnismäßig große Zahl von Motiven — darunter gerade die wesentlichsten — enthält. Besonders bemerkenswert ist dabei das Auftreten des „Schwertmotivs", das kurz vor dem Schluß im Zusammenhang mit einer bloßen Bühnenanweisung von „einem großen Gedanken" Wotans erscheint und damit den „Vorabend" über den großen Zusammenhang der vier Werke hinaus besonders eng mit dem „ersten Tag", der WALKÜRE, verbindet. Eindringlich macht sich hier auch die vielseitige Deutbarkeit bemerkbar, auf der die Wirkungskraft so mancher Leitmotive beruht: Das Motiv „malt" einerseits quasi gegenständlich das Blitzen des geschwungenen Schwertes,

es „symbolisiert" aber zugleich dessen sieghaften Träger und „bedeutet" darüber hinaus Wotans Hoffnung auf eine Erlösung aus der ausweglosen Situation. Nicht zufällig ist es mit dem Motiv des Rheingold verwandt, das gerade im Vorabend häufig erscheint:

und unter dem Bild des strahlenden Goldes gleichzeitig die verlorene Unschuld symbolisiert, zu deren Rückgewinnung das andere dienen soll. Derartige ideen-gebundene Verwandtschaften zwischen Leitmotiven treten gerade im RHEINGOLD als der Exposition des Gesamtwerkes besonders zahlreich und deutlich hervor, so daß dieser Vorabend bereits als eine großartige, noch von allen verwirrenden Zutaten freie Vorwegnahme des urgeschichtlichen wie auch musikalischen Geschehens betrachtet werden kann, die das Erfassen der folgenden Teile erleichtert. Da wäre vor allem noch die mannigfaltig gestaltete aufsteigende Natur-Motivik des 136 Takte umfassenden Vorspiels zu nennen, die später auch das Auftreten der „Urwala" Erda begleitet und die sich bei deren Worten „Ein düsterer Tag dämmert den Göttern" in der Umkehrung in das Motiv der GÖTTERDÄMMERUNG verwandelt:

---

[22] Vgl. oben *Siegfrieds Tod* 1848 und *Der junge Siegfried* 1851. Auch die Dichtungen von *Rheingold* und *Walküre* sind zwar beide im gleichen Jahr 1852, jedoch die zweite vor der ersten entstanden.

Unverkennbar ist auch die Verwandtschaft zwischen dem in sich gerundeten RING-Motiv

und, nach Dur gewendet, dem feierlichen Anfang des Walhall-Motivs,

die unmißverständlich die Fragwürdigkeit des Bodens erkennen läßt, auf dem der prächtige Bau errichtet ist.

Im Gegensatz zu diesen anschaulichen Motivverwandtschaften steht das Motiv, mit dem Alberich den ihm entrissenen RING verflucht,

allein, erhält aber gerade dadurch, wo immer es in der gesamten Tetralogie auftritt, einen besonderen Nachdruck.

In jedem Fall also offenbaren die sogenannten „Leitmotive", die Wagner selbst „melodische Momente" nannte, in der Gestalt, wie sie im RING, größtenteils miteinander verwandt, netzartig das ganze Werk durchziehen — weit davon entfernt, bloß intellektuelle Erklärungsstützen sein zu wollen —, die Einheit des „Wort-Ton-Dichters" und des Komponisten in höchster Vollendung. Eine ganz besondere Bedeutung kommt ihnen in der Tetralogie noch als eindrucksvolle musikalisch-dramatische Überbrückung der zwölfjährigen Pause zwischen der Komposition des II. und III. SIEGFRIED-Aktes sowie der weitere fünf Jahre später vollendeten Partitur der GÖTTERDÄMMERUNG zu — eine durch die Komposition von TRISTAN und den MEISTERSINGERN ausgefüllte Unterbrechung, die dadurch und im Zusammenhang mit den nicht weniger als fünf Varianten des Schlusses der GÖTTERDÄMMERUNG „Wagners Unsicherheit angesichts der Divergenz zwischen dichterischer Absicht und dramatisch-theatralischer Struktur" zeigt. Wie Dahlhaus hier[23] weiterhin ausführt, ist diese Divergenz letztlich die dramaturgisch-logische Folge der Ausweitung von *Siegfrieds Tod*, dem Abschluß der in sich abgerundeten „Heroentragödie" zur GÖTTERDÄMMERUNG, dem Ende des gewaltigen „Göttermythos". Zugleich wird dadurch, daß die Leitmotive sowohl vokal als auch im Orchester erscheinen können, die grundsätzliche musikdramatische Gleichberechtigung der beiden Klangkörper geschaffen, die das „Musikdrama" recht eigentlich charakterisiert und es von der „Oper" unterscheidet. Trotzdem können auch die „Musikdramen" der Tetralogie ihre Herkunft von der „Oper" musikalisch nicht ganz verleugnen. Wenn Wagner auch den Unterschied zwischen Rezitativ und Arie dramaturgisch durch die Überwindung des Gegensatzes zwischen Handlung und Betrachtung, musikalisch durch die „unendliche Melodie" grundsätzlich beseitigt hatte, so konnte er doch trotz oder auch gerade wegen der stren-

---

23 A.a.O. S. 95 ff.

gen Einheit von Drama und Musik sowohl eine Annäherung an den rezitativischen Sprechgesang als auch an eine primär musikalisch geformte Ausdrucksweise nicht vermeiden. Das Mittel, durch das es ihm gelang, den beiden überkommenen Gattungen den neuen, eigenen Stempel aufzudrücken, war wiederum die fast allgegenwärtige Leitmotivik. Sie bewahrte den Sprechgesang durch mehr oder weniger starke Einbeziehung in das dramatische Geschehen vor der alten Formelhaftigkeit und die geschlossenen Formen auf die gleiche Weise vor einem dramatisch störenden Übermaß an Musik, wodurch beide im Zeichen der unendlichen Melodie einander angenähert wurden.

Die Kunst der orchestralen leitmotivischen Ausdeutung des frei deklamierten Textes bzw. umgekehrt einer primär musikalisch-stimmungshaften orchestralen Untermalung der leitmotivischen Vokalmelodie nimmt gegenüber dem „Vorabend" infolge der wachsenden Verdichtung der Handlung schon im „1. Tag", der WALKÜRE, merklich zu. Ihre Höhepunkte liegen inhaltsbedingt in den umfangreichen Betrachtungen, mit deren Hilfe Wagner geschickt die Überfülle des Stoffes bewältigte. In der WALKÜRE ist deren Träger vor allem Wotan, der in seinen Szenen mit Brünnhilde im II. Akt und am Ende des III. quasi als Selbstgespräch die verwickelten Zusammenhänge darstellt, die dem Hörer, auch wenn er den Text kaum ganz verstehen kann, durch die Leitmotivik des Orchesters nahegebracht werden.

Besonders eindrucksvolle Beispiele für die eindeutige orchestral-leitmotivische Wiedergabe von im Text sogar nur angedeuteten Zusammenhängen enthält die Szene II,2 der WALKÜRE, wo auf Wotans Verzweiflungsausbruch „Der Fluch, den ich floh, nicht flieht er nun mich: Was ich liebe, muß ich verlassen, morden, wen je ich minne, trügend verraten, wer mir traut" in monumentaler Deutlichkeit im Orchester das Fluch- und gleich anschließend das Schwertmotiv erscheinen. Im Gegensatz hierzu wird in der letzten Szene der Oper eines der wichtigsten Leitmotive der Tetralogie, das Siegfried-Motiv, erstmalig (vokal) eingeführt, besonders eindringlich über pathetischer Orchester-Begleitung auf die Worte:

dass nur ein furcht - los frei - e-ster Held hier auf dem Fel - sen einst mich fänd!

Wie das Schwertmotiv kurz vor dem Schluß des RHEINGOLD geistig eine besonders enge Verbindung zur anschließenden WALKÜRE herstellt, so erscheint dieses Motiv, obwohl der Held des folgenden „2. Tags", Siegfried, zunächst als harmlose Märchengestalt musikalisch durch andere, angemessenere Weisen charakterisiert wird, doch ebenfalls vorausdeutend als wegweisender Träger der musikdramatischen Einheit insgesamt.

SIEGFRIED steht der WALKÜRE an Zahl und Eindringlichkeit der von Leitmotiven getragenen Szenen nicht nach, nur daß es sich in diesem 2. Tag mehr um auf Fragen und Antworten hin angelegte Gespräche als um bloße Betrachtungen handelt. Das zeigt sich schon in allen drei Szenen des I. Aktes und besonders deutlich in der zweiten zwischen Mime und Wotan als „Wanderer", der sogenannten „Wissenswette". Sie faßt im Zwiegespräch alles bis dahin Geschehene zusammen und ist dementsprechend ein Sammelbecken von Leitmotiven, die nicht nur aneinandergereiht, sondern vor allem kunstvoll ineinander verwoben und wechselnd aus einander entwickelt werden. Auf diese Weise bildet diese Szene, obschon dramaturgisch im Grunde ein retardierendes Moment, musikdramatisch einen Knotenpunkt — Rückblick bis zum „Vorabend" und Ausgangspunkt für das gesamte weitere Geschehen zugleich. Diese ihre Sonderstellung wird noch durch den Gegensatz zu den beiden sie einrahmenden und einander entsprechenden Szenen 1 und 3 zwischen Mime und Siegfried unterstrichen, in denen die Sphäre des noch kindlichen Helden durch ein in der Tetralogie einzigartiges Übergewicht von geschlossenen Formen umrissen wird. In der

1. Szene führt sich Siegfried schon (mit den Worten „Nach bess'rem Gesellen sucht ich") in liedhaft anmutender Weise ein, dann stellt sich Mime mit dem immer bruchstückweise wieder auftauchenden „Starenlied"

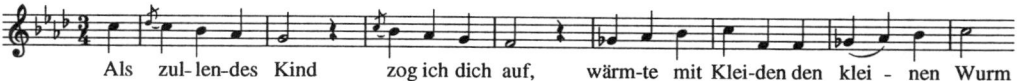

auf die kindlich primitive Art seines Zöglings ein, die dieser aufnimmt und an die Mime dann selbst mit der Strophe „Jammernd verlangen Junge nach ihrer Alten Nest" anknüpft.

Mit unheimlicher Gewalt aber macht sich die ihrer selbst unbewußte Kraft des Naturburschen am Ende des I. Aktes im Komplex der sogenannten „Schmiedelieder" bemerkbar, der mehr als die Hälfte der 3. Szene einnimmt und durch den Mimes Hoffnung, Siegfried das Fürchten beibringen zu können, eindrucksvoll ad absurdum geführt wird. Er gliedert sich in zwei einander locker entsprechende Strophen, die das Schmelzen des Stahls, zwei etwas davon abweichende, aber untereinander näher verwandte, die das Schmieden begleiten, und eine letzte, die triumphierend das Fazit daraus zieht. Diese und die beiden ersten sind verbunden durch die wiederholte Anrede des Schwertes („Nothung, Nothung, neidliches Schwert"), der ganze Komplex aber ist durchsetzt von Siegfrieds wilden Rufen („hoho, haha" etc.), die den ganzen Vorgang als Ausdruck einer Naturgewalt erscheinen lassen.

Gesänge dieser Art, die der „Arie" einer „Oper" näher stehen als dem „Rezitativ", d. h. deren Gestaltung primär den Gesetzen der Musik folgt, denen sich der Text formal unterzuordnen hat, kommen im RHEINGOLD, dem Vorabend, da sich die esoterischen Grundlagen des Mythus erst zusammenballen, nur andeutungsweise und bezeichnenderweise nur da vor, wo es um die Wiedergabe schlichter, rein menschlicher Empfindungen geht, so zunächst in der 2. Szene, als Fafner mit den Worten „Goldne Äpfel wachsen in ihrem Garten, sie allein weiß die Äpfel zu pflegen" zugleich den Reiz der Göttin Freia und der ewigen Jugend zum Ausdruck bringt, und dann in der gleichen Szene bei Loges fast arienhaftem Lobgesang auf „Weibes Wonne und Werth", vor allem aber bei dessen Schluß, der Bitte, Wotan möge den Rheintöchtern das Gold wiedergeben (dazu im Orchester das Rheingold-Motiv):

sowie wenig später bei der auch musikalisch daran anklingenden Wiederholung der gleichfalls vom Rheingold-Motiv gestützten Bitte:

In allen diesen Fällen handelt es sich jedoch nur um ariose Einsprengungen in den Sprechgesang der „unendlichen Melodie", in den beiden letzteren sogar nur um eine durch rhythmische Dehnung und sprüngereiche Melodik erreichte pathetische Betonung entscheidender Kadenzen.

In der WALKÜRE hat sich Wagner hingegen des im SIEGFRIED so stark hervortretenden musikdramatischen Kontrastes zwischen leitmotivisch durchsetzter, zum „Rezitativ" tendierender und der „Arie" angenäherter „unendlicher Melodie" in größerem Umfang bedient. Auch hier aber handelt es sich nicht um vereinzelte, scharf von ihrer Umgebung abgehobene „geschlossene Formen", sondern um musikalisch herausragende, mehrteilig sich fortspinnende Gebilde, die teils formal durch Motivwiederholungen, teils inhaltlich durch orchestrale Leitmotivik zusammengehalten werden und kaum merklich in die rein wortgezeugte unendliche Melodie übergehen. So ist es z.B. in der Szene I,3 mit Siegmunds berühmter „Arie" („Winterstürme wichen dem Wonnemond"), die zunächst als Sologesang, dann als Wechselgespräch fast bis zum Ende des Aktes, zumindest aber bis zu der mit den Worten „Wehwalt heißt du fürwahr" beginnenden Diskussion über Siegmunds Namen reicht. Entsprechend exemplifiziert Carl Dahlhaus[24] an Frickas Klage »O was klag ich um Ehe und Eid" (in II,1), die sich zwar „als in sich geschlossener, melodisch arioser Komplex aus dem Dialog heraushebe", deren Geschlossenheit aber „nicht musikalisch-formal", sondern „musikalisch-rhetorisch begründet" sei.

Der III. Akt des Siegfried wie auch die GÖTTERDÄMMERUNG bedürfen einer gesonderten Betrachtung[25]. Zwar bedient sich Wagner in ihnen des gleichen motivischen Materials wie in den vorangehenden Teilen der Tetralogie, ja, man gewinnt vielfach den Eindruck, als habe er, um den Zusammenhang zu wahren, besonders reichlichen und auch besonders raffinierten Gebrauch von der Leitmotivik gemacht, und in der Tat ist es ihm ja auch auf diese Weise, d.h. letztlich als Musiker, gelungen, den Zwiespalt, an dem der Dichter und Denker zeitweilig fast zu scheitern drohte, zu überwinden.

Es hieße aber doch wohl, das Schaffen des Genies zu verkennen, wollte man hier den Erfolg lediglich im Wieder-Anknüpfen an längst Geschaffenes erblicken. So wesentlich die inhaltlich bedingte „Wiederverwendung" der Motivik auch sein mag, die rein äußerlich die Einheit der Tetralogie dokumentiert — ausschlaggebend ist die Wandlung, die sie in ihrer Gestaltung, ihrer Bedeutung und ihrer Verarbeitung unter dem Einfluß vor allem des inzwischen herangewachsenen TRISTAN erfahren hat. Schon im letzten Akt des SIEGFRIED werden die Grenzen früher scharf voneinander abgehobener Motive verwischt, indem beispielsweise verschiedene von ihnen, sowohl bedeutungsmäßig als auch musikalisch ineinandergleitend, für eng verwandte, ja identische Empfindungen eingesetzt werden, was sich von dem vorangehenden, betont unkomplizierten Märchen vom jungen Siegfried besonders eindrucksvoll abhebt. In großem Stil behielt Wagner dieses Prinzip der tristanhaften Auflockerung von Leitmotiven in der GÖTTERDÄMMERUNG bei, zumal da es hier dem Wandel der Charaktere, deren durch das Schicksal verursachten Doppeldeutigkeit, weitgehend entsprach. Siegfried und Brünnhilde erscheinen unmittelbar nach ihrer Apotheose am Ende der vorangehenden Oper, ihrer Identität beraubt, nicht mehr als Heros und Heroine, ihre strahlenden Motive leuchten nur noch kurz und rezitativartig aus den Nibelungen-Motiven hervor, die keine Einzelheiten mehr symbolisieren, sondern nur noch flächenhaft das Unheil schlechthin verkünden[26]. Auf diese Weise steht der Sieg Alberichs, obwohl dieser nur in der Szene mit seinem Sohn Hagen am Anfang des II. Aktes einmal auftritt, musikalisch recht eigentlich im Mittelpunkt des ganzen Dramas, zumal man auch aus der Waltrauten-Szene erfährt, daß Wotan nach der Vernichtung seines Speeres durch Siegfried endgültig resigniert hat.

Der gesamte nach der langen Unterbrechung entstandene Schlußteil der Tetralogie (vom III. Akt des SIEGFRIED an) ist also auf das Ende hin angelegt[27], und es darf als eine schicksalhafte Fügung angesehen werden, daß dem Meister zur Wiedergabe von dessen zwiespältiger Problematik

---

24 A.a.O. S. 122.
25 vgl. hierzu oben (S. 285).
26 Besonders deutlich wird diese Bedeutungserweiterung bei dem Ring-Motiv, das durch ganze Abschnitte gleichsam hindurchkriecht und sie dadurch zusammenhält. Auch das Fluch-Motiv erscheint nicht mehr nur dort, wo der Fluch sich in einem bestimmten Fall greifbar erfüllt, sondern immer schon auf längeren Strecken, wo seine Erfüllung, d.h. ganz allgemein Unheil, droht.
27 „Und für das Ende sorgt Alberich" sagt Wotan im II. Akt der WALKÜRE.

eben während jener Pause im TRISTAN die neuen angemessenen Ausdrucksmittel zuwuchsen — auch hier gab mithin der Musiker den Ausschlag, wie er das zum letzten Mal noch einmal an dem umstrittenen Schluß der GÖTTERDÄMMERUNG mit dem „himmlischen"[28] Erlösungsmotiv getan hat.

Die Spuren, die die musikalische Sprache des TRISTAN im III. Akt des SIEGFRIED und in der GÖTTERDÄMMERUNG hinterlassen hat, erlauben es, dieses Werk nach jenen beiden Teilen der Tetralogie zu behandeln, obwohl es vor ihnen, 1857/59, entstanden ist, und dadurch für die vorliegende Darstellung den Zusammenhang der Tetralogie zu wahren[29].

Eben diese, am Ende des vorigen Abschnitts in ihrer Gegensätzlichkeit zur musikalischen Sprache des RING umrissenen Spuren aber vermögen es rückwirkend, den Zugang zu dem in jeder Hinsicht, d.h. dramatisch wie musikalisch und in beiden Bereichen sowohl im Ganzen als auch in Einzelheiten, von jener Sprache verschiedenen, im TRISTAN verwirklichten Prinzip zu erleichtern, das Wagner „Kunst des Übergangs" genannt und als seine „feinste und tiefste Kunst" gerühmt hat[30]. Daß ihm diese Kunst gerade in der GÖTTERDÄMMERUNG zu Hilfe kam, wo es um einen mehrfachen, geheimnisvollen Rollentausch der Charaktere geht, zeigt deutlich, daß sie gleichermaßen in der Dichtung wie in der Musik verwurzelt sein muß, in der „Handlung" als eine fast unmerklich als Einheit dargestellte Mannigfaltigkeit, in der Musik ähnlich paradox durch eine fast den Eindruck der Formlosigkeit erweckende Überkompensation der Form.

Die textliche Mannigfaltigkeit ist allerdings nicht durch die Vorlage, das Epos des Gottfried von Straßburg, bedingt, aus deren gewaltiger Fülle der Gesichte Wagner mit untrüglicher Sicherheit nur das herausgenommen hat, was zu seiner Deutung des komplizierten Geschehens (oder wohl besser: zu seiner komplizierten Deutung des Geschehens) nötig war. Die Mannigfaltigkeit, die er zur Einheit zusammenzwang, war, wie im Grunde überhaupt die ganze „Handlung", keine äußerliche, sondern eine innere.

Es ging schon von Anfang an, von der Vorgeschichte von Tristans Kampf mit Isoldes Verlobtem, dem Iren Morold, von dessen Tod und Tristans Verwundung, die von Isolde geheilt wurde, um eine ausweglose, von einander bekämpfenden Leidenschaften erfüllte Situation. Die beiden Protagonisten erahnen die Ausweglosigkeit mehr, als daß sie sie erkennen, und nehmen statt des erwünschten Todestrankes den ihnen nicht bestimmten Liebestrank als schicksalhafte Bestimmung hin, der sie noch tiefer in die Ausweglosigkeit hineinführt. Auf diese Weise erreicht die Mannigfaltigkeit in der Einheit, d.h. die Fülle der seelischen Regungen in Tristans und Isoldes Liebe, zugleich aber auch die Ausweglosigkeit der Liebenden schließlich in der großen Liebesszene des II. Aktes ihren Höhepunkt. Er erscheint als folgerichtiges Ergebnis der Vorgänge des I. Aktes, so wie dann der III. Akt in ergreifender Weise die endgültige Bestätigung der Ausweglosigkeit und zugleich deren Überwindung in Isoldes Liebestod zum Ausdruck bringt.

Dieser kurze Überblick über die „Handlung" mutet im Vergleich zu deren musikalischer Wiedergabe fast banal an, denn das Geheimnis des TRISTAN besteht recht eigentlich darin, daß die beiden Bestandteile eben durch die „Kunst des Übergangs" zu einem Grad von Identität gebracht

---

28 Thomas Mann, a.a.O., siehe oben Anm. 15.
29 Freilich ist diese Abweichung von der Chronologie ein Kompromiß. Carl Dahlhaus hat in seinem Werk *Richard Wagners Musikdramen* einen anderen Weg gewählt und die Betrachtung von TRISTAN und den MEISTERSINGERN vor die des RHEINGOLD gestellt. Auf diese Weise wurde der Zusammenhang der Tetralogie ebenfalls gewahrt. Daß die beiden Werke dadurch äußerlich in die Nähe des LOHENGRIN gerieten, ist für die Reihe genial geschauter Einzelbilder, die das Buch von Dahlhaus darstellt und die über den bescheidenen historischen Rahmen einer Operngeschichte weit hinausgeht, ohne Belang.
30 Vgl. Dahlhaus, a.a.O., S. 60.

worden sind, der auch bei Wagner selbst nicht seinesgleichen findet. Entscheidend dafür ist der Charakter der Leitmotive[31], deren Wesen weniger in ihrer eingängigen melodisch-harmonisch-rhythmischen Geschlossenheit als vielmehr gerade in ihrer vor allem melodisch-harmonischen Wandelbarkeit besteht, wie sie die „Kunst des Übergangs" fordern mußte. Wesentlich ist dabei besonders die „Motivbedeutung" der Harmonik besonders im „Tristan-Akkord", zu dessen Zustandekommen nicht nur am Anfang des Vorspiels, sondern in allen entscheidenden Situationen des gesamten Werkes die beiden inhaltlich wie musikalisch tragenden Motive, das Leidens- und das Sehnsuchtsmotiv — durch Umkehrung auch musikalisch miteinander verwandt —, entscheidend beteiligt sind:

Diese beiden melodischen Gebilde sind, ihrer abstrakten, über sich hinausweisenden Bedeutung entsprechend, jedes für sich musikalisch quasi gestaltlos, aber eben dadurch auf ein enges Zusammenwirken miteinander und mit anderen weit stärker und in ganz anderer Weise abgestimmt als die handfestere Motivwelt der Tetralogie. In der Motivsprache des TRISTAN äußert sich die „Kunst des Übergangs" vielmehr, genau wie die textlich-inhaltliche Mannigfaltigkeit in der Einheit, in einer beständigen, stets inhaltlich bedingten engen Verflechtung von Motiven, die gleichzeitig musikalisch miteinander verwandt und ausdrucksmäßig voneinander verschieden sein können — also auch hier die Verbindung der Einheit mit der Vielfalt, in der die Motive nicht selten ineinander überzugehen, ja sich ineinander zu verwandeln scheinen. So kommt die stattliche Zahl von 62 Motiven zustande, die Jacques Chailley in seiner Schrift *Tristan et Isolde de Richard Wagner*[32] aufzählt. Abgesehen davon, daß er m. E. unberechtigterweise auch nur einmalig auftretende, geschlossene Formen wie das Lied des jungen Seemanns, Kurwenals Ballade vom Ritter Morold, die Heilrufe auf König Marke sowie die traurige und die freudige Weise des Hirten im III. Akt dazu rechnet, bietet sein „Répertoire Méthodique des Thèmes Conducteurs" einen glänzenden Überblick über die Vielfalt und Raffinesse der Motivverwandtschaften. Zugleich verdeutlicht es aber auch das übergeordnete Prinzip, das diese von Chromatik getränkte, „zerfaserte"[33] Motivik zusammenhält: die nahezu pausenlos herrschende harmonische Spannung, die vom Tristan-Akkord ausgehend recht eigentlich Geist und Wesen des ganzen Werkes bestimmt. Daß sie erst in den vier letzten Takten des III. Aktes ihre endgültige Lösung findet, ist ein Effekt, der dramatisch wie musikalisch seinesgleichen sucht.

In der unmittelbaren zeitlichen Nachbarschaft des TRISTAN — die Uraufführungen der beiden Werke (1865 und 1868) folgten überraschend schnell aufeinander — nehmen sich DIE MEISTERSINGER VON NÜRNBERG seltsam genug aus. Einem offenbar ähnlichen Bedürfnis nach völligem Wechsel des „Tones" verdankte schon der erste Textentwurf dazu kurz nach der Vollendung der

---

[31] Den Gegensatz zwischen ihnen und denen des RING umschreibt Dahlhaus (a.a.O., S. 64) treffend mit den Worten, sie seien „eher mit Fäden eines Gewebes vergleichbar, die auftauchen, verschwinden und sich zerfasern, als mit Bausteinen, die neben- und übereinander gesetzt werden".
[32] Paris 1972.
[33] Vgl. Dahlhaus, a.a.O., S. 64.

TANNHÄUSER-Partitur im Jahre 1845 seine Entstehung[34] — der Plan reichte also bis mitten in das Schaffen des „Opernkomponisten" Wagner zurück, verschwand dann aber gänzlich hinter dessen tieferem Eintauchen in die Beschäftigung mit dem Mythos in LOHENGRIN, der Tetralogie und TRISTAN und erschien erst wieder, unmittelbar nach der Bearbeitung des TANNHÄUSER für die berühmt-berüchtigte Pariser Aufführung im März 1861, im November dieses Jahres ebenfalls in Paris in Gestalt eines zweiten Prosa-Entwurfs, dem die Dichtung und der Beginn der Komposition auf dem Fuße folgten. Der gleichsam spielerische Gedanke eines „Satyrspiels nach der Tragödie" verdichtete sich also jetzt, auf dem Höhepunkt von Wagners Schaffen, zu einer der musikalisch-dramatischen Durchdringung des Mythos ebenbürtigen Offenbarung rein künstlerischer, ja meisterlicher Ideale in bewußt eng begrenztem historischem Rahmen. Den Gegensatz zwischen diesen beiden Welten hat Wagner selbst in der 4. Szene des III. Aktes anhand der Worte

Richard Wagner: DIE MEISTERSINGER VON NÜRNBERG

---

34 In seiner „Mitteilung an meine Freunde" (1851) bezeichnet ihn Wagner sogar als „beziehungsvolles Satyrspiel" zu seinem SÄNGERKRIEGE AUF WARTBURG.

durch das Nacheinander von chromatischen TRISTAN-Zitaten und betont burschikos wirkender volkstümlicher Kadenz umrissen: Sachs, der reife, zur Entsagung fähige Meister, rettet sich hier sprungartig mit Hilfe eines quasi rezitativischen Taktes recht eigentlich in den ihm angemessenen liedhaften „Meistersinger-Ton" hinein, der, wie die chromatisch-„zerfaserte" Motivik den TRISTAN, die gesamte MEISTERSINGER-Partitur beherrscht, ausgehend von den Kadenzen über die fest geformten, oft zu ganzen Perioden ausgedehnten Leitmotive[35] bis zu der großen Zahl von immer an dramatisch entscheidenden Stellen auftretenden geschlossenen Formen. Diese inhaltlich bedingte Vorherrschaft von Liedern, Chören und Ensembles scheidet die MEISTERSINGER von allen vorangehenden Werken des „Musikdramatikers" Wagner und bedeutet eine „überhöhte Synthese" zwischen ihnen und denen des „Opernkomponisten", keine Rückkehr, sondern in jeder Hinsicht eine vorwärtsweisende Vollendung. Wagner erscheint hier in der Gestalt des Hans Sachs selbst im wahrsten, ja handwerklichen Sinne des Wortes als „Meister". Das zeigt sich in der kunstvollen Verarbeitung der schon daraufhin erfundenen, scharf umrissenen Leitmotive im gesamten Orchesterpart, vor allem aber in den drei Finali, in denen auch die Singstimmen in das große, klanglich überwältigende und doch bis in Einzelheiten hinein motivisch analysierbare Tableau einbezogen sind.

An der Stelle der „Kunst des Übergangs" mit allen ihren Folgen im TRISTAN steht so in den MEISTERSINGERN das „Spiel der Form"[36], aufgrund dessen das Werk dem herkömmlichen Begriff der „Oper" näher gerückt zu sein scheint. Das Gleiche gilt auch für die Personencharakterisierung, die dem Drama folgend mit den geradezu anschaulichen Leitmotiven eine beherrschende und ganz andere Rolle spielt als in dem betont entrealisierten TRISTAN — ja, man möchte nach genauer Analyse der beiden einander ebenbürtigen Werke das zweite weniger als „Satyrspiel nach der Tragödie" denn vielmehr als unbewußt-bewußten „Anti-Tristan" bezeichnen.

Als die Periode dieses gewaltigen Gegensatzpaares, die 1857 mitten in der Komposition des SIEGFRIED mit der Arbeit am TRISTAN begonnen hatte, 1868 mit der Uraufführung der Meistersinger abgeschlossen war, wandte sich Wagner (1869) zunächst wieder der problematischen Auseinandersetzung mit dem Schluß der RING-Tetralogie zu, die ihn bis zur Vollendung der GÖTTERDÄMMERUNG 1874 und darüber hinaus bis zur ersten Gesamtaufführung des Werkes 1876 in Bayreuth in Anspruch nahm. Gleich im nächsten Jahr aber trat er mit einem Prosaentwurf zu PARSIFAL hervor, dem schon im Jahr der Uraufführung des TRISTAN, 1865, ein erster vorausgegangen war, dem aber jetzt sogleich die Dichtung und der Beginn der Komposition folgten. Die Partitur wurde im Januar 1882, ein Jahr vor Wagners Tod, abgeschlossen.

Das „Bühnenweihfestspiel" PARSIFAL bietet schon durch die Art seiner Entstehung noch einmal zusammenfassend einen besonders eindrucksvollen Einblick in die Arbeitsweise des Meisters, bei der es in erster Linie darum ging, die Fülle der Gesichte, die ihm zuströmte, aufeinander abzustimmen. Nicht nur, daß er imstande war, mitten in den Mythos der Tetralogie hinein zwei so gewaltige Werke wie TRISTAN und die MEISTERSINGER zu setzen — ihn „überfiel" bereits während der Arbeit am TRISTAN die Erinnerung an den Parsifal-Stoff, der ihn schon als „Opernkomponisten" in der Zeit von TANNHÄUSER und LOHENGRIN beschäftigt hatte und den er nun sogleich auch noch in Angriff nahm — ein Zeichen dafür, daß alle Werke dieses Genius, so verschieden sie äußerlich voneinander sein mochten, innerlich eine gewaltige Einheit bilden.

Das wird bei der Betrachtung von PARSIFAL ganz besonders deutlich, denn in diesem Bühnen-

---

35 Dahlhaus (a.a.O., S. 80) bemerkt zu den Leitmotiven der MMEISTERSINGER treffend, sie fügten sich „zu Themen zusammen oder dehnten sich zu Melodien aus, ohne daß sich triftig entscheiden ließe, ob das Motiv ein Fragment der Melodie oder umgekehrt die Melodie eine Ausspinnung des Motivs sei".

36 Dahlhaus, a.a.O., S. 79.

weihfestspiel, das Wagner in einem Brief an König Ludwig von Bayern vom 28. September 1880 einmal als das „heiligste" seiner Werke bezeichnet hat, faßt er wie in einem künstlerischen Testament noch einmal, ins Jenseitige verklärt, all die Ideen zusammen, die ihm in früheren Werken einmal „heilig" waren — der Sündenfall und die Erlösung des reuigen Sünders in TANNHÄUSER, die Bewährung der Macht des Grals in LOHENGRIN, die erlösende Kraft des Unschuldig-Schuldigen in der Tetralogie, das Leiden des sterbenden Tristan[37]. — Keine geistige, wohl aber eine entstehungsgeschichtliche Verwandtschaft besteht zwischen PARSIFAL und den MEISTERSINGERN. Beide Stoffe hatten vorübergehend bereits den „Opernkomponisten" Wagner in ihren Bann gezogen, sind dann gänzlich seiner Hingabe an den Mythos zum Opfer gefallen, dafür aber nach ihrer Wiederaufnahme sowohl dichterisch als auch musikalisch zügig vollendet worden.

Die Zielstrebigkeit, mit der Wagner gerade die beiden Werke zuendeführte, die den geistigen Kampf um den Abschluß der Tetralogie einrahmten, darf vielleicht als Reaktion auf die Verunsicherung angesehen werden, in die ihn die Auseinandersetzung mit dem „Nibelungen-Mythos" gestürzt hatte. Durch die Arbeit an den MEISTERSINGERN erwarb er sich die dazu nötige Souveränität, während die Konzentration, in der „das letzte und heiligste" seiner Werke entstehen konnte, wohl als beglückender Beweis dafür betrachtet werden kann, daß er sich auf dem Weg zur Vollendung wußte.

Besonders deutlich tritt die geistige Vertiefung und musikalisch-dramatische Verfeinerung des Spätwerkes hervor, wenn man es zu dem fast vierzig Jahre älteren TANNHÄUSER in Beziehung setzt, der romantischen Oper Wagners, die der Tradition noch am nächsten steht, aber nach dem Gang der Handlung einen Vergleich geradezu herausfordert. Doch eben diese enge stoffliche Verwandtschaft unterstreicht den weiten geistigen Abstand zwischen dem noch traditionsgebundenen, handfesten Opernkomponisten und dem zu höchster Vergeistigung gelangten Musikdramatiker. Entscheidend ist dabei die Rolle, die auch in diesem Spätwerk in jeder Hinsicht die „Kunst des Übergangs" spielt. Stehen sich in TANNHÄUSER die Reiche der Wollust und der Liebe, verkörpert durch Venus und Elisabeth, als krasse, nur durch Tannhäuser einander berührende Gegensätze gegenüber, so besteht die Problematik und tiefere Bedeutung des PARSIFAL recht eigentlich darin, daß die ebenso kraß kontrastierenden Reiche des Klingsor und des Grals zauberisch ineinander verstrickt sind. Versinnbildlicht erscheint dieser Zauber in der unheimlich-rätselhaften Gestalt der Kundry, die beiden Welten angehört. Als Gralsbotin sucht sie Vergebung für ihr ungeheures Vergehen, einst den Heiland am Kreuz verlacht zu haben, ist aber eben darum auch dem Zauberer Klingsor verfallen. Durch buhlerische Künste hat sie diesem zu dem nächst dem Gral höchsten Heiligtum der Gralsritterschaft, dem heiligen Speer, verholfen, mit dem der Zauberer dem Gralskönig Amfortas dann eine furchtbare, allein durch eine Berührung mit dem Speer wieder heilbare Wunde zugefügt hat. — Von diesem die ganze Ritterschaft bedrückenden Schicksal, dem Sündenfall des Amfortas und wie es dazu kam, berichtet gleich zu Beginn des I. Aktes der alte Gralsritter Gurnemanz einigen jungen Knappen; auch das seltsame Wesen der Kundry sucht er zu erklären, doch weiß auch er noch nichts von ihrem Doppelleben. Zuletzt, unmittelbar vor dem Auftreten Parsifals, erwähnt er („sehr leise") das tröstliche „Traumgesicht" des Königs, musikalisch in der Gestalt eines gerade wegen seiner Schlichtheit besonders einprägsamen Leitmotivs,

---

[37] Auf die Parallele zwischen Tristan und Amfortas hat Wagner selbst in einem Brief an Mathilde Wesendonck vom 30.5.1859 hingewiesen.

das von den Knappen in vierstimmigem Satz wiederholt wird und so zugleich als eindrucksvoller Abschluß der ausgedehnten Einleitung und als unmittelbarer Hinweis auf den darin angekündigten Parsifal erscheint. Diese Exposition stellt in seltsam epischer Gestalt eine Inhaltsangabe der ganzen Oper dar und hebt auf diese Weise das Bühnenweihfestspiel von allen Musikdramen Wagners ab.

Es nimmt allerdings nicht nur dadurch eine Sonderstellung im Schaffen des Meisters ein, sondern vor allem durch seinen Charakter als wohl mehr unbewußtes als gewolltes Fazit aus allem bisher und besonders zuletzt Geschaffenem. Auf die fast testamentarisch wirkenden Rückgriffe auf das Gedankengut früherer Werke und dessen neue Beleuchtung wurde bereits oben hingewiesen — musikalische Parallelen dazu waren für die Frühzeit der „Opern" (d. h. TANNHÄUSER und LOHENGRIN) wegen des stilistischen Übergangs zum Musikdrama nicht möglich, ja auch noch nicht für dessen Frühzeit bis zum Einschnitt vor dem III. SIEGFRIED-Akt[38], um so mehr aber für das danach entstandene Paar TRISTAN und MEISTERSINGER, deren Gegensatz in PARSIFAL in eine großartige dramatische Einheit aufgelöst worden ist. Die „Kunst des Übergangs" und die chromatische Zerfaserung der Leitmotive im TRISTAN werden hier durch das „Spiel mit der Form" und die fest gefügten, vorwiegend diatonischen Leitmotive der MEISTERSINGER nicht nur in Schach gehalten, sondern auch zur Charakterisierung der beiden gegensätzlichen Sphären benutzt. So spielt PARSIFAL auch musikalisch mit den liturgisch anmutenden Chören im Bereich des Grals, den tanzhaft bewegten Szenen in Klingsors Zaubergarten und den situationsbedingt zwischen diesen beiden Extremen vermittelnden Sologesängen, die wie Leitfäden das feine Geflecht der Leitmotive erschließen, für das von vornherein als einheitlicher Organismus herangewachsene Lebenswerk Wagners die Rolle einer vollendenden Synthese. Als „Bühnenweihfestspiel" hat ihn sein Schöpfer selbst aufgrund der hier vollzogenen Hingabe seiner reifsten Kunst an die höchsten, letzten Dinge im Rahmen einer vollendeten Bayreuther Bühnen-Wiedergabe und wohl auch im Gefühl von deren endgültiger Unwiederholbarkeit auf eine einsame Höhe, wenn auch sicherlich künstlerisch nicht höher als die vorangegangenen Meisterwerke gestellt, denn er war sich in jedem dieser Werke seines und ihres Wertes bewußt — daß er, wie berichtet wird, am Abend vor seinem Tode noch den Gesang der Rheintöchter aus RHEINGOLD auf dem Klavier gespielt hat, ist ein bewegender Beweis dafür.

---

38 Dieser Einschnitt erhält dadurch noch eine ganz besondere Bedeutung.

# Die deutsche Oper zwischen Wagner und Strauss

Daß der Ruhm eines Genies weit über dessen Lebenszeit hinausreicht, auch wenn sein Tod als ein Einschnitt empfunden wird, ist eine Binsenweisheit. Das gilt auch für Wagner. Verdi hatte wohl recht, als er erschüttert an Giulio Riccordi schrieb: „Triste. Triste. Triste. Wagner è morto! — È una grande individualità che sparisce! Un nome che lascia un' impronta potentissima nella Storia dell'Arte." (Eine große Persönlichkeit ist verschwunden. Ein Name, der eine übermächtige Spur in der Geschichte der Kunst hinterläßt). Die große Persönlichkeit war allerdings verschwunden, aber die Spur, die sie hinterlassen hat, war bei Wagner so übermächtig, daß sie die Größe des Einschnitts zumindest milderte, nicht, weil Wagner „größer" gewesen wäre als frühere Großmeister im Reiche der Musik, sondern weil er etwas Einzigartiges, Neues geschaffen hatte, um das ein heißer Kampf entbrannt war. Für sich hatte er ihn zwar siegreich beendet, aber unter den Nachgeborenen schwelte er weiter, vor allem natürlich unter seinen jüngeren Zeitgenossen. Für sie alle galt es in erster Linie, sich mit seinem Werk auseinanderzusetzen, so daß die Oper in Deutschland, und nicht nur hier, bis zur Jahrhundertwende und darüber hinaus weiterhin weitgehend von ihm bestimmt wurde, wie immer sich die einzelnen Komponisten dann auch letztlich entschieden. So kam zunächst der große Kreis der „Circumpolaren" zustande[1], deren Werke neben und dann auch unmittelbar nach Wagner die deutschen Opernbühnen beherrschten. Deren Bild wurde dadurch anders, aber keineswegs weniger buntscheckig als früher, im Gegenteil: Zu den Vorbildern des frühen Wagner selbst — der deutschen romantischen, der italienischen und der großen französischen Oper — gesellte sich nun der „eigentliche" Wagner, der Musikdramatiker, der mit den anderen unvereinbar und im Grunde nur über die Texte, musikalisch aber weitgehend lediglich epigonal zu erreichen war.

Charakteristisch ist nun, daß sich nur selten ausgesprochene Vertreter der einzelnen Richtungen gegenüberstanden, sondern daß das Schaffen der meisten dieser Circumpolaren von einer Auseinandersetzung mit der gesamten Fülle der so verschiedenen lebendigen Vorbilder zeugt.

Dabei ist jedoch unübersehbar, daß vor allem unter den älteren keiner, wie intensiv er sich auch im Einzelnen immer von bestimmten Vorbildern beeinflussen lassen konnte, je grundsätzlich den Boden der deutschen romantischen Oper verlassen hat, in dem ja auch Wagner selbst wurzelte. In diesem Sinne versah die in den Jahrzehnten zwischen 1820 und 1860 geborene deutsche Komponisten-Generation, deren Älteste nur wenig jünger waren als Wagner, die deutschen Opernbühnen in einer ihrer würdigen, traditionsgebundenen Weise mit Werken, die je nach der Ausgeglichenheit ihrer Stilmischung beim Publikum mehr oder weniger gut ankamen. Sie waren, auch wenn unter ihnen keine führende Persönlichkeit hervorragte und nur wenige ihrer Werke ihre Schöpfer überlebt haben, großenteils Musiker von Rang; so vor allem Peter Cornelius (1824-1874). Er war einer der Ältesten dieser Gruppe und hat, obwohl dem Wagner/Liszt-Kreis nahestehend, gleich mit seinem ersten Bühnenwerk, der zweiaktigen komischen Oper DER BARBIER VON BAGDAD (1858) nicht nur jenem Kreis gegenüber eindeutig seine Selbständigkeit gezeigt, sondern auch der Gattung selbst betont seinen eigenen Stempel aufgedrückt. Die „noblere Faktur", die er Lortzings Werken gegenüber anstrebte[2], zeigt sich sowohl textlich in den feinen, leicht parodi-

---

[1] Vgl. Theodor Kroyer, Die circumpolare Oper. Zur Wagnergeschichte, in: Peters-Jahrbuch für 1919, Jahrgang 26, S. 16-36.
[2] Vgl. den Brief an seine Schwester Susanne vom 4. November 1856, zitiert nach Egon Voss, „Der Barbier von Bagdad" als komische Oper, in: Peter Cornelius als Komponist, Dichter, Kritiker und Essayist (Studien zur Musikgeschichte des 19. Jahrhunderts, Bd. 48, Regensburg 1977, S. 133).

stisch getönten Wirkungen, die durch das durch den Titelhelden verkörperte burleske Element hervorgerufen werden, als auch in der jede Trivialität vermeidenden, sehr eigenwilligen und durch kontrapunktische Künste verschiedenster Art aufgelockerten musikalischen Sprache, in deren zahlreichen Ensembles die Gegensätze raffiniert aufeinanderstoßen. Zeitbedingt und geschickt hat sich der Komponist auch, wo es der Text erforderte, vor allem in den Rufen des Muezzin im II. Akt, orientalischer bzw. „orientalisierender" Stilmittel bedient, dies in Verbindung mit der Leitmotivtechnik, deren konsequente Durchführung allein Wagners Einfluß erkennen läßt.

Nicht zufällig hat gerade diese komische Oper als frühestes und fast einziges Werk jener Generation die Zeiten überdauert, während Cornelius' lyrisches Drama in drei Aufzügen DER CID (1865), wie die meisten Werke jener Zeit, der Vergessenheit anheimgefallen ist. Hier vermochte der Komponist dem schon durch den Untertitel „lyrisches Drama" (=tragédie lyrique)[3] angedeuteten Leitbild der großen Oper mit ihrer Fülle von gewaltigen Massenszenen in höfischem bzw. kriegerischem Milieu trotz raffiniert modulierender Harmonik, charakterisierender Rolle der Bläser und der großen, durch Leitmotivik gestützten dramatischen Einheit des Ganzen nicht wie im „Barbier" ganz seinen persönlichen Stempel aufzudrücken. - Von Cornelius' letzter Oper GUNLÖD (1869-74) liegt nur der Text des Meisters vollständig vor, von der Komposition sind nur nicht instrumentierte Fragmente erhalten, die aber trotz des der Edda entstammenden Inhalts keine wagnerischen Züge erkennen lassen[4].

Cornelius' Altersgenosse Carl Reinecke (1824-1910) verfuhr umgekehrt als dieser: Er begann in den Bahnen der Großen Oper (KÖNIG MANFRED, Wiesbaden 1867), ging dann aber zu heitervolkstümlichen Opern, ja zu Märchenopern für Kinder über, die, wie beispielsweise GLÜCKSKIND UND PECHVOGEL (nach dem Märchen aus den *Träumereien an französischen Kaminen* von Volkmann-Leander, 1883), die Form der Oper auf betont simple Weise dem kindlichen Geist nahezubringen suchten. Kurz nach ihm schuf der jüngere Alexander Ritter (1833-1896) mit seinen beiden selbst gedichteten Einaktern DER FAULE HANS (1885) und WEM DIE KRONE (1890) einen bescheidenen Übergang zu den die Pforten zur Märchenoper recht eigentlich erst öffnenden Werken Humperdincks. — Ein ähnliches Schicksal wie das Opernschaffen von Cornelius hatte auch dasjenige seines nicht minder bedeutenden, etwas jüngeren Zeitgenossen Hermann Goetz (1840-1876): Auch er wich mit seiner ersten Oper DER WIDERSPENSTIGEN ZÄHMUNG, Text von Joseph Victor Widmann unter Mitwirkung des Komponisten (1874), zunächst auf das Gebiet der komischen Oper aus und erzielte in diesem einzigartigen Wurf zwischen Tradition und Fortschritt mit einer melodisch einfallsreichen, satztechnisch geschickten und dramatisch wirkungsvollen Wiederbelebung der alten Spieloper, ohne dabei retrospektiv zu wirken, einen großen Erfolg. — Goetzens zweite (unvollendet gebliebene) dreiaktige Oper FRANCESCA VON RIMINI (Text nach Entwürfen Widmanns vom Komponisten umgearbeitet, der III. Akt nach dessen Skizzen von seinem Freund Ernst Frank vollendet, Uraufführung posthum 1877) zeigt dagegen mit dem Gegensatz zwischen dem ausgedehnten lieblich-romantischen Chor der Landleute, der den I. Akt eröffnet, und dem hochdramatischen, nach einem von einzelnen Arien durchsetzten, raschen, charakteristischen Wechselgespräch in eine gewaltige Massenszene einmündenden 2. Finale deutlich den Zwiespalt, in dem sich die deutsche romantische unter dem Einfluß der großen französischen Oper selbst noch damals, zur Zeit der Uraufführung von Wagners RING, befinden konnte: In der

---

3 Vgl. hierzu Hans Engel, in: Die Musik in Geschichte und Gegenwart, Band 2, Kassel, 1952, Sp. 1688.
4 Vgl. hierzu Anna Amalie Abert, Zu Cornelius' Oper „Gunlöd", in: Peter Cornelius als Komponist, Dichter, Kritiker und Essayist (Studien zur Musikgeschichte des 19. Jahrhunderts, Bd. 48, Regensburg 1977, S. 145).

Wagner-Nachfolge stand dieses ebenfalls erfolglose Werk genau so wenig wie Cornelius' CID, mögen sich in diesem auch gelegentlich Leitmotive finden.

Die Bezeichnung „Circumpolare" ist daher für die beiden Genannten, wie auch für die zahlreichen zwischen und nach ihnen bis gegen 1850 geborenen Meister, deren Werke die Bühnen in der zweiten Hälfte des Jahrhunderts beherrschen, im Wesentlichen auf die bloße Zeitgenossenschaft mit den großen „Polen" und auf die sich daraus ergebende Möglichkeit einer wie immer gearteten Beeinflussung zu beziehen. Ganz konnte sich natürlich keiner von ihnen dem Einfluß Wagners entziehen, doch beschränkte sich dieser zumeist nur auf einzelne Gebiete oder Techniken, wie etwa die Stoffwahl, die kühnere Harmonik und Instrumentation oder den konsequenten Gebrauch der Leitmotivik; eine Vereinigung all dieser Eigenschaften zum typischen Epigonentum war nur eine Seltenheit.

Zu den frühesten erfolgreichen Werken jener Generation zählte DIE LORELEY von Max Bruch (1838-1920). Ihr Text, von Emanuel Geibel, war ursprünglich für Mendelssohn bestimmt, ihre Uraufführung fand 1863 in Mannheim statt. Bei diesem Werk läßt schon der Untertitel „Große romantische Oper in 4 Akten" ihren Charakter als deutsche romantische Oper im aufwendigen Gewand der großen französischen Oper Meyerbeerscher Prägung erkennen. Es ist voller anspruchsvoller Massenszenen, vor allem in den Finali, deren letztes durch eine Paraphrase über die Weise „Ich weiß nicht, was soll es bedeuten" eingeleitet wird. Formal wirkt es mit seiner Einteilung in „Nummern" für seine Entstehungszeit noch erstaunlich retrospektiv.

Eine ganz ähnliche Stellung nimmt stilistisch die wenig später erschienene dreiaktige Oper DER HAIDESCHACHT (Text nach E. T. A. Hoffmanns Novelle *Die Bergwerke von Falun* vom Komponisten, Dresden 1868) von Franz von Holstein (1826-1878) ein, deren romantische Haltung textlich wie musikalisch vor allem in verschiedenen mehrstrophigen Romanzen und balladenhaften Gesängen zum Ausdruck kommt. Sie hatte ursprünglich gesprochenen Dialog, der erst nachträglich durch Rezitative ersetzt wurde; daher ist die Nummerneinteilung hier besonders stark spürbar, was in Holsteins beiden späteren, weniger erfolgreichen großen Opern DER ERBE VON MORLEY (Leipzig 1872) und DIE HOCHLÄNDER (Mannheim 1876) nicht mehr der Fall ist.

Gleichfalls bereits in den 60er Jahren begann das Opernschaffen Johann Joseph Aberts (1832-1915), das nicht zuletzt aufgrund der Forschungen seines Sohnes Hermann Abert[5] als besonders typisch für die Vielseitigkeit, ja Zwiespältigkeit des circumpolaren Schaffens angesehen werden kann. Entgegen seiner ausgesprochen lyrischen Veranlagung begann der Komponist unter dem unmittelbaren Einfluß von im Pariser Opernleben gewonnenen Eindrücken mit der „Großen Oper in 4 Akten" KÖNIG ENZIO (Text von Albert Dulk, Stuttgart 1862), die einen deutschen Romantiker in den Massenszenen eindeutig im Gewand der großen französischen Oper zeigt und einen beachtlichen Erfolg errang. Ein wesentlich größerer aber wurde Aberts zweitem Bühnenwerk, der „Romantischen Oper in 3 Akten" ASTORGA (Text von Ernst Pasqué, Stuttgart 1866) zuteil. Hier kam schon der Text, die Legende von dem unglücklichen Sänger, der lyrischen Begabung des Komponisten entgegen. Das Werk wird geprägt durch eine Fülle einfallsreicher liedhafter, als Lied, Arie, Cavatine, Hymne oder auch Duett bezeichneter Gesänge, deren Bedeutung oft noch zusätzlich dadurch unterstrichen wird, daß sie an dramatisch hervorragenden Stellen leitmotivisch verwendet werden, so vor allem das berühmte „Stabat Mater", das das letzte Finale zu einem gerade in seiner Kürze überwältigenden Abschluß führt. Hierin darf man vielleicht auch bei diesem Circumpolaren eine Anknüpfung an das Vorbild Wagners erkennen. Mit seiner nächsten

---

5 Hermann Abert, Johann Joseph Abert. Sein Leben und seine Werke, 2. Auflage, herausgegeben von Anna Amalie Abert, Bad Neustadt a. d. Saale (Pfaehler), 1983. — Vgl. auch Anna Amalie Abert, Johann Joseph Abert. Ein Circumpolarer zwischen Tradition und Fortschritt, in: Festschrift Heinz Becker, Laaber 1982.

Oper, dem fünfaktigen EKKEHARD (Text nach dem gleichnamigen Roman von Victor von Scheffel, Berlin 1878) hat Abert den Bogen gleichsam weiter gespannt: Es ist wieder eine „Große Oper", aber der Aufwand der Massenszenen ist hier ganz verschieden gefärbt, und entsprechend individuell charakterisiert sind auch die Sologesänge, vor allem die der unheimlichen Waldfrau, einer Opernfigur von besonderem Format. Zu alledem aber macht sich in dieser Oper der Einfluß Wagners stärker bemerkbar als in ihren Vorgängerinnen, sowohl in der Gestalt der hier zum ersten Male konsequent durchgeführten charakteristischen Leitmotivik als auch in der Übernahme bestimmter dramatischer Situationen — Ekkehards Vorlesen vor der Herzogin am Anfang des II. Akts erinnert z. B. auch musikalisch an die Gralserzählung aus LOHENGRIN. — Auch in seiner letzten (erfolglos gebliebenen) Oper DIE ALMOHADEN (Text von Adolf Kröner, Leipzig 1890) ist sich Abert selbst treu geblieben, hat sich dabei jedoch mehr als je zuvor um einen Ausgleich zwischen den beiden „Polen" bemüht — das zentrale Problem der „Circumpolaren", an dem sie im Grunde alle gescheitert sind!

In den 70er und 80er Jahren festigte sich ihre Stellung zugunsten der Großen Oper vor allem durch die Werke der beiden gleichaltrigen Komponisten Edmund Kretschmer (1830-1908) und Karl Goldmark (1830-1915). Kretschmers beide Opern, DIE FOLKUNGER (Text von Salomon Hermann Mosenthal, Dresden 1874) und HEINRICH DER LÖWE (Text vom Komponisten, Leipzig 1877), behandeln historische Stoffe, gattungs- und inhaltsbedingt mit viel Prunk, aber auch Trivialität, die sich in der letzteren zu einem Übermaß an Patriotismus steigert. Kretschmer stellte seine solide Kunst jedoch nicht in den Dienst Wagners, da er kein Musikdramatiker war, sondern fiel, obwohl musikalisch kenntnis- und einfallsreich, der Effekthascherei der Großen Oper zum Opfer. — Goldmark hingegen ging zwar den gleichen Weg, führte aber mit seinem ersten Bühnenwerk, der „Großen Oper in 4 Akten" DIE KÖNIGIN VON SABA (Text von Mosenthal, Wien 1875) die deutsche Große Oper zu einem neuen Höhepunkt. Auch sie enthält eine Fülle von gewaltigen Massenszenen, aber an Stelle der Entfaltung leeren Prunkes dienen sie, wie auch alle Sologesänge, der Wiedergabe der märchenhaften Atmosphäre, die recht eigentlich das Wesen dieser Oper bestimmt und der sie ihren großen Erfolg verdankte. Der Komponist erfaßte sie, besonders hierin zweifellos Wagner folgend, durch eine raffiniert textbedingte Anwendung von Chromatik, wobei es ihm gelang, sowohl das Exotische als auch das Mystische und Religiöse mit extremer Leidenschaftlichkeit zu durchdringen. — Seine zweite, dreiaktige Oper MERLIN (Text von Siegfried Lipiner, Wien 1886) ist zwar elf Jahre später erschienen, liegt aber grundsätzlich stilistisch auf der gleichen Linie wie jene erste, ohne allerdings deren musikalische Leuchtkraft zu erreichen. Auch sie ist durchkomponiert, enthält aber im Gegensatz zu ihr eine ganze Reihe sehr melodiöser, liedhaft geschlossener Formen; sie steht also gattungsmäßig der „Oper" näher als dem „Musikdrama", wohingegen die Leitmotivik in ihr eine größere Rolle spielt als dort. — Weit stärker aber als in dieser Oper macht sich in Goldmarks späteren Bühnenwerken in der musikalischen Sprache eine Annäherung an Wagner, in der sehr abwechslungsreichen Form aber eine Rückwendung zur alten Oper bemerkbar. Besonders deutlich wird dies in seiner dreiaktigen letzten Oper EIN WINTERMÄRCHEN (Text von Alfred Maria Willner nach Shakespeare, Wien 1908). Dieses stilistische Nebeneinander im späten Schaffen eines der führenden Circumpolaren läßt die Richtungslosigkeit, ja im Grunde Hilflosigkeit erkennen, mit der jene Generation so tapfer den Kampf mit der Überfülle an Vorbildern aufnahm, ohne sich einem bequemen Epigonentum zu ergeben. Diesen Kampf setzten Goldmarks etwas jüngere Zeitgenossen Felix Draesecke (1835-1913), Max Zenger (1837-1911), August Bungert (1845-1915) und August Klughardt (1847-1902) fort, wobei sich allerdings der Einfluß Wagners in verschiedener Weise und Stärke bemerkbar zu machen begann. Mit Ausnahme von Bungert zeigt er sich bei allen in erster Linie in der Stoffwahl: WIELAND DER SCHMIED bei Zenger, GUDRUN und HERRAT bzw. GUDRUN und IWEIN bei Draesecke und Klughardt. Musikalisch ist allerdings außer der von wenigen geschlossenen Formen unterbrochenen

Durchkomposition nach dem Vorbild des Musikdramas wenig Wagnerisches zu erkennen — man gewinnt sogar den Eindruck, als habe zumindest Draeseke mit seiner „Großen Oper in 3 Akten" GUDRUN (Text vom Komponisten, Hannover 1884) durch die größere Rolle, die eingängliche und charakteristische geschlossene Formen darin spielen, ein wirkungsvolleres und vor allem selbständigeres Werk geschaffen als mit der ganz auf die ihm offensichtlich nicht sonderlich liegende „unendliche Melodie" abgestimmten HERRAT (Text gleichfalls vom Komponisten, schon vor GUDRUN entstanden, aber erst 1892 in Dresden aufgeführt). — Auch bei Klughardt ist der wagnerische Rahmen von melodiösen, liedhaften Phrasen durchbrochen, ja, seine letzte Oper DIE HOCHZEIT DES MÖNCHS (Text nach Conrad Ferdinand Meyer von Pasqué, Dessau 1886) ist mehr eine bloße unverbindlich-liebliche musikalische Einkleidung eines grausigen dramatischen Geschehens als ein Musikdrama. — Wie seine Altersgenossen und in der gleichen Weise zollt auch Zenger in seiner dritten Oper WIELAND DER SCHMIED (Text von Philipp Allfeld nach Simrock, München 1881) dem „Meister" seinen Tribut und blieb diesem Vorbild auch in seiner letzten, EROS UND PSYCHE (Text von Wilhelm Schriefer, München 1901) treu, obwohl er hier, gleichzeitig mit Bungert, das Stilprinzip auf einen Stoff aus der griechischen Mythologie anwandte. Dem ereignisreichen, von wunderbaren Erscheinungen der verschiedensten Art wimmelnden Inhalt entsprechend ist diese musikdramatisch durchkomponierte große Oper auch musikalisch ungeheuer aufwendig, wobei die schroffen inhaltlichen Gegensätze auch musikalisch wirkungsvoll voneinander abgesetzt sind. In den Massenszenen macht der Komponist nicht selten von kontrapunktischen Künsten Gebrauch. — An szenischem wie musikalischem Aufwand wird dieses Werk nur von Bungerts Tetralogie HOMERISCHE WELT (Text vom Komponisten: ODYSSEUS HEIMKEHR [1896], KIRKE [1898], NAUSIKAA [1901], ODYSSEUS TOD [1903]) übertroffen. Es ist ein einzigartiger Versuch, das wagnerische Vorbild einer Tetralogie aus der germanischen in die antike Sagenwelt zu übertragen, jedoch nicht in der Gestalt eines gewaltigen Musikdramas, sondern in Form einer Zusammenballung von vier anspruchsvollen Großen Opern alten Schlages, an der letzten Endes nur die Tatsache der „Tetralogie" das Wagnerische ist.

Einen besonders greifbaren Beweis für die Vielgestaltigkeit, die auf den deutschen Opernbühnen in den 70er Jahren herrschte, erbringt das zeitliche Zusammentreffen von einer der erfolgreichsten ernsten und einer ebensolchen der heiteren Oper: Der Aufführung der DER KÖNIGIN VON SABA am 10. März 1875 in Wien folgte im Dezember desselben Jahres in Berlin DAS GOLDENE KREUZ von Ignaz Brüll (1846-1907), ebenfalls über einen Text von Mosenthal, ein echter (später) Abkömmling des deutschen Singspiels mit gesprochenem Dialog, das unter wenigen Personen in ländlichem Milieu spielt und von einer anspruchslosen, sehr eingängigen Melodik getragen wird; sie hat dem Werk zum größten Erfolg unter den zahlreichen Opern des Komponisten, darunter einigen komischen und der Märchen-Oper DAS STEINERNE HERZ (1888), verholfen. In diesen Zusammenhang gehören auch die gleichfalls nicht wenigen und ebenfalls teilweise dem Kreise der Volkssage entstammenden Opern von Viktor Nessler (1841-1890), von denen DER RATTENFÄNGER VON HAMELN (Text von Friedrich Hofmann nach Julius Wolff, Leipzig 1879) und vor allem DER TROMPETER VON SÄCKINGEN (Text von Rudolf Bunge nach Victor von Scheffel, Leipzig 1884) dem Komponisten die größten Erfolge brachten. Beide sind formal wie inhaltlich schlichtvolkstümliche deutsch-romantische Opern mit einer schwer erträglichen Neigung zu kleinbürgerlicher Trivialität (daß die erste den Untertitel „Große Oper in 5 Akten" trägt, ist kaum anders denn als Hohn zu erklären). — Eine Synthese des circumpolaren Opernschaffens und zugleich dessen Zerrbild stellen die Bühnenwerke von Cyrill Kistler (1848-1907) dar. Unter ihnen befinden sich Volksopern (u. a. die Komödie EULENSPIEGEL, Würzburg 1889), eine spritzige, wirkungsvoll durch charakteristische Leitmotive gegliederte opera buffa, und die mitunter bis zur Trivialität volkstümliche „Volksoper in 3 Akten" RÖSLEIN IM HAG (Elberfeld 1903), ferner eine Komposition von Goethes *Urfaust* (1905) und Musikdramen, in denen sich das Wagnersche Vorbild nicht nur, wie beim Gros der Circumpolaren und auch in den heiteren Werken von Kistler selbst, mehr oder weniger spürbar in Einzelheiten des Textgehalts oder der Kompositionstechnik zeigt, so wie sie eben den jüngeren, alle im Banne des Genies stehenden Meistern sicher oft unbewußt geradezu aus der Feder fließen mußten, sondern in der nachahmenden Gestalt eines unverhüllten Epigonentums. Das erste dieser Werke (Kistlers erstes Bühnenwerk überhaupt), die „Oper in 3 Akten" KUNIHILD ODER DER BRAUTRITT AUF KYNAST (Text von Ferdinand Graf Sporck, Sondershausen 1884) errang trotzdem oder vielleicht eben deswegen einen Riesenerfolg. Die Orientierung an Wagner von RIENZI an über TANNHÄUSER und LOHENGRIN bis zum RING übertrifft hier musikalisch wie textlich alle anderen möglichen Opern-Vorbilder. Natürlich gehen die Szenen musikdramatisch ineinander über, und das Ganze wird durch eine konsequent durchgeführte und charakteristische Leitmotivik zusammengehalten. Eine gewisse Neigung zur Trivialität gegen Schluß macht jedoch den Abstand des Epigonen zum Vorbild besonders deutlich. — Mit dem „Musikdrama in 3 Akten" BALDURS TOD (Text von Edgar Freiherr von Sohlern, entstanden 1891, aber erst 1905 in Düsseldorf aufgeführt) verfolgte Kistler den hyper-epigonalen Weg noch weiter, besonders durch Gebrauch des Stabreims textlich. Die Gespräche innerhalb des ganz im Kreise der „Asen" spielenden Geschehens werden allerdings gelegentlich melodramatisch aufgelockert, auch steht der Chor der „menschlichen" Jünglinge und Jungfrauen im I. Akt den harmlosen Chören der Volksopern nahe. Vor allem aber ist das vom Vorspiel an die wichtigsten Szenen der Oper beherrschende Leitmotiv überraschenderweise eine Choralzeile. Sie mündet am Ende der Oper in eine geisterhafte Choralszene, in der Odin nach Baldurs Tod den „Heliand" begrüßt. Es liegt nahe, hierbei an einen Hinweis auf PARSIFAL zu denken.

Merkwürdigerweise aber erhielt die Oper gleichzeitig mit dieser extremsten Verkörperung des Epigonentums und unmittelbar bevor sie sich im Schaffen führender jüngerer Meister mehr und mehr auf eigene Füße stellte, noch einmal ein neues Gesicht in Gestalt einer Vorherrschaft der heiteren, der volkstümlichen und der Märchenoper. Es ist sicher kein Zufall, daß zwei der namhaftesten, aber grundverschiedenen Vertreter dieser Richtungen, Engelbert Humperdinck (1854-1921) und Hugo Wolf (1860-1903), völlig unabhängig voneinander ausdrücklich ihr Verlangen nach dem Dichter einer komischen Oper ausgesprochen haben[6]. Humperdinck hat mit seinen „Märchenopern", an deren Spitze HÄNSEL UND GRETEL (Text von Adelheid Wette, Weimar 1893) steht, durch die dramatisch bedingte Einfügung eigener und übernommener volkstümlicher Weisen eine in die Zukunft weisende, der Oper ebenbürtige neue Gattung geschaffen, hinter deren musikalisch-dramatischer Selbständigkeit der Wagnersche Einfluß weitgehend zurücktritt. — In seinem dreiaktigen Melodram KÖNIGSKINDER (Text von Ernst Rosmer, München 1897) werden nur die dramatischen Höhepunkte wirklich melodramatisch wiedergegeben, alles übrige erscheint in gesprochenem Dialog, und Gesang verwendet der Komponist nur da, wo es der Text ausdrücklich fordert. Das Stück wurde später unter radikaler Kürzung des Textes zur „Märchenoper" (New York 1910) umgearbeitet, wodurch es, schon wegen der ihm zugrundeliegenden Idee, textlich wie musikalisch mehr als HÄNSEL UND GRETEL in die Nähe Wagners geriet und damit jenem Werk gegenüber etwas an Eigenständigkeit verlor. — Humperdincks komische Oper in 3 Akten DIE HEIRAT WIDER WILLEN (nach einem Lustspiel von Alexandre Dumas, Berlin 1905) zeigt mit ihrer spritzigen, den Charakteren der einzelnen Personen angemessenen Musik, daß er auch auf diesem so ganz anderen Boden musikalisch zu Hause war.

Eine ähnlich selbständige Stellung gegenüber Wagner wie Humperdincks Werke nimmt auch Hugo Wolfs einzige „Oper in 4 Akten" DER CORREGIDOR (nach einer Novelle von Pedro Antonio de Alarcón von Rosa Mayreder, Mannheim 1896) ein. Wie Franz Schubert sprach auch Wolf,

---

6 Der erstere in einem Brief an Ernst von Possart.

der geniale Liederkomponist, auf dem Gebiet der Oper musikalisch mehr oder weniger die Sprache seiner Zeit, d. h. die der Circumpolaren, obwohl er Wagners Ideenkunstwerk rundum ablehnte. Er handhabte aber auch in der amüsanten Verwechslungskomödie, die der Text darstellt, die Technik der Leitmotivik ebenso konsequent wie raffiniert. Die beiden Hauptmotive des Titelhelden und seines Gegenspielers Lukas sind, ähnlich denen des TRISTAN, knapp, charakteristisch und miteinander verwandt, was, wie dort, eine gemeinsame Verarbeitung geradezu herausfordert. Außerdem sind sie inhaltsbedingt fast allgegenwärtig und bilden die Grundlage des glänzend gearbeiteten Orchestersatzes. Bezeichnend für den feinfühligen Meister des Liedes ist es, daß er sich in den Gesangspartien der Komödie überwiegend auf eine mehr rezitativische Textbehandlung beschränkte. Außer einem einzigen Lied aus dem spanischen Liederbuch („In dem Schatten meiner Locken" in I, 4), einer Ballade in II, 3, einem Trinklied in II, 7 und einigen Duetten finden sich nur wenige geschlossene Formen, dafür aber scharf deklamatorische Betrachtungen und dramatisch bewegte rezitativische Wechselgespräche, bei denen nicht selten das Orchester musikalisch den Ton angibt.

Wie stark gerade diese Generation der 50er und 60er Jahre auf Texte märchenhaften und heiteren Inhalts aus war, wird noch besonders durch die beiden Altersgenossen Humperdincks und Hugo Wolfs, Heinrich Zöllner (1854-1941) und Emil Nikolaus von Reznicek (1860-1945) unterstrichen. Unter Zöllners zahlreichen, der Vergessenheit anheimgefallenen Opern finden sich zwei Musikdramen, eines davon eine wörtliche Vertonung von Goethes *Faust* I, dem anderen, DIE VERSUNKENE GLOCKE (Berlin 1899), liegt die gleichnamige Märchendichtung Gerhart Hauptmanns zugrunde. Hier gewinnt man den Eindruck, als ob der Komponist dem Dichter und auch den Anforderungen des Musikdramas nicht recht gewachsen gewesen sei: Die Musik fließt, ohne am Drama entscheidend teilzuhaben, allzu gleichförmig lyrisch-pathetisch dahin, als daß sie dem farbigen Geschehen und dem Geschmack des Publikums hätte gerecht werden können. — Aus dem ebenfalls reichhaltigen Opernschaffen Rezniceks konnten wenigstens zwei Werke über ihre Entstehungszeit hinaus einen gewissen Erfolg verbuchen — bezeichnenderweise eine heitere Oper und ein Märchenstück. Von der heiteren Oper DONNA DIANA (Text vom Komponisten, Prag 1894) ist auch heute noch wenigstens die Ouvertüre lebendig, und das ganze Werk dürfte das ursprünglichere und selbständigere von den beiden sein, während das „Märchenstück in 3 Akten" RITTER BLAUBART (Text von Herbert Eulenberg, Darmstadt 1920) seine 26 Jahre spätere Entstehungszeit vor allem in der moderneren Harmonik erkennen läßt, im übrigen aber textlich wie musikalisch etwas in den Niederungen des verismo ertrinkt.

Der typischste und konsequenteste Vertreter der volkstümlichen Oper jener Jahre aber ist Wilhelm Kienzl (1857-1941). Er begann sein Schaffen zwar mit einer ernsten Oper (URVASI, Dresden 1886), machte sich dann aber vor allem mit zwei als „musikalisches Schauspiel" bezeichneten Werken, DER EVANGELIMANN (Text vom Komponisten, Berlin 1895) und DER KUHREIGEN (Text von Richard Batka nach einer Novelle von Rudolf Hans Bartsch, Wien 1911), einen Namen. Im ersteren, das Alfred Loewenberg als eine der erfolgreichsten deutschen Opern zwischen Wagner und Strauss bezeichnet[7], hat der Autor unter dem neutralen Untertitel „Musikalisches Schauspiel" Volkstümlichkeit, veristische Kraßheit und etwas sentimentale Religiosität zusammengefaßt. Musikalisch liegt das Schwergewicht auf den großen Monologen der Hauptpersonen, die größtenteils aus melodisch einfallsreichem Arioso bestehen, das gelegentlich, wie in der Szene II,1, von einer liedhaften Arie unterbrochen wird. An das wagnerische Vorbild läßt höchstens die Stimme des Nachtwächters in der Szene I,7 denken. — Im KUHREIGEN verbirgt sich unter dem harmlosen Titel eigentlich eine große Revolutionsoper, deren dramatischen Ansprüchen Kienzls Musik aller-

---

[7] Annals of Opera, Genf ²1955, Sp. 1184.

dings trotz der Anlehnung an den volkstümlichen Schweizer Kuhreigen und die Marseillaise nicht gewachsen war. — In seiner „musikalischen Komödie in 2 Aufzügen" DAS TESTAMENT (Text vom Komponisten nach Peter Rosegger, Wien 1916) herrscht der gleiche volkstümliche Ton vor wie in den beiden vorausgehenden Werken, sogar noch einheitlicher als dort, so daß sie recht eigentlich als „steirische Volksoper" bezeichnet werden müßte. In jedem Fall hat dieser Komponist sich wohl am konsequentesten und seiner Abkunft am angemessensten von allen seinen Zeitgenossen den Versuchungen der Wagner-Nachfolge entzogen.

Ganz ähnlich wie er verfuhr sein gleichfalls dem Alpenraum entstammender Altersgenosse Ludwig Thuille (1861-1907) in seinen drei Opern THEUERDANK (München 1897), LOBETANZ (Otto Julius Bierbaum, Karlsruhe 1898) und GUGELINE (Bierbaum, Bremen 1901); die beiden letzteren des gleichen Librettisten tragen den Untertitel „Bühnenspiel" und deuten damit schon die Entfernung vom wagnerischen Vorbild an. Sie sind alle drei Märchenopern. LOBETANZ, die erfolgreichste von ihnen, beweist mit ihrer Mischung von gesprochenem Dialog und einem freien Wechsel von dramatischen Szenen mit eingeschobenen liedhaften Gesängen so recht deutlich die Unverbindlichkeit des Untertitels. Von den insgesamt dreizehn Personen sind fünf Sprechrollen, außer dem Titelhelden alle anonym. Der einzige Hinweis auf Wagner (die MEISTERSINGER) findet sich im Text, wo der junge Sänger und Spielmann Lobetanz die aufgeblähten „echten" Sänger verhöhnt; aber auch diese ganze Idee ist ins Volkstümlich-Märchenhafte verkehrt.

Einen in jeder Hinsicht charakteristischen Abschluß dieser Gruppe traditionsgebundener Komponisten von Märchenopern bilden die zahlreichen, alle auch vom Komponisten gedichteten Werke von Siegfried Wagner (1869-1930), deren Reihe mit der Oper in drei Akten DER BÄRENHÄUTER (München 1899) sehr erfolgreich eröffnet wurde. Der Komponist zeigt sich mit diesem mutigen und musikalisch gekonnten Bekenntnis des Wagner-Sohnes zu der anspruchsloseren Gattung als ein würdiger Schüler Humperdincks, nur daß er gegen Ende aufgrund der Erlösungsidee des Textes zum Nachteil des Werkes etwas allzusehr in die Nähe des Vaters gerät. Das gleiche gilt in verstärktem Maße für das viel später entstandene „Märchenspiel in 3 Akten" AN ALLEM IST HÜTCHEN SCHULD (Stuttgart 1917), das textlich durch ein Übermaß an Zauberei um jegliche Wirkung gebracht wird, musikalisch aber die Freude des Komponisten an solider Satzarbeit beweist.

Weniger einheitlich als das Schaffen der genannten Meister zeigt sich das des jüngsten dieser Gruppe, das von Felix von Weingartner (1867-1942), das in buntem Wechsel ernste Opern über Texte der verschiedensten Art und komische Opern enthält, alle von ihm selbst gedichtet. In den ersteren, die, wie z. B. der Einakter KAIN UND ABEL (Darmstadt 1914) mit der mythologischen Ausweitung des biblischen Geschehens beweist, textlich sehr eigene Wege gehen, macht sich der Einfluß Wagners nicht nur im Gebrauch von Leitmotiven, sondern auch in deren Gestaltung selbst bemerkbar, in den letzteren sucht der Komponist hingegen gerade mit Hilfe des textlichen Gegensatzes auch musikalisch seine Selbständigkeit zu beweisen. — Die komische Oper in drei Akten DAME KOBOLD (Text nach Calderon, Darmstadt 1916) ist z. B. eine geschickt geformte moderne opera buffa, in der arioses Wechselgespräch und geschlossene Formen im Dienste der raffinierten Gleichzeitigkeit gegensätzlicher Geschehnisse pausenlos ineinandergreifen.

Daß die Periode der Circumpolaren im engeren Sinne so ganz abseits ihrer trotz vereinzelter gegensätzlicher Versuche hoch pathetischen Grundhaltung enden sollte, zeigt, daß sie sich selbst überlebt hatte. Der Grund hierfür lag in ihrer einheitlich retrospektiven Ausrichtung auf den „Pol" hin, die, ungeachtet so mancher bedeutender Leistungen, vorwärtsweisende Neuerungen nicht aufkommen ließ. Zum andern ist diese festgefügte, lange Tradition aber auch durch die Neugestaltungen, die ihr viele Meister aus den beiden folgenden Jahrzehnten angedeihen ließen, nie ganz abgebrochen worden. Vielmehr lassen auch die bedeutsamsten unter ihnen ihre Herkunft aus ihr klar erkennen, während andere in ihrem Schatten den alten Weg wenig verändert fortgesetzt haben. So bieten die Opernbühnen von den 1880er Jahren an bis weit in das 20. Jahrhundert hinein zunächst noch ein relativ herkömmliches, spätestens aber von Straussens SALOME (1905) an ein zunehmend irritierendes Bild.

Einer der ältesten führenden Vertreter dieser Komponisten-Gruppe war Eugen d'Albert (1864 — 1932), ein unmittelbarer Altersgenosse von Richard Strauss. Sein umfangreiches Opernschaffen umfaßt Werke der verschiedensten Gattungen, darunter die spritzigen und erfolgreichen einaktigen Lustspiele DIE ABREISE (Text von Ferdinand Graf Sporck, Frankfurt 1898) und FLAUTO SOLO, eine friderizianische Satire von Hans von Wolzogen (Prag 1905), ferner die durch wirkungsvolle hymnische Gesänge herausragende musikalische Tragödie in einem Aufzug KAIN (Text von Heinrich Bulthaupt, Berlin 1900) und die gleichfalls nur aus Prolog und einem Akt bestehende DIE TOTEN AUGEN (aus dem Französischen übersetzt von Hans Heinz Ewers, Dresden 1916), die textlich wie musikalisch dem „Musikdrama in einem Vorspiel und zwei Aufzügen" TIEFLAND (Text von Rudolf Lothar, Prag 1903) trotz des weiten zeitlichen Abstands nahesteht. Daß nur dies eine Werk seinen Schöpfer überlebt hat, dürfte mit dem starken Zug zur Trivialität zusammenhängen, der allen seinen Opern anhaftet, der aber in dieser durch die konsequente Verwendung überaus charakteristischer Leitmotive für die gegensätzlichen Sphären und deren Vertreter und die damit erreichte musikdramatische Einheit in den Hintergrund gedrängt wird. Aufgrund der beiden zuletzt genannten Opern gilt d'Albert als ausgesprochener Vertreter des „Verismo" in Deutschland. Dazu wären von seinen späteren dramatischen Werken trotz des Untertitels „Legendenspiel" noch MAREIKE VON NYMWEGEN (Text von Herbert Alberti, Hamburg 1923) und das Musikdrama DER GOLEM (Text von Ferdinand Lion, Frankfurt 1926) zu nennen.

Sein durch das geniale Erfolgswerk TIEFLAND begründeter Ruf als „Verist" hob d'Albert, der sich musikalisch-stilistisch auch darin noch ganz auf dem Boden der Wagner-Nachfolge bewegte, aus dem Kreise der zeitgenössischen Opernkomponisten heraus.

Ruhende, mehr traditionsgebundene Pole darin bilden dagegen die Werke einer Reihe von sehr fruchtbaren Opernkomponisten, an deren Spitze Max von Schillings (1868—1933) steht. Seine ersten beiden Opern, INGWELDE (Text von Graf Sporck, Karlsruhe 1894) und die „heitere Oper" DER PFEIFERTAG (derselbe Librettist, Schwerin 1899) lassen als weltanschaulich geprägtes Erlösungsdrama bzw. als heiteres Bekenntnis zur Erneuerung der Kunst schon textlich eindeutig das Vorbild Wagners erkennen. Musikalisch sind es „Große", von Leitmotiven durchzogene, ausgesprochen „circumpolare" Opern, denen kein Erfolg beschieden war. Schillings' dritte Oper, die „musikalische Tragödie" MOLOCH (Text frei nach dem Fragment von Friedrich Hebbel von Emil Gerhäuser, Dresden 1906), steht mit ihrem bald priesterlichen, bald verzückten Pathos, der überwiegenden Verwendung von Motiv-Steigerungen und der großartigen Verarbeitung des allgegenwärtigen Moloch-Motivs in der Nachfolge des TRISTAN, während er mit seiner letzten „Oper in 2 Akten" MONA LISA (Text von Beatrice Dovsky, Stuttgart 1915) textlich, nicht zum Vorteil des Werkes, den Sprung zum Verismus vollzogen hat, dessen outriert krassen Gegensätzen[8] seine gut „gemachte", aber etwas eintönige Musik nicht gewachsen war.

Gleichfalls nicht zu neuen Ufern führen die zahlreichen Bühnenwerke von Paul Graener (1872 — 1944). Von seinen beiden Opern in drei Akten auf Texte von Otto Anthes, DON JUANS LETZTES ABENTEUER (Leipzig 1914) und THEOPHANO (München 1918) ist die erste aufgrund der textlichen wie musikalischen Konsequenz, mit der das tragische Schicksal des Titelhelden in den Mittelpunkt gestellt wird, die wirkungsvollere, während die letztere trotz vorwiegend feierlicher Gemessenheit in einem Übermaß sich ständig überkreuzender Leidenschaften ertrinkt. Erfolgreich

---

8 Hans Heinz Stuckenschmidt, Neue Musik (Berlin 1951, S. 113) bezeichnet den Text als „kinohaft effektvoll".'

war zu ihrer Zeit auch die heitere Oper SCHIRIN UND GERTRAUDE (Ernst Hardt, Dresden 1920), wohingegen sich der Komponist mit HANNELES HIMMELFAHRT (nach Gerhart Hauptmann, Leipzig 1927) und DER PRINZ VON HOMBURG (nach Kleist, Berlin 1935) gegenüber den literarischen Originalen nicht zu behaupten vermochte. Graeners bekannteste Oper FRIEDEMANN BACH (Text von Rudolf Lothar, nach dem gleichnamigen Roman von Ernst Brachvogel, Schwerin 1931) verdankt ihre Berühmtheit dem Text, der, selbst schon geschmacklos, den Komponisten auch noch zu bachischen und pseudobachischen Zitaten verleitete.

Wenigstens dem Namen nach noch bekannt ist die „Romantische Oper in 2 Aufzügen" NOTRE DAME von Franz Schmidt (1874 — 1939; Text nach Victor Hugo vom Komponisten und Leopold Wilk, Wien 1914), textlich mit einer Häufung von Schrecklichkeiten ein typischer Abkömmling der französischen Romantik, musikalisch eine Große Oper im Stil der Zeit mit einer Fülle von ausgedehnten Orchester-Sätzen innerhalb des dramatischen Zusammenhangs, auch als Träger pantomimisch dargestellter Szenen, musikdramatisch durchkomponiert, aber ohne herausragende circumpolare Züge.

Unter den jüngsten dieser „Spät-Circumpolaren" seien noch Georg Vollerthun (1876 — 1945) und Julius Weismann (1879 — 1950) erwähnt. Vollerthun läßt mit seiner „Musiktragödie" ISLANDSAGA (Text von Bertha Thiersch, München 1925), wie schon die Stoffwahl zeigt, auch musikalisch mit großem orchestralen Aufwand und einer etwas verschwommenen Leitmotivik deutlich das Vorbild Wagners erkennen, in der „heiteren Oper" DER FREIKORPORAL (Text, nach einer Novelle von Gustav Freytag, von Rudolf Lothar, Hannover 1931) stellt er dagegen durch geschickte Verwendung von einfallsreicher, verschiedenartiger Tanz- und pompöser Marschmusik die gegensätzlichen Atmosphären des sächsischen und des preußischen Hofes einander mit einer gelegentlich an Trivialität streifenden Deutlichkeit gegenüber. — Weismann begann sein Bühnenschaffen mit einer Märchenoper (SCHWANENWEISS, Oper in drei Akten nach dem Märchenspiel von August Strindberg, Duisburg 1923) und beschloß es mit einer heiteren Oper (DIE PFIFFIGE MAGD von Ludwig Holberg, Leipzig 1939). Auch für die ernsten dramatischen Werke dazwischen benutzte er fast ausschließlich Texte bedeutender Autoren, vor allem von Strindberg. In SCHWANENWEISS macht er zur Wiedergabe der Märchenatmosphäre häufig Gebrauch vom Wechsel zwischen gesprochenem Dialog, kurzen liedhaften oder auch pantomimischen Abschnitten und einem an der „unendlichen Melodie" ausgerichteten ariosen Gesprächston. Alle Akte haben kurze Vorspiele mit eigenen Grundmotiven, von denen vor allem das des II. Aktes mehrfach leitmotivisch wiederholt wird. Im übrigen ist der Komponist stilistisch wie zeitlich dem Einfluß Wagners schon gleich weit entrückt, ohne jedoch dem damaligen unverbindlichen Typ der deutschen Oper eigene Züge aufgesetzt zu haben.

Werke dieser sich mehr oder weniger selbständig und ohne wesentliche Ergebnisse mit dem zentralen Stilproblem auseinandersetzenden Spät-Circumpolaren bildeten bis ins erste Viertel des 20. Jahrhunderts hinein die Grundlage des deutschen Opernrepertoires. Auch unter ihnen aber befanden sich Meister, die einer Stellungnahme dadurch grundsätzlich aus dem Wege gingen, daß sie sich auf heiter-volkstümliche oder märchenhafte Gegenstände beschränkten und auf diese Weise Erfolge errangen. Zu ihnen zählen vor allem Leo Blech (1871 — 1958) und Julius Bittner (1874 — 1939). Blech, ein Schüler Humperdincks, hat den inhaltlich schlichten Märchenton seines Lehrers in seiner dreiaktigen Märchenoper ALPENKÖNIG UND MENSCHENFEIND (nach Ferdinand Raimund von Richard Batka, Dresden 1903; als RAPPELKOPF neu bearbeitet, Berlin 1918) aufgrund des einfallsreichen Textes hintergründig durch den Wechsel von Tragik und Komik, von volkstümlicher Liedhaftigkeit und geschickter Verwendung ausdrucksvoller Leitmotivik aufgelockert und modernisiert. In seinem Einakter VERSIEGELT (Text nach Ernst Benjamin Salomon Raupach von Richard Batka und Alexander Sigmund Pordes-Milo, Hamburg 1908) bildet seine Musik durch glänzende Situations- und Personencharakteristik mit dem Witz und der Ironie des an sich harmlosen Gegenstandes eine harmonische Einheit. Die erste Oper des Österreichers Julius Bittner, DIE ROTE GRET (Text vom Komponisten, Frankfurt 1907) zeichnet sich hie und da durch österreichisch-volkstümliche, eingängliche Gesänge aus, doch ohne daß diese uncharakteristisch-naive Musik in den dramatischen Zusammenhang einbezogen würde, während in dem Einakter DAS HÖLLISCH GOLD (Text wie oben, Dresden 1916) Text und Musik durch musikalische Personencharakterisierung zu einer echt opernhaften Einheit verschmolzen sind.

Eine Sonderstellung innerhalb der Oper des beginnenden 20. Jahrhunderts nehmen die Werke von Ferruccio Busoni (1866—1924) und Ermanno Wolf-Ferrari (1876—1948) ein, beide grundverschieden voneinander, aber beide durch ihre italienisch-deutsche Blutmischung neben dem italienischen auch eng dem deutschen Geist verbunden. Bei Busoni hat dieser sogar eindeutig die Oberhand gewonnen. Nicht nur, daß der Komponist sich in seinen theoretischen Schriften wie in seinen sämtlich selbst verfaßten Operntexten ausschließlich der deutschen Sprache bediente — er begann sein Opernschaffen auch mit einem Text nach E. T. A. Hoffmann, der BRAUTWAHL (Hamburg 1912), und beschloß es mit dem DOKTOR FAUST nach dem alten Puppenspiel (die Komposition nach seinem Tode ergänzt von seinem Schüler Philipp Jarnach; Dresden 1925). Die dazwischen entstandenen und 1917 zusammen in Zürich uraufgeführten kurzen Opern TURANDOT (nach Carlo Gozzi) und ARLECCHINO („ein theatralisches Capriccio") bedienen sich zwar einer italienischen Vorlage bzw. italienischer Typen, sind aber keine echten italienischen Opern, sondern mehr Betrachtungen eines zwischen den Nationen stehenden Meisters über jene Gattung im allgemeinen und in ARLECCHINO über das Wesen der opera buffa im besonderen. Busonis dramatisches Hauptwerk DOKTOR FAUST bildet die Krönung all seiner die Oper betreffenden Bestrebungen. Er charakterisiert es in seiner opernästhetischen Schrift *Von der Einheit der Musik* (Berlin 1922) treffend, wenn er schreibt: „An das alte Mysterium anknüpfend, sollte diese Oper zu einer unalltäglichen, halb-religiösen, erhebenden, dabei anregenden und unterhaltsamen Zeremonie sich gestalten ..." Musikalisch zeichnen sich alle Werke durch die Verbindung von Busonis alles durchdringender glänzender Satzkunst mit dem inhaltsbedingten Wechsel verschiedener Klangflächen und einer melodisch wie rhythmisch und vor allem harmonisch abwechslungsreichen Tonsprache im Ganzen aus, doch war der Meister als Opernkomponist vielleicht allzusehr „von des Gedankens Blässe angekränkelt", als daß er bei einem breiteren Publikum hätte Widerhall finden können.

Wolf-Ferrari ist als Opernkomponist weit mehr Italiener als Busoni, obwohl auch er, wie jener, die zweite Hälfte seines Lebens in Deutschland verbracht hat. Er begann, wie ein deutscher Opernkomponist, in der Wagner-Nachfolge Humperdinckscher Prägung mit einer deutschen Märchenoper, ASCHENBRÖDEL, jedoch in italienischer Sprache (LE CENERENTOLA, Venedig 1900). Dann führte ihn seine hier schon streckenweise hervorgetretene, ausgesprochen buffoneske Begabung zu einer Neubelebung und Modernisierung der alten opera buffa. Mit seinen musikalisch spritzigen und einfallsreichen Werken dieser Gattung, in denen anfangs — z. B. in den beiden Goldoni-Komödien LE DONNE CURIOSE (*Die neugierigen Frauen*, München 1903) und I QUATTRO RUSTEGHI (*Die vier Grobiane,* München 1906) sowie in dem Intermezzo IL SEGRETO DI SUSANNA (*Susannens Geheimnis*, München 1909) — das leichtbeschwingte Rezitativ von zahlreichen meist liedhaften, oft auch volkstümlichen Weisen durchsetzt ist, während die beiden späten „commedie liriche", IL CAMPIELLO (*Der kleine Platz*; Mailand 1936) und LA DAMA BOBA (*Das dumme Mädchen;* Mailand 1939) mehr wie durchkomponierte Konversationsstücke wirken, errang er seine größten Erfolge. Seine italienisch-deutsche Doppelnatur zeigt sich besonders deutlich in dem Nebeneinander dreier ernster Opern, den veristische Züge aufweisenden GIOIELLI DELLA MADONNA (*Der Schmuck der Madonna*, Berlin 1911) und in deren Gefolge der kraß-veristischen Oper SLY (Mailand 1927, Dresden 1928) und der Legende DAS HIMMELSKLEID (München 1927) auf einen eigenen deutschen Text. — Im Ganzen war also mit Wolf-Ferrari ein Deutscher künstlerisch vorwiegend zum Italiener geworden, während mit Busoni ein Italiener ganz zum Deutschen geworden war — ein Zeichen für die zunehmende Annäherung der Nationalstile im 20. Jahrhundert.

Auf dieser weit gefächerten Grundlage des deutschen Opernrepertoires erschienen noch vor der Jahrhundertwende, gleichsam tastend, bereits die ersten Versuche von führenden Angehörigen der neuen Generation, die der Oper in der ersten Hälfte des 20. Jahrhunderts ihren Stempel aufdrücken sollten: 1894 GUNTRAM (Text vom Komponisten) von Richard Strauss und 1895 DER ARME HEINRICH (Text von James Grün nach Hartmann von der Aue) von Hans Pfitzner. Die beiden Werke sind, so wenig sie sich an Bedeutung mit dem späteren Schaffen ihrer Autoren messen können, stilistisch in verschiedener Hinsicht von besonderem Interesse: Zum einen zeigen sie beide eindeutig die circumpolare Herkunft ihrer Schöpfer, zum andern weisen sie trotz dieser Übereinstimmung nicht minder deutlich auf die im Laufe des Schaffens beider Meister immer stärker hervortretende grundsätzliche Verschiedenheit zwischen ihnen hin. Circumpolar, d. h. wagnerisch, sind vor allem die Texte, in denen beiden in mittelalterlichem Rahmen eine Erlösungsidee im Mittelpunkt steht, musikalisch ist es die ausgiebige Verwendung von charakteristischen Leitmotiven, die das Orchester in dichtem Geflecht durchziehen und ihm vielfach ein Übergewicht über die Singstimmen einräumen. Auffallend ist in beiden Opern auch die an Wagner gemahnende häufige Gruppierung ganzer Akte um ausgedehnte Monologe herum. Besonders eindringlich auf Wagner hin weist dabei in der Mitte des I. Aktes von Pfitzners Oper die lange Erzählung des Ritters Dietrich von seiner Reise nach Salerno, deren Parallele zu Tannhäusers berühmter „Romerzählung" unverkennbar ist, obwohl gerade dadurch der große Unterschied zwischen den beiden Meistern als Dramatiker hervorgehoben wird: Während die Romerzählung als verzweifelter Ausdruck von Tannhäusers Schuldgefühlen unmittelbar aus dem dramatischen Zusammenhang erwächst, ist die Erzählung Dietrichs nur eine zwar wirkungsvoll die Spannung auf das Ergebnis erhöhende, aber dramatisch durchaus entbehrliche Zutat. Ähnlich dramatisch überflüssig, wiewohl eine musikalisch hinreißende Visitenkarte, ist in GUNTRAM der lange Gesang des Helden an den Frieden, der den Mittelpunkt des II. Aktes bildet. Diese beiden Gesänge können, so verschieden sie inhaltlich sind, auch rein musikalisch als Prototypen für die allgemeine stilistische Haltung der beiden damals noch am Anfang ihrer Laufbahn stehenden Komponisten angesehen werden. Beide begannen gleichermaßen als überzeugte Circumpolare und waren Meister ersten Ranges, aber während Strauss seiner glänzenden musikalischen Erfindungskraft und seinem Gefühl für dramatische Effekte ungehemmt die Zügel schießen ließ und damit seine großen Wirkungen erreichte, steht in Pfitzners Oper mehr ein ernstes, bekennerisches Streben im Vordergrund, das mitunter mit dem Bemühen um eine Vermeidung jeder anscheinenden Effekthascherei fast die unmittelbare künstlerische Wirkungskraft der Stücke behindern konnte.

Hatten sich die beiden Komponisten in diesen ihren Erstlingswerken trotz charakteristischer Unterschiede doch textlich wie musikalisch weitgehend noch auf ein und demselben „circumpolaren" Boden bewegt, so tat sich mit ihren zweiten, annähernd gleichzeitig erschienenen Bühnenwerken, Pfitzners „Romantischer Oper in zwei Akten, Vor- und Nachspiel" DIE ROSE VOM LIEBESGARTEN (Text von James Grün, Elberfeld 1901) und Straussens heiterem „Singgedicht in einem Aufzug" FEUERSNOT (Text von Ernst von Wolzogen, Dresden 1901) die ganze Kluft auf, die ihr Opernschaffen von da an trennen sollte. Enge Beziehungen zu Wagner bestehen zwar noch in beiden Werken, aber während Pfitzner, inhaltlich dem Meister eng verbunden, die Erhabenheit von dessen Ideenkunstwerk durch eine Fülle von symbolischen Beziehungen in mystische Schwärmerei einhüllte, der er musikalisch durch lyrische Ruhepunkte in Gestalt von stimmungshaften geschlossenen Formen Halt verlieh, kleidete Strauss zusammen mit seinem Librettisten, dem Gründer des Münchner „Überbrettls", schon textlich ein handgreifliches Bekenntnis zu Wagner in eine Persiflage von dessen Ausdrucksweise und parodierte selbst wagnerische Motive durch ihre

Verwendung in einer betont trivialen Umgebung. Von besonderer Bedeutung ist auch in diesem Werk ein umfangreicher, textlich wie musikalisch hervorragender Sologesang des Helden Kunrad, in dem Strauss sich selbst als Schüler und Erbe Wagners zu erkennen gibt, obwohl die Persiflagen und Parodierungen recht eigentlich beweisen, daß er, trotz Leitmotivik und an die MEISTERSINGER gemahnende Atmosphäre, hier, wenn auch noch unsicher, erstmals sich selbst gefunden hatte.

Von hier an, da beide Meister die circumpolaren Bindungen endgültig abgeworfen hatten, trennten sich ihre Wege. Strauss wandte sich alsbald und fast ausschließlich weiterhin der Opernkomposition zu, während Pfitzner die Opernbühne nur noch sporadisch betrat. Seine „Spieloper in 2 Akten" CHRISTELFLEIN (nach einer Dichtung von Ilse von Stach umgedichtet vom Komponisten, entstanden 1906), ein problembelastetes kindliches Singspiel, und seine selbstgedichtete „Musikalische Legende in 3 Akten" PALESTRINA erschienen beide erst 1917. In dieser Oper, einem höchst persönlichen künstlerischen Bekenntniswerk, erweist sich der Meister als Dichter dem Komponisten ebenbürtig. Der Text stellt die verinnerlichte Welt des schöpferischen Künstlers in den beiden Außenakten dem lärmenden, gewalttätigen Treiben der Außenwelt gegenüber, dem der ganze zweite, auf dem Konzil zu Trient spielende Akt gewidmet ist — ein textlich wie musikalisch ungeheuer wirkungsvoller, wiewohl rein statischer Kontrast, da der Dichter bewußt eine von den Ideen künstlerischen Schaffens getragene „Legende" und kein Drama schaffen wollte. Mit dieser metaphysischen Ausrichtung des Textes und dessen musikalischer Wiedergabe im Zeichen von Tristan-Harmonik und Leitmotivik ist Pfitzner sich selbst und seinem Vorbild Wagner, aber mit besonders eigener Prägung treu geblieben. Der musikalische Grundgehalt des ganzen Werkes ist, ähnlich wie im ARMEN HEINRICH und im CHRISTELFLEIN, in den instrumentalen Vorspielen zu den drei Akten konzentriert, die gelegentlich auch im Konzertsaal auftauchen und das Übergewicht Pfitzners des Instrumentalkomponisten über den Vokalkomponisten erkennen lassen. — Erst 14 Jahre nach der Legende erschien Pfitzners nächste und letzte Oper DAS HERZ, „Drama für Musik in 3 Akten" (Text von Hans Mahner-Mons, Berlin und München 1931), auch dies ein — fast exzentrisches — von Leitmotiven durchsetztes Ideenkunstwerk voller gewichtiger Massenszenen wie die ROSE VOM LIEBESGARTEN, in dem aber inhaltsentsprechend dramatisch-musikalische Gesprächsszenen eine größere Rolle spielen als dort. Auch dieses Werk kann sich jedoch trotz seiner vor allem harmonisch moderneren Haltung an künstlerischer Bedeutung so wenig mit PALESTRINA messen wie die früheren Opern des Komponisten.

Strauss hatte sich, während das Schwergewicht seines Schaffens auf dem Gebiet der instrumentalen Tondichtung lag, mit dem Einakter FEUERSNOT gleichsam nicht stilistisch, wohl aber geistig von Wagner frei geschrieben. Nunmehr trat von dem einaktigen „Drama" SALOME (Text vom Komponisten nach der deutschen Übersetzung des Dramas von Oscar Wilde, Dresden 1905) an die Oper in den Mittelpunkt seines Interesses, und er selbst wurde für die nächsten drei Jahrzehnte zum Beherrscher der deutschen Opernbühne (und nicht nur von dieser). Er brachte in diesem Zeitraum 9 Opern heraus (4 davon in den ersten Jahren, 1905 — 1912, ebenso viele in den letzten, 1924 — 1935, mitten zwischen ihnen, 1919 das symbolträchtige Riesenwerk DIE FRAU OHNE SCHATTEN, und als wiederum vierteiliger Nachklang dann noch die 3 Einakter DER FRIEDENSTAG und DAPHNE, beide 1938 sowie CAPRICCIO, 1942, und die dreiaktige „heitere Mythologie" DIE LIEBE DER DANAE, 1944). Seine Herrscherstellung verdankte er jedoch nicht dem Umfang dieses opus, sondern in erster Linie der Souveränität, mit der er sein ebenso allseitig solides wie genial-raffiniertes Musikantentum in den Dienst des jeweiligen dramatischen Zusammenhangs stellte, d. h.: Letztlich ausschlaggebend für das Neue, das er brachte und durch das es ihm gelang, wenigstens innerhalb der *deutschen* Oper erstmals nach Wagner eine neue „Ära" zu schaffen, war sein neues, enges und eigenwilliges Verhältnis zum Text. Es waren gewiß Glücks-, aber keine Zufälle, daß er für die Werke seiner großen Zeit Dichter vom Range eines Hofmannsthal und (zu letzt) eines Stefan Zweig fand, daß die Briefwechsel zwischen ihm und ihnen zu einer Fundgrube für die Erkenntnis der Opernästhetik und der Ästhetik des Librettos jener Zeit werden konnten und daß es dann bei den Texten des Nachklangs, wo solche Dichter fehlten, zu harten Kämpfen kam[9].

Diese literarische Neigung des Musikers zeigt sich bereits in SALOME, wo er sich zum ersten Mal, an einem ebenbürtigen Text, ganz mit dem in ihm steckenden Dramatiker identifizieren konnte. Was ihn an dem Drama Wildes besonders anzog, war zweifellos die ständig spürbare, übersteigerte „Atmosphäre" — einerseits die exotisch-orientalische des Hofes von Herodes, die die zunehmend leidenschaftlich-perverse der Titelheldin einschließt, andererseits die asketisch-wuchtige des Jochanaan, beide musikalisch wiedergegeben durch rufartig kurze, charakteristisch verschiedene Leitmotive, durch den Gegensatz zwischen einer bis zur Atonalität aufgelockerten und einer klar diatonischen Harmonik und durch die raffinierte Verwendung eines gewaltigen Orchester-Apparates. Grundsätzlich bewegen sich diese stilistischen Merkmale der Komposition noch ganz auf dem Boden des wagnerischen Musikdramas, und doch tritt diese technisch-formale Abhängigkeit weitgehend hinter dem neuen Geist zurück, in dessen Dienst sie schon in dieser ersten echten Strauss-Oper steht. Ausschlaggebend hierfür und damit zugleich für die Ratlosigkeit, die das Werk bei seinem Erscheinen zunächst hervorrief, war die Unbekümmertheit, mit der sich Strauss hier über jegliche Konvention hinwegsetzte. SALOME paßte musikdramatisch in kein Schema hinein, sie war schlechthin etwas Neues, jedoch nicht als Neubeginn von Straussens reifem Opernschaffen insgesamt, sondern nur unmittelbar gefolgt von einem einzigen Schwesterwerk, der gleichfalls einaktigen Tragödie ELEKTRA (Dresden 1909), die die Zusammenarbeit des Komponisten mit Hugo von Hofmannsthal einleitete. Zum Verhältnis der beiden Opern zueinander äußerte Strauss, ELEKTRA verhalte sich zu SALOME „wie der vollendetere, stileinheitlichere ‚Lohengrin' zum genialen Erstlingswurf des ‚Tannhäuser'", und dann fügt er hinzu: „Beide Opern stehen in meinem Lebenswerk vereinzelt da; ich bin in ihnen bis an die äußersten Grenzen der Harmonik, psychischer Polyphonie ... und Aufnahmefähigkeit heutiger Ohren gegangen"[10]. Selbst im Zusammenhang mit diesen so weit in die Zukunft weisenden Werken also findet er noch eine Parallele zu Wagner, und andererseits hebt er deren Trennung von seinem späteren Schaffen ausdrücklich hervor, wie überhaupt das ganze Œuvre seiner 15 Opern mit seinem unregelmäßigen und häufig abrupten Wechsel von Ernst und Scherz sicherlich mehr als lockere Folge von Geniestreichen denn als systematisch erdachtes Ganzes aufzufassen ist. ELEKTRA allerdings ist SALOME schon rein vom Grundproblem her so eng verbunden, daß Strauss selbst ursprünglich daran gezweifelt hatte, ob er „ein zweites Mal die Steigerungskraft hätte, auch diesen Stoff erschöpfend darzustellen"[11]. Das Ergebnis dieses Wagnisses waren dann nicht nur schlechthin zwei verschiedene, hervorragende Opern, sondern vor allem ein sich ergänzendes Paar von grundverschiedenen Auseinandersetzungen mit ein und demselben unendlich vielschichtigen Problem unheimlicher Tiefenpsychologie, das eben durch diese doppelte Beleuchtung erst in seinem vollen Umfang faßbar wird. Sein Träger ist in beiden Fällen die jeweilige Titelheldin, seine musikdramatische Wiedergabe wird durch ihren Charakter und durch die „Atmosphäre" bedingt, die sie umgibt bzw.

---

9 Briefwechsel: Richard Strauss/ Hugo von Hofmannsthal. Im Auftrag von Franz und Alice Strauss herausgegeben von Willi Schuh, Zürich [4]1970. — Richard Strauss/ Stefan Zweig, herausgegeben von Willi Schuh, Frankfurt 1957. — Richard Strauss/ Clemens Krauss, ausgewählt und herausgegeben von Götz Klaus Kende und Willi Schuh, München 1963. — Richard Strauss/ Joseph Gregor. Im Auftrag der Wiener Philharmoniker herausgegeben von Roland Tenschert, Salzburg 1955.
10 Vgl. Erinnerungen an die ersten Aufführungen meiner Opern, in: Richard Strauss, Betrachtungen und Erinnerungen, herausgegeben von Willi Schuh, Zürich [2]1957, S. 230.
11 A. a. O. S. 230.

die sie selbst bestimmt, und auf dieser beruht auch der großartige musikalische Unterschied zwischen den beiden Werken[12].

Hatte sich Strauss in dem früheren im Vollgefühl der Aufgabe, die ihm der anregende, neuartige Text stellte, bemüht, dessen Mannigfaltigkeit mit allen Mitteln seiner Kunst so farbig als nur irgend möglich wiederzugeben, so erwarb er im späteren, nicht zuletzt aufgrund der hierbei errungenen Erfahrungen, die Fähigkeit, mit den gleichen Mitteln eine entgegengesetzte Wirkung hervorzurufen. ELEKTRA sprengt schon textlich durch Hofmannsthals glänzend antikisierende Einkleidung eines ganz modernen Problems den zeitüblichen Rahmen eines Librettos; ihm hat Strauss dadurch Rechnung getragen, daß er durch eine völlige Umorientierung seiner Ausdrucksmittel im Dienste dieses Textes dessen Wirkung noch verstärkte und dadurch seinerseits den damals üblichen Rahmen einer Oper sprengte. Es war kein Wunder, daß das Werk bei der Uraufführung nicht den Erfolg von SALOME erreichte. Die Ausschließlichkeit, mit der es nahezu kontrastlos um die Heldin kreist, die von der ersten bis zur letzten Szene von ihrem Wahn, dem unstillbaren Rachedurst, umgetrieben wird, stellt in der Tat, von Hofmannsthal gedichtet und von Strauss mit den feinsten Mitteln seiner Satztechnik, seiner Instrumentation und seiner auch hier die Grenzen der Tonalität überschreitenden Harmonik ausgedeutet, auch heute noch an den Hörer bonae voluntatis gewisse Anforderungen.

Eine Auflockerung des Geschehens, aber zugleich auch einen Höhepunkt des Grauens stellt die Szene zwischen Elektra und Klytämnestra dar, in der Dichter und Komponist die latente Qual der sich verstellenden Titelheldin noch durch die kraß ausgemalte der geängstigten Mörderin übertönen. Echte Gegensätze finden sich in diesem Drama nur wenige, doch sind sie gerade wegen ihrer Seltenheit um so wirkungsvoller. Ihre Verkörperung ist zunächst Elektras Kontrastfigur, ihre etwas farblose Schwester Chrysothemis; eine wirkliche, wenn auch nur kurze Erlösung aber wird der ewig Umgetriebenen nur in der Erkennungsszene mit Orest zuteil, deren auf ausdrücklichen Wunsch des Komponisten um einige lyrische Verse verlängerter Text eine wahrhaft ergreifende Vertonung fand. Es ist gleichsam der harmonische Abschluß von Elektras „menschlichem" Leben, während ihr gewaltiger, sämtliche Leitmotive der Oper zu einem dichten Geflecht zusammenfassender Siegestanz am Schluß nach vollzogener Rache ihr Leben als Rächerin zwangsläufig mit ihrem Tod beendet. Er ist der letzte jener zahlreichen ausgedehnten, vorwiegend programmatischen bzw. tonmalerischen Instrumentalsätze, in denen sich (im Gegensatz zu SALOME) der Komponist der „Tondichtungen" im Werke des Dramatikers bemerkbar macht.

So eindeutig Strauss selbst SALOME und ELEKTRA rein musikalisch von seinem späteren Schaffen abhebt[13], so deutlich offenbart sich die innere Kontinuität, wenn man vom Erscheinen der ELEKTRA am 25. 1. 1909 her die Entstehung des ROSENKAVALIER und den sie begleitenden regen Briefwechsel zwischen den Autoren betrachtet[14]. Nicht nur, daß dieser bereits unmittelbar nach jener Uraufführung, im Februar 1909, einsetzte — er zeigt auch von Seiten des Komponisten eine so fieberhafte Ungeduld und eine so kindliche Freude über alle erhaltenen Textbruchstücke und auf deren Komposition, daß fast eher der Eindruck entsteht, als habe die bedrückende Atmosphäre des soeben vollendeten Werkes die geplante „Spieloper" förmlich aus sich herauskatapultiert.

---

12 In einem Brief an Strauss vom 27.4.1906 umschreibt Hofmannsthal den Unterschied zwischen den Atmosphären mit den treffenden Worten: „bei der ‚Salome' soviel purpur und violett gleichsam, in schwüler Luft, bei der ‚Elektra' dagegen ein Gemenge aus Nacht und Licht, schwarz und hell" (Gesamtausgabe des Briefwechsels, Zürich ³1964, S. 19).
13 S. oben S. 310.
14 Vgl. hierzu Hugo von Hofmannsthal/ Richard Strauss: Der Rosenkavalier. Fassungen, Filmszenarium, Briefe, herausgegeben von Willi Schuh. Frankfurt (Main) ²1972.

Daß auch dem Dichter eine solche Deutung nicht ganz fern gelegen hat, geht aus seinem Brief vom 26.3.1909 an Harry Graf Kessler, seinen vertrauten Freund und künstlerischen Berater, hervor, in dem es heißt: „Ich hoffe, ich kann eine gewisse Einwirkung auf ihn [Strauss] nehmen, dass er auch sich von Salome und Elektra energisch differenziert"[15]. So wären denn der ROSENKAVALIER (und sicher auch die ein Jahr danach entstandene ARIADNE), nur mit entgegengesetzten Vorzeichen, Reaktionen auf den künstlerisch-psychischen Überdruck jener beiden Einakter und damit zugleich deren Ergebnisse. Der Briefwechsel zwischen Komponist und Dichter, der anhand des ROSENKAVALIER einen ersten Höhepunkt erreichte, zeigt aufs Eindringlichste, wie wohltuend Strauss die Lösung aus jener Welt pervertierter Leidenschaften empfand. Gleichzeitig aber benützte er sie zu einer stilistischen Wandlung in Gestalt einer Abkehr von der reinen Wagner-Nachfolge, innerhalb derer sich SALOME und ELEKTRA ja zumindest technisch noch bewegt hatten, durch eine inhaltsentsprechende Annäherung an die „Nummern-Oper" des 18. Jahrhunderts. Auf dieser Verbindung zweier jeweils meisterhaft gehandhabter Stilprinzipien beruht zu einem guten Teil der besondere und bleibende Erfolg dieses Werkes, in dem der die Operngeschichte des 19. Jahrhunderts beherrschende Zwiespalt auch äußerlich überwunden worden war. Am handgreiflichsten zeigt sich dieser Rückgriff in dem Komplex des volkstümlichen Schlußduetts der jungen Liebenden und in der, freilich nur als Einlage fungierenden, Arie des „Tenors" im I. Akt, dann aber, noch weit bedeutungsvoller, in der „Atmosphäre", die auch diese Oper erfüllt und der es gelingt, die beiden tragenden Figuren der Handlung, die Marschallin und den Baron Ochs von Lerchenau, trotz ihrer Grundverschiedenheit gleichermaßen zu umschließen: die Wiener Atmosphäre, musikalisch verkörpert durch den Walzer in seiner ganzen charakteristischen Vielseitigkeit, dessen Rhythmus auch ganzen Dialogszenen zugrundeliegt. — Selbstverständlich war mit diesem Stil eine Rückkehr zur Tonalität und einer weniger aufwendigen Orchester-Besetzung verbunden, doch ohne daß die Musik, wie allein schon die leitmotivischen dissonanten Akkorde der silbernen Rose zeigen, deswegen an Anschaulichkeit und Kühnheit verloren hätte.

Der Gesangsstil bewegt sich im ROSENKAVALIER zwischen leichtem, quasi rezitativischem Konversationston und einer ariosen Ausdrucksweise, die sich bei Äußerungen seelischer Erregung unversehens bis zu blühender Melodik steigern kann. Als Beispiele hierfür seien die große Soloszene der Marschallin aus dem I. Akt und der Höhepunkt der Oper, die Szene der Rosenüberreichung im II. Akt, angeführt. In beiden, wie in der Oper insgesamt, deutet der von charakteristischen Leitmotiven durchsetzte, oft durchsichtige Orchestersatz mehr versteckt (wie im ersten) oder greifbar (wie im zweiten Beispiel) den Gefühlsgehalt der jeweiligen Situation aus.

Die Befriedigung, die Komponist und Dichter beim ROSENKAVALIER an ihrer Zusammenarbeit empfunden hatten, führte unmittelbar nach dessen Uraufführung zu einem neuen Plan, über dessen vielschichtige Problematik, die ihn schließlich fast ganz zu Fall brachte, der Briefwechsel wieder ausführlich berichtet. Nach unendlichen, vor allem aufführungstechnischen Schwierigkeiten kam die von Hofmannsthal ursprünglich als „kleine Zwischenarbeit" konzipierte Oper ARIADNE AUF NAXOS auf seine Anregung hin, aber auch mit freudiger Zustimmung des Komponisten, als Anhang („zu spielen nach dem *Bürger als Edelmann* des Molière") zu seiner Bearbeitung des französischen Dramas 1912 in Stuttgart heraus. Abgesehen vom Erfolg der Uraufführung brachte dieses Experiment, eine Nachahmung der von Molière und Lully im 17. Jahrhundert geschaffenen Zwittergattung des „comédie-ballet", den erfolgsverwöhnten Autoren seitens des verblüfften Publikums wenig Anerkennung. Nach langen brieflichen Debatten fand schließlich Hofmannsthal dadurch, daß er resolut „die widernatürliche Verkuppelung des Toten mit dem Lebendigen"[16] lö-

---

15 A. a. O. S. 229.
16 Brief vom 3.6.1913 (Briefwechsel S. 234).

ste, indem er das ganze Drama durch ein knappes, spritziges, vorwiegend im Konversationston gehaltenes „Vorspiel auf dem Theater" ersetzte, einem für das Werk Straussens hoch befriedigenden Ausweg: die Bühnenmusik zu der Komödie *Der Bürger als Edelmann* (1918) und die später (1920) daraus zusammengestellte Orchester-Suite *Der Bürger als Edelmann* kamen gesondert heraus, die Wirkung der Oper selbst aber kam erst jetzt richtig zur Geltung und wurde durch den Gegensatz des nicht minder echten „anderen" Strauss des Vorspiels noch erhöht. In dieser ihrer neuen, endgültigen Gestalt erschien ARIADNE AUF NAXOS „Neue Bearbeitung. Oper in einem Aufzuge nebst einem Vorspiel von H. von Hofmannsthal. Musik von R. Strauss" dann erst am 4.10.1916 in Wien. In ihr sind auch die letzten der in der ersten Fassung noch vorhandenen Beziehungen zum Drama Molières, vor allem die nunmehr stillosen Zwischenbemerkungen im großen Monolog der Ariadne, weggefallen, ebenso ist die Schlußszene zwischen Zerbinetta und ihren Gefährten, die zu der Melodik der Ouvertüre zum *Bürger als Edelmann* mit einer Pantomime des Jourdain endet, elegant durch Zerbinettas kurzen, diskret-ironischen Kommentar („Kommt der neue Gott gegangen ...") ersetzt.

Der einzigartige Reiz dieses Werkes besteht in der im Vorspiel humorvoll angeregten und bereits beziehungsvoll vorweggenommenen Verquickung von menschlich unvereinbaren, jedoch textlich wie musikalisch gerade durch ihre Gegensätzlichkeit glänzend ausdeutbaren Anschauungen über das Problem der Treue. Dadurch bot der Dichter auf geistvolle Weise dem Komponisten die Gelegenheit, auf engstem Raum seine Meisterschaft im Rahmen einer hoch pathetischen und einer unbeschwert heiteren Sphäre zu beweisen. Stilistisch hat sich Strauss hier so weit von der Wagner-Nachfolge entfernt und sich, darin seinem Dichter folgend, so eindeutig auf den Boden der „Nummern-Oper" gestellt, daß die Begriffe „Secco" und „Arie", ja „Seria" und „Buffa" in ihrem Briefwechsel eine ganz selbstverständliche Rolle spielen. Daß dabei keine Stilkopie, sondern eine echt „straussische" Oper zustandegekommen ist, zeigen sowohl das abwechslungsreiche, ironisch getönte „Secco"-Gespräch des Vorspiels als auch die Vielfalt der „Arien", die das Wesen der Oper selbst ausmachen. Sie ist textlich wie auch musikalisch ein weder an ästhetischer Vollendung noch an realer Anschaulichkeit zu übertreffendes Abbild zweier diametral entgegengesetzter menschlicher Verhaltensweisen, stilistisch gesehen eine inhaltlich bedingt vielfach ironische Auseinandersetzung zwischen blühendem Seria- und geistreichem Buffastil. Beide sind von charakteristisch kontrastierenden Leitmotiven durchzogen, die schon im Vorspiel aufgestellt werden. Ariadne und Zerbinetta sind als menschliche Kontrahenten gleichsam ins Mythologisch-Theatralische versetzte Parallelen zu dem realistisch-wienerischen Gegenpaar Marschallin — Ochs, nur daß sie diese Funktion zugleich, mit teilweise ironischem Beigeschmack, als ausgesprochene Vertreterinnen ganz bestimmter gegensätzlicher Rollenfächer, der „Hochdramatischen" und des „Koloratursoprans", erfüllen. Beide sind von ihnen entsprechenden Gefolgsleuten umgeben, wobei die drei Nymphen, die Ariadne mitleidig beobachten, als Naturgeister lediglich die „Atmosphäre" verkörpern, während die vier Buffotypen, die Zerbinetta begleiten, darüber hinaus vereinzelt persönliche Züge tragen.

Die Buffosphäre ist für Ariadne gleichsam gar nicht vorhanden, obwohl sie an Umfang der der Seria annähernd gleichkommt und die berühmte Koloraturarie der Zerbinetta im Mittelpunkt der Oper steht. Dafür erhalten ihre Gestalten nicht zuletzt durch den Anteil, den sie an Ariadnes Schicksal nehmen, erst recht eigentlich dramatisch-musikalisch ihr persönliches Gepräge, ohne daß jedoch durch ihre verschiedenen täppisch-gemütvollen Trostversuche, die zugleich die große Soloszene der Titelheldin am Anfang der Oper übersichtlich unterteilen, deren durch das Übermaß des Schmerzes versteinerte Haltung ins Lächerliche gezogen würde. In ihrer eigenen, die Zerbinetta-Arie umschließenden großen Szene tritt der mehr lyrisch-gefühlvolle Ton, wie ihn beispielsweise Harlekin in tiefster Bewegung in seinem Lied „Lieben, Hassen, Hoffen, Zagen" in jener Anfangsszene anschlägt und wie ihn die Nymphe Echo aufnimmt, dagegen ganz hinter ihrer ureigensten Buffosprache zurück. Sie erscheint zunächst mit leicht ironischem Einschlag (in f-Moll!) in einem scharf deklamatorisch beginnenden homophonen, dann aufgelockertem vierstimmigen Satz; darauf folgt (in F-Dur!) ein ausgedehntes gegensätzliches Ensemble, in dem sich die vier Gesellen quasi kanonisch jeweils mit dem Leitmotiv der Sphäre immer wieder von Neuem zum Tanzen und Singen auffordern. Es steuert seinem Höhepunkt zu, sobald Zerbinetta beginnt, sich erst daran zu beteiligen, dann aber vor allem ihre Bewunderung für die vier Tänzer zu äußern. Doch abrupt dreht sie das Rad des Geschehens zurück, sobald sie Ariadnes ablehnende Haltung erkennt, und bringt nach und nach die zunächst unentwegt weiter Tanzenden und Singenden mit annähernd der gleichen Weise, mit der sie sie zunächst bewundert hatte, zur Ruhe. Die Stimmen verflüchtigen sich so allmählich, wie sie sich zu Beginn des Ensembles zusammengefunden hatten, und machen so bedeutungsvoll den Weg für Zerbinettas eigenen Versuch frei, zu Ariadne vorzudringen. Diese „Rezitativ und Arie" überschriebene Nummer ist der Inbegriff einer genialen modernen Buffo-Parodie — „Parodie" einmal historisch gesehen als Seria-Arie in buffoneskem Zusammenhang, dann aber auch innerhalb der Oper selbst als ironisch übertriebene Anpassung der Komödiantin an die Welt der Prinzessin, wobei die Sängerin je länger je mehr zugleich mit einer Übersteigerung des Koloraturenreichtums aus der Rolle fällt. Diese Arie wie überhaupt die gesamte Buffo-Sphäre hatte Strauss in der ersten Fassung der Oper noch wesentlich ausführlicher behandelt, so auch die ausgedehnte und sehr abwechslungsreiche, an die Arie anschließende dramatische Ensemble-Szene, in der Zerbinetta die vier Männer zum Besten hält, bis sie schließlich mit einem Liebesduett in Gesellschaft von Harlekin verschwindet und die Szene mit abgerissenen Rufen der drei herumtappenden Betrogenen verklingt.

Ruckartig erfolgt dann die Rückkehr in die Ausgangssphäre, die hier textlich wie musikalisch durch den strahlenden, geheimnisumwobenen jungen Gott Bacchus geprägt wird und zu der das Menschlich-Allzumenschliche (abgesehen von der „leisen und diskreten" Bemerkung Zerbinettas am Schluß)[17] keinen Zugang mehr hat. Seine Ankunft, seine Herkunft und seine ganze Geschichte werden in einer langen Szene der drei Nymphen in Gestalt eines von seiner eindrucksvollen Motivik getragenen aufgelockerten Terzetts, in Cis-Dur beginnend, gemeldet und dargestellt. Damit tut sich gleichsam akustisch wie optisch eine andere, glänzendere und geheimnisvolle Welt auf, in der sich Ariadnes Erstarrung zuletzt löst. Anfangs ist das Zusammentreffen der beiden Gestalten allerdings von Mißverständnissen beschattet. Bacchus' umfangreicher Auftrittsgesang, dessen beide Teile von einem Refrain und einem zweimal eingeschobenen Terzett der Nymphen zusammengehalten werden, während Ariadne nur quasi entrückt zu kurzen Einwürfen fähig ist, zeigt ihn noch ganz im Banne seines Erlebnisses mit Circe, und er hält daher auch Ariadne für eine Zauberin. Sie aber glaubt, er sei der langersehnte Todesgott. In diesem Zeichen steht textlich wie musikalisch ihr erstes Zusammentreffen, getragen von dem lockenden Motiv des Gottes und dem feierlichen der todesbereiten Ariadne. Sie finden sich schließlich im Bewußtsein gegenseitiger Anverwandlung in der die Oper beschließenden Liebesszene zusammen, die von dem hinter der Bühne erklingenden „atmosphärischen" Nymphenterzett eingeleitet wird.

Wie in diesem Schlußteil, so bewahrheitet sich in allen Sphären dieser Oper, wie konsequent und souverän Strauss die allererste Anregung seines Dichters zu einer Oper „für kleines Kammerorchester"[18] in die Tat umgesetzt hat. Es ist, gerade auch durch die Beteiligung von tonmalerisch verwendbaren Instrumenten wie Harfe, Celesta und Harmonium, stets der Durchsichtigkeit des Satzes angemessen, während zur Begleitung der Rezitative traditionsgemäß das Klavier herangezogen wird.

---

17 Vgl. oben S. 313.
18 Vgl. Brief vom 20.3.1911, Briefwechsel S. 112.

Daß nur drei Jahre nach der neuen Fassung der ARIADNE, im Jahre 1919, die FRAU OHNE SCHATTEN (die Strauss selbst in einem Brief an den Dichter[19] einmal als „romantische Oper" bezeichnet hat) herauskommen konnte, ja, daß die beiden Werke, wie der Briefwechsel zeigt, sogar weitgehend nebeneinander (und neben dem Ballett JOSEPHSLEGENDE) entstehen konnten, zeigt aufs Neue und in verstärktem Maße Straussens schier unersättliches Bedürfnis, seine musikdramatische Meisterschaft an gegensätzlichen Inhalten zu erproben. Daß sein Dichter dem mit gleicher librettistischer Meisterschaft ganz bewußt Rechnung trug, war so lange eine Gnade des Schicksals, als die Grundverschiedenheit ihrer Naturen sich vorwiegend positiv auf ihre Zusammenarbeit auswirkte. Der sich insgesamt über sechs Jahre (1911 — 1917) erstreckende Briefwechsel über jene große Oper läßt nun mit besonders vielen eingehenden Debatten über Einzelheiten vor allem des Textes trotz zahlreicher begeisterter Äußerungen des Komponisten erkennen, daß die beiden Autoren sich hier einer Grenze gegenseitigen Verständnisses näherten: Strauss, der geniale Musikdramatiker, vermochte wohl dem hervorragenden Librettisten, nicht aber dem genialen Dichter Hofmannsthal zu folgen, der das Märchen von der FRAU OHNE SCHATTEN gleichzeitig mit dem Libretto auch weit über dessen literarisches Niveau hinaus als ausgedehnte Novelle behandelt hatte. Als Libretto erschien es mit dem im Mittelpunkt stehenden Geist (der Kaiserin), der durch Mitleid zur Erlösung gelangt, auf dem Boden eines pseudo-wagnerischen Ideendramas im übersteigert prunkvollen Gewand einer großen, romantischen Oper, und nur so konnte der Komponist es auffassen, denn nur so war es der Musik — zumindest der seinigen — zugänglich. Der Briefwechsel verrät, daß er den Zwiespalt deutlich erkannte und schmerzlich empfand[20], aber er löste die schwere Aufgabe im Vollgefühl seiner in den Werken des vergangenen Jahrzehnts erreichten unverwechselbaren Eigenständigkeit instinktiv durch eine Rückwendung zu der der Wagner-Nachfolge verpflichteten großen Oper, die er in seinen beiden letzten Opern bewußt überwunden hatte. Über einem dichten Geflecht von teils personen-, teils ideegebundenen, meist nur kurzen Leitmotiven im Orchester ergehen sich die Singstimmen charakterisierend bald in scharf deklamiertem, dramatischem Sprechgesang, der nicht selten an den Stil der ELEKTRA gemahnt, bald in kantablen, mehr lyrischen Wendungen, und in ähnlicher Weise wird auch der Gegensatz zwischen dem symphonischen Orchester der ELEKTRA und dem kleinen Kammerorchester der ARIADNE zur musikalischen Symbolisierung des bunten Geschehens verwendet. An zwei dramatischen Höhepunkten (am Ende des II. Aktes, als offenbar wird, daß die Frau des Färbers keinen Schatten mehr wirft, und gegen Ende des dritten, als die Kaiserin ihre Schuld gegenüber dem Kaiser erkennt) greift Strauss zur Verstärkung der Wirkung sogar kurz zum gesprochenen Wort.

Im Ganzen hat der Komponist in diesem großen, in der Mitte seines Opernschaffens stehenden Werk den Verzicht auf die bisher beglückt empfundene, enge geistige Verbundenheit mit dem „Librettisten" durch eine Synthese seines eigenen Stils ersetzt, die zur Zeit der Uraufführung der FRAU OHNE SCHATTEN (am 10. Oktober 1919 in Wien) angesichts der sich bereits deutlich ankündigenden stilistischen Wandlungen auf der Opernbühne insgesamt als letzte, krönende Synthese der alten Gattung wirkte.

Strauss selbst ging jener Entwicklung zunächst dadurch aus dem Wege, daß er, gleichsam als Entspannung nach der Auseinandersetzung mit dem symbolträchtigen Stoff, mit der „bürgerlichen Komödie mit sinfonischen Zwischenspielen in 2 Aufzügen" INTERMEZZO (Dresden 1924) auf das anscheinend ganz aus dem Rahmen fallende Gebiet der opera buffa auswich. Aber auch hier erstrebte er, wie aus dem Vorwort zu dem selbst gedichteten Werk hervorgeht, eine Synthese der verschiedenen Möglichkeiten an Textdeklamation und der danach ausgerichteten Behandlung des

---

19 Vom 28. 7. 1916, Briefwechsel S. 354.
20 Vgl. die vorige Anmerkung.

Orchesters von der ARIADNE bis zur FRAU OHNE SCHATTEN. Die stilistische Einheit seines Schaffens blieb also auch bei dieser, von ihm von vornherein nur als vorübergehend betrachteten Trennung von Hofmannsthal gewahrt, und zudem bewies das kleine Konversationsstück, so anspruchslos und zuweilen „hemdsärmlich" es sich gibt, daß der Komponist auch ohne den Dichter und auf einer anderen Ebene gleichfalls ein hintergründiger Experimentator, ja Problemsucher sein konnte. — Das Eigenartige dieser „bürgerlichen Komödie" besteht textlich in dem autobiographischen Inhalt, der besonders in ihrer Entstehungszeit Aufsehen erregte, musikalisch aber vor allem in der ungewöhnlichen Rollenverteilung von Vokal- und Instrumental-Musik: Die Handlung spielt sich in einem ihr angemessenen, lockeren, abwechslungsreichen, vom Orchester stets zurückhaltend gestützten und gelegentlich auch einfach in gesprochenen Dialog übergehenden, sachlichen Gesprächston ab, während die zwölf teilweise sehr ausgedehnten Orchester-Zwischenspiele, die ihr in jeder Hinsicht ebenbürtig sind, unter Verwendung entsprechender Leitmotive jeweils das Milieu der Situationen und die Stimmung von deren Trägern umschreiben. Somit könnte das Werk auch noch in einem übergeordneten Sinne als große Synthese von Straussens gesamtem Schaffen angesehen werden, das mit Tondichtungen begann und im Reiche der Oper endete.

Innerhalb der künstlerischen Schicksalsgemeinschaft Strauss-Hofmannsthal stellte INTERMEZZO (zusammen mit dem kurz vorher herausgekommenen Ballett SCHLAGOBERS) in der Tat nur ein „Zwischenspiel" dar, denn noch während der Entstehung dieser Werke beginnt im Briefwechsel der Gedankenaustausch über ein neues gemeinsames Unternehmen, das vor allem dem Dichter zunächst als „ein wenig freches Lustspiel" vor Augen schwebte — eine Anregung, die Strauss in der Hoffnung auf eine Anknüpfung an den deklamatorischen INTERMEZZO-Stil gerne aufnahm. Was ihm aber in diesem Werk soeben geglückt war, machte der Dichter durch die Wahl eines „heroischen Stoffes" von vornherein unmöglich: DIE ÄGYPTISCHE HELENA (Dresden 1928) wurde „ein Ehedrama modernster Psychologie im Geist und Gewand einer mythologischen Oper" (Willi Schuh), und so überrascht es nicht, daß Hofmannsthal selbst sie in einem späteren Brief schlicht als „romantische Oper" bezeichnet[21]. Das ist sie auch wirklich und zwar im wahrsten Sinne des Wortes, d. h. im Gegensatz zum „Musikdrama". Strauss hat hier die Sphären der schillernden Handlung unter voller Wahrung ihrer Gegensätzlichkeit durch die stark chromatisch gefärbte Kantabilität der vom Orchester betont zurückhaltend und doch zugleich ausdeutend begleiteten Singstimmen in eine Fülle von Wohllaut getaucht wie, nicht nur nach der eindringlich geäußerten Meinung des Dichters, in keiner anderen Oper zuvor. Umgekehrt hatte der Text aber auch ihn besonders stark animiert. Daß gerade dieses Werk der größten Übereinstimmung seiner beiden Autoren zugleich ihr erfolgsloses werden sollte, wirft ein bezeichnendes Licht auf die Bedeutung, die gerade die große Verschiedenheit ihrer beiden Naturen für ihr gemeinsames Schaffen besessen hat[22]. Dabei darf allerdings nicht vergessen werden, daß die „romantische Oper" sich in der unmittelbaren zeitlichen Nachbarschaft von Werken wie beispielsweise Alban Bergs WOZZEK (1925), Paul Hindemiths CARDILLAC (1926) und Kurt Weills DREIGROSCHENOPER (1928) seltsam genug und trotz der in ihr enthaltenen harmonischen Kühnheiten etwas retrospektiv ausgenommen haben wird.

Im Gegensatz dazu haben die beiden Meister dann mit ihrer letzten gemeinsamen Arbeit, der „lyrischen Komödie" ARABELLA (Dresden 1933) ihre Herrscherstellung auf der deutschen Opernbühne noch einmal unbestritten zurückgewonnen. Sicherlich hat das Fehlen von so bedeutenden

---

21 Briefwechsel S. 531.
22 Eine inhaltlich gestraffte und teilweise von Strauss neu komponierte Fassung der Oper wurde 1933 in Salzburg aufgeführt.

Werken der jüngeren Generation wie den drei oben genannten in der zeitlichen Umgebung der ARABELLA dabei eine Rolle gespielt, wesentlicher für ihren großen Erfolg aber dürfte für die Autoren selbst wie für das Publikum ihr Charakter als „Rosenkavalier redivivus" gewesen sein, in dem die Jugendfrische des Originals noch einmal durch den Schleier der in zwei Jahrzehnten dichterischer, dramaturgischer und musikalischer Erfahrungen erworbenen reifen Meisterschaft hindurchscheint. — Der Briefwechsel zwischen den beiden Autoren über dieses Werk begann wiederum längst vor der Uraufführung des vorigen und gestaltete sich von Anfang an genau so lebhaft und so instruktiv für beide Seiten wie seinerzeit beim ROSENKAVALIER. Er wurde jedoch jäh durch Hofmannsthals plötzlichen Tod am 15. Juli 1929 unterbrochen, als der Text zwar vollständig vorlag, Strauss jedoch noch nichts komponiert und der Gedankenaustausch der beiden sich im wesentlichen nur auf den I. Akt beschränkt hatte. So konnte das Werk trotz seiner Vollendung schicksalsbedingt nicht den höchsten Grad der Makellosigkeit erreichen, den beide Autoren mit Recht von ihm erwartet hatten. Letzten Endes hat dann Strauss allein dadurch, daß er den, den Inhalt der Oper recht eigentlich charakterisierenden Gegensatz zwischen dem nonchalanten Milieu der dekadenten Wiener Aristokratie und der erfrischend natürlichen Ausstrahlung des jungen Landedelmannes Mandryka musikalisch in den jeweils personenbedingten Wechsel zwischen dem im INTERMEZZO aufs Höchste verfeinerten, hier meist von Walzerrhythmen im Orchester getragenen Konversationston und dem dem Komponisten schon seit SALOME in steigendem Maße zur Verfügung stehenden Ton eines verklärten, hymnischen Pathos einhüllte, der ARABELLA den ihr als Synthese der nunmehr abgeschlossenen, einmaligen Gemeinschaftsarbeit mit dem verstorbenen Dichter gebührenden Platz gewonnen. Der besondere Reiz der Titelheldin besteht dabei darin, daß sie beiden Sphären angehört, wodurch dann auch im II. Akt der große, auf einem bloßen Mißverständnis beruhende Tumult zustandekommt. Bezeichnend für diese ihre Mittelstellung sind vor allem die beiden, ganz der Welt des Mandryka angehörenden südslawischen Volksweisen „Aber der Richtige, wenn's einen gibt" und „Und du wirst mein Gebieter sein", deren erste schon vom I. Akt an leitmotivisch die ganze Oper durchsetzt, während die zweite im II. Akt die Liebesszene des Paares als Duett abschließt und beide zusammen dann den beziehungsvollen orchestralen Abschluß der ganzen Oper bilden.

Daß bereits zwei Jahre nach der „lyrischen Komödie" ARABELLA, am 24. Juni 1935, die „komische Oper" DIE SCHWEIGSAME FRAU herauskommen konnte, war angesichts der Schwere des Verlustes, den der Tod Hofmannsthals für Strauss bedeutet hatte, überraschend, zugleich aber werfen diese Tatsache und auch das Werk selbst ein bezeichnendes Licht auf das, was den Komponisten an der Zusammenarbeit mit dem Dichter zugleich beglückt und belastet hatte: die selbst in der „Komödie" spürbare, hintergründige Problematik, die in der „komischen Oper" fehlte. Stefan Zweig, von dem deren Text stammte, war zwar auch ein von Strauss hochgeschätzter Dichter, doch vermochte er stärker als Hofmannsthal und aus seiner großen Verehrung gegenüber dem viel älteren Komponisten heraus diese seine Eigenschaft hinter den ganz andersartigen und weit bescheideneren Ansprüchen eines „Librettisten" zurückzustellen, ohne jedoch ganz auf das Durchschnittsniveau eines solchen herabzusinken. Dies alles zeigt sich schon in der Stoffwahl der Komödie *Epicoëne or The Silent Woman* von Ben Jonson, die den Inbegriff einer buntbewegten Buffo-Handlung darstellt. Ausschlaggebend für die große Wirkung dieses Textes auf Strauss und damit für die Oper insgesamt aber ist es, daß die Hauptpersonen am Schluß nicht, wie gattungsüblich, mitleidlos als Genasführte bzw. als Triumphierende nebeneinanderstehen, sondern sich in warmer Menschlichkeit einander nähern. Besonders bezeichnend hierfür sind die drei Finali: Das erste, inhaltlich eine Zusammenfassung der geplanten Komödie, ist ein lärmendes Buffo-Finale von einer Ursprünglichkeit, wie es Strauss weder vorher noch nachher je geschrieben hat, das zweite und dritte sind, entgegen dem Brauch der komischen Oper, dagegen Szenen der Beruhigung, das erstere nur einer in einem geringstimmigen Ensemble verklingenden vorläufigen, während im letzten der von seiner Menschenverachtung geheilte, im Mittelpunkt stehende alte Seebär sich dankbar und erlöst in einem liedhaft-ariosen Solo aufs Neue seines Lebens freut[23]. Zwischen diesen extremen Gegensätzen hat Strauss in dieser Oper stets inhaltsentsprechend vom gesprochenen Wort über ein seccohaftes und arioses Rezitativ zum schlicht volkstümlichen und anspruchsvolleren Lied bis zur Koloraturarie und dazu noch buffa-gerecht unter besonders häufiger Verwendung von vielstimmigen Ensembles alle ihm zur Verfügung stehenden musikdramatischen Möglichkeiten mit gleicher Meisterschaft verwendet. Dazu kamen hier noch besonders häufig musikalische Zitate der verschiedensten Art und ganz zuletzt noch eine „Potpourri" überschriebene Ouvertüre. In dieser vielseitigen Einheitlichkeit schlägt sich die ganze Beglückung nieder, die er, wie seine Briefe zeigen, über das Zusammentreffen mit Stefan Zweig und bei der Beschäftigung mit dieser Oper empfunden hat.

Daß dieses Werk nach seiner erfolgreichen Dresdener Uraufführung wegen des jüdischen Dichters alsbald von deutschen Bühnen verschwinden mußte, ja, daß eine weitere Zusammenarbeit mit diesem sich unter den gegebenen Umständen als unmöglich erwies, bedeutete für den noch immer schaffensfrohen Meister, wie der Briefwechsel mit Zweig bezeugt, eine schwere Belastung. Von jetzt an begann für den Mann, der gewohnt gewesen war, mit „Dichtern" zusammenzuarbeiten, recht eigentlich der Kampf um geeignete Libretti, der als wesentliches Charakteristikum der letzten Opern Straussens, mit Ausnahme des auch textlich weitgehend von ihm selbst gestalteten Konversationsstückes CAPRICCIO, angesehen werden kann. Gewiß lag über ihnen allen auch rein musikalisch der abklärende Schleier der „Alterswerke", doch läßt der Briefwechsel zwischen dem Komponisten und seinem neuen, ihm noch von Zweig empfohlenen Librettisten Joseph Gregor über die Einakter FRIEDENSTAG und DAPHNE (beide 1938) und die „heitere Mythologie in 3 Akten" DIE LIEBE DER DANAE (1944 bzw. 1952) nur allzu deutlich erkennen, daß der Dichter den Anforderungen des Komponisten trotz beiderseitiger großer und zeitraubender Bemühungen nicht gewachsen war. — Der inhaltlich martialische FRIEDENSTAG lag Strauss wenig und scheiterte vor allem auch an der Unzeitgemäßheit des Stoffes schon bald nach der Uraufführung; in der „bukolischen Tragödie" DAPHNE hat der alte Meister dagegen nach einer für ihn typischen psychologischen Vertiefung der Handlung die naturhaft-gegensätzliche Sphäre des antiken Mythos, jeweils am Geschehen orientiert, gleichermaßen in den schillernden Wohllaut seiner reifen Kunst eingehüllt. Das Orchester ist von Leitmotiven durchsetzt, die, eng miteinander verwandt und tristanhaft ineinander verwandelbar, in dem kurzen Vorspiel aufgestellt werden und dann vor allem die Schlußszene der in den Baum verwandelten Daphne beherrschen.

Die beiden letzten Werke von Richard Strauss, dessen Opernschaffen bis dicht an sein Lebensende heranreicht, bieten noch einmal eine Synthese alles dessen, was diesem Schaffen seinen unverwechselbaren Stempel aufgedrückt hatte. Für DIE LIEBE DER DANAE wünschte der Komponist, der Stoff müßte „mit einer gewissen pretiösen Ironie behandelt werden"[24], für CAPRICCIO schwebte ihm an Stelle einer Oper „etwas ganz Ausgefallenes, eine dramaturgische Abhandlung" vor[25]. Hier zeigt sich einerseits der Meister der Zwischentöne, andererseits der Problemsucher, die beide durch die „Dichter" erst überhaupt ermöglicht, dann aber vor allem unterstützt worden waren. Bei der „heiteren Mythologie" DIE LIEBE DER DANAE hat Strauss sein Ziel nur zum Teil erreicht; im Ganzen wird die hie und da spürbare „pretiöse Ironie" von dem, von ihm mit gewohnter Meisterschaft gehandhabten inhaltlichen wie musikalischen Aufwand der „großen Oper" in

---

[23] Vgl. hierzu: Willi Schuh, Richard Strauss und „Freut euch des Lebens", in der Neuen Zürcher Zeitung vom 1.1.1944.
[24] Brief an Joseph Gregor vom 23.6.1936 (Briefwechsel S. 66).
[25] Brief an Clemens Krauss vom 14.9.1939 (Briefwechsel S. 40).

den Hintergrund gedrängt. Als solche erlebte sie 1944 in Salzburg eine als Generalprobe getarnte inoffizielle Uraufführung, der 1952, drei Jahre nach dem Tode des Komponisten, die offizielle folgte.

Doch nicht dieses zuletzt erschienene, anspruchsvolle Werk war das künstlerische Testament des Meisters, sondern, nach seinen eigenen Worten[26], das „Konversationsstück für Musik" CAPRICCIO (München 1942), dessen Text er gemeinsam mit seinem Dirigenten Krauss verfaßte und dem er als einzigem seiner Bühnenwerke ein aufführungspraktisch überaus instruktives Geleitwort vorangestellt hat. Auf die Formulierung des Grundproblems dieses Stückes, das ihn letztlich sein ganzes Schaffen hindurch beschäftigt hatte, den Titel *Prima la musica e poi le parole* eines kleinen Librettos des Abbate Giovanni Battista Casti aus dem Jahre 1786, hatte ihn bereits Stefan Zweig Jahre zuvor hingewiesen — jetzt gelang es ihm in wieder durch den Briefwechsel bezeugtem intensiven Gedankenaustausch mit Krauss, die „dramaturgische Abhandlung" durch eine geschickte, sichtbare Vermenschlichung der im Mittelpunkt stehenden Gegensätze mit dramatischem Leben zu erfüllen. In dieser seiner letzten Oper, die aufgrund des Textes zugleich sein vielseitigstes und raffiniertestes Bühnenwerk geworden ist, findet sich die buffohafte Fülle der Ensembles der SCHWEIGSAMEN FRAU, der leichte Konversationston von INTERMEZZO, die in seinen Werken allgegenwärtige Kantabilität und souveräne Behandlung des Orchesters wieder, alles aber in seiner Wirkung gesteigert und zugleich verfeinert durch die abwägend verzichtende Meisterschaft der Altersweisheit. Die Wirkung dieses Werkes beruht von dem die Ouvertüre bildenden und dann leitmotivisch die ganze Oper durchsetzenden Streichsextett an über die großen Ensembles im weiteren Verlauf bis zu der ausgedehnten, vielsagenden Soloszene der Gräfin am Schluß auf seiner zarten, mitunter hintergründigen und zahlreiche Zitate einschließenden Durchsichtigkeit — ein eindrucksvoller Abschluß eines Schaffens, das fast 40 Jahre zuvor mit SALOME und ELEKTRA auf ganz gegensätzliche Weise gleichfalls neue Wege gewiesen hatte.

# Die deutsche Oper in der ersten Hälfte des 20. Jahrhunderts

Zeitlich zwar noch durchaus in der Ära Strauss stehend, eröffnete die Generation der in den 1870er Jahren geborenen Komponisten stilistisch erst recht eigentlich unter systematischer Verwendung neuer Methoden die Periode der „neuen" Oper des 20. Jahrhunderts. Wegweisend hierfür war das Schaffen der beiden Ältesten unter ihnen, die Opern von Arnold Schönberg (1874-1951) und seinem Lehrer Alexander von Zemlinsky (1871-1942), wobei die früheren Werke des letzteren, beispielsweise die Märchenoper ES WAR EINMAL (Text nach Holger Drachmann von Maxim Singer, Wien 1900) und KLEIDER MACHEN LEUTE (nach Gottfried Keller von Leo Feld, Wien 1910) noch mehr der Tradition verhaftet sind als etwa das „tragische Märchen für Musik" DER ZWERG (frei nach Oscar Wildes *Der Geburtstag der Infantin* von Georg C. Klaren, Köln 1922) oder des Komponisten letzte Oper DER KREIDEKREIS (nach Klabund, Zürich 1933), die die Nähe zur Avantgarde deutlicher spüren lassen.

Schönbergs Beitrag zur dramatischen Musik ist wesentlich weniger umfangreich, dafür aber um so epochemachender, da er mit den insgesamt vier Werken nicht nur drei ganz verschiedene Wel-

---

26 Vgl. den Brief an Clemens Krauss vom 28.7.1941 (Briefwechsel S. 200).

ten erfaßt hat, sondern alle vier musikalisch einer anderen Welt angehören als alles, was bisher im Rahmen des Musiktheaters in Deutschland erschienen war. Auf diesem Wege sind ihm durchaus nicht alle deutschen Opernkomponisten der jüngeren Generation gefolgt, ganz abgesehen davon, daß auch der neben ihm wirkende, jedoch zehn Jahre ältere Strauss sich davon kaum berühren ließ. Im Ganzen hat der Einbruch der Atonalität jedoch überall Spuren hinterlassen, wenn auch nirgends mit solcher meisterhaften Konsequenz wie in Schönbergs Monodram ERWARTUNG (von Marie Pappenheim, entstanden 1909, uraufgeführt Prag 1924) und dem Drama mit Musik DIE GLÜCKLICHE HAND (Text vom Komponisten, entstanden zwischen 1908 und 1913, uraufgeführt Wien 1924). Beide sind reine, minutiöse und dadurch erschütternde Seelengemälde ohne Handlung und Entwicklung, eingehüllt in einen riesigen Orchester-Apparat.

Die Musik selbst und ihre Bedeutung kann nicht knapper und treffender dargestellt werden als mit den Worten Hans Heinz Stuckenschmidts: „Das halbstündige Protokoll dessen, was die Frau der ERWARTUNG im nächtlichen Wald erlebt, gehört zu den ersten Zeugnissen einer Musik, die keine Tonartbindung, keinen Gegensatz von Konsonanz und Dissonanz mehr kennt. Die Partitur ist eine der großen Leistungen des Jahrhunderts, Musik im Zustand permanenter Variation und randvoll neuer Farben, neuer orchestraler und vokaler Entdeckungen"[1]. — Mit der heiteren, gleichfalls einaktigen Oper VON HEUTE AUF MORGEN (Text von Max Blonda, Frankfurt 1930) hat Schönberg den Beweis dafür erbracht, daß eine groteske Satire auf das Alltagsleben gerade in dem aufs Höchste verfeinerten Gewand vollendeter Zwölftontechnik und raffinierter satztechnischer Künste wie z.B. Spiegelkanons die erlesensten musikdramatischen Wirkungen erreichen konnte. — Das letzte Bühnenwerk des Komponisten, die dreiaktige Oper auf einen eigenen Text MOSES UND ARON (Text 1928 entstanden, Komposition 1930-1932 begonnen) ist musikalisch unvollendet geblieben. Es ist ein Ideenkunstwerk gleichsam zwischen Oratorium und Oper von unheimlicher Größe, seine Träger sind Moses, der Mann des Gedankens, und dessen letztlich von ihm besiegter Bruder Aron, der Mann der Tat. Symbolträchtig ist Moses eine genauestens rhythmisierte, „vergeistigte" Sprechrolle, Aron ein „mehr äußerlich" wirkungsvoller Tenor. In der gewaltigen Menge von Solisten und Chören, die sie umgeben, gehen Sprache und Gesang vielfach nacheinander, aber oft auch gleichzeitig, anscheinend beliebig, aber stets inhaltsbedingt ineinander über. Die Partitur ist in ihrer satztechnischen und klanglichen Mannigfaltigkeit überwältigend, was vor allem in der Kraßheit und Lautstärke der Massenszenen um das goldene Kalb in der Mitte des II. Aktes hervortritt; hier liegt auch ein Höhepunkt raffiniertester Instrumentation. Zu einer Komposition des III. Aktes ist es nicht mehr gekommen, aber auch die zweiaktige, d. h. fragmentarische, Überlieferung läßt die in diesem „Oratorium" enthaltene dramatische Kraft erkennen.

In konträrem Gegensatz zu Schönberg, der auf dem Gebiet der Oper mit einem Minimum an Werken systematisch ein Maximum an neuen musikalisch-dramatischen Anregungen gab, bewegte sich der wenig jüngere Franz Schreker (1878-1934) zwar auch mit Hilfe freier Atonalität, jedoch in diesem Rahmen musikalisch-dramatisch noch weitgehend auf dem Boden der Wagner-Nachfolge. Auf eine besonders enge grundsätzliche Verwandtschaft mit Wagner weist die Einheit von Text und Musik hin, mit deren Erörterung Schreker seinen kurzen Aufsatz *Meine musikdramatische Idee*[2] beginnt. Auf diese Weise schuf er einen charakteristischen Opern-„Typus", für den seine erste, erfolgreiche und eindrucksvolle Oper, DER FERNE KLANG (Frankfurt 1912), als wegweisender Auftakt wirkte. So verschieden seine drei rasch nacheinander erschienenen Erfolgsopern (nur seine zweite Oper DAS SPIELWERK UND DIE PRINZESSIN, 1913, erlebte einen Mißerfolg) DER FERNE KLANG (1912), DIE GEZEICHNETEN (Frankfurt 1918) und DER SCHATZGRÄBER

---

1 Hans Heinz Stuckenschmidt, Oper in dieser Zeit, Velber 1964, S. 15.
2 Abgedruckt bei Hans Heinz Stuckenschmidt, Neue Musik, Suhrkamp Verlag 1951, S. 355.

(Frankfurt 1920) im einzelnen auch waren, so erstaunlich stark schließen sie sich in Text und Musik zum Typus eines „fernen", d. h. geheimnisvoll-unheimlichen, in allen Farben kühnster Harmonik und raffiniertester Instrumentation schillernden „Klanges" mit dem Ziel der Wiedergabe übersteigerter erotischer Exzesse zusammen, der seine stärkste Wirkung in den GEZEICHNETEN erreichte, im SCHATZGRÄBER aber durch die als Gegengewicht auftretende stärkere Betonung von Leitmotivik einer- und liedhafter geschlossener Formen andererseits künstlerisch zu seinem Höhepunkt führte. Die späteren Opern Schrekers, darunter IRRELOHE (Köln 1924) und DER SCHMIED VON GENT (Berlin 1932) standen diesem Typ ferner und vermochten sich nicht durchzusetzen.

Trotz der Erfolge von Schrekers frühem Opernschaffen hat es aber die Weiterentwicklung der deutschen Oper in den ersten Jahrzehnten des 20. Jahrhunderts nicht wesentlich beeinflußt. Für die in den achtziger Jahren geborenen Opernkomponisten war vielmehr musikalisch das Vorbild Schönbergs ausschlaggebend, wozu sich dramatisch einerseits eine an Strauss anknüpfende Neigung zu literarisch wertvollen, andererseits zu literarisch nicht minder wertvollen, aber vor allem sozialkritischen Stoffen gesellte. Hier stehen an der Spitze die beiden Schönbergschüler Egon Wellesz (1885-1974) und Alban Berg (1885-1935), von denen der erstere, zugleich ein namhafter Musikforscher, den fortschrittlichen Kompositionsstil seines Lehrers in seinen beiden Opern ALKESTIS (Mannheim 1924) und DIE BACCHANTINNEN (Wien 1931), beide Texte nach Euripides, der erstere von Hugo von Hofmannsthal, dramaturgisch allzusehr in den Schatten der straussischen Antiken-Oper stellte, wo sie sich nicht behaupten konnten. In Alban Bergs beiden Opern WOZZECK (nach Georg Büchners gleichnamigem Drama, Berlin 1925) und LULU (nach *Erdgeist* und *Die Büchse der Pandora* von Frank Wedekind, Zürich 1937) aber erfuhr Schönbergs quasi aphoristisches Opernschaffen durch die Verbindung seiner musikalischen Sprache mit unmittelbar ergreifenden realistischen Inhalten eine wirkungsvolle Steigerung seiner Ausdruckskraft.

In WOZZECK ist schon die den Anforderungen der Musik angemessene Straffung des Büchnerschen Textes durch den Komponisten ein dramaturgisches Meisterwerk. Durch sie wird die literarische Größe des Werkes nicht nur nicht beeinträchtigt, sondern eher noch hervorgehoben. Genau so unauffällig aber hat der Komponist über diese textliche Grundlage ein Netz von musikalischen Formen gezogen, die zwar nachweisbar sind, aber nach dem ausdrücklichen Willen von Berg selbst[3] nicht um ihrer selbst willen bemerkt werden, sondern nur zur Abwechslung dienen sollen. Lediglich an einigen inhaltlich hervorragenden Stellen, wie z.B. in der als „Invention über einen Ton" bezeichneten Mordszene III,2 und der „Invention über einen Rhythmus" in der anschließenden Wirtshausszene III,3 ist die Komposition als unheimlich drohendes Menetekel bzw. als unbeeinflußbare schicksalhafte Motorik jeweils der grauenhaften dramatischen Situation angemessen. Je weniger Bedeutung aber jenen großflächigeren musikalischen Formen für die Wirkung des Werkes insgesamt zukommt, desto stärker wird diese von der kunstvollen Satztechnik, der zwischen freier Atonalität und strenger Zwölftönigkeit schwankenden Harmonik und von einer Instrumentation getragen, die nicht nur durch einen Wechsel der Instrumente selbst, sondern obendrein durch eine fortgesetzte Veränderung von deren Artikulation immer neue Klangwirkungen hervorzaubert. Das gleiche gilt auch für die Verwendung der Singstimmen, die sich je nach dem dramatischen Zusammenhang auf drei verschiedene Arten artikulieren: vorwiegend als reiner Gesang, selten rein gesprochen und häufig als sogenannte „Sprechstimme", einem Mittelding zwischen den beiden zuvor genannten Arten nach dem Vorbild von Schönberg in dessen GLÜCKLICHER HAND. Über die praktische Wiedergabe dieser durch besonders gekennzeichnete Noten notierte schwierige Ausdrucksweise hat sich Schönberg dort ausführlich geäußert. Sehr selten und

---

3 Vgl. Willi Reich, Alban Berg, Wien 1937.

gleichsam nur mehr nebenbei macht Berg auch noch Gebrauch von Leitmotivik, die eben wegen dieser Seltenheit besonders eindrucksvoll wirkt, so vor allem die verminderte Oktave des Titelhelden, die gleichzeitig das auch gedanklich dissonante Grundproblem der ganzen Oper verkörpert.

Wir ar - me Leut!

Bergs zweite (dreiaktige) Oper LULU vermochte trotz gleicher textlicher wie musikalischer Vorbedingungen den Welterfolg des WOZZECK nicht zu erreichen. Dies lag sicher nur zum Teil daran, daß der Komponist die Instrumentation des III. Aktes nicht mehr hatte vollenden können — ausschlaggebend dürfte vielmehr gewesen sein, daß es ihm hier angesichts der Massierung der textlichen Probleme nicht gelungen war, die imponierende Geschlossenheit der früheren Oper zu erreichen. Die Überfülle musikalischen Könnens auf allen Gebieten war hier gleichsam dem dramaturgischen Übermaß zum Opfer gefallen.

Eine ähnliche Vorliebe für literarisch bedeutende Textvorlagen wie überhaupt ein starkes Engagement für die Libretti zeigt sich auch bei den beiden neben und nach Berg führenden jüngeren deutschen Meistern auf der Opernbühne Paul Hindemith (1895-1963) und Carl Orff (1895-1982), die allerdings trotz dieser zeitbedingten Gemeinsamkeit musikalisch wie auch dramaturgisch meilenweit voneinander entfernt sind. Hindemiths Werk erfüllt dieses halbe Jahrhundert nicht nur zeitlich, sondern vor allem auch stilistisch ganz. Es begann mit den zuerst 1922 als Triptychon in Frankfurt aufgeführten drei Einaktern MÖRDER, HOFFNUNG DER FRAUEN (Text von Oskar Kokoschka, Stuttgart 1921), DAS NUSCH-NUSCHI (Text von Franz Blei, ebenda 1921) und SANCTA SUSANNA (Text von August Stramm, Frankfurt 1922), mit denen er mehr durch die provokativen, extrem expressionistischen Texte als durch seine zwar tonal freien, im übrigen aber wirkungsvoll textgebundenen Kompositionen Aufsehen erregte. 1927 und 1929 bekannte er sich mit den komischen Opern in einem Akt bzw. in 3 Teilen auf Texte des Kabarettisten Marcellus Schiffer HIN UND ZURÜCK und NEUES VOM TAGE annähernd gleichzeitig mit Krenek, Weill und selbst Schönberg zu der in jenen Jahren besonders beliebten und aufreizenden Gattung der in erster Linie inhaltlichen Banalitäts-Parodien, wobei das erstere Werk dadurch, daß nicht nur die ganze Handlung, sondern auch die Musik von der Mitte an wieder zurückgespielt wird, ein sehr kunstvolles Experiment darstellt.

Zwischen diesen beiden (überwundenen) Werkgruppen aber erschien Hindemiths dreiaktige Oper CARDILLAC (Text nach E. T. A. Hoffmanns Novelle *Das Fräulein von Scuderi* von Ferdinand Lion, Dresden 1926), dem Text nach ein romantisches Musikdrama, komponiert aber als absolut unpathetische, primär musikalische Nummernoper. Durch die betonte Textferne werden hier einerseits die allgegenwärtige große Kunst der Satztechnik (so vor allem in der Arie der Tochter Nr. 8 mit den konzertierenden Solo-Instrumenten, die sich zuletzt zu einem gewaltigen Solo vereinen, und in der großen Passacaglia, der Szene Nr. 17 vor dem Finale des III. Aktes), andererseits die wenigen ganz von Empfindungen getragenen Sätze, wie z.B. das Quartett am Ende von Nr. 15 und der entrückte Schlußgesang der Oper Nr. 18, besonders hervorgehoben. — Den besten Beweis dafür, wie eng sich Hindemith trotz der scheinbaren „Textferne" auch und gerade in dieser Oper dem Text verbunden fühlte, liefert die Tatsache, daß er das Werk 26 Jahre später, 1952, in einer vor allem textlich veränderten neuen Fassung mit dem bezeichnenden Untertitel „Oper in 4 Akten nach einer Bühnenhandlung von Ferdinand Lion, Text und Musik von Paul Hindemith" herausbrachte. Hier hat er sich von der weder der Opernbühne noch der Textvorlage angemessenen dramaturgischen Enthaltsamkeit der früheren Fassung geschickt dadurch frei gemacht, daß er zwar die Zahl der Akte durch das Zitat aus einer Oper Lullys um eine vermehrte, damit aber zugleich auch durch eine neue Charakterisierung der Hauptpersonen das Grundproblem des Textes, das verantwortungsvolle Selbstbewußtsein, das den Künstler über den Durchschnittsmenschen erhebt, heller beleuchtet. Außerdem hat er die Gelegenheit benutzt, um die dramaturgisch gänzlich nichtssagende Figur eines Goldhändlers zu beseitigen und die Gestalt des Gesellen intensiv in die Handlung zu integrieren. —

Bei dieser großen textlichen Verschiedenheit überrascht die weitgehende musikalische Übereinstimmung; beide Fassungen zeichnen sich durch besonders zahlreiche, satztechnisch kunstvoll gestaltete, dramatisch bedingte Ensembles und Chöre aus, die Motivik ist in reichem Maße von mitunter quasi ostinaten Phrasenwiederholungen durchsetzt, so daß ein Vergleich zwischen ihnen wie das Nebeneinander einer geistvollen Skizze, eines gelungenen Experiments und eines farbig getönten Gemäldes anmutet.

Zwischen diesen beiden Fassungen, 1938, und kurz nach der zweiten, 1957, trat Hindemith mit seinen beiden letzten Opern hervor, die trotz des weiten zeitlichen Abstands zwischen ihnen eine enge geistige Verwandtschaft zeigen. Die Texte zu der „Oper in 7 Bildern" MATHIS DER MALER (Zürich 1938) und der „Oper in 5 Aufzügen" DIE HARMONIE DER WELT (München 1957) stammen vom Komponisten selbst, ihre große Bedeutung und zugleich die Problematik vor allem des späteren Werkes beruhen auf der engen Verknüpfung erhabenster metaphysischer Werte mit dem höchsten Grauen des Weltgetriebes und der Stellung des Genies zwischen diesen Gegensätzen. Dem MATHIS liegen gleichsam als geistiges Leitmotiv die Tafeln von Matthias Grünewalds Isenheimer Altar zugrunde, deren weite Spanne der Komponist musikalisch ebenbürtig ausdeutet, von der musikalisch-technischen wie ausdrucksmäßigen Meisterschaft des „Engelskonzerts" im Vorspiel an, auf das das 6. Bild als Begleitung einer schlichten Liedweise des Mathis zurückgreift, über den sich im 2. Bild anbahnenden und im Quintett der gegnerischen Hauptpersonen gipfelnden Glaubensstreit, die krasse Wiedergabe der Rache der Bauern im 4. und die quälenden Erscheinungen bei der Versuchung des heiligen Antonius im 6. Bild bis zum Tod der kleinen Regine wieder zu den Klängen des Engels-Chorals und endlich zu den ganz stillen, vergeistigten, nur von einem Cis-Dur-Akkord gefolgten Abschiedsworten des Mathis. Auf diese Weise ist der Gesamteindruck dieser Oper trotz der Farbigkeit des Geschehens im Einzelnen der einer monumentalen Einheit; nicht ohne Grund ist sie deshalb von so manchen Betrachtern in die Nähe des Oratoriums gerückt worden — ob mit Recht, muß dem Urteil eines jeden Einzelnen und vor allem auch der Auffassung der Interpreten überlassen bleiben. Grundsätzlich dürfte der opernhafte Charakter des Werkes allerdings nicht zu bezweifeln sein — sind doch die tragenden Figuren, vor allem der Held, sein bäuerlicher und sein geistlicher Gegenspieler Schwalb und Albrecht von Brandenburg und die weibliche Hauptrolle, Ursula Riedinger, ausgeprägte Charaktere.

Ganz anders liegen die Dinge dagegen trotz aller geistigen Verwandtschaft mit MATHIS bei Hindemiths letzter Oper DIE HARMONIE DER WELT. Auch hier steht eine große Gestalt der deutschen kulturellen Vergangenheit, der große Astronom und Mathematiker Johannes Kepler, im Mittelpunkt, dessen Leben sich durch seine Tätigkeit am kaiserlichen Hof in Verbindung mit der Weltpolitik ganz anders als dasjenige des Malers Mathis im Lichte der Öffentlichkeit abspielte und dessen mathematisch-astronomisches, ja letztlich philosophisches Schaffen im Glauben an eine zu erstrebende (aber nicht erreichbare) „Harmonie der Welt" mündete. Diesen äußerlich unendlich vielgestaltigen, ideenmäßig aber nur schwer faßbaren Stoff überzeugend auf die Opernbühne zu bringen, war, auch und gerade an dem geringfügig spürbaren Zwiespalt des MATHIS gemessen, eine nahezu unlösbare Aufgabe, obwohl Hindemith geschickt (ähnlich wie bei der „Vision" am Ende von Nr. 9 der zweiten Fassung des CARDILLAC) mehrfach, z.B. in der Friedhofszene des I. Aktes, wo oberhalb der Bühne plötzlich der Kaiser und Kepler erscheinen, am Anfang des III. Aktes, wo die Mutter Katharina und Susanna in zwei verschiedenen Zimmern gleichzeitig aus der Bibel lesen, und im V. Akt, wo der sterbende Kepler sich von seinem armseligen Lager aus vergeblich bemüht, sich bei der ein Kriegslied singenden Versammlung der Kurfürsten im Regensburger Rathaus bemerkbar zu machen, von der Möglichkeit des Übereinanderschiebens gleichzeitig stattfindender Szenen Gebrauch gemacht hat. — Zu der Fülle des Stoffes und der ihn tragenden Personen kommt noch erschwerend deren astrologische Doppeldeutigkeit hinzu, durch die sie allerdings nach Keplers Tod und einem von einem kontrapunktischen Orchestersatz eingeleiteten, gleichfalls kontrapunktischen choralartigen Chor charakterisiert und damit nachträglich gerechtfertigt werden. Dies alles geschieht in der kunstvollen Gestalt einer Passacaglia unter Beteiligung der Tierkreiszeichen. Sie alle vereinen sich, auf die verschiedensten Ensembles verteilt, nach Überwindung aller Zwietracht zum Preis der Schöpfung, der „Harmonie der Welt". Dieses gigantische Schluß-Tableau geht über alles hinaus, was Hindemith je zuvor auf die Bühne gestellt hatte, und sprengt im Grunde deren Möglichkeiten. Treffend bezeichnet es Stuckenschmidt[4] als „halb symphonische, halb oratorienhafte Bilderfolge".

Ist Hindemith mit seinem reichhaltigen, sein ganzes Leben erfüllenden Opernschaffen textlich den verschiedensten Richtungen gefolgt und hat er am Ende äußerlich die Grenzen der Gattung gesprengt, so hat er doch immer, selbst in der „Musizieroper" CARDILLAC (I), wenigstens rein technisch-formal das Gleichgewicht zwischen Text und Musik gewahrt, das die Oper zur Oper macht. Demgegenüber versuchte sein Altersgenosse Carl Orff, sicherlich veranlaßt durch sein erstes großes Erfolgswerk, die „Cantiones profanae" CARMINA BURANA (Frankfurt 1937), zu beweisen, welch große Wirkungen mitunter gerade durch die Störung dieses Gleichgewichts etwa durch das Überhandnehmen einer stereotypen Rhythmik oder Melodik oder einer hemmungslos dahinfließenden Deklamation erreicht werden können. Das zeigt sich schon in seinen beiden volkstümlich-märchenhaften Einaktern DER MOND. EIN KLEINES WELTTHEATER (München 1939) und DIE KLUGE. DIE GESCHICHTE VON DEM KÖNIG UND DER KLUGEN FRAU (Frankfurt 1943). In den anspruchsvolleren Opern der Folgezeit aber, DIE BERNAUERIN, EIN BAIRISCHES STÜCK (Text ebenfalls vom Komponisten, Stuttgart 1947) sowie in den beiden Trauerspielen des Sophokles von Friedrich Hölderlin ANTIGONAE (Salzburg 1949) und ÖDIPUS DER TYRANN (Stuttgart 1959) gerät dieses Prinzip bei aller verschiedenartigen Großartigkeit im Einzelnen nicht selten in die Gefahr, zu Tode gehetzt zu werden. In der BERNAUERIN weist schon der eigenartige Untertitel „ein bairisches Stück" auf die Zwischenstellung des „Stücks" zwischen derb volkstümlichem, gesprochenem Drama und einer Musik hin, die nur als Widerhall dient, sofern die Worte nicht von deren hemmungslosen Rhythmen gleichsam wehrlos hinweggeschwemmt werden. Text und Musik stehen einander weitgehend beziehungslos gegenüber, weswegen die Apotheose der als Koloratursopran die Oper beschließenden Heldin über Chor und vollem Orchester mit drei großen Tam-Tam hinter der Bühne eine überraschende Wirkung erreichen dürfte.

Weit einheitlicher und daher überzeugender ist der Eindruck der beiden Antiken-Dramen, obwohl auch sie, wie DIE BERNAUERIN, den Charakter von Experimenten nicht verleugnen können und auch in ihnen die Gefahr der Übertreibung naheliegt. Der Hauptreiz dieser Musik beruht auf der abwechslungsreichen Instrumentation sowie auf der genauen Bezeichnung der Artikulation in den Singstimmen. Das Schwergewicht liegt also nicht auf der Komposition selbst, sondern, wie unendlich viele entsprechende Zusätze (etwa „senza speranza", „con passione", „amoroso", „triste e solenne" usw.) oder auch Punkte, Striche oder Keile in raschem Wechsel über den Noten zeigen, auf deren Wiedergabe. Wenn alle derartigen Vorschriften genau befolgt werden, muß es ohne jegliche übliche opernhafte Effekte zu einer auf eine Annäherung an den antiken Geist abgestimmten erschütternden Schilderung des grausigen Geschehens kommen können.

---

4 Oper in dieser Zeit. Europäische Opernereignisse aus vier Jahrzehnten, Velber 1964, S. 25.

Merkwürdig retrospektiv wirkt unter den auf jeweils ganz verschiedene Weise zu neuen Ufern strebenden Werken von Berg, Hindemith und Orff das Opernschaffen des nur wenig jüngeren Erich Wolfgang Korngold (1897-1957), dessen Erfolgswerk, die Oper in drei Akten DIE TOTE STADT (Paul Schott nach Georges Rodenbach, Hamburg und Köln 1920), mit ihren textlich wie musikalisch kraßen Kontrasten ausgesprochen veristisch anmutet. Ihr spontaner Erfolg läßt das Fortleben der Tradition erkennen, doch blieb er für die Weiterentwicklung der Gattung ohne Bedeutung.

Hatten die die Opernbühnen der Zeit beherrschenden Komponisten von D'Albert, Strauss und Pfitzner an bis zu Hindemith und Orff teils eng mit ihren Librettisten zusammengearbeitet, teils ihre Texte (oft nach bedeutenden Vorlagen) selbst geschrieben, immer aber im wesentlichen selbst den Ton angegeben, so wurde diese Kontinuität durch den starken Einfluß des Dichters Bertold Brecht (1898-1956) unterbrochen. Ihm verfielen aufgrund ihrer mit der seinigen übereinstimmenden gesellschaftskritischen politischen Anschauungen vor allem die Komponisten Paul Dessau (1894-1979), Hanns Eisler (1898-1962) und Kurt Weill (1900-1950). Entscheidend wurde dabei für sie alle Brechts Idee vom „epischen Theater". Obendrein lehnten sie alle auch die gesellschaftlich-politischen Anschauungen ab, die das kulturelle Leben ihrer Zeit beherrschten, und begegneten ihnen textlich wie musikalisch mit einer ebenso geschickten wie geistvollen Mißdeutung gewohnter bzw. erwarteter Reaktionen, wodurch das künstlerische Geschehen permanent infrage gestellt, ja, diese In-Frage-Stellung recht eigentlich zum Gehalt der Stücke gemacht wurde. Dieser Vorgang vollzog sich in erster Linie im Rahmen der raffiniert-simplen „Songs", die sich zwar sämtlich auf dem Boden der verschiedensten Tanz- und Liedarten bewegten, aber alle durch mannigfache, schier unaufhörlich bohrende ostinate Rhythmen vorangetrieben wurden. Aus Dessaus Opernschaffen ragen vor allem DIE VERURTEILUNG DES LUKULLUS (Berlin 1951) und PUNTILA (nach Brechts, *Herr Puntila und sein Knecht Matti,* bearbeitet von Peter Palitzsch und Manfred Wekwerth, Berlin 1966) hervor, in denen die Tendenz musikdramatisch besonders wirkungsvoll-hintersinnig durch den Gegensatz zwischen anspruchsvoller Zwölftontechnik und der betonten Simplizität der „Songs" wiedergegeben wird. Eislers musikdramatische Werke sind überwiegend Bühnenmusiken, in denen seine musikalisch vielseitigen und einfallsreichen Songs seine und des Dichters politisch-weltanschauliche Ideen besonders eindrucksvoll hervorheben konnten. — Der vielseitigste der drei genannten Meister war sicherlich Weill, bei dem man wirklich von einem „Opernschaffen" sprechen kann. In seinen beiden Frühwerken, dem Einakter DER PROTAGONIST (Dresden 1926) und der gleichfalls einaktigen komischen Oper DER ZAR LÄSST SICH PHOTOGRAPHIEREN (Leipzig 1928), deren Texte von Georg Kaiser stammen, bereitete er zwar erfolgreich, aber noch tastend den ihm vorschwebenden neuen Opernstil vor, den er bereits in dem „Songspiel nach 5 Gedichten von B. Brecht" MAHAGONNY (Baden-Baden 1927) erprobt hatte. Dieses Stück erweiterten Komponist und Dichter später zu der dreiaktigen Oper AUFSTIEG UND FALL DER STADT MAHAGONNY (Leipzig 1930). Hier liegt das Schwergewicht auf dem musikalisch scheinbar absichtslos überhöhten krassen Gegensatz zwischen Individuen im täglichen Leben und angesichts wirklicher menschlicher Forderungen. Zwischen diesen beiden Fassungen errangen die beiden Autoren mit dem „Stück mit Musik nach J. Gay THE BEGGAR'S OPERA" (Berlin 1928), der fast volkstümlich gewordenen DREIGROSCHENOPER, einen Erfolg, der dem 1728 von ihrem Vorbild in London errungenen nicht nachstand. Auf der gleichen Linie bewegte sich auch die Schuloper DER JASAGER (Berlin 1930), während die dreiaktige Oper DIE BÜRGSCHAFT (Text von Caspar Neher, Berlin 1932) aufgrund der durchgehend engen Bindung der Musik an das Metrum des Textes fast mehr oratorien- als opernhaft anmutet, wozu der ständig teils betrachtend, teils berichtend anwesende Chor noch das Seine beiträgt. — Nach seiner Übersiedlung in die USA hat sich Weill dann auch dort noch in verschiedener Weise als Bühnenkomponist betätigt.

Das Schaffen der gleichaltrigen bzw. nur wenig jüngeren Generationsgenossen dieser durch

Brecht streng weltanschaulich geprägten Komponisten, das mit ihnen zugleich auf den Opernbühnen erschien, bietet nun ein in seiner Mannigfaltigkeit völlig gegensätzliches Bild. Selbstverständlich blieb es von jenen, vor allem von den Werken Weills, nicht unbeeinflußt, doch machten sich diese Meister, nur ihrer eigenen künstlerischen Verantwortung folgend, textlich wie auch musikalisch teils je nach ihrer Eigenart getrennt, teils in buntem Wechsel beinahe alle Stilarten zunutze, die noch bzw. schon in der Oper möglich waren, so daß in jenen, ja auch und gerade noch von Strauss und Schönberg beherrschten Jahren auf den deutschen Bühnen ein recht bewegtes Leben herrschte. Charakteristisch hierfür ist schon das dramatische Werk von Weills Altersgenossen Ernst Krenek (1900-1991), der zu fast allen seinen Opern die Texte selbst verfaßt hat. Es beginnt mit der (einzigen) komischen Oper in drei Akten DER SPRUNG ÜBER DEN SCHATTEN (Frankfurt 1924). Hier liegt die Komik textlich schon in der im Titel ausgesprochenen Unmöglichkeit, und ebenso allgegenwärtig ist die parodistisch wirkende Verwendung herkömmlicher Opern-Nummern entweder in Verbindung mit Jazz-Bezeichnungen (z.B. der „Foxtrott" Nr. 8 als Chor) oder als Parodie in der Übertreibung (wie z.B. die große Quartett- und Chor-Fuge Nr. 23). Seinen größten Erfolg errang der Komponist aber mit der Oper in zwei Teilen JONNY SPIELT AUF (Leipzig 1927), die mit der Apotheose eines schwarzen Jazz-Geigers am Schluß textlich auf den Sieg der Kunst einer neuen Zeit hinzuweisen schien und deren durchaus zeitgemäße Musik dementsprechend mit Jazz-Rhythmen durchsetzt war[5]. Später hat sich Krenek mit einer für seine Generation erstaunlichen Konsequenz und Intensität wieder der Gattung der „Großen Oper" zugewandt, zunächst mit dem fünfaktigen LEBEN DES OREST (Leipzig 1930) und zuletzt mit dem „Bühnenwerk mit Musik in 2 Teilen" KARL V. (Prag 1938; Neufassung 1958). Das LEBEN DES OREST, das die Schicksale der Atriden-Kinder Orest und Iphigenie in ungewohnter Weise verbindet, zeichnet sich besonders durch eine Fülle ausgedehnter, mitunter romantisch anmutender Monologe der Hauptpersonen aus, wodurch das Stück einen undramatischen Charakter und eine übergroße Länge erhielt; es wirkte zur Zeit seines Erscheinens als ausgesprochener Anachronismus und verschwand demzufolge bald von den Bühnen. Das Bühnenwerk KARL V., inhaltlich eine Beichte des sterbenden Kaisers, war infolge der darin enthaltenen weltgeschichtlichen und philosophischen Ideen textlich reizvoller, musikalisch durch den Wechsel von viel gesprochenem Dialog, Rezitativ und pathetischen Gesängen, scharf deklamatorischer Rhythmik und Zwölftontechnik abwechslungsreicher als das vorangehende und stellte so gleichsam die geistige Verbindung zu Kreneks nächster Oper PALLAS ATHENE WEINT (Hamburg 1955) dar, in der sich der Komponist eindeutig als Meister modernster Orchesterkunst erweist. Zur Beurteilung von Kreneks letzter Oper DER GOLDENE BOCK (Hamburg 1964) sei auf deren Besprechung durch Hans Heinz Stuckenschmidt in dessen Sammlung „Oper in dieser Zeit"[6] verwiesen.

Mit komischer, Jazz- und Großer Oper hat Krenek, der Älteste jener jüngeren Komponistengruppe, in ständiger Auseinandersetzung mit freier Atonalität und Zwölftontechnik den gesamten Spielraum der Oper seiner Zeit bis ins Extrem ausgeschritten wie kaum ein anderer. Das Schaffen seiner Altersgenossen bietet demgegenüber bei allem textbedingten Abwechslungsreichtum ein einheitlicheres Bild. Als Kinder einer Zeit des Aufbruchs sprechen sie alle besonders musikalisch eine zwiespältige Sprache — Stuckenschmidts Charakterisierung der Melodik von Wolfgang Fortners „Lyrischer Tragödie" BLUTHOCHZEIT (nach Federico García Lorca, Köln 1957) als „zwi-

---

[5] Vgl. hierzu Heinrich W. Schwab, „Jonny spielt auf", Berichte und Bilder vom Auftreten des schwarzen Musikers in Europa, in: Opernstudien. Anna Amalie Abert zum 65. Geburtstag, herausgegeben von Klaus Hortschansky, Tutzing 1975, S. 175ff.
[6] Velber 1964.
[7] a. a. O., S. 99.

schen Zwölftönigkeit und volksliedhafter Einfachheit vermittelnd"[7] gilt sicher nicht nur für dieses Werk. Werner Egk (1901-1983) als einer der Ältesten von ihnen ist in seinen frühen Erfolgsopern DIE ZAUBERGEIGE (Oper in drei Akten nach Pocci vom Komponisten und Ludwig Andersen, Frankfurt 1935) und PEER GYNT (Oper in drei Akten nach Ibsen vom Komponisten, Berlin 1938) davon vielleicht noch am wenigsten berührt, dafür steht in ihnen die Verschmelzung von Volkstümlichkeit und Märchenwelt im Vordergrund; in dem späteren Werk macht sich Egk in scharfem Gegensatz hierzu in parodistischer Absicht auch gern Weillsche Ausdrucksmittel zunutze. Neben seinem Ballett ABRAXAS (1948), das durch sein überraschendes Verbot durch die bayerische Landesregierung Aufsehen erregte, hat der Komponist noch zahlreiche weitere Werke dieser Gattung herausgebracht.

Gleichzeitig mit Egks ZAUBERGEIGE erschien auch das erste Erfolgswerk des etwas jüngeren Rudolf Wagner-Régeny (1903-1969), DER GÜNSTLING ODER DIE LETZTEN TAGE DES GROSSEN HERRN FABIANO (Oper in drei Akten von Caspar Neher, zum Teil nach Büchners Bearbeitung des Dramas *Maria Tudor* von Victor Hugo, Dresden 1935), das textlich und dementsprechend auch musikalisch mehr dem Geist der Großen Oper verbunden ist, ohne daß aber auch dieser Komponist ganz auf den Gebrauch parodistischer Gesänge verzichtet hätte (man vergleiche vor allem den sarkastischen Song des zum Tode geführten Helden in Nr. 30 des III. Aktes). Vier Jahre später traten dieselben Autoren mit der Oper DIE BÜRGER VON CALAIS (Berlin 1939) hervor, mit deren wiederum großem Erfolg es die beiden letzten Ergebnisse ihrer Zusammenarbeit, JOHANNA BALK (Wien 1941) und die PERSISCHE EPISODE (entstanden 1940-50, Rostock 1963) jedoch so wenig aufnehmen konnten wie das letzte, auf einen Text von Hugo von Hofmannsthal geschriebene Bühnenwerk des Meisters, DAS BERGWERK ZU FALUN (Salzburg 1961). Hier spielt, wie auch mitunter in Spätwerken anderer Komponisten dieser Generation, die Zwölftönigkeit eine größere Rolle.

Durch eine besonders hervorstechende Eigenständigkeit zeichnet sich das Opernschaffen von Wagner-Régenys Altersgenossen Boris Blacher (1903-1975) aus. Das sein gesamtes Werk beherrschende Grundprinzip des in jeder Hinsicht möglichst geringen Aufwandes zeigt sich in immer verschiedener Weise, jedoch stets gleich wirkungsvoll in allen seinen Bühnenwerken, von der „konzertanten Musikoper" FÜRSTIN TARAKANOWA (Wuppertal 1941) über die „Kammeropern" DIE FLUT und DIE NACHTSCHWALBE (beide 1947), die „Kammeroper" ROMEO UND JULIA (Salzburg 1950), die Ballettoper PREUSSISCHES MÄRCHEN (Berlin 1952) bis zu den beiden Spätwerken ROSAMUNDE FLORIS (Berlin 1960) und ZWISCHENFÄLLE BEI EINER NOTLANDUNG (Hamburg 1966)[8]. Die zuletzt genannten vier lassen bei aller Übereinstimmung die geistige Vielseitigkeit des Komponisten besonders deutlich erkennen. Einer shakespeareschen Tragödie wie ROMEO UND JULIA mit dem „geringen Aufwand" einer „Kammeroper" und der Zusammenfassung der notwendigen Kürzungen in Form von „Chansons" zwischen den Szenen angemessen gerecht zu werden, zeugt von wahrer dramaturgisch-musikalischer Meisterschaft. — Ähnlich wird in der Ballettoper PREUSSISCHES MÄRCHEN (Text von Heinz von Cramer) die Tragikomödie des Hauptmanns von Köpenick in den Zwiespalt zwischen auch musikalisch längst überwundene Banalität und zukunftsweisende Experimente eingebunden. — In ROSAMUNDE FLORIS (Text nach Georg Kaiser von Georg von Westerman) leistet Blacher seinen ganz eigenen, besonders bemerkenswerten Beitrag zur Oper der Zeit ohne textlich bedingte Rücksichten. Ähnliches gilt für die „Reportage in 2 Phasen und 14 Situationen" von Heinz von Cramer, ZWISCHENFÄLLE BEI EINER NOTLANDUNG, deren tiefsinnig-gespenstische Atmosphäre musikalisch raffiniert letzten Endes durch den überraschenden Gegensatz zwischen sehr karg oder gar nicht begleiteter Deklamation, motorisch

---

8 Für die in Zusammenarbeit mit Egk entstandene ABSTRAKTE OPER Nr. 1 (Mannheim 1953) sei auf die eingehende Darstellung von Hans Vogt in: *Neue Musik seit 1945*, Reclam 1972, S. 246 ff. verwiesen.

vorwärtstreibender Triolenbewegung und (zum Schluß) einem lyrischen Arioso zum Preise der ewigen Natur umschrieben wird.

In die Frühzeit von Blachers eigenem Opernschaffen fallen auch die beiden Opern seines Schülers, des viel jüngeren Gottfried von Einem (geboren 1918), an deren Textgestaltung Blacher selbst mitgewirkt hat: die Oper in 2 Teilen (6 Bildern) DANTONS TOD (Text nach Georg Büchner von Boris Blacher und dem Komponisten, Salzburg 1947) und DER PROZESS (Oper in 2 Teilen und 9 Bildern nach Franz Kafka von Boris Blacher und Heinz von Cramer, Salzburg 1953). Es ist wohl nicht ganz abwegig, ungeachtet der Selbständigkeit des jungen Komponisten zumindest in dieser Stoffwahl den individuellen, grüblerischen Geist seines Lehrers zu vermuten. DANTONS TOD ist eine nach dem Grundprinzip „Einheit in der größten, betont gegensätzlichen Mannigfaltigkeit" aufgebaute Choroper. Dabei kommt die Einheit durch einen mitunter fast flächenhaften Gebrauch ostinater Motive oder Rhythmen zustande, mit deren Hilfe der Komponist die tumultuarische Grundhaltung der Revolutionszeit aufgliedert. Nur am wirkungsvollen Schluß feiert diese im Gegeneinander von *Carmagnole* und *Marseillaise* und zuletzt von einem volkstümlichen Lied der Henker und einem Choral der Frau eines der Verurteilten auch musikalisch wahre Triumphe.

In der stofflich weit problematischeren Kafka-Oper DER PROZESS macht von Einem noch wesentlich mehr Gebrauch von geradezu flächendeckender Ostinato-Technik, doch erscheint sie hier im Gegensatz zu dem früheren Werk im Dienste des Dramas: Das Orchester, das sparsam, aber ostinat das ebenfalls sparsame, weite Strecken der Oper erfüllende Rezitativ begleitet, wirkt mit diesem zusammen trotz oder auch gerade wegen der nicht seltenen Eintönigkeit als geniale musikalische Darstellung der Ausweglosigkeit und der Nichtigkeit des Einzelnen gegenüber der Seelenlosigkeit der ungreifbaren Macht, der er gegenübersteht. Und wie sich dieser Zustand, die Grundidee des Stückes, grundsätzlich nicht ändert, so ändert sich auch diese seine musikalische Ausdrucksweise nie grundsätzlich, sondern nur dem Grade nach, indem sowohl der Held, als auch seine unheimlichen Gegenspieler bei jedem Zusammentreffen verzweifelter bzw. aggressiver reagieren, das heißt musikalisch eine immer abwechslungsreichere Sprache sprechen. Mit dieser Identifizierung von Kompositionstechnik und dichterischer Grundidee hat der Blacher-Schüler von Einem sich, wenn nicht musikalisch, so doch jedenfalls rein geistig seines Lehrers und Textdichters würdig erwiesen.

Zu dessen Generation ist auch Karl Amadeus Hartmann (1905-1963) zu rechnen, dessen einziges Bühnenwerk, die Kammeroper DES SIMPLIZIUS SIMPLIZISSIMUS JUGEND (Köln 1949, neue Fassung 1955) textlich wie musikalisch ebenfalls deren schicksalbedingtes Stilgemisch aufweist.

Die große stilistische Gegensätzlichkeit in Wolfgang Fortners (1907-1987) lyrischer Tragödie in 2 Akten BLUTHOCHZEIT[9] (Text nach Federico García Lorca, Köln 1957), die von derjenigen seiner nächsten Oper IN SEINEM GARTEN LIEBT DON PERLIMPLIN BELISA (Text von demselben, Schwetzingen 1962) fast noch übertroffen wird, findet dagegen ihr zusammenfassendes Gegengewicht wiederum in dem häufigen Gebrauch ostinater Rhythmik und vielfach auch noch in der Gleichzeitigkeit verschiedener Artikulationsarten, wie z.B. im 6. Bild von Akt III der BLUTHOCHZEIT, wo ein kurzgliedriges reines Gespräch von drei Holzfällern von einem ausschließlich aus Schlaginstrumenten der verschiedensten Art bestehenden Ensemble und einem zwölftönigen Kanon zweier Soloviolinen gestützt wird. Hier wie auch an anderen Stellen der Oper scheinen Sprache und Musik fast unmerklich ineinander überzugehen.

Zeitlich in der Mitte zwischen Fortner und seinem Schüler Hans Werner Henze (geboren 1926) steht Bernd Alois Zimmermann (1918-1970), dessen Oper DIE SOLDATEN (Köln 1965) die Schrecken der Vergangenheit unter raffinierter Verwendung aller der Gattung seiner Zeit zur Ver-

---

[9] vgl. oben S. 326.

fügung stehender Stilmittel ebenso furchtbar wie genial erneut zum Leben erweckte. Noch vor ihr begannen rasch nacheinander die Opern Henzes zu erscheinen — BOULEVARD SOLITÜDE (Text von Grete Weill, Hannover 1952), KÖNIG HIRSCH (Text von Heinz von Cramer, Berlin 1956), DER PRINZ VON HOMBURG (Hamburg 1960), ELEGIE FÜR JUNGE LIEBENDE (Schwetzingen 1961) — mit einer an allem Früheren gemessen verwirrenden Fülle von textlichen und klanglichen Extravaganzen und musikalisch-stilistischen Mischungen. Ein Kenner dieses Klangstiles wie Hans Heinz Stuckenschmidt urteilt darüber: „Etwas Neues wird kommen müssen. Aber hier [in der zuletzt genannten Oper] wirkt es noch einmal als Resümee einer Epoche"[10].

Ein Überblick über den Zustand der deutschen Oper in der ersten Hälfte des 20. Jahrhunderts und noch etwas darüber hinaus umfaßt einen Zeitraum, der in etwa dem des vorangehenden Kapitels (*Die deutsche Oper zwischen Wagner und Strauss*) entspricht, aber gerade diese zeitliche Parallele unterstreicht mit fast erschreckender Deutlichkeit den ungeheuren geistig-historischen Gegensatz zwischen diesen beiden Perioden. Wohl herrschte in beiden auf den deutschen Opernbühnen ein bewegtes Leben, aber während das der ersten vor allem von den rückwärts gewandten Bestrebungen der Circumpolaren beherrscht wurde und Wagner noch weitgehend der Leitstern und Maßstab war, stand die zweite im Zeichen Schönbergs, wozu sich mehr und mehr als Vorbild Strawinsky (1882-1971) gesellte. Die Blicke dieser Meister waren also von Anfang an und immer wieder auf das Neue gerichtet, so daß wohl Einflüsse der beiden großen, allgegenwärtigen Vorbilder zustandekamen, in deren Rahmen dann aber wieder nur Eigenständiges hervorgebracht wurde bis zu dem oben[11] angedeuteten „quo vadis" gegenüber den jüngsten Versuchen.

---

10 a. a. O., S. 113.
11 vgl. S. 328.

# Deutsche Kosmopoliten

Georg Friedrich Händel — Christoph Willibald Gluck — Wolfgang Amadeus Mozart

Eine jede umfassende Darstellung künstlerischer Zusammenhänge bedarf der Untergliederung. Es gilt, die Fülle der Erscheinungen, um sie überhaupt faßbar zu machen, in Gruppen aufzuteilen.

Für den Historiker ergeben sich dabei als Leitlinien die beiden Grundkategorien des Raumes und der Zeit, wobei der Primat eines der beiden in seinem Ermessen steht. Nur sie sind weit genug, um die dargebotene Vielfalt in sich aufzunehmen, ohne ihr allzuviel Gewalt anzutun. Daß eine zeitliche Einteilung an ihren Rändern stets Überlappungen mit früheren bzw. späteren Entwicklungsstadien aufweist, versteht sich von selbst. Hier kommt es darauf an, dem Fluß der Entwicklung so weit als möglich gerecht zu werden.

Bei einer räumlichen Aufteilung erscheinen an Stelle von naturgegebenen Überlappungen schicksalsbedingte Einbrüche ganz verschiedener Art. Hier können Angehörige einer Nation so stark vom Geist einer anderen absorbiert werden, daß sie fast ausschließlich, auf jeden Fall aber primär, als dessen Vertreter erscheinen. Als Beispiele sind hier vor allem der Italiener Lully zu nennen, der zum Begründer und Bewahrer der französischen Oper wurde, sowie der Deutsche Johann Adolf Hasse, der Abgott der italienischen Oper seiner Zeit. Das Ausschlaggebende an Erscheinungen dieser Art ist: Sie haben die Fronten so gründlich gewechselt, daß die Einteilung dadurch nicht im geringsten berührt wird — sie erscheinen nur einfach innerhalb eines anderen Zusammenhangs. Anders dagegen die Phänomene, die die Eigenheiten verschiedener Nationen organisch in sich zu einem eigenen und einzigen musikalischen Kosmos zu verschmelzen vermögen. Ihre Werke gehören zwar ihrer Zeit, aber letztlich keiner Nation an, sie lassen sich nicht in das Prokrustesbett der Raumkategorie pressen, sondern verlangen eine eigene Kategorie, die das Übergewicht des Personalstils über den Nationalstil zur Geltung bringt: Sie sind Weltbürger, Kosmopoliten. Die Fähigkeit aber, dies zu werden — denn sie sind es natürlich nicht von Anfang an —, erwächst ihnen außer aus ihrem Genie im Grunde doch aus ihrem Herkommen, und das ist in diesem Falle das Land der europäischen Mitte, das Heilige Römische Reich deutscher Nation. Die Operngeschichte kennt keinen Meister, der, wie die Deutschen Georg Friedrich Händel, Christoph Willibald Gluck und Wolfgang Amadeus Mozart, fremde Gattungen gleichzeitig zur Vollendung geführt und durch eine ihnen an sich fremde Umdeutung über nationale Grenzen hinaus ins Allgemeingültige erhoben hätten. Daß dies bei jedem der drei ganz verschiedenen Epochen angehörenden Komponisten in ganz verschiedener Weise geschah, versteht sich von selbst, obwohl sie alle von ein und demselben Boden, dem der italienischen Oper, ausgingen. Daß Händel quasi zum Engländer wurde und Gluck zum Franzosen, dürfte in ihrer beider starkem Sendungsbewußtsein begründet sein. Es trieb sie in Brennpunkte internationalen Geschehens, wo sie sich durch ihre offensichtlich deutsche Mischung von genialer Einfühlsamkeit und Außenseitertum in schweren Kämpfen eine Herrscherstellung eroberten. Mozart, dem es, obwohl es ihm nicht an künstlerischem Selbstbewußtsein fehlte, nicht gegeben war, sich grandseigneural die Ausnahmestellung zu erobern, die auch ihm gebührt hätte, gelang es jedoch, gleichzeitig die deutsche wie die italienische Oper so unverwechselbar eigenständig zu prägen, daß bei diesen Werken nationale Kriterien kaum noch zur Debatte stehen.

# Georg Friedrich Händel

Georg Friedrich Händel (1685—1759) erwuchs als der älteste der drei deutschen Kosmopoliten im Herzen der fest gegründeten mitteldeutschen Musikkultur. Bald aber zog es ihn aus der Enge seiner Vaterstadt Halle in die große Welt, die er jedoch zunächst nicht im Süden jenseits der Alpen, sondern im Norden, in der von Leben durchpulsten Hafen- und Handelsstadt Hamburg suchte. Der Zögling des Kantors Friedrich Wilhelm Zachow fand hier alsbald den Zugang zu der zwischen den Feuern der italienischen und der französischen einen eigenen Weg suchenden frühdeutschen Oper und eroberte die Hamburger Opernbühne 1705 mit seiner ALMIRA im Wesentlichen als Autodidakt, d. h. nicht als Schüler eines bestimmten Meisters, sondern aller deutscher Komponisten, deren Werke er im Theater selbst studieren konnte. Ausschlaggebend für den Erfolg war dabei vor allem das solide musikalisch-handwerkliche Können, das er mitbrachte, ferner ein großer musikalischer Einfallsreichtum und endlich die Fähigkeit, mit dessen Hilfe all den verschiedenartigen Anforderungen gerecht zu werden, die ein so kunterbunter Operntext wie der gewählte von Friedrich Christian Feustking (nach einem italienischen Vorbild) stellte. Mit einer gewissen Unbefangenheit trat der Anfänger mit den damaligen Beherrschern der Hamburger Oper, Reinhard Keiser und Johann Mattheson, von deren Werken er viel profitierte, in die Schranken.

ALMIRA ist mit der Mannigfaltigkeit der Szenen- wie der Arienformen und der Instrumentalbegleitung in jeder Hinsicht der Inbegriff einer deutschen Barockoper: zwei bis drei Arien pro Szene am Anfang oder Ende, zwei- und dreiteilige Arien neben einfachen Liedern, bloße Continuobegleitung im Wechsel mit Streichersatz und Beteiligung von Solo-Instrumenten, deutsche Arien neben italienischen. Das alles steht in bunter Folge nebeneinander, zusammengehalten durch die starke Betonung des instrumentalen Elements, das auch in den Continuo-Arien durch die gewöhnlich quasi ostinate Motivik selbständig hervortritt. Im Gegensatz zum Gros der zeitgenössischen frühdeutschen Opern spielt das komische Element, das nur durch den Diener Tabarco vertreten wird, eine relativ untergeordnete Rolle. Bezeichnenderweise ist aber gerade diese Gestalt der einzige deutlich umrissene Charakter (vgl. z. B. sein Lied in I,8). Die Arien der übrigen Personen

Georg Friedrich Händel: ALMIRA

passen sich jeweils mehr oder weniger lediglich dem Affekt der jeweiligen Situation an. Das gilt besonders für die sparsam eingefügten Akkompagnato-Rezitative, so z. B. für Almiras Rezitativ in II,9:

Georg Friedrich Händel: ALMIRA

Ein großes Divertissement zu Beginn des III. Aktes läßt den für die deutsche Oper typischen französischen Einfluß, das Fehlen des Chores den der italienischen Oper erkennen.

Daß Händel den zwischen Bravour und Liedhaftigkeit, Kantabilität und tänzerischem Schwung wechselnden Ton der frühdeutschen Oper getroffen hatte, der durch die starke Beteiligung der Instrumente, vor allem des Basses, am motivischen Geschehen keine Einbuße erlitt, zeigt der Erfolg der Oper. Doch sie blieb ein vereinzelter Geniestreich. Weder vermochte Händel mit der wenige Wochen später aufgeführten Oper NERONE, deren Musik verloren ist, den Erfolg zu wiederholen, noch scheint es ihm darum zu tun gewesen zu sein, auf der Hamburger Bühne Fuß zu fassen, denn er verließ die Stadt bereits im Herbst 1706 wieder, ohne sich um die Aufführung der beiden ursprünglich als ein Werk geplanten Opern DER BEGLÜCKTE FLORINDO und DIE VERWANDELTE DAPHNE (Musik gleichfalls verloren) zu kümmern. Sie fand erst 1708 statt, als Händel längst in Italien weilte und dort mit *Vincer se stesso è la maggior vittoria* (*Sich selbst zu besiegen ist der größte Sieg;* RODRIGO; Florenz 1707) bereits den Zugang zur italienischen Oper gefunden hatte. Die Eroberung der Gattung erfolgte dann zwei Jahre später mit dem dramma per musica AGRIPPINA, das am 26. Dezember 1709 mit beispiellosem Erfolg auf dem Teatro San Giovanni Crisostomo in Venedig aufgeführt wurde. Wie mit ALMIRA die Bühne der frühdeutschen Oper, so hatte Händel damit in weiterem Rahmen Bühne und Publikum der italienischen gewonnen. Der große Erfolg des Werkes dürfte auf dem Zusammenspiel eines in seiner Zwielichtigkeit besonders wirkungsvollen Librettos mit einer Musik beruhen, die dem ständigen Wechsel zwischen ironisierender Parodie und echten Affektäußerungen gewachsen war. Der Text des Kardinals Vincenzo Grimani, in dem die Titelheldin ihr Intrigennetz so fein spinnt, daß die Personen beim Zusammentreffen im Rezitativ zunehmend gezwungen sind, „a parte" zu sprechen, und in den Arien, ihre Gefühle mehr zu verbergen als sie zum Ausdruck zu bringen, bot dem Komponisten eine Fülle von Gelegenheiten zur Wiedergabe echter und vorgetäuschter Empfindungen, zu parodistischer Mischung von Ernst und Scherz. Die Komik wird in diesem Libretto entgegen dem Brauch der spätvenezianischen Oper nicht von einem bestimmten Personenkreis, den Dienerfiguren, getragen, sondern wirkt sich mehr oder weniger deutlich bei allen Gestalten aus. Händel nimmt davon in der verschiedensten Weise Notiz, sei es, daß er in I,18 in einer vom Tutti collaparte ohne Baß begleiteten, schnippisch-verschmitzten Arie ein Bild der zwielichtigen Titelheldin malt:

Georg Friedrich Händel: AGRIPPINA

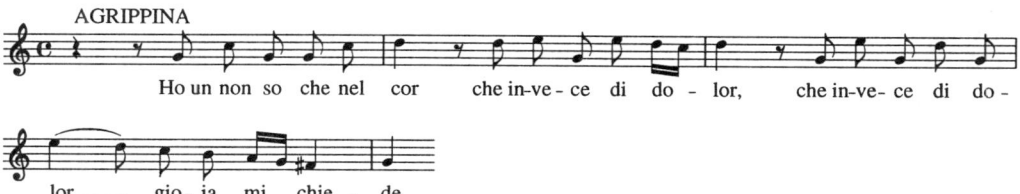

daß er in I,7 Nerones heuchlerische Mildtätigkeit durch Chromatik und große Intervallsprünge parodiert, daß er den Triumph der durch Schaden klug gewordenen Poppea in II,8 übermütig und pointiert zum Ausdruck bringt:

Georg Friedrich Händel: AGRIPPINA

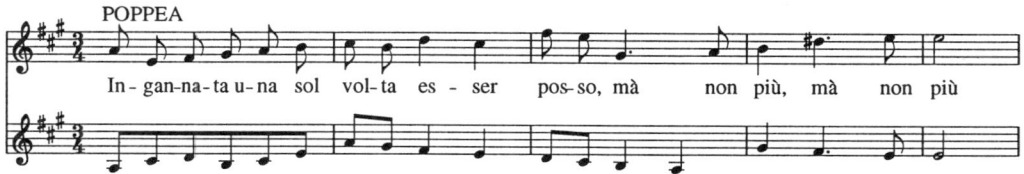

oder daß er Ottones trügerische Vorfreude auf die ihm in Aussicht gestellten Lorbeeren in eine mit Melismen überreich verzierte Melodielinie hüllt:

Georg Friedrich Händel: AGRIPPINA

Dabei ist diese Figur die einzige, die — als Opfer der Intrigen — auch ausdrucksgesättigte, schmerzliche Betrachtungen beisteuert, die in ihrem Gegensatz zu der heiter-parodistischen Haltung der meisten übrigen von besonderer Wirkung sind. Wie in den Arien, hat sich der frühdeutsche Opernkomponist Händel auch im Secco-Rezitativ der AGRIPPINA den italienischen Gattungsstil vollkommen zu eigen gemacht.

War ALMIRA ein geglücktes Experiment auf der deutschen Opernbühne gewesen, so bedeutete AGRIPPINA auf der venezianischen darüber hinaus ein Meisterwerk sui generis. Das Werk kann Ort und Zeit seiner Entstehung nicht verleugnen, d. h. es ist eine echte spätvenezianische Oper, aber die enge Bindung an den eigenwilligen Text verleiht ihm ein besonderes Gepräge, das in Händels weiterem, vorwiegend der ernsten Oper gewidmetem Schaffen nicht seinesgleichen finden sollte.

Mit dem gleichen Schwung, mit dem er in Hamburg und Venedig Fuß gefaßt hatte, eroberte er sich auch die Opernbühne Londons. Auch hier erschien er, dem der Ruhm der AGRIPPINA voranging, gleich mit RINALDO 1711 als Meister. Diese Oper eröffnete eine Laufbahn, die mit der keines anderen Opernkomponisten zu vergleichen ist. Händel fungierte in London nicht als höfischer oder städtischer Musiker wie seine deutschen, aber auch nicht als ein von Impresarii abhängiger compositore scritturato wie seine italienischen Kollegen, sondern selbst, zunächst mit Aaron Hill, dann mit Johann Jakob Heidegger zusammen, als Unternehmer, und das in einer Welt- und Hauptstadt eines mächtig aufstrebenden Reiches, in deren Leben die verschiedensten politischen, wirtschaftlichen und kulturellen Strömungen aufeinandertrafen. Es galt für ihn, sich zwischen ihnen und den sie tragenden verschiedenen Parteien des Publikums hindurchzulavieren, indem er zugleich der italienischen Oper, als deren Exponent er auftrat, durch seine eigenen Werke fest in den Sattel verhalf. Hier blieb ihm oft ein harter Konkurrenzkampf nicht erspart, da gegnerische Parteien des öfteren italienische Opernkomponisten (so Giovanni Bononcini und Nicolo Porpora) beriefen, um deren Werke gegen die seinigen auszuspielen. Unter solchen Umständen hat Händels Doppelfunktion als Komponist und Mitträger der künstlerischen Verantwortung zeitweise auch seiner Opernkomposition ihren Stempel aufgedrückt, sei es durch politisch oder gesellschaftlich bedingte Textwahl, durch Umdispositionen wegen Besetzungsschwierigkeiten, durch starke organisatorische Belastung und durch Zeitdruck. Dieses Opernschaffen bietet das Bild eines unmittelbar aus dem heißen Kampf um das Bestehen und den Sieg der Gattung heraus entstandenen Werkes mit all dem Auf und Ab, das die Verhältnisse mit sich brachten. Es ist ein buntes Bild. Eigenartig ist schon die Textwahl, bei der Händel natürlich die Hand im Spiel hatte. Von wenigen Ausnahmen abgesehen, griff er stets auf ältere Libretti zurück, die er sich für seine Absichten umarbeiten ließ[1]. Die Auswahl dürfte nach rein praktischen Gesichtspunkten — Anlaß, Besetzung, Publikumsgeschmack — getroffen worden sein. Dabei folgten ältere vor-reformerische Seicento-Texte und reformerische Libretti beliebig aufeinander. Seine wesentlichsten Mitarbeiter dabei waren zuerst der Librettist Giacomo Rossi, dann der Impresario, Literat und Librettist Nicola Haym und der Librettist Paolo Antonio Rolli. Für die meisten der späten Opern ist kein Textbearbeiter nachweisbar. Reinhard Strohm[2] vermutet ihn in Händel selbst und sieht die qualitativen Unterschiede zwischen den Libretti in den unterschiedlichen Textvorlagen und in Händels verschiedener Anteilnahme daran.

Aus dem gleichen Grund stehen die Opern auch musikalisch nicht auf der gleichen Höhe. Wenn der vielbeschäftigte Händel gezwungen war, um der Aufrechterhaltung des Spielplans willen, um der Konkurrenz zuvorzukommen oder aus anderen außerkünstlerischen Gründen in Eile eine Oper herauszustellen, so konnte gelegentlich die Routine, so meisterhaft sie auch immer war, über die Inspiration das Übergewicht gewinnen. Zeitweilig, vor allem in den Jahren zwischen 1730 und 1734, hat Händel auch zur Vervollständigung seines Spielplans zu Pasticci, d. h. zu Opern gegriffen, die er aus Kompositionen verschiedener italienischer Meister zusammengestellt hatte[3]. Diese Praxis war ganz allgemein in der italienischen Oper des 18. Jahrhunderts und in London schon vor Händels Auftreten gebräuchlich und beliebt. Sie zeigt, welch geringe Rolle die Originalität und Einmaligkeit der Erfindung in der Zeit spielte, und ist darin eng mit dem so viel geübten Parodieverfahren verwandt. Nicht auf den Einfall als solchen kam es nach den Anschauungen der Zeit in erster Linie an, sondern auf das, was daraus gemacht wurde. Gerade in Händels Schaffen spielen die sogenannten „borrowings", die Entlehnungen aus Werken fremder Komponisten, aber in reichem Maße auch aus eigenen früheren Werken, eine große Rolle. Das Wesen seiner Meisterschaft

---

1 Mit dem äußerst komplizierten Problem von Händels Textvorlagen beschäftigt sich Reinhard Strohm in seinem Aufsatz *Händel und seine italienischen Operntexte* (in: Händel-Jahrbuch 1975/76, S. 101—159).
2 Strohm, a.a.O., S. 134.
3 Vgl. Reinhard Strohm, Händels Pasticci, in: Analecta Musicologica 14, 1974, S. 208—267.

besteht recht eigentlich darin, jedem wieder aufgenommenen fremden oder auch eigenen Kompositionselement immer von Neuem ein der neuen Umgebung angemessenes Leben einzuflößen, gleichgültig, ob es sich um die mehr oder weniger variierte Übernahme ganzer Sätze oder um die Bearbeitung von Teilabschnitten oder auch nur einzelnen Themen handelt. Auch machte Händel dabei selbst vor Gattungsgrenzen nicht Halt. So greift er etwa bei Selbstparodien in den Opern keineswegs nur auf ihresgleichen, sondern auch auf Oratorien, Kammerkantaten und -duette, auf geistliche Werke und auf Instrumentalmusik zurück. Eigenem wie fremdem Material hat er bei diesem Parodieverfahren, und sei es durch die scheinbar unwesentlichsten Veränderungen, eine schier unerschöpfliche Vielfalt von Ausdrucksmöglichkeiten entlockt; die Selbstparodien trugen folgerichtig dazu bei, die großartige Einheit seines Gesamtschaffens zu unterstreichen.

RINALDO, die erste Oper Händels für London, wurde am 24. Februar 1711 in The Queen's Theatre Haymarket mit großem Erfolg uraufgeführt. Sie ist textlich eine typische barocke Zauberoper mit einem großen Aufgebot an Mitwirkenden und vielen wunderbaren Erscheinungen, nach einem Prosa-Entwurf von Aaron Hill von Giacomo Rossi in italienische Verse gebracht. Auch musikalisch trägt sie mit vielfach freier Szenenanlage, meist einfacher dreiteiliger Arienform und in Satzweise wie Besetzung höchst abwechslungsreicher Behandlung der Instrumente eindeutig den Stempel der Barockoper, jedoch überhöht durch die Mannigfaltigkeit der Affektwiedergabe, die sich von tonmalerisch wild bewegten Gleichnisarien bis zu schlichten, ergreifenden Klagegesängen wie dem berühmten „Lascia ch'io pianga" oder der im folgenden angeführten Arie des Rinaldo aus I,7 erstreckt:

Georg Friedrich Händel: RINALDO

Konventionelle Gesänge kommen in dieser Oper trotz der vielen Nebenpersonen kaum vor. Sie bietet übrigens in einer neuen, 1731 aufgeführten Fassung charakteristische Beispiele für Selbstparodien, die Händels Stellung zwischen Sei- und Settecento deutlich erkennen lassen. Ein grundsätzlicher Unterschied zwischen beiden Fassungen besteht nicht, da viele Nummern notengetreu oder nur transponiert übernommen worden sind. Die abweichenden Nummern der zweiten Fassung sind aber größtenteils in der Zwischenzeit entstandenen, also späteren Händelopern (ADMETO 1727, LOTARIO 1729, PARTENOPE 1730) entnommen, und sie zeichnen sich, gerade neben den übrigen, deutlich erkennbar durch eine modernere Faktur — die umfangreiche fünfteilige Dacapo-Form, mehr und ausgedehntere Koloraturen, eine besonders elegante Melodik — aus, ohne jedoch dramatisch wirkungsvoller zu sein. In den im folgenden angeführten beiden Arien des Argante aus II,4 ist z. B. eher das Gegenteil der Fall:

Georg Friedrich Händel: RINALDO

Georg Friedrich Händel: RINALDO

Die erste Fassung, die ihrerseits aus AGRIPPINA übernommen ist, zeigt, der erregten Situation entsprechend, eine in kurze Phrasen zerrissene und aus wilden Intervallsprüngen zusammengesetzte, syllabisch deklamierte Melodielinie, die von den Violinen quasi imitiert wird; in der zweiten erscheint stattdessen eine schwärmerische, wohlausgewogene, weitgeschwungene Phrase, die von den Streichern sparsam begleitet wird. Hier stehen Barock und Frühklassik als verschiedene Ausdrucksmöglichkeiten, jedoch nicht als Entwicklungsstadien des Komponisten nebeneinander.

Dem ersten großen Erfolg ließ Händel gleich 1712/13 drei weitere Werke der verschiedensten Textanhaltungen folgen: IL PASTOR FIDO, eine seiner wenigen Pastoralopern (nach Guarini), TESEO, seine einzige fünfaktige Tragödie (nach der tragédie lyrique von Quinault) und LUCIO CORNELIO SILLA (zu einer Privataufführung im Hause von Händels Gönner Lord Burlington). Wie weit er für die bunte Auswahl selbst verantwortlich war, muß dahingestellt bleiben — auf jeden Fall hat er sie gebilligt. Das erste Werk wurde ein Mißerfolg. Offenbar hatte das Publikum nach dem Zauber- und Ausstattungsstück RINALDO etwas anderes als eine schlichte Pastoraloper erwartet — ein früher Parallelfall zu dem Mißerfolg von Glucks Ekloge ECHO ET NARCISSE nach IPHIGÉNIE EN TAURIDE. Mit der heroischen Tragödie TESEO wetzten Händel und seine Mitarbeiter, der Unternehmer Swiny und der Librettist Niccoló Haym, die Scharte wieder aus.

Die am 25. Mai 1715 folgende Oper AMADIGI DI GAULA wirkt wie eine Synthese des Vorangegangenen. Sie ist eine Ausstattungsoper ähnlich RINALDO, ist textlich nach einer tragédie lyrique geschaffen wie TESEO und enthält, mannigfach parodiert, zahlreiche Nummern aus SILLA. Das demjenigen von RINALDO ähnliche Geschehen, die Bedrohung eines Liebespaares durch eine Zauberin, spielt sich nur zwischen ganz wenigen, sämtlich von hohen Stimmen verkörperten Personen ab, deren hier meist fünfteilige Dacapo-Arien in ihrer Haltung stets den jeweiligen Situationen angepaßt sind. Diese Dichtigkeit der Affektwiedergabe dürfte auf das Fehlen konventioneller Nebenfiguren zurückzuführen sein. Besonders ausdrucksvoll ist die Klagearie Amadigis in I,9, deren erster Teil sich durch dem Textgehalte angemessenes Konzertieren zwischen Violinen und Baß auszeichnet:

Georg Friedrich Händel: AMADIGI DI GAULA

Wie in den früheren Opern macht sich auch hier die abwechslungsreiche Orchesterbehandlung bemerkbar. Meist sind schon die Arienritornelle polyphon aufgelockert; beim Eintritt der Singstimme teilen sich die Instrumente häufig in colla parte-Spiel und kontrapunktische Gegenstimmen. Auffallend sind ferner die relativ zahlreichen, durch wirkungsvolle Akkompagnati dramatisch aufgelockerten Szenen, darunter eine typische Ombra-Szene (III,4).

Mit dem großen Erfolg dieser Oper, die die Eigenschaften der vorangehenden recht eigentlich zusammenfaßt, schließt die kurze Eingangsperiode von Händels Londoner Opernschaffen. Sie ist von der folgenden um fünf Jahre getrennt und unterscheidet sich von dieser durch die Lockerheit von deren Organisation. Die Aufführungen fanden zwar, mit Ausnahme der privaten des SILLA, vorläufig weiter im Haymarket Theater statt, doch arbeitete Händel immer mit anderen Unternehmern — Hill, Swiny und zuletzt Heidegger — zusammen, ja, nach 1715 wurden, da Händel fast anderthalb Jahre im Gefolge des Königs auf dem Kontinent verbrachte, sogar nur Wiederholungen, Pasticci und kleinere dramatische Werke aufgeführt. Nach seiner Rückkehr schrieb er für den Herzog von Chandos geistliche Werke und daneben viel Instrumentalmusik, der Opernkomponist aber trat erst wieder 1720 hervor, nun freilich in dem festen Rahmen der neu gegründeten Royal Academy of Music. Dies war ein rein geschäftliches Unternehmen, dessen Aktien sogar an der Börse gehandelt wurden. Unter der Schirmherrschaft des Königs, der jährlich einen Zuschuß von 1000 Pfund Sterling beisteuerte, traten die angesehensten Adelsfamilien als Aktionäre bei, so daß die Academy als stehende Oper finanziell gesichert war. Als geschäftsführender Direktor wurde Heidegger eingesetzt, als Librettist Rolli engagiert. Künstlerischer Leiter aber wurde Händel, der außer der Verantwortung für Komposition und Aufführung seiner eigenen Opern einschließlich der Textwahl auch die für Bearbeitungen fremder Werke, für Bühnenausstattung und darüber hinaus für die Organisation insgesamt trug. Außerdem oblag ihm das Engagement des Sängerpersonals. So begab er sich denn auch gleich nach der Gründung der Academy im Sommer 1719 zu diesem Zweck erneut auf die Reise, von der er, vor allem aus Dresden, geeignete Kräfte mitbrachte.

Nach seiner Rückkehr widmete er sich nach fünfjähriger Pause im Opernschaffen mit allen Kräften der Komposition seiner ersten für die Academy bestimmten Oper, RADAMISTO. Das Werk errang bei seiner Uraufführung am 27. April 1720 einen beispiellosen Erfolg und hielt sich, mit den üblichen Umarbeitungen, in den nächsten Spielzeiten, ja auch noch sieben Jahre danach, auf der Bühne. Es stand unter einem glücklichen Stern. Der von Händel ausgewählte Text war unter seiner Aufsicht[4] von Haym geschickt bearbeitet worden; an Ausstattung brauchte nicht gespart zu werden, und an der Affektgeladenheit von Händels Musik sowohl in wild erregten als auch in verhaltenen Situationen spürt man, daß auch er hier aus dem Vollen schöpfte. Es ist, trotz aller Verwurzelung im Gattungsstil, die erste großartige Händel-Oper, in der der Personalstil jenen überspielt. Sie enthält so gut wie keinen konventionellen Gesang, vielmehr gelingt es Händel in heroisch-pathetischen wie schwärmerisch-zarten Arien gleichermaßen, den Ausdrucksgehalt des Textes überzeugend durch das Zusammenwirken von Singstimmen und Instrumenten und nicht zuletzt durch den weiten Schwung seiner Melodik auszuschöpfen. Als Beispiel hierfür sei die Arie der Zenobia aus I,5 angeführt.

Georg Friedrich Händel: RADAMISTO

Die nunmehr stetige Pflege der italienischen Oper wurde nicht ausschließlich, aber überwiegend von Händel getragen, der in den nächsten Jahren regelmäßig mit ein bis zwei Werken hervortrat, obwohl ihm bereits im Herbst 1720 in Giovanni Bononcini ein bedeutender Rivale an die Seite gesetzt worden war. Im folgenden Frühjahr bot man dem Publikum mit der nicht sehr erfolgreichen Oper MUZIO SCEVOLA das aktuelle Experiment eines Werkes, dessen drei Akte aus der Feder von drei verschiedenen Komponisten stammten: der erste von Filippo Amadei, einem im Orchester tätigen und als Bearbeiter bekannten Musiker, der zweite und dritte von den beiden Rivalen Bononcini und Händel. Sie bestritten im wesentlichen auch in den folgenden Jahren in regelmäßigem Wechsel miteinander und mit wechselndem Erfolg den Spielplan der Bühne.

Händels FLORIDANTE (1721) und FLAVIO (1723) waren der Gattungstradition wieder mehr verhaftet, während der zwischen ihnen am 12. Januar 1723 uraufgeführte OTTONE sowie die anschließenden, eng aufeinander folgenden GIULIO CESARE IN EGITTO (20. Februar 1724), TAMER-

---

4 Vgl. Strohm, a.a.O. (Fußnote 1), S. 113.

LANO (31. Oktober 1724) und RODELINDA (13. Februar 1725) den Höhenflug des RADAMISTO weiter fortsetzten, ja noch übertrafen. Nicht nur, daß Zugeständnisse an die Konvention hier gleichfalls nur ausnahmsweise auftreten — die Arien sind über den Ausdruck der jeweiligen Situation hinweg auch den einzelnen Gestalten angemessen, so daß diese nicht nur als Träger besonders ausdrucksvoller Musik wirken, sondern obendrein musikalisch-dramatisch Interesse als wandelbare Charaktere erwecken. Giulio Cesare erscheint z. B. gleich überzeugend als Herrscher mit dessen ganzer Würde wie als hingebungsvoller Liebhaber, Cleopatra ihrem Bruder Tolomeo gegenüber spöttisch, aber voller Schmerz bei der Nachricht von Caesars angeblichem Tod und zauberhaft lockend in dem berühmten „V'adoro, pupille" („Es blaut die Nacht"). — Besonders deutlich voneinander abgehoben sind die verschiedenen Charaktere in TAMERLANO, wo der Titelheld und sein Gegenspieler und Gefangener Bajazet gleich zu Beginn ihre Visitenkarten abgeben, der eine im stolzen Bewußtsein seiner Macht, der andere ihm ebenbürtig, aber durch seine Lage bedrückt. Zu den zauberhaften Liebesarien des jungen Fürsten Andronikos, deren eine folgendermaßen beginnt:

Georg Friedrich Händel: TAMERLANO

gesellt sich im letzten Akt beim Kampf um die Geliebte, an Tamerlan gerichtet, ein ganz gegenteiliger, energiegeladener Ausbruch:

Georg Friedrich Händel: TAMERLANO

Auch diese aber verfügt über verschiedene, gleich wirkungsvolle Register: In der Meinung, der Geliebte sei ihr untreu, stimmt sie in II,2 einen schnippisch abweisenden Gesang an. Am Anfang des III. Aktes aber versichert sie im Angesicht des Todes in einer ergreifenden Arie Vater und Geliebten ihrer unwandelbaren Treue:

Georg Friedrich Händel: TAMERLANO

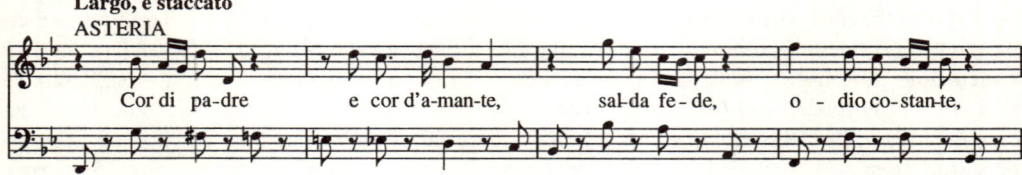

Auch in RODELINDA hat Händel die Gestalten ähnlich lebendig-vielseitig dargestellt. Die Titelheldin bedroht ihre Gegner ebenso leidenschaftlich,

Georg Friedrich Händel: RODELINDA

wie sie sich bei der Nachricht vom angeblichen Tod ihres Gatten ihrem Schmerz hingibt:

Georg Friedrich Händel: RODELINDA

Bertarido aber ist sowohl solcher Empfindungen fähig wie einer süßen Schwärmerei in der Natur und düsterer Betrachtungen im Kerker. — Der Wechsel zwischen erhabenem Pathos und rasender Erregung, banger Klage und seliger Entzückung, von dem die Personen oft geradezu geschüttelt werden, schlägt sich in erster Linie in der großartig vielseitigen Führung der Singstimmen mit (und öfter noch ohne) Koloraturen nieder und wird unterstützt durch eine modulationsreiche Harmonik, durch rhythmische Kontraste und nicht zuletzt durch eine farbige Instrumentation mit raffinierter Verwendung von Soloinstrumenten. Wesentlich ist auch die große Rolle des Akkompagnato in diesen Opern, das bald vor, bald gleichsam als zweiter Teil nach einer Arie erscheint. Den Höhepunkt in seiner Anwendung bildet die Todesszene Bajazets (TAMERLANO III,10), in der Händel mit dem mehrfachen inhaltsbedingten Ineinander von Secco, Accompagnato und Arioso die alte Szenenform imposant geweitet hat.

Die vier Opern waren gleichermaßen erfolgreich. Daran hatten sicher die Textbearbeitungen von Haym einen nicht unwesentlichen Anteil — hatten sie doch Händel zu diesem eindeutigen Höhepunkt seines Opernschaffens inspiriert. Die sechs Opern der folgenden Jahre: SCIPIONE und ALESSANDRO (1726), ADMETO und RICCARDO I (1727), SIROE und TOLOMEO (1728), enthalten nicht weniger Arien, Akkompagnati und Ensembles von gleicher Intensität des Ausdrucks, doch fehlt ihnen, größtenteils aufgrund der vielfach verworrenen Texte, die großartige dramatische Einheit. Trotzdem wurden sie vorwiegend günstig aufgenommen. Besonders erfolgreich war der am 31. Januar 1727 uraufgeführte ADMETO, RÈ DI TESSAGLIA. Seine Textvorlage ist ein denkbar undurchsichtiges barockes Libretto mit viel starken, gegensätzlichen Affektäußerungen, die jedoch im Mund der schemenhaften Figuren musikalisch ebenso zu großartigen Würfen wie zu primär konventionellen Nummern führen konnten. Admets Traum zu Beginn des I. Aktes erscheint z. B. als bewegte dramatische Szene aus einem feierlichen Schreittanz der Furien, einem erregten Akkompagnato-Rezitativ des Träumenden mit mehrfachem Wechsel von Adagio und Furioso und einem weihevollen Arioso, und in III,1 beklagt er sein Geschick fast schluchzend und von zackigen Violinfiguren umspielt in einem sehr ausdrucksvollen Arioso. Auf die Nachricht vom Tode Alcestes in I,7 reagiert er dagegen nur mit einer sehr einfachen, konventionellen Betrachtung. Ähnlich unbeteiligt wirkt auch die Arie der durch Herkules aus der Unterwelt befreiten Alceste in II,2, während ihre f-Moll-Abschiedsarie in I,3 den Schmerz der opferbereiten Gattin unmittelbar widerspiegelt. Der Gesamteindruck der Oper ist mit dem bunten Wechsel von Textnähe und Textferne mehr der einer Reihung als eines geschlossenen Ganzen. — Formal herrscht wie in den andern Opern jener Jahre die große fünfteilige Dacapo-Arie meist mit ausgedehnten Ritornellen. In ihnen kommt Händels Neigung zu einem dichten, kontrapunktischen Orchestersatz zur Geltung, von dem die Singstimme dann umhüllt wird. Diese Händelsche Kunst charakterisiert herkömmlich bravouröse Gleichnisarien wie ausdrucksgesättigte, ganz persönliche Gefühlsäußerungen gleichermaßen. Sie ist eines der stärksten Bindemittel zwischen seinen so verschiedenartigen Opern und zugleich das wesentlichste Merkmal, das diese von denen seiner Zeitgenossen unterscheidet.

Das Jahr 1728 bedeutete äußerlich einen Einschnitt in Händels Opernschaffen insofern, als die Royal Academy finanziell zusammenbrach und ihre Pforten schließen mußte. Die Gründe dafür, daß das Publikum dem nie ganz unumstrittenen Unternehmen seine Gefolgschaft versagte, sind mannigfaltig. Händel selbst besaß zweifellos Gegner, doch waren in der Academy ja auch italienische Opern anderer Meister aufgeführt worden. Wesentlicher war also wohl die immer vorhandene Gegnerschaft gegen die italienische Oper als solche, die eben in diesem Jahr durch das kometenhafte Erscheinen der BEGGAR'S OPERA von John Gay und Johann Christoph Pepusch neuen Auftrieb erhielt. Das gerade in seiner Anspruchslosigkeit äußerst geistvolle Stück[5] erschien in der Gestalt einer betont volkstümlichen Opernparodie, indem es die unnatürlich gesteigerten Situationen der italienischen Oper in die Niederungen echt englischen Volkslebens übertrug und sie dadurch meisterhaft der Lächerlichkeit preisgab. Für Händel bedeuteten diese Ereignisse nicht mehr als nur eine kurze Unterbrechung seines Bühnenschaffens — ein Zeichen dafür, wie fest er noch immer an die Zukunft der italienischen Oper in London glaubte.

Nachdem er mit Heidegger zusammen ein ebenfalls vom König subventioniertes und durch Subskriptionen gestütztes neues Unternehmen gegründet und ein neues Ensemble zusammengebracht hatte, eröffnete er die zweite Academy am 2. Dezember 1729, nur anderthalb Jahre nach dem Ende der ersten, mit einer neuen Oper, LOTARIO, der er schon am 24. Februar des nächsten Jahres PARTENOPE folgen ließ. Beide Werke waren erfolglos, obwohl einzelne Nummern daraus musikalisch durchaus auf der Höhe früherer stehen. Die Ablehnung dürfte wohl weniger speziell diesen Opern gegolten haben als vielmehr noch ein Ausdruck der durch den Wirbel um die BEGGAR'S OPERA angeheizten allgemeinen Animosität gegen die italienische Oper im Ganzen gewesen sein. PARTENOPE entbehrt allerdings, abgesehen von einem Quartett in III,1 und einem Terzett in III,8, die beide mehr Wechselgespräche in Ensembleform als wirkliche Ensembles darstellen, dramatischer Bewegung fast ganz. Ihre besondere Bedeutung liegt vielmehr in dem intensiven

---

5 Vgl. im Kapitel *Die Oper in England*, unten S. 412.

Zusammenwirken von Gesangsstimme und Instrumenten bzw. von diesen untereinander; als Beispiel sei die liebliche Arie der Rosmira aus I,4 angeführt:

Georg Friedrich Händel: PARTENOPE

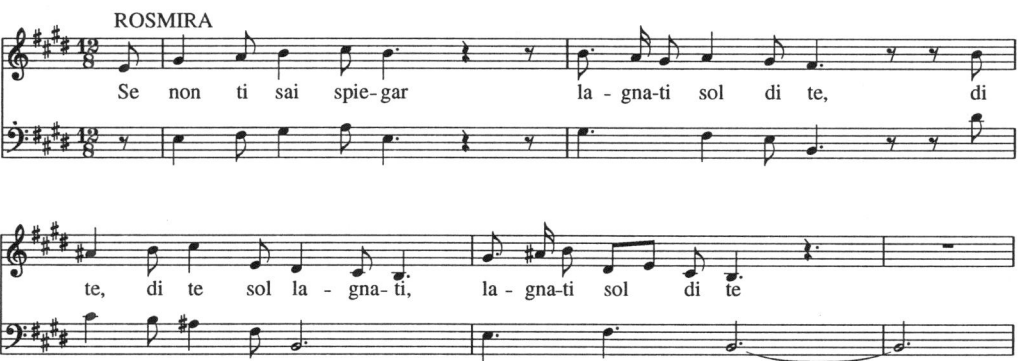

Bei der Wiederaufnahme der Oper in der folgenden Spielzeit erschien vor dem Schlußchor an Stelle eines Gesanges der Partenope eine Arie des Arsace, die mit ihrer Wendung ad spectatores fast einen buffonesken Anstrich hat. Dies ist dem im Ganzen unheroischen Charakter der Oper durchaus angemessen.

Der Kurs, den Händel in den folgenden Jahren der zweiten Academy steuerte, unterschied sich jedoch grundsätzlich in keiner Weise von dem der Vergangenheit. Die Werke waren, wie eh und je, der Herkunft des Textes, d. h. dem Geiste nach verschieden, sie wurden unterschiedlich aufgenommen, aber sie waren opere serie, deren besondere Bedeutung jeweils durch den Grad des Übergewichts typisch Händelscher Merkmale über den Gattungsstil bestimmt wurde. Spürbar ist allerdings schon seit LOTARIO stellenweise eine gewisse Eleganz in Satz und Melodieführung, die die Nähe der frühklassischen Oper erkennen läßt.

Die nächsten beiden Opern, die in Abständen von jeweils einem Jahr folgten — die auf Bearbeitungen metastasianischer Texte komponierten PORO (2. Februar 1731) und EZIO (15. Januar 1732) —, unterscheiden sich von PARTENOPE durch eine stärkere Durchdringung von Musik und Drama. In PORO beginnt schon die Szene I,1 (nach einer verlorenen Schlacht) mit einem Akkompagnato des Titelhelden, dem eine kriegerische, geradezu gehämmert deklamierte Arie seines Generals Gandarte mit engem Ineinanderspielen von Singstimme und Instrumenten folgt. Der Akt schließt mit einem Duett Poro/Cleofide, das von einer dramatischen Wiederaufnahme früherer Liebesschwüre eröffnet wird. Ein zärtliches Liebesduett der beiden in II,2 geht bei der Annäherung des Feindes plötzlich in erregtes Rezitativ über. Ganz besonders intensiv der Situation angemessen ist dann Cleofides Arie in II,5, in der sie verhalten und mit bewegenden Phrasen den Geliebten ihrer Liebe versichert; dabei erscheint die zweite Zeile quasi als Umkehrung der ersten.

Dagegen erwächst Poros Klage über Cleofides scheinbare Untreue in III,8 aus einem von Chromatik getränkten Rezitativ in Gestalt einer f-Moll-Arie mit kurzatmiger, fast realistisch schluchzender Deklamation (vgl. die Beispiele S. 344).

EZIO enthält neben vielen konventionellen Gleichnis- bzw. Bravour-Arien eine Reihe besonders ausdrucksgesättigter Gesänge vor allem in den Rollen des Titelhelden und seines Gegenspielers, des Intriganten Massimo. So erscheint Ezio z. B. in I,2 als schwärmerischer Liebhaber, in II,6 dagegen als in seiner Treue schwer gekränkter Feldherr; Massimos Arie in II,4 aber zeigt sich als

Georg Friedrich Händel: PORO

Georg Friedrich Händel: PORO

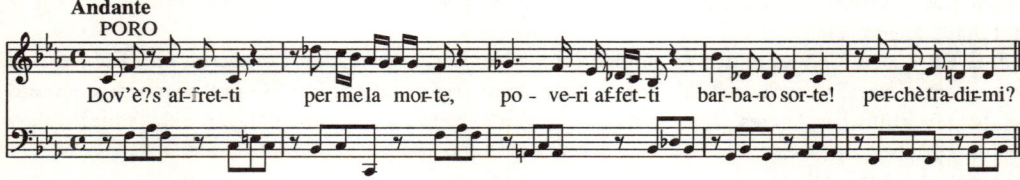

großartiger Wut- und Verzweiflungsausbruch des Bösewichts, dessen Charakter schon durch die durchgehenden punktierten Rhythmen des Ritornells bestimmt wird.

Einen Monat nach EZIO trat Händel noch mit einer weiteren Oper, SOSARME, hervor, dann ließ er, jetzt nur gleichsam als Zwischenarbeit, Neubearbeitungen früherer Werke folgen, ACIS AND GALATEA und ESTHER, deren ursprüngliche Fassungen beide aus Händels mehr als zehn Jahre zurückliegenden Zeit in Cannons stammten. Die gattungsmäßige Einordnung dieser Stücke zwischen Pastorale, Masque, Oper und Oratorium ist zweifelhaft, ausschlaggebend zwischen den sie umgebenden italienischen Solo-Opern ist aber die englische Sprache und die große Rolle der Chöre, die sie als Vorläufer des Händelschen Oratoriums abstempeln. Das Publikum bereitete den englischen Werken einen warmen Empfang, was aber Händel zunächst nicht von seinem mit der italienischen Oper beschrittenen Weg abbrachte. Auf die Länge gesehen bedeutet freilich dieses scheinbare Intermezzo den Anfang der Überschneidung zwischen der ganz allmählich auslaufenden Opernkomposition und dem Oratorienschaffen, dem die Zukunft gehören sollte.

Trotzdem schuf Händel mit dem am 17. Januar 1733 uraufgeführten ORLANDO gerade jetzt wieder ein dramatisch wie musikalisch besonders hervorragendes Werk. Dessen größte Bedeutung liegt in den vielen freien Formen, den Ariosi und Akkompagnati, sowie in der abwechslungsreichen Satzbehandlung, durch die sich das Orchester häufig eindrucksvoll an der Inhaltsausdeutung beteiligt. Die vier ersten Szenen des I. Aktes z. B. werden sämtlich durch besonders ausdrucksvolle, von situations- und affektbedingten Instrumentalsätzen eröffneten Akkompagnato-Rezitativen eingeleitet; auch die zweite Hälfte des III. Aktes ist in dieser Weise dramatisch aufgelockert. Dorindas Arioso in II,1, ein Gesang an die Nachtigall, ist ein bezauberndes Naturgemälde, während Orlandos Wahnsinnsszene II,11 ein einziges vielteiliges Akkompagnato darstellt. Jeder Textabschnitt wird dem Inhalt entsprechend verschieden, meist sehr erregt, ausgedeutet. Als Refrain und Abschluß erscheint ein gewollt friedlich, fast kinderliedhaft wirkendes Tempo di Gavotta, mit dem Orlando in seinem Wahn Proserpinas Tränen zu trocknen versucht. Die Arien sind nicht minder charakteristisch und erscheinen nicht selten paarweise kontrastierend nebeneinander. So sucht z. B. Angelica in I,9 durch eine kurze graziöse Arie Orlando irrezuführen, während

Georg Friedrich Händel: ORLANDO

dieser in der folgenden Szene seine Beständigkeit mit großartigem Händelschen Pathos betont. Den Schluß des I. Aktes bildet

Georg Friedrich Händel: ORLANDO

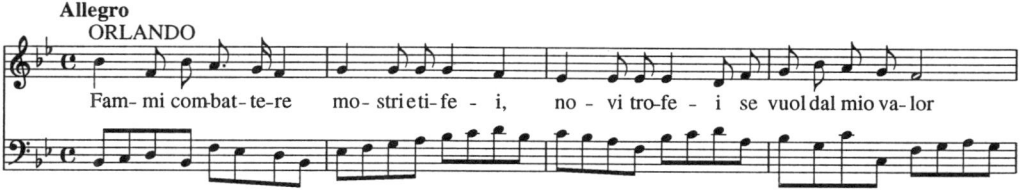

ein konzertierendes Terzett zwischen dem Paar Angelica/Medoro und der Schäferin Dorinda, in dem die Stimmen sich der Handlung entsprechend trennen und vereinen; den III. Akt beschließt ein vaudevillehafter Gesang der Solisten mit anschließendem Tutti.

In das Jahr zwischen ORLANDO und die folgende Oper ARIANNA IN CRETA (26. Januar 1734) fällt mit den englischsprachigen biblischen Texten von DEBORAH und ATHALIA Händels zweiter, weiter reichender Vorstoß in Richtung auf die neue Gattung des Oratoriums, auch dieser jedoch noch immer ohne den Boden der Oper grundsätzlich zu verlassen. Außerdem trat ein für die zweite Academy verhängnisvolles Ereignis ein: die Gründung eines Konkurrenzunternehmens, der „Opera of the Nobility". Der Initiator war der Prinz of Wales, der mit diesem Coup nicht nur Händel als Künstler, sondern, bei der engen Verflechtung künstlerischer und politischer Bestrebungen, auch als Günstling des Königs und zugleich dessen ganze Partei treffen wollte und dazu keine Mittel scheute. Er brachte Händel vor allem durch Abwerbung weiter Teile des Sängerpersonals in große Schwierigkeiten. Auch das Haymarket Theatre ging in die Hände der Gegenpartei über. Händel führte jedoch sein Opernunternehmen seit 1735 im Theatre Royal Coventgarden unbeirrt weiter. Auch der als Gegenpapst herbeigerufene Nicola Porpora vermochte gegen ihn nichts auszurichten.

Händels ARIANNA IN CRETA ist allerdings an dramatischer Wirkungskraft dem vorangehenden ORLANDO unterlegen. Die freien Formen, die dort größtenteils Träger der dramatischen Spannung sind, treten hier ganz in den Hintergrund, die geschlossenen Formen, nach alter Weise fünfteilig und regelmäßig mit dem Secco-Rezitativ alternierend, bestehen teils aus ausgedehnten Bravour- (meist Gleichnis-)Arien, teils aus leichten lyrischen Liebesbetrachtungen. Die kriegerische Arie, mit der sich Teseo in I,5 einführt, beginnt z. B. folgendermaßen:

Georg Friedrich Händel: ARIANNA IN CRETA

während Arianna ihre Liebesklage in II,5 in einer schwärmerischen c-Moll-Arie zum Ausdruck bringt:

Georg Friedrich Händel: ARIANNA IN CRETA

Der Reiz des Werkes beruht auf dieser Reihung von häufig krassen Kontrasten, ohne daß es dabei jedoch zu dramatischen Höhepunkten käme.

Ein Jahr danach trat Händel dagegen kurz nacheinander wieder mit zwei Bühnenwerken hervor, in denen Musik und Drama gleich gewichtig sind: die beiden Ariost-Opern ARIODANTE und ALCINA, uraufgeführt am 8. Januar bzw. 16. April 1735 im Covent Garden Theater. ARIODANTE zeichnet sich vor allem durch die zahlreichen selbständigen, im Dienste der Inhaltsausdeutung stehenden Instrumentalsätze und die großen, alle drei Akte beschließenden Divertissements aus, die dem Werk einen pathetischen Schwung verleihen und auf französischen Einfluß schließen lassen. Stimmungshaft verkörpert z. B. die den II. Akt eröffnende Sinfonia die Atmosphäre der Mondnacht, und in die den III. Akt in französischem Stil einleitende Sinfonia hinein erklingt mit aufwärtsgesteigerten Wiederholungen ein Klagegesang Ariodantes. Die Arien sind sämtlich nicht nur situationsbedingt, sondern vielfach auch den Charakteren angepaßt, selbst wenn es sich, wie z. B. in den Szenen I,8 und III,8 des ARIODANTE, um ausgesprochene Bravourarien handelt. Die Heldin Ginevra aber eröffnet die Oper mit einem sorglos-heiteren Arioso, um den unerwünschten

Georg Friedrich Händel: ARIODANTE

Liebhaber Polinesso in der nächsten Szene mit einer scharf deklamierten Arie höchst energisch abzuweisen:

Georg Friedrich Händel: ARIODANTE

Ihr schweres Geschick entlockt ihr dann im Verlauf der Oper mehrere bewegende Klagearien, in III,4 und 5 mit geradezu schluchzender Deklamation, während die g-Moll-Arie, die sie in III,10

im Kerker anstimmt, bei der Nachricht von ihrer Rehabilitierung jäh abbricht und von einer freudigen Sinfonia abgelöst wird. Alle diese Beispiele und viele mehr lassen das dramatische Leben erkennen, das die ganze Oper durchpulst.

Das Gleiche gilt für die Zauberoper ALCINA. Auch hier spielen Chöre und Tänze eine den Rahmen der Seria sprengende Rolle. Die Arien sind auch als Typen stets mehr charakteristisch als konventionell. Bravouröse Arien treten hinter schlichteren zurück, in denen das Schwergewicht oft auf kurzen, scharf deklamierten, häufig mit instrumentalen Phrasen alternierenden Motiven liegt. In dieser Weise wirbt Alcina z. B. in I,10 um Ruggieros ins Wanken geratene Liebe. Den gleichen Ton schlägt Ruggiero in I,12 gegenüber Bradamante an, die er nicht erkennt:

Georg Friedrich Händel: ALCINA

Im Gegensatz zu derartigen buffonesk anmutenden Gesängen stehen Ruggieros Abschiedsarie, eine typisch Händelsche Sarabande, deren Ambiente an Rinaldos Gesänge im Zauberhain der Armida bei Lully und Gluck gemahnt, in II,12, und Alcinas Beschwörungsarie in II,13 mit ihrer erregten Sechzehntel-Deklamation. Mit solchen gleichermaßen musikalisch schönen wie dramatisch charakteristischen und satztechnisch glänzend gearbeiteten Nummern ist ALCINA den bedeutendsten Werken der vorangehenden Jahre an die Seite zu setzen.

Noch einmal folgte auf diesen Höhepunkt mit dem *Alexanderfest* im Februar 1736 ein Ausweichen in das Gebiet des englischen Oratoriums, wieder vom Publikum begeistert begrüßt, von Händel aber noch immer nur mehr als Zwischenspiel betrachtet, denn er ließ außer der Festoper ATLANTA zur Hochzeit des Prinzen von Wales im selben Jahr im nächsten gleich wieder drei weitere Opern, ARMINIO (12. Januar), GIUSTINO (16. Februar) und BERENICE (18. Mai 1737), folgen. Keine von ihnen erreichte jedoch die Höhe von ALCINA. In ihnen allen spricht, mehr oder weniger überzeugend, in erster Linie Händel der Musiker, jedoch kaum der Musikdramatiker; der Gattungstil dominiert über den Personalstil. Der Grund hierfür dürfte Händels schlechter Gesundheitszustand gewesen sein — er hatte in jener Zeit einen Schlaganfall erlitten —, denn als er im Herbst überraschend gesundet von seiner Kur in Aachen zurückkehrte, ließ er kurz nacheinander, nun wieder im Haymarket Theatre, zwei Opern, FARAMONDO (3. Januar) und SERSE (*Xerxes;* 15. April 1738), erscheinen, die ihn auf der Höhe seiner Leistungsfähigkeit zeigen. Mit SERSE wandte er sich obendrein vom Schematismus der opera seria weitgehend ab. Die Vorlage seiner Textbearbeitung geht bis ins 17. Jahrhundert, letzten Endes bis 1654 (*Serse* von Nicolo Minato für Francesco Cavalli) zurück, also in die Zeit vor der Erstarrung der Oper in Typen und vor der scharfen Trennung von Seria und Buffa. Diese alte Freiheit verwandelte Händel nun in eine neue, indem er durch Einfügung von frei geformten Szenen das übliche Szenenschema Rezitativ-Arie auflockerte und dadurch den dramatischen Fluß belebte. Gleich die Auftrittsszene des Titelhelden I,1 besteht lediglich aus einem kurzen Akkompagnato-Rezitativ mit anschließendem stimmungsvollen Arioso — dem berühmten „Largo", das jedoch die Überschrift Larghetto trägt —, die Szene I,3 enthält dagegen ein Arioso und zwei Arien, während etwa die Szene II,2 als Rezitativszene mit ariosen Einschüben (einer davon — „Ah tigre infedele" — ausgesprochen parodistisch) bezeichnet werden kann. Hand in Hand mit dieser Variierung im Großen geht die Durchbrechung des formalen Gleichmaßes in der Arie durch die häufige Verwendung kürzerer drei-, zwei- oder nur einteiliger Gesänge, die auf der Grenze zwischen Arioso und Arie stehen. Durch sie erweitert sich der Kreis der Ausdrucksmöglichkeiten wesentlich. Auf diese Weise wird es z. B. auch möglich, daß eine kurze, dreiteilige Dacapo-Arie als Strophengesang im Mund einer Person (in II,3) bzw. zweier verschiedener Personen (in I,3) auftritt; die große fünfteilige Dacapo-Arie aber, die hier nur noch eine Form unter anderen ist, erscheint meist besonders prunkvoll und pathetisch zur Verkörperung mehr herkömmlicher Affekte. Diese Arien stehen im Ganzen weniger im Dienste der Personen- und Situationscharakteristik als die kürzeren Gesänge, die teilweise fast als Charakterstücke bezeichnet werden können. Das schwärmerische Treuegelöbnis der Liebhaberin Romilda, eine einteilige Arie, in der die Singstimme vom Baß gestützt und von den Violinen unisono umspielt wird, Larghetto e pianissimo überschrieben, beginnt folgendermaßen:

In II,3 äußert sich Serses Liebeskummer in einem bewegenden Arioso, während der Bediente

Elviro, eine echte schlauverschmitzte Dienergestalt des Seicento, in einem atemlos dahingeplapperten, nur 16 Takte umfassenden Gesang mit allen Instrumenten colla parte in II,12 unverkennbar buffoneske Töne anschlägt. Neben der formalen Auflockerung ist die Mischung von Ernst und Komik das wesentlichste Kennzeichen, das diese Oper von dem Gros der Händelschen Bühnenwerke abhebt. Ausschlaggebend ist dabei, daß sie nur in Ausnahmefällen kontrastierend nebeneinander stehen, daß vielmehr die ganze Oper, ähnlich wie das Frühwerk AGRIPPINA, nur unmerklicher als dort, von parodistisch-ironischen Zügen durchsetzt ist. Gleichsam in den Kreis der Protagonisten hineingetragen wird das komische Element durch die schnippisch-verschlagene Atalanta, die Schwester Romildas, deren Arien, vor allem die in I,15, II,3 und III,2 ausgesprochen buffohaften Charakter tragen.

Nach dieser Form wie Inhalt berührenden Quasi-Reform seiner Oper vollzog Händel mit den Oratorien *Saul, Israel in Ägypten* und der *Cäcilien-Ode* im Jahre 1739 endgültig den Übergang zu dieser Gattung, die er nunmehr nur noch außer mit zwei „Serenate" (JUPITER IN ARGOS und IMENEO) mir seiner letzten Oper DEIDAMIA (10. Januar 1741) verließ. Dieses Werk, aufgeführt in Lincoln's Inn Fields Theatre, setzt die Reformbestrebungen des buffonesken SERSE unter anderen Vorzeichen fort. Noch stärker als dort, wo das komische Element weitgehend von bestimmten Personen getragen wird, ist es in DEIDAMIA unterschwellig vorhanden, hervorgerufen durch die Verkleidung Achills als Nymphe und durch die listigen Bemühungen der Könige Ulisse und Fenice, ihn zu entlarven. — Der Textdichter Paolo Antonio Rolli hat diese Vorgänge, die mit denjenigen in Metastasios 1736 entstandenem *Achille in Sciro* übereinstimmen, leicht ironisierend und durch die häufige Zusammenfassung von zwei bis drei Arien zu einer Szene so dargestellt, daß die Akte statt aus einer Reihung unendlich vieler Einzelszenen aus einer Folge inhaltlich aufeinander bezogener, charakteristischer Blöcke bestehen. Händel hat diese Blöcke vielfach geradezu in musikalische Charakterbilder verwandelt, wie denn die Gestalten dieser Oper überhaupt, gleichgültig, ob sie sich in Ariosi, kurzen und einfachen Arien oder in großen Gesängen der fünfteiligen Dacapo-Form äußern, weitgehend als fest umrissene Charaktere auftreten. In I,1 werden z. B. die drei Könige Ulisse, Fenice und Lycomede in drei verschieden gestalteten Arien charakterisiert, in I,2 geben Deidamia und ihre Vertraute Nerea ebenso treffend ihre Visitenkarten ab, und in I,3 wird das Liebespaar mit zwei jünglingshaft draufgängerischen Gesängen Achills und einer schwärmerischen Arie Deidamias dazwischen dem Hörer greifbar deutlich vor Augen gestellt. Achill führt sich mit einem frischen, buffoartigen Jagdgesang ein, während Deidamia ihrer Liebesklage in II,3 lieblichen Ausdruck verleiht. Im Gegensatz dazu zeigt sich Nerea in II,6 als Inbegriff der schnippischen Zofe. Ein besonders glänzendes Charakterstück ist endlich die Arie des Ulisse in II,9, wo der Held von Deidamia überrascht wird, als er dem als Mädchen verkleideten Achill den Hof macht. In seiner Verlegenheit erklärt er in stockender Deklamation und mit übertriebenen Koloraturen immer abwechselnd, daß er jenes Mädchen gar nicht liebe, während er dieses seiner Liebe versichert.

Georg Friedrich Händel: DEIDAMIA

Mit SERSE und DEIDAMIA ist Händel am Ende seines Opernschaffens zu einer Überwindung des starren Seria-Typs, zu einer Belebung dieser Gattung von innen heraus gelangt. Die beiden Opern sind keine opere buffe, sie stehen vielmehr äußerlich fest auf dem Boden der Seria, aber sie sind der Form und vor allem dem Geiste nach der heiteren Gattung angenähert und weiter als jede ihrer Vorgängerinnen vom Schematismus entfernt. Dieses Ungewohnte mag ein Grund ihres geringen Erfolges gewesen sein. Warum Händel mit ihnen endlich die Opernbühne verlassen hat, wissen wir nicht, genau so wenig, wie wir wissen, warum er in der Zeit des allmählichen Parallel-Laufens von Oratorien- und Opernkomposition — mindestens seit 1733 — immer wieder zu dieser zurückgekehrt ist. Man kann vermuten, daß die Erweiterung der Ausdrucksmöglichkeiten in jenen beiden Opern ihm die Loslösung von der Seria und den endgültigen Übergang zu der bereits vielfach erprobten neuen Gattung erleichtert hat, in der er nunmehr ganz frei von den Fesseln des Herkommens, doch immer noch in Gestalt von musikalischen Dramen (wenn auch ohne szenische Darstellung) zu großen, wahren, allgemein menschlichen Gegenständen durchstoßen konnte. Der langjährigen, ebenso vielgestaltigen wie selbständigen Auseinandersetzung mit der Gattungstradition folgt so, allmählich aus ihr heraus und neben ihr heranwachsend, sprachlich wie geistig grundsätzlich gewandelt, die radikalste Opernreform der Geschichte. Sie führte zu einem neuen Kunstwerk sui generis, dem Händelschen Oratorium, von dem aus es kein Zurück mehr gab.

## Christoph Willibald Gluck

Christoph Willibald Gluck (1714—1787), ein Altersgenosse Niccolò Jommellis, verdiente sich seine Sporen als Opernkomponist, ohne erst Versuche in Deutschland zu machen, sogleich in Italien. Hier errang er nach nur kurzer Studienzeit bei Giambattista Sammartini schon mit seiner ersten Oper ARTASERSE, die 1741 in Mailand uraufgeführt wurde, einen beachtlichen Erfolg, der ihm zugleich die Laufbahn eines berufsmäßigen Opernkomponisten italienischer Prägung, eines „compositore scritturato" eröffnete. In den Jahren bis 1745, da er noch in Italien blieb, entstanden insgesamt acht Opern, nach dem Brauch der Zeit alle auf Bestellung verschiedener Theater, was deutlich für die Beliebtheit des ausländischen Meisters spricht. Dies und die Opern selbst (bzw. das, was von ihnen erhalten ist, denn nur zwei, DEMOFOONTE und IPERMESTRA, sind annähernd vollständig überliefert) zeigen, daß sich Gluck in diesen seinen Anfängen ganz im Rahmen der italienischen Opernkonvention jener Jahre bewegte. Er dürfte sie sich wie ein echter italienischer Opernkomponist weitgehend durch die Praxis, d. h. im Theater selbst, angeeignet haben, denn im Schaffen seines Lehrers Sammartini spielte die Opernkomposition nur eine untergeordnete Rolle. Gluck verließ Italien als routinierter Vertreter der opera seria, wie er sie damals in Mailand in Werken seiner Zeitgenossen kennenlernen konnte, und er setzte diesen Weg im folgenden Jahrzehnt während eines unruhigen Wanderlebens, das ihn auch nach England führte, und schließlich in Wien, wo er sich endgültig niederließ, erfolgreich fort. Die in jener Zeit entstandenen elf Opern und Serenaten, fast alle auf Texte von Metastasio, zeigen ihn noch immer grundsätzlich auf dem Boden der Tradition, doch machen sich, genau wie etwa in den Frühwerken des gleichaltigen Jommelli, neben prunkvollen Bravourarien, tändelnden Liebesgesängen, modischen Tanzweisen und den unvermeidlichen Gleichnisarien auch Töne echten dramatischen Empfindens bemerkbar. An solchen Stellen ist hie und da auch schon eine Mischung von italienischer Kantabilität, deutscher Liedhaftigkeit und hymnischem Pathos wie in folgendem Beispiel aus LA CLEMENZA DI TITO zu

Christoph Willibald Gluck: LA CLEMENZA DI TITO

erkennen, die die Sprache des späteren Gluck charakterisieren sollte. Derartige Kennzeichen erscheinen bereits in der ersten großen Oper dieser Periode, der SEMIRAMIDE RICONOSCIUTA (*Die wiedererkannte Semiramis;* Wien 1748), noch wesentlich verstärkt aber in ihren Nachfolgerinnen EZIO (Prag 1750), LA CLEMENZA DI TITO (Neapel 1752), ANTIGONO (Rom 1756) und IL RE PASTORE (Wien 1756). Dazwischen schrieb Gluck für höfische Festlichkeiten mehrere feste bzw. azioni teatrali, unter denen LE CINESI (1754) und L'INNOCENZA GIUSTIFICATA (*Die gerechtfertigte Unschuld;* 1755) besonders bemerkenswert sind, das erste Werk rein künstlerisch durch das textlich wie musikalisch sehr wirkungsvolle Nebeneinander von Tragödien-, Pastoral- und Komödienstil, das zweite vor allem historisch als interessantes Zwitterwerk zwischen Tradition und Fortschritt und als erstes Zusammenwirken Glucks mit dem Grafen Durazzo, der ihn später mit dem Librettisten Raniero di Calzabigi zusammenbringen sollte. Von ihm stammte die schon ganz im Sinne der Opernreform unter Verzicht auf jegliches Intrigenwesen schlicht und einheitlich abgefaßte Handlung. Dieser textliche Fortschritt wurde jedoch musikalisch dadurch aufgehoben, daß die wenig charakteristischen Arien aus verschiedenen Dramen Metastasios zusammengetragen waren und dem Komponisten daher nur Gelegenheit zu einer mehr oder weniger konventionellen Textwiedergabe boten.

Nach dieser flüchtigen Begegnung des italienischen Opernkomponisten Gluck mit dem Geist der Reform kam er, wieder nicht ohne Zutun Durazzos, in enge Berührung mit der französischen opéra comique, einer ihm nach Herkommen, Geist und Erscheinungsform gänzlich fremden Gattung. Sie erfreute sich in Paris in Gestalt ihrer Vorform, der Vaudeville-Komödie (vgl. das Kapitel *Die opéra comique,* S. 162ff.), größter Beliebtheit und wurde auch in Wien mit Begeisterung aufgenommen. Durazzo vereinbarte eigens mit einem der bedeutendsten Dichter der Gattung, Charles Favart, einen Austausch von Berichten über Pariser bzw. Wiener Theaterereignisse und von neuen Vaudevillekomödien gegen italienische Libretti, und Gluck wurde beauftragt, die anspruchslosen Liedchen dieser Singspiele für die Wiener Aufführung herzurichten. Er begnügte sich jedoch nicht lange mit dieser untergeordneten Bearbeitertätigkeit, sondern ging, unabhängig von entsprechenden gleichzeitigen Bestrebungen in Paris, mehr und mehr zur Einführung eigener Kompositionen über. So bereicherte er die junge Gattung in den Jahren 1758 bis 1761 mit acht Werken, in denen die Zahl der übernommenen Vaudevilles hinter der der Gluckschen Originalkompositionen immer mehr zurückblieb, bis diese in den beiden letzten L'IVROGNE CORRIGÉ (*Der bekehrte Trunkenbold*; 1760) und LE CADI DUPÉ (*Der betrogene Kadi*; 1761) schließlich zahlenmäßig die Oberhand gewannen. Glucks letzte opéra comique LA RENCONTRE IMPRÉVUE (*Unverhofftes Begegnen* oder *Die Pilger von Mekka*; 1764) enthält dann keine fremden Einfügungen mehr.

Schon die frühesten dieser Werke lassen erkennen, wie intensiv Gluck während seiner bloßen Bearbeitertätigkeit in den Geist der Gattung eingedrungen war. War es bei ihm, dem Seria-Komponisten, bisher um heroisch-tragische Konflikte auf der Menschheit Höhen, um zwar typenhafte, aber doch, besonders bei ihm, großartig pathetische Affektäußerungen und grundsätzlich um ein ungehemmtes Ausschwingen der kantablen Melodielinie in ausgedehnten Sätzen gegangen, so traten ihm hier lebensnahe Gegenstände heiteren oder auch heiter-satirischen Charakters entgegen, deren Wiedergabe in einer gänzlich unpathetischen Alltagssprache sich die Musik in kleinen, kunstlosen Formen mit der spritzigen Deklamation, der einfachen Melodik und Harmonik und der scharfen, marsch- oder tanzhaften Rhythmik der Vaudevilles als bloße Zugabe anschließen mußte. Es ist wahrhaft bewundernswert, wie schnell und wie vollendet sich der Meister diese ihm so fremde Gattung zu eigen gemacht hat. Der Anfang von Pierrots Air Nr. 7 aus L'ISLE DE MERLIN (*Merlins Insel*) möge zeigen, wie gut es ihm gelungen ist, den Vaudeville-Ton zu treffen:

Christoph Willibald Gluck: L'ISLE DE MERLIN

Begleitet wird dieser fast simple und dabei doch spritzige rondoähnliche Gesang meist Note gegen Note von einem aus je 2 Oboen, Hörnern, Violinen und Baß bestehenden Orchester. Bei der Orchestrierung aber macht sich bereits in diesem frühen Werk die Hand des hervorragenden Instrumentationskünstlers bemerkbar: Unter den 24 Nummern finden sich nicht weniger als 17 verschiedene Besetzungen. Doch nicht nur in dieser Beziehung erweiterte Gluck die Grenzen der schlichten Gattung. Vielmehr bemühte er sich, so weit möglich, auch um ein Eingehen auf den Textinhalt. Das Air Nr. 4 der unschuldigen jungen Colette aus dem IVROGNE CORRIGÉ (mit Solofagott), dessen Anfang auf S. 354 wiedergegeben ist, zeigt mit der Kantabilität und Weiträumigkeit seiner Melodielinie, daß der Komponist sowohl mit der italienischen Oper als auch mit dem Wiener Lied vertraut war. In Sätzen dieser Art wird deutlich, daß die Melodik Glucks des Reformers nicht zuletzt auf dem Boden seiner späteren opéras comiques erwachsen ist. Am stärksten tritt dies in der letzten und bedeutendsten, LA RENCONTRE IMPRÉVUE, hervor, die allerdings erst nach dem ORFEO entstanden ist. In dieser Oper, in der Gluck die störenden Fesseln der Vaudevilles gänzlich abgeworfen hat, schaltet er mit allen ihm zur Verfügung stehenden Stilen ganz frei und zwingt diese Buntheit dadurch zur Einheit zusammen, daß er sie als Charakteristika der verschiedenen Personengruppen verwendet: Das lyrische Liebespaar wird durch einen den Reformopern nahestehenden italienisierenden Liedton gekennzeichnet, die Gespielinnen bewegen sich mit ihren scharf rhythmisierten, graziösen Gesängen mehr auf französischem Boden, ein närrischer Maler gibt kühne Parodien italienischer Schlacht- und Gleichnisarien, daneben aber auch ein in erster Linie stimmungshaftes Naturgemälde zum besten, und die beiden Gegenspieler, ein Kalender und ein Karawanenführer, sind mit primitiver Melodik und Harmonik, unruhig flackernder Bewe-

Christoph Willibald Gluck: L'JVROGNE CORIGÉ

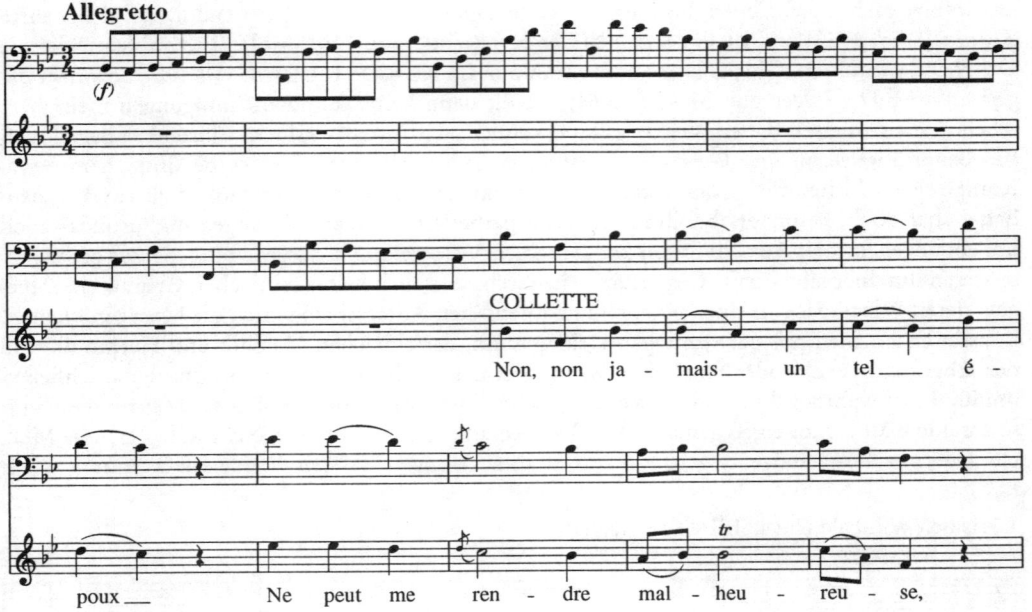

gung und grellem, durch Lärminstrumente unterstütztem Orchesterklang Repräsentanten des „alla-turca"-Stils jener Zeit, wie ihn Gluck selbst schon im CADI DUPÉ ausgeprägt hatte und wie Mozart ihn im letzten Satz der A-Dur-Klaviersonate und in der inhaltlich weitgehend mit Glucks Werk übereinstimmenden ENTFÜHRUNG verwendet. Als Beispiele für die verschiedenen Melodiecharaktere seien folgende angeführt: Das Air Nr. 20 der Heldin Rezia, eine reguläre Koloraturarie in Dacapo-Form, beginnt folgendermaßen:

Christoph Willibald Gluck: LA RENCONTRE IMPRÉVUE

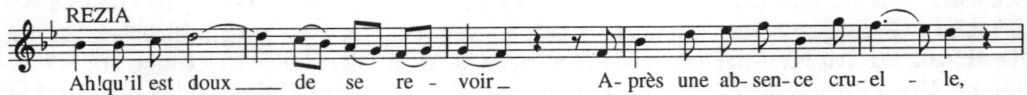

ein Gesang der Zofe Amine (Nr. 15) mit folgendem Anfang

Christoph Willibald Gluck: LA RENCONTRE IMPRÉVUE

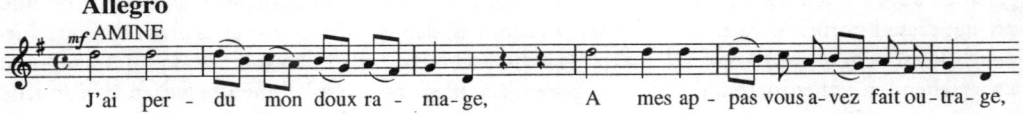

steht dem Vaudeville-Ton nahe, während der Karawanenführer seinem orientalischen Temperament in Nr. 23 so die Zügel schießen läßt:

Christoph Willibald Gluck: LA RENCONTRE IMPRÉVUE

LE CHEF DE LA CARAVANE

Ma-ho-met, no-tre grand pro-phè-te N'avait pas la cer-vel-le net-te Quand il a dé-fen-du le vin! Cet-te li-queur en-chan-te-

Die sechziger Jahre sahen Gluck als Experimentator im Kreuzfeuer neuer Einflüsse. Der allzu glatte Weg eines italienischen Opernkomponisten reizte ihn auf die Dauer nicht. Dies erkannt zu haben, war das große Verdienst des Hoftheaterintendanten Grafen Durazzo, der selbst von Jugend auf den neuen Bemühungen um eine Annäherung des italienischen an den französischen Operngeschmack nahegestanden hatte. Er war es, der Gluck dem urfranzösischen Geist der Vaudevillekomödie nahebrachte, er führte ihn wenig später auch mit Raniero Calzabigi, dem künftigen Dichter der Reformopern, zusammen. Der mit Gluck gleichaltrige Abenteurer aus Livorno hatte in Paris den „Buffonistenstreit" (siehe S. 162ff., *Die Oper in Frankreich*), die wilden literarischen Kämpfe um die Vorzüge der italienischen und französischen Musik, miterlebt und aufmerksam verfolgt, ohne daran teilzunehmen. Aus einer Abhandlung über das Schaffen Pietro Metastasios, mit der er eine von ihm angeregte Ausgabe von dessen Werken veröffentlichte, geht aber hervor, daß er, obwohl grundsätzlich noch Anhänger des Dichters, von der starren Konvention weg zu wahren Empfindungen im Sinne Rousseaus und zu einer Annäherung an die französische Oper strebte. In diesem Sinne schuf er sein erstes Libretto Orfeo ed Euridice, das des gleichgesinnten Durazzo höchstes Interesse erregte. Daß dieser ihn für die Komposition an Gluck verwies, zeugt von seinem feinen Gespür für dessen neuen Versuchen aufgeschlossenen Geist. Der Zusammenarbeit der beiden Künstler entsprossen insgesamt drei Werke, die alle auf dem Wiener Burgtheater das Rampenlicht erblickten: die azione teatrale ORFEO ED EURIDICE (1762), die tragedia ALCESTE (1767) und das dramma per musica PARIDE ED ELENA (1770). Sie bilden die Gruppe der sogenannten „Reformopern" Glucks, doch lassen bereits die verschiedenen Untertitel erkennen, daß ihrer ganzen Haltung nach große Unterschiede zwischen ihnen bestehen, daß Gluck und Calzabigi also dem Typ des metastasianischen Dramas nicht einen ebenso fest stabilisierten neuen Typ entgegensetzten, sondern daß auch innerhalb dieser Reihe Gluck als Experimentator am Werke war. So stand sie auch trotz ihrer die Umwelt fast erschreckenden Neuheit nicht in diametralem Gegensatz zu seinem vorangehenden Schaffen, sondern wuchs ganz allmählich als Höhepunkt daraus hervor. Voran ging die Entwicklung der opéra comique, deren Krönung in LA RENCONTRE IMPRÉVUE (1764) sich mit dem Beginn der Reform in ORFEO (1762) kreuzte, unmittelbar voran ging aber auch Glucks erstes Tanzdrama *Le festin de pierre* (*Das steinerne Gastmahl*; DON JUAN, 1761) auf ein Szenarium des Ballettmeisters Gasparo Angiolini, zu dem ebenfalls Calzabigi die Anregung aus Paris mitgebracht hatte und in dem Gluck erstmalig gezwungen war, ein dramatisches Geschehen ausschließlich in instrumentale Sätze einzufangen. Andererseits hat er sein traditionsgebundenes italienisches Opernschaffen mit der Experimentierperiode um 1760 keineswegs aufgegeben. Vielmehr folgten auf ORFEO noch IL TRIONFO DI CLELIA auf einen Text von Metastasio (1763) sowie 1765 TELEMACCO O SIA L'ISOLA DI CIRCE (*Telemachos oder die Insel der Circe*). Beide stellen eine höchst interessante Mischung von herkömmlicher italienischer Kantabilität und Bravour und der neuen, verinnerlichten Liedhaftigkeit Glucks dar, im letzteren Werk häufen sich neben langen Secco-Rezitativen große, durch Chorblöcke zusammengeschlossene Szenenkomplexe aus Akkompagnati, Ariosi und Instrumentalsätzen, die den Komponisten des ORFEO deutlich erkennen lassen. Zu derselben festlichen Gelegenheit (der zweiten Hochzeit Erzherzog Josephs)

wie dieses Zwitterwerk schrieb Gluck auch noch eines seiner letzten konventionellen Gelegenheitswerke, den Einakter IL PARNASO CONFUSO und außerdem sein zweites Tanzdrama SEMIRAMIS (von Angiolini nach der Tragödie Voltaires), dessen grausiges Geschehen Gluck in frei geformten, harmonisch ungeheuer kühnen, ausdrucksvollen Charakterstücken wiedergegeben hat.

Dieses zeitliche Nebeneinander von Tradition und Fortschritt charakterisiert jene Jahre recht eigentlich als Übergangszeit, in der sich künstlerisch wie auch gesellschaftlich die Lösung aus den Banden der Konvention allmählich vollzog. Die drei letztgenannten Werke waren noch sämtlich Gelegenheitsstücke alten Stils, Auftragswerke, wie fast alles, was Gluck bisher geschrieben hatte. ORFEO ED EURIDICE aber ist auch darin die erste „Reformoper", daß sie, wie auch ihre beiden Nachfolgerinnen, zwar quasi im Auftrag, zumindest unter der Schirmherrschaft des Hoftheaterintendanten, aber ohne Terminzwang in freier Zusammenarbeit von Dichter und Komponist entstand. — Calzabigis große Bedeutung besteht darin, daß er als erster die in Paris aufgenommenen opernästhetischen Anschauungen durch die Wiedergabe großer, rein menschlicher Konflikte in Gestalt monumentaler Szenenblöcke in die Praxis umsetzte. Dadurch wies er dem gerade in jener Zeit nach neuen künstlerischen Zielen suchenden Gluck den Weg in die Zukunft, ein Verdienst, das dieser auch später noch unumwunden anerkannte: 1773 schrieb er in einem Offenen Brief an den Mercure de France über die Opernreform: „c'est à M. de Calzabigi qu'en appartient le principal mérite" (Monsieur de Calzabigi kommt das Hauptverdienst zu).

Die azione teatrale ORFEO ED EURIDICE trägt, obwohl eindeutig die erste der „Reformopern", noch deutlich erkennbar die Spuren der Übergangszeit, der sie entstammt. Orfeo, dem Träger der großen und wahren Idee der Gattenliebe, tritt in Gott Amor ein recht konventioneller deus ex machina gegenüber, der die Handlung unvermittelt weitertreibt und schließlich zu dem in der Zeit und ganz besonders in einer azione teatrale erwünschten lieto fine führt. Dementsprechend spielen sich die Klageszenen des Helden im I. Akt und sein mannhaftes Ringen mit den Furien der Unterwelt sowie sein Erscheinen im Elysium im II. Akt in Form monumentaler Tableaux ab, in denen Chorblöcke und Instrumentalsätze Atmosphäre und Rahmen zugleich geben, während der göttliche Sänger — bezeichnenderweise noch eine Kastratenrolle — in liedhaften und ariosen Gesängen, im Elysium in einem wunderbar stimmungsvollen Akkompagnato, seinen wechselnden Gefühlen unmittelbar bewegenden Ausdruck gibt. In dieser Welt wahrer großer Empfindungen wirkt das heiter tändelnde Rondo Gott Amors gegen Ende des I. Aktes als Fremdkörper und wie ein Überbleibsel der alten Operntradition oder ein Zugeständnis an die azione teatrale. Im III. Akt haben sich der Dichter und ihm folgend der Komponist der Tradition stärker angenähert. An Stelle monumentaler Bilder tritt hier ein weitgehend realistisches Gespräch des Protagonistenpaares, gefolgt von leidenschaftlichen Gefühlsausbrüchen — musikalisch grundsätzlich eine echte Opernszene aus Rezitativ und Arie bzw. Duett, wenn auch im Einzelnen vom Herkommen verschieden: Sämtliche Rezitative der Oper werden nämlich an Stelle des bloßen Cembalo vom Streichorchester begleitet, und sind in denen des III. Aktes obendrein noch deutlich erkennbar um eine charakteristische Unterscheidung der Gesprächspartner bemüht. Ganz auf dem Boden der Tradition steht dann der Schluß der Oper, wo die Wiederbelebung Euridices durch Amor mit einem mehrteiligen Ballett und einem heiteren Rondogesang aus Soloepisoden und Chorrefrain gefeiert wird. Dieses Ende entspricht ganz der Ouvertüre, die mit ihrer unverbindlich festlichen Haltung der Überlieferung noch am stärksten verpflichtet ist. Auf die Sphäre der ersten beiden Akte deutet im dritten bezeichnenderweise nur Orfeos berühmter Klagegesang „Che farò senza Euridice" hin: Hier, wo sich der göttliche Sänger nach den verstandesmäßigen Überredungsversuchen der vorangehenden Szene wieder ganz seiner natürlichen einfachen Empfindung hingibt, greift Gluck auf den hymnischen Liedton und die schlichte Rondoform zurück, die seinem Wesen von Anfang an angemessen waren und ihn von anderen Opernhelden unterscheiden.

Es war kein Wunder, daß die Oper bei ihrer Uraufführung am 5. Oktober 1761 zunächst mit zurückhaltendem Erstaunen aufgenommen wurde. War Wien, der Wohnsitz des hochberühmten Dichterfürsten Pietro Metastasio und gerade zu jener Zeit auch seines getreuen Gefolgsmannes Johann Adolf Hasse, doch eine Hochburg der traditionellen Opernanschauungen schlechthin. Daß das Werk sich trotzdem schnell durchsetzte, spricht für die Vorurteilsfreiheit des Wiener Publikums, aber wohl auch dafür, daß neben der italienischen Grundlage und dem starken französischen Einfluß auch das unverkennbare, aber nur schwer faßbare deutsche Wesen des Kosmopoliten Gluck spürbar war.

Jahre später benutzte Gluck dann die Gelegenheit seines letzten Auftragswerkes, der FESTE D'APOLLO, die er 1769 für den Hof von Parma schrieb, um ORFEO auch in Italien einzuführen. Das Werk bestand aus drei selbständigen Einaktern (PROLOG – BAUCI E FILEMONE – ARISTEO), die nur durch ihr pastorales Milieu miteinander verbunden waren. Ihnen hängte er ORFEO sozusagen als vierten an, während er sich im übrigen unter Verwendung früherer Kompositionen im Rahmen der Tradition bewegte.

Mit der fünf Jahre nach ORFEO am 26. Dezember 1767 uraufgeführten ALCESTE brachen die beiden Autoren die Brücken zur Konvention so rigoros hinter sich ab, daß sie eine Erklärung für nötig hielten. Gluck schickte daher der 1769 gedruckten Partitur eine an seinen Gönner, den Erzherzog Leopold, Großherzog von Toskana gerichtete Widmung voran, ein Manifest der Reform, in dem er deren künstlerische Ziele klar umreißt. Danach müssen im Text Einfachheit, Wahrheit und Natürlichkeit über Gespreiztheit, Unnatur und Konvention triumphieren. Für den Komponisten aber ist die Ausdeutung eines solchen Textes oberstes Gesetz. Musikalische Wirkungen um ihrer selbst willen werden sowohl in vokalen als instrumentalen Sätzen strikt abgelehnt, schon die Ouvertüre hat in die Grundstimmung des Dramas einzuführen. Ein Vergleich mit der geschickten Kolorierung einer Zeichnung verdeutlicht die Rolle der Musik. Das Programm und die Oper, die es illustriert, zeigen eindeutig, daß das in ORFEO noch spürbare Übergangsstadium nunmehr überwunden war.

ALCESTE ist mit ihrer großartig düsteren, „Intrada" genannten Ouvertüre und den monumentalen Chorblöcken in allen drei Akten, die im I. Akt die Orakelszene, im II. Akt Alcestes Abschiedsszene und im III. Akt die Trauergesänge der Vertrauten umschließen, von einer grandiosen Einheitlichkeit. Zu diesen Höhepunkten hymnisch gesteigerter und doch schlichter Empfindungswiedergabe gesellt sich — nicht minder textgezeugt — Alcestes Szene im Hain der Todesgötter am Anfang des II. Aktes, deren Akkompagnato an Ausdruckskraft, nur mit umgekehrtem Vorzeichen, Orfeos Gesang entspricht, mit dem er die Zauber des Elysiums beschreibt, und dann, auf die unheimlich wilde bejahende Antwort der Gottheiten hin, die innig flehende Bitte um Aufschub in einer schlicht liedhaften Arie. Das Orakel hat deutlich erkennbar die entsprechende Szene in Mozarts IDOMENEO beeinflußt.

Trägerin des Geschehens und der lastenden Stimmung, die das ganze Werk beherrscht, ist Alceste. Ihr Gatte Admet, für den sie in den Tod geht, tritt an Bedeutung hinter ihr zurück, wenn auch nicht so weit wie Euridice hinter Orfeo. Er hat nichts von Alcestes Größe, doch stellt er mit seinem Schwanken zwischen wilden Verzweiflungsausbrüchen und innigen Klagen eine großartige Charakterstudie Calzabigis dar, die von Gluck aufs Feinste ausgemalt und vertieft wurde. Die übrigen Figuren erscheinen textlich wie musikalisch nur als Bestandteile der jeweiligen Situation, ohne deren Einheit zu stören.

Genau in der Mitte der Oper findet sich die einzige heitere Szene (II,3), die Feier von Admets unerwarteter Genesung, die es aber weder an Ausdehnung noch an musikalischer Ausdruckskraft mit den großen Klageszenen aufnehmen kann und das düstere Gemälde nur kurz und geringfügig erhellt. Das einzige Zugeständnis an den Zeitgeschmack, angesichts der kompromißlosen Einheit der tragedia besonders stark aus dem Rahmen fallend, ist das noch immer fast unvermeidliche lieto fine, das den Hörer nach dem großartigen Chorblock der Klage über Alcestes Verschwinden schmerzhaft aus dem Reich eines zeitlosen, überlebensgroßen menschlichen Geschehens in das der zeitgebundenen Konvention versetzt. Kaum sind nämlich die Klage und ein neuerlicher Verzweiflungsausbruch Admets verhallt, als der Gott Apollo zu festlichen Instrumentalklängen in einer Wolke erscheint und Alceste mit einem kurzen Rezitativ in die Arme ihres Gatten zurückführt, worauf ein knapper Freudenchor die Oper beschließt. Gewiß ist dieser himmlische deus ex machina, der sich obendrein auf frühere Wohltaten Admets beziehen kann, der Atmosphäre des Werkes angemessener als der Schlagetot Herkules, der in Calzabigis Vorbild, dem zwischen Tragödie und Satyrspiel stehenden Drama *Alkestis* des Euripides, Alceste den Unterweltsgöttern mit Brachialgewalt entreißt. Daß er aber auch in diesem Zentralwerk der Reform erscheint — wie übrigens ebenfalls in allen weiteren Reformopern Glucks mit Ausnahme von ARMIDE —, zeigt, wie fest diese Opernkonvention in der Weltanschauung der Zeit verwurzelt war. Es wäre ja für Dichter wie Komponisten leichter gewesen, die liete fini einfach wegzulassen, als sie mühsam der ganz entgegengesetzten geistigen Haltung der Dramen anzupassen.

Merkwürdigerweise hat Gluck in dieser Oper, die zum ersten Mal in Sologesängen wie in Chören und den — wenigen — ausdrucksvollen Instrumentalsätzen ganz und gar seinen persönlichen Stempel trägt, vereinzelt wieder auf das nur cembalo-begleitete Rezitativ zurückgegriffen, zweifellos um den Kreis der Ausdrucksmöglichkeiten noch zu erweitern und den Akkompagnati besonderen Nachdruck zu verleihen.

Das dritte Gemeinschaftwerk Calzabigis und Glucks, das dramma per musica PARIDE ED ELENA, das am 3. November 1770 auf der Bühne des Wiener Burgtheaters erschien, erregte allgemeine Verblüffung; schien es doch die gerade akzeptierten Errungenschaften der Reform weitgehend wieder in Frage zu stellen. Hier handelt es sich nicht um den Triumph großer ethischer Ideen, sondern um den Sieg hemmungsloser Liebesleidenschaft. Gluck dürfte die Reaktion der Öffentlichkeit vorausgesehen haben, denn er schickte, wie der ALCESTE, auch dieser Partitur eine Vorrede voran, in der er auf den Unterschied in der Grundhaltung beider Dramen hinweist, die naturgemäß eine ganz andere Komposition verlange. Er habe aber durch die Äußerungen des leidenschaftlich werbenden Paris und der spröde abweisenden Helena und gleichsam hinter ihnen zugleich die Verschiedenheit des weichen, geschmeidigen phrygischen und des rauhen, schroffen spartanischen Nationalcharakters darstellen wollen. In der Tat beruht die Zugehörigkeit von PARIDE ED ELENA zur Gruppe der Reformopern ausschließlich auf dieser bedeutsamen Deutung Glucks, die Calzabigis Text zwar ermöglicht, aber nicht unbedingt erfordert. Für sich betrachtet, mutet die Handlung, das Liebesspiel des Paares, das durch den als Helenas Ratgeber Erasto verkleideten Amor in Gang gehalten und schließlich zu Parides Gunsten entschieden wird, für eine fünfaktige Oper etwas dürftig an. Wie ihr die Größe fehlt, so fehlen auch die monumentalen, sie gliedernden Szenenblöcke, und der intrigierende Erasto-Amor rückt das Ganze trotz der wenigen Personen für den harmlosen Betrachter in eine gefährliche Nähe der herkömmlichen Librettistik, auch wenn die Gestalt als Symbol für Helenas inneren Kampf gegen die in ihr aufkeimende Liebe aufgefaßt werden kann. Die große Bedeutung von PARIDE ED ELENA ist also, im Gegensatz zu ORFEO und ALCESTE, ausschließlich Glucks Verdienst. Es lassen sich kaum charakteristischere Gegensätze finden als zwischen den Chorblöcken mit Soloeinlagen der Trojaner in I,1 und der Spartaner in III,1. Der Chor der Trojaner zum Lob der Venus beginnt, nur von Streichern begleitet, lieblich und schmeichelnd. Anschließend gibt Paris in einer Arie von berückendem Wohllaut seine Visitenkarte ab:

Christoph Willibald Gluck: PARIDE ED ELENA

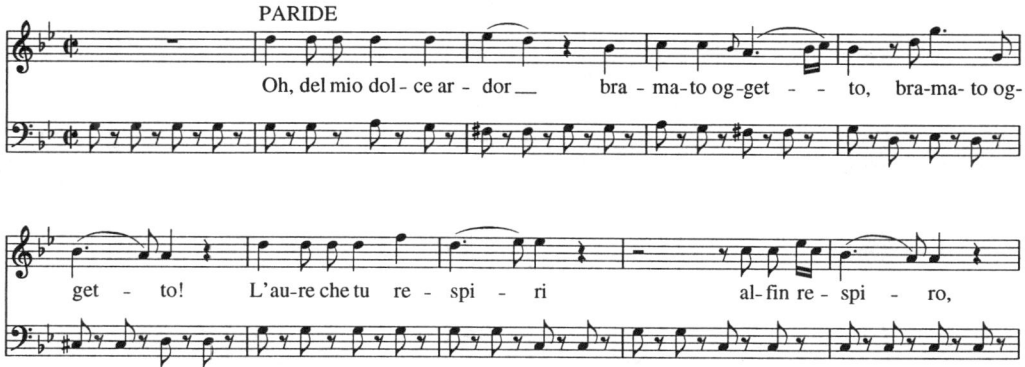

um nach verschiedenen instrumentalen Balli gleich noch einen zweiten Liebesgesang folgen zu lassen. Zur Charakterisierung dieses verführerischen Liebhabers beschwört Gluck den ganzen Zauber einer veredelten, von allem Zierat gereinigten liedhaft-ariosen Melodik herauf und führt als besonderes Kennzeichen süßer Sinnenfreude noch einmal die Kastratenstimme ein, für die die Arien ab und zu, wenn es der Text erlaubt, sogar mit bescheidenen Verzierungen versehen sind. Ganz anders, vom vollen Orchester mit Oboen, Hörnern, Trompeten und Pauken begleitet, dagegen der an Apollo gerichtete kriegerische Lobgesang der Spartaner im III. Akt mit seinen stereotypen Rhythmen (vgl. S. 360).

Bezeichnenderweise nimmt Helena, der Gluck insgesamt nur zweimal Arien in den Mund gelegt hat, an dieser Szene nur zurückhaltend rezitativisch teil, doch erweist sie sich in ihrem spröden, betont simplen Gesang in V,1, dessen Streicherbegleitung stellenweise von Hörnern, Trompeten und Pauken unterstützt wird, als echte Spartanerin (vgl. S. 361).

Aber dieser konsequent mit allen musikalischen Ausdrucksmitteln wiedergegebene monumentale Gegensatz der Völker ist nicht die einzige Großtat Glucks des Experimentators in dieser Oper — als mindestens ebenso bedeutungsvoll, wenn auch weniger stark in die Augen fallend, erweist sich vielmehr dessen allmähliche Überwindung in den Gesprächen des Protagonistenpaares, d. h. im Rezitativ. Obwohl es hier kein cembalobegleitetes Secco mehr gibt, hebt sich doch anfangs die nur von abgerissenen Akkordeinwürfen gestützte, nüchterne Sprechweise Helenas scharf von dem verbindlichen, mehr ariosen Ton ab, den Paris über gehaltenen Akkorden anschlägt. Dieser Unterschied beginnt aber vom III. Akt an in dem Maße, in dem Helena sich ihrer Liebe bewußt wird, mehr und mehr zu verschwinden. Bei dieser Entwicklung spielt der verschlagene Amor eine wesentliche Rolle. Er ist in allen Sätteln gerecht und stimmt seine Redeweise stets genau auf die beabsichtigte Wirkung ab. — Von besonderer Bedeutung sind in der Oper die zahlreichen Ensembles, größtenteils mehr dramatisch bewegte Szenen als geschlossene Nummern alten Schlages, in denen es Gluck glänzend gelungen ist, die Personen charakteristisch voneinander abzuheben. Hier zeigt sich besonders deutlich die im Laufe des Dramas zunehmende Übereinstimmung der beiden Liebenden.

Mit PARIDE ED ELENA hat Gluck eines der ersten Charakterdramen der Operngeschichte geschaffen. Daß dieses Werk von Anfang an erfolglos blieb, verdankt es seinen beiden Vorgängerinnen, mit deren Maßstäben es fälschlicherweise gemessen wurde. Wie abwegig dies war, veranschaulicht die Erscheinung der Pallas Athene am Schluß: Diese Szene verkörpert mit dem wuchtigen Baßmotiv des einleitenden Akkompagnatos und der pathetischen Haltung der Arie mit dem

Christoph Willibald Gluck: PARIDE ED ELENA; III Lobgesang der Spartaner

# Christoph Willibald Gluck: Paride ed Elena

hymnischen Chorrefrain eindeutig den Stil der ALCESTE, fällt aber gerade dadurch gänzlich aus dem Rahmen. Im Grunde war dieses dramma per musica, ein intimes italienisches Reformwerk, bei dem der französische Einfluß auf Äußerlichkeiten wie die Fünfaktigkeit und die Vielzahl von Balletten beschränkt blieb, nach ORFEO und ALCESTE ein Schritt vom Wege.

Die vollendete Synthese zwischen monumentaler Statik und menschlicher Dynamik gelang Gluck erst, als er durch den kunstsinnigen Diplomaten Marquis Le Blanc Du Roullet mit dem Geist der klassischen französischen Tragödie in nähere Berührung gebracht worden war. Der Marquis hatte die *Iphigénie en Aulide* von Jean Racine sehr geschickt als Libretto bearbeitet, voll Ehrfurcht vor dem großen Vorbild, zugleich aber auch durch Streichung so mancher Nebensächlichkeiten ganz im Sinne der auf Einfachheit und Natürlichkeit gerichteten modernen Librettistik. Gluck erkannte den Weg, den ihm dieser Text eröffnete, als folgerichtige Fortsetzung des bisher eingeschlagenen Pfades. Fand er hier doch zum ersten Mal mythologische Gestalten von glühenden Leidenschaften geschüttelt, in schwere menschliche Konflikte und obendrein in ein buntbewegtes dramatisches Geschehen verwickelt, monumental und menschlich zugleich. Jede Figur reagiert auf die furchtbare Forderung der Göttin Diana nach Opferung Iphigenies ihrer Situation und ihrem Temperament entsprechend anders: Der Oberpriester Kalchas vertritt sie mitleidlos und streng und wird dabei vom Chor des Volkes unterstützt, Iphigenies Mutter Klytämnestra und ihr Verlobter Achill treten dem Befehl leidenschaftlich entgegen. In Agamemnons Brust aber tobt ein furchtbarer Kampf zwischen Vaterliebe und Feldherrnpflicht, während Iphigenie in ihrer Opferbereitschaft über alle menschlichen Leidenschaften hinauswächst.

Hatte Gluck schon mit seinen opéras comiques seine Affinität zur französischen Denkweise und Sprache deutlich bewiesen, so zeigte er mit dem Sprung auf die Bühne der Académie royale in IPHIGÉNIE EN AULIDE nun auch seine enge Vertrautheit mit dem Geist der tragédie lyrique. Er machte sich bei der Wiedergabe der spannungsreichen Handlung geschickt die Mannigfaltigkeit von deren lockerem Szenenaufbau zunutze, indem er nicht nur Rezitativ und Arie, sondern auch Soli, Chor und Instrumentalsätze ganz nach Maßgabe des Textinhalts auf engstem Raum in Wechselwirkung zueinander setzte. Der Chor erscheint nicht selten als Gesprächspartner der Solisten, im Rezitativ gehen sachliche und ausdruckshafte Textbehandlung ständig wechselnd ineinander über, und sowohl die kurzen Airs als auch die anspruchsvolleren Arien wachsen unmittelbar aus ihm hervor, denn auch sie sind in den dramatischen Ablauf einbezogen. Dies gilt auch für die Ouvertüre, die direkt in Agamemnons Soloszene hineinleitet. Der König beherrscht die Oper nicht nur inhaltlich, sondern auch musikalisch. Von ihm gibt Gluck vor allem in den großen Monologen am Anfang des I. und am Ende des II. Akts ein großartiges Charakterbild des zwischen leidenschaftlichen Zornesausbrüchen und schlichten Äußerungen tiefster Klage hin- und herschwankenden, verzweifelten Menschen, der obendrein, wie immer er sich auch entscheidet, in lebhafte Konflikte mit andern gerät, die ihrerseits gleichfalls wandelbar sind. Man vergleiche nur Klytämnestras elegische h-Moll-Arie, mit der sie im II. Akt auf die Schreckensnachricht von dem geplanten Opfer reagiert, mit ihren beiden wie ein Sturmwind dahinbrausenden dämonischen Haßgesängen vorher und danach. In ähnlicher Weise der Situation entsprechend wandelt sich auch Achill, und selbst der Chor, der anfangs mit barbarisch anmutender Primitivität das Menschenopfer (dessen Person er nicht kennt) fordert, nimmt in den Chorblöcken in der Mitte des I. und des II. Aktes und am Schluß der Oper heiter an dem (scheinbaren) Festesjubel teil. Nur die, die mittelbar alle diese Leidenschaftsausbrüche hervorruft, Iphigenie, bleibt von alledem unberührt. Die mit Anmut gepaarte Würde, mit der sie ihrem furchtbaren Geschick entgegensieht, äußert sich musikalisch in kurzen, schlichten Airs im Stile des folgenden aus dem III. Akt:

Christoph Willibald Gluck: IPHIGÉNIE EN AULIDE

in denen französische Prägnanz mit deutscher Liedhaftigkeit und italienischer Süße zu einer einmaligen, gluckischen, Einheit verschmolzen sind. Auf diese Weise wird die passive Heldin wirkungsvoll von ihrer Umgebung ab-, ja über sie hinausgehoben.

So gibt es in IPHIGÉNIE EN AULIDE, abgesehen von dem auch hier unmotiviert wirkenden und durch göttliches Eingreifen erreichten lieto fine[1] nicht *einen* Gesang, der nicht in Wechselbeziehungen zu anderen stünde und nicht in seinem Hier- und So-Sein dramatisch bedingt wäre. Daß dies wirklich Glucks Absicht war, geht aus einigen, allerdings erst nach des Meisters Tod von dem jungen französischen Literaten Olivier de Corancey überlieferten Anekdoten hervor, wonach Gluck in verschiedenen Fällen den Primat des Dramatisch-Charakteristischen vor dem rein musikalisch Schönen oder Kunstvollen betont habe.

Mit diesem Werk, das am 19. April 1774 erstmalig in Szene ging, mit dem der italienisch geschulte deutsche Meister auf der französischen Bühne endgültig vom Opernkomponisten zum Musikdramatiker geworden war, rückte er, „bewundert viel und viel gescholten", schlagartig in den Mittelpunkt des bewegten Pariser Opernlebens. Was nun folgte, die zweiten Fassungen der opéras comiques L'ARBRE ENCHANTÉ (*Der verzauberte Baum*) und CYTHÈRE ASSIÉGÉE (*Die Belagerung von Kythera*; beide 1775), vor allem aber die französischen Bearbeitungen von ORFEO (ORPHÉE ET EURIDICE 1774) und ALCESTE (1776) galt zunächst in erster Linie dem Ausbau der Stellung. Mit ORPHÉE beabsichtigte Gluck im Wesentlichen, sein erstes Reformwerk den Anforderungen der französischen Opernbühne anzupassen, ohne es grundlegend neu zu gestalten. Dazu gehörten vor allem die der französischen Sprache angemessene Neukomposition der Rezitative, die Umwandlung der Altrolle des Titelhelden in eine Tenorpartie (denn Kastraten gab es in der französischen Oper nicht) und die Erweiterung der Ballettszenen. Auch erhielten die Nebenfiguren Euridice und Amor etwas mehr Gewicht, und endlich wurden viele Stücke wirkungsvoll uminstrumentiert.

Im Gegensatz zu ORPHÉE plante Gluck mit der französischen ALCESTE weniger eine Bearbeitung der italienischen als vielmehr eine Neuschöpfung aus französischem Operngeist heraus. Das geht schon daraus hervor, daß er hier wieder mit dem erfahrenen Librettisten der IPHIGÉNIE EN AULIDE, Du Roullet, zusammenarbeitete. Diesem gelang es, die nacheinander aufgereihten monumentalen Szenenblöcke für die Pariser Bühne durch geringe Eingriffe dramatisch zu beleben, ohne die großartige Einheitlichkeit des Geschehens anzutasten.

Der I. Akt wurde gestrafft und dadurch verlebendigt, der kurze Chorblock zur Feier von Admets Genesung am Anfang des II. Akts durch ein ausgedehntes festliches Divertissement ersetzt,

---

[1] Die Göttin erklärt durch den Mund des Priesters, sie sei von der Seelenstärke Iphigenies bezwungen und verzichte auf das Opfer. 1775 wurde dieser Schluß durch das persönliche Erscheinen Dianas zwar nicht besser begründet, aber doch wenigstens feierlicher gestaltet.

das als wirkungsvoller heiterer Kontrast die Düsterkeit der Handlung besonders nachdrücklich unterstreicht, und endlich wurde nach einigen Aufführungen, die auf scharfe Kritik gestoßen waren, zur Lösung des Knotens noch nach euripideischem Vorbild Herkules eingefügt. Die einschneidenden textlichen Änderungen verlangten vom Komponisten zahlreiche Umstellungen und die Umarbeitung vieler Einzelheiten, aber verhältnismäßig wenige ganz neue Zusätze. Alle Rezitative wurden dramatisch wirkungsvoll gekürzt, Arien wurden um des dramatischen Flusses willen ausgetauscht oder umgeformt und die Instrumentation vor allem durch häufige Verwendung von Klarinetten bereichert.

ORPHÉE errang schon bei seinem ersten Erscheinen am 2. August 1774 einen triumphalen Erfolg, ALCESTE aber fiel bei ihrer Uraufführung am 23. April 1776 beinahe durch. Erst allmählich geriet das Pariser Publikum, wie seinerzeit das Wiener, mehr und mehr in ihren Bann. Gluck verfügte nunmehr über eine gewichtige Anhängerschaft, hatte aber auch nicht wenige bedeutende Gegner. Die einen priesen ihn als Musikdramatiker, die anderen lehnten ihn als Musiker ab und warfen ihm mangelndes musikalisches Können und Empfinden vor. Beide fielen mit spitzen Federn übereinander her. Der Kampf um die Vorherrschaft von Drama oder Musik in der Oper flammte hell empor, vermischt mit dem alten Streit um die Vorzüge der französischen und der italienischen Musik. Als Gegner des Deutschen, der die französische Sache vertrat, rief man den angesehenen Italiener Nicolò Piccinni ins Land, um sich an der Rivalität der beiden Meister zu ergötzen, doch war beiden nicht viel daran gelegen.

Vielmehr trat Gluck 1777, auf dem Höhepunkt des Kampfes, noch einmal mit einem Experiment hervor, durch das er das Pariser Publikum in ähnlicher Weise, nur noch weit mehr, überraschte als seinerzeit das Wiener mit PARIDE ED ELENA: mit ARMIDE. Daß er hier ein fast 100 Jahre altes, ein typisch barockes Libretto von Philippe Quinault ohne Änderungen und Striche in Musik gesetzt hatte, verblüffte selbst seine Anhänger. Ist doch das Liebespaar Renaud und Armide (Rinaldo und Armida aus Tassos Epos *Das befreite Jerusalem*), das die Handlung fast allein trägt, eingehüllt in einen Wust von in dramatisch gänzlich unnötige Nebenhandlungen verstrickten Personen, für die jeder der fünf Akte zahlreiche Gelegenheiten zu Divertissements, prunkvollen Schauszenen aus Chören, Tänzen und freien Orchestersätzen bietet. Wie aus verschiedenen brieflichen Äußerungen hervorgeht, war Gluck sich der Ausgefallenheit dieses Unternehmens, das all seinen Grundsätzen zu widersprechen schien, durchaus bewußt. Eine Verbeugung vor der großen französischen Tradition sollte es also nicht sein, etwas Derartiges hatte der an sich schon kompromißlose Meister damals auch gar nicht mehr nötig.

In Wahrheit sollten alle die mannigfaltigen Nebenerscheinungen ungeachtet des breiten Raumes, den sie einnehmen, nur als farbenprächtiger Hintergrund für die Tragödie des Paares Armide/Renaud dienen, deren musikdramatische Wiedergabe vielleicht Glucks kühnste Tat war und die ihm, wie er mehrfach betont hat, besonders am Herzen lag. Letztlich hat er die ganze Oper zu einem einzigen großen Seelengemälde eines dämonischen Weibes und ihres furchtbaren Kampfes zwischen Haß und Liebe gemacht und dadurch die Akzente der alten Textvorlage gegenüber nahezu umgekehrt. Die Welt der Heldin ist von Anfang bis zum Schluß die große dramatische Szene, in der seccohaftes Rezitativ, Akkompagnato, Arioso und Arie in dem Maße, in dem Armide von ihren gegensätzlichen Empfindungen wie im Fieber geschüttelt wird, kaum noch voneinander geschieden werden können. Besonders eindrucksvoll gibt Gluck dieses Ringen widerstreitender Gefühle in der 5. Szene des II. Aktes wieder, einem Monolog, in dem die Zauberin sich mit einem Dolch in der Hand dem schlafenden Feind nähert, und im III. Akt bei der in Chöre und Tänze eingebetteten Beschwörung der Furie des Hasses. Gekrönt aber wird das Seelengemälde durch Armidens Untergang, mit dem Quinaults Libretto schließt. Gluck wurde dadurch nicht nur von der in allen anderen Reformopern erhobenen Forderung nach einem mehr oder weniger konventionellen Schlußdivertissement befreit, sondern folgerichtig noch zu einer musikdramatischen Vertiefung und Steigerung der Textausdeutung getrieben. Dieser Monolog der von ihrem Geliebten verlassenen, im Innersten ihres Wesens getroffenen Armide ist der Inbegriff einer großen dramatischen Szene schlechthin und als solcher das Vorbild für unendlich viele dramatisch entsprechende Opernszenen des 19. Jahrhunderts geworden. Er beginnt mit einer verhaltenen ariosen Klage über Renauds Treulosigkeit, die von folgendem jammernden Kehrreim zusammengehalten wird:

Christoph Willibald Gluck: ARMIDE

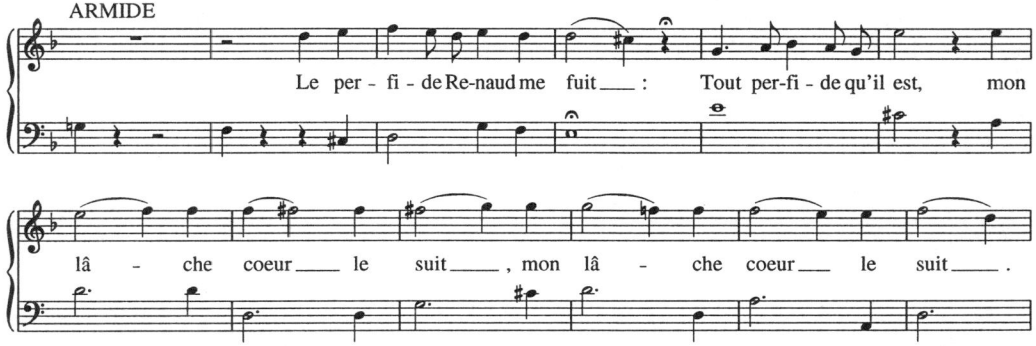

Es folgt eine Vision von Verfolgung und Rache in wildem Akkompagnato, und den Beschluß macht der rasende dämonische Aufruf zur Zerstörung des entweihten Liebesparadieses mit einer kurzen, wahrhaft heroischen Apotheose am Ende:

Christoph Willibald Gluck: ARMIDE

Renaud besitzt nur im Hinblick auf Armide Bedeutung. Er führt sich im II. Akt mit einer Arie von ritterlichem Schwung ein und erliegt dann dem Reiz von Armides Zauberhain in einem wahrhaft bezaubernden Naturbild, das an die stimmungshafte Bach-Arie des Malers Vertigo in LA RENCONTRE IMPRÉVUE gemahnt:

Christoph Willibald Gluck: ARMIDE

Seine musikalische Darstellung im V. Akt bei der entscheidenden Auseinandersetzung mit Armide aber ist ein Meisterstück Gluckscher Charakterisierungskunst. Hier umwirbt er die Geliebte zunächst mit schmeichelnden Phrasen, ja, aus ihrem kantablen Liebesgespräch erwächst sogar ein bravouröses Duett, doch nach seiner Entzauberung durch die beiden Kreuzritter setzt er Armidens bewegendem Jammer wie ihrem wilden Toben lediglich ein nüchternes seccohaftes Rezitativ entgegen. Nur am Schluß, als er von den beiden Rittern weggezogen wird, stößt er, von Mitleid erfüllt, zweimal die folgende, von Schmerzchromatik geprägte Phrase hervor:

Christoph Willibald Gluck: ARMIDE

Daß ARMIDE von den Zeitgenossen und zum Teil bis heute nicht verstanden worden ist, kann nicht verwundern. Offenbar war Gluck von dem eminent Neuen dieser konzentrierten Musikalisierung gegensätzlicher Leidenschaften so hingenommen, daß er die notwendig zwiespältige Wirkung der Verbindung zwischen diesem und dem Antiquierten von dessen Umgebung nicht empfand. Im Kampf zwischen Piccinisten und Gluckisten wirkte sich das Erscheinen dieser Oper am 23. September 1777 jedenfalls trotz ihrer großen, zukunftsweisenden Bedeutung eher negativ aus. Da jedoch des Gegenpapstes Piccinni Oper ROLAND, die im Januar des folgenden Jahres herauskam, zwar beifällig aufgenommen wurde, aber die Anhänger der eigenen Partei auch nicht restlos befriedigte, blieb Glucks Stellung unangetastet.

Bei der Annahme von IPHIGÉNIE EN AULIDE durch die Académie royale hatte sich Gluck 1773 zur Lieferung von sechs entsprechenden Werken verpflichtet. In den vier bisher vorliegenden hatte er sich als profunder Kenner der tragédie lyrique erwiesen, hatte sie aufgrund der in ORFEO und vor allem in ALCESTE verwirklichten Ideen gereinigt und in ihr die in PARIDE ED ELENA begonnenen Charakterstudien eindrucksvoll vertieft. In seiner fünften Oper nun, IPHIGÉNIE EN TAURIDE, die am 18. Mai 1779 uraufgeführt wurde, zog er, bewußt oder unbewußt, das Fazit aus diesem Schaffen. Der Text, auf Anregung Du Roullets von dem jungen Literaten Nicolas-François Guillard wiederum einer französischen Tragödie nachgebildet, war dazu glänzend geeignet; enthielt er doch ein von gegensätzlichen, in sich wandelbaren Charakteren getragenes buntes Geschehen, das sich vor dem Hintergrund ganz verschiedener Völker und Kulturkreise abspielt und aus dem die Idee der Humanität, die reine Menschlichkeit, siegreich hervorgeht. Aus Briefen Glucks an den Librettisten ergibt sich, daß er an der Ausgestaltung des Textes im Einzelnen regen Anteil genommen hat.

Ein wesentlicher Unterschied zu den früheren Werken besteht in der Gleichwertigkeit der vier Personen Iphigenie, Thoas, Orest und Pylades. Sie alle erscheinen auch musikalisch als scharf umrissene Charaktere, denkbar gegensätzlich und dabei doch stets eng aufeinander bezogen und dadurch wandelbar. Der I. Akt wird als grandiose Exposition ganz von dem weltumspannenden

Kontrast zwischen Humanität und Barbarentum beherrscht, der recht eigentlich den Grundgehalt des Dramas bildet. Hier stehen sich nur die Griechinnen Iphigenie und ihre Priesterinnen als Vertreterinnen der Menschlichkeit und Thoas mit seinen barbarischen Skythen in zwei großen Chorblöcken gegenüber, der letzte als Aktschluß mit Tänzen zu einem inhaltsbedingten Divertissement erweitert. Iphigenie eröffnet zwar den Akt mit einer düsteren Traumerzählung in Form eines wilden, den Gesängen der Armide ähnlichen Akkompagnato als echte Tochter Agamemnons, stimmt dann aber ein Gebet im verklärten, aus italienischem, französischem und deutschem Geist gespeisten hymnischen Liedton Glucks an, der in der ganzen Oper als idealer Künder der im Griechentum verkörperten reinen Menschlichkeit erscheint.

Christoph Willibald Gluck: IPHIGÉNIE EN TAURIDE

Damit stößt nun die Welt der Barbaren übergangslos und damit wahrhaft erschreckend zusammen, wobei die unbändig wilden, von den grellen Klängen des Janitscharenorchesters begleiteten Chöre durch eine unheimlich zwischen Raserei und Furcht dahinstürmende Arie ihres Königs Thoas eingeleitet werden.

Der letzte (IV.) Akt bringt die Lösung der im I. Akt aufgestauten Spannungen durch den von der Göttin Diana belohnten Sieg der humanitas. Hier treffen die beiden Welten zum letzten Mal aufeinander, nur daß Iphigenie sich jetzt, da sie den Vollzug des Opfers unaufhaltsam auf sich zukommen sieht, in einer verzweifelt erregten Arie deutlich spürbar von dem weihevollen Ton ihrer Priesterinnen abhebt, während der Barbar Thoas sich in seinem hemmungslosen Toben gleich geblieben ist. Die Göttin Diana wirkt, da sie hier erst *nach* dem Sieg der Griechen über die Barbaren eingreift, nicht eigentlich als deus ex machina, sondern eher als Symbol des Triumphes der Humanitätsidee, der durch den Schlußchor noch unterstrichen wird.

Der monumentale Gegensatz zwischen Kultur und Barbarei in den Außenakten umrahmt den individuellen Gegensatz einzelner Charaktere in den beiden Mittelakten, in denen die Griechen unter sich sind. Hier wird das im Mittelpunkt stehende Ringen um Sühne und Opferbereitschaft zwischen Orest und Iphigenie, das sich im Wesentlichen im Rezitativ mit ariosen Einschüben abspielt, durch die Gestalt des mit hineinverwobenen Pylades charakteristisch aufgelockert. Erscheint doch das Freundespaar stets mit Gesängen, die durch ihre diametrale Verschiedenheit beide Wesen mit unnachahmlicher Deutlichkeit vor dem Hörer enthüllen. Hier seien nur die Anfänge des Arienpaares angeführt, mit dem Orest und Pylades den II. Akt eröffnen: Orest, der ruhelos von Ort zu Ort getriebene Muttermörder, ruft atemlos deklamierend, getragen von Streichertremolo, Hörnern, Trompeten und Pauken, die Strafe der Götter auf sich herab (vgl. S. 369), wäh-

# Christoph Willibald Gluck: Iphigénie en Tauride

rend Pylades, in Harmonie mit sich und der Welt, in einem schwärmerischen Andante grazioso mit wohlabgewogenen Melodiebögen den Tod an der Seite des Freundes preist:

Christoph Willibald Gluck: IPHIGÉNIE EN TAURIDE

Die drei Arien dieser Lichtgestalt (die beiden anderen im III. Akt) lassen die Umdüsterung Orests doppelt bedrückend hervortreten. Er, der von den Rachegöttinnen Verfolgte, findet auch, abgesehen von dem oben angeführten Beispiel, niemals die Ruhe zu einer in sich geschlossenen Gefühlsäußerung, und wo er sie im II. Akt in dem berühmten Gesang „Le calme rentre dans mon cœur" (Die Ruhe kehret mir zurück) gefunden zu haben glaubt, da deuten die unheimlich bohrenden Synkopen der Bratschen und die Seufzer der Violinen über dem lastenden Orgelpunkt der Bässe an, daß sich das Gewissen des Mörders im Unterbewußtsein fort und fort regt. Diese Deutung hat Gluck selbst einem Zeitgenossen gegeben.

Dieses Akkompagnato leitet den musikalischen wie dramatischen Höhepunkt der Oper ein: Orests Traumgesicht von der Erscheinung der Eumeniden, aus dem schlagartig das Zusammentreffen mit Iphigenie erwächst, und dann der Beginn der Auseinandersetzung zwischen Schwester und Bruder in bewegtem Rezitativ. Der unheimliche Chor der Rachegeister steht außerhalb von Menschlichkeit wie von Barbarei. Aus dem meist chromatischen Auf- und Abgleiten der Stimmen hebt sich mehrfach in langgedehnten Akkorden die furchtbare Anklage: „Il a tué sa mère" (Er hat seine Mutter getötet) heraus, gefolgt von den Wehelauten des Träumenden.

Im III. Akt werden die seelischen Konflikte, in die das Geschwisterpaar verstrickt ist, noch durch den Wettstreit der beiden opferbereiten Freunde verstärkt; demgemäß rücken die musikalischen Gegensätze immer dichter aufeinander, der Akt ist zwar eingerahmt von zwei Arien der mehr lyrischen Gestalten Iphigenie und Pylades, doch dazwischen rollt das Geschehen in einem atemlos wirkenden Wechselgespräch der drei Personen in charakterisierend hin- und herwogendem Akkompagnatorezitativ ab, in das ein erregtes Duett und ein neuerlicher arioser Streit der Freunde nahtlos eingegliedert sind. An diesem dramatisch bewegten Akt hat der Chor der Priesterinnen, der in den anderen Akten recht eigentlich der Träger des weihevollen Humanitätstones ist, keinen Anteil.

Der beispiellose Erfolg von IPHIGÉNIE EN TAURIDE, dem Werk, in dem Gluck der Denker, der Dramatiker und der Musiker in bisher unerreichter Harmonie zusammengewirkt hatten, bedeutete den Triumph des Gluckschen Musikdramas schlechthin. Er war um so größer, als der Meister mehr als zuvor charakteristische und rein musikalisch bezaubernde Musik gleichberechtigt nebeneinandergestellt hatte. Leider folgte er mit der sechsten Oper, zu deren Komposition er sich verpflichtet hatte, noch einmal seiner Neigung zu ausgefallenen und möglichst kontrastierenden Gegenständen. ECHO ET NARCISSE, nach seinen eigenen Worten eine „musikalische Ekloge", erlebte nach der erfolglosen Uraufführung am 24. September 1779 nur wenig Wiederholungen und stieß sogar bei den Anhängern des Komponisten auf Unverständnis. Dies war kein Wunder. Hirtendichtungen spielten damals höchstens noch in Form kleiner, tändelnder Gelegenheitskompositionen eine Rolle auf der Opernbühne — Gluck aber hatte das farblose Libretto des Barons Ludwig Theodor von Tschudi, eine freie Umwandlung der Ovidschen Sage von Echo und Narziß, in ein „problembelastetes Pastoralspiel" (Gerber) verwandelt. Er bevölkerte die naturhaft-liebliche Welt der Hirten mit wandelbaren, problematischen Charakteren, die sich in ihrer harmlosen Umgebung seltsam genug ausnehmen, wenn auch manche von ihnen, für sich betrachtet, Meisterwerke des Schöpfers der gleichzeitig entstandenen IPHIGENIE sind. Narziß, der leicht Erregbare, wirkt musikalisch wie ein aus dem Märchenland stammender, lyrisch gestimmter Bruder des Orest und hat außerdem in Cynire einen Freund zur Seite, der dem Pylades an Treue und innerer Ausgeglichenheit und damit an Liebreiz und Geschlossenheit seiner Arien nichts nachgibt. Echo steht mit ihren sehr schlichten, liedhaften Airs der Hirtensphäre noch am nächsten, doch ist sie, die von ihrem Geliebten Narziß treulos Verlassene, von Anfang an von Tragik umwittert, was durch Mollwendungen, durch elegische Phrasen und entsprechende Klangkombinationen zum Ausdruck gebracht wird. Die Nymphen und Hirten, die das tragische Protagonistenpaar umgeben, spielen die seit alters in der favola pastorale übliche Rolle: Sie eröffnen den I. Akt mit fröhlichen Chören und Tänzen, begleiten am Ende des II. Echos Tod mit einer großartigen Klage, die als Höhepunkt der Oper bezeichnet werden kann, und beschließen das Werk mit einer von einem mehrteiligen Ballett gefolgten festlichen Hymne an den rettenden deus ex machina Amor, der alles Leid in Freude verwandelt.

Die Gestalt, in der die Oper heute vorliegt, ist eine von Gluck 1780 vorgenommene Umarbeitung der nicht mehr erhaltenen Original-Partitur. Die im Prolog zusammengefaßten Szenen Amors waren ursprünglich als ungeschickt retardierende Momente über die ganze Oper verstreut gewesen. Die „pièce" sei jetzt „viel regulärer" geworden, meinte Gluck, konnte das Werk aber auch durch die neue Gestalt nicht retten. Es ist als einziges von des Meisters Spätwerken gänzlich der Vergessenheit anheimgefallen.

Gluck hat einmal in reiferen Jahren die viel zitierte Äußerung getan, bevor er eine Oper schreibe, suche er zu vergessen, daß er Musiker sei. Er fühlte sich also als Musiker, aber je länger je mehr in erster Linie als für die charakteristische Wiedergabe des Textes verantwortlicher Musik-*Dramatiker*. In diesem Zusammenhang sei kurz auf das Problem der Entlehnungen aus eigenen Werken hingewiesen, die in Glucks Schaffen eine so große Rolle spielen.[2] Gewiß war eine Reihe

---

[2] Klaus Hortschansky, Parodie und Entlehnung im Schaffen Christoph Willibald Glucks in: Analecta Musicologica, Band 13, Köln 1973.

von ihnen, besonders in der mittleren Zeit, durch Arbeitsüberlastung oder geringeres Interesse an Auftragswerken bedingt, aber in den letzten, ihm so am Herzen liegenden französischen Reformopern, in denen sie sich gerade besonders häufen, offenbaren sie weitgehend, daß es ihm hier mehr als auf die Musik an sich und die musikalische Originalität darauf ankam, bereits vorgeformtes eigenes Material besonders umfassend zu deuten. Aus der Fülle der Beispiele sei hier außer auf die Übernahme zahlreicher Ballettsätze vor allem aus DON JUAN und PARIDE ED ELENA auf die Ouvertüren zu IPHIGÉNIE EN AULIDE und ARMIDE hingewiesen, die beide an die Ouvertüre zu TELEMACCO anklingen, ganz besonders aber auf die Gewitterszene, die an Stelle einer Ouvertüre IPHIGÉNIE EN TAURIDE eröffnet und mit der Gluck unter Umstellung der Sätze und mit belanglosen Veränderungen auf die Ouvertüre einer seiner frühesten opéras comiques, L'ISLE DE MERLIN, zurückgegriffen hat. Hier kommt es ihm aber nicht auf das stürmische Orchestergemälde als solches an; vielmehr dient ihm dieses als Symbol für den mit dem Sieg der Menschlichkeit endenden furchtbaren Kampf, der den Inhalt des folgenden Dramas bildet. Zahlreicher als andere sind in dieser Oper die Entlehnungen aus einem der kühnsten Werke des Meisters, dem Tanzdrama SEMIRAMIS, dessen Sätze, mehr oder weniger umgearbeitet, fast sämtlich in diese Oper eingegangen sind, und zwar zur Untermalung der erregendsten Szenen: der der Eumeniden im II. Akt und der Szene des heftigsten Seelenkampfes vor der Lösung im IV. Akt. Das Auftreten von Entlehnungen in derartigen dramatischen Brennpunkten beweist aufs Deutlichste, daß, wie Hortschansky zusammenfassend treffend bemerkt, „nicht verstandesmäßige Einstellung und rationale Ökonomie, sondern eine von Musik erfüllte und beseelte Haltung ... beim Entlehnen Pate" gestanden habe[3].

Ganz am Ende seiner Laufbahn, als Gluck „den lächerlichen Unterschied zwischen den Nationalmusiken"[4] durch souveräne Beherrschung des italienischen und des französischen Stiles und ihre beiderseitige Durchdringung mit deutscher Empfindungs- und Erfindungsweise weitgehend in einem kosmopolitischen Kunstwerk ganz eigener Prägung hatte aufgehen lassen, äußerte er, er empfinde „einen innerlichen Trieb, etwas vor (seine) Nation zu verfertigen".[5] Leider ist dabei keine original deutsche Oper herausgekommen, obwohl er Textangebote von Herder, Wieland und Klopstock besaß. Doch schenkte er seiner Nation die von den deutschen Dichtern ersehnte „teutsche Opera" wenigstens teilweise, indem er an einer deutschen Fassung von IPHIGÉNIE EN TAURIDE tätigen Anteil nahm. Er überwachte die Übersetzung des jungen Wiener Dichters Johann Baptist von Alxinger genauestens, verbesserte sie, wo er es für nötig hielt, und änderte vor allem hie und da den Erfordernissen der deutschen Sprache entsprechend sogar die Komposition. In dieser Gestalt errang die deutsche IPHIGENIA IN TAURIS am 23. Oktober 1781 in Wien einen großen Erfolg, ein Symbol dafür, daß der Kosmopolit in seiner Heimat letztens auch als deutscher Komponist akzeptiert wurde.

---

[3] A.a.O. S. 250.
[4] Brief an den Mercure de France 1773.
[5] Brief vom 10. Februar 1780 an Herzog Karl August von Sachsen-Weimar.

# Wolfgang Amadeus Mozart

Läßt sich zwischen den beiden älteren deutschen Kosmopoliten trotz des Generationsunterschiedes eine gewisse Geistesverwandtschaft feststellen — nicht zufällig hat Gluck Händel besonders hoch verehrt —, so kann man sich kaum einen größeren Unterschied denken als den zwischen Gluck und Mozart. Gewiß, dieser war 42 Jahre jünger und gehörte damit grundsätzlich einer anderen Geisteswelt an, aber wie die Schicksale der beiden Meister, so waren auch ihre Persönlichkeiten grundverschieden, wobei dahingestellt bleiben muß, was als das Primäre anzusehen ist. Beide begannen als Opernkomponisten im gesellschaftlichen Rahmen des ancien régime mit Auftragswerken, aber Gluck schüttelte diese Fessel schon mit ORFEO ab, was Mozart erst am Ende seines Schaffens auf einer Vorstadtbühne mit der ZAUBERFLÖTE gelungen ist. Das Geschick brachte ihn schon als Knaben mit den verschiedensten Operngattungen, opera buffa, Singspiel und opera seria, in Berührung, verhinderte ihn dann aber auch, nach dem Brauch der Zeit, zum routinemäßigen Opernkomponisten im Stile des frühen Gluck und der meisten Italiener zu werden, obwohl er es nicht ungern geworden wäre. Dieser ersten, bis einschließlich 1772 reichenden Schaffensphase folgte von 1774 bis 1781 eine zweite, die wieder, schicksalhaft, Aufträge bzw. Anregungen zu denselben drei Gattungen brachte, bis Mozart diese dann, 1782 beginnend, in der dritten Phase mit veränderter Akzentsetzung zur Vollendung führte.

Charakteristisch für diese Auswahl, auch im Hinblick auf den Gegensatz zu Gluck, ist das Fehlen der beiden französischen Gattungen, das zumindest seit Mozarts Aufenthalt in Paris 1778 nicht nur als schicksalhaft angesehen werden kann. Vielmehr zeigte sich hier, daß der in allen Sätteln gerechte junge Meister ihm gebotene Einflüsse, die seinem Wesen innerlich nicht entsprachen, instinktiv nicht aufnahm, wie er ja auch von dem von echt französischem Geist getragenen Kampf zwischen Gluckisten und Piccinnisten keine Notiz genommen hat. Hier macht sich die Wesensfremdheit zwischen Gluck und Mozart besonders deutlich bemerkbar, obwohl sie beide seit Mozarts Übersiedlung nach Wien gelegentlich freundlich miteinander verkehrten.

*Die erste Schaffensperiode*

Der ersten Schaffensperiode des jugendlichen Opernkomponisten ging eine erstaunliche Talentprobe des knapp Elfjährigen voran: die kleine lateinische Schuloper APOLLO UND HYACINTH (KV 38), die als Zwischenspiel für das lateinische Sprechdrama *Clementia Croesi* mit diesem zusammen am 13. Mai 1767 von den Schülern des Universitätsgymnasiums in Salzburg aufgeführt worden war. Dieser Auftrag bedeutete für den Knaben eine große Anerkennung, und er entledigte sich seiner zu allgemeiner Zufriedenheit mit viel Geschick. Freilich handelte es sich hierbei nur um eine interne Salzburger Angelegenheit. Mit den anschließenden Werken der ersten Schaffensperiode wandte sich der Knabe dagegen erstmalig an die Opernbühnen der Welt, wohin ihm der Vater die Wege ebnete und wo er unter Fachgenossen seinen Mann zu stehen hatte. Der Zwölf- bis Sechzehnjährige trat in den Jahren 1768 bis 1772 mit nicht weniger als sechs Bühnenwerken hervor: 1768 mit der opera buffa LA FINTA SEMPLICE (*Die verstellte Einfalt*; KV 51/46a) und mit dem Singspiel BASTIEN UND BASTIENNE (KV 50/46b), 1770 mit der opera seria MITRIDATE, RÈ DI PONTO (KV 87/74a), 1771 mit der Serenata teatrale ASCANIO IN ALBA (KV 111) und 1772 mit der Serenata drammatica IL SOGNO DI SCIPIONE (*Der Traum des Scipio*; KV 126) und der opera seria LUCIO SILLA (KV 135).

Die beiden ersten waren noch nicht eigentlich offizielle Auftragswerke. Die erste Oper verdankte ihre Enstehung zwar einer flüchtigen Anregung des Kaisers selbst, doch war diese so unverbindlich, daß der Impresario des Wiener Hoftheaters, Affligio, eine Aufführung ohne weiteres hintertreiben konnte, obwohl der junge Komponist die Partitur mit Feuereifer fertiggestellt hatte. Die

Wahl einer opera buffa dürfte wohl vom Vater mit Rücksicht auf die Beliebtheit der Gattung und das zur Verfügung stehende gute Ensemble getroffen worden sein, doch war sie nicht glücklich. *La finta semplice* von Carlo Goldoni, für das Wiener Theater eingerichtet von dem Hofdichter Marco Coltellini, ist ein Buffa-Libretto, das das uralte Thema von dem alten Geizhals, der von einem jungen Paar im Verein mit schlauen Dienern und Zofen geprellt wird, recht grobschlächtig und obendrein ungeschickt behandelt; erscheinen doch an Stelle einer Vielzahl von bewegten Ensembles, die zu den größten dramatischen Vorzügen der heiteren Gattung gehört, fast ausschließlich mehr oder weniger läppisch betrachtende Arien, die zu nichts anderem als zu rein konventioneller Musik anregen konnten. Dieser Aufgabe war der junge Mozart, der in Wien viel Gelegenheit hatte, opere buffe der angesehensten Meister kennen zu lernen, sicherlich gewachsen. Er zeigte, daß er, nun schon weit über das in der kleinen Schuloper geleistete hinausgehend, die bunte Formenwelt und die vokale, vor allem aber auch die instrumentale Tonsprache der Gattung durchaus beherrschte. Einzelne Arien, z. B. der stimmungsvolle Liebesgesang Nr. 15 und die ergötzliche Arie eines Betrunkenen Nr. 16, lassen auch deutlich ein geschicktes Eingehen auf den Textinhalt erkennen. Für die charakteristische Typik der Personen und deren mannigfache, oft hintergründige Beziehungen zueinander aber fehlte dem knapp Zwölfjährigen zwangsläufig noch das Verständnis. Das geht vor allem aus den Finali hervor, die einfallsreiche musikalische Nummern, aber keine dramatischen Szenen sind. Immerhin hatte sich der jugendliche Komponist hier auf Anhieb den Stil der opera buffa zu eigen gemacht, wenn ihm auch deren Geist noch nicht ganz aufgegangen war.

Ganz anderer Art war die Leistung, zu der ihm ein weiterer Auftrag verhalf: Der Arzt Dr. Franz Anton Mesmer erbat von ihm für eine private Aufführung die Komposition des kleinen deutschen Singspiels BASTIEN UND BASTIENNE. Dem Text, einer von Friedrich Wilhelm Weiskern besorgten deutschen Übersetzung von *Les Amours de Bastien et Bastienne*, lag letztlich das intermède LE DEVIN DU VILLAGE (*Der Dorfwahrsager*) von Jean-Jacques Rousseau zugrunde, das 1752 im Buffonistenstreit in Paris[1] eine so wichtige Rolle gespielt hatte. Es handelte sich hier also im Grunde um einen Abkömmling der opéra comique, von der ja zumindest das norddeutsche Singspiel stark beeinflußt war. Der Knabe Mozart dürfte davon nichts gewußt haben. Er versah das seiner noch kindlichen Vorstellungswelt entgegenkommende anspruchslose Eifersuchtsdrama des ländlichen Liebespaares mit angemessen schlichter, volkstümlich-liedhafter Musik in kleinen Formen in der Art von Bastiens erster Arie, machte sich aber, wo es der Text erlaubte, wie z. B. bei der Geisterbeschwörung des Dorfwahrsagers, geschickt auch die eben erst erworbene buffoneske Ausdrucksweise zunutze (vgl. die Beispiele S. 375).

So war das harmlose Singspiel im Grunde origineller als die viel kunstvollere, aber naturgemäß konventionelle opera buffa. Besondere Erfolge errang der junge Komponist mit ihnen nicht[2].

Erst zwei Jahre später schien sich ihm, nach dem Brauch der Zeit in Italien, mit der opera seria MITRIDATE wirklich die Laufbahn eines Opernkomponisten zu erschließen. Den Auftrag zu dieser Oper und zugleich die Fähigkeit, ihn ohne Schwierigkeit auszuführen, verdankte der Vierzehnjährige nicht zuletzt seiner intensiven Beschäftigung mit der Arienkomposition, durch deren neueste Früchte[3] er die maßgebenden Stellen der Mailänder Oper und das Publikum für sich ge-

---

[1] Vgl. die Bemerkungen über die opéra-comique auf S. 162ff.
[2] LA FINTA SEMPLICE gelangte in Wien überhaupt nicht zur Aufführung. Eine Salzburger Aufführung vom 1. Mai 1769 wird von Otto Erich Deutsch (Mozart, Die Dokumente seines Lebens, Kassel 1961, S. 82) angezweifelt, von den Herausgebern des Werkes in NMA II/5/2, Vorwort S. XIVff. jedoch für möglich gehalten. BASTIEN UND BASTIENNE wurde vermutlich im September oder Oktober 1768 im Hause Dr. Mesmers, also vor einem nur kleinen Hörerkreis aufgeführt.
[3] Die Arien KV 78, 88, 79b = 73b, c, d, KV 77, 82, 83 = 73e, o p und KV Anh. 2 = 73A, sämtlich auf Texte von Metastasio.

Wolfgang Amadeus Mozart: BASTIEN ET BASTIENNE

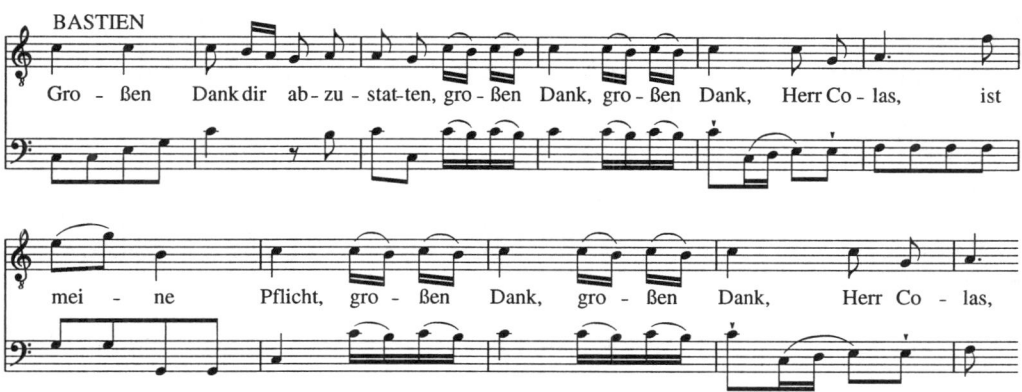

Wolfgang Amadeus Mozart: BASTIEN ET BASTIENNE

wann. Die Uraufführung am 26. Dezember 1770 in Mailand war so erfolgreich, daß sie dem jungen Komponisten gleich eine neue scrittura einbrachte, die zu LUCIO SILLA, der genau zwei Jahre später auf der gleichen Bühne erschien. Diese beiden Jahre waren die einzigen im Leben Mozarts, in denen er sich von Anfang an mit fast routinierter Selbstverständlichkeit als echter compositore scritturato betätigte: Er nahm widerspruchslos die Libretti in Empfang, komponierte sie genau nach Maßgabe der von ihnen geforderten Rezitativ- und Arientypen unter Berücksichtigung der jeweiligen Besetzung, studierte sie dann auch mit ein und leitete zumindest die Uraufführung. Da er die Technik der Arienkomposition sowie die Behandlung der italienischen Sprache im Rezitativ bereits souverän beherrschte und es ihm vor allem nicht an musikalischen Einfällen fehlte, fiel es ihm nicht schwer, den festgesetzten Forderungen der Gattung, zu deren Studium er obendrein keine Gelegenheit versäumte, zu genügen. Hatte in ihr doch, besonders für das italienische Publikum, die Musik eindeutig das Übergewicht, während das bei dem Knaben wenigstens in MITRIDATE noch wenig ausgeprägte Empfinden für dramatische Zusammenhänge demgegenüber in den Hintergrund trat.

Die Librettisten der beiden Opern, Vittorio Amadeo Cigna-Santi und Giovanni de Gamerra, gehörten zum großen Kreis der Metastasio-Epigonen. In beiden Dramen ist der Titelheld nach berühmtem Vorbild ein Herrscher, der als mächtiger Rivale die Liebe eines jungen Paares bedroht, sich aber zuletzt zu edelmütigem Verzicht durchringt und die Liebenden wie auch ein ebenfalls in die Handlung verwickeltes zweites Liebespaar vereinigt. Konventionell wie diese Handlung, ihre Träger und ihre textliche Einkleidung wurde dann auch ihre musikalische Wiedergabe, vor allem in MITRIDATE, der viel frische, aber wenig charakteristische Musik enthält. Der stereotype Wechsel von Secco-Rezitativ und Arie wird nur selten von kurzen Akkompagnati und nur zweimal von Ensembles unterbrochen, unter den Arien überwiegt bei weitem die zeitübliche verkürzte Dacapo-Form. Die große Kunst des jugendlichen Komponisten besteht in diesem Werk im Wesentlichen in der alle Bedingungen der großen Aufgabe stilistisch und ästhetisch gleichermaßen befriedigend erfüllenden Lösung.

In LUCIO SILLA begnügte sich Mozart damit nicht. Hier benutzte er das konventionelle Erstlingswerk gleichsam als Erfahrungsgrundlage für abweichende, persönlichere Aussagen. Natürlich bewegte er sich auch hier noch streng im Rahmen des Herkommens, doch lockerte er das starre Schema auf, indem er an inhaltlich hervorragenden Stellen gewichtige Akkompagnati, Ensembles und Chöre anbrachte, ja, diese sogar hie und da, vor allem am Ende des I. Aktes, zu dramatischen Szenen zusammenfaßte. Neben einer Fülle von verschiedenen Arienformen ist in dieser Oper auch die Instrumentation abwechslungsreicher und anspruchsvoller als in dem früheren Werk, und die einzelnen Orchesterstimmen werden insgesamt selbständiger behandelt als dort. Vor allem wesentlich aber ist, daß dem jungen Meister in LUCIO SILLA in vielen Akkompagnati und Arien und besonders in den dramatischen Szenen eine früher nicht erreichte intensive Textausdeutung gelungen ist. Als Beispiele seien hier der Beginn von Cecilios Rezitativ vor der Arie Nr. 9

Wolfgang Amadeus Mozart: LUCIO SILLA

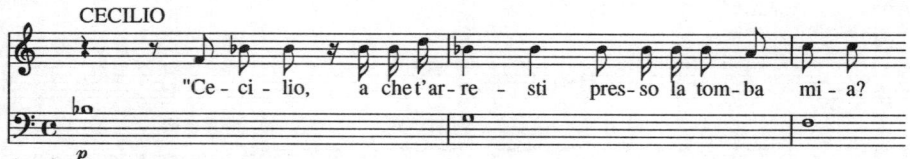

sowie die Anfänge der beiden kontrastierenden Teile von Giunias Arie Nr. 22 angeführt, in der die Heldin die Aufforderung des Geliebten zu vernehmen meint, ihm in den Tod zu folgen:

Wolfgang Amadeus Mozart: LUCIO SILLA

Die beiden in der Zeit zwischen MITRIDATE und LUCIO SILLA entstandenen Serenaten sind typische höfische Gelegenheitswerke, ASCANIO IN ALBA (Text von Giuseppe Parini) für die Hochzeit des Erzherzogs Ferdinand mit Maria Ricciarda Beatrice von Modena, IL SOGNO DI SCIPIONE (Text von Metastasio) ursprünglich für den Salzburger Erzbischof Sigismund von Schrattenbach bestimmt, nach dessen plötzlichem Tod (16. Dezember 1772) auf den Einzug des neuen Erzbischofs von Salzburg umgewidmet. Beide stehen musikalisch durchaus auf der Höhe der benachbarten Opern, sind aber als echte Huldigungskompositionen dramatisch nicht besonders bemerkenswert. ASCANIO IN ALBA zeichnet sich durch zahlreiche Chöre aus, die sich in verschiedenen Wiederholungen gliedernd über die beiden Akte verteilen. Hiermit zeigte Mozart, daß er nicht nur mit der italienischen Solo-Oper, sondern auch mit dem Chorreichtum der Wiener Oper vertraut war. Außerdem enthält dieses Werk für eine bloße Serenata auffallend viele große Akkompagnati, deren Nachwirkung sich, wie auch die so mancher Chöre, in LUCIO SILLA wiederfindet.

Der junge Mozart hatte sein Opernschaffen zunächst unter der Ägide von Johann Christian Bach, dann im Zeichen des alten Johann Adolf Hasse begonnen. Mit einem glänzenden Empfehlungsschreiben von diesem[4] war er nach Mailand gegangen; es dürfte ihm dort manche Türen geöffnet haben. Nun trat er mit ASCANIO IN ALBA gleichsam mit dem alten Meister in die Schranken: Einen Tag vor der Serenata war anläßlich derselben Hochzeitsfeierlichkeiten Hasses letzte Oper RUGGIERO in Szene gegangen, mit nur geringem Erfolg[5], aber, wie LUCIO SILLA zeigt, nicht ohne Eindruck auf Mozart. Diese Oper war zunächst nicht weniger erfolgreich als MITRIDATE, doch folgte ihr, aus welchen Gründen immer, kein weiterer Opernauftrag. Die so hoffnungsvoll begonnene Laufbahn des „compositore scritturato" war damit abgschlossen, zur großen Enttäuschung des jungen Meisters. Das Schicksal verwies ihn nun auf einen an Enttäuschungen und Kämpfen reichen Weg, auf dem sich aber sein musikalisches Universalgenie und seine vielseitige musikdramatische Begabung voll entwickeln konnten.

## Die zweite Schaffensperiode (1774—1781)

Mit seiner Rückkehr aus Italien im Frühjahr 1773 wurde Mozart als Opernkomponist Gelegenheitsarbeiter, der oft lange auf die ersehnten Gelegenheiten warten mußte. Während der Knabe in fünf Jahren sechs Werke herausgebracht hatte, konnte der Jüngling aus Mangel an Aufträgen in acht Jahren nur mit drei hervortreten; ein viertes, ohne Auftrag begonnenes, blieb unvollendet. Dabei wuchs der Musiker Mozart gerade in dieser Zeit zu voller Reife heran, wie zahlreiche Kompositionen anderer Gattungen beweisen. Eingeleitet wird diese Schaffensperiode durch ein halbdramatisches Werk, die Chöre und Zwischenaktmusiken zu dem heroischen Drama *Thamos, König in Ägypten* von Tobias Philipp Freiherrn von Gebler (KV 345/336a). Die beiden Chöre sind breitflächige Wechselgesänge zwischen aufgelockerten Duetten von Frauen- bzw. Männerstimmen und einem feierlichen, kompakten vierstimmigen Chorritornell. Gegen Ende dieser Periode hat Mozart sie, offenbar unter dem Einfluß der auf der Mannheim/Paris Reise 1777—1779 gewonnenen Eindrücke im Sinne größerer Dimensionen — stärkerer Kontraste, selbständigerer Orchesterbehandlung und bunterer Instrumentation — umgearbeitet und einen dritten Chor hinzugefügt. Ob die Zwischenaktmusiken aus dieser oder der früheren Zeit stammen, ist zweifelhaft.

Anscheinend zufällig und doch voll tiefen Sinnes für den Aufbau von Mozarts Opernschaffen insgesamt ist die Auswahl der Werke dieser zweiten Schaffensperiode: Sie umfaßt wieder die Gattungen opera buffa, Singspiel und opera seria, die sich schon in der ersten Periode als schicksalhaft erwiesen hatten und die nun eine noch höhere Stufe in der Entwicklung des jungen Meisters widerspiegeln. Es sind: die opera buffa LA FINTA GIARDINIERA (*Die verstellte Gärtnerin*, auch *Die Gärtnerin aus Liebe*; KV 196, München 1775), die opera seria IL RÈ PASTORE (KV 208, Salzburg

---

4 Es schloß mit den Worten: „Certo è che se a misura dell'età crescerà ne' dovuti progressi, sarà un portento" (Sicher ist, daß er, wenn er mit zunehmendem Alter entsprechende Fortschritte macht, ein Wunder sein wird); (Deutsch, Dokumente S. 85).

5 Leopold Mozart berichtet darüber: „mir ist leid, die Serenata des Wolfgang hat die opera von Hasse so niedergeschlagen, daß ich es nicht beschreiben kann" (Mozart, Briefe und Aufzeichnungen, Band 1, Kassel 1962, S. 444).

1775), ein unvollendetes deutsches Singspiel, das später den Titel ZAIDE erhielt (KV 344/336b, komponiert Salzburg 1779/80) und die opera seria IDOMENEO, RÈ DI CRETA (KV 366, mit Ballett-Musik KV 367, München 1781). In die Pause zwischen dem zweiten und dem dritten Werk fällt die große Mannheim/Pariser Reise, die Mozart zwar viele musikalische Anregungen, aber keine Annäherung an die französische Oper, geschweige denn einen Opernauftrag brachte.

Alle vier Werke sind nach wie vor traditionsgebunden, verraten aber von Anfang an die in den vorangehenden Jahren ausgebildete Eigenständigkeit des *Musikers* Mozart. Charakteristisch hierfür sind die zahlreichen Anklänge an die Meisteropern der dritten Schaffensperiode, die sich in vielen dieser Werke finden[6]. Die noch immer starke Bindung an das Herkommen aber zeigt sich allein schon darin, daß die Texte der drei Auftragswerke mit den Aufträgen zusammen vorgegeben waren, der Komponist sich also nach alter Weise darauf zu beschränken hatte, der vorgeschriebenen Marschroute zu folgen.

Noch am stärksten der Tradition verpflichtet ist der zum festlichen Empfang Erzherzog Maximilians in Salzburg komponierte RÈ PASTORE, der durch Zusammenziehen der drei Akte Metastasios in zwei und einen neuen, auf den hohen Gast bezogenen Schlußteil den Charakter einer Serenata erhalten hatte. Dementsprechend hat ihn Mozart, ohne auf den Inhalt einzugehen, mit unverbindlich schöner Musik versehen, nur daß die souveräne Handhabung des Orchesters und das lockere Zusammenwirken zwischen diesem und den Singstimmen deutlich den musikalisch weit über das Niveau der Jugendopern hinausgewachsenen jungen Meister erkennen lassen.

Schon etwa ein halbes Jahr vorher aber hatte sich für Mozart nach gründlicher, jahrelanger Beschäftigung mit der Seria-Komposition die Gelegenheit ergeben, nunmehr als reifer Musiker zur opera buffa zurückzukehren. Er erhielt vom Münchner Hof den Auftrag, das Libretto des dramma giocoso *La finta giardiniera*, das für die Karnevalsspielzeit 1773/74 in Rom von Pasquale Anfossi schon einmal komponiert worden war, seinerseits in Musik zu setzen. Der Textdichter ist unbekannt[7]. Sein Werk ist ein echtes Buffa-Libretto der Zeit mit parti serie und parti buffe (ernsten und heiteren Personen), dessen Charakter zwar hauptsächlich durch die typisch buffonesken Gestalten des alten Podestà und des verschmitzten Dienerpaars bestimmt wird, dessen verwickelte Handlung mit den beiden durch Liebesbanden ineinander verstrickten Paaren aber deutlich den Einfluß der opera seria erkennen läßt. Die beiden Sphären zu einer Einheit zu verschmelzen, ist dem Dichter jedoch nicht gelungen. Der 18jährige Mozart machte sich voller Hingabe die von der Seria so stark abstechende Ungebundenheit der Gattung mit ihren schier unbegrenzten Möglichkeiten zunutze und schüttete den ganzen Reichtum seiner jungen musikalischen Meisterschaft über den zwiespältigen Text aus. Daß er die Partitur Anfossis gekannt hat, ist unwahrscheinlich, doch war ihm der Gattungsstil ohnehin geläufig. Aber die Kunst, Tragik und Komik organisch zu vereinen, unter Tränen zu lächeln, die seinen Spätwerken so unverkennbar seinen Stempel aufdrückt, besaß er damals noch nicht, und so strebte er gar nicht danach, die Uneinheitlichkeit des Textes zu überwinden, sondern hob sie durch die Verwendung gegensätzlicher musikalischer Ausdrucksweisen noch besonders hervor. Einerseits legte er den parti serie Leidenschaftsausbrüche

---

6 Vgl. hierzu Alfred Heuss: Mozarts „Idomeneo" als Quelle für „Don Giovanni" und „Die Zauberflöte", in: Zeitschrift für Musikwissenschaft 13, 1930/31, S. 177—199; A. Hyatt King: The Melodic Sources and Affinities of „Die Zauberflöte", in: Musical Quaterly 36, 1950, S. 241ff. und in: Mozart in Retrospect, 1955, S. 141—163 und Anna Amalie Abert: „La finta giardiniera" und „Zaide" als Quellen für spätere Opern Mozarts, in: Musik und Verlag. Karl Vötterle zum 65. Geburtstag, Kassel 1968, S. 113—122.
7 Raniero Calzabigi, den man früher als Verfasser annahm, ist es sicher nicht. Im Vorwort zur Edition der Oper in der Neuen Mozart-Ausgabe, Serie II/5, Band 8, S. IX wird G. Petrosellini als mutmaßlicher Autor genannt.

von einer Stärke in den Mund, die im Rahmen einer Buffa übertrieben wirken mußte, andererseits bewies er bei Gesängen der parti buffe, daß er nunmehr auch deren Sprache meisterhaft beherrschte. Folgten zwei solche Gesänge unmittelbar aufeinander, wie z. B. im Falle der Arien Nr. 25 (Podestà)

Wolfgang Amadeus Mozart: LA FINTA GIARDINIERA

und 26 (Don Ramiro), der als einzige Kastratenrolle der Oper den Seriatyp besonders auffällig verkörpert,

Wolfgang Amadeus Mozart: LA FINTA GIARDINIERA

so konnte der ernste leicht parodistisch wirken, auch wenn er offensichtlich nicht so gemeint war. Es kam dem jungen, von musikalischen Einfällen förmlich übersprudelnden Komponisten überhaupt nicht auf große dramatische Zusammenhänge an, sondern auf eine bunte Aneinanderreihung von möglichst scharf umrissenen Situationen, deren Träger aber noch Typen, keine Charaktere sind. In der Introduzione und vor allem in den Finales der Akte I und II, die die Personen in tollem Wirbel vereinen, tritt dann allerdings zum ersten Mal Mozarts dramatisch-musikalische Charakterisierungskunst in Erscheinung. Die einzelnen Abschnitte dieser großen Szenenkomplexe laufen zwar noch alle übereinstimmend in homophone Ensemblesätze aus, doch nicht ohne daß die Teilnehmer vorher ihrer verschiedenen Art gemäß charakteristisch voneinander abgehoben bzw. aufeinander abgestimmt worden wären. — Die Oper wurde bei ihrer Uraufführung am

13. Januar 1775 mit lebhaftem Beifall aufgenommen, erlebte jedoch nur wenig Wiederholungen und wechselte schließlich auf die Wanderbühne hinüber[8].

Zu Mozarts großer Enttäuschung brachte sie ihm keinen weiteren Opernauftrag ein. Schuld an dem unbefriedigenden Erfolg dürfte das weite Auseinanderklaffen zwischen dem genialen jungen Musiker und dem gerade auf dem Boden der opera buffa, wo es besonders auf ein spritziges, komödiantisches Zusammenspiel ankam, noch relativ unerfahrenen Dramatiker gewesen sein. Der geistvolle Musiker und Musikästhetiker Christian Daniel Friedrich Schubart hat den zwiespältigen Eindruck, den das Werk hinterließ, in folgende poetische Worte gekleidet: „Genieflammen zückten da und dort; aber 's ist noch nicht das stille ruhige Altarfeuer, das in Weyhrauchswolken gen Himmel steigt — den Göttern ein lieblicher Geruch. Wenn Mozart nicht eine im Gewächshaus getriebene Pflanze ist, so muß er eines (sic!) der größten musikalischen Komponisten werden, die jemals gelebt haben"[9].

In den nun folgenden fünf Jahren, der längsten Pause in Mozarts gesamtem Opernschaffen, mußte sich der junge Komponist auf diesem Gebiet mit Einzel-Arien für bestimmte Sänger begnügen; auch auf der großen Reise, die ihn 1777 über München nach Mannheim und dann nach Paris führte, blieben alle Hoffnungen auf Opernaufträge unerfüllt. Den Pariser Opernbetrieb beobachtete er nach seiner Weise scharf, doch ohne daran teilzunehmen. Seine praktische Ausbeute bestand hier nur wieder in einigen Arien und der Ballettmusik zu Jean Georges Noverres Pantomime LES PETITS RIENS (KV Anh. 10/299b); sie alle lassen seine durch das Pariser Orchester angeregte Neigung zu farbiger Instrumentation erkennen. Der allgemein geistige und speziell musikalische Gewinn dieser Reise aber bestand auf die Länge gesehen in der Weitung seines bis dahin primär italienisch geprägten Horizontes durch die Berührung mit dem Geist und der Technik der französischen Oper, mit den deutschen Opern Ignaz Holzbauers und Anton Schweitzers[10] und mit den Melodramen Georg Bendas, was alles sich mehr oder weniger deutlich erkennbar schon in den Werken der nächstfolgenden Jahre niederschlagen sollte.

Nach seiner Rückkehr nach Salzburg machte sich Mozart ohne Auftrag an die Komposition des Singspiels ZAIDE auf einen Text des mit der Familie befreundeten Hoftrompeters Andreas Schachtner[11]. Dieser sein zweiter Beitrag zur Gattung des deutschen Singspiels wirkt in jeder Hinsicht wie eine Vorstufe zum dritten, zur ENTFÜHRUNG AUS DEM SERAIL. ZAIDE ist eine Türkenoper wie diese und inhaltlich aufs engste mit ihr verwandt. Auch in ihr handelt es sich um ein junges Paar in der Gewalt eines orientalischen Despoten, der die Liebe der beiden bedroht und der sich nach ihrer vereitelten Flucht an ihnen rächen will. Damit endet die Partitur, und es bleibt offen, wie der Librettist die — vermutlich glückliche — Lösung herbeigeführt hat. Bei dieser engen inhaltlichen Verwandtschaft mit der ENTFÜHRUNG fällt der weite musikalische Abstand zwischen den beiden Werken besonders deutlich in die Augen. In ZAIDE tritt der überquellende Reichtum des Musikers Mozart noch ähnlich ungezügelt hervor wie in der FINTA GIARDINIERA. Wohl enthält die Oper einige Arien und Ensembles, deren Haltung bereits unverkennbar den verklärten, liedhaft-ariosen Märchenton der ENTFÜHRUNG vorwegnimmt, besonders deutlich in den folgenden Beispielen aus dem Terzett Nr. 8:

---

8 Der Prinzipal Johann Heinrich Böhm nahm sie unter dem Titel DIE VERSTELLTE GÄRTNERIN als deutsches Singspiel in seinen Spielplan auf und brachte sie in dieser Fassung erstmals am 1. Mai 1780 in Augsburg heraus.
9 Deutsche Chronik, Augsburg, 27. April 1775, Jahrgang II, 34. Stück, S. 267, abgedruckt bei Deutsch, Dokumente S. 138.
10 GÜNTHER VON SCHWARZBURG bzw. ALCESTE und ROSAMUND.
11 Unter diesem Titel wurde die Partitur dieses Werkes erst 1838 von Johann André veröffentlicht, der laut Vorbericht selbst eine Ouvertüre und einen Schlußchor beigesteuert hatte.

Wolfgang Amadeus Mozart: ZAIDE

aber daneben erscheinen herkömmliche Gleichnisarien und andere konventionelle Betrachtungen in Dacapo-Form, betont einfache volkstümliche Lieder und plappernde Buffo-Gesänge, wie die Lacharie des Dieners Osmin

Wolfgang Amadeus Mozart: ZAIDE

ohne daß diese singspielhafte Fülle immer überzeugend, wie in der ENTFÜHRUNG, zu einer dramatischen Einheit zusammengezwungen wäre. Auch in dieser Oper kam es Mozart, wenn er überhaupt dramatische Belange im Auge hatte, noch fast ausschließlich auf die musikalische Deutung des Einzelaffekts bzw. der jeweiligen Situation an, nicht auf die mit folgerichtiger Personencharakteristik verknüpfte Erfassung größerer dramatischer Zusammenhänge. An Stelle von Akkompagnato-Rezitativen benutzt er — sicherlich eine Nachwirkung der Bekanntschaft mit Bendas Werk — zu Beginn der beiden Akte zur Wiedergabe betrachtender Monologe das Melodram. In beiden Fällen ist es ihm gelungen, die Fülle der Empfindungen angemessen auszudeuten und zugleich durch Wiederaufnahme charakteristischer Motive gliedernd zusammenzufassen. Die Ensembles der ZAIDE stehen der ENTFÜHRUNG am nächsten[12]. Hier hat der Meister ganz seine eigene Sprache jenseits jeder Konvention gefunden; nicht zufällig enthalten das Duett Nr. 5 und das Quartett Nr. 15 besonders deutlich erkennbare Vorklänge auf das spätere Werk. — In der glänzenden, farbigen Instrumentation des im ganzen schlichten Singspiels zeigt sich unverkennbar der Einfluß der Mannheim/Pariser Eindrücke. In den mannigfachsten Kombinationen mit dem Streichorchester spielen die Bläser, vielfach auch obligat behandelt, eine große Rolle; das Quartett Nr. 15, die Krönung des Werkes, wird z. B. von einem reinen Bläsersatz eröffnet, der schon im Sinne späterer Mozartscher Arieneinleitungen in die Stimmung einführt[13].

---

12 Vgl. die Beispiele S. 381.
13 Dies ist auch in der Besetzung ein Vorklang des ersten Zwischenspiels in der Arie Nr. 10 der ENTFÜHRUNG.

Wolfgang Amadeus Mozart: ZAIDE

Das ohne festen Auftrag, nur aus Sehnsucht nach weiterem Opernschaffen komponierte Singspiel blieb unvollendet liegen, als im Herbst 1780 die lang ersehnte neue „scrittura" eintraf: Der Münchner Hof forderte Mozart auf, für die Karnevalspielzeit 1780/81 die opera seria zu schreiben. Ganz nach altem Brauch wurde ihm der Gegenstand vorgeschrieben, das französische Drama *Idoménée* von Antoine Danchet, das 1712 bereits als fünfaktige tragédie lyrique mit Musik von André Campra in Paris aufgeführt worden war und nun von dem Salzburger Hofkaplan Abbate Giambattista Varesco als dreiaktige opera seria bearbeitet und ins Italienische übersetzt wurde[14]. Diese Textwahl, eine Ausgeburt des sich in jener Zeit immer weiter verbreitenden Strebens nach gegenseitiger Annäherung italienischen und französischen Operngeistes, bot Mozart eine glänzende Gelegenheit, seine Pariser Eindrücke im Rahmen der ihm vertrauten italienischen Gattung in die Praxis umzusetzen. Dabei geriet er zwangsläufig auch in die Nähe Glucks, doch ohne im mindesten dessen Reformbestrebungen zu teilen. Er, der sehr bewußt arbeitende, aber gänzlich unspekulative Künstler, schrieb, wie verlangt, grundsätzlich eine opera seria, machte sich dabei aber, unbekümmert um Gattungsgrenzen, nicht nur alle ihm in seiner jungen Meisterschaft zu Gebote stehenden Ausdrucksmittel zunutze, sondern stellte sie zugleich erstmals weitgehend in den Dienst seines neu erwachten dramatischen Empfindens.

So wurde IDOMENEO, RÈ DI CRETA zum ersten großen Schmelztiegel von Mozarts Opernschaffen, ein Werk zwischen Tradition und Fortschritt, zwischen seria und tragédie lyrique, zwischen Konzertoper und Musikdrama, kurz: zwischen Auftrag und Bekenntnis. Besonders unterstrichen wird diese Schlüsselstellung noch durch die vielen ausführlichen Bemerkungen über Dramaturgie und Aufführungspraxis des Werkes, die Mozarts Briefe aus der Zeit der Einstudierung an seinen Vater enthalten und die auf Schritt und Tritt den über Einzelheiten hinweg auf die musikalisch-dramatische Gesamtwirkung gerichteten Blick des alleinverantwortlichen Meisters erkennen lassen. Indem es Mozart gelang, den Auftrag zum Bekenntnis zu machen, schuf er eine opera seria, die nicht nur musikalisch, sondern zum ersten Mal auch dramatisch seinen Stempel trägt. Das be-

---

14 Der Inhalt: Idomeneo hat bei einem Schiffbruch gelobt, dem Gott Neptun für seine Rettung den ersten Sterblichen zu opfern, der ihm begegnen werde. Er versucht dann aber, dem Gott das Opfer, seinen Sohn Idamante, zu entziehen, worauf Neptun ein Seeungeheuer schickt, das das Land verheert. Idamante besiegt das Ungeheuer und ist dann bereit, in den Tod zu gehen. Als seine Geliebte Ilia, eine gefangene trojanische Prinzessin, sich für ihn opfern will, verkündet die Stimme des Gottes den Verzicht auf das Opfer und damit das lieto fine.

ginnt bereits bei den Arien, stilechten, erfindungsreichen Seria-Gesängen des jungen Meisters, wie üblich den Fähigkeiten der einzelnen Sänger angepaßt, und dabei doch weitgehend aus dem dramatischen Zusammenhang heraus als Charakterbilder der dramatis personae geschaffen. Vor andern gilt dies für die Arien des Liebespaares Ilia und Idamante in den beiden ersten Akten, unter ihnen Ilias Arie Nr. 11 „Se il padre perdei" mit vier obligaten Blasinstrumenten, in der Mozart trotz des großen musikalischen Aufwandes dem Empfindungsgehalt des Textes besonders nahekommt, gleichgültig, ob die vom Streichorchester begleitete Singstimme dem Bläserquintett gegenübertritt oder mit in dieses hineinverwoben wird (vgl. S. 385). Bezeichnend ist es auch, daß sich just in dieser durch keinerlei konventionelle Bindung beengten Arie die Vorklänge auf spätere Opern häufen und daß das Nachspiel, das die erregten Gefühle bei aller Kürze so beredt ausklingen läßt, schon unmittelbar auf Ariennachspiele des späten Mozart hindeutet (vgl. S. 386). Auch in den Gesängen der eifersüchtigen Rivalin Elettra, beides dem Inhalt nach Rachearien, hat Mozart von den typischen Ausdrucksmitteln dieser Gattung nur wenig Gebrauch gemacht und die darin pulsierende Erregung unkonventioneller und unmittelbarer durch atemlos hervorgestoßene Ausrufe, charakteristische Orchestermotive, vibrierende Dynamik und gehäufte Chromatik wiedergegeben. Die beiden Arien des Sekundariers Arbace bewegen sich dagegen noch überwiegend auf dem Boden der Konvention, und bei denen des Titelhelden war Mozart nach seinen eigenen Aussagen[15] durch die Rücksicht auf die Eigenheiten des alten Anton Raaff behindert — die zweite Arie „Fuor del mar ho un mar in seno" (Nr. 12) ist eine typische bravouröse Gleichnisarie.

Haftet somit den Arien des IDOMENEO nicht musikalisch, aber dramaturgisch hie und da noch ein Erdenrest von Konvention an, so hat sich Mozart mit den Akkompagnati, den Ensembles und Chören nicht nur durch deren große Zahl an sich, sondern vor allem durch die in ihnen erreichte enge Durchdringung von Musik und Drama endgültig vom Typ der Seria gelöst. Die Oper enthält kaum eine Arie oder ein Ensemble, die nicht aus einem Akkompagnato erwüchsen oder in ein solches übergingen, daneben auch Akkompagnato-Einschübe in Secco-Rezitative und vor allem ganze Akkompagnato-Szenen, besonders im III. Akt. In ihnen allen wird das Orchester stärker als je zuvor zum Stimmungsträger und zum Deuter feinster seelischer Regungen, gleichgültig ob es mit der unbegleiteten Singstimme alterniert, ob es diese stützt oder an Höhepunkten der Erregung gleichberechtigt mit ihr zusammenwirkt. Dazu tritt an Stelle der früher bevorzugten Reihung immer neuer Einfälle häufig nach dem Vorbild Glucks ein beziehungsvolles Zurückgreifen auf charakteristische Motive, ja, gelegentlich wird sogar das Akkompagnato auf diese Weise mit der folgenden Arie verbunden.

Von der Mitte der Oper, dem Bruch des Gelübdes mit dessen Folgen, an gewinnen neben dramatischen Soloszenen große, vielstimmige Blöcke die Oberhand, in denen die Solisten charakteristisch aufeinander bezogen oder auch von Chören umrahmt sind und diese teilweise zu Partnern der handelnden Personen werden. Für Szenen dieser Art haben selbstverständlich die Chöre der französischen Oper, die Mozart in Paris kennengelernt hatte, Modell gestanden, doch wurde ihre Originalität dadurch genau so wenig beeinträchtigt wie diejenige der Arien und Akkompagnati durch das italienische Vorbild. Beide sind vielmehr durch Mozart den Musiker *und* den Dramatiker erstmals zu einer neuen, spezifisch mozartischen Einheit zusammengeschmolzen. Das Terzett Nr. 16 und vor allem das Quartett Nr. 21, das die vier Hauptpersonen auf dem Höhepunkt äußerer und innerer Verwirrung vereint, sind Meisterwerke musikalischer Simultancharakteristik. Im Quartett ist nichts um bloßer Konvention willen da, nichts aber auch nur musikalisch bedingt, obwohl es sich zu einer in sich geschlossenen, großartig gesteigerten zweiteiligen Wiederholungsform rundet. Hier hat Mozart unmittelbar vor der Katastrophe wie in einem Brennspiegel die

---

15 Brief vom 27. Dezember 1780 (Briefe und Aufzeichnungen, Band III, S. 72).

Wolfgang Amadeus Mozart: IDOMENEO, RÈ DI CRETA; Nr. 11 Arie Ilias

Wolfgang Amadeus Mozart: IDOMENEO, RÈ DI CRETA; Nr. 11 Arien Nachspiel

Kräfte des Dramas in höchster musikalischer Konzentration zusammengefaßt und damit einen Satz geschaffen, der sowohl als Komposition als auch als Bestandteil des Dramas den Ensembles seiner späteren Opern ohne weiteres an die Seite zu setzen ist[16]. Die Mehrzahl der Chöre des IDOMENEO bewahrheitet Mozarts kurz zuvor[17] gemachte Äußerung, die Gattung sei seine „haupt-favoritkomposition". Sie sind von einer musikalischen Mannigfaltigkeit und einer dramatischen Dynamik, die weit von der Statik und Monumentalität aller eventueller Vorbilder entfernt ist. Der Schiffbruch (Nr. 5) erscheint z. B. in Gestalt eines Doppelchors von vor Angst fast erstarrten Schiffbrüchigen und entsetzten Zuschauern am Ufer, der lieblich wiegende Schifferchor in E-Dur (Nr. 15) ist eindrucksvoller Träger der strahlenden Stimmung vor der Katastrophe, in den Chorblöcken Nr. 17/18 und 24 aber nimmt das Volk direkt zum Geschehen Stellung. Es drückt durch lastende, von Chromatik durchsetzte und akkordisch-syllabisch deklamierte Schreckensrufe sein Entsetzen aus bzw. es drängt, als Idomeneo es wagt, dem Gott sein Opfer streitig zu machen, in einem bewegten 12/8-Satz so anschaulich geradezu kopflos zur Flucht, daß der Satz und damit der II. Akt schließlich fast im Wesenlosen verklingt.

Wolfgang Amadeus Mozart: IDOMENEO, RÉ DI CRETA

---

16 Er selbst war mit dem Quartett besonders zufrieden und äußerte die Ansicht, daß „man in einem quartetto ... viel mehr reden als singen sollte" (Brief vom 27. Dezember 1780, Briefe und Aufzeichnungen, Band III, S. 72/73).

17 Im Brief aus Mannheim vom 28. Februar 1778 an den Vater.

Ausschlaggebend für die große musikalische wie dramatische Wirkung von Chören und Ensembles ist, genau wie bei den Arien und Akkompagnati, das bunte Wechselspiel zwischen den Singstimmen und den der jeweiligen Situation entsprechend ganz selbständig behandelten Instrumenten. Diese musikalische Belebung des Orchesters und seine Einbeziehung in den großen dramatischen Zusammenhang heben IDOMENEO weit über alle früheren Bühnenwerke Mozarts hinaus und kennzeichnen ihn recht eigentlich als Auftakt zu der folgenden Periode der Meisteropern. Die farbige Instrumentation läßt erkennen, mit welcher Hingabe sich Mozart den Vorteil des ihm in München zur Verfügung stehenden glänzenden Orchesters mit den von ihm so geliebten Klarinetten zunutze machte. Entsprechend groß ist auch die Rolle selbständiger Instrumentalsätze, wobei neben den geschlossenen Nummern (den festlichen Märschen Nr. 8 und 14, dem auf den der ZAUBERFLÖTE vorausdeutenden Priestermarsch Nr. 25 und die in die heroisch-tragische Atmosphäre der Oper einführende einsätzige Ouvertüre) feierliche orchestrale Szenenein- oder -überleitungen von besonderer Bedeutung sind, da mit ihrer Hilfe verschiedentlich einzelne Nummern zu großen dramatisch-musikalischen Komplexen zusammengeschlossen werden. Weitgehend geradezu vom Orchester getragen wird die große Priesterszene im III. Akt, aus deren orchestraler Einleitung sich das Motiv herauskristallisiert, das dann das Akkompagnato des Oberpriesters durchsetzt, in deren Mittelpunkt der Priestermarsch steht und die dann von dem von Posaunen begleiteten Orakel abgeschlossen wird[18].

Entgegen dem Brauch der Zeit hat Mozart auch die Ballettmusik zu IDOMENEO (KV 367), fünf ausgedehnte, abwechslungs- und erfindungsreiche Sätze, selbst komponiert. Die Oper erlebte nach ihrer Uraufführung am 29. Januar 1781 nur wenig Wiederholungen. Im März 1786 fand eine Liebhaberaufführung im Palais des Fürsten Karl Auersperg in Wien statt, für die Mozart das Duett Nr. 20 durch eine neues („Spiegarti non poss'io" KV 489) ersetzte und für den Sänger des Idamante, diesmal einen Tenor, als Beginn des II. Aktes das Rondo „Non temer amato bene" (KV 490) hinzukomponierte. Dieses Wiederauftauchen von IDOMENEO noch in der Zeit des FIGARO ist ein handgreiflicher Beweis für die Übergangsstellung des Werkes zwischen Tradition und Fortschritt. Mozart hätte wohl kaum darauf zurückgegriffen, wenn er sich nicht außer mit der meisterhaften Musik auch mit der Dramaturgie noch identifiziert hätte. Die Oper bedeutete für ihn den Höhepunkt und das Ende der frühen Meisterjahre als Komponist und zugleich den Beginn der Verschmelzung zwischen diesem und dem selbstverantwortlichen Dramaturgen.

*Die Periode der reifen Meisterschaft*

Voll ausgeprägt findet sich die Einheit von Musiker und Dramatiker erstmals in der ENTFÜHRUNG AUS DEM SERAIL (KV 384), die nur knapp anderthalb Jahre nach der Münchener Uraufführung des IDOMENEO auf der Bühne des Nationalsingspiels in Wien erschien. Mozart ergriff das ihm kurz nach seiner Ankunft in Wien von dem Schauspieler und Regisseur Gottlieb Stephanie d. J. angebotene Textbuch zu dem deutschen Singspiel mit Freuden als günstige Gelegenheit zum Einstieg in den Wiener Theaterbetrieb. Zudem erlaubte ihm die Auseinandersetzung mit der volkstümlichen, jungen, stilistisch buntscheckigen Gattung, alle Register seiner Kunst zu ziehen. Wie er dies tat, geht aus seinen Briefen an den Vater aus jener Zeit[19] hervor, die einen tiefen Einblick in seine Arbeitsweise vermitteln und darüber hinaus grundsätzliche Äußerungen über seine

---

18 Die Szene läßt deutlich das Vorbild der Tempelszene aus Glucks ALCESTE erkennen. Das Orakel existiert in 3 verschiedenen Fassungen.
19 Besonders vom 1. August, 26. September und 13. Oktober 1781. Briefe und Aufzeichnungen, Band III, S. 143, 162ff. und 167).

Opernästhetik enthalten. Hier findet sich das berühmte Wort: „Da ist es am besten, wenn ein guter Komponist, der das Theater versteht und selbst etwas anzugeben imstande ist, und ein gescheidter Poet als ein wahrer Phönix zusammenkommen"[20]. Der Text stellt eine Bearbeitung des Singspiels *Belmont und Constanze oder die Enführung aus dem Serail* des Leipziger Literaten Christoph Friedrich Bretzner[21] durch Stephanie dar, über die Mozart charakteristischerweise schreibt: „er (Stephanie) arrangiert mir halt doch das Buch — und zwar so, wie ich es will — auf ein Haar."

Die Handlung des Werkes, einer typischen Türkenoper im Sinne der Zeit, steht in unmittelbarer Nähe der ZAIDE, doch hat sich Mozart (und unter seinem Einfluß der Librettist) darin im Einzelnen weit von der Typenhaftigkeit der früheren Figuren entfernt. Ausschlaggebend ist dabei die Gestalt des Osmin, die, wie aus den Briefen hervorgeht, recht eigentlich Mozarts Schöpfung ist und deren Originalität beim Zusammenwirken mit anderen Personen auch diese beeinflußt. In den drei Duetten, an denen er beteiligt ist, sowie im Terzett Nr. 7 zwischen Belmonte, Pedrillo und ihm, die sämtlich dramatische Szenen darstellen, ist es stets Osmin, der den Ton angibt bzw. auf der den Ton abgestimmt ist, und das Vaudeville des Finales erhält seinen verklärten Höhepunkt am Schluß nicht zuletzt als Reaktion auf Osmins barbarisches Ausbrechen aus dem Kreis derer, die sich zum Preis der Menschlichkeit vereinen.

Daß der Vertreter dieser Menschlichkeit, der Bassa Selim, als Typ des edlen Orientalen das Gegenstück zu Osmin, aus welchen Gründen immer nur als Sprechrolle erscheint[22], ist ein Nachteil des Werkes, mit dem sich Mozart später zweifellos nicht mehr abgefunden hätte. Der Bassa wirkt desto blasser, je lebendiger das Treiben um ihn herum pulsiert, und wird musikalisch nur durch die prächtige Türkenmusik der beiden ihn verherrlichenden Janitscharenchöre Nr. 5 und 21 vertreten[23].

Außer der Rolle des Osmin erfuhr auch die des Liebhabers Belmonte gegenüber der Vorlage eine starke Erweiterung. Von ihren vier Arien wurden drei (die Nummern 1, 15 und 17) von Stephanie eingefügt, davon die erste nachweislich auf Bitten Mozarts[24]. Ferner wurde das Quartett am Ende des II. Aktes erweitert und erhielt durch die Entzweiung und Wieder-Versöhnung der beiden Paare dramatisch einen stärkeren Nachdruck. Daß hinter allen wesentlichen Veränderungen der Vorlage Mozart stand, hat deren Verfasser offensichtlich klar erkannt, denn er veröffentlichte folgenden Protest: „Ein gewisser Mensch, namens Mozart, in Wien hat sich erdreistet, mein Drama ‚Belmonte und Constanze' zu einem Operntexte zu mißbrauchen. Ich protestiere hiermit feierlichst gegen diesen Eingriff in meine Rechte und behalte mir Weiteres vor"[25].

Mozart hatte hier also zum ersten Male einen weitgehend selbst gestalteten Text vor sich, den er, abgesehen von der störenden Sprechrolle des Bassa Selim, konzessionslos komponieren konnte. Der I. Akt gab ihm gleich Gelegenheit, die von ihm besonders herausgearbeiteten beiden Gegenspieler, den lyrischen Helden Belmonte und den borniert-bösartigen Haremswächter Osmin, charakteristisch voneinander abzuheben. Der zärtliche Liebhaber, deutlich erkennbar ein Vorläu-

---

20 Brief vom 13. Oktober 1781 (Briefe und Aufzeichnungen, Band III, S. 167).
21 Mit Musik von Johann André aufgeführt am 25. Mai 1781 in Berlin.
22 Aus dem Brief vom 1. August geht hervor, daß die Gestalt offensichtlich ursprünglich auch als Gesangsrolle geplant war; bereits im September aber führt Mozart einen „acteur" dafür an mit der Bemerkung „hat nichts zu singen" (vgl. Briefe und Aufzeichnungen, Band III, S. 161).
23 Über den ersten schreibt Mozart am 26. September: „Der Janitscharenchor ist für einen Janitscharen-Chor alles, was man verlangen kann — kurz und lustig — und ganz für die Wiener geschrieben" (Briefe und Aufzeichnungen, Band III, S. 163).
24 Brief vom 26. September (Briefe und Aufzeichnungen, Band III, S. 163).
25 Deutsch, Dokumente, S. 187.

fer des Tamino aus der ZAUBERFLÖTE, der Mozart dem Musiker in jener Zeit seiner jungen Liebe zu Constanze Weber besonders am Herzen lag, eröffnet die Oper mit zwei bezaubernden Äußerungen inniger Liebessehnsucht (Nr. 1 und 4), deren zweite, „O wie ängstlich, o wie feurig", die Mozart als „favorit aria von allen, die sie gehört haben — auch von mir" bezeichnet[26], voller tonmalerischer Wendungen als unmittelbarer Ausdruck lebendiger Empfindungen. Der schwärmerische Ton, der diese Arien beherrscht, zeichnet auch alle anderen Gesänge Belmontes aus bis zur Arie Nr. 17 im III. Akt, „Ich baue ganz auf deine Stärke", die mit ihrer Dacapo-Form und ihren Koloraturen noch am meisten an die italienische Arie erinnert.

Am Anfang des I. Aktes stößt dieser Ton unschuldiger, reiner Liebe in den beiden Gesängen Osmins Nr. 2 und 3 so abrupt auf absolut gegensätzliche Äußerungen von Lüsternheit, Haß und Grausamkeit, daß die Kontraste sich gegenseitig in ihrer Wirkung steigern und gemeinsam eine höchst schlagkräftige Exposition des ganzen Werkes bilden. Osmins Strophenlied Nr. 2 „Wer ein Liebchen hat gefunden", textlich ein harmlos heiterer Auftrittsgesang, läßt schon durch die Tonart g-Moll und die strophenweise charakteristisch abgewandelte Orchesterbegleitung die hinterhältige Zweideutigkeit dieses Charakters erkennen, der sich zunächst im Duett mit Belmonte und dann in der Arie Nr. 3 „Solche hergelauf'ne Laffen" vollends decouvriert. Alle Gesänge, an denen Osmin teilhat, sind aus dem Geist der opera buffa heraus geboren und bedienen sich auch deren Formen und Stilmittel, doch ohne daß das Typische je das Übergewicht über das Einmalig-Charakteristische gewönne. In den Arien Nr. 3 und 19 („O, wie will ich triumphieren") weiß sich der Komponist textentsprechend in atemlosen, kurzgliedrigen Melodiewiederholungen gar nicht genug zu tun, und schließlich katapultiert die zweite Coda von Nr. 3 („Erst geköpft, dann gehangen") am Schluß der Oper den wutentbrannten Alten wirkungsvoll aus dem Kreise der dankbar Versöhnten hinaus.

Im Gegensatz zu Belmonte, den Mozart musikalisch einheitlich als zugleich feurigen und verinnerlichten Liebhaber dargestellt hat, läßt dessen Geliebte Konstanze schon in ihrer ersten Arie (Nr. 6), mehr aber noch in der Arie Nr. 11 mit eindeutigen Zugeständnissen an die Sängerin die Nähe der Seria-Konvention erkennen. Von der Arie Nr. 6, deren beide Teile in nicht inhaltsbedingte, virtuose Koloraturen auslaufen, schreibt Mozart ganz offen, er habe sie „ein wenig der geläufigen Gurgel der Mad.selle Cavallieri aufgeopfert"[27]. Bei weitem stärker aber ist das der Fall bei der Arie „Martern aller Arten" (Nr. 11), einer Bravourarie großen Stils, in der die Singstimme mit vier Soloinstrumenten konzertiert und die Virtuosität der Koloraturen im Verlauf der drei Teile ohne Beziehung zum Text immer mehr zunimmt. Dieses Paradestück wirkt um so unmotivierter, als ihm eine andere, ganz gegensätzlich geartete Arie Konstanzes, „Traurigkeit ward mir zum Lose" (Nr. 10), unmittelbar vorangeht. In diesem g-Moll-Satz zeigt sie sich nicht als Heroine, sondern als echte lyrische Gefährtin Belmontes; er weist bereits unverkennbar auf Paminas g-Moll-Arie in der ZAUBERFLÖTE voraus.

Die Gesänge des Dienerpaares sind nach Singspielart weniger arios-gefühlvoll als vielmehr volkstümlich-unbefangen. Die Arien Blondes Nr. 8 und 12 sind Genrebilder, die sie stets auf der Höhe der Situation zeigen. In Pedrillos Arie Nr. 13 und der Romanze Nr. 18 liegt dagegen die Heiterkeit im Kampf mit der Angst vor dem Wagnis. Besonders meisterhaft zeigt sich das in der Romanze „Im Mohrenland gefangen war", die, durch pizzicato-Begleitung als Ständchen getarnt, das Signal zur Entführung geben soll, aber mit ihrer eigentümlich schillernden, zwischen Moll und Dur schwankenden Tonalität und dem gleichsam im Ungewissen endenden Nachspiel zu-

---

26 Briefe und Aufzeichnungen, Band III, S. 162/163.
27 Ebenda, S. 163.

gleich Ausdruck der unheimlichen Stimmung ist, die Pedrillo bedrückt. So wird auch diese Figur über den Dienertyp hinaus zum Individuum erhoben.

Zu den vier dramatischen Buffo-Ensembles, von denen mindestens die Duette zwischen Osmin und Blonde und zwischen Osmin und Pedrillo als Charakterduette bezeichnet werden können, gesellt sich auf dem Höhepunkt der Gefahr das von einem Akkompagnato eingeleitete Liebesduett (Nr. 20), in dem die Verschmelzung von Belcanto und Liedhaftigkeit im verklärten Mozartschen Singspielton kulminiert. Im Quartettfinale des II. Aktes, das auch inhaltlich weitgehend vom Komponisten stammt, ist die Handlung ganz in das Innere der Personen verlegt. Hier bot sich Mozart gleichzeitig die Gelegenheit zur charakterisierenden Gegenüberstellung der beiden Paare wie zu einer kaleidoskopartig wechselnden Empfindungswiedergabe. Gekrönt wird dieser Satz von dem fast volkstümlich anmutenden A-Dur-Andantino im 6/8-Takt „Wenn unsrer Ehre wegen die Männer Argwohn hegen", einer Stelle jenseitig verklärter Besinnung, wie sie von da an in jeder der Mozartschen Meisteropern einmal auftauchen. Ähnlich nach Innen gewandt erscheint auch der Rundgesang aller Beteiligten am Ende des III. Aktes, dessen Strophen sich nur durch die Instrumentation voneinander unterscheiden. Hier ruft der plötzliche Ausbruch von Osmins Rachegelüsten zu kurzer innerer Einkehr in einem feierlichen, sotto voce vorgetragenen Satz auf, aus dem Konstanze elegant wieder in den Refrain zurückleitet.

Die Ouvertüre der ENTFÜHRUNG[28] stellt das orientalische Kolorit in den Vordergrund. Als Mittelteil ist das nach Moll gewendete Auftrittslied Belmontes eingesprengt — ein geradezu raffinierter Effekt, denn der anschließende Auftritt des Märchenprinzen in Dur wirkt dadurch doppelt lieblich und licht. Mit dem Wechsel zwischen großem Janitscharenorchester und den fein gegeneinander abgesetzten Streichern und Holzbläsern im Mittelpunkt wird bereits die ganze textbedingte Instrumentationskunst dieser Oper vorweggenommen.

Der Erfolg des Werkes bei seiner Uraufführung am 16. Juli 1782 war groß, es hielt sich auch längere Zeit auf der Bühne des Nationalsingspiels, aber einen weiteren Opernauftrag zog es nicht nach sich. So schmiedete Mozart 1783 zunächst auf eigene Faust Pläne, über die er in Briefen an den Vater berichtet. Das Ergebnis waren zwei italienische Opern, die Torsi geblieben sind: L'OCA DEL CAIRO (*Die Gans von Kairo;* KV 422) und LO SPOSO DELUSO (*Der enttäuschte Bräutigam;* KV 430/424a). Von beiden sind lediglich einzelne Nummern, die meisten nur im Partiturentwurf, auf uns gekommen, die aber unverkennbar die Handschrift des reifen Mozart erkennen lassen. Anfang 1786 erhielt der Meister einen ganz kleinen Kompositionsauftrag für die Musikeinlagen in dem parodistischen „Gelegenheitsstück"[29] DER SCHAUSPIELDIREKTOR (KV 486) von Stephanie, eine wenig dankbare Aufgabe, da nur das Terzett „Ich bin die erste Sängerin" — ein Streit zwischen den beiden rivalisierenden Sängerinnen, den der Tenor zu schlichten versucht — dem Komponisten Gelegenheit bot, seine reife musikalisch-dramatische Kunst zu zeigen. Das Stück wurde am 7. Februar 1786 in der Orangerie von Schloß Schönbrunn zusammen mit der opera buffa PRIMA LA MUSICA E POI LE PAROLE des Abbate Giovanni Battista Casti mit Musik von Antonio Salieri aufgeführt.

Zu jener Zeit war jedoch die Zusammenarbeit zwischen Mozart und dem Wiener Theaterdichter Lorenzo Da Ponte an der neuen Oper LE NOZZE DI FIGARO (KV 492) bereits in vollem Gange. In seinen Memoiren stellt sich der Dichter selbstgefällig gleichsam als Entdecker Mozarts hin. War dies auch übertrieben, so hat er doch zweifellos dem Außenseiter, als der Mozart damals zumindest am Theater erschien, vermöge seiner Stellung eine Chance gegeben. Ebenfalls nach Aus-

---

28 Von ihr schreibt Mozart in dem Brief vom 26. September: „Ich glaube, man wird dabey nicht schlafen können, und sollte man eine ganze Nacht durch nicht geschlafen haben" (ebenda, S. 163).
29 So ist es auf dem Titelblatt des Originalbuches bezeichnet.

sage Da Pontes (eigene Äußerungen Mozarts liegen leider nicht vor) stammte die Wahl des Lustspiels *Le mariage de Figaro* von Caron di Beaumarchais, das 1784 in Paris uraufgeführt worden war, als Vorlage für das Libretto vom Komponisten. Da das Stück wegen seiner revolutionären Tendenz für Wien verboten worden war, kostete es den Dichter, wie er berichtet, viel diplomatisches Geschick, um durch die Versicherung, alle politisch anstößigen Stellen zu streichen, die kaiserlichen Bedenken gegen die Wahl dieses Textes auszuräumen. Eine solche Umwandlung des aggressiven Schauspiels in ein relativ harmloses Buffa-Libretto war nicht allzu schwer, da die Bestimmung für die Komposition eo ipso eine starke Kürzung verlangte und die Gestalten des Lustspiels selbst schon stark zu den Buffa-Typen tendieren. Der Grundgedanke des Stückes, die erfolgreiche Auflehnung des dritten Standes gegen den Adel und die beißende Kritik an den gesellschaftlichen Verhältnissen, blieb natürlich bestehen. Hier war es Mozart, der diese allzu menschlichen Mißstände zwar durchschaute, doch entschlossen und vor allem imstande war, sie auf der höheren Ebene des Rein-Menschlichen sub specie aeternitatis zu sehen und darzustellen. Über seine Teilnahme an der Ausgestaltung des Textes ist nichts bekannt, doch darf man nach dem Vorgang der ENTFÜHRUNG als sicher annehmen, daß er intensiv mitgearbeitet hat; wie Da Ponte dürfte ihn das besonders gereizt haben. Es ist dessen großes Verdienst, ihn just in dem Augenblick, da Musiker und Dramatiker in ihm restlos eins geworden waren, mit einem Text versehen zu haben, an dem er diese Fähigkeit in idealer Weise erproben konnte. Enthält doch das Werk (abgesehen von zwei Arien von Nebenpersonen im IV. Akt) nicht eine Nummer, die nicht mehr oder weniger deutlich in den dramatischen Fluß einbezogen wäre. Das hat zur Folge, daß zumindest die ersten drei Akte trotz des gattungsbedingten Wechsels von Secco-Rezitativ und geschlossener Form nicht mehr den Eindruck einer Reihung von Nummern erwecken, sondern als Folge großer dramatischer Szenen wirken. Mehr als die Hälfte der Personen wird nicht mit einer Arie, sondern mit einem Ensemble eingeführt, d. h. mit einer musikalischen Szene, die die Eigenart eines jeden gleich in Wechselwirkung mit andern zeigt. So führen Figaro und seine Braut Susanne am Beginn der Oper mit zwei nur durch ein kurzes rezitativisches Gespräch voneinander getrennten Duetten, die ihre verschiedene Wesensart schlagend enthüllen, auch gleich in medias res der Handlung, und das Gleiche vollziehen der Graf und Basilio im Terzett Nr. 7 mit Susanne.

Entscheidend für alle Ensembles in FIGARO ist Mozarts große Kunst, dramatische Belange und musikalische Form stets in Einklang miteinander zu bringen. Auch das ausgedehnteste, bewegteste Finale wirkt als durchdachte Form und auch das kürzeste, klarst geformte Duett immer noch als bewegte Szene. Dies zeigt sich besonders deutlich in der kapriziösen Komplimentierszene zwischen Susanne und Marzelline im I. und im sogenannten Briefduett zwischen Susanne und der Gräfin im III. Akt, beides variierte Wiederholungsformen, die sich aus der Situation ergeben. Das Duett Susanne/Graf (Nr. 17 im III. Akt) bietet, gleichfalls in straffer Formung, glänzende musikalische Charakterbilder des chevaleresken, leidenschaftlichen Liebhabers und seines scheinbar gefügigen, ihn aber tatsächlich zum Narren haltenden Opfers. — Die Terzett Nr. 7 und 14 und das Sextett Nr. 19 stehen auf einer Linie mit den Ensembles des 2. und 4. Finales, in denen Mozarts Kunst der Simultancharakteristik die höchsten Triumphe feiert. Freilich hatte er in da Ponte gerade auf diesem Gebiet einen besonders befähigten Mitarbeiter, der sich, wie seine Memoiren zeigen, über die wichtige Aufgabe von Finali viele Gedanken gemacht hatte. So hat er denn beispielsweise das 2. Figaro-Finale aus acht Abschnitten zusammengefügt, von denen jeder folgende immer die Ergebnisse des vorangehenden durch das Hinzutreten neuer Personen oder Tatsachen in Frage stellt. Musikalisch wird jeder Abschnitt durch aus der jeweiligen Situation heraus erfundene Motive getragen, die den dramatischen wie den musikalischen Zusammenhang wahren. Um die ganze vorwärtsgetriebene Entwicklung aber ist durch tonale Entsprechungen ein fester musikalischer Rahmen gelegt, so daß die kleinen Charakterkomödien trotz allen Ausdeutens feinster und verwirrendster menschlicher Beziehungen doch als geschlossene musikalische Kunstwerke wirken.

Dabei sind beide Finali in ihrer dramatischen Haltung grundverschieden. Im 2. Finale wird mehr über Geschehenes verhandelt und der unterschiedliche Eindruck davon auf die Anwesenden wiedergegeben, während das des IV. Aktes nach echter Buffaweise zugleich den Höhepunkt der Verwicklungen und deren Lösung selbst auf die Bühne bringt. Für Mozart, der in jedem Falle den Schwerpunkt mehr auf das innere als auf das äußere Geschehen legte, bestand zwischen beiden Arten kein grundsätzlicher Unterschied. Gelang es ihm doch sogar, mitten im Trubel des 4. Finale, von den Worten des Grafen „Contessa perdono" eingeleitet, eine jener entrückten Stellen der Besinnung einzufügen, wie sie für alle seine reifen Opern charakteristisch sind.

Es ist eines der entscheidensten Merkmale von LE NOZZE DI FIGARO, daß die Arien der Hauptpersonen den Ensembles an musikalisch-dramatischer Wirkungskraft nicht im Geringsten nachstehen. Sie sind unmittelbar aus der jeweiligen Situation herauswachsende musikalische Charakterbilder, mit deren jedem die betreffende Person unverwechselbar ihre Visitenkarte abgibt, und zwar so, daß der dahinterstehende Buffa-Typ kaum noch zu erkennen ist. Figaro ist in seinen beiden Arien des I. Aktes, der vierteiligen Cavatine Nr. 3 „Se vuol ballare signor contino" und dem Rondo Nr. 10 „Non più andrai farfallone amoroso", weit vom servilen Diener entfernt. Beides sind dramatisch bewegte Szenen mit stummen Partnern. In beiden wird sowohl das höfischgalante Bild des alten und des jungen Aristokraten als auch deren Beschimpfung mit allen Mitteln Mozartscher Charakterisierungskunst wiedergegeben und gleichzeitig Figaro als temperamentvolle, selbstbewußte Persönlichkeit dargestellt. Seine letzte, diesen beiden musikalisch entsprechende Arie „Aprite un pò quegli occhi" (Nr. 27 im IV. Akt) ist textlich nach alter Buffa-Manier eine ad spectatores gewendete Philippika gegen die Frauen, durch die Da Ponte Figaros hochpolitische Betrachtungen, die im Lustspiel an dieser Stelle stehen, ersetzt hatte.

Figaros Braut Susanna, mehr vertraute Freundin als Kammerzofe der Gräfin, nimmt im gesamten dramatischen und musikalischen Geschehen eine Schlüsselstellung ein. Das zeigt sich schon darin, daß sie als einzige Gestalt der Oper an sämtlichen Ensembles Teil hat. Durch die Berührung mit den verschiedensten Personen ist sie auch musikalisch am vielseitigsten, d.h. am wenigsten typisch dargestellt. Von ihren beiden Arien, deren erste, an Cherubin gerichtete (Nr. 13), wiederum eine dramatische Szene mit stummem Partner ist, unterstreicht vor allem die zweite „Deh vieni, non tardar" (Nr. 28 im IV. Akt) die Atypik dieser Gestalt besonders. Sie ist textlich eine von konventionellen Naturbildern wimmelnde Liebesdichtung voller stereotyper Begriffe, in deren tändelndem Ausmalen eine echte Kammerzofe der opera buffa geschwelgt hätte. Mozart aber macht daraus im Gewand eines fast romantisch-stimmungshaften Naturbildes den tief empfundenen sehnsüchtigen Gesang einer jungen Liebenden schlechthin.

Graf und Gräfin sind einander in ihren Arien meilenfern. Der leidenschaftliche Zornesausbruch des getäuschten Grafen „Vedro, mentr'io sospiro" (Nr. 18) mutet mit dem raschen dynamischen Wechsel, mit abrupt abbrechenden Phrasen, großen Intervallsprüngen und schleichenden chromatischen Linien wie eine enttypisierte, vermenschlichte Rachearie an. Die beiden Liebesklagen der Gräfin, die Cavatine Nr. 11 „Porgi amor qualche ristoro" und die Arie Nr. 20 „Dove sono i bei momenti", wirken dagegen mit ihrer eigentümlich weihevollen Haltung innerhalb der verwirrten und intrigenreichen Handlung wie Stimmen aus einer anderen Welt. Bei der Cavatine wird dieser Eindruck noch durch das ausgedehnte Orchestervorspiel unterstrichen, während in dem erregten, cabaletteähnlichen Allegro-Schluß der Arie eine Leidenschaft spürbar wird, die der des Grafen durchaus ebenbürtig ist.

Unter den übrigen Gestalten hat die des kaum dem Knabenalter entwachsenen Pagen Cherubin mit dem unbestimmten Liebessehnen seiner jungen Jahre in der Arie Nr. 6 „Non so più cosa son" und der Canzone Nr. 12 „Voi, che sapete, che cosa è amor" mit ihrer vorwärtsdrängenden Bewegung und den schwärmerischen Bläsereinwürfen eine von lächelndem Verständnis getragene, besonders feine musikalische Charakterisierung erfahren. Ein Charakterstück ganz eigener Prägung ist auch die Cavatine des kleinen Bauernmädchens Barbarina Nr. 24 „L'ho perduta, me meschina", die den IV. Akt eröffnet und mit ihrer Tonart f-Moll, der schluchzenden Melodielinie, der sordinierten Streicherbegleitung und dem hilflosen Dominantschluß die ganze Ratlosigkeit des jungen Geschöpfs wiedergibt. — Bei den Arien der Nebenpersonen Bartolo, Marzelline und Basilio haben sich Dicher wie Komponist mehr an die Typik der opera buffa gehalten.

Die Dramatisierung von Arien und Ensembles wie auch des Secco-Rezitativs bewirkte es, daß Mozart nur sparsam und an Stellen innigster Gefühlsäußerungen vom Akkompagnato Gebrauch machte. Nur einmal läßt jede der vier Hauptpersonen vor einem ihrer Gesänge (Graf Nr. 18, Gräfin Nr. 20, Figaro Nr. 27, Susanne Nr. 28) ihren Ängsten mehr oder weniger leidenschaftlich mit kurzen, drängenden Orchestereinwürfen freien Lauf und verleiht dadurch der anschließenden Arie besonderen Nachdruck.

So wenig der zwischen den Personen der NOZZE DI FIGARO de facto bestehende Standesunterschied inhaltlich und vor allem musikalisch zum Ausdruck kommt, so deutlich macht er sich in den Chören der Landleute Nr. 8 und 22 sowie in dem Duett der Bauernmädchen mit Chorrefrain im 3. Finale bemerkbar. Sie alle sind im Gegensatz zu den Sätzen ihrer Umgebung raffiniert naiv-volkstümlich gehalten. Das Gleiche gilt für den Hochzeitsmarsch und den spanischen Tanz (Fandango) am Ende des III. Aktes, zu deren Klängen sichtbar und unsichtbar weite Fäden gesponnen werden. — Die Ouverture, ein wahres „Meisterstück einer Lustspielouvertüre"[30], führt motivisch völlig selbständig, glänzend instrumentiert und höchst anschaulich in das tolle Treiben des Dramas ein.

Die opera buffa LE NOZZE DI FIGARO, die am 1. Mai 1786 mit großem Erfolg in Wien uraufgeführt wurde, sollte praktisch für Mozart von großer Bedeutung werden. Gaben doch Aufführungen in Prag 1786/87 und 1789 noch einmal in Wien Anlaß zu zwei weiteren Opernaufträgen, für die in Da Ponte auch gleich ein erprobter Librettist zur Stelle war. Nach seinen Memoiren war er es, der Mozart im ersten Falle für das Libretto den als Gegenstand von Dramen und dann auch von Operndichtungen in ganz Europa verbreiteten Don-Juan-Stoff vorgeschlagen habe. Aus der Fülle von einschlägigen Opern, die seit den siebziger Jahren die italienische Bühne beherrschten[31], steht der Einakter DON GIOVANNI O SIA IL CONVITATO DI PIETRA (*Don Giovanni oder der steinerne Gast*) von Giovanni Bertati, der am 5. Februar 1787 mit Musik von Giuseppe Gazzaniga in Venedig aufgeführt worden war, dem Libretto Da Pontes besonders nahe. Gewisse bis in einzelne Wendungen reichende Übereinstimmungen der beiden Textbücher lassen erkennen, daß das ältere dem jüngeren als Vorlage gedient haben muß, auch wenn Da Ponte diesen Zusammenhang nicht erwähnt. Auch hier hat er sich also wieder in erster Linie als Bearbeiter betätigt, wobei ihm die bei der Zusammenarbeit mit Mozart am FIGARO gemachten Erfahrungen zustatten kamen. Daß dieser auch bei der Ausgestaltung dieses Librettos wieder die Hand im Spiele gehabt haben dürfte, ist anzunehmen. In LE NOZZE DI FIGARO hatte er den Bereich des Menschlichen in seiner lebendigen Vielfalt nach allen Seiten ausgeschritten — nun reizte ihn das dramma giocoso IL DISSOLUTO PUNITO OSSIA IL DON GIOVANNI (*Der bestrafte Bösewicht oder Don Giovanni*) dazu, das Hineinwirken des Übermenschlichen in diesen Bereich zu zeigen.

Da Ponte hat den Einakter Bertatis sehr geschickt einerseits durch Zusammenziehen jeweils zweier überflüssiger Figuren zu jeweils einer besonders charakteristischen gestrafft (Leporello und Donna Elvira), andererseits durch steigernde Situationswiederholungen auf zwei parallel verlaufende Akte erweitert. Jeder umschließt einen zweimaligen Ansturm der Gegner auf den Helden, wobei stets der folgende den vorangehenden an Intensität übertrifft. Im Gegensatz zu FIGARO

---

30 Hermann Abert, W. A. Mozart II, S. 245.
31 Vgl. hierzu die Speziallitratur.

handelt es sich hier nicht um ein fein gesponnenes Intrigennetz, sondern um eine Aneinanderreihung von Missetaten des Helden, wobei die Vergeltung am Ende auf den ersten, schwersten Frevel zurückgreift. So sind denn Introduktion und 2. Finale, die beiden Begegnungen zwischen Don Giovanni und dem Komtur, die Angelpunkte des Dramas. Zwischen ihnen spannt sich eine bunte Kette buffonesker Szenen, zusammengehalten durch die Gestalt des Helden, der der ruhelos vibrierende Motor des ganzen Geschehens ist. Alles, was geschieht, ist durch ihn veranlaßt oder auf ihn bezogen, und alle Personen entwickeln sich nur im Hinblick auf ihn oder durch ihn. Dementsprechend bieten alle Arien und Ensembles, in wessen Munde sie immer erscheinen mögen, dem Komponisten Gelegenheit, das Wesen seines Don Giovanni entweder selbst oder in Gestalt der verschiedenen, nicht minder leidenschaftlichen Reaktionen anderer zum Ausdruck zu bringen. In der Wiedergabe dieser inneren Zusammenhänge geht der Komponist weit über den Dichter hinaus.

Don Giovanni ist in der Oper quasi allgegenwärtig, wo nicht in Person, so in der Gestalt seines Möchte-gern-Abklatsches Leporello oder als Gegenstand des Entsetzens der verschiedensten Personen. Mit einer Arie tritt er erst fast als Letzter kurz vor dem ersten Finale hervor. Dieser Satz „Fin ch'han dal vino" (Nr. 11) wirkt wie der Ausbruch einer Naturgewalt und ist recht eigentlich ein musikalisches Porträt des Helden. Wohl läßt er sich in einzelne Teile gliedern, wohl kehrt der Anfangsabschnitt refrainartig wieder, aber der fortreißende Rhythmus pulsiert über alle Unterteilungen hinweg. Charakteristisch für das verhaltene Vibrieren von Don Giovannis dämonischer Lebensgier ist es auch, daß sich dieser ganze Ausbruch, vom Vor- und Nachspiel und einzelnen Forte-Schlägen abgesehen, im piano abspielt. Im Gegensatz zu dieser schrankenlosen Offenbarung des eigenen Wesens versteckt sich der Held in seinen beiden anderen Soli, der Canzonette Nr. 16 „Deh vieni alla finestra" und der Arie Nr. 17 „Metà di voi quà vadano", hinter der Maske Leporellos, im Falle der Canzonette, eines schlichten zweistrophigen Ständchens mit Mandolinenbegleitung, vollständig, in der Arie mit ihrem bald herrischen, bald übertrieben buffonesk plappernden Ton hingegen so, daß der Betrug für den Hörer deutlich spürbar wird.

Macht sich Don Giovanni hier aus praktischen Gründen die Maske Leporellos zunutze, so erscheint dieser mehr als einmal in der seines Herrn. Überhaupt wird sein Charakter ganz durch die Haß-Liebe geprägt, die er zu diesem empfindet. Zwar tritt er nur einmal, im Sextett Nr. 19 und der Arie Nr. 20, wirklich in dessen Kleidern auf, doch sind alle seine Gesänge auf dem Wechsel zwischen handfester Buffa-Motivik und höfisch-galanten Wendungen aufgebaut, die das chevalereske Bild Don Giovannis, dem er so gern gleichen möchte, deutlich erkennen lassen. So ist es schon in der Introduktionsarie „Notte e giorno faticar", dann besonders in der „Registerarie" Nr. 4, und die Arie Nr. 20 stellt schließlich, je nach der Person, an die er sich wendet, eine lockere Reihung derb-buffonesker und schmeichlerisch-verführerischer Phrasen dar. So wirkt der Diener, der bei allen Freveltaten seines Herrn dabei und auch der einzige Zeuge von dessen Untergang ist, wie dessen Karikatur auf niederer Ebene.

Alle übrigen Figuren mit Ausnahme des Komturs schließen sich bereits im Laufe des I. Aktes zu einer Phalanx gegen Don Giovanni zusammen, wiewohl sie auf die Herausforderung seines Wesens alle zwiespältig reagieren. Als einzige unter ihnen ist Donna Elvira, die von ihm Verlassene, ähnlich wie Leporello durch eine Haß-Liebe mit ihm verbunden, so daß sie einerseits vor allem in den Arien wild gegen ihn wütet, andererseits im Sextett Nr. 19 seine Partei ergreift (und zu spät erkennt, daß sie sich für Leporello eingesetzt hat) und den noch immer Geliebten selbst unmittelbar vor der Katastrophe — auch dies Leporello ähnlich — noch zur Umkehr zu bewegen sucht. Das böse Spiel, das er mit ihr treibt, wird durch Belauschen, Verhöhnen und Verleumden charakterisiert; offensichtlich erkennt er in ihr den gefährlichsten Gegner. In den Leidenschaftsausbrüchen ihrer Arien zeigt sie sich ihm durchaus ebenbürtig. Vor allem Nr. 8 „Ah fuggi il traditor" mit den fast pausenlos ineinandergreifenden Rhythmen im Orchester steht in ihrer vorwärtsdrängenden Motorik in unmittelbarer Nähe von Don Giovannis ungebändigtem musikalischen Selbstporträt.

Halten also Leporello und Elvira unter verschiedenen Aspekten inhaltlich wie auch musikalisch gleichsam die Verbindung zwischen Don Giovanni und der Welt seiner Opfer aufrecht, so werden die beiden Liebespaare, die hier wie im FIGARO aller Typik entkleidet sind, durch frische Taten des Verführers eindeutig zum Widerstand aufgerufen. Donna Anna, deren Vater, der Komtur, bei der Verteidigung ihrer Ehre fiel, ist durch dieses Ereignis, an dem sie sich schuldig fühlt, in ihrem Lebensnerv getroffen. Die Entschlossenheit, mit der sie in der Introduktion den Frevler zu entlarven versucht hatte („Non sperar, se non m'uccidi, ch'io ti lasci fuggir mai"), verliert sie beim Anblick des Ermordeten völlig und kehrt nur noch einmal, zu Beginn der Arie Nr. 10 „Or sai, chi l'onore", zu ihr zurück, da sie erfahren hat, wer der Mörder des Vaters ist. Im übrigen offenbart diese Arie mit dem nach Moll gewendeten Mittelteil und den im piano verklingenden Schlußakkorden, wie auch die stockende Deklamation und die Seufzermotivik des Duetts Nr. 2 mit Don Ottavio, daß der Schmerz um den Toten im Grunde größer ist als das Verlangen nach Rache. Auch diese Gestalt also ist durch Don Giovanni in einen seelischen Zwiespalt gestürzt worden. Ihren drei Gesängen — im letzten, dem Rondo Nr. 23, ist sie dem Geschehen schon so weit entrückt, daß Mozart die Komposition zu einem rein musikalischen Höhepunkt machen konnte — gehen, als einzigen der Oper[32], Akkompagnato-Rezitative voran, die musikalisch auf die folgenden Seelenkämpfe vorbereiten.

Don Ottavio ist nicht, wie die beiden Frauen, durch Don Giovanni geprägt, aber er ist konsequent auf ihn hin, als diametraler Gegenpol, erfunden worden und wirkt daher unter den von gegensätzlichen Leidenschaften geschüttelten Gestalten dramatisch seltsam leblos. Auch sein Lebensgesetz ist die Liebe, aber nicht als wild verzehrendes Feuer, wie bei Don Giovanni, sondern als ruhig leuchtender Stern, dem er träumerisch nachsinnt, auch wenn er zum Handeln aufgerufen ist. Größere musikalische Kontraste als seine beiden Arien, die mit ihren berückenden Tönen bereits auf COSI FAN TUTTE vorausdeuten, und diejenigen Don Giovannis lassen sich nicht denken.

Das ländliche Brautpaar Zerline/Masetto kommt zwar, anders als die „Diener" in FIGARO, grundsätzlich über seinen Stand nicht hinaus, wird aber nicht anders als die Standespersonen in den Wirbel um Don Giovanni hineingezogen und enthüllt dabei nicht nur das eigene Wesen, sondern trägt auch zur Demaskierung des Frevlers bei. Sie sind beide gewohnt, sich in die Verhältnisse zu schicken. Der einfältige Bursche erkennt zwar die Gefahr, die ihm von Don Giovanni droht, und versucht in seiner Arie Nr. 6 „Ho capito, Signor sì" auch in der Komposition mehrfach gegen ihn aufzumucken, doch duckt er sich sogleich wieder vor dessen herrischer Persönlichkeit, der er in der Arie Nr. 17 verständnis- und willenlos als Ziel brutalen Hohnes preisgegeben ist. Zerline erliegt im Duettino Nr. 7 „Là ci darem la mano" den betörenden Verlockungen des vornehmen Verführers sehr rasch — nimmt sie doch seine zärtliche Weise von Anfang an auf —, versteht dann aber in den beiden Arien Nr. 12 „Batti, batti, o bel Masetto" und Nr. 18 „Vedrai, carino" ebenso geschickt, ihren Masetto zu besänftigen und zu trösten. Ihre mit „grazioso" bzw. „Andante grazioso" überschriebenen Gesänge verbinden in der Melodieführung und im farbigen Orchestersatz anmutige Schelmerei mit gemütvoller Liedhaftigkeit.

Diese fünf ganz verschiedenen, von Mozart scharf umrissenen Charaktere verleugnen ihre Eigenart auch in den Ensembles nicht. Vom Duett Donna Anna/Don Ottavio Nr. 2 und dem Sextett Nr. 19 abgesehen, über denen nur Don Giovannis Schatten liegt, ist er an allen beteiligt, zwingt seine Gesprächspartner musikalisch teils durch schmeichelndes, teils durch derbes Einge-

---

[32] Ein viertes Akkompagnato wurde in der Wiener Fassung mit der Arie Nr. 21b der Donna Elvira eingefügt.

hen auf deren Ton oder durch Brutalität in seinen Bann, veranlaßt sie aber gleichzeitig dazu, ihr Wesen ganz zu enthüllen. So stehen die Ensembles dieser Oper denen des FIGARO zwar an Zahl, aber nicht im mindesten an Kunst der Simultancharakteristik nach. Im Sextett und den beiden Finali tritt diese allerdings, da die in dramatischem Wechselgespräch rasch fortschreitende Handlung hier keine vielschichtigen Meinungsäußerungen erlaubt, in den Hintergrund. Um so gewaltiger prallen die Gegensätze aufeinander. Eine Art instrumentaler Simultancharakteristik findet sich nur im 1. Finale, da drei verschiedene, charakteristische Tänze in drei verschiedenen Orchestern gleichzeitig erklingen. Unmittelbar vor dem Beginn des sich von da an überstürzenden tollen Treibens hat Mozart mit dem sogenannten Maskenterzett Anna/Elvira/Ottavio wieder einen jener jenseitig anmutenden Sätze gestellt, die die Figuren wie die Hörer für kurze Zeit der Realität entrücken.

Im Gegensatz zu dem ganz diesseitigen, turbulenten 1. Finale, in dem der hemmungslos seinen Begierden Folgende keinen ebenbürtigen Gegner findet, ist es im 2. Finale unheimlich still um ihn. Und doch haben Dichter wie Komponist ihn gerade hier, kurz vor seinem Ende, noch einmal messerscharf charakterisiert: seine schrankenlose Sinnenfreude in der Tafelszene mit dem Blasorchester auf der Bühne, das Stücke aus damals bekannten Opern[33] und aus FIGARO spielt, seine schamlose Verhöhnung Elviras, die noch einmal versucht, ihn zu retten, und die wahnsinnige Vermessenheit, mit der er, wie schon in der vorangehenden Kirchhofszene, dem Standbild des Komtur begegnet und, selbst sein Leben lang eine lodernde Flamme, in den Flammen der Hölle sein Ende findet. Diese Szene, in der die beiden Supermächte, die angemaßte und die wahre, unmittelbar aufeinanderprallen und die den Schluß der Tragödie bildet, erhält ihren monumental-jenseitigen Charakter vor allem durch die Tonart d-Moll, ehern dahinschreitende punktierte Rhythmen und den Gebrauch der Posaunen, die in der ganzen Oper nur hier und in der Kirchhofszene bei den Worten des Komturs auftauchen. Sie knüpft nicht nur inhaltlich an die Introduktion, das erste Zusammentreffen dieser beiden Gegner, an, sondern mit der Wiederaufnahme der Skalenläufe, die das Duett begleiten, auch musikalisch. Zudem hat sie Mozart auch das Material zur Einleitung der Ouvertüre geliefert, die damit spiegelbildlich zum Drama angelegt ist: Auf das d-Moll-Andante folgt ein Molto Allegro in D-Dur, das geistig in die Atmosphäre des Helden einführt und direkt in die Introduktion überleitet. Die Anwesenheit Leporellos, des erbärmlichen kleinen Alltagsmenschen, bei dieser gewaltigen Auseinandersetzung entspricht zweifellos dem Geist des dramma giocoso, doch hat Mozart sie darüber hinausgehend dazu benutzt, die drei Sphären des Dramas, die jenseitige in all ihrer Monumentalität, die menschlich-allzumenschliche in all ihrer Unzulänglichkeit und die des Übermenschen, der die menschlichen Gesetze nicht achtet und an den jenseitigen zerbricht, am Ende auf engstem Raum in gegenseitiger Steigerung zu einer grandiosen musikalischen Synthese zu führen.

Auch die an Don Giovannis Höllensturz anschließende Szene der sechs Überlebenden, ein typisch gattungsbedingter Schluß, hat Mozart gleichsam sub specie aeternitatis ausgedeutet[34]. Sie ist das Satyrspiel nach der Tragödie, das diese rückwirkend nur noch gewaltiger erscheinen läßt. Ihre Träger wirken wie Marionetten; sie sind durch die vorangehende Katastrophe gleichsam jeglicher Realität entkleidet. Damit stellen sie eine wichtige Station in dem Entrealisierungsprozeß dar, der von FIGARO über DON GIOVANNI zu COSÌ FAN TUTTE führt: Der Inhalt des FIGARO sind

---

33 UNA COSA RARA von Vicente Martín y Soler und FRA DUE LITIGANTI IL TERZO GODE von Giuseppe Sarti.
34 Für die Wiener Aufführung der Oper, die ein halbes Jahr nach der Prager stattfand, hat er diesen Satz offenbar gestrichen.

menschliche Verwicklungen, im DON GIOVANNI wird dieses Treiben am Maßstab des Helden gemessen und dadurch in Frage gestellt, in COSÌ FAN TUTTE bleibt das entrealisierte Menschentum allein zurück.

DON GIOVANNI wurde am 29. Oktober in Prag uraufgeführt und mit ungeheurem Beifall aufgenommen, ein Erfolg, der sich bei der Wiener Aufführung am 7. Mai 1788 zur großen Enttäuschung des Komponisten nicht wiederholte[35]. Trotzdem ließ ein neuer Opernauftrag nicht allzu lange auf sich warten. Er führte Mozart zum dritten und letzten Male mit Da Ponte zusammen, der ihm dieses Mal ein weitgehend selbständig verfaßtes Libretto, COSÌ FAN TUTTE OSSIA LA SCUOLA DEGLI AMANTI (*So machen's alle, oder die Schule der Liebenden*, KV 588) vorlegte. Mit ihm hat er sich im Gegensatz zu den beiden vorangehenden Libretti vor allem durch die große Rolle, die Verkleidung und Parodie darin spielen, ganz auf den Boden der handfesten älteren opera buffa gestellt. Alle Äußerungen der beiden Liebhaber, die, um die Standhaftigkeit ihrer Bräute zu prüfen, auf Veranlassung des „vecchio filosofo" Don Alfonso ein tolles Gaukelspiel vollführen, sind falsch und darum von ihnen bewußt parodistisch übertrieben. Der an sich wahre Schmerz der betrogenen Frauen aber wird nach der gnadenlosen Art der opera buffa gleichfalls parodiert. So bewegen sich die beiden Paare in einer übersteigerten Scheinwelt, auf die die beiden Drahtzieher, Don Alfonso und die Zofe Despina, mit überlegenem Lächeln herabsehen. Der Eindruck des Marionettenhaften der Liebenden wird dadurch verstärkt, daß sie zunächst nur nach Geschlechtern getrennt paarweise auftreten und es erst im II. Akt zu Liebesszenen der, nun vertauschten, Paare kommt.

Mozart ging es bei der Vertonung dieses Textes mit seiner spielerischen Haltung und seiner Zwielichtigkeit nicht darum, die Marionetten in reale Charaktere zu verwandeln. Er verleiht ihnen aber durch die humanitäre Kraft seiner Musik so weit menschliche Züge, daß der derbe Buffa-Ton sich in feine Ironie auflöst und die Figuren zugleich mit dem Lachen auch echtes Mitgefühl erregen. Ausschlaggebend für den besonderen Charakter der Oper ist es, daß *zwei* völlig gleichgeschaltete Paare im Mittelpunkt stehen. Das erklärt sowohl den großen Reichtum an Ensembles als auch deren musikalische Haltung. Von wenigen textbedingten Ausnahmen, wie den beiden Liebesduetten Nr. 23 und 29 und dem entrückten As-Dur-Kanon „E nel tuo, nel mio bicchiero" im 2. Finale abgesehen, sind die Stimmen der beiden Liebhaberinnen wie die der Liebhaber stets wie textlich, so auch musikalisch engstens miteinander gekoppelt — eben darauf beruht nicht zuletzt die marionettenhafte Wirkung in den Frauen- bzw. Männerduetten, ebenso aber auch in den mehrstimmigen Ensembles. In den Terzetten der drei Männer, deren am Anfang der Oper gleich drei durch Rezitative zu einer großen Szene verbunden sind, agieren z. B. Ferrando und Guglielmo stets wie *eine* Person und treten Don Alfonso darum auch musikalisch als eine solche gleichsam zweistimmig singend gegenüber. An Höhepunkten der Handlung, in den beiden Quintetten Nr. 6 und 9, dem Sextett Nr. 13 und den beiden Finali wird diese parodistisch hervorgehobene Zweisamkeit besonders deutlich, auch wenn hier die Stimmen der beiden Drahtzieher, je nach Maßgabe des Textes, oft sehr drastisch von den Stimmpaaren abgehoben werden. Diese sind ungeachtet ihrer parodistischen Wirkung die Ursache des berückenden Wohllautes dieser Nummern wie auch ihres besonders kunstvollen, dichten Satzes. Die beiden Finali übertreffen beispielsweise an Drastik des Geschehens alle anderen entsprechenden Sätze Mozarts; an Finesse der musikalischen Arbeit und vor allem an Zauber der Klangwirkungen aber sind sie ihnen eben wegen jener Gruppenbildungen eher noch überlegen. Im fünften Abschnitt des 1. Finales (Andante B-Dur „Dove son, che loco è questo") etwa, wo die Liebhaber aus ihrer fingierten Ohnmacht erwachen

---

[35] Zu dieser Aufführung komponierte Mozart die Arien Nr. 10a (Don Ottavio) und 21b (Donna Elvira) sowie das Duett Nr. 21a (Zerlina/Leporello) nach.

und vorgeben, sich im Paradies zu fühlen, der Widerstand der Mädchen nachläßt und die beiden Drahtzieher sie dabei unterstützen, schieben sich die drei Stimmpaare in zweimaligem Anlauf übereinander und bleiben paarweise gekoppelt, auch wenn sie zum Sextett zusammentreten. Auf diese Weise wird das Spiel im Spiel mit aller Deutlichkeit auch musikalisch hervorgehoben.

Die zahlenmäßig hinter den Ensembles zurücktretenden, großenteils durch ausdrucksvolle Akkompagnati eingeleiteten Sologesänge hat Mozart dazu benutzt, den in der Zweisamkeit erstarrten Marionetten ein wenig eigenes Leben einzuhauchen. Fiordiligi erscheint als ernste Heldin mit pathetischen, leidenschaftlichen Bravourarien (Nr. 14 „Come soglio immota resta" und Nr. 25 „Per pietà, ben mio"), deren erste die buffa-hafte Parodie deutlich erkennen läßt. Dorabella reagiert auf die Nachricht von der Abberufung der Liebhaber in ihrer ersten Arie (Nr. 11 „Smanie implacabili", Allegro agitato!) gleichfalls voll Erregung, jedoch mehr hilflos als pathetisch; in der zweiten (Nr. 28 „È amore un ladroncello"), einem schelmischen 6/8-Rondo über die Macht Amors, erweist sie sich dagegen wie eine echte Buffa-Heldin leichtfertig und durchaus als Herrin der Situation.

Umgekehrt bewegt sich Guglielmo, ganz anders als seine Braut Fiordiligi, in seinen beiden elegant beschwingten Gesängen, der Arie Nr. 15 „Non siate ritrosi" und dem Rondo Nr. 26 „Donne mie, la fate a tanti", ganz auf dem Boden der Buffa, was jedoch weniger seinem Charakter als vielmehr den jeweiligen Situationen entspricht: mit der ersten Arie eröffnet er nämlich den Angriff auf die Standhaftigkeit der beiden Mädchen, das Rondo stimmt er gegen Schluß an, als er Dorabellas Treue zu Fall gebracht hat und sich seiner Fiordiligi noch sicher glaubt.

Im Gegensatz zu der zynischen Gelassenheit seines Kameraden wird Ferrando in jeder Lage von seinen Gefühlen übermannt. In den Gesängen, in denen er seine wahren Empfindungen äußert, der Arie Nr. 17 „Un' aura amorosa" und der Cavatine Nr. 27 „Tradito, schernito", vergißt man, wie in vielen Ensembles, über der reinen musikalischen Schönheit die Ironie des Spieles ganz, aber auch seine geheuchelte Liebeserklärung innerhalb der Komödie (Nr. 24 „Ah lo veggio, quell'anima bella") ist, wenn auch weniger empfindsam als jene, von echter Leidenschaft erfüllt.

Zu den vier gekoppelt marionettenhaft erscheinenden, einzeln aber durchaus als deutlich voneinander geschiedene Individuen auftretenden Liebenden gesellt sich in der Kammerzofe Despina ein Buffa-Typ von reinstem Wasser. Ihre beiden tanzhaften Arien Nr. 12 und 19 behandeln jeweils in zwei gegensätzlichen Teilen, die ganz auf beschwingtes Parlando gestellt sind, graziös das beliebte Thema des Verhältnisses der Geschlechter zueinander, wobei sie sich schnippisch über ihre Herrinnen lustig macht. Gänzlich atypisch ist dagegen der „vecchio filosofo" Alfonso. Daß er der spiritus rector der ganzen Komödie ist, zeigt sich schon darin, daß er als einzige Figur an sämtlichen Ensembles vom Terzett an aufwärts teilnimmt. Er steht teils handelnd, teils belustigt beobachtend über dem Geschehen und ist im Gegensatz zu den Gestalten des Spiels der einzige Charakter. Lyrische Betrachtungen und Gefühlsäußerungen sind nicht Sache dieses Zynikers. Er hat daher an Stelle von Arien nur drei kurze, quasi ariose Abschnitte zu singen, die aus Secco-Rezitativen erwachsen: die f-Moll-„Arie" Nr. 5, die Arioso-Takte, die sein Rezitativ nach dem stimmungshaften Terzettino Nr. 10 beschließen, und das Andante Nr. 30, alle drei an entscheidenden Punkten der Handlung stehend, die letzten beiden am Anfang und am Ende das Grundproblem des „così fan tutte" verspottend und eben in ihrer unkonventionellen Kürze überlegen das Fazit des ganzen Spiels ziehend.

Wenn die Arien dieser Oper den Ensembles an Zauber des Klanges nicht nachstehen, so liegt das hauptsächlich an der bis zum äußersten verfeinerten Instrumentation, vor allem an der Bläserbehandlung, die schon der Ouvertüre ihren besonderen Reiz verleiht. Ob typische Buffa-Arie oder -Ensemble wie etwa Despinas Gesang Nr. 12 und das Terzett Nr. 3, ob gefühlvolle Sätze wie die Arie Nr. 17 des Schwärmers Ferrando und das berückende Abschiedsterzettino Nr. 10 — sie alle hüllt Mozart durch wechselnde Kombinationen der Singstimmen mit Bläsern und Streichern in einen einzigartigen Klangzauber ein. Dabei spielt der schwelgerische Klang der Klarinetten, von dem der Komponist in keiner anderen Oper so ausgiebigen Gebrauch gemacht hat, eine wesentliche Rolle.

Als letzter Beitrag Mozarts zur Gattung der opera buffa bewegte sich COSÌ FAN TUTTE nur noch sehr äußerlich auf deren Boden. Die Uraufführung am 26. Januar 1790 wurde denn auch nicht mehr als nur ein Augenblickserfolg. Das vielfach als unglaubwürdig und unpassend abgelehnte Spiel diente dem Meister nur als Abbild des Lebens, an dessen farbigem Abglanz im Bereich seiner vollendeten, mehr und mehr verinnerlichten Kunst ihm allein noch gelegen war. Diese Entfernung von der Realität charakterisiert dann auch die beiden Werke, mit denen er in seinem letzten Lebensjahr sein Opernschaffen beschließen sollte: die opera seria LA CLEMENZA DI TITO (KV 621), am 6. September 1791 in Prag, und das Singspiel DIE ZAUBERFLÖTE (KV 620), am 30. September in Wien uraufgeführt.

LA CLEMENZA DI TITO erscheint in Mozarts Schaffen in jeder Hinsicht als Anachronismus: ein Auftragswerk (als Festoper anläßlich der Krönung Kaiser Leopolds II. zum böhmischen König), ein vorgegebenes Libretto und vor allem eine opera seria reinsten Wassers aus einer Welt, deren geistige Grundlagen mit dem ancien régime in der französischen Revolution zusammengebrochen waren. Mozart übernahm den Auftrag sicher in erster Linie aus wirtschaftlichen Gründen und setzte sich mit dem Text Metastasios, einem der meistkomponierten des Dichters, nicht mehr, wie in IDOMENEO, in der Absicht einer dramatischen Belebung der Gattung, sondern, ähnlich wie in COSÌ FAN TUTTE, im Sinne einer abgeklärten musikalischen Idealisierung auseinander. Der Text war von dem Dresdner Hofdichter Caterino Mazzolà für ihn bearbeitet und von drei auf zwei Akte reduziert worden, ohne daß die für die opera seria typische starre, konventionelle Haltung dadurch im Ganzen beeinflußt worden wäre. Der edle Titus ist ebenso weit vom Sarastro der ZAUBERFLÖTE entfernt wie die ihn gleichzeitig liebende und hassende Vitellia von der Donna Elvira des DON GIOVANNI. Sie beide wie auch der Held Sextus, der in den für metastasianische Dramen typischen furchtbaren Konflikt zwischen Liebe und Freundschaft gerät, und alle Nebenfiguren ergehen sich vorwiegend in frostigen Sentenzen und vermeiden Ausbrüche wahrer Leidenschaft und inniger Gefühle. Mozart hat alle diese weitgehend typischen Äußerungen weder mit konventioneller noch mit charakterisierender, sondern mit der echt Mozartschen Musik jener Spätzeit erfüllt, die auf Schritt und Tritt den hymnisch-liedhaften Ton der ZAUBERFLÖTE erkennen läßt. Dies trifft besonders für die abgeklärt schlichten und vorwiegend kurzen Gesänge des großmütigen Titus wie für die seiner Anhänger, des Sekundarierpaares Annius und Servilia, zu, während sich die Arien der Gegenspieler Sextus und Vitellia durch größere Ausdehnung und anspruchsvollere Aufmachung auszeichnen. Zwar herrscht auch in ihnen die maßvoll-schwärmerische Ausdrucksweise vor, die Mozarts Spätstil charakterisiert, aber sie wird doch hie und da durch pointierte, sprüngreiche Deklamation, gehäufte Melismen und Koloraturen unterbrochen. Besonders charakteristisch für den Stil der TITUS-Gesänge sind etwa die Arie Nr. 6 des Titelhelden und Vitellias Rondo Nr. 23 mit obligatem Bassetthorn (Beispiele S. 401).

Die relativ zahlreichen Ensembles, die Mazzolà zur Modernisierung der metastasianischen Oper eingefügt hatte, passen sich musikalisch im wesentlichen dem dramatisch unverbindlichen, introvertierten späten Mozartschen Seriaton an. Das gilt vor allem für das liebliche Liebesduett Nr. 7 des Sekundarierpaares und für das Freundschaftsduett Sextus/Annius Nr. 3, dessen volkstümlich-liedhafter Charakter deutlich auf die Nähe des Singspiels hinweist. In Ensembles, die mehr in die Handlung einbezogen sind, wie z. B. die Terzette Nr. 14 und 18, stellt, bei grundsätzlich gleicher Haltung, der erste Teil ein lebhaftes musikalisches Zwiegespräch dar, während sich die Stimmen im zweiten zu einem dichteren Satz vereinen. Wirkliches dramatisches Leben pulsiert nur im 1. Finale mit dem Angriff der Verschwörer auf Titus und dem Brand des Kapitols. Mozart leitet es mit einem ausgedehnten, leidenschaftlichen Akkompagnato des Sextus ein und wird dem tumultuarischen Treiben durch den Wechsel zwischen charakteristisch abgewandelten Soli, ver-

Wolfgang Amadeus Mozart: LA CLEMENZA DI TITO

Wolfgang Amadeus Mozart: LA CLEMENZA DI TITO

schiedenen Ensembles und einem Chor „in distanza" durchaus gerecht, wenn auch über dieser Szene zugleich mit der Priorität der reinen Musik ein Hauch von Weltabgewandtheit liegt. Nicht anders ist es auch im 2. Finale, das allerdings als Zwiegespräch zwischen Titus und den ihn preisenden übrigen dramatis personae samt Chor der Konvention näher steht.

Daß Mozart in TITUS im allgemeinen nicht daran dachte, die Konvention zu durchbrechen, geht besonders deutlich aus der geringen Rolle hervor, die einesteils Chöre, zum anderen Akkompagnato-Rezitative darin spielen. Der Chor dient bei seinen wenigen Auftritten nur dazu, nach alter Weise den Ruhm des Herrschers zu verkünden, die drei Akkompagnati der Protagonisten erscheinen zwar an Höhepunkten der Handlung und zeichnen sich durch charakteristische Orchester-Einschübe, sparsamste Begleitung und farbige Harmonik aus, ihre Bedeutung für die Oper als Ganzes aber ist weit geringer als in vielen opere serie auch älterer fortschrittlich gesinnter Meister. Die Secco-Rezitative fehlen in der Original-Partitur, stammen also, wie oft in italienischen Opern, vermutlich nicht vom Komponisten selbst; wer sie hinzukomponiert hat, ist unbekannt. — Die TITUS-Ouvertüre kann mit ihrem unverbindlich-festlichen Charakter letztlich auf engem Raum als Erklärung für das gelten, was Mozart grundsätzlich mit der Oper insgesamt beabsichtigt hat: die Erfüllung eines konventionellen Auftrags in traditionsgebundenem Rahmen, ohne Versuche zu dessen Sprengung, aber mit einer primär um ihrer selbst willen entstandenen und dem Drama nur locker verpflichteten Musik. Ein Zeichen dafür, daß bereits die Zeitgenossen diese Diskrepanz empfanden, sind die schon bald einsetzenden konzertanten Aufführungen, mit denen man Mozarts Musik aus den Fesseln einer überholten Konvention befreien wollte.

Der Auftrag zur Komposition der höfischen Festoper kam Mozart im Grunde ungelegen. Befand er sich doch gerade mitten in der Arbeit an einem Werk, das, da es „nur" für eine Vorstadtbühne bestimmt war, selbstverständlich zurückstehen mußte, ihm aber bedeutend mehr am Herzen lag: der ZAUBERFLÖTE. So meilenfern sich die beiden zeitlichen Schwesterwerke auch äußerlich zu stehen scheinen, so eng sind sie einander in der Entrealisierung ihrer Gegenstände — im TITUS primär durch Musikalisierung, in der ZAUBERFLÖTE durch Idealisierung — verwandt; beide Werke, das scheinbar blasse und das farbige, konnten nur am Ende dieses Schaffens entstehen.

Mozart erhielt die Anregung zur Komposition der ZAUBERFLÖTE durch den rührigen Wandertruppenprinzipal Emanuel Schikaneder, der seit 1789 Leiter des Freihaustheaters auf der Wieden war und als Zugstück für seine Bühne nach dem damaligen Wiener Volksgeschmack ein Zaubersingspiel begehrte. Er war als Direktor wie als Theaterdichter ein erfahrener und handfester Routinier. Die Wahl des Textes und dessen Ausführung lassen die verschiedensten Vorbilder erkennen: für die Märchenwelt Christoph Martin Wielands Märchensammlung *Dschinnistan oder auserlesene Feen- und Geistermärchen*[36] und besonders die Zauberoper OBERON, KÖNIG DER ELFEN, die mit Musik von Paul Wranitzky 1789 im gleichen Theater aufgeführt worden war[37], für die in ihr umkämpfte, in freimaurerisches Gewand gekleidete Humanitätsidee der Roman *Sethos* des Abbé Terrasson[38] sowie das Singspiel DAS SONNENFEST DER BRAHMINEN von Karl Friedrich Hensler[39] und Tobias Philipp von Geblers Schauspiel *König Thamos*, zu dem Mozart Jahre zuvor Chöre und Zwischenaktsmusiken geschrieben hatte[40]. In diesen Stücken allen, aus denen teilweise fast wörtliche Zitate in die ZAUBERFLÖTE übergegangen sind, steht im Mittelpunkt der Kampf zwischen den Mächten der Finsternis und einem um einen Sonnentempel gescharten Kreis von Eingeweihten, der mit dem Sieg der Humanität und der Vereinigung aller Menschen bonae voluntatis endet. In der ZAUBERFLÖTE wird dieser Kampf zwischen Gut und Böse gleichzeitig als uraltes Märchenmotiv dargestellt und im Lichte des Sittengesetzes gedeutet. Daß der Text trotz der vielschichtigen Grundlage so einheitlich und dramatisch wirkungsvoll geworden ist, spricht für Schikaneders Geschicklichkeit[41]. Über Mozarts Beteiligung daran fehlen wieder konkrete Berichte, doch darf man, da die beiden befreundeten Autoren gerade in jener Zeit nachweislich häufig zusammen waren, auch hier auf eine enge Zusammenarbeit schließen. Vor allem liegt es bei Mozarts mehr und mehr auf den „farbigen Abglanz" gerichteten damaligen Einstellung zu Leben und Schaffen nahe, die treibende Kraft bei der hohen ethischen Deutung des harmlosen Märchenstücks in ihm zu sehen, wenngleich auch Schikaneder Freimaurer war.

Die Anregung zur Komposition einer Zauberoper stellte Mozart am Ende seines Lebens noch einmal vor eine ganz neue Aufgabe, die ihm just in jener Zeit besonders angemessen war. Zu ihrer

---

36 3 Bände, Winterthur 1786—1789.
37 Ihr Textdichter Carl Ludwig Giesecke hat angeblich auch bei der Abfassung des ZAUBERFLÖTEN-Textes mitgewirkt.
38 Sethos, histoire ou vie tirée des monuments anecdotes de l'ancienne Égypte, Paris 1731; deutsch von Matthias Claudius, Breslau 1777/78.
39 Mit Musik von Wenzel Müller 1790 in Wien aufgeführt.
40 Weitere Textquellen siehe Spezialliteratur.
41 Von der früheren Annahme eines „Bruches" in der Handlung infolge einer späteren Umdeutung von Gut und Böse vom ersten Finale an ist die neuere Forschung abgekommen. Für Mozarts Musik wäre sie sowieso ohne Bedeutung.

Lösung machte er sich die stilistische Buntheit des deutschen Singspiels genial zunutze, indem er die beiden Sphären des Lichtes und der Finsternis scharf, jedoch jeweils in sich abgestuft, voneinander abhob: Der lichten Welt der Eingeweihten gehört der deutsche Liedton zu, naivvolkstümlich im Munde des niederen Paares (so in Papagenos Strophenliedern Nr. 2 und 20 und im Duett Papagena/Papageno im 2. Finale), das sich mit der Erfüllung seiner natürlichen Triebe begnügt, arios gehoben in den schwärmerischen Arien Taminos und Paminas (der „Bildnisarie" Nr. 3 und der Klagearie Nr. 17) und hymnisch gesteigert in den Gesängen Sarastros, der drei Knaben und der Priester, die aber letztlich zwischen der schlichten Natürlichkeit Papagenos und der wehmütigen Schwärmerei des hohen Liebespaares mitten inne stehen — ein Zeichen dafür, daß die Welt der Eingeweihten für beide Verständnis hat.

Dem Reich der Finsternis entspricht dagegen der Ton der beiden italienischen Operngattungen: der prunkvolle, koloraturenreiche Stil der Seria in den beiden bravourösen „Rachearien" Nr. 4 und 14 der Königin der Nacht und ein leichtes, freilich oft liedhaft geformtes Buffa-Geplapper in den Äußerungen des Monostatos und der drei Damen[42].

Alle Sätze, selbst die anspruchsvollen Seria-Arien, zeichnen sich durch die dem späten Mozart eigene Knappheit und Prägnanz des Ausdrucks aus; in Taminos Bildnisarie stellt z. B. die nur zweitaktige Orchestereinleitung zusammen mit dem dreitaktigen Nachspiel eine Synthese des gesamten Ariengehalts dar.

Stehen die Sphären der Märchenfiguren in den Sologesängen deutlich getrennt nebeneinander, so zeigt Mozart in den meisten der zahlreichen Ensembles eindrucksvoll die Durchlässigkeit der Grenzen, oder er vereint die Gestalten auf einer Mittellinie. Nur im Terzett Nr. 6 „Du feines Täubchen, nur herein" zwischen Pamina, Monostatos und Papageno, das mehr dramatische Szene als Ensemble ist, werden die Personen mit der ganzen Verschiedenheit ihrer Sphären nebeneinander gestellt. Im Terzett Nr. 19 „Soll ich dich, Teurer, nicht mehr sehn" paßt sich dagegen Sarastro in warmem Verständnis zunächst dem erregten Ton Paminas an und tritt dem Paar erst gegen Schluß als strenger Mahner gegenüber. Das Quintett der Königin der Nacht mit ihren Gefolgsleuten „Nur stille, stille" im 2. Finale zeigt die Vertreter der finsteren Mächte auf der Grenze zwischen Buffa- und Seria-Stil. In den beiden Quintetten Nr. 5 und 12 aber treffen sich Tamino und Papageno mit den drei Damen, obwohl sie auf den lebhaften Wechsel von Frauenterzett und Männerduett gegründet sind, auf dem Boden eines liedhaft-volkstümlichen Buffotons, der der Situation besonders angemessen ist.

Vor andern bezeichnend für den Charakter der ZAUBERFLÖTE insgesamt ist das Duett Nr. 7 „Bei Männern, welche Liebe fühlen" zwischen Pamina und Papageno, ein keuscher Preis der Liebe ohne gegenseitiges Verlangen, wie denn die Oper überhaupt, abgesehen von dem naiven Zwiegesang der beiden Vogelmenschen im 2. Finale, kein Liebesdeutt enthält. Geschieht doch die Vereinigung Taminos und Paminas nach getrennten Prüfungen im Zeichen einer höheren Macht, in deren Bann auch ihr entrücktes Zusammentreffen an den Schreckenspforten steht. Pamina und Papageno aber beweisen im Duett Nr. 7 die Verwandtschaft ihrer lauteren Gefühle in der Vereinigung ihrer beider Ausdrucksweisen: Ihrer Art entspricht der schwärmerische Melodiecharakter mit dem Überschwang der Coda und das knappe, vielsagende Orchestervor- bzw. -nachspiel, der seinigen die schlichte strophische Anlage und der einfach liedhafte Duktus.

Wie die Sologesänge, so erwachsen auch alle Ensembles unmittelbar aus der jeweiligen Situation. Von wenigen Ausnahmen wie dem Priesterduett abgesehen, sind sie Teile der Handlung. Das gilt auch für den Chor, der in den beiden Finali und in Nr. 18 „O Isis und Osiris, welche Wonne"

---

42 Auf diese verschiedenen Stilarten gründet sich ein Teil der mitunter abenteuerlichen Deutungen der Oper. Vgl. hierzu Egon Komorzynski, Emanuel Schikaneder, Wien 1951, S. 212ff.

in feierlichen homophonen Sätzen die Macht und Geschlossenheit der Welt der Eingeweihten am reinsten verkörpert. Nur am Ende des 2. Finales, als das Paar in den Tempel aufgenommen worden ist, wird die strenge Feierlichkeit bei den Worten „(und krönet zum Lohn) die Schönheit und Weisheit mit ewiger Kron" lieblich verklärt aufgelockert und dadurch die edle Menschlichkeit der lichten Sphäre hervorgehoben.

Die beiden einzigen selbständigen Instrumentalsätze der Oper, der Priestermarsch, der den II. Akt einleitet, und der ebenfalls als Marsch bezeichnete Satz, der die Wanderung des Paares durch Feuer und Wasser begleitet, erscheinen an entscheidenden Stellen der Handlung und sind dementsprechend von besonderer Bedeutung. In dem sotto voce vorgetragenen Priestermarsch, dessen Klang durch die Beteiligung von Bassetthörnern und Posaunen geprägt wird, zeigt sich die Welt der Eingeweihten ohne jede Starrheit in ihrer ganzen Reinheit und Würde, der Marsch, der durch die Elemente führt, ist eine Apotheose der Zauberflöte, die nur ganz sparsam von Hörnern, Trompeten und Posaunen gestützt wird, während die Pauke behutsam den Rhythmus markiert. Diese der jeweiligen Situation angemessene Farbigkeit der Instrumentation ist, zusammen mit einer häufig fast kammermusikalischen Orchesterbehandlung, auch für den Instrumentalpart aller Vokalsätze der Oper charakteristisch.

Die beiden Finali der ZAUBERFLÖTE sind parallel aufgebaut. Beide beginnen mit einem weihevollen Knabenterzett und schließen mit einem Chor der Geweihten. Dazwischen sind im 1. Finale die Schicksale der beiden Paare und das des Monostatos noch mannigfach ineinander verschlungen, im 2. aber scharf voneinander getrennt. In beiden Fällen handelt es sich nicht, wie im Buffofinale üblich, um Vorgänge, die sich folgerichtig und immer enger aufeinander bezogen auseinander entwickeln, sondern um lose Reihungen wechselnder Situationen, die durch tonale Entsprechungen zusammengehalten werden. Das 1. Finale aus drei großen Komplexen steigert sich über mannigfach sich ablösende Soli und Ensembles bis zum festlichen Chorabschluß, sein Höhepunkt liegt jedoch inhaltlich wie musikalisch am Anfang in der sogenannten Sprecherszene, in der Tamino zum ersten Male mit der Welt der Eingeweihten in Berührung kommt. Hier werden die beiden Gesprächspartner, der feurige, mehr und mehr verunsicherte Jüngling und der weise Bewahrer des Geheimnisses, in übertragenem Sinne das unbeherrschte Begehren des Unwissenden und die abgeklärte Mäßigung des Erleuchteten, allein durch die bald erregt rezitativische, bald arios-liedhafte Textdeklamation unter Modulationen durch entlegene Tonarten und mit sparsamsten Orchestereinwürfen vollendet in Gegensatz zueinander gesetzt. Diese Szene, die auch bei Mozart selbst nicht ihresgleichen hat, ist ihrem Ideengehalt wie ihrer musikalischen Wiedergabe nach der Angelpunkt des Werkes. — Das 2. Finale verhält sich zum 1. wie die Erfüllung zur Verheißung. Hier empfangen alle Figuren, nach Sphären geschieden, nach letzten Prüfungen den Lohn für ihre Taten. Die Szene an den Schreckenspforten, die der Sprecherszene an Bedeutung entspricht, hat Mozart durch den Gesang der beiden Geharnischten als großartige Choralbearbeitung zum Höhepunkt dieses Finales gemacht. Der Choral erscheint in vier Oktaven in Singstimmen, Holzbläsern und Posaunen als erhabenstes Sinnbild jener Welt, zu der die Schreckenspforten den Eingang bilden[43]. In der anschließenden Szene verschmelzen Märchen- und Ideenreich zu einer verklärten Einheit. Vom Feuer und Wasser der Prüfungen nimmt die Musik keine Notiz; über die Elemente

---

[43] Die Frage, ob es Mozart nur auf den Choral als Symbol des Übersinnlichen schlechthin oder speziell auf den Gehalt *dieses* Chorals „Ach Gott vom Himmel sieh darein" mit seiner Betonung der menschlichen Sündhaftigkeit angekommen ist, ist in der Forschung umstritten. Vgl. u. a. Reinhold Hammerstein, Der Gesang der geharnischten Männer. Eine Studie zu Mozarts Bachbild, in: AfMw XIII, 1956, S. 1—24 und Wilhelm Fischer: „Der welcher wandelt diese Straße voll Beschwerden", in: Mozart-Jahrbuch 1950, S. 41—48.

dominiert hier der Geist, der durch den Klang der Zauberflöte symbolisiert wird. Daß sich an dieser Stelle, da alles auf die Apotheose des edlen Paares hinzuzielen scheint, mit den Stimmen Papagenos und Papagenas und dem Quintett der finsteren Mächte noch einmal die Forderungen des volkstümlichen Zauberstücks bemerkbar machen, ist ein gattungsbedingter dramaturgischer Mangel, aber auch ihn hat Mozart durch die in ihrer Kürze großartige, von c-Moll nach B-Dur und Es-Dur modulierende Überleitung, mit der er die Verwandlung vom Ort der Vernichtung der Feinde in den Sonnentempel begleitet, gerechtfertigt und der großen Idee dienstbar gemacht.

Mit einer hymnischen Verherrlichung der „Geweihten", die durch Nacht zum Licht drangen, endet die Oper in der Tonart Es-Dur der Ouvertüre. Damit schließt sich der Kreis: Der Kontrast, der in jenem Satz tonsymbolisch zusammengefaßt worden war, der dreimalige Akkord am Anfang und in der Mitte als Zeichen der strengen Welt der Eingeweihten mitten in dem buntfarbigen Treiben der Märchenwelt, d. h. umbrandet von dem bewegten vielthemigen Fugato, findet im Schlußchor seine Lösung. Innerhalb dieses Rahmens ist der Welt des Lichts vorwiegend die Tonart C-Dur mit ihren beiden Dominanten F-Dur und G-Dur, der der Finsternis dagegen c-Moll und d-Moll zugeordnet, wenngleich Mozart diese Sphärencharakteristik in vielen Fällen zugunsten der Individualcharakteristik durchbrochen hat[44].

Die Sonderstellung, die die ZAUBERFLÖTE unter Mozarts Opern einnimmt, beruht zum einen auf der Scheidung der Sphären, zum andern aber auf der darüber waltenden großen musikalischen Einheit, die in einem alle Sphären umschließenden dichten Netz von rhythmischen, melodischen und harmonischen Formeln zum Ausdruck kommt. Das ist der „Zauberflötenton", in dem volkstümliches Zauberstück, Märchen und Ideendrama mit all ihrer gedanklichen Buntheit, ja ihren Widersprüchen musikalisch zur Einheit gelangen[45]. Viele der Motive gehen auf frühere Werke Mozarts zurück und scheinen doch erst im weihevollen Stil des Zauberflötentones ihre Vollendung gefunden zu haben. Damit stellt Mozarts letzte Oper gleichzeitig ein Werk sui generis und eine Synthese seines gesamten Opernschaffens in neuer, verklärter Deutung dar, und es ist kein Zufall, daß es gerade die ZAUBERFLÖTE war, die sich nicht nur selbst rasch auf den Bühnen durchgesetzt, sondern auch Mozarts anderen Opern die Bahn bereitet und letztlich Mozarts Gesamtwerk zum Durchbruch verholfen hat.

---

[44] Die Arie Nr. 13 des Monostatos „Alles fühlt der Liebe Freuden" steht z. B. ihrer einfachen liedhaften Haltung entsprechend in C-Dur, wird jedoch durch die Forderung „sempre pianissimo", durch die Beteiligung der Pikkolo-Flöte und die sich ständig steigernde atemlos gehetzte Bewegung in ein der Gestalt angemessenes unheimliches Zwielicht getaucht.

[45] Vgl. zu diesem Problemkreis: Eric Werner: Leading or Symbolic Formulas in The Magic Flute. A Hermeneutic Examination, in: Music Review 18, 1957, S. 286—293; A. Hyatt King (siehe Anmerkung 6) und Anna Amalie Abert: Bedeutungswandel eines Mozartschen Lieblingsmotivs, und: Beitrag zur Motivik von Mozarts Spätopern, in: Mozart-Jahrbuch 1965/66 und 1967.

# Die Oper in der Schweiz

Zahlreiche wesentliche Beiträge zur deutschsprachigen Oper in der ersten Hälfte des 20. Jahrhunderts haben auch Schweizer Komponisten geleistet, allen voran Othmar Schoeck (1886—1957), ein Altersgenosse von Alban Berg. Er begann sein Opernschaffen mit der komischen Oper DON RANUDO (drei Akte, Text von Armin Rueger nach Holberg, Zürich 1919), der er die romantische Oper VENUS (ebenfalls drei Akte, Text von demselben nach Mérimée, Zürich 1922) folgen ließ, und beendete es mit zwei vieraktigen Opern, MASSIMILLA DONI (Text von demselben nach Balzac, Zürich 1937) und DAS SCHLOSS DÜRANDE (Text von Hermann Burte nach Eichendorff, Berlin 1943). In allen diesen Werken erwies er sich als ein in allen Operngattungen der Zeit versierter, deren musikalische Sprache in jeder Hinsicht beherrschender, beachtenswerter Musiker. Zwischen diesen beiden Werkgruppen aber gelang ihm mit dem einaktigen Musikdrama nach dem Trauerspiel von Heinrich von Kleist PENTHESILEA (Dresden 1927) ein Wurf, der bei aller Verschiedenheit des Gegenstandes Bergs WOZZECK an Bedeutung zumindest gleichkommt. Ein Teil dieser Bedeutung beruht bereits auf der Textwahl und -behandlung. Kleists *Penthesilea* ist ein Trauerspiel, das schon auf der Schauspielbühne die Aufnehmenden bis an die Grenze der Belastbarkeit beansprucht. Von einem Meister wie Schoeck in Musik gesetzt, bestand die Gefahr, daß diese Grenze überschritten werden konnte. Ob der Komponist diese Gefahr durch die Übernahme des Originaltextes von Kleist gebannt oder verstärkt hat, bleibe dahingestellt — jedenfalls ist das Werk, das Willi Schuh zu Recht in Parallele zu Straussens ELEKTRA setzt[1], ein würdiger Vertreter einer großen Dichtung auf der Opernbühne.

Die extremen Wege, die Kleists Phantasie in diesem Drama geht, hat Schoeck durch geschickte, operngerechte Kürzungen, vor allem aber durch eine treffende musikalische Verdeutlichung des Grundkonflikts zwischen den beiden, nur durch ihre Maßlosigkeit verbundenen Leidenschaften von Haß und Liebe verklärt. Durch häufige Verwendung gesprochenen Dialogs wird die davon nur indirekt berührte Welt der Nebenpersonen von jener der vom Schicksal schließlich vernichteten der Protagonisten abgehoben. Die Ausdrucksweise der schon von Anfang an bis zum Wahnsinn überreizten Titelheldin zeichnet sich vor der aller anderen Personen unheimlich folgerichtig durch ein Übermaß an Septimen-, Nonen- und Dezimensprüngen aus, die die Disharmonie ihres Wesens ausdrücken. In dieser Atmosphäre wirkt ihre sich zuletzt zum Liebesduett verdichtende große Szene mit Achill, die mit dessen mitleidig-falschem Bekenntnis seiner Unterlegenheit „breit und feierlich" eingeleitet wird und als einziger Satz arienhafte Melodiewiederholungen enthält, trotz der auch hier gegenwärtigen Unbändigkeit ihres Wesens wie ein ruhender Pol, aus dem allerdings in dem anschließenden, bezeichnenderweise einzigen gesprochenen Dialog des Paares nur neues Unheil erwächst. Im Gegensatz zu dem ihrem Charakter angemessenen ursprünglichen Sprüngereichtum ihrer Äußerungen verhärtet sich dieser nun nach diesem Einschnitt, vielleicht unter dem Eindruck von Achills ehern auf *einem* Ton deklamierten Erklärung der für sie so hoffnungslosen Situation, bei ihrer großartigen Verfluchung ihrer Rettung — auch dies eine der furchtbaren Ungereimtheiten ihres Schicksals — gleichfalls auf den Inhalt quasi herausmeißelnde, gedehnte Tonwiederholungen, denen übrigens, wie auch den vorangehenden Freudenäußerungen der Amazonen, der ostinate Baß zugrundeliegt, der schon deren erstes Auftreten am Anfang der Oper stützt, also leitmotivische Bedeutung hat.

Von hier an öffnet die Verfluchung Penthesileas durch die Oberpriesterin in einem von reinem, sparsam begleitetem Secco-Rezitativ zu bewegtem Arioso gesteigertem und zuletzt vom Chor gestütztem Gesang zusammen mit der anschließenden, von einem Herold „völlig ohne Ausdruck" und nur hie und da von Arpeggien begleitet, überbrachten Herausforderung Achills zu einem neuen Kampf

---

1 Vgl. Die Musik in Geschichte und Gegenwart, Band 12, Kassel 1965, Sp. 12.

dem von der Einbildung verkannter Liebe und Kampfbereitschaft genährten Wahnsinn der Königin Tür und Tor, was äußerlich durch Weherufe des Chores und zunehmenden Blitz und Donner markiert wird. Ihre schrecklichen, getragen-rezitativischen Vorbereitungen zum Kampf gipfeln in ihrem Gebet an den Kriegsgott Ares, dessen einzelne, unbegleitet vorgetragene, vorwiegend rezitativische Zeilen durch ein von Weherufen begleitetes Zwischenspiel unterbrochen werden. Die Szene endet mit einer Pantomime der entsetzten Priesterinnen, der als Gegensatz eine ebensolche im Lager der Griechen folgt. Sie enthält als Antwort auf Diomeds verblüfften Bericht über Penthesileas Bewaffnung eine wunderschöne, frei deklamierte und doch kantable Liebeserklärung Achills, die in ihrem Kontrast zu der vorangehenden und auch der folgenden entsetzlichen Szene einen der musikalisch-dramatischen Höhepunkte der Oper darstellt. Von hier an bewegt sich das Werk, von Chor-Zwischenrufen und wenigen solistischen Ausrufen abgesehen, ausschließlich im Rahmen pantomimischer Berichte, als wenn die darin enthaltenen Gräßlichkeiten der textierten Musik nur indirekt zugänglich und auch instrumental nur zurückhaltend zu stützen seien. Selbständige Bedeutung erringt die Instrumentalmusik vor allem in der Gestalt des feierlichen Trauermarsches, zu dessen Klängen die Leiche des Achill hereingetragen wird und der dann auch dem anschließenden Gespräch der Priesterinnen zugrundeliegt.

Die Rückkehr zum Gesang erfolgt erst ganz am Ende der Oper, gleichsam als Symbol dafür, daß Penthesilea ihren furchtbaren Wahn überwunden und ihrer sprunghaften Natur entsprechend durch einen ganz gegensätzlichen, den, im Elysium zu sein, ersetzt hat. Ihre musikalische Sprache beschränkt sich nun auf ein von verhaltenen ariosen Takten durchsetztes schlichtes Rezitativ, aus dem nur hie und da einmal (z. B. bei dem Gedanken an die Überwindung des „Peliden") ein Septimensprung hervorbricht. Ihr halb abwesender Gesang an den toten Achill ist zuerst von Chromatik durchtränkt. Er versickert dann gleichsam in „unruhig vor sich hingeflüstertes" Rezitativ und wird noch einmal mit einem Septimensprung gekrönt, durch den Kuß, mit dem sie von dem Geliebten Abschied nimmt. In ihrem letzten großartigen Gesang „Denn jetzt steig ich in meinen Busen" ist sie der Welt bereits entrückt und stirbt in dem Glauben, sich als Sühne selbst getötet zu haben, nach einer gewaltigen Steigerung mit den erschütternden, weil nur gesprochenen Worten: „Nun ist's gut".

Zwei weitere Schweizer Komponisten der jüngeren Generation, Heinrich Sutermeister und Rolf Liebermann (beide 1910 geboren), haben sich in den vierziger und fünfziger Jahren des 20. Jahrhunderts als Opernkomponisten ebenfalls einen Namen gemacht und sich dabei im Rahmen der ernsten und der heiteren Gattung sowohl an Werken deutscher wie französischer Vorgänger orientiert. Sutermeister begann sein Schaffen mit zwei Shakespeare-Vertonungen — ROMEO UND JULIA (Dresden 1940) und DIE ZAUBERINSEL (nach Shakespeares Sturm, ebenda 1942) —, dann folgte die Oper in zwei Akten RASKOLNIKOFF (nach Dostojewski, Stockholm 1948), in der es ihm gelang, die tragische Umgetriebenheit des Helden durch streng durchgeführte ostinate Orchester-Motivik charakteristisch zum Ausdruck zu bringen und die Gestalt dadurch dramatisch wirkungsvoll aus dem Kreise der übrigen hervorzuheben. Einen burlesken Beitrag quasi zur opera buffa lieferte er mit TITUS FEUERFUCHS (nach Nestroy, Basel 1958).

In den Opern Liebermanns sind dank der Texte Heinrich Strobels durch geistvolle Verwendung von textlichen (und damit auch musikalischen) Parodien Ernst und Scherz weitgehend ineinander verschmolzen. Dies beginnt bereits mit dem Zweiakter LEONORE 40/45 (Basel 1952) und setzt sich in PENELOPE (Salzburg 1954) fort, um in der SCHULE DER FRAUEN (nach Molière, Salzburg 1956) in eine richtige dreiaktige opera buffa einzumünden.

Keinem von diesen Komponisten aber ist es — so wenig wie Schoeck selbst in seinen frühen und späten Werken — gelungen, das durchschnittliche abendländische Opernniveau so weit zu übertreffen und sich in die vorderste Linie der Opernkomponisten ihrer Zeit einzureihen wie Schoeck mit seinem dramaturgisch wie musikalisch gleich hervorragenden Musikdrama PENTHESILEA, dessen musikalische Gestaltung der großen Dichtung ebenbürtig und damit ihrer würdig ist.

# Die Oper in England

und in den skandinavischen Ländern

# Die Oper in England

In England nahm die Entwicklung der Oper über die Jahrhunderte hin gesehen im Vergleich zu den Ländern des Kontinents einen völlig andersartigen Verlauf, obwohl ihre Anfänge grundsätzlich weitgehend mit den gleichfalls höfischen jener Gattung übereinstimmten. Ihre Träger waren die ihrer Funktion nach mit den französischen „ballets de cour" verwandten „Masques", wie jene teils von der höfischen Gesellschaft selbst, teils für sie veranstalteten, mehr oder weniger dramatischen Darbietungen, die sowohl pathetisch-festlich als auch, in den später davon abgespalteten „Antimasques", grotesk-parodistisch gehalten sein konnten. Musikalisch beschränkte sich der französische Einfluß im Wesentlichen nur auf den Stil der „französischen Ouvertüre" sowie auf die verschiedensten Tanztypen, während sich in der Vokalmusik, vor allem in den Sologesängen, schon hier eine gerade durch ihre Schlichtheit besonders wirkungsvolle Melodienseligkeit bemerkbar macht, die ein wesentliches Merkmal auch der daraus erwachsenen englischen Oper geworden ist und sie vielleicht sogar letzten Endes vor einer Überfremdung bewahrt hat. — Die Handlung, von angesehenen Dichtern wie James Shirley, Ben Jonson und John Dryden erdacht und gestaltet, spielte sich in gesprochenem Dialog ab, doch war die Rolle sowohl der Vokal- als auch der Instrumentalmusik darin rein umfangsmäßig unverhältnismäßig groß, nur daß alle derartigen Sätze vor allem in den Anfängen der Gattung als bloße Zutaten nicht den geringsten Anteil am dramatischen Geschehen hatten. Dies zeigt sich besonders deutlich in dem häufigen Auftreten von lediglich die Festlichkeit einer Situation unterstreichenden Chören. In dieser scharfen Scheidung zwischen Drama und Musik macht sich bereits hier, im Vorstadium der Oper, die ungeheure Schwierigkeit bemerkbar, mit der die Erben Shakespeares bei ihrer Auseinandersetzung mit der Oper fast bis in unser Jahrhundert hinein immer wieder zu kämpfen gehabt haben.

Wohl kam es seit der Mitte des 17. Jahrhunderts äußerlich mehr und mehr zu einer Auflockerung dieser Scheidung, indem die Vokalmusik rezitativartig in den gesprochenen Dialog eindrang und die Bezeichnung „Masque" dementsprechend gelegentlich durch „Opera" ersetzt wurde, aber eine Verschmelzung zwischen dem „Geist" des englischen Dramas und dem „Geist" der Oper kam dadurch nicht zustande. Ein hervorragendes frühes Beispiel für eine derartige, Rezitative, liedhafte Gesänge, Chöre und Instrumentaltänze verbindende Masque ist das Werk von James Shirley CUPID AND DEATH (*Cupido und der Tod*) mit Musik von Matthew Locke und Christopher Gibbons (1653)[1]. Auch die nach französischem Vorbild fünfaktige „Oper" von William D'Avenant, THE SIEGE OF RHODES (*Die Belagerung von Rhodos,* London 1656), an deren leider nicht erhaltener Komposition nicht weniger als fünf Meister, darunter einige der nächst Purcell bedeutendsten ihrer Zeit (Henry Lawes, Captain Henry Cooke und Matthew Locke) beteiligt waren, läßt schon aufgrund dieser dramatisch unangebrachten Häufung von Autoren mehr auf den lockeren Charakter einer Masque als den einer in sich geschlossenen Oper schließen. — Als ein weiterer Anwärter auf den Ehrentitel der „ersten englischen Oper", aber im Grunde, wie ihre Vorgänger, mehr nur eine „Semi-Opera", erschien 1675, wieder textlich französischem Vorbild folgend, die fünfaktige Tragödie PSYCHE von Thomas Shadwell, auch sie mit Musik von Matthew Locke, die jedoch trotz oder gerade wegen des Aufwandes der „großen Oper" die dramatische Wirkung seiner früheren Komposition von CUPID AND DEATH nicht erreichte.[2]

---

[1] Herausgegeben von Edward J. Dent in Musica Britannica II, London 1951.
[2] Vgl. zu all diesen Werken die grundlegend wichtigen Ausführungen von Dent, Foundation of English Opera, Cambridge 1928.

Erst gegen Ende des Jahrhunderts schien die Oper auch in der englischen Bühnenmusik wirklich das Übergewicht über die „Masque" zu gewinnen, und zwar zunächst in VENUS AND ADONIS von John Blow (1649-1708), einem noch als „Masque" bezeichneten Werk aus einem Prolog und drei Akten, das 1684 oder 1685 in London herausgekommen war und, wie die von Dent[3] angeführten Beispiele zeigen, gerade an hervorragenden Stellen ein wirkliches dramatisch-musikalisches Gleichgewicht erkennen läßt. — Eine Sonderstellung nimmt in diesem Zusammenhang die „Opera, or Representation in Musick" ALBION AND ALBANIUS (Text von John Dryden, London 1685) ein, da ihre Musik von dem am englischen Hof tätigen französischen Komponisten Louis Grabu stammte und sie dadurch trotz der geringen musikalischen Bedeutung dieses Autors den einzigen handfesten Beweis für eine kontinentale Beeinflussung der englischen Oper in jener Zeit bildet, wenn auch die patriotische Tendenz des Textes eindeutig auf den englischen Ursprung hinweist.

Wenig später führte dann Henry Purcell (1659-1695) mit seiner dreiaktigen Oper DIDO AND AENEAS (Text von Nahum Tate, Chelsea 1689) die Gattung zu einem bis dahin unerreichten Höhe- und gleichzeitig vorläufigen Endpunkt. In diesem Werk erscheinen alle auch in Bühnenmusiken verwendeten musikalischen Gattungen und Techniken im Dienste des Dramas, die Chöre und Instrumentalsätze als Mittel zur Umschreibung und gleichzeitig zur Gliederung der Szenen, die geschlossenen Sologesänge bald mehr lied-, bald arienhaft zur Personencharakterisierung und, dramatisch vor allem bedeutungsvoll, die Rezitative, die sich situationsentsprechend zwischen sachlichem Secco und gefühlsbetontem Arioso bewegen. Dies zeigt sich besonders deutlich im Gespräch zwischen dem als Merkur erscheinenden Spirit und dem verzweifelten Aeneas am Ende des II. Aktes — musikalisch wie dramatisch ein würdiges Gegenstück zu der von einem chromatischen Ostinato getragenen ergreifenden g-Moll-Abschiedsarie der sterbenden Dido, die die Handlung im III. Akt beschließt. So kurz und äußerlich anspruchslos dieses Werk, das ja ursprünglich auch nur für eine private Aufführung in einem Mädchen-Pensionat bestimmt war, auch ist, so unverkennbar trägt es den Stempel eines musikalisch-dramatischen Meisterwerkes, demgegenüber die Prioritätsfrage auf der englischen Opernbühne jede Bedeutung verliert.

Es ist eine Tragik des Geschicks und nur schwer verständlich, daß Purcell den mit diesem Wurf beschrittenen Weg nicht weiter verfolgt, sondern sich wieder auf das Gebiet der „Semi-Opera" zurückgezogen hat. Bezeichnend ist es aber, daß unter den sechs in seinen letzten Lebensjahren (1690-95) entstandenen Werken dieser Zwittergattung nicht weniger als drei (THE FAIRY QUEEN [Feenkönigin], THE TEMPEST [Der Sturm] und TIMON OF ATHENS) textlich auf dem Boden Shakespeares stehen und dadurch einmal mehr zeigen, wie stark und im Grunde hemmend der Einfluß dieses großen Dramatikers auf die Entstehung der englischen Oper gewesen ist. In einem weiteren Glied dieser Reihe, KING ARTHUR (über einen Text von John Dryden), tritt textbedingt die nationale Bindung der Gattung besonders in den Vordergrund; von den fünf Akten stehen der erste und der letzte ganz im Dienste der Verherrlichung der englischen Nation — ein interessanter Gegensatz zur französischen Parallele, in der nicht die Nation selbst, sondern immer nur der König als deren Vertreter verherrlicht wird. Hierbei spielt natürlich die Musik eine entscheidende Rolle, und das Gleiche gilt auch für den III. Akt mit dem Gesprächswechsel zwischen dem tonmalerisch tremolierenden „Cold Genius" und einem entsprechenden „Chorus of Cold People" und der betont burschikosen und schneidigen Antwort des Cupido, sowie für den IV. Akt, der, von dem Sirenen-Duett des Anfangs abgesehen, fast ganz aus einer einzigen großen Passacaglia in immer wechselnder Besetzung besteht — dies ein besonders eindrucksvoller Beweis für Purcells kontrapunktische Meisterschaft und seine Freude daran, sie gerade an dramatisch hervorragenden Stellen anzubringen.

---

3 A.a.O.

Auch den Schritt nach Purcells Tod ins 18. Jahrhundert hinein vermochte die englische Oper zunächst in den Banden der Dramentradition nur halbherzig zu tun. Allerdings war dies die Zeit des massierten Eindringens der italienischen Oper, als deren Hauptvertreter Händel erschien[4], aber so stark auch der politische, gesellschaftliche und künstlerische, literarisch eindrucks- und temperamentvoll geäußerte Widerstand gegen die Gattung und ihre Vertreter war[5], so mußte doch ihr Auftreten auf dem bisher von fremden Einflüssen nur wenig berührten Boden die Betätigung der einheimischen Meister erheblich erschweren. Das geht deutlich aus dem Opernschaffen von Thomas Augustin Arne (1710-1778) hervor: Er begann ganz im Stile des späten Purcell mit noch als „Masques" bezeichneten „Semi-Operas", von denen aber zumindest in COMUS (nach Milton, 1738), ALFRED (nach David Mallet und James Thomson, 1740) und THE JUDGEMENT OF PARIS (*Das Urteil des Paris;* nach William Congreve, 1742) die Musik eine opernhaft beherrschende Rolle spielt, obwohl das letztere Werk nur als „afterpiece" für Händels *Alexanderfest* gedacht war.

Bezeichnenderweise entstand ungefähr gleichzeitig auch Arnes Musik zu verschiedenen Dramen Shakespeares, während er erst zwanzig Jahre später zur Komposition anspruchsloser, gefällig liedhafter Opern überging: THOMAS AND SALLY (London 1760) und LOVE IN A VILLAGE (*Liebe auf dem Dorf;* London 1762, beide auf Texte des beliebten Librettisten Isaac Bickerstaffe). Daß ein derartig der einheimischen Tradition verhafteter Meister zuguterletzt noch auf den Gedanken kommen konnte, einen metastasianischen Text, *Artaserse,* ins Englische zu übersetzen und stilgerecht zu komponieren (1762), zeigt die ungeheure Anziehungskraft, die die fremde Gattung auch auf stark traditionsgebundene Künstler haben konnte.

Allerdings stellte dieser direkte Rückgriff auf eine opera seria eine Ausnahme dar, die für die Weiterentwicklung der englischen Oper ohne Folgen blieb. Vielmehr knüpften deren jüngere Vertreter an ein ihnen viel näher stehendes, weil eigenständiges Vorbild an: die „Ballad Opera", im Prinzip eine Weiterbildung des zeitgenössischen englischen Singspiels, ganz konkret aber eine Anknüpfung an das aufsehenerregende Werk von John Gay THE BEGGAR'S OPERA (*Die Bettleroper*), das 1728 mit Musik von Johann Christoph Pepusch (1667-1752) in London herausgekommen war. Auch hier handelte es sich zwar um eine Anlehnung an ein ausländisches Vorbild, die französische Vaudevillekomödie, doch trat dies gegenüber den speziell auf die politischen und gesellschaftlichen Verhältnisse Englands abzielenden, geistvollen satirisch-parodistischen Anspielungen völlig in den Hintergrund. Damit stand allerdings die BEGGAR'S OPERA trotz unendlich vieler Nachahmungen innerhalb ihrer Gattung allein[6], denn diese begnügten sich, dem Gattungsnamen „Ballad Opera" entsprechend, mit der Einfügung schlichter volkstümlicher Liedweisen, der „Ballad Tunes", in die einfache Handlung. Dabei lag natürlich in einer Zeit, da die anspruchsvolle fremde Gattung der italienischen Oper hart umkämpft war, auch in bescheideneren Stücken als der BEGGAR'S OPERA der Gedanke an parodistische Versuche nicht fern, doch im allgemeinen folgte die jüngere Generation englischer Opernkomponisten des 18. Jahrhunderts, wie Samuel Arnold (1740-1802), Charles Dibdin (1745-1814), William Shield (1748-1829), Stephen Storace (1763-1796) und Henry B. Bishop (1786-1855) dem harmlos-heiter-liedhaften Prinzip jener typisch englischen Operngattung im Stil der beiden oben erwähnten Opern von Arne, wobei nur die „Ballad Tunes" (wie bereits in Arnes LOVE IN A VILLAGE) beliebig durch Gesänge der verschiedensten

---

4 Vgl. hierzu das Kapitel *Deutsche Kosmopoliten,* S. 330ff.
5 vgl. hierzu J. Addisons scharfe Angriffe im *Spectator.*
6 Ihre künstlerisch wohl bedeutendste Wiederbelebung erfuhr sie 200 Jahre später in der DREIGROSCHENOPER von Bert Brecht und Kurt Weill — vgl. das Kapitel *Die deutsche Oper in der ersten Hälfte des 20. Jahrhunderts* (oben S. 319ff.).

anderen Komponisten ersetzt wurden. Die Werke waren also in weitesten Ausmaßen Pasticci, was zum einen den gewaltigen Umfang des Opernschaffens aller dieser Meister erklärt, zum andern aber trotz der auch in ihnen überall spürbaren eingänglichen Melodienseligkeit nur auf ein geringes Maß an musikdramatischem Empfinden schließen läßt.

Im Gegensatz zu diesen primär in der heimischen Tradition wurzelnden Meistern stellte der etwas jüngere Michael William Balfe (1808-1870) dadurch, daß aus seinem nicht minder reichhaltigen Opernschaffen auch Werke in Italien und Frankreich aufgeführt wurden, stilistisch wieder eine gewisse Verbindung zum kontinentalen Operngeschehen her. Sein einziger großer Opernerfolg THE BOHEMIAN GIRL (*Das Mädchen aus Böhmen*; Text von Alfred Bunn, London 1843) zeigt vor allem in den drei Finali deutlich den Einfluß der „Großen Oper". Hier gelingt es dem Komponisten, die oft bis zur Eintönigkeit getriebene Schlichtheit von Arien und Chören durch seinen melodischen Einfallsreichtum und seine Kunst des musikalischen Satzes zu großen, musikalisch-dramatischen Wirkungen zu vereinigen. — Einen ähnlichen Erfolg wie dieses Werk hatte auch die Oper MARITANA (Text von Edward Fitzball, London 1845) von William Vincent Wallace (1812-1865), der gleich Balfe aus Irland stammte. Aus der gleichen Generation taten sich auch zwei aus Deutschland eingewanderte bzw. deutschstämmige Komponisten hervor: John Barnett (1802-1890), vor allem mit seiner Oper THE MOUNTAIN SYLPH (*Die Bergsylphe*) über einen Text von Thomas James Thackeray (London 1834), und Sir Julius Benedict (1804-1885), ein Schüler Webers, der von der italienischen zur englischen Oper überging. Zu nennen ist ferner noch Sir George Alexander Macfarren (1813-1887), der ebenfalls ein umfangreiches Opernschaffen hinterlassen hat.

Es paßt in das eigenartige Bild, das die Geschichte der Oper in England bzw. der englischen Oper im 19. Jahrhundert bietet, daß zwischen einer gewissen Erschöpfung um die Mitte des Jahrhunderts und einem neuen Aufbruch am Anfang des zwanzigsten auf dem künstlerischen Niveau der Oper, aber aus einem anderen, nicht minder typisch englischen Geist heraus, der dem der BEGGAR'S OPERA im Grunde nahe verwandt war, die neue Gattung der Operette in Gestalt der größtenteils auf Texte von William Schwenck Gilbert geschriebenen, aufsehenerregenden Werke von Arthur S. Sullivan (1842-1900) erschien. Dieses vorübergehende Ausweichen auf ein ganz anderes Gebiet wirkte im Augenblick wie eine Erlösung, zumal Librettist und Komponist einander in der fein dosierten Handhabung von Satire und Parodie durchaus ebenbürtig waren und eventuelle Banalitäten des einen stets durch den Einfallsreichtum des anderen ausgeglichen werden konnten. Den bedeutendsten unter diesen Werken, etwa den beiden Seemannsstücken H. M. S. PINAFORE OR THE LAST THAT LOVED A SAILOR (*H. M. S. Pinafore oder Die letzte Seemannsliebe*; 1878) und THE PIRATES OF PENZANCE OR THE SLAVE OF DUTY (*Die Piraten von Penzance oder Der Sklave der Pflicht*; 1879) sowie JOLANTHE OR THE PEER AND THE PERI (*Jolanthe oder Der Peer und die Elfe*; 1882) und THE MIKADO (1885), liegt immer schon irgend eine in Opern besonders beliebte banal-abwegige Idee zugrunde, die durch die schwungvolle, scheinbar ernste Musik ad absurdum geführt wird. — Unter den vielen, weniger bekannten Vertretern dieser Gattung hat wohl nur Sidney Jones (1861-1946) mit seiner GEISHA (1876) einen ähnlichen Erfolg errungen.

Daß ernste Opern gleichaltriger Komponisten sich in dieser Umgebung kaum durchzusetzen vermochten, ist nicht verwunderlich. Dies gilt beispielsweise für die 1883 bzw. 1885 erschienenen Opern ESMERALDA und NADESHDA von Arthur Goring Thomas (1850-1892) sowie für die zahlreichen Bühnenwerke von Sir Alexander Campbell Mackenzie (1847-1935), die ebenfalls in den achtziger Jahren zu erscheinen begannen. Bemerkenswert in dieser künstlerischen Umgebung ist sodann Frederick Corder (1852-1932), der als ausgesprochener Wagnerianer auftrat, obwohl er sich dem „Meister" in seiner romantischen Oper NORDISCA (1887) im Wesentlichen nur stofflich anschloß. — Sein Altersgenosse Sir Charles Villiers Stanford (1852-1924) war, wie Balfe und Wallace, irischer Abstammung. Er hat ein gewaltiges Œuvre hinterlassen, in dem neben Opern bezeichnenderweise auch Bühnenmusiken eine große Rolle spielen. Unter seinen Opern war vor allem SHAMUS O'BRIEN, „a Romantic Comic Opera in 2 Acts" (London 1896), erfolgreich, in der er den aus der irischen Geschichte stammenden Gegenstand geschickt in das typische Gewand einer englischen Oper mit von schlichten, situationsbedingten „Songs" sowie zahlreichen Ensembles und Chören durchsetztem gesprochenen Dialog gehüllt hatte. Dramatisch bedeutender erscheint seine letzte, 1925 posthum in Liverpool aufgeführte vierakige Oper THE TRAVELLING COMPANION (*Der Reisegefährte*; Text von Henry Newbolt nach Hans Christian Andersen). Hier ist es ihm gelungen, mit den Mitteln der „großen Oper" die dramatische Spannung, zugleich aber auch — dies ein echt englischer Zug — die lyrische Sphäre wiederzugeben, die dem Märchen von Andersen seinen besonderen Reiz verleiht.

Die bedeutendsten unter den vielen Meistern, die die englische Oper ins 20. Jahrhundert hinüberführten, waren, wie in Deutschland, Angehörige der Strauss-Pfitzner-Generation, an ihrer Spitze Frederick Delius (1862-1934), Ralph Vaughan Williams (1872-1958) und Gustav Holst (1874-1934). Von ihnen gibt sich der deutschstämmige Delius noch am eindeutigsten als typischer Spätromantiker zu erkennen, sowohl in der Wiedergabe der zauberisch-exotischen Atmosphäre der dreiaktigen Oper KOANGA (Text von Charles Francis Keary, 1. Fassung Elberfeld 1904) als auch ganz besonders in dem „Lyrischen Drama in 6 Bildern" ROMEO UND JULIA AUF DEM DORFE (deutscher Text von Jelka Delius nach Gottfried Keller, Berlin 1907). In beiden Werken erscheinen aber die hochromantischen Stimmungsbilder, so die beiden eindrucksvollen Auftritte des Helden Koanga im I. und am Ende des II. Aktes und der wirklich „tristanhafte" Schluß der ROMEO-Oper, eindeutig als integrierende Bestandteile des musikalischen Dramas. Dabei wird die Atmosphäre der jeweiligen Situation immer gleichzeitig, aber ganz verschiedenartig im Orchester und in der Singstimme wiedergegeben. — Die beiden jüngeren genannten Meister haben sich dagegen in ihren etwas später und auf englischen Bühnen hervorgetretenen Werken ausschließlich auf eine zeitgenössische Fortsetzung der einheimischen Operntradition beschränkt. Die Oper HUGH THE DROVER (*Hugh der Viehtreiber*; Text von Harold Child, London 1924; nach dem Tode des Komponisten mehrfach revidiert) von Vaughan Williams zeigt ihre Traditionsgebundenheit schon durch ihren Untertitel „a Romantic Ballad Opera", dessen Berechtigung besonders durch die große, den I. Akt eröffnende Jahrmarktsszene bewiesen wird. Sie stellt in der Tat eine Kette von „Ballads" dar, in der übernommene bekannte Volksweisen und ihnen entsprechende eigene des Komponisten beliebig nebeneinanderstehen. In der anschließenden Liebesszene zwischen Hugh und Mary bleibt diese volkstümliche Grundhaltung zwar bestehen, wird aber vor allem durch Hughs große Liebesarie mehr dem anspruchsvolleren Opernstil angenähert. Dies setzt sich im II. Akt mit seinen dramatisch bewegten Massenszenen noch weiter fort, bis schließlich auch diese Oper beim Abschied des Liebespaares mit einer wirkungsvollen Wendung von f-Moll nach F-Dur und dem „farewell" des Chores zu einem ausgesprochen romantischen Schluß gelangt. — Die vierakige Oper SIR JOHN IN LOVE (*Der verliebte Sir John*; nach Shakespeare, London 1929) stellt Grout[7] auf eine Stufe mit Verdis FALSTAFF. Die starke emotionale Wirkung des späten Einakters RIDERS TO THE SEA (*Reiter zur See*; Text von John Millington Synge, London 1937) beruht auf der raffinierten textlichen wie musikalischen Zurückhaltung, mit der aus einer zunächst undurchschaubaren Situation fast ohne Handlung in leidenschaftslosem, von vorwiegend atonalen Akkorden getragenem Dialog das erschütternde Seelendrama einer alten, verwirrten Frau dargestellt wird, die alle ihre Söhne auf See verloren hat. Nur ihre umfangreiche Erzählung gegen Ende wird stimmungshaft von textlosen Frauenstimmen gestützt. Auch diese charakteristische Zurückhaltung dürfte als „englisch" zu bezeichnen sein, wie auch die das Ganze umhüllende Atmosphäre

---

7 A Short History of Opera, S. 532.

des Meeres, die von ferne auf die entsprechenden späteren Werke von Benjamin Britten vorausweist. — Auch im Opernschaffen von Holst überwiegen Einakter im volkstümlichen Stile der ballad-opera. Eine Ausnahme unter ihnen macht nur SAVITRI (London 1916) vor allem wegen des vom Komponisten selbst nach einer Episode aus dem indischen Epos Mahabharata zusammengestellten Textes, den er fast mehr oratorien- als opernhaft als Streitgespräch dreier symbolischer Gestalten wiedergibt. Der textlichen Problematik angemessen ist die außergewöhnliche Besetzung der Begleitung mit zwei Streichquartetten, Kontrabaß, 2 Flöten, Englischhorn und einem unsichtbaren, textlosen Frauenchor zu 4 Stimmen. Diese Mittel werden je nach dem Geschehen von äußerster Sparsamkeit über wechselnde Besetzungen bis zum wirkungsvollen Tutti bei der entrückten Schilderung Savitris von der ewigen Kraft und Schönheit des Lebens gesteigert, mit der sie den Tod in die Flucht schlägt. Im Gegensatz hierzu schließt das Werk nicht minder eindringlich mit der ganz unbegleiteten Wiederholung ihrer verzückten Liebeserklärung an den gleichgesinnten Satyavan.

So verschieden die Werke der drei letztgenannten Meister im Einzelnen auch sind, so charakteristisch ist doch für sie alle die Tatsache, daß ihre Schöpfer nicht nur rein datenmäßig, sondern auch geistig noch Kinder des 19. Jahrhunderts waren, wenngleich die Werke selbst das Rampenlicht erst im 20. erblickt haben. Das künstlerische Streben dieser Komponisten war jedoch, ihrer historischen Stellung entsprechend, rückwärts gewandt, sei es, wie bei dem von Deutschland her beeinflußten Delius, in Richtung auf die wagnerische Spätromantik, sei es, ganz im Gegensatz hierzu, in Gestalt einer bewußten Fortentwicklung der national-englischen Operntradition, wie bei den beiden Jüngeren. Schon diese Diskrepanz hauchte der bisher mitunter stagnierenden Gattung neues Leben ein, und so erwuchs auf dieser Basis um die Mitte des 20. Jahrhunderts von Meistern, die ganz dieser Zeit angehören, eine neue englische Oper. Unter ihren Trägern haben vor allen Dingen zwei hervorragende Epoche gemacht, und zwar nicht nur durch die Qualität und Wirkungskraft ihrer Werke an sich, sondern besonders dadurch, daß sie gleichzeitig und mit gleicher Überzeugungskraft den englischen Geist auf der modernen Opernbühne von ganz verschiedenen Seiten aus beleuchtet und wiedergegeben haben: Michael Tippett (geb. 1905) und Benjamin Britten (1913-1976). Daß Tippett seinem Opernschaffen ein Oratorium, das erschütternde Friedensbekenntnis A CHILD OF OUR TIME (*Ein Kind unserer Zeit;* Text vom Komponisten, 1941), voransetzte, war von den folgenden Opern aus gesehen kein Zufall — lassen doch auch sie trotz allen bühnentechnischen Aufwands erkennen, daß es dem Librettisten/Komponisten mehr um die dem Text zugrundeliegende Problematik als um die sie ausdrückende Handlung zu tun war, daß sie also mehr von oratorisch-betrachtendem als von dramatisch-opernhaftem Geist erfüllt waren. Die dreiaktige Oper THE MIDSUMMER MARRIAGE (*Die Hochsommerheirat;* Text vom Komponisten, London 1955) z. B. erscheint wie ein kompliziertes Ideenkunstwerk im Gewand einer großen Choroper, an dem die Atmosphäre und Problematik des Textes den Hörer ebenso fesselt wie die aufgelockerte Rhythmik und Harmonik und die Freude an kunstvoller Satztechnik. Noch deutlicher zeigt sich die oratorische Grundeinstellung in der mehr als 20 Jahre später entstandenen Oper THE ICE BREAK (*Der Eisbrecher;* London 1977), in der der Komponist unter einem symbolischen Titel alle harmonischen, melodischen und besonders rein klanglichen Mittel moderner Musik zur Untermalung der Problematik unserer Zeit mit dem wüsten Vorherrschen reiner Gewalt auf der einen und dem haltlosen Spintisieren auf den abwegigsten Gebieten auf der anderen Seite eingesetzt hat.

Auch die zahlreichen Opern des etwas jüngeren Britten lassen ein starkes Interesse des Komponisten an der Problematik seiner Libretti erkennen, aber es ist das Interesse des geborenen Musikdramatikers, der nicht die Probleme, sondern die aus ihnen erwachsenen menschlichen Schicksale in den Mittelpunkt seiner Opern stellt. Besonders eindrucksvoll zeigt sich dies in den beiden Seefahrer-Opern PETER GRIMES (3 Akte, Text nach George Crabbe von Montagu Slater, London

1945) und BILLY BUDD (Text nach Herman Melville von Edward Morgan Foster und Eric Crozier, 1. Fassung in 4 Akten, London 1951, revidierte Fassung in 2 Akten, 1960), in denen krasser Realismus und unheimliche Jenseitigkeit, teuflischer Haß und edelste Liebe musikalisch überhöht nebeneinander oder einander gegenübergestellt werden. Als Beispiele für viele sei hier auf den Schluß von PETER GRIMES verwiesen, wo der wahnsinnig gewordene, verzweifelt nach einer Heimkehr suchende Held von dem barmherzigen, durch das gesprochene Wort hervorgehobenen Rat des weisen alten Kapitäns in den Tod und damit zur Erlösung geführt wird. In BILLY BUDD tritt der fast allgegenwärtige Haß des von der Natur Benachteiligten gegen alles Schöne und Gute musikalisch besonders deutlich in der großen Rache- und Verzweiflungs-Arie des allgemein verabscheuten Masters of Arms im I. Akt hervor, die sich zum Schluß zu dämonischer Größe steigert und als deren extreme Gegensätze gegen Ende der Oper der wunderbar entrückte Monolog des Kapitäns als arioses Rezitativ und kurz darauf die nicht minder erschütternde, ebenfalls liedhaftariose Betrachtung des zum Tode verurteilten Billy. Zumindest diese beiden Werke sind in ihrer Verschmelzung von Musik und Drama echte „Musikdramen", wozu, mit umgekehrten Vorzeichen, auch die dreiaktige komische Oper ALBERT HERRING (Text frei nach Guy de Maupassant von Crozier, Glyndebourne 1947) zu zählen ist, denn auch in ihr wirken Musik und Drama charakteristisch zu einer geistvollen Idee, der Persiflierung einer verlogenen Gesellschaft, zusammen. Kurz vor diesem Werk, 1946, brachte Britten ebenfalls in Glyndebourne den Zweiakter THE RAPE OF LUCRETIA (*Der Raub der Lucretia*) heraus, und etwas später, 1960, hat auch er mit einem dreiaktigen MIDSUMMER NIGHT'S DREAM (*Sommernachtstraum*) Shakespeare seinen Tribut abgestattet, während die späte Oper DEATH IN VENICE (*Der Tod in Venedig;* nach Thomas Mann, 1973) seine durchaus fortschrittliche literarische Einstellung erkennen läßt. Wie deutlich man in England schon frühzeitig seine musikalisch-dramatische Meisterschaft und Vielseitigkeit erkannt hatte, geht bereits aus der Tatsache hervor, daß man ihn 1953 mit der Komposition der Oper GLORIANA (Text von William Plomer) zur Feier der Krönung von Königin Elizabeth II. betraute.

# Die Oper in Schweden und Dänemark

Auch in den skandinavischen Ländern erblickte die Oper als Produkt höfischen Geistes das Rampenlicht der Welt. Hier war es sogar ein König selbst, Gustaf III. von Schweden (gest. 1792), der den Anstoß dazu gab und damit die nach ihm so benannte, nach dem Vorbild der Reformopern Glucks ausgerichtete „gustavianische Oper" ins Leben rief. Ihre Komponisten stammten zwar, mit Ausnahme des ältesten, des Italieners Francesco Antonio Uttini (1723-1795), aus Deutschland, aber ihre Texte von angesehenen einheimischen Dichtern wie Johan Henrik Kellgren und Gudmund Göran Adlerbeth atmeten schwedischen Geist, ja, sie waren nicht selten ausgesprochen national gefärbt. Dies gilt vor allem für die dreiaktige, 1786 aufgeführte Oper GUSTAF WASA, deren von Kellgren ausgeführtes Szenarium vom König selbst stammte, und das lyrische Drama in 3 Akten GUSTAF ADOLF OCH EBBA BRAHE (Stockholm 1788). Komponisten waren die beiden Deutschen Johann Gottlieb Naumann (1741-1803) und Georg Joseph (Abbé) Vogler (1749-1814), beide in ihren späteren Jahren dem schwedischen Hof eng verbunden. Naumann hatte seiner Nationaloper bereits 1782 eine schwedische Oper, CORA OCH ALONZO (Text von Adlerbeth), vorangeschickt und ließ ihr im selben Jahr wie jene, 1786, aber in Kopenhagen, in dänischer Sprache die Oper ORPHEUS OG EURIDICE (Text von Charlotte Dorothea Bichl) folgen. Beide Werke dürften wenig im Sinne des Königs Gustaf gewesen sein, CORA OCH ALONZO, weil sie den Inbegriff einer opera seria aus langen Secco-Recitativ-Szenen ohne Ariosi und voller virtuoser Koloratur-Arien (allerdings auch voller Chöre) darstellte, die ORPHEUS-Oper, weil sie allein schon durch den glücklichen Ausgang, der den tiefen Gehalt der Sage verletzt, vor allem aber auch musikalisch dadurch, daß sie stellenweise ganz schwach das Glucksche Vorbild erkennen läßt, um gerade damit den weiten Abstand dazu hervorzuheben. — Voglers Oper GUSTAF ADOLF OCH EBBA BRAHE wird insgesamt von einer vor allem rhythmisch wie harmonisch einförmigen Rezitation beherrscht, aus der bald mehr volkstümlich-liedhafte, bald anspruchsvoll-opernhafte Arien herauswachsen. Eine ähnlich gefällige, eher uncharakteristische Eintönigkeit findet sich auch in der 1795 entstandenen Musik zu dem Schauspiel *Hermann von Unna* und zeigt sich erstaunlicherweise noch verstärkt in Voglers viel späterer, berühmtester Oper SAMORI (Wien 1804). — Die Tradition der gustavianischen Oper ging mit dem jüngeren, aber früh verstorbenen gleichfalls deutschen Komponisten Joseph Martin Kraus (1756-1792) zuende, der sich mit der posthum aufgeführten großen Ballett- und Choroper AENEAS I CARTHAGO (Text von Adlerbeth, Stockholm 1799) noch einmal leidenschaftlich zu Gluck bekannte)[1].

Im 19. Jahrhundert konnte sich die schwedische Oper keiner so starken, mit einer auch praktischen Förderung verbundenen Anregung erfreuen wie in den Jahrzehnten zuvor, so daß zunächst, ähnlich wie gleichzeitig in England, vorübergehend ein gewisses Vakuum entstand. Es begann erst in den vierziger Jahren, sich wieder zu schließen, als der wohl bedeutendste Komponist Schwedens, Franz Berwald (1796-1868), sein Opernschaffen erst einmal mit einigen Operetten, JAG GÅR I KLOSTER (*Ich gehe ins Kloster*; Stockholm 1843), MODEHANDLERSKAN (*Die Modehändlerin*; ebda. 1845) und EIN LÄNDLICHES VERLOBUNGSFEST IN SCHWEDEN (Wien 1847) begann und dann mit seinen beiden „großen Opern", ESTRELLA DE SORIA (deutscher Text von Otto Prechtler, ins Schwedische übersetzt von Ernst Adam Wallmark, Stockholm 1862) und DROTTNINGEN AV GOLCON-

---

[1] Vgl. hierzu Richard Engländer, Joseph Martin Kraus und die Gustavianische Oper, Uppsala 1943.

DA (*Die Königin von Golconda,* Text nach dem französischen Libretto *Aline, Reine de Golconda* von Jean Baptiste Charles Vial und Edmond Guillaume François de Favières, entstanden 1864/65, uraufgeführt Stockholm 1968 zum 100. Todestag des Komponisten) der Gattung auch außerhalb Schwedens wieder zu Ansehen verhalf. Die beiden, wie üblich von langen, Sinfoniesätzen gleichenden Ouvertüren eingeleiteten, dreiaktigen Werke sind in der Tat „große Opern" im Stil der Zeit, wobei ESTRELLA die Forderungen der anspruchsvollen Gattung mit einem Reichtum an Sologesängen von primadonnengemäßen Bravour- bis zu abwechslungsreichen Buffo-Arien und an schlicht volkstümlichen Romanzen und mit vielen musikalisch wirkungsvollen Ensembles und Chören schwungvoll erfüllt, jedoch wird die Wirkung häufig durch eine dem Tempo der Handlung nicht angemessene Weitschweifigkeit beeinträchtigt. In der zweiten Oper ist dieser Mangel dadurch behoben, daß Musik und Drama, wohl mit aufgrund des dramaturgisch geschickteren Textes, enger miteinander verwachsen sind. Die musikalischen Bestandteile sind die gleichen wie in dem früheren Werk, aber durch ihren gelegentlichen Zusammenschluß zu inhaltlich bedingten Blöcken (z.B. der Block der Verschwörung in den Szenen I, 8-11), den Einschub reizvoller Buffo-Szenen voll volkstümlicher Melodik (z.B. die Szene II, 6) und den stetigen stets textlich bedingten Situationswechsel bleibt die dramatische Spannung die ganze Oper hindurch erhalten — es ist kein Zufall, daß man sich an Stellen wie etwa dem erwähnten Block und dem anschließenden Oktett (I, 13), das dramatisch wie musikalisch zu den Höhepunkten der Oper gehört, gelegentlich an Meyerbeer erinnert fühlt. — Typisch für den schwedischen Komponisten ist es auch, daß sich gerade in dieser seiner Meisteroper so viele volkstümliche Weisen finden, besonders auffällig gegen Ende des II. Aktes, wo sich sogar die Königin in ihrer Arie Nr. 24 dem volkstümlichen Stil des vorangehenden Folk Dans (Nr. 23) anschließt.

Neben den Werken Berwalds und nach ihm erschienen auf schwedischen Bühnen und teilweise auch im Ausland laufend Opern von Komponisten der nächsten und der übernächsten Generation: Aus Ivar Hallströms (1826-1901) reichem Opernschaffen war vor allem die Oper DEN BERGTAGNA (*Die vom Berggeist Verführte*; 1874) erfolgreich, Johan August Söderman (1832-1876) legte in dem Seinen besonderen Wert auf Tanz- und Volksweisen, während sich Johan Andreas Hallén (1846-1925) um eine Synthese des schwedischen Opernstils mit dem Geiste Wagners bemühte. Dasselbe gilt auch für Wilhelm Peterson-Berger (1867-1942), dessen Musikdrama ARNLJIT (Text vom Komponisten, Stockholm 1910) besonderen Anklang fand. Gleichzeitig begann Natanael Berg (1879-1957) sein ausschließlich auf eigene Texte komponiertes, reiches und erfolgreiches Bühnenschaffen auf dem Boden der einheimischen Tradition. — Besonderes Aufsehen erregte noch in der jüngsten Vergangenheit Karl-Birger Blomdahl (1916-1968) mit seiner „Weltraum-Oper" ANIARA (Stockholm 1959), die sowohl inhaltlich als auch musikalisch modernste geistige wie technische Errungenschaften auf die Bühne bringt und deren Betrachtung daher, ähnlich wie die der „Abstrakten Oper Nr. 1" von Boris Blacher und Werner Egk, berufeneren jüngeren Kennern überlassen sei.

In Dänemark lag die — verhältnismäßig reichhaltige — Opernproduktion des ausgehenden 18. Jahrhunderts und weit über die Jahrhundertwende hinweg ebenfalls musikalisch ausschließlich in den Händen deutschstämmiger Meister, während die Libretti von so angesehenen dänischen Dichtern wie Jens Baggesen und Adam Oehlenschläger stammten. Nach Naumanns „Orpheus" (1786) erschienen zunächst die beiden dreiaktigen Opern von Friedrich Ludwig Aemilius Kunzen (1761-1817), HOLGER DANSKE (Kopenhagen 1789) und ERIK EJEGOD (ebenda 1798), beide auf Texte von Baggesen, die erstere, die als bedeutendste dänische Oper der Zeit gilt, nach Wielands *Oberon*. Ihre wie üblich sinfonisch ausgeweitete Ouvertüre beginnt, wie diejenige zu Webers Werk, mit einem bedeutungsvollen Hornsolo, das sich hier allerdings zu einem langgehaltenen Orgelpunkt entwickelt. Beide Opern sind durchkomponiert und zeigen eine ähnlich harmlos-musikantische, aber undramatische Lieblichkeit, wie sie sich auch in den englischen Opern der Zeit findet. Die geschlossenen Formen bewegen sich, zumindest in HOLGER DANSKE, im Dienste einer gewissen Personencharakterisierung zwischen virtuosen Koloratur-Arien und einfacheren, mehr liedhaften Gesängen, das sie verbindende Rezitativ reicht vom echten Secco bis zu abwechslungsreichstem Arioso. In ERIK EJEGOD sind die Gestalten für eine Personencharakteristik zu farblos, doch finden sich hier gelegentlich feine Instrumentationseffekte, wie etwa das Alternieren einer Solovioline mit einer Solotrompete in kürzesten Abständen. In beiden Opern werden nicht selten etwas anspruchsvollere Arien als Aktschlüsse verwendet. — Ebenfalls am Ausgang des 18. Jahrhunderts erschienen die Singspiele des mit Kunzen persönlich eng verbundenen, etwas älteren Johann Abraham Peter Schulz (1747-1800) und bald danach diejenigen von dessen Schüler Christoph Ernst Friedrich Weyse (1774-1842).

Kunzens Nachfolger auf der dänischen Opernbühne war hingegen sein wesentlich jüngerer Landsmann Friedrich Daniel Rudolf Kuhlau (1786-1832), der ein reichhaltiges und vor allem sehr vielseitiges Opernschaffen hinterlassen hat. Schon in seinem Frühwerk, dem Singspiel DIE RÄUBERBURG (Text von A. Oehlenschläger, Kopenhagen 1814) versteht er es, verschiedene, nebeneinanderstehende Nummern zu größeren Szenenblöcken zusammenzufassen und damit das dramatische Geschehen zu klären bzw. umgekehrt, dramatische Gegensätze (wie etwa eine Rache-Arie und ein Buffo-Ensemble am Anfang des II. Aktes) musikalisch so aufeinanderprallen zu lassen, daß die musikalische Wirkung durch die parodistische noch verstärkt wird[2]. — Die in dieser Oper noch verhalten erprobten Ausdrucksmittel hat der Komponist dann in Werken der Folgezeit in verschiedenem Umfang und verschiedener Weise weiter entwickelt — besonders erfolgreich in der „Romantischen Oper" LULU (Text von Christian Frederik Güntelberg, Kopenhagen 1824). Hier spielt der Chor eine besonders große Rolle, vor allem aber tritt hier die Erweiterung einzelner Nummern durch ein inhaltsentsprechendes Ineinandergleiten von Ensembles, Ariosi und Arien zu großen, lyrisch-dramatischen Szenen höchst wirkungsvoll in den Vordergrund[3]. — In der Oper HUGO OG ADELHEID (Text von Caspar Johannes Boye, Kopenhagen 1827) hat Kuhlau zwar durch die Nummern 10 und 11 des II. Aktes, die in der starr konventionell wirkenden Atmosphäre der Oper wie ein bezauberndes Buffo-Intermezzo erscheinen, die Vielseitigkeit seiner Begabung gezeigt, gleichzeitig offenbart aber gerade diese „große Oper" deren Grenzen. Er war den Anforderungen dieser Gattung weder musikalisch noch dramatisch gewachsen, was sich allein schon in der wenig glücklichen Textwahl zeigt. Dafür war es ihm dann aber beschieden, mit dem Singspiel ELVERHØI (*Der Elfenhügel*, Text von Johann Ludvig Heiberg, Kopenhagen 1828) zu sich selbst zurückzufinden und seinem dänischen Gastland aus dessen eigenstem Geist heraus die Nationaloper zu schaffen. Das Werk enthält keinerlei fremde Stilmittel; es besteht vielmehr ausschließlich aus solistisch oder chorisch vorgetragenen einheimischen Volksweisen, erhält aber seine patriotische Weihe erst recht eigentlich durch die Königshymne, deren Weise zuerst herausgehoben im Baß der Ouvertüre und dann mit Text in Gestalt des prächtigen Schlußchores als wahrhaft krönender Abschluß erscheint.

In der Folgezeit trat die Opernkomposition auch in Dänemark etwas in den Hintergrund. Stand doch das, was sich in jenen Jahren in Frankreich und Deutschland ereignete, dem genius loci, wie er sich so eindrucksvoll in der Nationaloper geäußert hatte, allzu fern. Bezeichnenderweise erntete damals einer der angesehensten jüngeren Vertreter dänischer Musik, Johan Peter Emil Hartmann

---

2 Daß Berwald mit dem gleichen Verfahren in seiner zweiten „großen Oper" (vgl. oben S. 417f.) auf dieses Vorbild zurückgegriffen hat, ist wohl kaum anzunehmen.
3 Als Beispiele hierfür sei auf die Nummern 9 und 10 des II. Aktes verwiesen.

(1805-1900), seine größten Bühnenerfolge mit VALKYRIEN (1861), THRYMSKVIDEN (1868) und ET FOLKESAGN (1853) auf dem Nebengebiet des Balletts. Erst im Schaffen der Generation der Jahrhundertmitte begann die Oper wieder eine größere Rolle zu spielen, so vor allem bei August Enna (1860-1939), dessen zahlreiche Opern sich teilweise über ganz Europa verbreiteten. Die beiden Opern seines Altersgenossen Carl Nielsen (1865-1931), SAUL OG DAVID (Text von Einar Christiansen, Kopenhagen 1902) und MASKARADE (Text von Vilhelm Andersen nach Holberg, Kopenhagen 1906) lassen die ganze Weite der Ausdruckskraft ihres Schöpfers erkennen. — Unter den zahlreichen dänischen Meistern, die die Gattung in das 20. Jahrhundert hinüberführten, ragt vor allem Ebbe Hamerik (1898-1951) hervor, der sie mit dem Geist der „neuen Musik" erfüllt hat.

# Die russische Oper
# und die Oper in den Ländern Osteuropas
# Oper in den USA

# Die Oper in Russland[1]

In Rußland wurden die Anfänge der Oper geprägt — und erschwert — durch den extremen Gegensatz zwischen „der Oper in Rußland" und „der russischen Oper". Grundsätzlich bestand ein entsprechender Gegensatz zwar auch in anderen Ländern, doch war er nirgends so stark spürbar wie hier, wo seine Überbrückung, d.h. die Erfüllung langsam herangewachsener, fertiger fremder Gattungen mit eigenem, national-russischem Geist, zur primären, ja schlechthin zu der Aufgabe der russischen Opernkomponisten des 18. Jahrhunderts geworden war. Und während sie um deren Erfüllung rangen, befand sich die Hofmusik kurz vor und in der Regierungszeit der Zarin Katharina II. (1762-1796) fest in der Hand einer lückenlosen Reihe so bedeutender italienischer Opernkomponisten wie Galuppi, Traëtta, Paisiello, Sarti, Martin y Soler und Cimarosa, die nicht nur als Hofkapellmeister die Richtung bestimmten, sondern dort auch selbst zahlreiche Opern komponierten und auf Bühnen in Moskau bzw. St. Petersburg herausbrachten. Daß im Schatten ihres glänzenden Schaffens und hohen Ansehens neben dieser „Oper in Rußland" allmählich auch eine „russische Oper" heranwuchs, berührte sie kaum. Eine beachtenswerte Ausnahme macht nur Giuseppe Sarti, der 1790 in Zusammenarbeit mit dem russischen Opernkomponisten Wassili Alexejewitsch Paschkewitsch die Oper NATSCHALNOJE UPRAWLENIJA OLEGA (*Der Beginn der Herrschaft Olegs*; auf einen russischen Text der Zarin) komponierte und im Theater der Eremitage von St. Petersburg aufführen ließ.

Im allgemeinen aber wurden jene Italiener als bewunderte Vorbilder berufen und auch als solche betrachtet, sowohl als Vertreter der traditionellen opera seria, die hier wie überall in der Opernwelt noch immer festlichen Glanz verkörperte, als auch nicht minder als Vermittler von deren zeitgemäßerer, satirisch-volkstümlicher Reaktion in der opera buffa. Dazu gesellte sich wenig später als dritte fremde Gattung die französische opéra comique, die sich einer solchen Beliebtheit erfreute, daß Zar Alexander I. einen ihrer damaligen Hauptvertreter, Adrien Boieldieu, kurz nach der Jahrhundertwende als Kapellmeister an seinen Hof berief und der Gattung damit ein neues weites Feld eröffnete.

## Die Anfänge der russischen Oper

So stand denn die „Oper in Rußland" unter der Ägide des Hofes und der Aristokratie fest geformt und gleich in dreifacher Gestalt der „russischen Oper" gegenüber, die eben zu derselben Zeit ihre ersten Schritte versuchte. Ihre Träger waren zwar vorwiegend ebenfalls italienisch geschult, doch erkannten sie, daß sie sich die neue Gattung nicht durch Nachahmung, sondern nur durch Nationalisierung, d.h. textlich wie musikalisch durch weitgehende Verselbständigung zu eigen machen konnten, wobei freilich die Auseinandersetzung mit den westeuropäischen Vorbildern nicht zu vermeiden war. Sie knüpften, dem Zeitgeist folgend, wie ihre Generationsgenossen in anderen

---

[1] Bei der Behandlung dieses Kapitels war die Verfasserin zu ihrem Leidwesen gezwungen, aufgrund der „Sprachbarriere" relativ häufig auf Sekundärliteratur zurückzugreifen; dabei sei hier vor allem erwähnt: Sigrid Neef, Handbuch der russischen und sowjetischen Oper, Kassel 1989, und Dieter Lehmann, Rußlands Oper und Singspiel in der zweiten Hälfte des 18. Jahrhunderts, Leipzig 1958, sowie die entsprechenden Abschnitte des Artikels „Rußland" in: Die Musik in Geschichte und Gegenwart, Band XI, Kassel 1963.

Ländern, bei den jüngeren Gegenstücken zur alten Oper, bei Singspiel und opéra comique an, die ihnen durch ihre volkstümliche Haltung die schwierige Aufgabe der Erfüllung eines fremden Gefäßes mit neuem, eigenem Leben erleichterten. Von den frühesten Versuchen in dieser Richtung ist nur wenig erhalten — als Beispiele für die Souveränität, mit der man dieser unvermeidlichen Diskrepanz von Anfang an begegnete, sind vor allem die überaus erfolgreichen Opern MELNIK, KOLDUN, OBMANSCHTSCHIK I SWAT (*Der Müller als Zauberer, Betrüger und Ehestifter;* Text von Alexander Omissowitsch Ablesimov, Musik von Michail M. Sokolowski) und SANTKPETERBURGSKI GOSTINY DWOR (*Der Petersburger Kaufhof;* Text und Musik von Michail Matinski, beide 1779 erschienen) zu nennen, in denen das Schwergewicht musikalisch auf klassisch-opernhaft begleiteten russischen Volksmelodien, textlich (vor allem im zweiten Werk) auf der Wahl eines betont alltäglichen Milieus lag. Zeitlich unmittelbar an sie anschließend traten dann die Werke der Meister hervor, die nur wenig jünger waren als die führenden der opéra comique und des deutschen Singspiels in Frankreich bzw. Deutschland, an ihrer Spitze Wassili Alexejewitsch Paschkewitsch (1742-1800), Dmitri Stepanowitsch Bortnjanski (1751 oder 52-1825) und Evistignei Ipatowitsch Fomin (1761-1800), die mehr oder weniger einen Ausgleich der Gegensätze brachten und damit zum Ausgangspunkt für die russische Oper des 19. Jahrhunderts wurden.

Von ihnen war Bortnjanski, ein Schüler Galuppis, wie schon die italienischen bzw. französischen Titel seiner Opern CREONTE, QUINTO FABIO, ALCIDE, LE FAUCON, LE FILS RIVAL (1776-87) zeigen, am stärksten den westeuropäischen Vorbildern verpflichtet, während die beiden anderen deren Anregungen individuell ganz verschiedenartig in ein buntes Stilgemisch verwandelt haben. Paschkewitsch bediente sich dabei sowohl der Stilmittel der opera buffa als auch der opéra comique. Er schrieb zunächst eine Neufassung von Matinskis *Petersburger Kaufhof* und zeigte dann in seinen Opern NESTSCHASTJE OT KARETY (*Die unheilvolle Kalesche;* Jakow Borissowitsch Knjashnin, 1779), SKUPOI (*Der Geizhals;* nach Molière, 1782) und FEWEJ (Zarin Katharina, 1786), der ersten russischen Märchenoper, inhaltlich wie musikalisch die ganze Vielfalt, die der russischen Oper schon zu jener Zeit zur Verfügung stand. Das Gleiche gilt auch für die Werke Fomins, wenngleich dieser stilistisch mehr zur opera buffa neigte. In seiner Oper JAMSCHTSCHIKI NA PODSTAWE (*Die Kutsche auf der Poststation;* Nikolai Lwow, 1787), geht es nur um eine einfache, aber eindringliche Schilderung des russischen Volkslebens, die zweiaktige Oper AMERIKANZY (*Die Amerikaner;* Iwan A. Krylow, 1788, erst 1800 aufgeführt) ist textlich vermutlich auf eine Anregung von Voltaires *Alzire ou l'Américaine* zurückzuführen, und sein ebenfalls zweiaktiges Melodram ORFEJ I EWRIDIKA (Knjashnin, 1792) wurde schon zu seiner Zeit als besonders hervorragendes Meisterwerk, ja als Krönung der jungen Gattung angesehen.

Von diesem beachtlichen Niveau der russischen Oper des 18. Jahrhunderts aus führten dann die Werke zweier jüngerer Meister über die Jahrhundertwende hinweg und erwiesen sich auch künstlerisch als unmittelbare Vorläufer der großen russischen Nationaloper der Folgezeit: der gebürtige Venezianer Catterino Cavos (1776-1840) und Alexej Werstowski (1799-1862). Cavos wirkte seit 1798 in St. Petersburg als Kapellmeister der verschiedensten Ensembles und Bühnen, für die er zahlreiche Opern, Singspiele und Ballette schrieb. Mit seiner russischen Bearbeitung von Ferdinand Kauers weit verbreitetem, romantischem Volksmärchen DAS DONAUWEIBCHEN (Karl Friedrich Hensler, Wien 1798; St. Petersburg 1803), der er noch weitere Teile folgen ließ, sowie mit seiner zweiaktigen Oper IWAN SUSSANIN (Alexander Sachowskri, St. Petersburg 1815) läßt er bereits romantische Neigungen erkennen. 21 Jahre später leitete er ebenda die Uraufführung von Glinkas erster Oper EIN LEBEN FÜR DEN ZAREN, die den gleichen Gegenstand behandelt wie sein eigenes Werk und deren künstlerische Überlegenheit er verständnisvoll anerkannte. — Wie er, zeigt auch Werstowski in vielen erfolgreichen Opern teils in der Textwahl, teils in der Vorliebe für Anklänge an volkstümliche russische Lieder bzw. Couplets der opéra comique, wie stark auch er schon vom Geiste der Romantik berührt war.

## Glinka und Dargomyshski

Trotz dieser vereinzelten vorwärtsweisenden Züge der Musik und obwohl Werstowski nur fünf Jahre älter war als Glinka (1804-1857), trägt dieser doch den Ehrennamen eines „Stammvaters der russischen Musik" zu Recht, nicht nur, weil alle bedeutenden russischen Komponister der Folgezeit ihn gleichermaßen als Vorbild anerkannten, sondern weil es ihm in der Tat, nicht nur auf dem Gebiet der Oper, als erstem russischen Komponisten gelungen war, es den größten westeuropäischen Meistern gleich zu tun, ohne seine heimische Eigenart zu verleugnen[2]. Für seine beiden Opern ist textlich charakteristisch: für IWAN SUSSANIN, später genannt EIN LEBEN FÜR DEN ZAREN (vier Akte und Epilog, Text von Georgi F. von Rosen, St. Petersburg 1836), die starke Betonung des nationalen Elements, für RUSLAN I LJUDMILA, „Märchenoper in 5 Akten" (Text vom Komponisten, Wolerjan Schirkow und anderen nach Puschkin, St. Petersburg 1842) das überaus bunte Märchenmilieu. Musikalisch zeichnen sich beide durch ausgedehnte sinfonische Ouvertüren sowie durch die große Rolle aus, die der Chor in ihnen spielt, meist in Gestalt großer Chorblöcke bzw. -szenen, die durch strophische Wiederholungen zusammengehalten werden und deren polyphoner Satz mitunter — so in IWAN SUSSANIN Nr. 1 und Nr. 4 und in RUSLAN im 1. Finale — bis zur kunstvollen Chorfuge und zur Kanonik gesteigert wird. In den Sologesängen herrscht schlichte, oft volkstümliche Liedhaftigkeit vor. Opernhafte Koloraturarien sind vor allem in dem früheren Werk, seinem Bauernmilieu entsprechend, eine Seltenheit, dafür wird hier mit Hilfe verschiedener charakteristischer Tänze wie Polonaise, Krakoviak, Mazurka etc. der Unterschied zwischen der russischen Bevölkerung und den feindlichen Polen deutlich hervorgehoben, wie überhaupt in beiden Werken die musikalische Thematik weitgehend dem Inhalt angepaßt ist. Als Beispiele hierfür sei auf die beiden gegensätzlichen, sehr eingängigen Themen der Ouvertüre zu RUSLAN I LJUDMILA verwiesen, die bereits den Charakter der ganzen Oper umreißen und durch die häufige konzertante Aufführung des eindrucksvollen Satzes allgemein bekannt sind.

Michail Glinka: RUSLAN I LJUDMILA

1. Thema

2. Thema

Im III. und IV. Akt dieser Oper erscheinen Chöre und Tänze, die durch schmeichelnde Lieblichkeit und deren Steigerung bis zu wilder Raserei erstmalig den Gegensatz des Orientalischen verkörpern, wie es in russischen Opern späterer Zeit üblich werden sollte. Die Sonderstellung des bösen Zauberers und Zwergen Tschernomor wird zwiefach dadurch unterstrichen, daß er zwar eine — die einzige — stumme Rolle ist, aber musikalisch durch das hervorstechende Leitmotiv einer Ganztonleiter vertreten wird.

---

2 Ein Vergleich mit den wichtigsten westeuropäischen Opern, die in den Erscheinungsjahren von Glinkas beiden Opern, 1836 und 1842, herauskamen: Meyerbeers HUGENOTTEN (Paris 1836), Verdis NABUCCO (Mailand 1842) und Wagners RIENZI (Dresden 1842) möge dies veranschaulichen.

Der mit Glinka befreundete, nur wenig jüngere Alexander Sergejewitsch Dargomyshski (1813-1869) begann sein Opernschaffen mit einer Vertonung von Victor Hugos *Glöckner von Notre Dame*, die 1847 unter dem Titel ESMERALDA in Moskau herauskam, ohne sonderlichen Widerhall zu finden. Seinen großen Namen erwarb sich der Komponist dagegen neun Jahre später mit dem Griff nach einem Stoff von Puschkin, dem fast allgegenwärtigen Schutzgeist und Anreger der russischen Librettistik. Mit seinem nach Puschkin selbst verfaßten Libretto zu seiner zweiten, vieraktigen Oper RUSSALKA (St. Petersburg 1856) errang er einen großen Erfolg. Fast mehr noch als bei Glinka sind in diesem Werk Text und Musik in inhaltsbedingtem raschen Wechsel von langen freien Ariosi und volkstümlichen Liedstrophen, von pathetischen Arien und lebhaft deklamierten Chören, von kunstvollen und heiter deklamierten schlichten Ensembles aufeinander abgestimmt. Höchst wirkungsvoll erscheint der rein orchestrale Ausklang des IV. Aktes, der den Sieg der Naturgewalten über die Tragik des Geschehens symbolisiert. — Besonderes Aufsehen erregte Dargomyshskis letztes Bühnenwerk KAMENNY GOST (*Der Steinerne Gast*; Text von Puschkin, St. Petersburg 1872), ein geistvolles Experiment, das vor allem bei den jüngeren Komponisten, die sich zur Gruppe der „Fünf", auch ironisch „das mächtige Häuflein" genannt, zusammengeschlossen hatten, begeisterten Widerhall fand und das, da es unvollendet blieb, zwei von ihnen ergänzten (Cesar Cui durch Hinzufügung von Vorspiel und Schluß des I. Aktes, Rimski-Korsakow durch Instrumentation des Ganzen). Puschkins unverändert übernommener Text läßt bei grundsätzlicher Übereinstimmung mit dem von Mozarts DON GIOVANNI den Abstand von fast 100 Jahren, aber auch die dichterische Überlegenheit Puschkins erkennen, wohingegen der gewagte Versuch des Komponisten, ein ganzes dramatisches Werk in bloßem, sparsam begleiteten Sprechgesang wiederzugeben, sich notwendig der Gefahr der Eintönigkeit aussetzen mußte. Gerade darum aber ist die Kunst zu bewundern, mit der Dargomyshski diesen neuen russischen Sprechgesang in den Dienst des dramatischen Geschehens, ja der Personencharakterisierung gestellt hat. Es gibt kaum eine Dialogszene, bei der man nicht allein in der bald mehr ariosen, bald mehr deklamatorischen Rezitation die feinen psychologischen Unterschiede der Personen und ihrer Situationen erkennen könnte, auch ohne daß, wie es nur an wenigen Stellen der Fall ist, Orchester oder Chor (einmal im I. Akt) einen Fingerzeig geben könnten.

## Die Opernkomponisten des „Mächtigen Häufleins" und Tschaikowski

Zwischen den ersten Großmeistern der russischen Oper, Glinka und Dargomyshski und den ihnen folgenden Mitgliedern des „Mächtigen Häufleins", Borodin (1834-1887), Cui (1835-1918)[3] und Mussorgski (1839-1881), lag altersmäßig eine Generation, und in der Tat sahen die jüngeren Meister zu den älteren als zu ihren Vorbildern auf, wenn auch der zeitliche Abstand gelegentlich durch posthumes Erscheinen so mancher Werke verwischt worden ist. Der älteste der letzteren war Alexander Borodin, der aber mit der Arbeit an seiner einzigen Oper KNJAS IGOR (*Fürst Igor*) noch vor dem Erscheinen von Dargomyshkis STEINERNEM GAST begonnen und sie dann doch noch unvollendet hinterlassen hatte, so daß sie erst nach Bearbeitungen von Rimski-Korsakow und Glasunow 1890 posthum in St. Petersburg uraufgeführt werden konnte — ein eigenartiges Schicksal so mancher russischer Oper. Den Text hatte er nach einem alten russischen Epos selbst zusammengestellt. Es ist eine ausgedehnte „große Oper" im wahrsten Sinne der Gattung aus vier

---

3 Cesar Antonowitsch Cui hat zahlreiche Opern hinterlassen, von denen jedoch keine für die Entwicklung der Gattung Bedeutung erlangt hat. Vgl. hierzu Neef, a.a.O., S. 127ff.

Akten und einem dramatischen Prolog. Textlich wie musikalisch wird sie beherrscht von dem scharfen Kontrast zwischen den Russen

Alexander Borodin: FÜRST IGOR

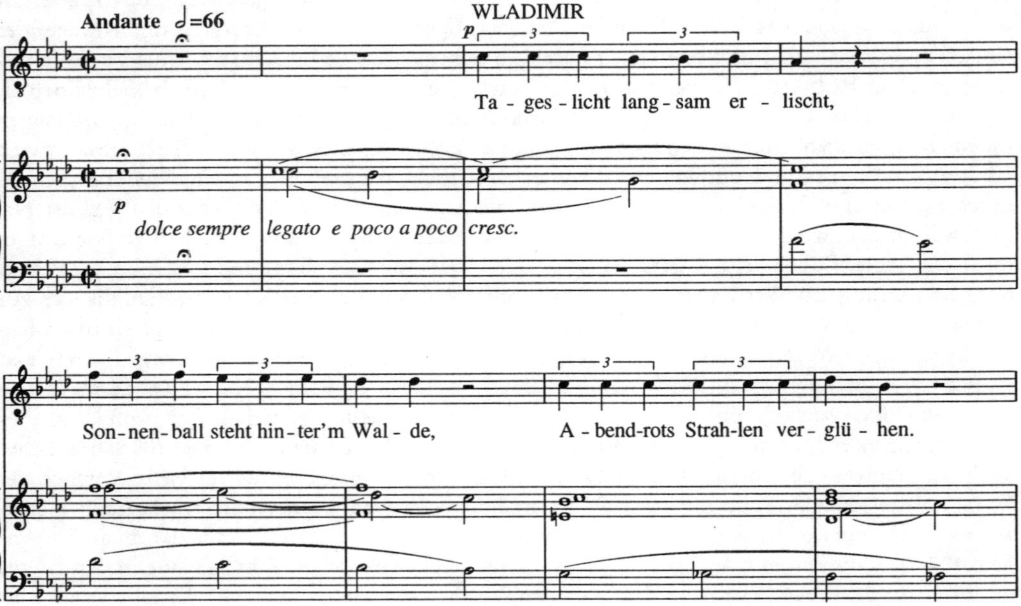
Andante =66
WLADIMIR
Ta - ges - licht lang - sam er - lischt,
dolce sempre legato e poco a poco cresc.
Son - nen - ball steht hin - ter'm Wal - de,
A - bend-rots Strah-len ver - glü - hen.

und den Polowzern,

Alexander Borodin: FÜRST IGOR

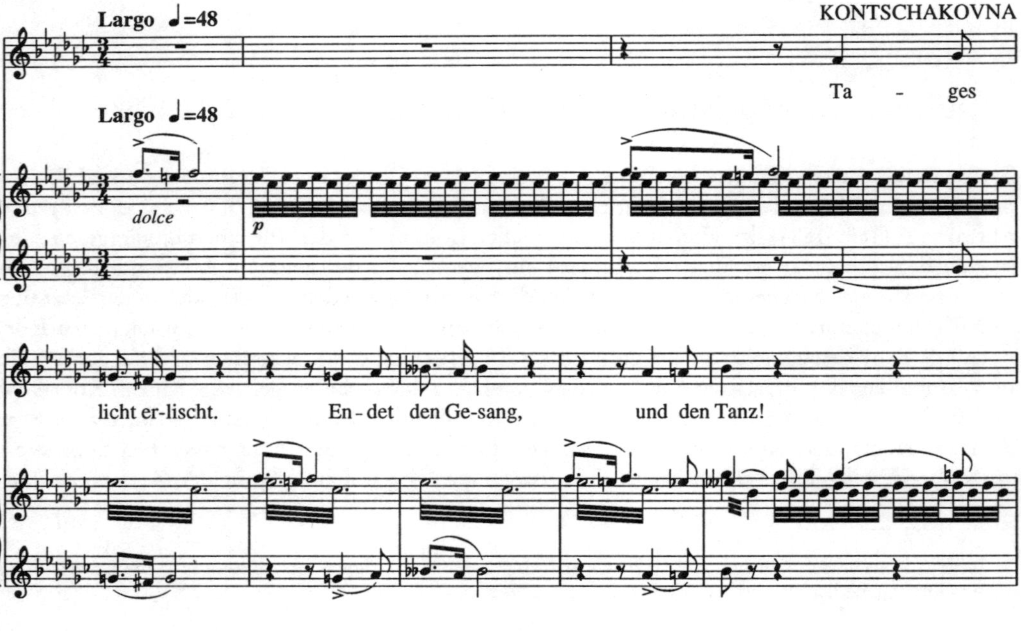
Largo =48
KONTSCHAKOVNA
Ta - ges
Largo =48
dolce
licht er - lischt.
En - det den Ge - sang,
und den Tanz!

deren Melodik sich durch exotisch wirkende, chromatische Fortschreitungen auszeichnet, sowie durch die Einfügung buffonesk-parodistischer Gesänge, ja ganzer Szenen, wie z.B. in Szene IV Nr. 28 der Gudokspieler. Charakteristisch für die Komposition im Ganzen ist das Ineinanderfließen der Gattungen: Secco und Arioso gehen nicht nur ineinander über, sondern ziehen häufig auch noch Arien in ihren Verbund. — Das Werk erschien dann letztlich erst im Gefolge der beiden großen „musikalischen Volksdramen" BORIS GODUNOW (St. Petersburg 1874) und CHOWANSCHTSCHINA (ebenda 1886) des etwas jüngeren Modest Mussorgski, deren Texte beide (der erstere nach Puschkin) vom Komponisten stammen und die beide ebenfalls mannigfach vor allem von Rimski-Korsakow bearbeitet worden sind und in verschiedenen Fassungen vorliegen[4]. Beider Stoffe weisen weit in die an Schrecknissen reiche russische Geschichte zurück, aus denen Mussorgski vor allem in BORIS GODUNOW besonders eindrucksvoll die beiden tragenden Gegensätze, das allgegenwärtige „Mütterchen Rußland", d.h. das Volk, die in vielen volkstümlichen Gesängen wiedergegebene Masse, und andererseits das „Väterchen Zar", den schwer unter seinem Schicksal leidenden Einzelnen, dargestellt hat, wie sie sich musikalisch im Lobgesang des Volkes auf den Zaren im 2. Bild des Prologs und in dem ergreifenden Secco, Arioso und Arie verbindenden Monolog des Boris äußern (vgl. die Beispiele S. 428/429). — Formal ist diese Oper im Vergleich zu anderen russischen von großer Vielseitigkeit. Zwar herrscht auch in ihr arioser, bald mehr zum Secco, bald zur Arie neigender frei dahinfließender, nur selten von wirklich geschlossenen Formen unterbrochener Gesang vor, doch bildet der III., der sogenannte „Polen-Akt" (vor allem dessen 2. Bild) im Gegensatz dazu geradezu ein Ariengespräch, was seine Atmosphäre in Verbindung mit der Vorherrschaft von Mazurken- und Polonaisen-Rhythmen von seiner „russischen" Umgebung abhebt. — Die ebenfalls von verschiedenen Meistern bearbeitete komische Oper in 3 Akten SOROTSCHINSKAJA JARMARKA (*Der Jahrmarkt von Sorotschinzy;* St. Petersburg 1917), deren Text (nach Gogol) gleichfalls von Mussorgski stammt, zeigt, daß der Komponist, auch wenn und gerade weil er keine „opera buffa" beabsichtigt hatte, doch ein wirkungsvolles, von volkstümlich-liedhafter, gefälliger Musik erfülltes Lustspiel schaffen konnte, das zugleich den Ansprüchen des Gogolschen Textes genügte.

In der unmittelbaren zeitlichen Nachbarschaft der Bühnenwerke Borodins und Mussorgskis nehmen sich die des annähernd gleichaltrigen Peter Tschaikowski (1840-93) in jeder Hinsicht seltsam genug aus. Nicht nur, daß den meisten der Erfolg, von Anfang an oder doch auf die Länge gesehen, versagt blieb — auch diejenigen, die wie JEWGENI ONEGIN (*Eugen Onegin*), PIQUE DAME und der späte Einakter IOLANTA (Text von Modest Tschaikowski, St. Petersburg 1892) in die Geschichte eingegangen sind, stehen auf einem völlig anderen Blatt als jene Werke. Obwohl die beiden Erstgenannten textlich wie üblich auf Puschkin zurückgehen, wird keines der drei Libretti von den Schrecken in der fernen russischen Vergangenheit geprägt, sondern bewegt sich im quasi zeitlosen Rahmen einer gleichgültigen Gegenwart, und zu dieser textlichen Angleichung an die westeuropäische Oper gesellt sich auf musikalischem Gebiet die dort übliche völlig selbständige Arbeitsweise des berufsmäßigen Opernkomponisten, der keiner helfenden Praktiker bedurfte. Auf diese Weise gelangten JEWGENI ONEGIN (Text nach Puschkin vom Komponisten und Konstantin Schilowski, Moskau 1879) und PIQUE DAME (Text nach Puschkin und anderen von Modest Tschaikowski, St. Petersburg 1890) unter die meistgespielten europäischen Opern des 19. Jahrhunderts. JEWGENI ONEGIN trägt nicht zufällig den Untertitel „Lyrische Szenen" — tritt doch in diesem Werk die Einheit von lyrischer, d.h. rein musikalischer Meisterschaft, und szenischer Darstellung, d.h. Dramatik, besonders deutlich hervor. Dies zeigt sich gleich eindringlich in der ersten Nummer des I. Aktes, wo das lyrische Duett der beiden Schwestern Tatjana und

---

[4] Vgl. Näheres hierzu bei Neef, a.a.O.

Modest Mussorgski: BORIS GODUNOW

Modest Mussorgski: BORIS GODUNOW

Peter Iljitsch Tschaikowski: Jewgeni Onegin

Olga durch das mehr unterhaltend rezitierende der Mutter und der Dienerin erst zum Quartett erweitert und zuletzt von diesem abgelöst wird. Und aus der fast lückenlosen Reihe weiterer Beispiele sei dann noch auf die Nummern 4 und 5 desselben Aktes verwiesen, in denen der Gegensatz zwischen den beiden Mädchen in Gegenwart der beiden Liebhaber in einem glänzend aufgelockerten Quartett musikalisch-dramatisch offenbart wird. Besonderer Erwähnung bedarf ferner vor allem auch die Szene I, 9 des ungeschriebenen Briefs der Tatjana, eine arios geschlossene, durch Motivwiederholungen zusammengehaltene Liebeserklärung, der dadurch besondere Bedeutung zukommt, daß sie sich am Ende der Oper mit umgekehrten Rollen noch einmal tragisch wiederholt (vgl. S. 430). — Die 11 Jahre später entstandene und aufgeführte „Oper" PIQUE DAME ist dem früheren Werk textlich durch den Beiden gemeinsamen Geist Puschkins verwandt, doch erscheint sie gegenüber jenen „Lyrischen Szenen" eindeutig im anspruchsvollen Gewand einer lyrischen „Großen Oper" mit deren Licht-, aber infolge der merkwürdigen Verbindung von großer musikdramatischer Kunst und (besonders gegen Ende) mit Kitsch auch mit deren Schattenseiten. In Beiden gehen Rezitativ, Arioso und Arie nach altem russischem Opernbrauch permanent ineinander über, wobei jedoch das jüngere Werk textlich wie musikalisch dicht von betont scharfen Gegensätzen durchsetzt und daher dramatisch wirkungsvoller ist als die „Lyrischen Szenen" mit ihrer einheitlichen Atmosphäre. Besonders charakteristisch für den Unterschied zwischen ihnen ist die verschiedene Rolle, die die geschlossenen Formen in ihnen spielen. In EUGEN ONEGIN erscheinen sie als Bestandteile des Dramas selbst, in PIQUE DAME dagegen in erster Linie, wie z.B. die Ballade Tomskis in Nr. 5, die Romanze Polinas in Nr. 8 und Spielerlied und -chor in Nr. 23 als eingefügte Darbietungen innerhalb des gleichmäßig dahinfließenden musikdramatischen Geschehens. Als dessen Krönung erklingt unmittelbar vor dem Schluß zu den letzten Liebesworten des sterbenden Hermann im Orchester noch einmal die große, sich steigernde Liebesmelodie (Beispiel S. 432).

Die „Lyrische Oper in einem Aufzug" IOLANTA (Text nach Henrik Hertz' *König Renés Tochter* von Modest Tschaikowski, St. Petersburg 1892) war Peter Tschaikowskis letztes Bühnenwerk, das sich sowohl durch seine Knappheit als auch vor allem durch die Besonderheit seines textlichen Grundproblems, das Verhalten und das Schicksal einer blinden Heldin, die nicht weiß, daß sie blind ist, grundsätzlich von den früheren Werken unterscheidet. Die Schwerpunkte liegen textlich wie musikalisch zunächst auf den Szenen, in denen die unwissend Blinde solistisch oder chorisch vorsichtig von ihrer Umgehung umsorgt wird und in denen ihr Vater, der König, sein und ihr Schicksal beklagt und zum Himmel um Rettung fleht (vgl. S. 433/434), dann (ab Nr. 5) auf dem Auftritt eines berühmten Arztes, der als Vorbedingung der Heilung in einer durch ostinaten Zeilenrhythmus hervorgehobenen Arie die Aufklärung der Kranken über ihre Blindheit fordert, dabei aber auf den hartnäckigen, im Orchester in „*ff marcato*" verklingenden Widerstand des Königs stößt. Durch das zufällige Zusammentreffen mit einem fremden Ritter, der ihr in ariosem Gespräch das Wesen des Lichts erklärt, wird die Heilung und mit ihr die erschütternde Szene, in der sich die Heldin vom hilflosem Stammeln bis zu der vom Arzt auf sie übertragenen menschlichen Würde durchringt, kurz vor dem Ende der Oper dann aber doch ermöglicht.

Daß Tschaikowski kein Mitglied des „Mächtigen Häufleins" war, wird so recht deutlich, wenn man nicht nur sein Verhältnis zu dessen früheren Werken, sondern auch zu denen des jüngsten dieser Gruppe, Nikolai Andrejewitsch Rimski-Korsakow (1844-1908), betrachtet. Sie alle wurzeln zwar nicht im Boden einer historisch weit entfernten Vergangenheit, aber einer nicht minder unwirklichen Welt von Märchen und Sage, ganz abgesehen davon, daß Rimski-Korsakow durch seine rege Bearbeiter- und Instrumentierungs-Tätigkeit in besonders engen Beziehungen zu den älteren Borodin und Mussorgski stand. Sein reichhaltiges Opernschaffen könnte daher auch als eine Art von Fazit aus dem der früheren Meister angesehen werden. Seine künstlerischen Beziehungen reichten auch noch weiter zurück, denn er hat seinen kurzen MOZART I SALJERI (auf einen Text

Peter Iljitsch Tschaikowski: PIQUE DAME

Peter Iljitsch Tschaikowski: JOLANTA

von Puschkin, Moskau 1898) dem Andenken Dargomyshskis gewidmet, an dessen gleichfalls von Puschkin gedichteten Text er stilistisch anknüpfte. Im gleichen Jahr erschien, ebenfalls in Moskau, die erste von ihm besonders geschätzte große Oper in 7 Bildern SADKO über einen von ihm selbst und zahlreichen Mitarbeitern aus verschiedenen Märchenmotiven[5] zusammengestellten Text.

Dieses Werk nimmt fast programmatisch die reizvolle inhaltliche Doppelgleisigkeit vorweg, die mehr oder weniger allen bedeutenden Opern Rimski-Korsakows zu eigen ist: Sie gehören alle zwei Welten an: einer betont diesseitigen, banalen und einer naturhaft jenseitigen, in deren Zwiespalt sich das Schicksal des Helden dramatisch erfüllt und der musikalisch die Quelle eines großen Reichtums darstellt. Überbrückt wird er in SADKO durch eine Vielzahl an liedhaften Strophen auf beiden Seiten, die häufig transponiert und meist mit geänderter Begleitung wieder auftauchen können. Dazu gesellt sich eine Vorliebe für das Festhalten an bestimmten rhythmischen Schemata, die oft weite Strecken inhaltlich zusammenhalten und dabei mitunter etwas eintönig wirken. Die diesseitige Welt wird vor allem durch die Chöre der selbstbewußten Kaufleute von Nowgorod im 1. Bild

Nikolaj Andrejewitsch Rimski-Korsakow

---

5 Vgl. hierzu Neef, a.a.O., S. 427.

und durch die fremdländisch wirkenden Strophen der drei fremden Kaufleute im 4. Bild wiedergegeben, die mehr jenseitige etwa durch Sadkos feierlichen Gesang zum Lobe des Meeresfürsten und seiner Familie im 6. Bild.

Nikolaj Andrejewitsch Rimski-Korsakow

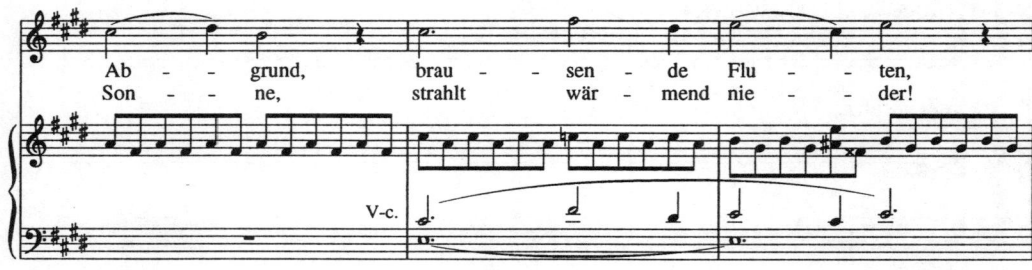

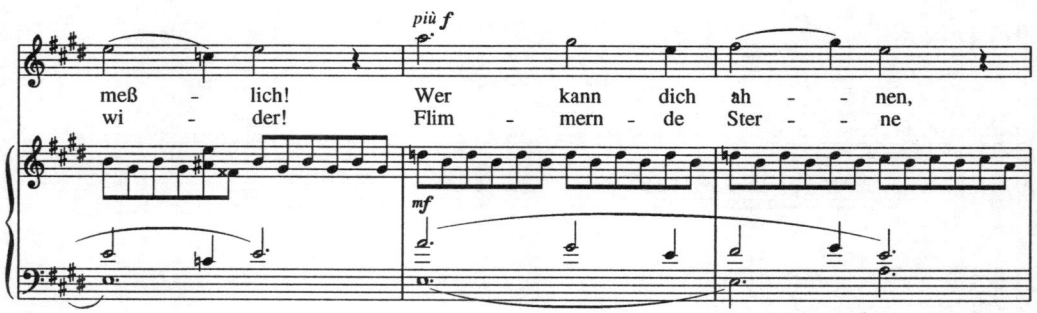

Im letzten Finale tritt die satztechnische Kunst des Komponisten in einer polyphonen Zusammenfassung quasi aller dramatisch-musikalisch wichtiger früherer Zitate besonders deutlich hervor — ein Zeichen dafür, daß Rimski-Korsakow bei aller festen Verwurzelung in der heimischen Tradition vom Geiste Wagners schon damals nicht ganz unberührt geblieben ist.

Auch und gerade in seinen letzten Lebensjahren verschob sich der Schwerpunkt seines Opernschaffens mehr und mehr auf Stoffe aus dem Wunderland des Märchens — vor anderen in den beiden Puschkin-Opern SKASKA O ZARE SALTANE (*Das Märchen vom Zaren Saltan;* Text von Wladimir Belski, Moskau 1900) und SOLOTOI PETUSCHOK (*Der goldene Hahn;* Text von demselben, Moskau 1909) sowie SKASANIJE O NEWIDIMOM GRADE KITESHE I DEWE FEWRONII (*Legende von der unsichtbaren Stadt Kitesch und der Jungfrau Fewronija;* Text von demselben, St. Petersburg 1907). Im erstgenannten Werk, in dem es um das typische Märchenmotiv des Neides der älteren Schwestern gegenüber der vom Schicksal bevorzugten jüngsten geht, hat Rimski-Korsakow den ganzen bunten, ihm adäquaten Erfindungsreichtum Puschkins mit Musik erfüllt — es sei nur auf die kantabel-pathetische Arie der Schwanen-Zarewna nach ihrer Rettung im II. Akt, die wandelbaren Erzählungen der drei Seeleute mit der immer gleichbleibenden schlichten Erwiderung des Zaren im III. Akt und auf alle vier großen Finali hingewiesen.

Die *Legende* erscheint zwischen den beiden *Märchen* vor einem weiteren historischen Hintergrund dramatisch anspruchsvoller und daher musikalisch noch abwechslungsreicher, schon allein durch die Charakterisierung so gegensätzlicher Gestalten wie der „edlen Jungfrau Fewronija", die in ihrer ersten Arie im Vorspiel bereits ihr — später noch mehrfach leitmotivisch wiederkehrendes - Glaubensbekenntnis ablegt, und ihrem Gegenspieler, dem Verräter Kuterma, der das auch musikalisch fremde (durch übermäßige Intervalle und eine Vorliebe für chromatische Steigerungen gekennzeichnete) Volk der Tataren nach dem großen Orchestergemälde der Schlacht am Kershenez nach Groß-Kitesch führen will, aber wahnsinnig wird, weil es auf ein schlichtes Gebet Fewronijas am Ende des II. Aktes hin unsichtbar geworden ist. Dies und das Wiederauftauchen der Stadt aus den Nebelwolken unter dem Geläut der Glocken am Schloß der Oper dürfte wohl einer der bewegendsten Bühneneffekte im Opernschaffen Rimski-Korsakows, und nicht nur in diesem, gewesen sein.

Die letzte Oper des Meisters, DER GOLDENE HAHN, ist zwar auch ein Märchen, das sich aber durch eine fast allgegenwärtige Parodierung selbst ad absurdum führt: ein Astrolog leitet in einem kurzen Vorspiel in das Geschehen ein und erklärt es in einem ebensolchen Epilog als bloßes Gaukelspiel. So hinterläßt das Werk trotz vieler überragender musikalisch-dramatischer Wirkungen im Ganzen einem zwiespältigen Eindruck, kaum je märchenhaft, humoristisch, wenn es um das Herumdrücken des Königs und seiner Söhne um die Teilnahme am Krieg, die übertriebene Begeisterung des Volkes im Schlußchor des I. Aktes und im auf einen Ton deklamierenden Chor der Soldaten im II. Akt geht, fast peinlich bei dem schnöden Spiel der jungen schönen Zarin Schemacha mit dem alten, verliebten Zaren Dodon ebenda. Im Grunde ist Schemacha trotz dieser ihrer Rolle die märchenhafteste Gestalt des Werkes, ihre von ostinaten chromatischen Motiven umspielte und von übermäßigen und chromatischen Intervallen durchsetzte Romanze zeigt sie als betont exotische Gestalt (vgl. Beispiel S. 439). Diese Atmosphäre ist gleichsam ihre Leitmotivik, während zwei symbolträchtigere, aber dramatisch weniger hervorragende Gestalten wie der Astrolog und der Hahn durch scharf umrissene Leitmotive hervorgehoben sind (vgl. z.B. den Alarm des Hahnes).

Nikolaj Andrejewitsch Rimski-Korsakow: DER GOLDENE HAHN

Nikolaj Andrejewitsch Rimskij-Korsakow: DER GOLDENE HAHN; ROMANZE DER ZARIN SCHEMACHA

# Igor Strawinski

Nach dem großartigen Beginn der eigenständigen russischen Oper in den Werken Glinkas und Dargomyshskis in der ersten Hälfte des 19. Jahrhunderts übernahmen die bedeutendsten Meister des „Mächtigen Häufleins" unabhängig von, aber zugleich mit Tschaikowski im letzten Drittel dieses Jahrhunderts deren Fortsetzung. In dieser Zeit und gleich nach der Jahrhundertwende erlebte die Gattung eine Hochblüte, auf die nach kurzer Pause mit den dramatischen Werken des wesentlich jüngeren Igor Strawinski (1882-1971) nicht nur wegen des Altersunterschiedes etwas völlig Neues folgte. Zwar war er Schüler von Rimski-Korsakow, verhehlte aber auch seine Verehrung für Tschaikowski nicht. Er wurzelte also fest im Boden der zeitgenössischen russischen Musik, aber bedingt wurde seine Sonderstellung letztlich durch die kosmopolitische Einmaligkeit dieses vielseitigen Geistes. Der Schwerpunkt seines Bühnenschaffens lag ursprünglich nicht zuletzt auf Grund seiner Verbindung mit Sergej Pawlowitsch Diaghilew, dem maßgeblichen Anreger des russischen Balletts, auf der Ballettkomposition, die mit zahlreichen Werken seinen Ruhm begründete. Von hier aus näherte er sich allmählich der Oper — LE ROSSIGNOL (*Die Nachtigall;* Paris 1914) und RENARD (Paris 1922) — brachte aber annähernd gleichzeitig mit der HISTOIRE DU SOLDAT (*Geschichte vom Soldaten;* Text von Charles Ferdinand Ramuz, Lausanne 1918) ein für ihn besonders typisches Stück (ohne Untertitel!) heraus, das trotz oder gerade wegen seines großen musikalischen Reichtums in kein Schema paßt. Es ist ein symbolträchtiges Schauspiel für drei Sprechrollen und eine Tänzerin, begleitet von einem Orchester aus vier Solobläsern, einer Violine, einem Kontrabaß und reichhaltigem Schlagzeug, dessen besonderer Reiz in dem Gegensatz zwischen den Solo-Instrumenten und dem dominierenden Schlagzeug besteht. Die beiden Teile werden durch je einen Marsch des Soldaten mit ausführlicher rhythmischer Vorlesung des jeweiligen Geschehens eröffnet, deren zweiter musikalisch eine Steigerung des ersten darstellt, so wie der 2. Teil auch inhaltlich den scheinbaren Aufstieg und den Fall des Soldaten wiedergibt. Der 1. Szene des Stückes liegt inhaltsbezogen ein aus den vier Quinten der Geigensaiten bestehender ostinater Baß zugrunde, nicht nur, weil der Soldat hier seine Geige stimmt, sondern weil er durch dieses Instrument dem Teufel verfällt. In der 3., musikalisch der 1. verwandten Szene überläßt er die Geige dem Teufel, da er sie nicht mehr spielen kann. Im 2. Teil führt ein prächtiger ausgedehnter „Königsmarsch" in die neue, fürstliche Atmosphäre ein, wo die Geige zwischen dem als Geigenvirtuosen auftretenden Teufel und dem Soldaten mannigfach hin und her wechselt. Zunächst spielt der Soldat ein lyrisches kleines Konzert, dann heilt er die kranke Prinzessin durch drei ganz verschiedene und vor allem grundlegend verschieden besetzte Tänze (Tango, Walzer, Ragtime) und bringt zum Schluß durch einen wilden „Tanz des Teufels" auch diesen noch zur völligen Erschöpfung. Zu den Klängen eines „Kleinen" und später eines „Großen Chorals" umarmen sich Soldat und Prinzessin, dazwischen aber erklingt „Des Teufels Lied", nur rhythmisch über eintöniger pizzicato-Begleitung von Violine und Kontrabaß, mit Unterbrechung durch zwei Koloraturen des Cornet gesprochen. Den Abschluß macht der „Triumphmarsch des Teufels" mit Bläsern und viel Schlagzeug, wovon zuletzt nur das sich spielerisch ablösende Schlagzeug übrig bleibt und quasi ironisch den Sieg des Bösen verkündet.

Ein weiterer Überblick über Strawinskis nicht allzu umfangreiches Opernschaffen nach diesem eigenartigen Zwitterwerk bietet ein denkbar buntes Bild. In dem Einakter MAWRA (Text nach Puschkin von Boris Kochno, Paris 1922) bekennt er sich dadurch, daß er das Werk ausdrücklich dem Andenken von Puschkin, Glinka und Tschaikowski widmet, eindeutig zu seiner russischen Herkunft, der er hier dramatisch wie musikalisch meisterhaft Geist und Welt der opera buffa erschließt. Die Komik des Stückes beruht auf der häufigen Diskrepanz zwischen betonter Banalität des Textes und seiner lieblich-ariosen oder auch satztechnisch anspruchsvollen Wiedergabe. Bemerkenswert ist von der Ouvertüre an die große Rolle, die die Bläser im Orchester dieser Oper spielen. — Nach dieser Rückkehr des Meisters zur heimischen Tradition im Gewand einer fest umrissenen Gattung griff dieser „nie zufriedene Geist" mit dem Opern-Oratorium in 2 Akten nach Sophokles OEDIPUS REX von Jean Cocteau (Lateinisch von Jean Daniélou, Paris 1927), noch einmal zu einem Zwitterwerk, in dem er kühn versuchte, zwei (durch die Heranziehung eines Sprechers eigentlich drei) unvereinbare Gegensätze miteinander zu verbinden und dadurch der von Cocteau ganz in seinem Sinne erfaßten Vielschichtigkeit des Geschehens gerecht zu werden. Die musikalischen Nummern bzw. Szenen werden grundsätzlich vom erklärenden Sprecher zusammengehalten, wie auch schon der ganze Prolog ausschließlich von ihm vorgetragen wird. Seine Rolle wird jedoch meist noch durch einen bestätigenden, d.h. gleich ihm außerhalb der Handlung stehenden Chor unterstützt, und endlich erhält er im inhaltlich komplizierteren II. Akt in den Gestalten des Hirten und des Boten noch singende Helfer, die die schrecklichsten Wahrheiten auf der musikalischen Ebene der dramatischen Personen verkünden. Hier ist vor allem der viermal notengetreu, nur mit wechselnder Begleitung wiederholte Bericht des Boten vom Tod der Jocaste zu nennen, der das Werk vor dem erschütternden Epilog beschließt, in dem Oedipus stumm der mitleidigen Sympathie des Chores gegenübersteht. Dieser verklingende Schluß dürfte wohl der dramatisch-musikalische Höhepukt des großartigen Zwitterwerkes sein. Opernhaft im engeren Sinne sind die vier Einzelcharaktere Oedipus, Jocaste, Creon und der Seher Tiresias, die sich vorwiegend in langen, musikalisch scharf voneinander abgehobenen Monologen äußern.

Wenige Jahre nach diesem „Opern-Oratorium", 1934, ließ Strawinski noch einmal ein ähnliches Zwitterwerk, dieses Mal auf einen Text von André Gide, erscheinen, das Melodrama in 3 Teilen PERSÉPHONE, das jedoch auf die Länge gesehen an dem durch den fehlenden Kontakt zwischen den beiden Autoren noch verstärkten inneren Zwiespalt der Gattung scheiterte.

Daß der im Rahmen der dramatischen Musik fast in die Rolle eines ewigen Experimentators gedrängte Ballettkomponist gegen Ende seines Schaffens doch noch den Zugang zu einer echten, abendfüllenden Oper finden sollte, verdankte er in erster Linie seinem Schicksal als Kosmopolit. Als er nach langen Jahren in Frankreich 1939 in die USA übergesiedelt war, empfand er den Wunsch, einmal eine Oper in englischer Sprache zu schreiben, und dieser nahm, wie er selbst berichtet, zuerst 1947 Gestalt an, als er in Chicago die 1732/33 entstandene Bilderfolge *The Rake's Progress* des englischen Malers und Kupferstechers William Hogarth (1697—1764) sah, die bei ihm die Vorstellung von Opernszenen angeregt habe. Diese Konzeption ist höchst bezeichnend für den Ballettkomponisten: nicht dramatische Zusammenhänge, sondern einzelne Bilder, Attitüden waren es, die seine Fantasie zuerst gefangennahmen. Natürlich spielte in zweiter Linie auch das plakathaft in einzelnen Stationen dargestellte Geschehen mit seiner stark hervorgehobenen Moral eine Rolle, und endlich zog ihn, wie er ausdrücklich betont, die Gesellschafts- und Sittenschilderung Hogarth' besonders an. In acht Gemälden bzw. Kupferstichen hat dieser die Geschichte eines haltlosen, unbedarften jungen Müßiggängers wiedergegeben, der durch den Tod seines Vaters in den Besitz großen Reichtums gelangt, ihn in schlechter Gesellschaft an anrüchigen Orten verpraßt, durch eine Verzweiflungsheirat mit einer alten, häßlichen, aber reichen Frau den Ruin aufzuhalten sucht, aber trotzdem im Schuldgefängnis und zuletzt im furchtbaren Irrenhaus landet. Aus dieser mit grausamem Realismus dargestellten Bilderfolge schuf Strawinski zusammen mit dem Schriftsteller Wystan Hugh Auden das Libretto zu seiner ersten Oper in englischer Sprache[6].

---

6 Die deutsche Übersetzung des Titels *Der Wüstling* ist übrigens nicht ganz angemessen, nicht für Hogarth und noch weniger für die Oper, denn der Held Tom Rakewell ist kein Verführer, sondern vielmehr ein rückgratloser Verführter. Georg Christoph Lichtenberg nennt ihn in seinen geistvollen Erklärungen der Hogarth'schen Gemälde denn auch treffender: »einen Liederlichen.«

Um aus der statischen Bilderfolge eine dramatisch gespannte Handlung zu machen, bedurften sie eines treibenden agens, um das Nacheinander in ein Miteinander zu verwandeln. Sie fanden es, indem sie die Moral der Bildergeschichte, daß nämlich der liederliche Müßiggänger zum Schluß alles und sogar sich selbst und seine Menschenwürde verliert, zur Idee des Dramas machten und zu diesem Zweck die neue Gestalt des Nick Shadow einführten, der den Helden Tom Rakewell immer tiefer in Laster verstrickt. Im Kampf um seine Seele siegt dann jedoch, wie in einem echten romantischen Erlösungsdrama, die treue Liebe seiner Verlobten Ann, aber Nicks Fluch überantwortet ihn dem Wahnsinn. Ein Rest von Geistigkeit bleibt ihm jedoch bewahrt. Im Glauben, er sei Adonis, umarmt er inmitten der Schrecken des Tollhauses in Ann seine Venus und stirbt schließlich im gesteigerten Selbstgefühl seines Wahns[7].

War hier nun unter Beteiligung des Komponisten ein der romantischen Librettistik verwandter Text entstanden, so hüllte ihn derselbe Komponist im Zeichen des „Neoklassizismus" in ein grundsätzlich anderes, jedoch keineswegs abwegig wirkendes Gewand: in das einer typischen „Nummernoper" des 18. Jahrhunderts, d.h. einer Oper, in der einzelne, in sich geschlossene „Nummern" (Arien, Ensembles, Chöre) durch von ihnen scharf unterschiedene Rezitative getrennt bzw. verbunden werden. Hier verwendet Strawinski in der Tat das nur von einem Tasteninstrument begleitete, halb sprechend wiedergegebene Secco-Rezitativ, wie es bis in den Anfang des 19. Jahrhunderts allgemein gang und gäbe war. Um die Stilkopie besonders zu unterstreichen, verlangt er auch noch statt eines Klaviers ein Cembalo. Dazu treten, gleichfalls traditionsbedingt, Akkompagnato-Rezitative, die musikalisch den Übergang zu den Arien herstellen. Für Strawinski, der auch musikalisch ein Kosmopolit war, bedeutete jedoch die Stilkopie im Rahmen des Neoklassizismus keinen Zwang: Er konnte alle Sprachen sprechen und drückte doch jeder seinen eigenen Stempel auf. Im Falle des RAKE'S PROGRESS ging es ihm zudem in erster Linie darum, der Singstimme im Sinne der alten „Oper" ihre Herrscherstellung gegenüber dem Orchester, die sie seiner Ansicht nach im (vor allem wagnerschen) „Musikdrama" verloren hatte, wieder einzuräumen. Er hat speziell für dieses Werk besonders auf das Vorbild von Mozarts COSÌ FAN TUTTE hingewiesen, wobei er wohl weniger an die musikalische Erfindung im allgemeinen, als vielmehr an die Durchsichtigkeit des Klanges und die feine Verwendung der Holzbläser in einzelnen Szeneneinleitungen gedacht haben dürfte. — Wesentlich deutlicher und häufiger machen sich Einflüsse der italienischen Oper des 19. Jahrhunderts im RAKE'S PROGRESS bemerkbar, von instrumentalen Szeneneinleitungen über abgehackt deklamierte, fast brutal wirkende Chöre bis zu der geradezu als Stilkopie wirkenden „Arie und Cabaletta" der Ann am Ende des I. Aktes, ein gelungenes Schulbeispiel für das, was man in jenen italienischen Opern „scena ed aria" nannte, wobei die Überbetonung der Schlußwendung fast an eine parodistische Absicht denken läßt (vgl. Beispiel S. 443).

All die verschiedenen Stilelemente aber, die der Oper den Stempel des Experiments aufdrücken, verschmilzt der Komponist durch seine eigene Sprache zu einer künstlerischen Einheit. Dazu gehört die schillernde Harmonik, die häufig von Bitonalität Gebrauch macht, die glänzende, abwechslungsreiche Instrumentation, das Zusammenhalten einzelner Nummern durch bestimmte rhythmische Grundflächen und das häufige Überspielen der Taktschwerpunkte, wodurch ein der klassischen Periodenbildung entgegengesetztes Dahinströmen der Linien zustandekommt.

Der Charakter der Oper als stilistisches Experiment bringt es mit sich, daß über ihr ein Hauch von Kühle weht. Strawinskis Schaffen zeigt, daß er kein Dramatiker war. Er besaß nicht dessen Fähigkeit, sich mit seinen Figuren zu identifizieren. Sie waren für ihn mehr Marionetten, die er an Drähten lenkte. Es ist kein Zufall, daß er gerade auf den Einfluß von COSÌ FAN TUTTE hin-

---

[7] The Rake's Progress, Oper in 3 Akten, Text von Wystan Hugh Auden und Chester Kallman, Venedig 1951.

Igor Strawinski: THE RAKE'S PROGRESS

weist, der Oper, in der Mozart, allerdings unter sehr viel stärkerer innerer Anteilnahme, auf das menschliche Treiben nur noch als Spiel herabblickt. Ganz scharf tritt dieser Abstand bei Strawinski im bei vielen Aufführungen gestrichenen Epilog hervor, der alle Personen, ohne Masken, zur Schlußmoral vereinigt. — Dazu kommt noch Strawinskis Überzeugung, daß die Musik nicht die Aufgabe habe, nachzuahmen, und seine Abwehrstellung gegen Wagner, die ihm Leitmotivik grundsätzlich verbot. Eine Art Leitmotiv, das sich auf die Grundidee der Oper bezieht, geht allerdings trotzdem durch alle drei Akte hindurch: Immer wenn Tom einen Wunsch ausspricht (nicht singt), erscheint Nick mit unheimlich-charakteristischen Cembalo-Arpeggien — so am Anfang, wenn Tom sagt: »I wish I had money«, im II. Akt bei den Worten: »I wish I were happy« und gegen Schluß bei »O I wish it were true.« In der Kartenspielszene im III. Akt werden diese Arpeggien, Nicks Symbol (Leitmotiv!), gleichsam selbständig und erscheinen zum letzten Mal vor Toms letztem Wunsch: »I wish for nothing else!«.

Musikalische Charaktere darf man in dieser Oper nicht erwarten. Jedoch hat der Ballettkomponist, der von einer Bilderreihe angeregt war, viele charakteristische Situationen geschaffen, in denen die Gestalten klar herausgeleuchtet werden, so z.B. das vorwärtsstürmende Rezitativ mit Arie, mit dem sich Tom im I. Akt vorstellt (Beispiel S. 444/445), die unruhig flackernde Erzählung Nicks gleich danach und das große Tableau der Freudenhausszene. In ihm mitten inne erscheint als scharfer Kontrast eine schwärmerische Cavatine Toms, in der er die Göttin der Liebe um

Igor Strawinski: THE RAKE'S PROGRESS
Caratina
♪=96

TOM
Love, too frequently betrayed For some plausible desire Or the world's enchanted

Schutz anfleht. Eine anschauliche Verkörperung von Toms moralischem und wirtschaftlichem Abstieg bilden die tumultuarische Versteigerungsszene im III. Akt sowie die beiden parodistischen Arien des „Türkenbab" genannten Monstrums, das Tom ehelicht, und danach das von Galgenhumor erfüllte Duett Toms und Nicks im II.

Von der Kirchhofszene im III. Akt an, also dem Moment, da die romantische Erlösungsidee in den Vordergrund tritt, verschmelzen Musik und Drama mehr und mehr ineinander. Hier kommt es auch zu beziehungsvollen Rückgriffen: z.B. ertönt in Toms höchster Not hinter der Szene Anns Liebesschwur aus dem II. Akt, worauf er verzückt mit dem Anfang ihrer Cabaletta aus dem I. Akt antwortet. Die Musik der Tollhausszene ist dann meisterhaft der Mischung von tiefstem Elend, Kindlichkeit und übersteigertem Pathos, die diese Szene darstellt, angepaßt. Ihre Krönung bildet Anns dreistrophiges, flötenbegleitetes Schlummerlied. Am Schluß der Oper, wenn Ann

mit diesem schlichten Lied den gequälten Seelen der Irren Frieden bringt und Tom in Ekstase stirbt, umgibt den Hörer eine neue, jenseitige Atmosphäre. Dichter und Komponist distanzieren sich allerdings durch den gewollt platten Epilog davon. Trotzdem verdankt die Oper, die ihre Herkunft aus einer Bilderfolge nicht verleugnen kann, ihre Wirkung nur der zunehmenden Vermenschlichung ihrer Figuren. Diese hebt das Werk über den Status eines geistvollen Experiments hinaus, in ihrem Zeichen wachsen 18., 19. und 20 Jahrhundert, Bilderfolge und Erlösungsdrama letztlich doch noch zu einer Einheit zusammen.

Zehn Jahre nach dieser seiner einzigen „wirklichen" Oper 1961/62 brachte der damals 80jährige Strawinski sein letztes dramatisches Werk heraus, THE FLOOD (Die Flut), „a Musical Play"

(Text von Robert Craft nach der biblischen Schöpfungsgeschichte und zwei mittelalterlichen Mysterienspielen, Fernseh-Uraufführung USA 1962, szenische, vom Komponisten als solche anerkannte Uraufführung Hamburg 1963), erstaunlicherweise wieder ein Zwitterwerk, durch das er rückwirkend bewies, daß diese weit gefächerte Gattung und nicht die grundsätzlich enger begrenzte „wirkliche Oper" bis zuletzt sein künstlerisches Ziel gewesen war. Der neutrale Untertitel „a Musical Play", der geistliche Stoff, das Übergewicht von Sprechrollen, darunter ein „Erzähler" und (für die Tiere) ein „Rufer", die zweistimmige Wiedergabe der Stimme Gottes und der als Einziger (Tenor-)Arien singende Luzifer, die gewaltige, farbige Besetzung des Orchesters, die Allgegenwart der Zwölfton-Technik, das alles verweist fast zwangsläufig auf ein anderes, ebenfalls zwischen Oratorium und Oper stehendes Alterswerk eines großen Zeitgenossen, die unvollendet gebliebene dreiaktige Oper MOSES UND ARON, deren Komposition Arnold Schönberg 1930-1932 begonnen hatte. Wenn auch wohl keine direkte Verbindung zwischen den beiden Werken bestanden hat, so dürfte Strawinski doch von dem aufsehenerregenden letzten Fragment des 17 Jahre älteren berührt worden sein[8]. In seinem „musikalischen Spiel" fehlt allerdings der große, das Spiel zu einem Ganzen zusammenschließende Gegensatz zwischen den beiden Titelgestalten, stattdessen besteht es aus einem inhaltlich bestimmten schier unabsehbaren Wechsel von Ausdrucksweisen, Berichten, dramatischen Szenen und Dialogen, aber auch Melodramen, Rezitativen, Arien, Pantomimen und Tänzen, die je nach den verschiedenen Situationen und den sie tragenden Gestalten charakteristisch voneinander abgehoben werden.

## Die russische Oper des beginnenden 20. Jahrhunderts

Zeitlich umschlossen von dem langen Leben und Schaffen des großen russischen Kosmopoliten, diesem in vieler Hinsicht — so in seiner durch Diaghilew angeregten Neigung zur Ballettkomposition und in seiner Weltläufigkeit — ähnlich, stand der jüngere Sergei Prokofjew (1891-1953) dem hoch angesehenen Zeitgenossen jedoch grundsätzlich meilenfern. Er war keineswegs ein Kosmopolit, und wenn einige seiner Opern im Ausland (Brüssel, Chicago, Venedig) und in französischer Sprache uraufgeführt wurden, so hatte dies rein praktische Gründe. Vielmehr bewegt sich sein gesamtes Opernschaffen auf die verschiedenste Weise in den Bahnen der genuin russischen Oper und wäre daher trotz des großen Altersunterschiedes stilistisch eher in die Nähe der Werke des „Mächtigen Häufleins" zu verweisen. In LE JOUEUR (Der Spieler; Text vom Komponisten nach Dostojewski, Brüssel 1929) knüpft er z.B. teilweise bewußt an die von Dargomyshski in den Mittelpunkt gestellte Textbehandlung an, die übersprudelnde Märchenhaftigkeit von L'AMOUR DES TROIS ORANGES (Die Liebe zu den drei Orangen; Prolog und 4 Akte, Text nach Gozzi, Chicago 1921) und L'ANGE DE FEU (Der Feurige Engel 5 Akte, Text vom Komponisten nach einem historischen Roman von Waleri Brjussow, Venedig 1955) läßt etwas vom Geist Rimski-Korsakows verspüren, und die zur Zeit ihrer Entstehung und Uraufführung 1944 sicher gewagte, in zahlreichen späteren Fassungen vorliegende Tolstoi-Oper WOINA I MIR (Krieg und Frieden; Text vom Komponisten und seiner Gattin Mira Mendelson-Prokofjewa, letzte Fassung Moskau 1959) ist ein imponierendes „Musikalisches Volksdrama" des 20. Jahrhunderts. — Prokofjews dritte Oper *Die Liebe zu den drei Orangen* verdankt ihre besondere Beliebtheit und weite Verbreitung sicherlich textlich der raffinierten parodistischen Deutung der Märchenhaftigkeit, die dadurch nicht selten ironisch ad absurdum geführt wird, ohne jedoch ihren Reiz zu verlieren, und die Musik tut das

---

8 Vgl. oben S. 320.

Ihre dazu, um diese Hintergründigkeit zu unterstützen, besonders durch die zahlreichen Einwürfe der Chöre im Prolog, aber beispielsweise auch im dritten Bild des III. Aktes, wo die Chöre der „Lyrischen" und der „Lächerlichen" sich über die Liebeserklärung der Orangen-Prinzessin Ninetta lustig machen. Im Grunde ist auch der Schluß, d.h. das 2. Bild des IV. Aktes — er weist damit geistig auf den Prolog zurück — eine Parodie auf Kosten der in der ganzen vorangehenden Oper entfalteten musikalisch-dramatischen Kunst.

Wie Prokofjew im Schatten Strawinskis musikdramatisch an die Tradition der russischen Oper angeknüpft hat, so hat er auch rein musikalisch ihre Sprache übernommen. Auch in seinen Werken herrscht der freie ariose, inhaltsentsprechend bald mehr zum Rezitativ, bald mehr zur Liedhaftigkeit neigende Gesang vor, besonders auffallend in der textreichen „großen Oper", während in den Märchen, aber auch in der „lyrisch-komischen Oper" OBRUTSCHENIJE W MONASTYRE (*Die Verlobung im Kloster;* Text vom Komponisten und seiner Gattin nach Richard Sheridans Komödie *The Duenna*, Leningrad 1946) relativ häufig geschlossene Formen auftreten. Im Gegensatz zu dem älteren, aber langlebigeren Strawinski hat Prokofjew von der Zwölftönigkeit keinen Gebrauch gemacht.

Ebenfalls noch zeitlich in der Ära Strawinski lebte neben Prokofjew noch kurze Zeit der wesentlich jüngere Dmitri Schostakowitsch (1906-1975), in dessen Schaffen die Opernkomposition einen weit geringeren Raum einnahm. Der Tatsache, daß er damit jedoch in seiner Heimat manchen Anstoß erregte, verdankt die Forschung zahlreiche instruktive, dazu Stellung nehmende schriftliche Äußerungen von ihm über seine engen Beziehungen zu seinen Texten, über die Forderungen, die er an ein Libretto stellte, und über seine Kompositionsweise im allgemeinen. Schon seine erste veröffentlichte „Oper in 3 Akten" NOS (*Die Nase;* Text vom Komponisten und anderen nach Gogol, St. Petersburg 1930) zeigt ihn als einen Musikdramatiker, der es meisterhaft versteht, seine große Kunst der Satztechnik und raffinierten Instrumentation und seinen musikalischen Einfallsreichtum auch hie und da unter Zuhilfenahme des gesprochenen Wortes permanent inhaltsbedingt wechselnd dem Text wie ein angemessenes Gewand überzuwerfen. Besonders wirkungsvoll macht sich dieser Abwechslungsreichtum beispielsweise im 1. Bild des I. Aktes bemerkbar, wo die Frau des Barbiers diesen mit nur gesprochenen Rufen aus dem Haus treibt, dieser mit arienhaften Linien über wild bewegter Streicher-Begleitung antwortet, dann aber gleichfalls, allerdings über auf- und absteigenden chromatischen Läufen im 15-stimmigen (!) Streich-Orchester, zu gesprochenem Dialog übergeht. Ein ähnliches Übermaß an Ausdrucksmitteln enthält die Nr. 9 im II. Akt, eine Szene in der Annoncen-Redaktion einer Zeitung, die Schostakowitsch selbst als die zentrale Episode der Oper bezeichnet hat. Hier versucht der hilflose Held vergeblich, sich durch eine gefällige, oft durch eine Instrumentalstimme gestützte Melodielinie von der allgemeinen Hektik abzuheben, bis er die Nerven verliert und mit Unterstützung des ganzen Orchesters plappernd zu brüllen beginnt. — Im Gegensatz zu diesen feinen, dramatisch bedingten Übergängen schließt der II. Akt in Nr. 11 mit einem gesellschaftlich bedingten, auch musikalisch scharfen Kontrast zwischen den zur Balalaika gesungenen, volkstümlichen Weisen des Dieners Iwan und dem anschließenden pathetischen Klagegesang seines heimkehrenden Herrn.

Wenige Jahre nach diesem Werk erschien Schostakowitschs zweite Oper LEDI MAKBET MZENSKOGO UJESDA (*Lady Macbeth des Mzensker Landkreises*) auf ein Libretto von ihm selbst und Alexander Preiss nach der gleichnamigen Erzählung von Nikolai Leskow (4 Akte, Leningrad 1934). Sie geriet in die kulturpolitischen Auseinandersetzungen im Rußland jener Jahre, woraufhin der Komponist sich zu einer Neu-Fassung entschloß, die unter dem Titel KATERINA ISMAILOWA 1963 in Moskau ihre Uraufführung erlebte. Die beiden Fassungen unterscheiden sich nicht grundsätzlich voneinander, vor allen Dingen nicht musikalisch. Hier beschränken sich die Veränderungen im wesentlichen auf instrumentale Einleitungen oder Zwischenspiele, die aber alle hier wie dort die gleiche satztechnische Meisterschaft erkennen lassen wie alle früheren Werke des

Komponisten. Musikalisch besonders wirkungsvoll in beiden ist auch die Durchsichtigkeit der Orchester-Begleitung gerade in dramatischen Szenen, in denen die Instrumente obligat, mitunter auch solistisch gegeneinander geführt werden. Textbedingt heben sich dann nicht selten gerade von derartigen Szenen plötzliche Tutti-Einsätze mit erschreckender Gewalt ab. Hat doch Schostakowitsch obendrein ausdrücklich betont, daß er gerade in diesen Opern im Gegensatz zu der zeitüblichen Vorherrschaft des ariosen Rezitativs besonderen Wert auf die primär musikalische Wirkung geschlossener Formen gelegt habe. Dies gilt vor allem für das spätere Werk, das er dem früheren in jeder Hinsicht vorzog, auch in Bezug auf die nicht unwesentlichen textlichen Abweichungen, die in erster Linie darauf abgestimmt sind, die Handlungsweise der Titelheldin moralisch möglichst weitgehend aufzuwerten.

Daß der Meister imstande war, in einer so bewegten Zeit und zwischen zwei so problembelasteten Werken mit der „Musikalischen Komödie in 3 Akten" MOSKWA TSCHERJOMUSCHKI (Text von V. Mass und M. Tscherwinski, Moskauer Operettentheater 1959) eine veritable Operette zu schreiben, unterstreicht sein urwüchsiges Musikantentum. Er verwendet darin neben erfindungsreichen eigenen Melodien russische Volkslieder, aber auch volkstümliche Gebrauchsmusik sowie Parodien eigener und fremder populärer Weisen, die teilweise an verschiedenen Stellen wiederholt und auch wirkungsvoll auf mehrere Stimmen verteilt werden. — War also der Umfang seines Opernschaffens zahlenmäßig nur relativ gering, so hat Schostakowitsch darin doch dramatisch von der Groteske bis zur Tragödie und letztlich andererseits bis zur Komödie einen denkbar weiten Raum durchmessen.

So waren denn Sergej Prokofjew und Dmitri Schostakowitsch selbständige, autochthone Vertreter der russischen Oper des 20. Jahrhunderts und würdige Fortsetzer der Tradition, die die Meister des 19. in einer an der der westeuropäischen Länder gemessenen Entwicklungsepoche erstaunlich kurzen Zeit geschaffen hatten.

# Die Oper in den Ländern Osteuropas

Im Gegensatz zu Rußland, wo es der einheimischen Oper trotz des Übergewichtes der westeuropäischen am Zarenhofe und in den Kreisen des Adels schon gegen Ende des 18. Jahrhunderts gelungen war, eine recht angesehene Stellung zu erobern, brauchte die eigenständige Gattung in Polen, Ungarn und der Tschechei, sei es aus politischen oder aus rein kulturellen Gründen, bis in die Anfänge des 19. Jahrhunderts hinein, um sich selbst zu verwirklichen. Wie weltweit üblich, erschienen auch hier die ersten, noch tastenden Anfänge — in Polen JADWIGA KRÓLOWA POLSKA (*Jadwiga, Königin von Polen*) von Karol Kurpinski (1785-1857), Warschau 1814, in Ungarn BELA FUTÁSA (*Belas Flucht*) von Ignác Ruzsicska (1758-1823), Clausenburg 1822, und in der Tschechei DRÁTENIK (*Der Kesselflicker*) von František Škroup (1801-1862), Prag 1826, die alle noch weitere Werke dieser Art im Gefolge hatten — in Gestalt schlichter, vielfach national getönter, volkstümlicher Singspiele. Sie wurzelten, wie schon die Titel zeigen, im heimatlichen Boden und waren sich gleichsam selbst genug.

Den Schritt darüber hinaus, der eine Auseinandersetzung mit fremden Gattungen verlangte, taten dann annähernd gleichzeitig in Ungarn und in Polen die beiden ältesten Meister einer jüngeren, der Wagner-Verdi-Generation, Ferenc Erkel (1810-1893) mit HUNYADI LÁSZLÓ (Budapest 1844) und BÁNK BÁN (1852, aber erst 1861 ebenda aufgeführt), und Stanislaw Moniuszko (1819-1872) mit HALKA (1. Fassung in 2 Akten, Wilna 1854, 2. Fassung in 4 Akten, Warschau 1858). Beide Komponisten waren, wie auch ihre russischen Altersgenossen Glinka und Dargomyshski, weltläufig und mit dem westeuropäischen Opernschaffen ihrer Zeit bestens vertraut — man darf wohl den starken nationalen und volkstümlichen Zug, der durch ihre Texte geht, als ein bewußtes Gegengewicht gegen die Gefahr einer musikalisch-dramatischen Überfremdung betrachten. Sie standen natürlich, schon ihrer Ausbildung nach, unter deutschem, französischem und italienischem Einfluß, wozu sich bei Moniuszko auch noch durch den mit ihm befreundeten Dargomyhski der russische gesellte. Den großen und nachhaltigen Erfolg seiner ersten Oper HALKA (Text von Wlodzimierz Wolski) konnte er mit keinem seiner späteren Bühnenwerke — darunter die dreiaktige HRABINA (*Die Gräfin;* Warschau 1860), der Einakter VERBUM NOBILE (ebenda 1861) und das vieraktige STRASZNY DWÓR (*Gespensterschloß;* ebenda 1865) — wieder erreichen. Es ist eine echte »große Oper« der Zeit, aber national geprägt und ohne Eklektizismus — auf Anhieb ein würdiger Beitrag Polens zu der weltbeherrschenden Gattung.

Ähnliches gilt auch für die beiden genannten Werke des Ungarn Erkel, deren Texte von dem Librettisten Béni Egressy stammen. Die vieraktige Oper HUNYADI LÁSZLÓ ist am treffendsten als »opera seria« zu bezeichnen, denn ihre beiden weiblichen Partien sind ausgesprochene Koloratur-Rollen. Dazu kommen dann aber auch als Ouvertüre eine anspruchsvolle Sinfonie und zahlreiche dramatisch bedingte, meist marschartige und prächtige Chöre und Instrumentalsätze. Dem Libretto von Erkels vieraktiger zweiter Oper BÁNK BAN liegt ein bedeutendes ungarisches Literaturdrama zugrunde, was den Komponisten dazu veranlaßte, den ganzen Bereich seiner Ausdrucksmittel von der Übernahme wirklicher Volksmelodien bis zu einer Überfülle an großartigen Massenszenen minutiös in dessen Dienst zu stellen und damit die dramatische Wirkung dieses Werkes noch über die des vorausgehenden hinaus zu steigern. Wie dem Polen Moniuszko ist es aber auch ihm nicht gelungen, es mit seinen zahlreichen späteren Opern (u.a. den komischen Opern SAROLTA [1862] und NÉVTELEN HÖSÖK [*Namenlose Helden*, 1880]) und historischen Opern wie seiner letzten, ISTVÁN KIRÁLY (*König Stefan,* 1885) den beiden frühen Würfen gleich zu tun. Sie alle zahlten, wie auch die meisten ihrer Altersgenossen anderer Länder, mehr oder weniger auf diese oder jene Weise dem Moloch »große Oper« ihren Tribut, sofern sie sich nicht Wagner verschrieben.

Einen Ausweg aus dieser Stagnation konnte nur ein Generationswechsel bringen, der aber zugleich auch eine grundsätzliche stilistische Wandlung mit sich brachte und der ungarischen Oper in der Operngeschichte des 20. Jahrhunderts einen einmaligen Platz von höchster Bedeutung erobert hat. Das Schaffen der beiden gleichaltrigen, eng miteinander befreundeten Komponisten Béla Bartók (1881-1945) und Zoltán Kodály (1882-1967) war im Grunde primär der Sammlung und Erforschung nicht nur der ungarischen, sondern darüber hinaus der gesamten osteuropäischen Volksmusik gewidmet, so daß die Gattung der Oper dementsprechend dem Unmfang nach nur eine relativ geringe Rolle darin spielte. Aber während Kodály in seinen Singspielen HÁRY JÁNOS (1926) und SZÉKELY FONÓ (*Szekeler Spinnstube*, 1932) die Bühnenwerke textlich wie musikalisch mit dem Geist echter ungarischer Volksmusik erfüllte, folgte Bartók mit seiner einzigen (einaktigen) Oper A KÉKSZAKÁLLÚ HERCEG VÁRA (*Ritter Blaubarts Burg*; Text von Béla Balász, Budapest 1918) textlich dem Vorbild von Maeterlincks Drama *Ariane et Barbe-Bleu* und musikalisch natürlich dem des lange verehrten Claude Debussy, der ja seinerseits jenen Teufelskreis mit PELLÉAS ET MÉLISANDE (Paris 1902) selbst bereits durchbrochen hatte. Bartók verbindet in seinem Einakter eine durch die verschiedensten textbedingten ostinaten Motivflächen erreichte, ständig wechselnde minutiös-anschauliche Milieu- und Situationsschilderung mit der zur Synthese strebenden Neo-Klassizität Debussys und verhilft dem kurzen Werk damit zu einem einzigartig hervorragenden Platz in der Operngeschichte des beginnenden 20. Jahrhunderts.

Der weite zeitliche wie auch stilistische Abstand zwischen den alleinstehenden Anfängen der polnischen und ungarischen Oper und jenem Wurf Bartóks wurde durch das Gros der tschechischen Opern ausgefüllt, die in Gestalt der Werke von Bedřich Smetana (1824-1884), Antonín Dvořák (1841-1904) und Leoš Janáček (1854-1928) als vierter gleichberechtigter Gattungstyp mit den maßgebenden deutschen, italienischen und französischen Opern der Zeit zusammen die Opernbühnen der Welt beherrschten.

Die drei Komponisten waren an Jahren relativ weit voneinander entfernt, und daß sie es auch ihrer Veranlagung nach waren, zeigt allein schon ein Überblick über ihre Textwahl im allgemeinen: Smetana begann mit einer historischen Oper (BRANIBOŘI C ČECHÁCH, *Die Brandenburger in Böhmen,* 1863), die er mit seiner zweiten (komischen) Oper PRODANÁ NEVĚSTA (*Die verkaufte Braut;* 1864-66) zusammen 1866 selbst herausbrachte, ließ dann die tragische Oper DALIBOR 1868 folgen und schloß 1869-72 die Komposition der großen Festoper LIBUŠE (*Libussa*) an, die allerdings erst 1881 anläßlich der Eröffnung des neuen Nationaltheaters in Prag aufgeführt wurde. Sein weiteres Opernschaffen, darunter HUBIČKA (*Der Kuß;* 1876) und TAJEMSTVÍ (*Das Geheimnis;* 1878) beschränkte sich auf die komische Gattung, der er sich seiner Veranlagung nach zu Recht besonders verbunden fühlte.

In schärfstem Gegensatz zu diesem relativ einheitlichen Bild steht dasjenige von Dvořáks Opernschaffen, das höchst überraschende Gegensätze aufweist. Nicht nur, daß, wie üblich, komische und tragische Opern in buntem Wechsel miteinander entstanden sind — es endete mit drei Gegenständen, die einander meilenfern stehen: 1899 mit der ČERTA KÁČA (*Die Teufelskäthe;* nach einem tschechischen Volksmärchen), 1901 mit RUSALKA einer der vielen Vertonungen der international beliebten naturhaften Undine-Sage, und 1904 mit einer vieraktigen ARMIDA (nach Tassos *Gerusalemme liberata)!*

Gemessen an dieser kaum überbietbaren inhaltlichen Buntheit mutet das dramatische Werk Janáčeks fast wie eine bewußt geschaffene Einheit an, ein Ganzes, das sich von dem ganz dem Diesseits zugewandten Verismus in JENUFA (Brünn 1904) über die Groteske des VÝLET PANA BROUČKA DO MĚŠÍCE (*Ausflugs des Herrn Brouček auf den Mond;* Prag 1920), die menschlich großartige KÁTA KABANOVÁ (Brünn 1921) und die rührende Symbolik von PŘÍHODY LIŠKY BYSTROUŠKY (*Das Schlaue Füchslein;* ebenda 1924) bis zu den mehr jenseitig ausgerichteten VĚC MAKROPULOS (*Die Sache Makropulos;* ebenda 1926) und Z MRTVÉHO DOMU (*Aus einem Totenhaus;* nach Dostojewski, ebenda 1930) entwickelt.

Gemeinsam hatten die drei tschechischem Meister also grundsätzlich alle Möglichkeiten der Opernkomposition ihrer Zeit, der Zeit des Kampfes um die Wagner-Nachfolge bzw. um deren Umgehung im Griff, aber trotz aller Unterschiede zwischen ihnen war ihre Stellung zu dieser Problematik weitgehend durch ein wesentliches Charakteristikum vorprogrammiert, das alle ihre Kompositionen auszeichnet: das sich in Melodik, Harmonik und vor allem Rhythmik äußernde unverkennbar nationale, tschechische Fluidum, das fremden Einflüssen unzugänglich blieb. Mit besonderer Meisterschaft hat Smetana diesen unnachahmlichen Typ der tschechisch-böhmischen Oper in seiner VERKAUFTEN BRAUT (Text von Karel Sabina, 3 [ursprünglich 2] Akte, Prag 1866) dargestellt. Der Reiz dieses Werkes liegt weniger in der Komik als solcher als vielmehr in deren enger Verbindung mit ihrem bezaubernden lyrischen Gegenteil. Beide sind getragen von dem national-volkstümlichen melodischen Einfallsreichtum und der entsprechenden farbigen Harmonik, deren Änderung häufig gleichsam nur als Beleuchtungswechsel erscheint. Diese musikalische Vielseitigkeit konnte im Dienste des ausgezeichneten Textes besonders deutlich hervortreten. Die Gegensätze werden nicht selten durch leitmotivische »Zitate« betont. Textentsprechend wimmelt

Bedřich Smetana: DIE VERKAUFTE BRAUT: Liebesduett

es in der Oper auch von volkstümlich orchestralen und chorischen Tanzsätzen, die das aus dem üblichen Wechsel von bald seccohaftem, bald mehr ariosem Rezitativ und geschlossener Form bestehende Szenengerüst der »Nummernoper« auflockern. — In der tragischen Oper in 3 Akten DALIBOR (Text von Josef Wenzig, Prag 1868) hat Smetana das ritterliche Milieu des Helden quasi leitmotivisch durch Vorherrschen punktierter Rhythmen wiedergegeben, doch ist auch sie ein echt tschechisches Beispiel einer großen Oper ohne wagnerschen Einfluß, wobei sie allerdings mehr von der Gattung geprägt ist als, wie die VERKAUFTE BRAUT, von der Besonderheit des Komponisten.

Ist diese Oper eindeutig als Krönung von Smetanas heiterem Opernschaffen anzusehen, so dürfte für sein ernstes Opernschaffen das Gleiche für die große Festoper LIBUSSA (3 Akte, Text von Josef Wenzig, Prag 1881) gelten, die in der Gestalt der Titelheldin das tschechische Volk verherrlicht. Sie ist textlich wie musikalisch gleich aufwendig wie wirkungsvoll, voller dramatisch einbezogener festlicher Chöre, aber auch voller anspruchsvoller Arien, an ihrer Spitze Libussas feierliche Verheißung im letzten Akt — eine National-Oper im wahrsten Sinne des Wortes.

Etwas Ähnliches hätte keiner der beiden jüngeren Komponisten schreiben können, obwohl auch ihre Werke musikalisch, je nach der Haltung der Texte, mehr oder weniger stark das nationale tschechische Fluidum aufweisen. In dem handfesten textlichen und daher auch stilistischen Durcheinander des Opernschaffens von Dvořák gibt es allerdings eine ganze Reihe von Stücken, vor allem unter den anspruchsvollen seiner Spätzeit, wie zum Beispiel der dreiaktige JAKOBÍN (*Der Jakobiner;* Text von Marie Červinková-Riegrová, Prag 1889), sowie die oben erwähnte *Teufelskäthe* (Prag 1899) und vermutlich auch die ARMIDA (Prag 1904), denen es nicht musikalisch, aber inhaltlich an der für jenes Fluidum nötigen Verhaltenheit fehlte. Die betonte, großenteils humoristische Verworrenheit des Geschehens hat Dvořák im *Jakobiner* genau so meisterhaft in das Gewand einer zeitgemäßen »großen Oper« gekleidet, wie unter geschickter Verwendung der Leitmotivtechnik zur Charakterisierung des Gegensatzes zwischen Himmel (der Marsch für den rettenden Schäfer) und Hölle (die zerrissene Motivik für alle Teufel) das nicht weniger bunte Treiben in der *Teufelskäthe*. Diese Werke sind, wie Smetanas rund 20 Jahre ältere Oper DALIBOR, durchaus selbständige Beiträge zu der zeitüblichen »großen Oper«, in denen der Gattungsstil vor dem Personalstil den Vorrang hatte — demgegenüber führte dann allerdings die diesen Werken zeitlich benachbarte RUSALKA (Prag 1901) mit ihrem im Reich der Undinen spielenden zauberisch-zarten Märchenstoff den Komponisten über jede Konvention hinweg, von den beiden das Vorspiel eröffnenden und die ganze Oper durchsetzenden charakteristischen Leitmotiven des Wassermannes und Rusalkas an zu einer fast pausenlosen musikalischen Wiedergabe einer naturhaften Atmo-

Antonin Dvořák: RUSALKA; Beginn des Vorspiels

sphäre, die auch dem tschechischen Fluidum wieder zugänglich war. Durch dieses Werk hat sich Dvořák recht eigentlich seinen Smetana und Janáček ebenbürtigen Platz in der Geschichte der tschechischen Oper erobert.

Im Opernschaffen dieses Letzteren hat sich das Frühwerk JENUFA (3 Akte, Text von Gabriela Preissova, Brünn 1904) von Anfang an besonderer Beliebtheit erfreut, inhaltlich ein Vertreter des

Verismus, in dem die Brutalitäten dieser Stilrichtung vor allem an den Aktschlüssen nicht zu seinem Vorteil mit krassen sentimentalen Gegensätzen zusammenstoßen. Musikalisch vollzieht sich das Geschehen vorwiegend in auf lange Strecken durch ostinate Bässe zusammengehaltenen Rezitativ-Blöcken, deren Eintönigkeit teils durch charakteristisch wechselnde Orchesterbegleitung, auch durch Instrumental-Soli (zum Beispiel in II,1 durch sehr ausdrucksvolle Bläser- und Bratschensoli) oder durch Einschub von volkstümlichen geschlossenen Formen unterbrochen wird. In Janáčeks späteren Opern macht sich, der erwähnten librettistischen Verinnerlichung entsprechend, auch unter Beteiligung des tschechischen Fluidums eine musikalische Verfeinerung bemerkbar. So ist es zum Beispiel schon in der 1921 ebenfalls in Brünn herausgekommenen dreiaktigen Oper KÁTA KABANOVÁ (Text nach Alexander N. Ostrowski), obwohl auch sie im wesentlichen eine Gesprächsoper mit nur wenigen geschlossenen Formen ist. Hier erscheinen jedoch vor allem gegen Ende an Stelle eines seccohaften Rezitativs lange freie Betrachtungen in getragener Vierteldeklamation, mit denen die Titelheldin unversehens zu einer großartigen und rührenden tragischen Figur heranwächst, wie das Beispiel aus Katjas Monolog vom Ende des III. Aktes zeigen möge (S. 455).

Ideenmäßig noch einen Schritt weiter in Richtung auf die beiden abgeklärten Spätwerke tut der Komponist mit der nächsten Oper, dem *Schlauen Füchslein* (Text vom Komponisten nach Rudolf Těsnohlídek, Brünn 1924), in der er die Idee der ewigen Vergänglichkeit und Wiedergeburt allen Lebens textlich wie musikalisch auf poetische Weise in Form einer Parallele von Tier- und Menschenwelt wiedergibt. Daß er mit der Dostojewski-Oper *Aus einem Totenhaus* (Brünn 1930), deren Text er selbst nach dem Dichter gestaltet hat, deren Aufführung er aber nicht mehr erlebte, einen der Höhepunkte seiner an Erfolgen reichen Laufbahn als Opernkomponist errreichte, war eine schicksalsbedingte Selbstverständlichkeit.

Annähernd gleichzeitig mit den drei großen tschechischen Opernmeistern, das heißt in deren Schatten, wirkte ihr Landsmann Zdenko Fibich (1850-1900), der zahlreiche, nicht sonderlich erfolgreiche Opern geschrieben hat, darunter NEVĚSTA MESINSKÁ (*Die Braut von Messina;* 1884) und eine mythologische Trilogie HIPPODAMIA (1890/91), die offenbar mehr unter fremdem (deutschem) als unter dem näherliegenden einheimischen Einfluß stehen. Als jüngster der tschechischen Komponisten hat Jaromir Weinberger (1896-1967) neben Janáček mit einer Reihe von Opern und Operetten ins 20. Jahrhundert hineingewirkt, von denen allerdings nur die erste, SVANDA DUDÁK (*Schwanda der Dudelsackpfeifer;* Prag 1927) großen Erfolg hatte, offenbar in erster Linie deswegen, weil der Meister darin (im Gegensatz zu Fibich) von volkstümlich-tschechischer Musik ausgiebig und geschickt Gebrauch gemacht hat.

Leoš Janáček: KATA KÁBANOVÁ

# Oper in den USA

Besonders eindringlich hat die Gattung „Oper" ihre Fähigkeit zur Eroberung fremder Länder bzw. zur Anpassung an fremde Geschmacksrichtungen durch ihr verhältnismäßig frühzeitiges Auftreten auf den Bühnen der USA manifestiert[1]. Sie erschien dort bereits in der ersten Hälfte des 18. Jahrhunderts, und zwar in der gleichen bescheidenen, singspielhaften Gestalt, in der sie von je her überall in der Welt zuerst einen Platz errungen hatte. In den USA war aus textlichen Gründen das nächstliegende Vorbild die englische Ballad opera, deren Urbild, THE BEGGAR'S OPERA, um die Jahrhundertmitte außer in New York auch noch an anderen Orten aufgeführt wurde. Dazu gesellten sich bald weitere heitere Opern jüngerer englischer Komponisten, auch französische „opéra comiques", und schließlich ließen auch die ernsten Opern der drei großen europäischen Opern-Nationen nicht mehr auf sich warten. Die Vorliebe des Publikums für diese hinderte dann die Entstehung einer autochthonen amerikanischen Oper mehr als daß es sie begünstigt hätte, so daß Grout seine Ausführungen hierüber[2] zu Recht mit den treffenden Worten beschließen konnte: „In a word, American opera remains, until well into the twentieth century simply a longed-for but unrealised ideal". Es ging also auch hier, mehr noch als in anderen Ländern, um das Übergewicht der „Oper in Amerika" über die „Amerikanische Oper". Aus der Fülle der Namen, die Grout[3] nennt, seien hier nur die historisch bzw. künstlerisch herausragendsten angeführt: William H. Fry (1813–1864), der Schöpfer der ersten durchkomponierten amerikanischen Oper LEONORA (Philadelphia 1845), Walter Damrosch (1862–1950) als Vertreter der deutsch-romantischen Oper, und George W. Chadwick (1854–1931) vor allem als Lehrer der drei bedeutendsten amerikanischen Opernkomponisten der jüngeren Generation: Frederick Shepherd Converse (1871–1940), Henry Hadley (1871–1937) und Horatio Parker (1863–1919). Die Opern MONA (New York 1912) und FAIRYLAND (Los Angeles 1915) des letzteren lassen den Einfluß Wagners erkennen; FAIRYLAND charakterisiert Grout mit den Worten „Wagner leavened by a dash of late Strauss"[4] („wagnerisch mit einem Schuß später Strauss").

In neuerer Zeit wuchs mit der zunehmenden Internationalisierung der Oper die Zahl bemerkenswerter und eigenständiger amerikanischer Werke[5]; aus ihr seien hier zwei besonders erfolgreiche hervorgehoben, die durch ihre Unvereinbarkeit den weiten Umfang der geistigen Welt widerspiegeln, in der sich die amerikanische Gattung nunmehr bewegt. Das einzige Bindeglied zwischen ihnen ist die besondere Bedeutung, die dem Text und seiner gesamten Atmosphäre in ihnen zukommt. – Das jüngere der beiden Werke, THE CONSUL, Musikdrama in 3 Akten von Gian Carlo Menotti (geb. 1911) kam 1950 in Philadelphia heraus, nachdem ihm dort bereits eine Reihe kleinerer Werke der Komponisten, darunter der Zweiakter THE MEDIUM (1946) und der Einakter THE TELEPHONE (1947) vorangegangen waren. Menotti war zwar gebürtiger Italiener, lebte aber bereits seit 1928 in den USA, so daß der CONSUL, seine erfolgreichste Oper, trotz des deutlich erkennbaren italienischen Vorbilds als „amerikanische Oper" angesehen werden kann. Es ist gat-

---

1 Für Einzelheiten diese Kapitels stützt sich die Verfasserin auf die eingehenden Ausführungen des amerikanischen Kollegen und Freundes Donald J. Grout (1902–1987) in seiner *short History of Opera* (Columbia University Press ²1965), mit dessen Spezialkenntnissen vor allem für die frühere Zeit wetteifern zu wollen, sinnlos und anmaßend wäre.
2 a.a.O., S. 490.
3 a.a.O., S. 496 und 533ff.
4 a.a.O., S. 533f.
5 a.a.O., s. 545.

tungsmäßig eine opera seria, deren Secco-Rezitativ sowohl auf längeren Strecken als auch im kurzgliedrigen Wechselgespräch oft jeglicher orchestralen Stütze entbehrt und dessen geschlossene Formen zwischen kinderliedartigen, ariosen und, an Höhepunkten, pathetischen, sprüngereichen und reich instrumentierten Arien (so z. B. der Klagegesang der Mutter am Ende der Szene II,1) wechseln. An den Szenen- bzw. Aktenden erscheinen mitunter melodisch schöne, polyphone Ensembles, unter denen vor allem das verhaltene Quintett der Opfer des nicht greifbaren „Konsuls" hervorragt. Wie in diesem Fall, so erhält aber auch in der gesamten Oper die Musik ihre Bedeutung erst recht eigentlich durch den Text, der vom Komponisten selbst stammt. In ihm hat er die unmenschliche Sinnlosigkeit eines übersteigerten Behördenwahnsinns mit einer Intensität und Konsequenz aufgezeigt und ad absurdum geführt, daß seine Musik im Vergleich dazu in die Rolle einer Begleiterscheinung gedrängt wurde.

Das zweite der genannten Werke nimmt eine Sonderstellung nicht nur in der amerikanischen Oper, sondern in der Operngeschichte insgesamt ein: Die dreiaktige Oper PORGY AND BESS (Text von Du Bose Heyward und Ira Gershwin, dem Bruder des Komponisten, Boston 1935) von George Gershwin ist nicht nur eine „Neger-Oper", weil ihre Gestalten fast ausschließlich Schwarze sind, sondern weil sie sich auch musikalisch in Melodik, Harmonik und vor allem in Rhythmik an „Negermusik" orientiert, und weil auch der Inhalt von einem fremden, Außenstehenden zwiespältig anmutenden Geist erfüllt ist[6]. Gleich im I. Akt stoßen fast unheimlich wirkende Gegensätze unmittelbar aufeinander. An eine auch musikalisch sehr eingehend und abwechslungsreich dargestellte allgemeine Schlägerei mit Todesfolge schließt sich als Ausdruck des Entsetzens darüber ein Gesang „like a rhythmic spiritual" voll tiefer Religiosität an. Ähnliche Kontraste finden sich auch in den anderen Akten. Sie alle beweisen aber gerade die charakterlich bedingte Möglichkeit einer Verbindung des anscheinend Unvereinbaren aufgrund der naiven Eingliederung des religiösen Glaubens in das irdische Leben. Dementsprechend geht von Anfang an durch die ganze Handlung der tröstliche Gedanke des Glaubens an das versprochene „gelobte Land", an dem der von Bess so schnöde betrogene Porgy unerschütterlich bis zuletzt festhält und dem so buntbewegten, sehr irdischen Geschehen damit zu einem ganz jenseitigen Ende verhilft.

Formal ist das Werk eine echte Oper mit einem textentsprechenden Wechsel von rezitativischen Gesprächen, geschlossenen Formen vom einfachen Strophenlied bis zur kunstvollen Arienstrophe und vor allem mit zahlreichen Chören und dramatisch bedingten Instrumentalsätzen. Dieser große musikalische Reichtum aber gewinnt seine einzigartige Bedeutung ausschließlich im Dienst des Dramas bis in dessen feinste Regungen hinein, so daß diese Oper, die ihrer Atmosphäre nach so fremdartig wirkt, durch die dramaturgische Meisterschaft des Komponisten zu einem Höhepunkt ihrer Gattung geworden ist.

---

6 Grout (a.a.O., S. 545) charakterisiert das Werk mit dem *einen* treffenden Satz: „No work has yet risen to challenge the secure place of ‚Porgy and Bess' in the history of American opera", doch möge einer europäischen Operngeschichte eine etwas ausführlichere Behandlung der Materie erlaubt sein.

# Verzeichnisse

# Personenregister

Abbatini, Antonio Maria 40
Abbatini, Giovanni Maria 56
Abert, Johann Joseph 299f.
Ablesimov, Alexander Omissowitsch 423
Adam de la Halle 16
Adam, Adolphe 196
Adami, Giuseppe 138
Adlerbeth, Gudmund Göran 417
Agazzari, Agostino 32
Alarcón, Pedro Antonio de 302
Albeniz, Isaac 217
d'Albert, Eugen 305, 325
Alberti, Herbert 305
Albinoni, Tommaso 234
Alfano, Franco 138
Algarotti, Francesco 86
Allfeld, Philipp 301
Alxinger, Johann Baptist von 372
Amadei, Filippo 338
Andersen, Hans Christian 414
Andersen, Ludwig 327
André, Johann 238
Andreini, Giovanni Battista 14
Andreini, Virginia 14, 47
Anfossi, Pasquale 83, 86, 93, 378
Angiolini, Gasparo 355f.
Anna von Österreich 146
D'Annunzio, Gabriele 139f.
Anthes, Otto 305
Apel, August 258
Apollinaire, Guillaume 214
Ariost 33, 149
Ariosti, Attilio 71, 73
Aristoteles 15
Arne, Thomas Augustin 412
Arnold, Samuel 412
Arrieta, Emilio 217
Auber, Daniel François Esprit 176, 180f., 184, 193-195, 202
Aubert, Jacques 112
Auden, Wystan Hugh 441
Auersperg, Karl Fürst 388
Aureli, Aurelio 49
d'Auvergne, Antoine 165

Bach, Johann Christian 78, 83-86
Badara, Leone Emanuele 117
Badini, C.F. 83
Badoaro, Giacomo 49, 51
Baggesen, Jens 418
Baïf, Jean-Antoine de 17

Balász, Béla 451
Balfe, Michael William 413
Balzac, Honoré de 407
Barbier, Jules 185, 188
Barbieri, Francisco Asenjo 217
Bardi, Giovanni 13, 15, 17
Bargagli, Girolamo 13
Barnett, John 413
Bartók, Béla 451
Bartsch, Rudolf Hans 303
Batka, Richard 306
Battista, Giovanni 47
Beaujoyeux, Balthazar de 17
Beaulieu, Lambert de 17
Beaumarchais, Pierre Augustin Caron de 214, 392
Beccarai, Agostino 16
Beethoven, Ludwig van 104, 173, 249f.
Belasco, David 136
Bellini, Vincenzo 110-113
Belski, Wladimir 437
Benda, Georg 237f., 240, 380
Benedict, Sir Julius 413
Benserade, Isaac de 147f.
Beregani, Nicolo 49
Berg, Alban 316, 321f., 325, 407
Berg, Natanael 418
Berini, Lorenzo 35
Berlioz, Hector 185, 187-190
Bernabei, Ercole 61
Bernabei, Giuseppe Antonio 43
Bernano, Georges 215
Bernard, Joseph Karl 252
Bertali, Antonio 43
Bertati, Giovanni 93, 101, 394
Berton, Henri Montan 175
Berwald, Franz 417f.
Bichl, Charlotte Dorothea 417
Bickerstaffe, Isaac 412
Bie, Oscar 11
Bierbaum, Otto Julius 304
Bis, Hippolyte Louis Florent 109
Bishop, Henry B. 412
Bittner, Julius 306f.
Bizet, George 188, 199f.
Blacher, Boris 327f., 418
Blech, Leo 306
Blei, Franz 322
Bloch, Ernest 205
Blomdahl, Karl-Birger 418
Blonda, Max 320
Blow, John 411

Boccaccio, Giovanni 38
Boieldieu, Adrien 169, 176, 191-193, 196, 422
Boito, Arrigo 124f., 127, 129f., 133f., 140
Bonno, Giuseppe 77
Bononcini, Giovanni 71, 334, 338
Bononcini, Marc Antonio 71f.
Bontempi, Giovanni Andrea 46, 221
Borodin, Alexander 425-427, 431
Bortnjanski, Dmitri Stepanowitsch 423
Bostel, Lucas von 226
Bouilly, Jean Nicolas 172-174, 249
Boye, Caspar Johannes 419
Brachvogel, Ernst 306
Brandes, Johann Christian 240
Brecht, Bertolt 325f.
Bressand, Friedrich Christian 225f.
Bretzner, Christoph Friedrich 389
Breuning, Stefan von 249
Brifaut, Charles 179
Britten, Benjamin 415f.
Brjussow, Waleri 447
Brown, John 73
Bruch, Max 299
Brüll, Ignaz 301
Bruneau, Alfred 203, 208
Büchner, Georg 321, 327f.
Buelow, George 225
Bulwer-Lytton, Edward 272
Bunge, Rudolph 301
Bungert, August 300f.
Bunn, Alfred 413
Burlington, Lord 336
Burte, Hermann 407
Busenello, Gian Francesco 48f., 53
Busoni, Ferruccio 307
Buti, Francesco 41, 146f.
Byron, Lord 116

Caccini, Francesca 24
Caccini, Giulio 13, 15, 21-24, 146
Caldara, Antonio 68, 221
Calderon de la Barca 217, 264, 304
Calzabigi, Raniero 82, 86f., 352, 355f., 358
Cambert, Robert 148f.
Cammarano, Salvatore 111, 114, 116f.
Campra, André 153f., 383
Candeille, Pierre Joseph 169
Caproli, Carlo 147
Carré, Michael 185, 188
Casella, Alfredo 140
Castelli, Ignaz Franz 246, 269
Castelnuovo-Tedesco, Mario 141
Casti, Giovanni Battista 99f., 319, 391
Catalani, Alfredo 131, 133

Catel, Charles-Simon 169, 176, 179
Cavalieri, Emilio de' 13-15, 32
Cavalli, Francesco 49f., 55-59, 146f.
Cavos, Catterino 423
Cerninková-Riegrová, Marie 453
Cesti, Antonio 43, 56-59, 61
Cesti, J. B. 86
Chabrier, Emanuel 197, 201
Chadwick, George W. 456
Chailly, Jacques 292
Chandos, Herzog von 337
Charpentier, Gustave 203, 208
Charpentier, Marc-Antoine 148, 211
Cherubini, Luigi 169-174, 179, 191, 193, 213
Chézy, Helmina von 260
Chiabrera, Gabriello 24
Chiera, David di 86
Child, Harold 414
Christiansen, Einar 420
Christina von Lothringen 13
Christine von Schweden 42
Cicognini, Giacinto Andrea 48f.
Cigna-Santi, Vittorio Amadeo 69, 375
Cilèa, Francesco 138
Cimarosa, Domenico 83, 86f., 93, 101, 402
Cirillo, Francesco 61
Claudel, Paul 209, 211f., 215
Clemens IX., Papst 35
Cocteau, Jean 208f., 212, 214f., 441
Coffey, Charles 236
Collasse, Pascal 153
Coltellini, Marco 82
Congreve, William 412
Conradi, Johann Georg 225f.
Conti, Francesco 221
Converse, Frederick Shepherd 456
Cooke, Captain Henry 410
Corancey, Olivier de 363
Corder, Frederick 413
Cornacchioli, Giacinto 33
Corneille, Pierre 65f., 148f.
Corneille, Thomas 228
Cornelius, Peter 297-299
Corradi, Giulio Cesare 49
Corsi, Jacopo 17
Crabbe, George 415
Craft, Robert 447
Cramer, Heinz von 327-329
Crémieux, Hector 197
Crozier, Eric 416
Cui, César 425

Da Ponte, Lorenzo 91, 391-394, 399
Dahlhaus, Carl 290

Dalayrac, Nicolas-Marie 168f., 175
Dallapiccola, Luigi 141f.
Damrosch, Walter 456
Danchet, Antoine 383
Danican Philidor, François André s. Philidor, François André Danican
Daniélou, Jean 441
Dante Alighieri 15, 137
Danzi, Franz 239
Dargomyshski, Alexander S. 424f., 435, 440, 447, 450
Dassoucy, Charles 148
David, Félicien 185, 196, 198
Debussy, Claude 137, 139, 206-208, 451
Delibes, Leo 197-199
Delius, Frederick 414f.
Delius, Jelka 414
della Viola, Alfonso s. Viola
Dent, Edward J. 411
Dessau, Paul 325
Destouches, André Cardinal 153f., 163
Devrient, Eduard 267, 273
Diaghilew, Sergej Pawlowitsch 447
Dibdin, Charles 412
Diderot, Denis 86
Dieter, Christian Ludwig 239
Dieulafoy, Michel 179
Dittersdorf, Carl Ditters von 244
Döring, Georg 255
Donizetti, Gaetano 110-113, 181, 194
Dorn, Heinrich 268
Dostojewski, Fjodor M. 408, 447, 452, 454
Dovsky, Beatrice 305
Drachmann, Holger 319
Draesecke, Felix 300f.
Draghi, Antonio 43, 230
Dryden, John 410f.
Du Locle, Camille 122f.
Du Roullet, Marquis 367
Dukas, Paul 207f.
Dulk, Albert 299
Dumas, Alexandre d.J. 117, 302
Duni, Egidio Ronualdo 94, 165
Durandi, J. 83
Durazzo, Graf 352, 355
Duveyrier, Charles 119
Dvořák, Antonín 451, 453

Eckermann, Johann Peter 258
Egk, Werner 327, 418
Egressy, Béni 450
Eichendorff, Joseph Freiherr von 407
Einem, Gottfried von 328
Eisler, Hanns 325
Elisabeth Christina 221

Enna, August 420
Erkel, Ferenc 450
Erlanger, Camille 204
Ernst Ludwig von Hessen-Darmstadt 229
Eulenberg, Herbert 303
Euripides 321, 358
Ewers, Hans Heinz 305

Faccio, Franco 129
Fall, Leo 247
Falla, Manuel de 217
Fauré, Gabriel 205
Faustini, Giovanni 48f., 55, 58
Favart, Charles Simon 164f., 236, 352
Favières, Edmond Guillaume François de 418
Federico, Gennaro Antonio 88-90
Feind, Barthold 226f.
Feld, Leo 319
Ferdinand, Erzherzog 376
Ferrari, Benedetto 20, 47-50
Feustking, Friedrich Christian 31, 226
Février, Henry 205
Fibich, Zdenko 454
Fitzball, Edward 413
Fleg, Edmond 205
Flotow, Friedrich von 181, 269
Förtsch, Johann Philipp 225
Fomin, Evistignei Ipatowitsch 423
Fortner, Wolfgang 326, 328
Forzano, Gioacchino 137
Foster, Edward Morgan 416
Fouqué, Friedrich de la Motte 251, 271
Franchetti, Alberto 131, 133
Franck, César 201
Franck, Johann Wolfgang 222-224, 226
Frank, Ernst 298
Fry, William H. 456
Freytag, Gustav 306
Friberth, Karl 97
Friedrich der Große 78
Friedrich, Wilhelm s. Riese
Frugoni, Innocenzi 82
Fux, Johann Joseph 221

Gabrieli, Andrea 11
Gagliano, Marco da 24f.
Galilei, Vincenzo 15
Gallet, Louis 200
Galuppi, Baldassare 77, 80, 91-93, 422f.
Gamerra, Giovanni de 69, 375
Garcia Lorca, Federico 326, 328
Garissimi, Giacomo 56
Gasparini, Giovanni 71, 89
Gassmann, Florian Leopold 99

Gaveaux, Pierre 173, 249
Gay, John 325, 342, 412
Gaztambide, Joaquín 217
Gazzaniga, Giuseppe 394
Gebler, Tobias Philipp Freiherr von 377, 402
Gehe, Eduard Heinrich 253
Geibel, Emanuel 299
Generali, Pietro 102, 104
Georges, Alexandre 204
Gerber, Rudolf 69
Gerhäuser, Emil 305
Gershwin, George 457
Gershwin, Ira 457
Ghislanzoni, Antonio 123
Giacosa, Giuseppe 135-137
Gibbons, Christopher 410
Gilardoni, Domenico 111
Gilbert, William Schwenck 413
Giordano, Umberto 138
Glasunow, Alexander 425
Glinka, Michail Iwanowitsch 423-425, 440, 450
Gluck, Christoph Willibald 78, 80, 82f., 86f., 98, 100, 155, 161-163, 165, 170-172, 176-178, 185, 189, 220, 236, 241, 244, 251, 272, 330, 336, 348, 351-373, 383
Goethe, Johann Wolfgang von 129, 140, 238-241, 258, 301, 303
Goetz, Hermann 298
Gogol, Nikolai Wassiljewitsch 427, 448
Goldoni, Carlo 91, 93f., 97f., 140, 307, 374
Gonzaga, Francesco 25
Gotter, Friedrich Wilhelm 237, 240
Gottfried von Straßburg 291
Gottsched, Johann Christoph 235
Gounod, Charles 185, 188, 197
Gozzi, Carlo 138, 272, 307, 447
Grabu, Louis 411
Graener, Paul 305f.
Granados, Enrique 217
Graun, Karl Heinrich 77f., 80, 236
Graupner, Christoph 229
Gravina, Gian Vincenzo 66
Gregor, Joseph 318
Grétry, André Ernest Modeste 167-169, 175, 191
Grimani, Vincenzo 332
Grout, Donald J. 456
Grün, James 308
Grünewald, Matthias 323
Guarini, Giovanni Battista 16, 66, 148, 336
Guastalla, Claudio 141
Guglielmi, Pietro 83, 86, 93
Guillard, Nicolas-François 367
Güntelberg, Christian Frederik 419

Gustav III. von Schweden 417
Gutierrez, Garcia 117, 119

Hadley, Henry 456
Händel, Georg Friedrich 78, 86, 220, 226f., 235, 330-350, 373, 412
Hahn, Reynaldo 204, 208
Halévy, Jacques Fromental 112, 184-186, 195f.
Halévy, Ludovic 197, 200
Hallén, Johan Andreas 418
Hallström, Ivar 418
Hamerik, Ebbe 420
Hanslick, Eduard 11
Hardt, Ernst 306
Harsdörffer, Georg Philipp 220
Hartmann von der Aue 308
Hartmann, Johan Peter Emil 419
Hartmann, Karl Amadeus 328
Hasse, Johann Adolf 68, 77-80, 86, 89, 102, 236, 330, 357, 377
Hauptmann, Gerhart 203, 306
Haydn, Joseph 83, 93f., 97-99
Haym, Nicola 334, 336
Hebbel, Friedrich 269, 305
Heiberg, Johann Ludvig 419
Heidegger, Johann Jakob 334, 337f.
Heine, Heinrich 133
Heinrich IV. von Frankreich 20, 146
Hell, Theodor 259
Henschke, Alfred 319
Hensler, Karl Friedrich 247, 402, 423
Henze, Hans Werner 328f.
Herder, Johann Gottfried von 241, 372
Hérold, Ferdinand 194
Hertz, Henrik 431
Hervé 197
Heuchelin, Christian 222
Heyward, Du Bose 457
Hidalgo, Juan 217
Hiemer, Franz Karl 257
Hill, Aaron 334f., 337
Hiller, Johann Adam 236-238
Hindemith, Paul 316, 322-325
Hinsch, Hinrich 226
Hölderlin, Friedrich 324
Hoffman, François Benoît 172f.
Hoffmann, Ernst Theodor Amadeus 250-252, 256, 258f., 265, 271, 299, 307, 322
Hofmann, Friedrich 301
Hofmann, Georg Edler von 263
Hofmannsthal, Hugo von 309-311, 313, 315-317, 321, 327
Hogarth, William 441
Holberg, Ludwig 306

Holst, Gustav 414f.
Holstein, Franz von 299
Holzbauer, Ignaz 241, 380
Honegger, Arthur 209-212, 215
Hugo, Victor 114f., 117, 306, 327, 425
Humperdinck, Engelbert 298, 302, 304, 306f.
Hunold, Christian Friedrich 226

Ibert, Jacques 209
Ibsen, Henrik 327
Ihlee, Johann Jakob 253
Illica, Luigi 135-138
d'Indy, Vincent 201f.
Isouard, Nicolo 169, 176, 191

Jammes, Francis 211
Janáček, Leos 451, 454f.
Jarnach, Philip 307
Jommelli, Nicolo 80-83, 86, 89, 93, 351
Jones, Sidney 413
Jonson, Ben 317, 410
Joseph II. 244
Jouy, Victor Joseph Etienne de 109, 177

Kafka, Franz 328
Kaiser, Georg 325, 327
Karl Eugen von Württemberg 81
Karl VI. 68, 221
Katharina II. 422f.
Kauer, Ferdinand 247, 423
Keary, Charles Francis 414
Keiser, Reinhard 225, 227-230, 235, 331
Keller, Gottfried 319, 414
Kellgren, Johan Henrik 417
Kepler, Johannes 323
Kessler, Harry Graf 312
Kienzl, Wilhelm 303
Kind, Friedrich 258, 265
Kistler, Cyrill 301f.
Klabund s. Henschke
Klaren, Georg C. 319
Klein, Anton 241
Kleist, Heinrich von 306, 407
Klinger, Friedrich Maximilian 252
Klopstock, Friedrich Gottlieb 241, 372
Knjashnin, Jakow Borissowitsch 423
Kochno, Boris 440
Kodály, Zoltán 451
Köhler, Johann Martin 225
König, Johann Ulrich von 226, 230
Königsmarck, Maria Aurora von 223
Kokoschka, Oscar 322
Korngold, Erich Wolfgang 325
Kotzebue, August von 256, 271

Kraus, Joseph Martin 417
Krenek, Ernst 322, 326
Kretschmer, Edmund 300
Kreutzer, Rodolphe 169, 174f., 264
Kröner, Adolf 300
Krylow, Iwan A. 423
Kuhlau, Friedrich Daniel Rudolf 419
Kunzen, Friedrich Ludwig Aemilius 418
Kupelwieser, Josef 264
Kurpinski, Karol 450
Kurz-Bernardon, Johann Felix Joseph von 244
Kusser, Johann Sigismund 225f.

la Motte Fouqué, Friedrich de s. Fouqué
Lachner, Franz 268
Lachner, Ignaz 268
Lalli, Domenico 65
Lampugnani, Giovanni Battista 77, 93
Landi, Stefano 33-35, 87
Laparra, Raoul 204
Latilla, Gaetano 77, 93
Lawes, Henry 410
Le Blanc du Roullet, Marquis 362
Le Cerf de la Viéville, Jean Laurent 154
Le Fort, Gertrud von 215
Legrenzi, Giovanni 57f., 60
Lehár, Franz 247f.
Lemierre, Antoine Marin 253
Lemoyne, Jean-Baptiste 162
Leo, Leonardo 75, 77, 89
Leoncavallo, Ruggiero 133-135, 138f.
Leopold II., Kaiser 400
Leroux, Xavier 204
Lesage, Alain René 163
Leskow, Nikolai 448
Lesueur, François 169-174, 191
Liebermann, Rolf 408
Lincke, Paul 248
Lindpaintner, Peter von 268f.
Lion, Ferdinand 305, 322
Lipiner, Siegfried 300
Liszt, Franz 263
Locke, Matthew 410
Löhner, Johann 222, 323
Loewenberg, Alfred 303
Lorca, Federico Garcia s. Garcia Lorca
Lorenzi, Giovanni Battista 94, 98
Lortzing, Albert 250f., 270-272, 297
Lothar, Rudolf 305f.
Lotti, Antonio 71f., 89
Lualdi, Adriano 140
Ludwig XIII. von Frankreich 146
Ludwig XIV. von Frankreich 146f., 154

Lully, Jean-Baptiste 43, 147-155, 157, 160f., 163, 226, 312, 322, 330, 348
Lunel, Armand 212f.
Lwow, Nikolai 423

Macfarren, Sir George Alexander 413
Mackenzie, Sir Alexander Campbell 413
Maeterlinck, Maurice 205, 207, 451
Mahler, Gustav 259
Mahner-Mons, Hans 309
Maillart, Louis Aimé 196
Majó, Francesco di 78, 83f., 86
Malipiero, Gianfrancesco 140
Mallet, David 412
Malvezzi, Cristofano 13
Manelli, Francesco 47, 49f.
Mangold, Carl 269
Mann, Thomas 416
Marais, Marin 153
Marazzoli, Marco 39f.
Marchetti, Filippo 129
Marenzio, Luca 13
Margherita von Savoyen 25
Maria Ricciarda Beatrice von Modena 376
Maria Theresia 68
Mariette, François Auguste Ferdinand 123
Marini, Giambattista 33
Marmontel, Jean François 253
Marschner, Heinrich 251, 256, 263, 265-270, 273, 281
Marsollier, Benoît 172
Martin y Soler, Vincente 422
Martinelli, Caterinuccia 47
Mascagni, Pietro 130, 133-135, 138f.
Mass, V. 449
Massé, Victor 196, 198
Massenet, Jules 135, 202f., 206, 208
Matinski, Michail 423
Mattheson, Johann 227, 229, 331
Maupassant, Guy de 416
Max Emanuel von Bayern 43
Mayr, Simon 102-104
Mayreder, Rosa 302
Mazarin, Jules 146-148
Mazzocchi, Domenico 33f., 39, 52
Mazzocchi, Virgilio 40
Mazzolà, Caterino 400
Meder, Johann Valentin 222f.
Medici, Ferdinando de' 13
Medici, Maria de' 20, 146
Méhul, Etienne Nicolas 169, 173f.
Mei, Girolamo 15
Meilhac, Henri 197, 200
Melani, Jacopo 42
Melville, Herman 416

Mendelson-Prokofjewa, Mira 447
Mendelssohn Bartholdy, Felix 239, 250
Mendès, Catulle 204
Menotti, Gian Carlo 456
Mercadante, Saverio 110f.
Mercotelli, Agasippo 88
Mérimée, Prosper 200
Mermet, Auguste 185
Méry, Joseph 122
Mesmer, Franz Anton 374
Metastasio, Pietro 58, 62, 64, 66-69, 77, 81, 99, 101, 269, 352, 355, 357, 376, 378, 400
Meyer, Conrad Ferdinand 301
Meyerbeer, Giaccomo 112, 119f., 181-185, 198, 202, 299
Milhaud, Darius 208, 211-215
Milhaud, Madelaine 213f.
Millöcker, Karl 247f.
Miltitz, Karl Borromäus 265
Minato, Nicolo 43, 49, 55, 230
Molière, Jean-Baptiste 89, 148f., 312f., 408, 423
Moniglia, Andrea 42
Moniuszko, Stanislaw 450
Monsigny, Pierre Alexandre 165
Montemezzi, Italo 139
Monteverdi, Claudio 13f., 23, 25-32, 34, 37, 47, 49-51, 53-57, 60
Morax, René 209
Mosenthal, Salomon Hermann 270, 300f.
Motte Fouqué, Friedrich de la s. Fouqué
Mozart, Wolfgang Amadeus 56, 69, 77f., 85f., 93f., 101, 220, 239, 240, 247, 249-253, 256f., 263, 272, 330, 354, 357, 373-406, 425, 442f.
Müller, Wenzel 247f.
Murger, Henri 134f.
Musset, Alfred de 200
Mussorgski, Modest 425, 427-429, 431

Napoleon I. 169, 173
Naumann, Johann Gottlieb 417f.
Neefe, Christian Gottlob 239f.
Neher, Caspar 325, 327
Nessler, Viktor 301
Nestroy, Johann Nepomuk 408
Newbolt, Henry 414
Nicolai, Otto 269-271
Niedermeyer, Louis A. 181
Nielsen, Carl 420
Nolfi, Vincenzo 49
Noris, Matteo 49
Nouguès, Jean 205
Noverre, Jean Georges 81, 380

Oehlenschläger, Adam 418f.
Offenbach, Jacques 197, 247f.

Opitz, Martin 46, 220
Orefice, Antonio 88
Orff, Carl 322, 324f.
Orlandini, Giuseppe Maria 71, 74f., 89
Ostrowski, Alexander N. 454
Ovid 24, 223

Pacini, Giovanni 110
Paër, Fernando 102, 104f., 173, 249
Paisiello, Giovanni 83, 86f., 93f., 99-101, 422
Palitzsch, Peter 325
Pallavicino, Carlo 57, 59f., 62f.
Palomba, Antonio 89
Palomba, Giovanni 99
Pappenheim, Marie 320
Pariati, Pietro 65, 221, 234
Parini, Giuseppe 376
Parisani, Giovanni Francesco 33
Parker, Horatio 456
Paschkewitsch, Wassili A. 422
Pasqué, Ernst 299, 301
Pasquini, Bernardo 42
Pedrell, Felipe 217
Pedrotti, Carlo 129
Pepusch, Johann Christoph 342, 412
Peragallo, Mario 141
Peranda, Marco Giuseppe 46, 221
Perez, Davide 77, 80, 93
Pergolesi, Giovanni Battista 77, 80, 89, 164
Peri, Jacopo 15, 17f., 20f., 23-25, 146
Perrin, Piere 148f.
Perrucci, Andrea 61
Perti, Giacomo Antonio 61
Peterson-Berger, Wilhelm 418
Petrassi, Goffredo 141
Petrella, Enrico 129
Petrosellini, Giuseppe 93f.
Pfeiffer, Karl 256
Pfitzner, Hans 308f., 325, 414
Philidor, François André Danican 165-167
Piave, Francesco Maria 114-117, 119, 121, 125
Piccinni, Nicolo (Nicola) 83, 86, 93-98, 162, 364, 367
Pick-Mangiagalli, Riccardo 140
Pinzauti, Leonardo 142
Pizzetti, Ildebrando 140f.
Planché, James Robinson 261
Platon 15, 208
Plomer, William 416
Pocci, Franz Graf von 327
Poliziano, Angelo 16
Pollarolo, Carlo Francesco 57
Ponchielli, Amilcare 129-132
Pordes-Milo, Alexander Sigmund 306
Porpora, Nicola 75, 77, 334, 346

Porta, Giovanni 71
Porta, Nunziato 82
Postel, Christian Heinrich 225f., 228
Poulec, Francis 208, 214f.
Praetorius, Johann Philipp 228, 234
Prechtler, Otto 417
Preiss, Alexander 448
Preissova, Gabriela 453
Prévost, Antoine François 135
Prokofjew, Sergei 448f.
Provenzale, Francesco 61
Puccini, Giacomo 129f., 135-139, 142, 199
Purcell, Alexander 140, 424, 427, 435, 437f., 440
Puttini, Francesco 98

Quinault, Philippe 149f., 155, 336, 364

Raaf, Anton 385
Rabaud, Henri 205, 208
Racine, Jean 65f., 147, 149f., 362
Raguenet, Abbé François 154
Raimund, Ferdinand 306
Rameau, Jean-Philippe 82, 153, 155-161, 163, 169
Ramuz Charles Ferdinand 440
Raupach, Ernst Benjamin Salomon 306
Ravel, Maurice 207
Reichardt, Johann Friedrich 239, 250
Reinecke, Carl 298
Reinick, Robert 269
Reissinger, Karl Gottlieb 265, 269
Respighi, Elsa 141
Respighi, Ottorino 140f.
Reyer, Ernest 198f., 201
Reznicek, Emil Nikolaus von 303
Ricci, Federico 110
Ricci, Luigi 110
Riccordi, Tito 139, 297
Richardson, Samuel 94
Richter, Christian 225
Riese, Friedrich Wilhelm 269
Rimski-Korsakow, Nikolai Andrejewitsch 425, 427, 431, 435-440, 447
Rinuccini, Ottavio 13, 15-17, 20f., 25, 29, 146, 220
Ritter, Alexander 298
Roberti, Girolamo Frigimelica 65
Rocca, Lodovico 141
Rodenbach, Georges 325
Rolli, Paolo Antonio 334, 338, 350
Romani, Felice 111, 194
Ronger, Florimond s. Hervé
Ropartz, Guy 205
Rosegger, Peter 304
Rosen, Georgi F. von 424
Rosmer, Ernst 302

Rospigliosi, Giulio 34-40
Rossellini, Renzo 141
Rossi, Gaetano 270
Rossi, Giacomo 334f.
Rossi, Lauro 129
Rossi, Luigi 37, 41f., 146
Rossi, Michelangelo 36, 38
Rossini, Gioacchino 101f., 104, 106-111, 114, 180f.
Rotondi, Joseph G. 38
Rousseau, Jean-Jacques 155, 164f., 171, 240, 374
Roussel, Albert 209
Rueger, Armin 407
Ruzsicska, Ignac 450

Saavedra, Angelo Perez di 121
Sacchini, Antonio 83, 86 162
Sachowskri, Alexander 423
Sacrati, Francesco 146
Saddumene, Bernardo 88f.
Saint-Exupéry, Antoine de 141
Saint-Pierre, Bernardin de 171
Saint-Saëns, Camille 197, 202
Salieri, Antonio 83, 86, 99, 162, 391
Salmon, Jacques 17
Salvi, Anvonio 65, 89
Sammartini, Giambattista 351
Sanctis, Francesco de 16
Sardou, Victorien 137
Sarti, Giuseppe 83, 86, 93, 422
Sartorio, Antonio 57-61
Satie, Eric 208f., 215
Sbarra, Francesco 49
Scarlatti, Alessandro 43, 46, 61-64, 71, 77
Scheffel, Victor von 300f.
Schiffer, Marcellus 322
Schikaneder, Emanuel 239, 402
Schiller, Friedrich 109, 115f., 121f., 125
Schillings, Max von 305
Schilowski, Konstantin 427
Schirkow, Volerjan 424
Schmidt, Fr. Gorg 256
Schmidt, Franz 306
Schober, Franz von 263
Schoeck, Othmar 407
Schönberg, Arnold 319-322, 326, 329, 447
Schopenhauer, Arthur 285
Schostakowitsch, Dmitri 448f.
Schott, Paul 325
Schrade, Leo 12
Schrattenbach, Sigismund von 376
Schreker, Franz 320f.
Schriefer, Wilhelm 301
Schubart, Christian Daniel Friedrich 380
Schubert, Franz 263-265, 302

Schürmann, Georg Kaspar 229
Schütz, Heinrich 46, 220
Schuh, Willi 316, 407
Schulz, Johann Abraham Peter 419
Schumann, Robert 269
Schweitzer, Anton 241-243, 380
Scott, Walter 267
Scribe, Eugene 112, 119f., 138, 180, 182-185, 193f.
Sedaine, Jean Miehel 165, 167f.
Sévérac, Déodat de 205
Shadwell, Thomas 410
Shakespeare, William 114-116, 119, 127, 140, 188,
   217, 270, 272, 2Z4, 300, 408, 410f., 414, 416
Sheridan, Richard 448
Shield, William 412
Shirley, James 410
Sienkiewicz, Henryk 205
Silvani, Francesco 65
Simonetti, Christian Ernst 226
Simoni, Renato 138
Simrock, Karl 301
Singer, Maxim 319
Skroup, Frantisek 450
Slater, Montagu 415
Smareglia, Antonio 131, 133
Smetana, Bedrich 451f.
Söderman, Johan August 418
Sohlern, Edgar Freiherr von 302
Sokolowski, Michail M. 423
Solera, Temistocle 114f.
Somma, Antonio 120, 125
Sonnleithner, Joseph 249
Sophokles 11, 209, 441
Spohr, Louis 250-256, 259f., 263
Spontini, Gasparo 174, 177-180, 274
Sporck, Ferdinand 302, 305
Stach, Ilse von 309
Staden, Sigmund Theophil 220, 223
Stampiglia, Silvio 65
Standfuß, Johann C. 236
Stanford, Sir Charles Villiers 413
Steffani, Agostino 43-46
Stephanie, Gottlieb d. J. 244, 388
Storace, Stephen 412
Stradella, Alessandro 61
Stramm, August 322
Stranitzky, Josef Anton 244
Straus, Oscar 247
Strauß, Johann 247f.
Strauss, Riehard 305, 308-321, 325f., 407, 414, 456
Strawinski, Igor 329, 440-448
Striggio, Alessandro 25
Strindberg, August 306
Strobel, Heinrich 408

Strohm, Reinhard 334
Strozzi, Giulio 29, 49, 146
Strozzi, Piero 15
Strungk, Nicolaus Adam 225
Stuckenschmidt, Hans Heinz 320, 324, 326, 329
Sullivan, Arthur S. 413
Suppe, Franz von 247
Sutermeister, Heinrich 408
Swiny 337
Synge, John Millington 414

Tasso, Torquato 15f., 32f., 66, 148f., 364, 451
Tate, Nahum 411
Telemann, Georg Philipp 227, 229-235
Terradellas, Domenico (Domingo) 77, 80, 93
Terrasson, Abbe 402
Terzago, Ventura 46
Tesnohlidek, Rudolf 454
Thackeray, Thomas James 413
Theile, Johann 225
Thomas, Ambroise 185, 188, 196, 198
Thomas, Arthur Goring 413
Thomson, James 412
Thuille, Ludwig 304
Tieck, Ludwig 256, 269
Tippett, Michael 415
Tolstoi, Lew N. 447
Tommasini, Vinsenzo 129
Torri, Pietro 43
Toscanini, Arturo 129
Traëtta, Tommaso 80, 82f., 86, 93, 422
Treitschke, Georg Friedrich 249
Trinchera, Pietro 88
Tronsarelli, Ottavio 33
Tschaikowski, Modest 431
Tschaikowski, Peter I. 425, 427, 430-434, 440
Tscherwinski, M. 449
Tschudi, Ludwig Theodor von 371
Türk, Joseph 257
Tullio, Francesco Antonio 88

Umlauff, Ignaz 244f.
Urban VIII., Papst 32, 35, 40
Uttini, Francesco Antonio 417

Varesco, Giambattista Abbate 383
Vaughan Williams, Ralph 414
Vecchi, Orazio 15
Vega, Lope de 217
Verazi, Mattia 69, 81, 86
Verdi, Giuseppe 106, 108, 110-112, 114-131, 138, 162, 181, 184f., 199f., 205, 270, 414, 450
Vial, Jean Baptiste Charles 417
Villeneuve, Josse de 86

Villiers de l'Isle-Adam, Auguste 141
Vinci, Leonardo 67, 75-78, 89
Viola, Alfonso della 16
Vitali, Filippo 33
Vittori, Loreto 37f.
Vivaldi, Antonio 71, 74f.
Vogel, Johann Christoph 162
Vogler, Georg Josef (Abbe) 257, 417
Vollerthun, Georg 306
Voltaire, François Marie 179

Wagner, Richard 10f., 114, 124, 127, 129-131, 133, 139, 180f., 184, 200-202, 206, 261, 263, 265, 269f., 271-304, 306-310, 313, 315, 320, 415, 450, 452, 456
Wagner, Siegfried 304
Wagner-Regeny, Rudolf 327
Wailly, Leon de 188
Wallace, William Vincent 413
Wallmark, Ernst Adam 417
Weber, Carl Maria von 178, 250f., 256-263, 265f., 269, 281, 413
Weber, Constanze 390
Wedekind, Frank 321
Weigl, Joseph 244, 246
Weill, Gret 329
Weill, Kurt 316, 322, 325f.
Weinberger, Jaromir 454
Weingartner, Felix von 304
Weiskern, Friedrich Wilhelm 374
Weismann, Julius 306
Weiße, Christian Felix 236
Wekwerth, Manfred 325
Wellesz, Egon 321
Wenzig Josef 453
Werfel, Franz 213
Werner, Zacharias 114, 116
Werstowski, Alexej 423f.
Westerman, Georg von 327
Wette, Adelheid 302
Weyse, Christoph Ernst Friedrich 419
Widmann, Victor Joseph 298
Wieland, Christoph Martin 241, 261, 371, 402, 418
Wilde, Oscar 309f., 319
Wilk, Leopold 306
Willemetz, Albert 209
Willner, Alfred Maria 300
Winter, Peter von 239
Wohlbrück, Wilhelm August 266-268
Wolf, Hugo 301, 303
Wolf-Ferrari, Ermanno 307
Wolff, Hellmuth Christian 233
Wolff, Julius 301
Wolski, Wlodzimierz 450

Wolzogen, Ernst von 308
Wolzogen, Hans von 305
Wranitzky, Paul 247, 402

Zachow, Friedrich Wilhelm 331
Zandonai, Riccrado 139
Zenger, Carl 247f.
Zemlinsky, Alexander von 319
Zenger, Max 300f.

Zeno, Apostolo 58, 65-67, 71
Ziani, Marc Antonio 58
Ziani, Pietro Andrea 43, 57-62
Zimmermann, Bernd Alois 328
Zingarelli, Nicola Antonio 86
Zöllner, Heinrich 303
Zola, Emile 203
Zumsteeg, Johann Rudolf 239
Zweig, Stefan 310, 317-319

# Werkregister

Den Werktiteln sind Komponist(en)/Librettist(en), soweit aus dem Text zu ermitteln, in runden Klammern nachgestellt.

A Child of our Time (Michael Tippett) 415
A Kékszakállú herceg vára (Béla Bartók/Béla Balász) 451
A Midsummer Night's Dream (Benjamin Britten) 416
Abaris ou les Boréases (Jean-Philippe Rameau) 155
Abel (Rodolphe Kreutzer) 174
Abraxas (Werner Egk) 327
Abu Hassan (Carl Maria von Weber/Franz Karl Hiemer) 257
Achille et Polixène (Jean-Baptiste Lully) 153
Acis and Galatea (Georg Friedrich Händel) 344
Adelheid von Veltheim (Christian Gottlob Neefe) 240
Adelson e Salvini (Vincenzo Bellini) 110
Admeto, Rè di Tessaglia (Georg Friedrich Händel) 335, 341f.
Adriana Lecouvreur (Francesco Ciléa) 138f.
Adriano in Siria (Francesco di Majó) 84
Adrien (Etienne Nicolas Méhul) 173
Aeneas (Johann Wolfgang Franck) 225
Aeneas i Carthago (Joseph Martin Kraus/Gudmund Göran Adlerbeth) 417
Aerndtekranz (Johann Adam Hiller/Christian Felix Weiße) 236
Agrippina (Georg Friedrich Händel/Vincenzo Grimani) 332f., 336
Aida (Giuseppe Verdi/Camille Du Locle) 115, 119f., 123f., 127f., 184, 199
Alarico (Agostino Steffani) 43f.
Albert Herring (Benjamin Britten/Eric Crozier) 416

Albion and Albanius (Louis Grabu/John Dryden) 411
Alceste (Christoph Willibald Gluck/Raniero Calzabigi) 161, 172, 355, 357f., 362-364, 367
Alceste (Anton Schweitzer/Christoph Martin Wieland) 241f.
Alceste ou le Triomphe d'Alcide (Jean-Baptiste Lully/Philippe Quinault) 150-152
Alchymist (Louis Spohr/Karl Pfeiffer) 256
Alcide (Dmitri S. Bortnjanski) 423
Alcide al Bivio (Pietro Metastasio) 68
Alcina (Georg Friedrich Händel) 346, 348
Alessandro (Georg Friedrich Händel) 341
Alessandro Severo (Antonio Lotti) 71f.
Alessandro Stradella (Friedrich von Flotow/Friedrich Wilhelm Riese) 269f.
Alfonso und Estrella (Franz Schubert/Franz von Schober) 263f.
Alfred (Thomas Augustin Arne) 412
Alkestis (Egon Wellesz) 321
Almaviva ossia L'inutile precauzione / Il Barbiere di Siviglia (Gioacchino Rossini/Giovanni Bertati) 100, 106
Almira (Georg Friedrich Händel/Friedrich Christian Feustking) 226, 331f.
Alpenkönig und Menschenfeind (Leo Blech/Richard Batka) 306
Alzira (Giuseppe Verdi) 115
Amadigi di Gaula (Georg Friedrich Händel) 336f.
Amadis (Jean-Baptiste Lully) 152
Amadis de Gaule (Johann Christian Bach) 86

Amerikanzy (Evistignei I. Fomin) 423
Amfiparnaso (Oratio Vecchi) 15
Aminta (Emilio de'Cavalieri/Torquato Tasso) 15
Amor vuol sofferenza (Leonardo Leo/G.A. Federico) 89f.
Amors Guckkasten (Christian Gottlob Neefe) 239
An allem ist Hütchen schuld (Siegfried Wagner) 304
Anacréon (Luigi Cherubini) 173
Andrea Chenier (Umberto Giordano/Luigi Illica) 138
Andromède (Charles Dassoucy/Corneille) 147
Angélique (Jacques Ibert) 209
Aniara (Karl-Birger Blomdahl) 418
Anna Bolena (Gaetano Donizetti) 112
Antigona (Tommaso Traëtta/Marco Coltellini) 82
Antigona Delusa da Alceste (Pietro Andrea Ziani) 58-60
Antigonae (Carl Orff/Friedrich Hölderlin) 324
Antigone (Arthur Honegger/Jean Cocteau) 209, 211, 215
Antigono (Christoph Willibald Gluck) 352
Aphrodite (Camille Erlanger) 204
Apollo und Hyacinth (Wolfgang Amadeus Mozart) 373
Arabella (Richard Strauss/Hugo von Hofmannsthal) 316f.
Ariadne (Johann Sigismund Kusser/Friedrich Christian Bressand) 225
Ariadne auf Naxos (Georg Benda/Johann Christian Brandes) 240
Ariadne auf Naxos (Richard Strauss/Hugo von Hofmannsthal) 312-316
Ariane et Bacchus (Robert Cambert/Piere Perrin) 148
Ariane et Barbe-Bleu (Paul Dukas/Maurice Maeterlinck) 207
Arianna (Claudio Monteverdi) 25, 29, 47, 49, 51, 56
Arianna in Creta (Georg Friedrich Händel) 345f.
Ariodant (Etienne Nicolas Méhul) 173
Ariodante (Georg Friedrich Händel) 346f.
Arlecchino (Ferruccio Busoni) 307
Armida (Antonín Dvorák) 451, 453
Armida (Joseph Haydn/J. Durandi) 83
Armide (Christoph Willibald Gluck/Philippe Quinault) 161, 358, 364-367, 372
Armide (Jean-Baptiste Lully) 43, 150, 152f.
Arminio (Georg Friedrich Händel) 348
Arnljit (Wilhelm Peterson-Berger) 418
Aroldo (Giuseppe Verdi) s. Stiffelio
Artaserse (Christoph Willibald Gluck) 351
Artaserse (Leonardo Vinci) 76
Ascanio (Jules Massenet) 202
Ascanio in Alba (Wolfgang Amadeus Mozart/Giuseppe Parini) 373, 376f.

Aschenbrödel (Ermanno Wolf-Ferrari) s. La Cenerentola
Asrael (Alfredo Franchetti) 133
Astorga (Johann Joseph Abert/Ernst Pasqué) 299
Athalia (Georg Friedrich Händel) 345
Atlanta (Georg Friedrich Händel) 348
Attila (Giuseppe Verdi) 114, 116
Attilio Regolo (Pietro Metastasio) 67
Aufstieg und Fall der Stadt Mahagonny (Kurt Weill/Bertolt Brecht) 325
Aurora (E.T.A. Hoffmann) 251
Aus einem Totenhaus (Leos Janácek) s. Z mrtvého domu

Bajazette (Nicolo Jommelli) 81
Baldurs Tod (Cyrill Kistler/Edgar Freiherr von Sohlern) 302
Ballet comique de la Reine (Lambert de Beaulieu, Jacques Salmon/Balthazar de Beaujoyeux) 17
Bánk Bán (Ferenc Erkel/Béni Egressy) 450
Bastien und Bastienne (Wolfgang Amadeus Mozart/Friedrich Wilhelm Weiskern) 373-375
Battaglia di Legnano (Giuseppe Verdi/Salvatore Cammarano) 116
Béatrice et Bénédict (Hector Berlioz) 188
Béla Futása (Ignác Ruzsicska) 450
Belas Flucht (Ignác Ruzsicska) s. Béla Futása
Benvenuto Cellini (Hector Berlioz) 187f.
Berenice (Georg Friedrich Händel) 348
Billy Bud (Benjamin Britten/Edward Morgan Foster, Eric Crozier) 416
Bluthochzeit (Wolfgang Fortner) 326, 328
Bolivar (Darius Milhaud) 213
Boris Godunow (Modest Mussorgski) 427-429
Boulevard Solitude (Hans Werner Henze/Grete Weill) 329
Branibori c Cechách (Bedrich Smetana) 451
Brenno (Johann Friedrich Reichardt) 239
Briseide (Agostino Steffani) 43, 45

Cadmus et Hermione (Jean-Baptiste Lully/Philippe Quinault) 149-151
Calife de Bagdad (François Lesueur) 191
Cambise (Alessandro Scarlatti) 62-64
Camilla ossia Il Sotterrano (Ferdinando Paër) 104
Candaule (Pietro Andrea Ziani) 59, 61
Capriccio (Richard Strauss) 309, 318f.
Cara Mustapha (Johann Wolfgang Franck) 225
Cardillac (Paul Hindemith/Ferdinand Lion) 316, 322-324
Carmen (Georges Bizet/Henri Meilhac, Ludovic Halévy) 135, 199f.
Carmina burana (Carl Orff) 324
Castor et Pollux (Pierre Joseph Candeille) 169

Castor et Pollux (Jean-Philippe Rameau) 155-158, 161
Catone in Utica (Pietro Metastasio) 67
Cavalleria rusticana (Pietro Mascagni) 133, 135
Certa Káca (Antonín Dvorák) 451, 453
Che soffre speri (Virgo Mazzocchi, Marco Marazzoli/Giulio Rospigliosi) 37-40
Chowanschtschina (Modest Mussorgski) 427
Christophe Colombe (Darius Milhaud/Paul Claudel) 212, 215
Claudine von Villabella (Johann André/Johann Wolfgang von Goethe) 238
Claudine von Villabella (Johann Friedrich Reichardt/Johann Wolfgang von Goethe) 239
Colmal (Peter von Winter) 239
Comus (Thomas Augustin Arne) 412
Conte di San Bonifacio (Giuseppe Verdi) 114
Cora och Alonzo (Johann Gottlieb Naumann/Gudmund Göran Adlerbeth) 417
Così fan tutte ossia La scuola degli amanti (Wolfgang Amadeus Mozart/Lorenzo Da Ponte) 396-400, 442
Costanza e Fortezza (Johann Joseph Fux/Pietro Pariati) 221
Creonte (Dmitri S. Bortnjanski) 423
Cris du Monde (Arthur Honegger) 210
Croesus (Reinhard Keiser) 227f.
Cupid and Death (Matthew Locke, Christopher Gibbons/James Shirley) 410
Cythère assiégée (Christoph Willibald Gluck) 363

Dafne (Giovanni Andrea Bontempi, Marco Giuseppe Peranda) 46, 221
Dafne (Giulio Caccini/Ottavio Rinuccini) 21-23, 148
Dafne (Marco da Galliano/Ottavio Rinuccini) 25
Dafne (Jacopo Peri/Ottavio Rinuccini) 11, 20
Dafne (Ottavio Rinuccini) 13
Dal Male il Bene (Antonio Maria Abbatini, Marco Marazzoli/Giulio Rospigliosi) 39f.
Dalibor (Bedrich Smetana) 451-453
Dame Kobold (Felix von Weingartner) 304
Dantons Tod (Gottfried von Einem) 328
Daphne (Heinrich Schütz/Martin Opitz) 46, 220
Daphne (Richard Strauss) 318
Dardanus (Jean-Philippe Rameau) 155
Dardanus (Antonio Sacchini) 162
Das Bergwerk zu Falun (Rudolf Wagner-Régeny/Caspar Neher) 327
Das Christelflein (Hans Pfitzner) 309
Das Donauweibchen (Ferdinand Kauer/Karl Friedrich Hensler) 247, 423
Das Geheimnis (Bedrich Smetana) s. Tajemství
Das goldene Kreuz (Ignaz Brüll/Salomon Hermann Mosenthal) 301

Das Herz (Hans Pfitzner/Hans Mahner-Mons) 309
Das Himmelskleid (Ermanno Wolf-Ferrari) 307
Das Höllisch Gold (Julius Bittner) 307
Das Labyrinth oder Der Kampf mit den Elementen, Zweiter Teil der Zauberflöte (Peter von Winter/Emanuel Schikaneder) 239
Das Liebesverbot oder die Novize von Palermo (Richard Wagner) 272-274
Das Märchen vom Zaren Saltan (Nikolai A. Rimski-Korsakow) s. Skaska o zare Saltane
Das Nachtlager von Granada (Konradin Kreutzer) 265, 270
Das Nusch-Nuschi (Paul Hindemith/Franz Blei) 322
Das Rheingold (Richard Wagner) 284, 286, 288f., 296
Das schlaue Füchslein (Leos Janácek) s. Prihody Lisky Bystrousky
Das Schloß Dürande (Othmar Schoeck/Hermann Burte) 407
Das Sonnenfest der Brahminen (Karl Friedrich Hensler) 402
Das Spielwerk und die Prinzessin (Franz Schreker) 320
Das steinerne Herz (Ignaz Brüll) 301
Das stumme Waldmädchen (Carl Maria von Weber) 257
Das Testament (Wilhelm Kienzl/Peter Rosegger) 304
Das unterbrochene Opferfest (Peter von Winter) 239
Das Waisenhaus (Joseph Weigl) 246
David (Darius Milhaud/Armand Lunel) 213
Death in Venice (Benjamin Britten) 416
Debora e Jaele (Ildebrando Pizzetti) 141
Deborah (Georg Friedrich Händel) 345
Deidamia (Georg Friedrich Händel/Paolo Antonio Rolli) 350f.
Demofoonte (Antonio Caldara/Pietro Metastasio) 67
Demofoonte (Christoph Willibald Gluck) 351
Demofoonte (Niccolo Jommelli/Pietro Metastasio) 81
Demofoonte (Pietro Metastasio) 68
Démophon (Johann Christoph Vogel) 162
Démophoon (Luigi Cherubini) 170
Demophoon (Peter von Lindpaintner/Ignaz Franz Castelli) 269
Den Bergtagna (Ivar Hallström) 418
Der arme Heinrich (Hans Pfitzner/James Grün) 308f.
Der Ausflug des Herrn Broucek auf den Mond (Leos Janácek) s. Vylet pana Broucka do mesíce
Der Bäbu (Heinrich Marschner) 266
Der Barbier von Bagdad (Peter Cornelius) 297
Der Bärenhäuter (Siegfried Wagner) 304
Der Beginn der Herrschaft Olegs (Giuseppe Sarti,

Wassili A. Paschkewitsch) s. Natschalnoje Uprawlenije Olega
Der beglückte Florindo (Georg Friedrich Händel) 332
Der Berggeist (Louis Spohr/Georg Döring) 255
Der Bergsturz (Joseph Weigl) 246
Der Bettelstudent (Karl Millöcker) 248
Der Cid (Peter Cornelius) 298f.
Der Corregidor (Hugo Wolf/Rosa Mayreder) 302
Der Erbe von Morley (Franz von Holstein) 299
Der Evangelimann (Wilhelm Kienzl) 303
Der faule Hans (Alexander Ritter) 298
Der ferne Klang (Franz Schreker) 320
Der Fliegende Holländer (Richard Wagner) 184, 272, 276-280, 284
Der Freikorporal (Georg Vollerthun/Rudolf Lothar) 306
Der Freischütz (Carl Maria von Weber) 178, 183, 251-253, 256-262, 267
Der Friedenstag (Richard Strauss) 309, 318
Der geduldige Sokrates (Georg Philipp Telemann/Johann Ulrich von König) 228-231, 233
Der Geizhals (Dmitri S. Bortnjanski) s. Skupoi
Der geliebte Adonis (Reinhard Keiser/Christian Heinrich Postel) 228
Der geschaffene, gefallene und aufgerichtete Mensch (Johann Theile/Christian Richter) 225
Der goldene Bock (Ernst Krenek) 326
Der goldene Hahn (Nikolai A. Rimski-Korsakow) s. Solotoi petuschok
Der Golem (Eugen d'Albert/Ferdinand Lion) 305
Der Günstling oder die letzten Tage des großen Herrn Fabiano (Rudolf Wagner-Régeny/Caspar Neher) 327
Der Holzdieb (Heinrich Marschner) 266
Der Jahrmarkt von Sorotschinzy (Modest Mussorgski) s. Sorotschinskaja jarmarka
Der Jakobiner (Antonín Dvorák) s. Jakobín
Der Jasager (Kurt Weill/Bertolt Brecht) 325
Der Kreidekreis (Alexander von Zemlinsky) 319
Der Kuhreigen (Wilhelm Kienzl/Richard Batka) 303
Der Kuß (Bedrich Smetana) s. Hubicka
Der lächerliche Prinz Jodelet (Reinhard Keiser/Johann Philipp Praetorius) 227
Der Mond. Ein kleines Welttheater (Carl Orff) 324
Der Müller als Zauberer, Betrüger und Ehestifter (Michail M. Sokolowski) s. Melnik, koldun, obmanschtschik i swat
Der neumodische Liebhaber Damon oder Die Satyrn in Arkadien (Georg Philipp Telemann) 230, 232f.
Der Petersburger Kaufhof (Michail Matinski) s. Sanktpeterburgski gostiny dwor
Der Pfeiertag (Max von Schillings/Ferdinand Graf Sporck) 305
Der Prinz von Homburg (Paul Graener) 306
Der Prinz von Homburg (Hans Werner Henze) 329
Der Protagonist (Kurt Weill/Georg Kaiser) 325
Der Prozess (Gottfried von Einem) 328
Der Rattenfänger von Hameln (Victor Nessler/Friedrich Hofmann) 301
Der Rauchfangkehrer (Antonio Salieri) 86
Der Ring des Nibelungen (Richard Wagner) 268, 284f., 287, 298, 302
Der Rosenkavalier (Richard Strauss/Hugo von Hofmannsthal) 311f., 317
Der Schatzgräber (Franz Schreker) 320f.
Der Schauspieldirektor (Wolfgang Amadeus Mozart/Gottlieb Stephanie d.J.) 391
Der Schmied von Gent (Franz Schreker) 321
Der Sprung über den Schatten (Ernst Krenek) 326
Der steinerne Gast (Alexander S. Dargomyshski) s. Kamenny gost
Der Sturm (Peter von Winter) 239
Der Templer und die Jüdin (Heinrich Marschner/W. A. Wohlbrück) 265, 267, 270, 281
Der Teufel ist los oder die verwandelten Weiber (Johann Adam Hiller/Christian Felix Weiße) 236
Der Trompeter von Säckingen (Victor Nessel/Rudolf Bunge) 301
Der Vampyr (Peter von Lindpaintner) 268
Der Vampyr (Heinrich Marschner) 265, 268
Der verführte Claudius (Reinhard Keiser) 227f.
Der verliebte Föbus (Johann Wolfgang Franck) 222
Der Vogelhändler (Carl Zeller) 248
Der Waffenschmied (Albert Lortzing) 271
Der Widerspenstigen Zähmung (Hermann Goetz/Joseph Victor Widmann) 298
Der Wildschütz (Albert Lortzing) 271f.
Der Zar läßt sich photographieren (Kurt Weill/Georg Kaiser) 325
Der Zigeunerbaron (Johann Strauß) 248
Der Zwerg (Alexander von Zemlinsky/Georg C. Klaren) 319
Des Falkners Braut (Heinrich Marschner) 266
Des Simplizius Simplizissimus Jugend (Karl Amadeus Hartmann) 328
Dialogues des Carmélites (Francis Poulenc/Georges Bernanos) 214f.
Diana Schernita (Giacinto Cornacchioli/Giovanni Francesco Parisani) 33
Dido and Aeneas (Henry Purcell/Nahum Tate) 411
Didone (Gian Francesco Busenello) 48f.
Didone (Francesco Cavalli/Gian Francesco Busenello) 55
Didone (Karl Gottlieb Reissiger/Pietro Metastasio) 269
Didone abbandonata (Johann Adolf Hasse/Pietro Metastasio) 77f.

Didone abbandonata (Leonardo Vinci/Pietro Metastasio) 76-78
Die Abreise (Eugen d'Albert/Ferdinand Graf Sporck) 305
Die ägyptische Helena (Richard Strauss/Hugo von Hofmannsthal) 316
Die Almohaden (Johann Joseph Abert/Adolf Kröner) 300
Die Amerikaner (Evistignei I. Fomin) s. Amerikanzy
Die Bacchantinnen (Egon Wellesz) 321
Die Bergknappen (Ignaz Umlauff) 244f.
Die Bernauerin, ein bairisches Stück (Carl Orff) 324
Die beständige Argenia (Johann Valentin Meder) 223
Die Brandenburger in Böhmen (Bedrich Smetana) s. Branibori c Cechách
Die Braut von Messina (Zdenko Fibich) s. Nevesta mesinská
Die Brautwahl (Ferruccio Busoni) 307
Die Bürger von Calais (Rudolf Wagner-Régeny/Caspar Neher) 327
Die Bürgschaft (Kurt Weill/Caspar Neher) 325
Die drei Pintos (Carl Maria von Weber/Theodor Hell) 259
Die Dreigroschenoper (Kurt Weill/Bertolt Brecht) 316, 325
Die drey Töchter Cecrops (Johann Wolfgang Franck/Maria Aurora von Königsmarck) 222-224
Die Entführung aus dem Serail (Johann André/Christoph Friedrich Bretzner) 239
Die Entführung aus dem Serail (Wolfgang Amadeus Mozart/Gottlieb Stephanie d.J.) 77, 257, 380, 382, 388-392
Die Feen (Richard Wagner) 272-274
Die Felsenmühle (Karl Gottlieb Reissiger/Karl Borromäus von Miltitz) 265
Die Fledermaus (Johann Strauß) 248
Die Flut (Boris Blacher) 327
Die Folkunger (Edmund Kretschmer/Salomon Hermann Mosenthal) 300
Die Frau ohne Schatten (Richard Strauss) 309, 315f.
Die Geisterinsel (Johann Rudolf Zumsteeg) 239
Die Gezeichneten (Franz Schreker) 320f.
Die glückliche Hand (Arnold Schönberg) 320f.
Die Gräfin (Stanislaw Moniuszko) s. Hrabina
Die großmütige Tomyris (Reinhard Keiser) 228
Die Haideschlacht (Franz von Holstein) 299
Die Harmonie der Welt (Paul Hindemith) 323
Die Heirat wider Willen (Engelbert Humperdinck) 302
Die Hochländer (Franz von Holstein) 299
Die Hochzeit des Mönchs (August Klughardt/Conrad Ferdinand Meyer) 301
Die Jagd (Johann Adam Hiller/Christian Felix Weiße) 236
Die Kluge. Die Geschichte von dem König und der klugen Frau (Carl Orff) 324
Die Königin von Saba (Karl Goldmark/Salomon Hermann Mosenthal) 300f.
Die Kreuzfahrer (Louis Spohr) 256
Die Kutsche auf der Poststation (Evistignei I. Fomin) s. Jamschtschiki na podstave
Die Last-tragende Liebe, oder Emma und Eginhard (Georg Philipp Telemann) 233
Die Liebe der Danae (Richard Strauss) 309, 318
Die liebreiche, durch Tugend und Schönheit erhöhete Esther (Nicolaus Adam Strungk/Johann Martin Köler) 225
Die Loreley (Max Bruch/Emanuel Geibel) 299
Die lustige Witwe (Franz Lehár) 248
Die lustigen Weiber von Windsor (Otto Nicolai/Salomon Hermann Mosenthal) 270f.
Die Meistersinger von Nürnberg (Richard Wagner) 287, 292, 294-296, 304, 309
Die Nachtschwalbe (Boris Blacher) 327
Die Nase (Dmitri Schostakowitsch) s. Nos
Die Nibelungen (Heinrich Dorn) 268
Die Pfiffige (Julius Weismann/Ludwig Holberg) 306
Die Prüfung (Louis Spohr) 252
Die Räuberburg (Friedrich Daniel Rudolf Kuhlau/Adam Oehlenschläger) 419
Die Rose vom Liebesgarten (Hans Pfitzner/James Grün) 308f.
Die rote Gret (Julius Bittner) 307
Die Sache Makropulos (Leos Janácek) s. Vec Makropulos
Die schöne und getreue Ariadne (Johann Georg Conradi/Christian Heinrich Postel) 225f.
Die Schule der Frauen (Rolf Liebermann/Heinrich Strobel) 408
Die schweigsame Frau (Richard Strauss/Stefan Zweig) 317, 319
Die Schweizerfamilie (Joseph Weigl/Ignaz Franz Castelli) 246
Die Soldaten (Bernd Alois Zimmermann) 328
Die Teufelskäthe (Antonín Dvorák) s. Certa Káca
Die tote Stadt (Erich Wolfgang Korngold/Paul Schott) 325
Die toten Augen (Eugen d'Albert/Hans Heinz Ewers) 305
Die triumphierende Treu (Johann Löhner/Christian Heuchelin) 222
Die ungleiche Heyrath (Georg Philipp Telemann/Johann Philipp Praetorius) 230, 234
Die unglückselige Cleopatra (Johann Mattheson) 229
Die unheilvolle Kalesche (Dmitri S. Bortnjanski) s. Nestschastje ot karety
Die unvergleichliche Andromeda (Johann Wolfgang Franck) 222

Die verkaufte Braut (Bedrich Smetana) s. Prodaná Nevesta
Die Verlobung im Kloster (Sergei Prokofjew) s. Obrutschenije w Monastyre
Die versunkene Glocke (Heinrich Zöllner) 303
Die Verurteilung des Lukullus (Paul Dessau) 325
Die verwandelte Daphne (Georg Friedrich Händel) 332
Die Walküre (Richard Wagner) 286, 288-290
Die Zauberflöte (Wolfgang Amadeus Mozart/Emanuel Schikaneder) 239, 247-250, 258, 373, 388, 390, 400, 402-405
Die Zaubergeige (Werner Egk) 327
Die Zauberharfe (Franz Schubert/Georg Edler von Hofmann) 263, 265
Die Zauberinsel (Heinrich Sutermeister) 408
Die Zwillingsbrüder (Franz Schubert/Georg Edler von Hofmann) 263
Dinorah (Giacomo Meyerbeer) s. Le Pardon de Ploërmel
Diocletian (Johann Wolfgang Franck) 225
Djamileh (Georges Bizet/Louis Gallet) 200
Doktor Faust (Ferruccio Busoni) 307
Doktor und Apotheker (Karl Ditters von Dittersdorf/Gottlieb Stephanie d.J.) 244
Don Carlos (Giuseppe Verdi/Joseph Méry, Camille Du Locle) 119, 122-125, 127, 181
Don Chisciotte della Mancia (Giovanni Paisiello/Giovanni Battista Lorenzi) 94, 99
Don Giovanni (Gianfrancesco Malipiero) 140
Don Giovanni (Wolfgang Amadeus Mozart) s. Il dissoluto punito ossia il Don Giovanni
Don Giovanni o sia il convitato di pietra (Giuseppe Gazzaniga/Giovanni Bertati) 394
Don Juan (Christoph Willibald Gluck) 355, 372
Don Juans letztes Abenteuer (Paul Graener/Otto Anthes) 305
Don Pasquale (Gaetano Donizetti) 110
Don Ranudo (Othmar Schoeck/Armin Rueger) 407
Don Sebastian de Portugal (Gaetano Donizetti/Eugène Scribe) 112, 181
Donna Diana (Emil Nikolaus Reznicek) 303
Dorfjahrmarkt (Georg Benda/Friedrich Wilhelm Gotter) 237f.
Drátenik (Frantisek Skroup) 450
Drottningen av Golconda (Franz Berwald) 417f.

Echo et Narcisse (Christoph Willibald Gluck/Ludwig Theodor von Tschudi) 336, 371
Edgar (Giacomo Puccini) 135
Edipo Tiranno (Andrea Gabrieli/Sophokles) 11
Egisto (Francesco Cavalli) 146
Ein Feldlager in Schlesien (Giacomo Meyerbeer) 184
Ein ländliches Verlobungsfest in Schweden (Franz Berwald) 417

Ein Leben für den Zaren (Michail Glinka) 423f.
Ein Wintermärchen (Karl Goldmark/Alfred Maria Willner) 300
Ekkehard (Johann Joseph Abert/Victor von Scheffel) 300
Elda (Alfredo Catalani) 131, 133
Elegie für junge Liebende (Hans Werner Henze) 329
Elektra (Richard Strauss) 310-312, 315, 319, 407
Elena da Feltre (Saverio Mercadante) 110f.
Elfrida (Giovanni Paisiello/Raniero Calzabigi) 87
Elisa ou Le Voyage aux glaciers du Mont Saint-Bernard (Luigi Cherubini) 171
Elverhöi (Friedrich Daniel Rudolf Kuhlau/Johann Ludvig Heiberg) 419
Enea nel Lazio (Nicolo Jommelli/Mattia Verazi) 81
Eraclea (Alessandro Scarlatti) 62f.
Ercole amante (Francesco Cavalli) 147
Erik Ejegod (Friedrich Ludwig Aemilius Kunzen/Jens Baggesen) 418f.
Erindo (Johann Sigismund Kusser/Friedrich Christian Bressand) 225
Erminia sul Giordano (Michelangelo Rossi/Giulio Rospigliosi) 36, 38
Ernani (Giuseppe Verdi/Francesco Maria Piave) 114f.
Eros und Psyche (Max Zenger/Wilhelm Schriefer) 301
Erwartung (Arnold Schönberg/Marie Pappenheim) 320
Erwin und Elmire (Johann André/Johann Wolfgang von Goethe) 238
Erwin und Elmire (Johann Friedrich Reichardt/Johann Wolfgang von Goethe) 239
Es war einmal (Alexander von Zemlinsky/Maxim Singer) 319
Esmeralda (Alexander S. Dargomyshski) 425
Esmeralda (Arthur Goring Thomas) 413
Esther (Georg Friedrich Händel) 344
Esther de Carpentras (Darius Milhaud/Armand Lunel) 212
Estrella de Soria (Franz Berwald/Otto Prechtler) 417f.
Et Folkesagn (Johan Emil Peter Hartmann) 420
Etienne Marcel (Camille Saint-Saëns) 202
Eugen Onegin (Peter I. Tschaikowski) s. Jewgeni Onegin
Eulenspiegel (Cyrill Kistler) 301
Eumelio (Agostino Agazzari) 32
Euridice (Jacopo Peri/Ottavio Rinuccini) 15, 20, 25, 146
Euryanthe (Carl Maria von Weber/Helmina von Chézy) 260-263, 267, 269, 281
Ezio (Christoph Willibald Gluck) 352
Ezio (Georg Friedrich Händel) 343f.
Ezio (Pietro Metastasio) 69

Fairyland (Horatio Parker) 456
Falstaff (Giuseppe Verdi/Arrigo Boito) 114, 122, 124f., 127-129, 270, 414
Faramondo (Georg Friedrich Händel) 348
Faust (Charles Gounod) 185, 188, 198
Faust (Louis Spohr/Joseph Karl Bernard) 252f., 257
Faust (Heinrich Zöllner/Johann Wolfgang von Goethe) 303
Fedra (Ildebrando Pizzetti/Gabriele D'Annuncio) 140
Fernand Cortez ou La Conquete du Mexique (Gasparo Spontini) 178f., 274
Fervaal (Vincent d'Indy) 201
Feste d'Apollo (Christoph Willibald Gluck) 357
Fêtes Vénitiennes (André Campra) 154
Fetonte (Nicolo Jommelli/Mattia Verazi) 81
Feuersnot (Richard Strauss/Ernst von Wolzogen) 308f.
Fewej (Wassili A. Paschkewitsch) 423
Fidelio oder Die eheliche Liebe (Ludwig van Beethoven/Joseph Sonnleithner u.a.) 104, 249f.
Fierrabras (Franz Schubert/Josef Kupelwieser) 263-265
Flauto solo (Eugen d'Albert/Hans von Wolzogen) 305
Flavio (Georg Friedrich Händel) 338
Floridante (Georg Friedrich Händel) 338
Fra Diavolo (Daniel François Esprit Auber/Eugène Scribe) 193
Fra i due litiganti il terzo gode (Giuseppe Sarti) 93
Francesca da Rimini (Riccardo Zandonai/Tito Riccordi) 139
Francesca von Rimini (Hermann Goetz, Ernst Frank) 298
Frau Luna (Paul Lincke) 248
Friedemann Bach (Paul Graener/Rudolf Lothar) 306
Fürst Igor (Alexander Borodin) s. Knjas Igor
Fürstin Tarakanowa (Boris Blacher) 327

Gabrielle d'Estrées (Etienne Nicolas Méhul) 174
Galathée (Victor Massé) 196
Gasparone (Karl Millöcker) 248
Geisha (Sidney Jones) 413
Geistliches Waldgedicht Seelewig (Sigmund Theophil Staden/Georg Philipp Harsdörffer) 220, 223
Genoveva (Robert Schumann) 269
George Dandini (Jean-Baptiste Lully/Jean-Baptiste Molière) 148
Gerusalemme liberata (Carlo Pallavicino) 59f., 63
Gespensterschloß (Stanislaw Moniuszko) s. Straszny Dwór
Gianni Schicchi (Giacomo Puccini/Gioachino Forzano) 137f.
Ginevra di Scozia (Simon Mayr) 102f.
Gioiello della Madonna (Ermanno Wolf-Ferrari) 307
Giovanni d'Arco (Giuseppe Verdi) 115
Giulio Cesare (Gianfrancesco Malipiero) 140
Giulio Cesare in Egitto (Georg Friedrich Händel) 338
Giustino (Georg Friedrich Händel) 348
Giustino (Giovanni Legrenzi) 58, 60
Gli amori d'Apollo e di Dafne (Francesco Cavalli) 49
Gli Orazi ed i Curiazi (Domenico Cimarosa) 87
Gloriana (Benjamin Britten/William Plomer) 416
Glückskind und Pechvogel (Carl Reinecke) 298
Götterdämmerung (Richard Wagner) 284-287, 290f., 294
Griselda (Giovanni Bononcini) 71f.
Griselda (Alessandro Scarlatti) 62, 64
Gudrun (August Klughardt) 300
Gudrun (Felix Draesecke) 300f.
Gudrun (Carl Mangold) 269
Gugeline (Ludwig Thuille/Otto Julius Bierbaum) 304
Guglielmo Ratcliff (Pietro Mascagni) 133
Guido et Ginèvra ou la Peste de Florence (Jacques Fromental Halévy) 185
Guillaume Tell (Gioacchino Rossini) 108-110, 181
Gunlöd (Peter Cornelius) 298
Günther von Schwarzburg (Ignaz Holzbauer/Anton Klein) 241-243
Guntram (Richard Strauss) 308
Gustaf Adolf och Ebba Brahe (Georg Joseph [Abbé] Vogler) 417
Gustaf Wasa (Johann Gottlieb Naumann/Johan Henrik Kellgren) 417
Gustav Vasa (Filippo Marchetti) 129
Gustave III ou Le Bal Masqué (Daniel François Esprit Auber/Eugène Scribe) 184
Gwendoline (Emanuel Chabrier) 201

H.M.S. Pinafore or The Last that loved a Sailor (Arthur S. Sullivan/William Schwenck Gilbert) 413
Hänsel und Gretel (Engelbert Humperdinck/Adelheid Wette) 302
Halka (Stanislaw Moniuszko/Wlodzimierz Wolski) 450
Hamlet (Ambroise Thomas/Jules Barbier, Michael Carré) 188, 198
Hanneles Himmelfahrt (Paul Graener/Gerhart Hauptmann) 306
Hans Heiling (Heinrich Marschner/Eduard Devrient) 256, 265, 267, 272
Háry János (Zoltán Kodály) 451
Heimkehr aus der Fremde (Felix Mendelssohn) 239
Heinrich der Löwe (Edmund Kretschmer) 300
Héléna (Etienne Nicolas Méhul) 174
Heliogabale (Déodat de Sévérac) 205
Henri VIII (Camille Saint-Saëns) 202

Herculanum (Félicien David) 185
Herrat (Felix Draesecke) 300f.
Hin und zurück (Paul Hindemith/Marcellus Schiffer) 322
Hippodamia (Zdenko Fibich) 454
Hippolyte et Aricie (Jean-Philippe Rameau) 155
Holger Danske (Friedrich Ludwig Aemilius Kunzen/Jens Baggesen) 418f.
Homerische Welt (August Bungert) 301
Hrabina (Stanislaw Moniuszko) 450
Hubicka (Bedrich Smetana) 451
Hugh the Drover (Ralph Vaughan Williams) 414
Hugo og Adelheid (Friedrich Daniel Rudolf Kuhlau/Caspar Johannes Boye) 419
Hulda (César Franck) 201
Hunyadi László (Ferenc Erkel/Béni Egressy) 450

I Due Foscari (Giuseppe Verdi/Francesco Maria Piave) 116
I Lombardi alla prima Crocciata (Giuseppe Verdi) 115
I Masnadieri (Giuseppe Verdi) 115 I Puritani (Vincenzo Bellini) 112
I quattro rusteghi (Ermanno Wolf-Ferrari/Carlo Goldoni) 307
I Tindaridi (Tommaso Traëtta/Innocenzi Frugoni) 82
Idomeneo, Rè di Creta (Wolfgang Amadeus Mozart/Abbate Giambattista Varesco) 378, 383-388, 400
Ifigenia in Tauride (Francesco di Majó) 86
Ifigenia in Tauride (Tommaso Traëtta/Marco Coltellini) 82
Il Ballo delle Ingrate (Claudio Monteverdi/Ottavio Rinuccini) 29
Il Barbiere di Siviglia (Giovanni Paisiello/Giuseppe Petrosellini) 100f.
Il Barbiere di Siviglia (Giuseppe Petrosellini) 94
Il Barbiere di Siviglia (Gioacchino Rossini) s. Almaviva ossia L'inutile precauzione
Il Campiello (Ermanno Wolf-Ferrari) 307
Il Combattimento di Tancredi e di Clorinda (Claudio Monteverdi) 29
Il Corsaro (Giuseppe Verdi) 115
Il Crociato in Egitto (Giacomo Meyerbeer) 181
Il dissoluto punito ossia il Don Giovanni (Wolfgang Amadeus Mozart/Lorenzo Da Ponte) 93f., 253, 394-398, 400, 425
IL filosofo di campagna (Baldasare Galuppi/Carlo Goldoni) 91f.
Il Giuramento (Saverio Mercadante) 110
Il matrimonio segreto (Domenico Cimarosa/Giovanni Bertati) 101
Il Mondo della luna (Joseph Haydn/Carlo Goldoni) 94, 98

Il Natale di Giove (Pietro Metastasio) 68
Il Palazzo Incantato (Luigi Rossi/Giulio Rospigliosi) 36f., 41f.
Il Paride (Andrea Bontempi) 46
Il Parnaso confuso (Christoph Willibald Gluck) 356
Il Pastor fido (Georg Friedrich Händel) 336
Il Pirata (Vincenzo Bellini) 110
Il pomo d'oro (Antonio Cesti) 56f.
Il Prigioniero (Luigi Dallapiccola) 141
Il Prigioniero Superbo (Giovanni Battista Pergolesi) 80, 89
Il Proscritto (Otto Nicolai) 270
Il Rapimento di Cefalo (Giulio Caccini/Gabriello Chiabrera) 24
Il Re Pastore (Christoph Willibald Gluck) 352
Il Rè Pastore (Wolfgang Amadeus Mozart) 377f.
Il Re Teodoro (Giovanni Paisiello/Giovanni Battista Casti) 99
Il Ritorno d'Ulisse in patria (Claudio Monteverdi/Giacomo Badoaro) 50-55
Il Sacrificio d'Abramo (Agostino Beccarai) 16
Il San Alessio (Stefano Landi/Papst Clemens XI.) 35f., 87
Il Satiro (Emilio de'Cavalieri/Torquato Tasso) 15
Il segreto di Susanna (Ermanno Wolf-Ferrari) 307
Il Sogno di Scipione (Pietro Metastasio) 68
Il Sogno di Scipione (Wolfgang Amadeus Mozart/Pietro Metastasio) 373, 376
Il Tabarro (Giacomo Puccini) 137
Il Templario (Otto Nicolai) 270
Il Tiranno humiliato d'amore (Giovanni Faustini) 49
Il trespolo tutore (Alessandro Stradella) 61
Il Trionfo de Clelia (Christoph Willibald Gluck/Pietro Metastasio) 355
Il trionfo dell'onore (Alessandro Scarlatti) 64
Il Trionfo di Camilla (Giovanni Bononcini) 71
Il Trovatore (Giuseppe Verdi/Salvatore Cammarano, Leone Emanuele Badara) 115, 117f.
Il Turco in Italia (Gioacchino Rossini) 106
Im Reich des Indra (Paul Lincke) 248
Imeneo (Georg Friedrich Händel) 350
In seinem Garten liebt Don Perlimplin Belisa (Wolfgang Fortner) 328
Ingwelde (Max von Schillings/Ferdinand Graf Sporck) 305
Innocenza Giustificata (Christoph Willibald Gluck) 177
Intermezzo (Richard Strauss) 315-317, 319
Iolanta (Peter I. Tschaikowski/Modest Tschaikowski) 427, 431, 433f.
Ipermestra (Christoph Willibald Gluck) 351
Iphigénia in Tauris (Christoph Willibald Gluck/Johann Baptist von Alxinger) 372
Iphigénie en Aulide (Christoph Willibald Gluck/

Marquis Le Blanc Du Roullet) 161, 362f., 367, 372
Iphigénie en Tauride (Christoph Willibald Gluck/ Nicolas-François Guillard) 161, 178, 185, 336, 367-372
Ippolito ed Aricia (Tommaso Traëtta/Innocenzi Frugoni) 82
Iris (Pietro Mascagni) 133f.
Irrelohe (Franz Schreker) 321
Islandsaga (Georg Vollerthun/Bertha Thiersch) 306
István Király (Ferenc Erkel) 450
Iwan Sussanin (Catterino Cavos) 423
Iwan Sussanin (Michail Glinka) s. Ein Leben für den Zaren
Iwein (August Klughardt) 300

Jadwiga, Königin von Polen (Karol Kurpinski) s. Jadwiga królowa Polska
Jadwiga królowa Polska (Karol Kurpinski) 450
Jag går i Kloster (Franz Berwald) 417
Jakobín (Antonín Dvorák/Marie Cervinková-Riegrová) 453
Jamschtschiki na podstawe (Evistignei I. Fomin) 423
Jean de Nivelle (Leo Delibes) 198
Jean de Paris (Adrien Boieldieu) 191
Jeanne d'Arc au Bûcher (Arthur Honegger/Paul Claudel) 209, 211f., 215
Jenufa (Leos Janácek) 451, 453
Jessonda (Louis Spohr/Eduard Heinrich Gehe) 253-256, 260, 263
Jeu de Robin et de Marion (Adam de la Halle) 16
Jewgeni Onegin (Peter I. Tschaikowski) 427, 430f.
Johanna Balk (Rudolf Wagner-Régeny/Caspar Neher) 327
Jolanthe or The Peer and the Peri (Arthur S. Sullivan/William Schwenck Gilbert) 413
Jonny spielt auf (Ernst Krenek) 326
Joseph (Etienne Nicolas Méhul) 174f.
Josephslegende (Richard Strauss) 315
Judith (Arthur Honegger/René Morax) 209f.
Julie ou Le Pot des Fleurs (Gasparo Spontini) 177
Jupiter in Argos (Georg Friedrich Händel) 350

Kain (Eugen d'Albert/Heinrich Bulthaupt) 305
Kain und Abel (Felix von Weingartner) 304
Kamenny gost (Alexander S. Dargomyshski) 425
Karl V. (Ernst Krenek) 326
Kaspar der Fagottist (Wenzel Müller) 247
Káta Kabanová (Leos Janácek) 451, 453f.
Katerina Ismailowa (Dmitri Schostakowitsch) 448
King Arthur (Henry Purcell/John Dryden) 411
Kirke (August Bungert) 301
Kleider machen Leute (Alexander von Zemlinsky/Leo Feld) 319

Knjas Igor (Alexander Borodin) 425f.
Koanga (Frederick Delius/Charles Francis Keary) 414
König David (Arthur Honegger/René Morax) 209f.
König Enzio (Johann Joseph Abert/Albert Dulk) 299
König Hirsch (Hans Werner Henze/Heinz von Cramer) 329
König Manfred (Carl Reinecke) 298
König Stefan (Ferenc Erkel) s. István király
Königskinder (Engelbert Humperdinck/Ernst Rosmer) 302
Krieg und Frieden (Sergei Prokofjew) s. Woina i mir
Kunhild oder der Brautritt auf Kynast (Cyrill Kistler/Ferdinand Graf Sporck) 302

L'Abandon d'Ariane (Darius Milhaud) 212
L'Africaine (Giacomo Meyerbeer/Eugène Scribe) 184
L'Agrippina (Nicola Porpora) 75
L'Alessandro vincitor di se stesso (Antonio Cesti) 56
L'âme en Peine (Friedrich von Flotow) 181
L'Amor contrastato (Giovanni Paisiello/Giovanni Palomba) 99
L'Amore di tre Rè (Italo Montemezzi) 139
L'Amour des trois oranges (Sergei Prokofjew) 447
L'Andromeda (Benedetto Ferrari) 47
L'Ange de feu (Sergei Prokofjew) 447
L'Anima del filosofo ossia Orfeo ed Euridice (Joseph Haydn/C.F. Badini) 83
L'Arbre enchanté (Christoph Willibald Gluck) 363
L'Aretusa (Filippo Vitali) 33
L'Arminda (Benedetto Ferrari) 48
L'Eclair (Jacques Fromental Halévy) 195
L'Eliogabalo (Francesco Cavalli) 56
L'Elisir d'amore (Gaetano Donizetti/Felice Romani) 110, 194
L'Enfant et les Sortilèges (Maurice Ravel) 207f.
L'Enfant Roi (Alfred Bruneau/Emile Zola) 203
L'Enlèvement d'Europe (Darius Milhaud) 212
L'Esaltazione della Croce (Claudio Monteverdi) 13
L'Etoile (Emanuel Chabrier) 197
L'Etoile du Nord (Giacomo Meyerbeer) 184
L'Etranger (Vincent d'Indy) 202
L'Europe galante (André Campra) 154
L'Heure espagnole (Maurice Ravel) 207f.
L'Histoire du Soldat (Igor Strawinski/Charles Ferdinand Ramuz) 440
L'Honesta negl'amori (Alessandro Scarlatti) 62f.
L'Impresario in angustie (Domenico Cimarosa) 93
L'Incontro improvviso (Joseph Haydn/Karl Friberth) 97
L'Incoronazione di Poppea (Claudio Monteverdi/Gian Francesco Busenello) 29, 37, 49-51, 53-55

L'Innocenza giustificata (Christoph Willibald Gluck) 352
L'Isle de Merlin (Christoph Willibald Gluck) 353, 372
L'Italiana in Algeri (Gioacchino Rossini) 106
L'ivrogne corrigé (Christoph Willibald Gluck) 353
L'Oca del Cairo (Wolfgang Amadeus Mozart) 391
L'Olimpiade (Giovanni Battista Pergolesi) 80
L'Orfeo (Luigi Rossi/Abbate Francesco Buti) 37, 41, 146
L'Orontea (Antonio Cesti) 56
L'Orsilia (Claudio Monteverdi) 13
La Battaglia di Legnano (Giuseppe Verdi) 114
La bella verità (Nicolo Piccinni) 93
La Bohème (Ruggiero Leoncavallo) 134f.
La Bohème (Giacomo Puccini/Luigi Illica, Giuseppe Giacosa) 134-138
La Brebis égarée (Darius Milhaud/Francis Jammes) 211
La buona figliuola (Egidio Romualdo Duni/Carlo Goldoni) 94
La buona figliuola (Nicolo Piccinni/Carlo Goldoni) 94-97
La Canterina (Joseph Haydn) 93
La Carmélite (Reynaldo Hahn) 204
La Catena d'Adone (Domenico Mazzocchi/Ottavio Tronsarelli) 33f. La Caverne (Jean François Lesueur) 170f., 191
La Cenerentola (Ermanno Wolf-Ferrari) 307
La Clemenza di Tito (Antonio Caldara/Pietro Metastasio) 67
La Clemenza di Tito (Christoph Willibald Gluck) 352
La Clemenza di Tito (Pietro Metastasio) 67
La clemenza di Tito (Wolfgang Amadeus Mozart/Pietro Metastasio) 56, 69, 400-402
La critica (Nicolo Jommelli) 93
La dama boba (Ermanno Wolf-Ferrari) 307
La Dame blanche (Adrien Boieldieu) 193
La Délivrance de Thésée (Darius Milhaud) 212
La Didone abbandonata (Alessandro Scarlatti/Pietro Metastasio) 62, 67
La Disperazione di Fileno (Emilio de'Cavalieri/Torquato Tasso) 15
La Fanciulla del West (Giacomo Puccini) 137f.
La Favola d'Orfeo (Claudio Monteverdi) 26-31
La Favola di Dafne (Jacopo Peri, Jacopo Corsi/Ottavio Rinuccini) 17f., 20, 24
La Favola di Orfeo (Angelo Polliziano) 16
La Favorite (Gaetano Donizetti) 112, 181
La Fedeltà premiata (Joseph Haydn/Giovanni Battista Lorenzi) 98
La Fiamma (Ottorino Respighi) 141
La fida ninfa (Antonio Vivaldi) 74

La fille coupable (Adrien Boieldieu) 191
La fille du régiment (Gaetano Donizetti) 110
La finta giardiniera (Wolfgang Amadeus Mozart) 377-380
La finta pazza (Francesco Sacrati/Giulio Strozzi) 146
La Finta pazza Licor (Claudio Monteverdi/Giulio Strozzi) 29
La finta semplice (Wolfgang Amadeus Mozart) 373
La Flora (Marco da Galliano) 24
La Forza del Destino (Giuseppe Verdi/Francesco Maria Piave) 119-122
La Forza della Virtù (Reinhard Keiser) 228
La Galatea (Loreto Vittori) 37f.
La gazza ladra (Gioacchino Rossini) 106
La Gioconda (Amilcare Ponchielli/Arrigo Boito) 130-132
La Grande Duchesse de Gérolstein (Jacques Offenbach) 197
La grotta di Trofonio (Giovanni Paisiello/Giovanni Battista Casti) 100
La Grotta di Trofonio (Antonio Salieri/J.B.Cesti) 86
La Habanera (Raoul Laparra) 204
La jolie Fille de Perth (Georges Bizet) 200
La Juive (Jacques Fromental Halévy/Eugène Scribe) 184, 195
La Liberazione di Ruggiero (Francesca Caccini) 24
La maga fulminata (Benedetto Ferrari) 20, 48
La Mère coupable (Darius Milhaud/Madeleine Milhaud) 214
La Molinara (Giovanni Paisiello) s. L'Amor contrastato
La Mort d'Adam (Jean François Lesueur) 173f.
La Morte d'Orfeo (Stefano Landi) 33-35, 87
La Muette de Portici (Daniel François Esprit Auber/Eugène Scribe) 180f., 184
La Nonne sanglante (Charles Gounod/Eugène Scribe) 185, 198
La Part du Diable (Daniel François Esprit Auber) 193
La Pellegrina (Emilio de' Cavalieri, Giulio Caccini u.a./Girolamo Bargagli) 13
La Princesse de Navarre (Jean-Philippe Rameau) 155
La Prise de Troie (Hector Berlioz) 189
La Rappresentazione di anima e di corpo (Emilio de' Cavalieri) 14, 32
La Reine de Chypre (Jacques Fromental Halévy) 185f., 195
La Reine de Saba (Charles Gounod/Jules Barbier, Michael Carré) 185, 198
La Reine Fiamette (Xavier Leroux) 204
La Rencontre imprévue (Christoph Willibald Gluck) 353-355, 366
La Rondine (Giacomo Puccini) 137
La selva sin amor (Juan Hidalgo/Lope de Vega) 217

La serva padrona (Giovanni Battista Pergolesi/Gennaro Antonio Federico) 89, 164
La Sonnambula (Vincenzo Bellini) 112f.
La Statue (Ernest Reyer) 198
La Straniera (Vincenzo Bellini) 110
La Tancia ovvero Il Podesta di Colognole (Jacopo Melani/Andrea Moniglia) 42
La Toison d'Or (Johann Christoph Vogel) 162
La Traviata (Giuseppe Verdi/Francesco Maria Piave) 117-119, 135
La vera costanza (Joseph Haydn/Francesco Puttini) 98
La Vestale (Saverio Mercadante) 110
La Vestale (Gasparo Spontini/Victor Joseph Etienne de Jouy) 177f.
La Vita Umana (Marco Marazzoli/Giulio Rospigliosi) 40
La Voix Humaine (Francis Poulenc/Jean Cocteau) 214f.
La Wally (Alfredo Catalani) 133
Lady Macbeth des Mzensker Landkreises (Dmitri Schostakowitsch) s. Ledi Makbet Mzenskogo ujesda
Lakmé (Leo Delibes) 198f.
Lalla-Roukh (Félicien David) 196, 198
Larinda e Vanesio (Johann Adolf Hasse/Antonio Salvi, Jean-Baptiste Molière) 89
Le Boeuf sur le Toit (Darius Milhaud) 215
Le Bourgeois Gentilhomme (Jean-Baptiste Lully/Jean-Baptiste Molière) 148
Le Cadi dupé (Christoph Willibald Gluck) 353f.
Le Caïd (Ambroise Thomas) 196, 198
Le Chemineau (Xavier Leroux) 204
Le Cid (Jules Massenet) 202
Le Cinesi (Christoph Willibald Gluck) 352
Le Coeur du Moulin (Déodat de Sévérac) 205
Le Comte Ory (Gioacchino Rossini) 108
Le Devin du Village (Jean-Jacques Rousseau) 164, 374
Le Domino noir (Daniel François Esprit Auber/Eugène Scribe) 193
Le donne curiosi (Ermanno Wolf-Ferrari/Carlo Goldoni) 307
Le Faucon (Dmitri S. Bortnjanski) 423
Le festin de pierre (Christoph Willibald Gluck) 355
Le Fils rival (Dmitri S. Bortnjanski) 423
Le Guitarrero (Jacques Fromental Halévy) 195
Le Jardinier et son Seigneur (François André Danican Philidor) 166f.
Le Jongleur de Notre Dame (Jules Massenet) 203, 206
Le Joueur (Sergei Prokofjew) 447
Le Juif polonais (Camille Erlanger) 204
Le Maçon (Daniel François Esprit Auber) 193f.
Le Nouveau Seigneur de Village (Adrien Boieldieu) 191
Le nozze d'Enea con Lavinia (Claudio Monteverdi/Giacomo Badoaro) 51
Le Nozze di Figaro (Wolfgang Amadeus Mozart/Lorenzo Da Ponte) 388, 391-394, 396f.
Le nozze di Teti e di Peleo (Francesco Cavalli) 49f., 147
Le Pardon de Ploërmel [Dinorah] (Giacomo Meyerbeer) 184
Le Pauvre Matelot (Darius Milhaud/Jean Cocteau) 212, 215
Le Pays (Guy Ropartz) 205
Le Pescatrici (Joseph Haydn/Carlo Goldoni) 97
Le petit Chaperon rouge (Adrien Boieldieu) 191-193
Le Philtre (Daniel François Esprit Auber) 194
Le Postillon de Longjumeau (Adolphe Adam) 196
Le Pré aux Clercs (Ferdinand Hérold) 194
Le Prophète (Giacomo Meyerbeer/Eugène Scribe) 183
Le Rêve (Alfred Bruneau) 203
Le Roi d'Yvetot (Adolphe Adam) 196
Le Roi d'Yvetot (Jacques Ibert) 209
Le Roi de Lahore (Jules Massenet) 202
Le Roi l'a dit (Leo Delibes) 197
Le Roi malgré lui (Emanuel Chabrier) 197
Le Rossignol (Igor Strawinski) 440
Le Siège de Corinthe (Gioacchino Rossini) 110
Le Turc généreuse (Jean-Philippe Rameau) 158
Le Villi (Giacomo Puccini) 135
Le zite 'n galera (Leonardo Vinci/Bernardo Saddumene) 89
Leben des Orest (Ernst Krenek) 326
Ledi Makbet Mzenskogo ujesda (Dmitri Schostakowitsch) 448
Legende von der unsichtbaren Stadt Kitesch und der Jungfrau Fewronija (Nikolai A. Rimski-Korsakow) s. Skasanije o newidimom grade Kiteshe i dewe Fewronii
Leonora (William H. Fry) 456
Leonora ossia L'Amore coniugale (Ferdinando Paër/Jean Nicola Bouilly) 104, 173, 249
Leonore 40/45 (Rolf Liebermann/Heinrich Strobel) 408
Léonore ou L'Amour conjugal (Pierre Gaveaux/Jean Nicola Bouilly) 173, 249
Les Abencérages ou L'étendard de Grenade (Luigi Cherubini) 173, 179
Les Aventures du Roi Pausole (Arthur Honegger/Albert Willemetz) 209
Les Bayadères (Charles Simon Catel) 176, 179
Les Biches (Francis Poulenc) 215
Les Choéphores (Darius Milhaud) 212
Les Contes d'Hoffmann (Jacques Offenbach) 197

Les Danaïdes (Antonio Salieri) 162
Les Deux journées (Luigi Cherubini/Jean Nicola Bouilly) 170, 172-174, 191, 193
Les Dragons de Villars (Louis Aimé Maillart) 196
Les Euménides (Darius Milhaud) 212
Les Fêtes d'Hébé (Jean-Philippe Rameau) 155
Les Fêtes de l'Amour et de Bacchus (Jean-Baptiste Lully/Philippe Quinault) 149
Les Fleurs, fête persane (Jean-Philippe Rameau) 158
Les Huguenots (Giacomo Meyerbeer/Eugène Scribe) 120, 183-185
Les Incas de Pérou (Jean-Philippe Rameau) 158
Les Indes galantes (Jean-Philippe Rameau) 155, 158
Les Malheurs d'Orphée (Darius Milhaud/Armand Lunel) 212
Les Mamelles de Tirésias (Francis Poulenc/Guillaume Apollinaire) 214
Les Martyrs (Gaetano Donizetti) 181
Les Mousquetaires de la Reine (Jacques Fromental Halévy) 195
Les Noces de Jeannette (Victor Massé) 196
Les Pêcheurs de Perles (Georges Bizet) 200
Les Petites Cardinales (Jacques Ibert, Arthur Honegger/Albert Willemetz) 209
Les petits riens (Wolfgang Amadeus Mozart) 380
Les Rosières (Ferdinand Hérold) 194
Les Sauvages (Jean-Philippe Rameau) 158
Les Troqueurs (Antoine d'Auvergne) 165
Les Troyens (Hector Berlioz) 189f.
Les Troyens à Carthago (Hector Berlioz) 189 Les Vêpres Siciliennes (Giuseppe Verdi/Eugène Scribe, Charles Duveyrier) 118f., 181
Libuse (Bedrich Smetana/Josef Wenzig) 451, 453
Libussa (Bedrich Smetana) s. Libuse
Lisuart und Dariolette (Johann Adam Hiller) 236
Lo sposo deluso (Wolfgang Amadeus Mozart) 391
Lobetanz (Ludwig Thuille/Otto Julius Bierbaum) 304
Locandiera di spirito (Nicolo Piccinni) 94, 97
Lodoïska (Luigi Cherubini) 170, 172
Lohengrin (Richard Wagner) 11, 201, 261, 267, 273, 277, 281-284, 286, 293-296, 300, 302
Loreley (Alfredo Catalani) 133
Lotario (Georg Friedrich Händel) 335, 342f.
Lottchen am Hofe (Johann Adam Hiller) 236
Louise (Gustave Charpentier/Emile Zola) 203, 206, 211
Love in a Village (Thomas Augustin Arne/Isaac Bickerstaffe) 412
Lucia di Lammermoor (Gaetano Donizetti) 112
Lucio Cornelio Silla (Georg Friedrich Händel) 336f.
Lucio Silla (Wolfgang Amadeus Mozart/Giovanni de Gammera) 373, 375-377
Lucrezia (Ottorino Respighi) 141

Lucrezia Borgia (Gaetano Donizetti) 112f.
Luisa Miller (Giuseppe Verdi/Salvatore Cammarano) 115f.
Lulu (Alban Berg) 321f.
Lulu (Friedrich Daniel Rudolf Kuhlau/Christian Frederik Güntelberg) 419
Lysistrata (Paul Lincke) 248

Macbeth (Ernest Bloch) 205
Macbeth (Giuseppe Verdi/Francesco Maria Piave) 114-116, 119, 122, 125, 127
Madame Butterfly (Giacomo Puccini/Luigi Illica, Giuseppe Giacosa) 135-138
Mahagonny (Kurt Weill/Bertolt Brecht) 325
Manon (Jules Massenet) 202f.
Manon Lescaut (Daniel François Esprit Auber/Eugène Scribe) 194f., 203
Manon Lescaut (Giacomo Puccini/Antonine François Prévost) 135
Maometto II (Gioacchino Rossini) 110
Marco Attilio Regolo (Alessandro Scarlatti) 62, 64
Marco Aurelio (Agostino Steffani) 43
Mareike von Nymegen (Eugen d'Albert/Herbert Alberti) 305
Maria Egiziaca (Ottorino Respighi) 141
Maria Stuart (L.A. Niedermeyer) 181
Maritana (William Vincent Wallace/Edward Fitzball) 413
Mârouf, Savetier du Caire (Henry Rabaud) 205
Martha oder Der Markt von Richmond (Friedrich von Flotow/Friedrich Wilhelm Riese) 269f.
Masaniello furioso (Reinhard Keiser/Barthold Feind) 227
Maskarade (Carl Nielsen/Vilhelm Andersen) 420
Massimilla Doni (Othmar Schoeck/Armin Rueger) 407
Mathis der Maler (Paul Hindemith) 323
Mawra (Igor Strawinski/Boris Kochno) 440
Maximilien (Darius Milhaud/Armand Lunel) 213
Medea (Georg Benda/Friedrich Wilhelm Gotta) 240
Médée (Luigi Cherubini/François Benoît Hoffman) 171-173
Médée (Darius Milhaud/Madeleine Milhaud) 213f.
Medoro (Marco da Galliano) 24
Mefistofele (Arrigo Boito) 129-131, 134, 140
Melnik, koldun obmanschtschik i swat (Michail M. Sokolowski/Alexander O. Ablesimov) 423
Merlin (Karl Goldmark/Siegfried Lipiner) 300
Messidor (Alfred Bruneau) 203
Miarka (Alexandre Georges) 204
Mignon (Ambroise Thomas) 188, 198
Milton (Gasparo Spontini) 177
Mireille (Charles Gounod) 198
Mitridate, Rè di Ponto (Wolfgang Amadeus Mozart/Vittorio Amadeo Cigna-Santi) 373-377

Mitternachtsstunde (Franz Danzi) 239
Modehandlerskan (Franz Berwald) 417
Mörder, Hoffnung der Frauen (Paul Hindemith/Oskar Kokoschka) 322
Moïse et Pharaon (Gioacchino Rossini) 108, 110
Moloch (Max von Schillings/Emil Gerhäuser) 305
Mona (Horatio Parker) 456
Mona Lisa (Max von Schillings/Beatrice Dovsky) 305
Monna Vanna (Henri Février/Maurice Maeterlinck) 205
Monsieur de Porceaugnac (Jean-Baptiste Lully/Jean-Baptiste Molière) 148
Montezuma (Karl Heinrich Graun) 80
Mosè in Egitto (Gioacchino Rossini) 108-110
Moses und Aaron (Arnold Schönberg) 320, 447
Moskwa Tscherjomuschki (Dmitri Schostakowitsch/V. Mass, M. Tscherwinski) 449
Mozart i Saljeri (Nikolai A. Rimski-Korsakow) 431
Muzio Scevola (Filippo Amadei, Giovanni Bononcini, Georg Friedrich Händel) 338

Nabucco (Giuseppe Verdi) 108, 114f.
Nadeshda (Arthur Goring Thomas) 413
Namenlose Helden (Ferenc Erkel) s. Névtelen Hösök
Natschalnoje uprawlenije Olega (Giuseppe Sarti/Wassili A. Paschkewitsch) 422
Nausikaa (August Bungert) 301
Nephté (Jean-Baptiste Lemoyne) 162
Nerone (Arrigo Boito) 129
Nerone (Georg Friedrich Händel) 332
Nerone (Giuseppe Maria Orlandini) 74
Nestschastje ot karety (Wassili A. Paschkewitsch) 423
Neues vom Tage (Paul Hindemith/Marcellus Schiffer) 322
Nevesta mesinská (Zdenko Fibich) 454
Névtelen Hösök (Ferenc Erkel) 450
Ninette à la cour (Johann Adam Hiller/Charles Simon Favart) 236f.
Niobe (Agostino Steffani) 43f.
Nitteti (Pietro Metastasio) 68
Nordisca (Frederick Corder) 413
Norma (Vincenzo Bellini) 112
Nos (Dmitri Schostakowitsch) 448
Notre Dame (Franz Schmidt/Leopold Wilk, Franz Schmidt) 306

Oberon (Carl Maria von Weber/James Robinson Planché) 261f.
Oberon, König der Elfen (Paul Wranitzky) 247, 402
Oberto (Giuseppe Verdi) 114

Obrutschenije w Monastyre (Sergei Prokofjew) 448
Odysseus Heimkehr (August Bungert) 301
Odysseus Tod (August Bungert) 301
Oedipe à Colone (Antonio Sacchini) 162
Ödipus der Tyrann (Carl Orff/Friedrich Hölderlin) 324
Oedipus Rex (Igor Strawinski/Jean Cocteau) 441
Olimpiade (Antonio Caldara/Pietro Metastasio) 67
Olimpiade (Pietro Metastasio) 67f.
Olimpiade (Johann Friedrich Reichardt) 239
Olimpie (Gasparo Spontini/Michel Dieulafoy, Charles Brifaut) 179
Orestie (Darius Milhaud/Paul Claudel) 212
Orfej i Ewridika (Evistignei I. Fomin) 423
Orfeo (Antonio Sartorio) 58, 60f.
Orfeo ed Euridice (Christoph Willibald Gluck/Raniero Calzabigi) 100, 161, 189, 353, 355-358, 362f., 373
Origille (Nicolo Piccinni) 97
Orione ossia Diana Vendicata (Johann Christian Bach) 86
Orlando (Georg Friedrich Händel) 344-346
Orlando Paladino (Joseph Haydn/Nuntiato Porta) 83, 94
Orontea (Antonio Cesti/Andrea Perrucci) 61
Orontes (Johann Theile) 225
Orphée aux Enfers (Jacques Offenbach) 197
Orphée et Euridice (Christoph Willibald Gluck) 161, 363f.
Orpheus og Euridice (Johann Gottlieb Naumann/Charlotte Dorothea Bichl) 417
Ossian ou les Bardes (Jean François Lesueur) 173f.
Otello (Giuseppe Verdi/Arrigo Boito) 124-129, 131
Otello ossia Il Moro di Venezia (Gioacchino Rossini) 106-108
Ottone (Georg Friedrich Händel) 338

Padmavati (Albert Roussel) 209
Pagliacci (Ruggiero Leoncavallo) 133f.
Palestrina (Hans Pfitzner) 309
Pallas Athene weint (Ernst Krenek) 326
Parade (Eric Satie) 215
Paride ed Elena (Christoph Willibald Gluck/Raniero Calzabigi) 355, 358-361, 364, 367, 372
Parsifal (Richard Wagner) 284, 294-296, 302
Partenope (Georg Friedrich Händel) 335, 342f.
Partenope (Pietro Metastasio) 68
Pastorale (Robert Cambert/Piere Perrin) 148
Patrò Calienno de la Costa (Antonio Orefice/Agasippo Mercotelli) 88
Paul et Virginie (Jean François Lesueur) 171
Paul et Virginie (Victor Massé) 198f.
Peer Gynt (Werner Egk) 327
Pelléas et Mélisande (Claude Debussy) 139, 206f., 451

Pelope (Nicolo Jommelli/Mattia Verazi) 81
Pénélope (Gabriel Fauré) 205
Penelope (Rolf Liebermann/Heinrich Strobel) 408
Penthesilea (Othmar Schoeck/Heinrich von Kleist) 407f.
Perséphone (Igor Strawinski) 441
Persische Episode (Rudolf Wagner-Régeny/Caspar Neher) 327
Peter Grimes (Benjamin Britten/Montagu Slater) 415f.
Peter Schmoll und seine Nachbarn (Carl Maria von Weber/Joseph Türk) 257
Phèdre (Jean-Baptiste Lemoyne) 162
Phryné (Camille Saint-Saëns) 197
Pietro von Abano (Louis Spohr/Karl Pfeiffer) 256
Pique Dame (Peter I. Tschaikowski) 427, 431f.
Platée (Jean-Philippe Rameau) 155, 159f.
Pomone (Robert Cambert/Piere Perrin) 148
Porgy and Bess (George Gershwin/Du Bose Heyward, Ira Gershwin) 457
Poro (Georg Friedrich Händel) 343f.
Preußisches Märchen (Boris Blacher/Heinz von Cramer) 327
Preziosa (Carl Maria von Weber) 260
Prihody Lisky Bystrousky (Leos Janácek) 451, 454
Prima la musica e poi le parole (Antonio Salieri/Giovanni Battista Casti) 391
Prodaná Nevesta (Bedrich Smetana) 451f.
Prométhée (Gabriel Fauré) 205
Psyche (Matthew Locke/Thomas Shadwell) 410
Psyché (Jean-Baptiste Lully) 149
Puntila (Paul Dessau) 325
Pygmalion (Jean-Jacques Rousseau) 240

Quinto Fabio (Dmitri S. Bortnjanski) 423
Quo vadis (Jean Nouguès/Henryk Sienkiewicz) 205

Radamisto (Georg Friedrich Händel) 338f.
Rappelkopf (Leo Blech) 306
Raskolnikoff (Heinrich Sutermeister) 408
Re Lear (Giuseppe Verdi/Antonio Somma) 125
Renard (Igor Strawinski) 440
Riccardo I (Georg Friedrich Händel) 341
Richard Coeur de Lion (André Modeste Grétry/Jean Michel Sedaine) 167f.
Riders to the Sea (Ralph Vaughan Williams/John Millington Synge) 414
Rienzi, der letzte der Tribunen (Richard Wagner) 200, 272, 274-276, 279f., 301
Rigoletto (Giuseppe Verdi/Francesco Maria Piave) 112, 115, 117-119, 122f., 126, 128
Rinaldo (Georg Friedrich Händel) 334-337
Ritter Blaubart (Emil Nikolaus Reznicek/Herbert Eulenberg) 303

Ritter Blaubarts Burg (Béla Bartók) s. A Kékszakállú herceg vára
Robert le Diable (Giacomo Meyerbeer/Eugène Scribe) 182-184
Rodelinda (Georg Friedrich Händel) 339-341
Rodrigo (Georg Friedrich Händel) 332
Röslein im Hag (Cyrill Kistler) 301
Roland (Nicolo Piccinni) 162, 367
Roland à Ronceveaux (Auguste Mermet) 185
Roméo et Juliette (Charles Gounod) 198
Romeo und Julia (Boris Blacher) 327
Romeo und Julia (Heinrich Sutermeister) 408
Romeo und Julia auf dem Dorfe (Frederick Delius/Jelka Delius) 414
Rosamunde (Anton Schweitzer/Christoph Martin Wieland) 241
Rosamunde Floris (Boris Blacher/Georg von Westerman) 327
Rosinda (Francesco Cavalli/Nicolo Minato) 55
Rübezahl (Carl Maria von Weber) 257
Ruggiero (Johann Adolf Hasse/Pietro Metastasio) 68, 77-79, 377
Rusalka (Antonín Dvorák) 451, 453
Ruslan i Ljudmila (Michail Glinka) 424
Russalka (Alexander S. Dargomyshski) 425

Sadko (Nikolai A. Rimski-Korsakow) 435-437
Salammbô (Ernest Reyer) 198f.
Salome (Richard Strauss) 305, 309-312, 317, 319
Samori (Georg Joseph [Abbé] Vogler) 257, 417
Samson et Dalila (Camille Saint-Saëns) 202
Sancta Susanna (Paul Hindemith/August Stramm) 322
Sanktpeterburgski gostiny dwor (Michail Matinski) 423
Sargino ossia L'Allievo dell'Amore (Ferdinando Paër) 104f.
Sarolta (Ferenc Erkel) 450
Saul og David (Carl Nielsen/Einar Christiansen) 420
Savitri (Gustav Holst) 415
Schirin und Gertraude (Paul Graener/Ernst Hardt) 306
Schlagobers (Richard Strauss) 316
Schwanda der Dudelsackpfeifer (Jaromir Weinberger) s. Svanda dudák
Schwanenweiß (Julius Weismann) 306
Scipione (Georg Friedrich Händel) 341
Seleuco (Antonio Sartorio) 59f.
Semiramide (Giocchino Rossini) 108
Semiramide riconosciuta (Christoph Willibald Gluck/Pietro Metastasio) 352
Sémiramis (Charles Simon Catel) 176
Semiramis (Christoph Willibald Gluck/Gasparo Angiolini) 356, 372
Serse (Francesco Cavalli) 147

Serse (Georg Friedrich Händel) 348-351
Shamus O'Brien (Charles Villiers Stanford) 414
Siegfried (Richard Wagner) 284f., 287-291, 294, 296
Sigurd (Ernest Reyer) 201
Silvana (Carl Maria von Weber/Franz Karl Hiemer) 257
Simone Boccanegra (Giuseppe Verdi/Arrigo Boito) 119f., 124f.
Sir John in Love (Ralph Vaughan Williams) 414
Siroe (Georg Friedrich Händel) 341
Skasanije o newidimom grade Kiteshe i dewe Fewronii (Nikolai A. Rimski-Korsakow/Wladimir Belski) 437f.
Skaska o zare Saltane (Nikolai A. Rimski-Korsakow/Wladimir Belski) 437f.
Skupoi (Wassili A. Paschkewitsch) 423
Sly (Ermanno Wolf-Ferrari) 307
Socrate (Eric Satie) 208
Socrate immaginario (Giovanni Paisiello/Giovanni Battista Lorenzi) 94, 99f.
Sofonisba (Tommaso Traëtta) 82
Solotoi petuschok (Nikolai A. Rimski-Korsakow/Wladimir Belski) 437-439
Sorotschinskaja jarmarka (Modest Mussorgski) 427
Sosarme (Georg Friedrich Händel) 344
Stiffelio (Giuseppe Verdi/Francesco Maria Piave) 116f., 119
Straszny Dwór (Stanislaw Moniuszko) 450
Stratonice (Etienne Nicolas Méhul/François Benoît Hoffman) 173
Suor Angelica (Giacomo Puccini) 137
Svanda dudák (Jaromir Weinberger) 454
Szekeler Spinnstube (Zoltán Kodály) s. Székely fonó
Székely fonó (Zoltán Kodály) 451

Tajemství (Bedrich Smetana) 451
Tamerlano (Georg Friedrich Händel) 338-341
Tancrède (André Campra) 154
Tancredi (Gioacchino Rossini) 104, 106
Tannhäuser (Carl Mangold) 269
Tannhäuser und der Sängerkrieg auf Wartburg (Richard Wagner) 201, 272f., 279f., 283, 286, 293-296, 302
Tarare (Antonio Salieri/Caron de Beaumarchais) 86, 162
Tassilone (Agostino Steffani/Ventura Terzago) 46
Telemacco o sia L'Isola di Circe (Christoph Willibald Gluck) 355, 372
Télémaque (André Destouches) 163
Télémaque dans l'ile de Calypso ou le triomphe de la sagesse (Jean François Lesueur) 171-173
Temistocle (Johann Christian Bach/Mattia Verazi) 84-86

Teseo (Georg Friedrich Händel) 336f.
Thais (Jules Massenet) 203
The Beggar's Opera (Johann Christoph Pepusch/John Gay) 325, 342, 412f., 456
The Bohemian Girl (Michael William Balfe/Alfred Bunn) 413The Consul (Gian Carlo Menotti) 456
The Devil to pay or The Wives metamorphosed (Charles Coffey) 236
The fairy Queen (Henry Purcell) 411
The Flood (Igor Strawinski/Robert Craft) 446f.
The Ice Break (Michael Tippett) 415
The Judgement of Paris (Thomas Augustin Arne) 412
The Medium (Gian Carlo Menotti) 456
The Midsummer Marriage (Michael Tippett) 415
The Mikado (Arthur S. Sullivan/William Schwenk Gilbert) 413
The Mountain Sylph (John Barnett/Thomas James Thackeray) 413
The Pirates of Penzance or The Slave of Duty (Arthur S. Sullivan/William Schwenk Gilbert) 413
The Rake's Progress (Igor Strawinski/Wystan Hugh Auden) 441-446
The Rape of Lucretia (Benjamin Britten) 416
The Siege of Rhodes (Henry Cooke, Henry Lawes u.a./William D'Avenant) 410
The Telephone (Gian Carlo Menotti) 456
The Tempest (Henry Purcell) 411
The Travelling Companion (Charles Villiers Stanford/Henry Newbolt) 414
Theophano (Paul Graener/Otto Anthes) 305
Theuerdank (Ludwig Thuille) 304
Thomas and Sally (Thomas Augustin Arne/Isaac Bickerstaffe) 412
Thrymskviden (Johan Emil Peter Hartmann) 420
Tiefland (Eugen d'Albert/Rudolf Lothar) 305
Timon of Athens (Henry Purcell) 411
Titus (Heinrich Marschner/Pietro Metastasio) 269
Titus Feuerfuchs (Heinrich Sutermeister) 408
Tolomeo (Georg Friedrich Händel) 341
Torneo Notturno (Gianfrancesco Malipiero) 140
Tosca (Giacomo Puccini/Luigi Illica, Giuseppe Giacosa) 137f.
Tre commedie goldoniane (Gianfrancesco Malipiero) 140
Tristan und Isolde (Richard Wagner) 139, 201f., 206, 287, 291-294, 296, 303
Turandot (Ferruccio Busoni) 307
Turandot (Giacomo Puccini/Giuseppe Adami, Renato Simoni) 138

Ulisse (Luigi Dallapiccola) 142
Un Ballo in Maschera (Giuseppe Verdi/Antonio Somma) 119f., 126

Un Giorno di Regno (Giuseppe Verdi) 114
Undine (E.T.A. Hoffmann/Friedrich de la Motte Fouqué) 250-252, 256
Undine (Albert Lortzing) 271f.
Urvasi (Wilhelm Kienzl) 303
Uthal (Etienne Nicolas Méhul) 174

Valkyrien (Johan Emil Peter Hartmann) 420
Vec Makropulos (Leos Janácek) 452
Venus (Othmar Schoeck/Armin Rueger) 407
Venus and Adonis (John Blow) 411
Verbum nobile (Stanislaw Moniuszko) 450
Versiegelt (Leo Blech/Richard Batka, Alexander Sigmund Pordes-Milo) 306
Vespasian (Johann Wolfgang Franck) 225
Vespasiano (Attilio Ariosti) 73
Volo di Notte (Luigi Dallapiccola) 141f.
Von heute auf morgen (Arnold Schönberg/Max Blonda) 320
Vylet pana Broucka do mesíce (Leos Janácek) 451

Wem die Krone (Alexander Ritter) 298
Werther (Jules Massenet) 203Wieland der Schmied (Max Zenger/Philipp Allfeld) 300f.
Woina i mir (Sergei Prokofjew) 447
Wozzeck (Alban Berg) 316, 321f., 407

Z mrtvého domu (Leos Janácek) 452, 454
Zaïde (Wolfgang Amadeus Mozart) 240, 378, 380-383, 389
Zais (Jean-Philippe Rameau) 159
Zampa ou La Financée de Marbre (Ferdinand Hérold) 194
Zar und Zimmermann (Albert Lortzing) 271
Zemire und Azor (Louis Spohr/Johann Jakob Ihlee) 253
Zenobia in Palmira (Leonardo Leo) 76
Zoroastre (Jean-Philippe Rameau) 155, 157
Zwischenfälle bei einer Notlandung (Boris Blacher/Heinz von Cramer) 327

# Auswahlbibliographie
## Zusammengestellt von Bernd Krause

Die Gliederung der Bibliographie folgt im wesentlichen dem Aufbau der Darstellung. Aufgenommen wurden nur selbständig erschienene (schwerpunktmäßig deutschsprachige) Titel. Weitere Literatur ist über die genannten Bibliographien zu erschließen; zu einzelnen Komponisten sind auch die jeweiligen Personal-Monographien heranzuziehen.

## Nachschlagewerke, Bibliographien, Chronologien

Enciclopedia dello Spettacolo (9 Bde.). — Rom 1954-62, Supplemente 1963, 1966
Kutsch, Karl J. u. Riemens, Leo: Unvergängliche Stimmen. Sängerlexikon. — Bern u. München 1975; 2. Aufl. 1982
The New Grove Dictionary of Opera, hrsg. v. Stanley Sadie (4 Bde.). — New York 1992
Pipers Enzyklopädie des Musiktheaters. Oper, Operette, Musical, Ballett (8 Bde.), hrsg. v. Carl Dahlhaus u.a. — München u. Zürich 1986ff. (noch nicht vollständig erschienen)
— Bd. 1-5: Werke
— Bd. 6: Register und Nachträge
— Bd. 7-8: Sachteil
Seeger, Horst: Opernlexikon. — Berlin, 4. Aufl. 1989
Stieger, Franz: Opernlexikon = Opera Catalogue = Lexique des Opéras = Dizionario operistico. — Tutzing 1975-83
— Teil 1: Titelkatalog (3 Bde.)
— Teil 2: Komponisten (2 Bde.)
— Teil 3: Librettisten (3 Bde.)
— Teil 4: Nachträge (2 Bde.)

## Periodika und Serien

Jahrbuch für Opernforschung. — Frankfurt a.M. u.a. 1.1985 ff.
Musiktheater. Uraufführungen, Erstaufführungen, Neuinszenierungen, Bibliographie, zusammengest. v. Thomas Siedhoff. — Thurnau 1977/78, 1978 ff.
Oper 19.. Jahrbuch der Zeitschrift »Opernwelt«. — Velber u.a. 1966 ff.
Rororo Opernbücher, hrsg. v. Attila Csampai u. Dietmar Holland. — München u. Reinbek bei Hamburg 1981 ff.

## Handbücher und allgemeine Darstellungen

Abert, Anna Amalie: Die Oper. Von den Anfängen bis zum Beginn des 19. Jahrhunderts. — Köln 1953 (= Das Musikwerk, Bd. 5)
Abert, Hermann: Grundprobleme der Operngeschichte. — Leipzig 1926
Behr, Michael: Musiktheater. Faszination, Wirkung, Funktion. — Wilhelmshaven 1983 (= Veröffentlichungen zur Musikforschung, Bd. 6)
Bie, Oskar: Die Oper. — Berlin 1913
Borris, Siegfried: Die Oper im 20. Jahrhundert. — Wolfenbüttel u. Zürich 1962
Dahlhaus, Carl: Vom Musikdrama zur Literaturoper. Aufsätze zur neueren Operngeschichte. — überarb. Neuausgabe. — München u. Mainz 1989

Donington, Robert: Opera and its Symbols. The Unity of Words, Music, and Staging. - New Haven (Conn.) u. London 1990

Felsenstein, Walter: Schriften zum Musiktheater. — Berlin 1976

Fischer, Jens Malte: Oper — das mögliche Kunstwerk. Beiträge zur Operngeschichte des 19. und 20. Jahrhunderts. — Anif/Salzburg 1991 (= Wort und Musik, Bd. 6)

Georgiades, Thrasybulos: Das musikalische Theater. — München 1965

Gregor, Joseph: Kulturgeschichte der Oper. Ihre Verbindung mit dem Leben, den Werken des Geistes und der Politik. — Wien 1941

Grout, Donald Jay: A Short History of Opera. — 2. Ed. (2 Bde.). — New York u. London 1965 (enth.: Bibliography: Bd. 2, S. 585-768)

History of Opera, hrsg. v. Stanley Sadie . — Basingstoke 1989 (= The New Grove Handbooks in Music)

Kerman, Joseph: Opera as Drama. — New York 1956 u. London 1957 (Reprint New York 1959)

Kloiber, Rudolf: Handbuch der Oper (2 Bde.). — Kassel, 9. Aufl. 1978

Klotz, Volker: Operette. Porträt und Handbuch einer unerhörten Kunst. — München u.Zürich 1991

Leibowitz, René: Histoire de l'Opéra. — Paris 1957

Music and Theatre. Essays in Honour of Winton Dean, hrsg. v. Nigel Fortune. — Cambridge 1987

Opernstudien. Anna Amalie Abert zum 65. Geburtstag, hrsg. v. Klaus Hortschansky. — Tutzing 1975

Schiedermair, Ludwig F.: Die Oper. — München 1979

Schreiber, Ulrich: Opernführer für Fortgeschrittene. Eine Geschichte des Musiktheaters. — Kassel u.a. 1988ff.
— Ausgabe u.d.T.: Die Kunst der Oper. — Frankfurt a.M. 1988ff.

Sternfeld, F.W.: The Birth of Opera. — Oxford 1993

Vogel, Martin: Musiktheater (4 Bde.). — Bonn 1980-87

Werk und Wiedergabe. Musiktheater exemplarisch interpretiert, hrsg. v. Sigrid Wiesmann u.a. — Bayreuth 1981 (= Thurnauer Schriften zum Musiktheater, Bd. 5)

Wolff, Hellmuth Christian: Oper. Szene und Darstellung von 1600 bis 1900. — Leipzig 1968; 3. Aufl. 1985 (= Musikgeschichte in Bildern, Bd. 4/1)

— : Die Oper (3 Bde.). — Köln 1971-72 (= Das Musikwerk, Bd. 38-40)
— Bd. 1: Anfänge bis 17. Jahrhundert
— Bd. 2: 18. Jahrhundert
— Bd. 3: 19. Jahrhundert

Zöchling, Dieter: Die Chronik der Oper. — Dortmund 1990

## Untersuchungen zu speziellen Themenstellungen

Antike Mythen im Musiktheater des 20. Jahrhunderts, Gesammelte Vorräge des Salzburger Symposions 1989, hrsg. v. Peter Csobádi u.a. — Anif/Salzburg 1990 (= Wort und Musik. Salzburger akademische Beiträge, Bd. 7)

Bücken, Ernst: Der heroische Stil in der Oper. — Leipzig 1924

Dechant, Hermann: Arie und Ensemble. Zur Entwicklungsgeschichte der Oper. — Darmstadt (bisher erschienen: Bd. 1: 1600-1800. — 1993)

Dent, Edward J.: The Rise of Romantic Opera. — Cambridge 1976

De Ridder, Liselotte: Der Anteil der Commedia dell'Arte an der Entstehungs- und Entwicklungsgeschichte der komischen Oper. Studie zum Libretto der Oper im 17. Jahrhundert. — Köln 1970

Döhring, Sieghart: Formgeschichte der Opernarie vom Ausgang des 18. bis zur Mitte des 19. Jahrhunderts. — Itzehoe 1975

Frede, Matthias: Opernsänger. Porträts. — Berlin 1991.

Für und Wider die Literaturoper. Zur Situation nach 1945, hrsg. v. Sigrid Wiesmann. — Laaber 1982 (= Thurnauer Schriften zum Musiktheater, Bd. 6)

Geyer-Kiefl, Helen: Die heroisch-komische Oper, ca. 1770-1820 (2 Bde.). — Tutzing 1982 (= Würzburger musikhistorische Beiträge, Bd. 9)

Geschichte und Dramaturgie des Operneinakters. Bericht über das Symposion vom 17.bis 20. Februar 1988 in Thurnau, hrsg. von Winfried Kirsch u. Sieghart Döhring. — Laaber 1991 (= Thurnauer Schriften zum Musiktheater, Bd. 10)

Heinel, Beate: Die Zauberoper. Studien zu ihrer Entwicklungsgeschichte anhand ausgewählter Beispiele von den Anfängen bis zum Beginn des 19. Jahrhunderts. — Frankfurt a.M. u.a. 1994 (= Europäische Hochschulschriften, Reihe 36, Bd. 111)

Heriot, Angus: The Castrati in Opera. — London 1956 (Reprint London 1975)

Honolka, Kurt: Opernübersetzungen. Zur Geschichte der Verdeutschung musiktheatralischer Texte. — Wilhelmshaven 1978 (= Taschenbücher zur Musikwissenschaft, Bd. 20)

— : Kulturgeschichte des Librettos. — Wilhelmshaven 1979

Koch, Klaus-Dietrich: Die Aeneis als Opernsujet. Dramaturgische Wandlungen vom Frühbarock bis zu Berlioz. — Konstanz 1990

Kunze, Stefan: Don Giovanni vor Mozart. — München 1972

Lühning, Helga: »Titus«-Vertonungen im 18. Jahrhundert. Untersuchungen zur Tradition der Opera seria von Hasse bis Mozart. — Laaber 1983 (= Analecta musicologica, Bd. 20)

Mahling, Christoph-Hellmut: Studien zur Geschichte des Opernchores. — Trossingen u. Wolfenbüttel 1962

Musiktheater im 20. Jahrhundert. — Laaber 1988 (= Hamburger Jahrbuch für Musikwissenschaft, Bd. 10)

Oper als Text. Romanistische Beiträge zur Libretto-Forschung, hrsg. v. Albert Gier. — Heidelberg 1986 (= Studia Romanica, Bd. 63)

Opernheld und Opernheldin im 18. Jahrhundert. Aspekte der Librettoforschung. Ein Tagungsbericht, hrsg. von Klaus Hortschansky. — Hamburg u. Eisenach 1991 (= Schriften zur Musikwissenschaft aus Münster, Bd. 1)

Quellentexte zur Konzeption der europäischen Oper im 17. Jahrhundert, hrsg. v. Heinz Becker. — Kassel u.a. 1981

La Querelle des Bouffons. Textes des Pamphlets, hrsg. v. Denise Launay. — Genf 1973

Rosselli, J.: The opera industry from Cimarosa to Verdi. The role of the impresario. — Cambridge 1984

Schläder, Jürgen: Undine auf dem Musiktheater. Zur Entwicklungsgeschichte der deutschen Spieloper. — Bonn-Bad Godesberg 1979 (= Orpheus, Bd. 28)

Semrau, Arno: Studien zur Typologie und zur Poetik der Oper in der ersten Hälfte des 19. Jahrhunderts. — Regensburg 1993 (= Kölner Beiträge zur Musikforschung, Bd. 178)

Sprang, Christian: Grand Opéra vor Gericht. — Baden-Baden 1993 (= Schriftenreihe des Archivs für Urheber-, Film-, Funk- und Theaterrecht (UFITA), Bd. 105)

Stuckenschmidt, Hans Heinz: Oper in dieser Zeit. — Velber 1964

Viertel, Karl-Heinz (u.a.): Zur Regie im Musiktheater — Zum Opernrepertoire. Werktreue — Interpretation — Spielplangestaltung. — Berlin 1974 (= Material zum Theater, Bd. 51)

Wolff, Hellmuth Christian: Geschichte der komischen Oper: Von den Anfängen bis zur Gegenwart. — Wilhelmshaven 1981

Zauft, Karin: Musikdramatische Werkstruktur und theatralische Szene in der Oper. Studien zur Frage des strukturellen und funktionellen Zusammenhangs von Dichtung, Musik und Darstellung in der Barock-Oper des 18. Jahrhunderts. Ein Beitrag zu Geschichte und Theorie des Musiktheaters. — Halle 1991

Zur Lage der Musiktheater in Europa, hrsg. v. Christiane Zentgraf. — Thurnau 1979 (= Thurnauer Schriften zum Musiktheater, Bd. 4)

## Die Oper in Italien

Barbier, P.: La Vie quotidienne à l'Opéra au Temps de Rossini et de Balzac. — Paris 1987

Goldschmidt, Hugo: Studien zur Geschichte der italienischen Oper im 17. Jahrhundert (2 Bde.). — Leipzig 1901-04 (Reprint Hildesheim u. Wiesbaden 1967)

Hell, Helmut: Die neapolitanische Opernsinfonie in der ersten Hälfte des 18. Jahrhunderts. N. Porpora — L. Vinci — G.B. Pergolesi — L. Leo — N. Jommelli. — Tutzing 1971 (= Münchner Veröffentlichungen zur Musikgeschichte, Bd. 19)

Henze-Döhring, Sabine: Opera seria, Opera buffa und Mozarts »Don Giovanni«. Zur Gattungskonvergenz in der italienischen Oper des 18. Jahrhunderts. — Laaber 1986 (= Analecta musicologica, Bd. 24)

Kunze, Stefan: Don Giovanni vor Mozart. Die Tradition der Don-Giovanni-Oper im italienischen Buffotheater des 18. Jahrhunderts. — München 1972

Lederer, Josef Horst: Verismo auf der deutschsprachigen Opernbühne 1891 — 1926. Eine Untersuchung seiner Rezeption durch die zeitgenössische musikalische Fachpresse. — Wien u.a. 1992 (= Wiener musikwissenschaftliche Beiträge, Bd. 19)

Masters of Italian Opera: Rossini, Donizetti, Bellini, Verdi, Puccini. — London 1983

Medicus, Lotte: Die Koloratur in der italienischen Oper des 19. Jahrhunderts. — Zürich 1939

New Looks at Italian Opera: Essays in Honor of Donald Jay Grout, hrsg. v. William W. Austin. — Ithaca (N.Y.) 1968 (Reprint Westport (Conn.) 1976)

Pirrotta, Nino u. Povoledo, Elena: Li due Orfei. Da Poliziano a Monteverdi. — Turin 1969
— Englische Ausgabe: Music and Theater from Poliziano to Monteverdi. — New York 1981

Rosselli, John: The Opera Industry in Italy from Cimarosa to Verdi. — Cambridge 1984

Storia dell'Opera Italiana, hrsg. v. Lorenzo Bianconi u. Giorgio Pestelli.
— Deutsche Ausgabe: Geschichte der italienischen Oper. — Laaber 1990 ff.
bisher erschienen:
Bd. 4-6: Systematischer Teil. 1990-1992

Weaver, Robert Lamar: Florentine Comic Opera of the Seventeenth Century. — Ann Arbor (Mich.) 1959

Wolff, Hellmuth Christian: Die venezianische Oper in der zweiten Hälfte des 17. Jahrhunderts. — Berlin 1937

Zwischen Opera buffa und Melodramma. Italienische Oper im 18. und 19. Jahrhundert, hrsg. v. Jürgen Maehder u. Jürg Stenzl. — Frankfurt a.M. u.a. 1994 (= Perspektiven der Opernforschung, Bd. 1)

## Vincenzo Bellini

Lippmann, Friedrich: Vincenzo Bellini und die italienische Opera seria seiner Zeit. Studien über Libretto, Arienform und Melodik. — Köln u. Wien 1969 (= Analecta musicologica, Bd. 6)

Maguire, Simon: Vincenzo Bellini and the Aesthetics of Early Nineteenth-Century Italian Opera. — New York u. London 1989

Weinstock, Herbert: Vincenzo Bellini. His Life and his Operas. — New York 1972
— Deutschsprachige Ausgabe: Vincenzo Bellini. Sein Leben und seine Opern. — Adliswil (Schweiz) 1985

## Ferruccio Busoni

Busoni, Ferrucccio: Über die Möglichkeiten der Oper und über die Partitur des »Dr. Faust«. — Leipzig 1926

## Lorenzo Da Ponte

Da Ponte, Lorenzo: Memorie di Lorenzo da Ponte di Ceneda, scritte da esso.
— Deutschsprachige Ausgabe: Mein abenteuerliches Leben. Die Erinnerungen des Mozart-Librettisten, übers. v. Eduard Burckhardt. — Zürich 1991

Goertz, Harald: Mozarts Dichter Lorenzo Da Ponte. Genie und Abenteurer. — Wien 1985
— Taschenbuchausgabe: München 1988

## Giovanni Battista Doni

Schaal, Susanne: Musica Scenica. Die Operntheorie des Giovanni Battista Doni. — Frankfurt a.M. u.a. 1993 (= Europäische Hochschulschriften, Reihe 36, Bd. 96)

## Gaetano Donizetti

Ashbrook, William: Donizetti and his Operas. — Cambridge u. New York 1982

Journal of the Donizetti Society. — London 1.1974 ff.
Lippmann, Friedrich: Die Melodien Donizettis. — Köln u. Graz 1966 (= Analecta musicologica, Bd. 3)
Studi Donizettiani. — Bergamo 1.1962 ff.
Weinstock, Herbert: Donizetti and the World of Opera in Italy, Paris and Vienna in the first Half of the Nineteenth Century. — New York 1963 u. London 1964

## Baldassare Galuppi

Bollert, Werner: Die Buffo-Opern Baldassare Galuppis. — Bottrop 1935
Wiesend, Reinhard: Studien zur Opera seria von Baldassare Galuppi. Werksituation und Überlieferung — Form und Satztechnik — Inhaltsdarstellung (2 Bde.). -Tutzing 1984 (= Würzburger musikhistorische Beiträge, Bd. 8)

## Ruggero Leoncavallo

Pietro Mascagni: Cavalleria rusticana / Ruggero Leoncavallo: Der Bajazzo. Texte, Materialien, Kommentare. — München u. Reinbek b. Hamburg 1987 (= Rororo Opernbuch)

## Pietro Mascagni

Pietro Mascagni: Cavalleria rusticana / Ruggero Leoncavallo: Der Bajazzo. Texte, Materialien, Kommentare. — München u. Reinbek b. Hamburg 1987 (= Rororo Opernbuch)

## Pietro Metastasio

Binni, W.: L'Arcadia e il Metastasio. — Florenz 1963
Herklotz, Renate: Die Opera seria und die Ideen der Aufklärung, eine Untersuchung zum Menschenbild Pietro Metastasios. — Leipzig 1986
Joly, Jacques: Les Fêtes théâtrales de Métastase à la cour de Vienne (1731-1767). — Clermont-Ferrand 1978 (= Faculté des Lettres et Sciences humaines de l'Université de Clermont-Ferrand II, N.S. Bd. 3)
Metastasio e il melodramma, hrsg. v. Elena Sala di Felice u. Laura Sannia Nowé. — Padua 1985 (= Biblioteca di cultura, Bd. 1)
Muraro, Maria Teresa: Metastasio e il mondo musicale. — Florenz 1986 (= Studi di musica veneta, Bd. 9)
Sala di Felice, Elena: Metastasio. Ideologia, drammaturgia, spettacolo. — Mailand 1983

## Claudio Monteverdi

Abert, Anna Amalie: Claudio Monteverdi und das musikalische Drama. — Lippstadt 1954
— : Claudio Monteverdis Bedeutung für die Entstehung des musikalischen Dramas. — Darmstadt 1979
Claudio Monteverdi: Orfeo / Christoph W. Gluck: Orpheus und Eurydike. Texte, Materialien, Kommentare. — München u. Reinbek b. Hamburg 1988 (= Rororo Opernbuch)
Claudio Monteverdi e il suo tempo. Relazioni e Communicazioni, hrsg. v. R. Monterosso. — Venedig u.a. 1969
The Monteverdi Companion, hrsg. v. Denis Arnold u. Nigel Fortune. — London 1968
Osthoff, Wolfgang: Monteverdi-Studien. Bd. 1: Das dramatische Spätwerk Claudio Monteverdis. — Tutzing 1960 (= Münchner Veröffentlichungen zur Musikgeschichte, Bd. 3)

## Giovanni Paisiello

Hunt, Jno Leland: Giovanni Paisiello. His Life as an Opera Composer. — New York 1975

## Luca Antonio Predieri

Ortner, Roman: Luca Antonio Predieri und sein Wiener Opernschaffen. — Wien 1971

## Giacomo Puccini

Ashbrook, William: The Operas of Puccini. — New York 1968 / London 1969
Berg, Karl Georg: Giacomo Puccinis Opern: Musik und Dramaturgie. — Kassel u.a. 1991 (= Marburger Beiträge zur Musikwissenschaft, Bd. 7)
Carner, Mosco: Giacomo Puccini: Tosca. — Cambridge 1985
Giacomo Puccini: La Bohème. Texte, Materialien, Kommentare. — München u. Reinbekb. Hamburg 1981 (= Rororo Opernbuch)
Giacomo Puccini: Tosca. Texte, Materialien, Kommentare. — München u. Reinbek b. Hamburg 1987 (= Rororo Opernbuch)
Haffner, Gerhard: Die Puccini-Opern. — München 1984
Korfmacher, Peter: Exotismus in Giacomo Puccinis »Turandot«. — Köln-Rheinkassel 1993
Leukel, Jürgen: Studien zu Puccinis »Il Trittico« (Il Tabarro, Suor Angelica, Gianni Schicchi). — München u. Salzburg 1983
Valente, Richard: The Verismo of Giacomo Puccini from Scapigliatura to Expressionism. — Ann Arbor (Mich.) 1971
Winterhoff, Hans-Jürgen: Analytische Untersuchungen zu Puccinis »Tosca«. — Regensburg 1973

## Gioacchino Rossini

Stendhal: Vie de Rossini.
— Deutschsprachige Ausgabe: Rossini, übers. v. Barbara Brumm. — Frankfurt a.M. 1988

## Antonio Salieri

Angermüller, Rudolph: Antonio Salieri. Sein Leben und seine weltlichen Werke unter besonderer Berücksichtigung seiner »grossen« Opern (2 Bde.). — München 1971ff. (= Schriften zur Musik, Bd. 16-19)

## Alessandro Scarlatti

Grout, Donald Jay: Alessandro Scarlatti. An Introduction to his Operas. — Berkeley u. Los Angeles 1979

## Giuseppe Verdi

Budden, Julian: The Operas of Verdi (3 Bde.). — London u. New York 1973-81
— Rev. Ausgabe 1992
Burrows, Donald: Music and Revolution: Verdi. — Milton Keynes 1976
Chusid, Martin: A Catalog of Verdi's Operas. — Hackensack (N.J.) 1974
Cisotti, V.: Schiller e il Melodramma di Verdi. — Florenz 1976
Colloquium »Verdi — Wagner« Rom 1969, hrsg. v. Friedrich Lippmann. — Köln u. Wien 1972 (= Analecta musicologica, Bd. 11)
De Van, Gilles: Verdi. Un Théâtre en Musique. — Paris 1992
Engelhardt, Markus: Die Chöre in den frühen Opern Giuseppe Verdis. — Tutzing 1988 (= Würzburger musikhistorische Beiträge, Bd. 11)
Gal, Hans: Giuseppe Verdi und die Oper. — Frankfurt a.M. 1982
Gerhartz, Leo Karl: Die Auseinandersetzungen des jungen Giuseppe Verdi mit dem literarischen Drama. — Berlin 1968 (= Berliner Studien zur Musikwissenschaft, Bd. 15)
Giuseppe Verdi: Aida. Texte, Materialien, Kommentare. — München u. Reinbek b. Hamburg 1985 (= Rororo Opernbuch)
Giuseppe Verdi: Falstaff. Texte, Materialien, Kommentare. — München u. Reinbek b. Hamburg 1986 (= Rororo Opernbuch)
Giuseppe Verdi: Othello. Texte, Materialien, Kommentare. — München u. Reinbek b. Hamburg 1981 (= Rororo Opernbuch)
Giuseppe Verdi: Rigoletto. Texte, Materialien, Kommentare. — München u. Reinbek b.Hamburg 1982 (= Rororo Opernbuch)

Giuseppe Verdi: Der Troubadour. Texte, Materialien, Kommentare. — München u. Reinbek b. Hamburg 1986 (= Rororo Opernbuch)
Istituto di Studi Verdiani (ISV): Verdi. Bollettino quadrimestrale. — Parma 1.1960 ff.
— : Quaderni. — Parma 1.1963 ff.
— : Atti del I [II, etc.] Congresso Internazionale di Studi Verdiani. — Parma 1969 ff.
— : Studi verdiani. — Parma 1982 ff.
Kimbell, David R.B.: Verdi in the Age of Italian Romanticism. — Cambridge 1981
Loschelder, Josef: Das Todesproblem in Verdis Opernschaffen. — Stuttgart 1938
Noske, Frits: The Signifier and the Signified. Studies in the Operas of Mozart and Verdi. — Den Haag 1977
Parker, Roger: Studies in Early Verdi (1832-1844). New Information and Perspectives on the Milanese musical Milieu and the Operas from »Oberto« to »Ernani«. — New York u. London 1989
Sopart, Andreas: Giuseppe Verdis »Simon Boccanegra« (1857 und 1881). Eine musikalisch-dramaturgische Analyse. — Laaber 1988 (= Analecta musicologica, Bd. 26)

## Antonio Vivaldi

Antonio Vivaldi. Teatro musicale, cultura e società, hrsg. v. Lorenzo Bianconi u. Giovanni Morelli (2 Bde.). — Florenz 1982
Cross, Eric: The Late Operas of Antonio Vivaldi, 1727-1738 (2 Bde.). — Ann Arbor (Mich.) 1981
I libretti Vivaldiani. Recensione e collazione dei testimoni a stampa, hrsg. v. Anna Laura Bellina u.a.. — Florenz 1982 (= Studi di musica veneta, Quaderni vivaldiani, Bd. 3)
Rinaldo, Mario: Il Teatro musicale di Antonio Vivaldi. — Florenz 1979

## Apostolo Zeno

Fehr, Max: Apostolo Zeno, 1668-1750, und seine Reform des Operntextes. — Zürich 1912

# Die Oper in Frankreich

Aubin, Léon: La Drame lyrique. Histoire de la Musique dramatique en France. — Tours 1908
Betzwieser, Thomas: Exotismus und »Türkenoper« in der französischen Musik des Ancien Regime. Studien zu einem ästhetischen Phänomen. — Laaber 1993 (= Neue Heidelberger Studien zur Musikwissenschaft, Bd. 21)
Bruyas, Florian: Histoire de l'Operette en France, 1855-1965. — Lyon 1974
Buschmeier, Gabriele: Die Entwicklung von Arie und Szene in der französischen Oper von Gluck bis Spontini. — Tutzing 1991 (= Mainzer Studien zur Musikwissenschaft, Bd. 27)
Cooper, Martin: Opéra comique. — New York 1949
Crosten, William L.: French Grand Opera: An Art and a Business. — New York 1948 (Reprint New York 1973)
Demuth, Norman: French Opera. Its Development to the Revolution. — Horsham (Sussex) 1963 (Reprint New York 1982)
Gerhard, Anselm: Die Verstädterung der Oper. Paris und das Musiktheater des 19. Jahrhunderts. — Stuttgart 1992
Girdlestone, Cuthbert: La Tragédie en Musique (1673-1750), considerée comme Genre littéraire. — Genf 1972 (= Histoire de Idées et Critique littéraire, Bd. 126)
Kintzler, Catherine: Poétique de l'Opéra Français de Corneille à Rousseau. — Paris 1991
Lesure, François: L'Opéra classique Français. XVIIe et XVIIIe Siècles. — Genf 1972 (=Iconographie musicale, Bd. 1)
— : Deux Siècles d'Opéra Français. — Paris 1972
L'Opéra-comique en France au XVIIIe Siècle, hrsg. v. Philippe Vendrix. — Lüttich 1992
Pendle, Karin: Eugène Scribe and French Opera of the Nineteenth Century. — Ann Arbor (Mich.) 1977
Pougin, Arthur: L'Opéra-Comique pendant la Révolution de 1788 à 1801. — Paris 1891 (Reprint Genf 1973)
Walsh, T.J.: Second Empire Opera: The Théâtre Lyrique, Paris, 1851-1870. — London u.New York 1981

### Hector Berlioz

Schacher, Thomas: Idee und Erscheinungsformen des Dramatischen bei Hector Berlioz. — Hamburg 1987 (= Hamburger Beiträge zur Musikwissenschaft, Bd. 36)

### Georges Bizet

Georges Bizet: Carmen. Texte, Materialien, Kommentare. — München u. Reinbek b. Hamburg 1984 (= Rororo Opernbuch)

### Marc-Antoine Charpentier

Lowe, Robert W.: M.A. Charpentier et l'Opéra de Collège. — Paris 1966
  in: Music and Letters 56.1975, S. 170-179.

### Charles Gounod

Huebner, Steven: The Operas of Charles Gounod. — Oxford 1992

### André-Ernest-Modeste Grétry

Grétry et l'Europe de l'Opéra-comique, hrsg. v. Philippe Vendrix. — Lüttich 1993

### Jean Baptiste Lully

Lully et l'Opéra Français. — Revue musicale, Numéro spécial 6, Januar 1925
Newman, J.E.W.: Jean-Baptiste de Lully and his Tragédies lyriques. — Ann Arbor 1979
Schneider, Herbert: Die Rezeption der Lully-Oper im 17. und 18. Jahrhundert in Frankreich. — Mainz 1976

### Jules Massenet

Finck, Henry T.: Massenet and his Operas. — London u. New York 1910
Marschall, Gottfried R.: Massenet et la Fixation de la Forme mélodique Française. — Saarbrücken 1988 (= Studien zur französischen Oper des 19. Jahrhunderts, Bd.1)

### Giacomo Meyerbeer

Coudroy, Marie-Helene: La Critique Parisienne des »Grands Opéras« de Meyerbeer. Robert le Diable, Les Huguenots, Le Prophète, L'Africaine. — Saarbrüken 1988 (= Studien zur französischen Oper des 19. Jahrhunderts, Bd. 2)
Frese, Christhard: Dramaturgie der großen Opern Giacomo Meyerbeers. — Berlin-Lichterfelde 1970

### Darius Milhaud

Drake, Jeremy: The Operas of Darius Milhaud. — New York u. London 1989

### Jacques Offenbach

Groepper, Tamina: Aspekte der Offenbachiade. Untersuchungen zu den Libretti der großen Operetten Offenbachs. — Frankfurt a.M. u.a 1990 (= Bonner romanistische Arbeiten, Bd. 33)
Jacques Offenbach: Hoffmanns Erzählungen. Texte, Materialien, Kommentare. — München u. Reinbek b. Hamburg 1982 (= Rororo Opernbuch)

### Jean Philipp Rameau

Actes du Colloque International J.-Ph. Rameau (Dijon 1983), hrsg. v. J. de La Gorce. -Paris u. Genf 1987
Masson, Paul-Marie: L'Opéra de Rameau. — Paris 1930 (Reprint New York 1972)

## Die Oper in Spanien und Portugal

Gazul, Arturo: Del Genero grande all Genero chico II. Opera, Zarzuela y Genero chico III. — Barcelona 1967
Marques, José Joaquim: Cronologia da pera em Portugal. — Lissabon 1947
Mindlin, Roger: Die Zarzuela: Das spanische Singspiel im 19. und 20. Jahrhundert. — Zürich 1965
Subirá, José: Historia de la Música teatral en España. — Barcelona 1945

## Die Oper in Deutschland

Bauer, Anton: Opern und Operetten in Wien. Verzeichnis ihrer Erstaufführungen in der Zeit von 1629 bis zur Gegenwart. — Graz u. Köln 1955
Bauer, Hans-Joachim: Barockoper in Bayreuth. — Laaber 1982 (= Thurnauer Schriften zum Musiktheater, Bd. 7)
Baumann, Thomas: North German Opera in the Age of Goethe. — Cambridge 1985
Bolongaro-Crevenna, H.: L'Arpa Festante. Die Münchner Oper 1651-1825. — München 1963
Braun, Werner: Vom Remter zum Gänsemarkt. Aus der Frühgeschichte der alten Hamburger Oper (1677—1697). — Saarbrücken 1987 (= Saarbrücker Studien zur Musikwissenschaft, Neue Folge, Bd. 1)
Brockpähler, Renate: Handbuch zur Geschichte der Barockoper in Deutschland. — Emsdetten 1964 (= Die Schaubühne, Bd. 62)
Fetting, Hugo: Die Geschichte der Deutschen Staatsoper. — Berlin 1955
Franck, Johann Wolfgang: Hamburger Opernarien im szenischen Kontext. — Saarbrücken 1988 (= Saarbrücker Studien zur Musikwissenschaft, Neue Folge, Bd. 2)
Goslich, Siegfried: Die deutsche romantische Oper. — Tutzing 1975
Hadamowsky, Franz: Barocktheater am Wiener Kaiserhof. — Wien 1955 (Sonderabdruck aus: Jahrbuch der Gesellschaft für Wiener Theaterforschung 7.1951/52)
Haufe, Eberhard: Die Behandlung der antiken Mythologie in den Textbüchern der Hamburger Oper 1678-1738, hrsg. v. Hendrik Birus u. Wolfgang Harms. — Frankfurt a.M. u.a. 1994 (= Mikrokosmos, Bd. 37)
Klein, Rudolf: Die Wiener Staatsoper. — Wien 1967
Lang, Attila: Das Theater an der Wien. Vom Singspiel zum Musical. — Wien u. München, 2. Aufl. 1977
Neef, Sigrid u. Hermann: Deutsche Oper im 20. Jahrhundert: DDR 1949-1989. — Berlin u.a. 1992
Nieder, Christoph: Von der »Zauberflöte« zum »Lohengrin«. Das deutsche Opernlibretto in der ersten Hälfte des 19. Jahrhunderts. — Stuttgart 1989 (= Germanistische Abhandlungen, Bd. 64)
Pirchan, Emil (u.a.): 300 Jahre Wiener Operntheater. Werk und Werden. — Wien 1953
Schläder, Jürgen: Undine auf dem Musiktheater. Zur Entwicklungsgeschichte der deutschen Spieloper. — Bonn-Bad Godesberg 1979 (= Orpheus, Bd. 28)
Schletterer, Hans Michael: Das deutsche Singspiel von seinen ersten Anfängen bis auf die neueste Zeit. Hildesheim u. New York 1975
Schmitt, Anke: Der Exotismus in der deutschen Oper zwischen Mozart und Spohr. — Hamburg 1988 (= Hamburger Beiträge zur Musikwissenschaft, Bd. 36)
Schnoor, Hans: Die Stunde des Rosenkavaliers: 300 Jahre Dresdner Oper. — München 1968
Schusky, Renate: Das deutsche Singspiel im 18. Jahrhundert. Quellen und Zeugnisse zu Ästhetik und Rezeption. — Bonn 1980
Steinbach, Rolf: Die deutschen Oster- und Passionsspiele des Mittelalters. Versuch einer Darstellung und Wesensbestimmung nebst einer Bibliographie zum deutschen geistlichen Spiel des Mittelalters. — Köln u. Wien 1970 (= Kölner Germanistische Studien, Bd. 4)
Stephenson, Kurt: Die Hamburger Oper zwischen Barock und Romantik. — Hamburg 1947
Wolff, Hellmuth Christian: Die Barockoper in Hamburg (1678-1738) (2 Bde.). — Wolfenbüttel 1957

## Johann Joseph Abert

Abert, Hermann: Johann Joseph Abert (1832-1915). Sein Leben und seine Werke, neu hrsg. v. Anna Amalie Abert. — Neustadt a.d. Saale 1983

## Ludwig van Beethoven

Hess, Willy: Beethovens Oper »Fidelio« und ihre drei Fassungen. — Zürich 1953
— : Beethovens Bühnenwerke. — Göttingen 1962
— : Das Fidelio-Buch: Beethovens Oper Fidelio, ihre Geschichte und ihre 3 Fassungen. — Winterthur 1986
Ludwig van Beethoven: Fidelio. Texte, Materialien, Kommentare. — München u. Reinbek b. Hamburg 1981 (= Rororo Opernbuch)

## Alban Berg

Alban Berg: Lulu. Texte, Materialien, Kommentare. — München u. Reinbek b. Hamburg 1985 (= Rororo Opernbuch)
Alban Berg: Wozzeck. Texte, Materialien, Kommentare. — München u. Reinbek b. Hamburg 1985 (= Rororo Opernbuch)
Fuss, Hans-Ulrich: Musikalisch-dramatische Prozesse in den Opern Alban Bergs. — Hamburg u. Eisenach 1991 (= Hamburger Beiträge zur Musikwissenschaft, Bd. 40)
Hilmar, Ernst: Wozzeck von Alban Berg. Entstehung — erste Erfolge — Repressionen (1914-1935). — Wien 1975
Perle, George: The Operas of Alban Berg. I: Wozzeck. — Berkeley u. Los Angeles 1980
Ploebsch, Gerhard: Alban Bergs »Wozzeck«. Dramaturgie und musikalischer Aufbau. — Strasbourg u. Baden-Baden 1968 (= Sammlung musikwissenschaftlicher Abhandlungen, Bd. 48)
Reich, Willi: Alban Berg's Wozzeck. A guide to the text and music of the opera. — London 1952
Weber, Frieder: Der Musikdramatiker Alban Berg. Ein Beitrag zur Dramaturgie der Oper im 20. Jahrhundert. — Wien 1966

## Werner Egk

Krause, Ernst: Werner Egk. Oper und Ballett. — Wilhelmshaven 1971

## Gottfried von Einem

Lezak, Konrad: Das Opernschaffen Gottfried von Einems. — Wien 1990 (= Dissertationen der Universität Wien, Bd. 210)

## Johann Josef Fux

Van der Meer, John Henry: Johann Josef Fux als Opernkomponist (3 Bde.). — Bilthoven 1961 (= Utrechtse Bijdragen tot de Muziekwetenschap, Bd. 2)

## Christoph Willibald Gluck

Abert, Anna Amalie: Christoph Willibald Gluck. — München u. Zürich 1959
Christoph Willibald Gluck und die Opernreform, hrsg. von Klaus Hortschansky. — Darmstadt 1989 (= Wege der Forschung, Bd. 613)
Claudio Monteverdi: Orfeo / Christoph W. Gluck: Orpheus und Eurydike. Texte, Materialien, Kommentare. — München u. Reinbek b. Hamburg 1988 (= Rororo Opernbuch)
Gluck e la Cultura Italiana nella Vienna del suo Tempo. Convegno internazionale di Studi musicali, Siena 1973. — Florenz 1975 (= Chigiana. Rassegna annuale di Studi musicologici 29-30.1975)
Hortschansky, Klaus: Parodie und Entlehnung im Schaffen Christoph Willibald Glucks. — Köln 1973 (= Analecta musicologica, Bd. 13)

Kongreßbericht »Gluck in Wien«: Wien, 12.-16. November 1987, hrsg. v. Gerhard Croll u. Monika Woitas. — Kassel u.a. 1989 (= Gluck-Studien, Bd. 1)

Ulm, Renate: Glucks Orpheus-Opern: Die Parma-Fassung von 1769 als wichtiges Bindeglied zwischen dem Wiener Orfeo von 1762 und dem Pariser Orphée von 1774. — Frankfurt a.M. u.a. 1991 (= Europäische Hochschulschriften, Reihe 36, Bd. 70)

## Georg Friedrich Händel

Dean, Winton: Handel's Dramatic Oratorios and Masques. — London u. New York 1959

— : Handel and the »opera seria«. — Berkeley u. Los Angeles 1969 / London 1970

Eisenschmidt, Joachim: Die szenische Darstellung der Opern Händels auf der Londoner Bühne seiner Zeit (2 Bde.). — Berlin u. Wolfenbüttel 1940

Händel-Jahrbuch. — Leipzig 1928 ff. (Neue Folge 1.1955 ff.)

Möller, Dirk: Besetzung und Instrumentation in den Opern Georg Friedrich Händels. — Frankfurt a.M. u.a. 1989 (= Europäische Hochschulschriften, Reihe 36, Bd. 38)

Strohm, Reinhard: Essays on Handel and Italian Opera. — Cambridge 1985

Veröffentlichungen der Internationalen Händel-Akademie Karlsruhe, hrsg. v. Hans Joachim Marx. — Laaber 1988 ff.

## Johann Adolph Hasse

Colloquium »Johann Adolf Hasse und die Musik seiner Zeit« (Siena 1983), hrsg. v. Friedrich Lippmann. — Laaber 1987 (= Analecta musicologica, Bd. 25)

Gerber, Rudolf: Der Operntypus Johann Adolf Hasses und seine textlichen Grundlagen. — Leipzig 1925 (= Berliner Beiträge zur Musikwissenschaft, Bd. 2)

Millner, Frederick L.: The Operas of Johann Adolph Hasse. — Ann Arbor (Mich.) 1979

## Joseph Haydn

Bartha, Dénes u. Somfai, László: Haydn als Opernkapellmeister. Die Haydn-Dokumente der Esterházy-Opernsammlung. — Budapest u. Mainz 1960

Haydn-Jahrbuch. — Wien 1.1962 ff.

Haydn-Studien. — München 1.1965/67 ff.

Wirth, Helmut: Joseph Haydn als Dramatiker. Sein Bühnenschaffen als Beitrag zur Geschichte der deutschen Oper. — Wolfenbüttel 1940

## Hans Werner Henze

Henze, Hans Werner: Essays. — Mainz 1964

Wagner, Hans-Joachim: Studien zu »Boulevard Solitude. Lyrisches Drama in 7 Bildern« von Hans Werner Henze. — Regensburg 1988 (= Kölner Beiträge zur Musikforschung, Bd. 154)

## Johann Adam Hiller

Calmus, Georgy: Die ersten deutschen Singspiele von Standfuss und Hiller. — Leipzig 1908 (Reprint Walluf 1973)

Kawada, Kyoko: Studien zu den Singspielen von Johann Adam Hiller (1728-1804). — Marburg 1969

## Paul Hindemith

Schilling, Hans-Ludwig: Die Oper »Cardillac« von Paul Hindemith. Beiträge zu einem Vergleich der beiden Fassungen. — Würzburg 1963 (= Literarhistorisch-musikwissenschaftliche Abhandlungen, Bd. 17)

## Mauricio Kagel

Zarius, Karl-Heinz: »Staatstheater« von Mauricio Kagel. Grenze und Übergang. — Wien 1977

## Reinhard Keiser

Zelm, Klaus: Die Opern Reinhard Keisers. Studien zur Chronologie, Überlieferung und Stilentwicklung. — München u. Salzburg 1975 (= Musikwissenschaftliche Schriften, Bd. 8)

## Giselher Klebe

Rentzsch, Michael Herbert: Giselher Klebe. Werkverzeichnis und einführende Darstellung seines Opernschaffens. — Münster 1991

## Ernst Křenek

Rogge, Wolfgang: Ernst Křeneks Opern: Spiegel der zwanziger Jahre. — Wolfenbüttel u. Hamburg 1970

## Franz Lachner

Würz, Anton: Franz Lachner als dramatischer Komponist. — München 1928

## Franz Lehar

Marten, Christian: Die Operette als Spiegel der Gesellschaft — Franz Lehars »Die lustige Witwe«. Versuch einer sozialen Theorie der Operette. — Frankfurt a.M. u.a. 1988 (= Europäische Hochschulschriften, Reihe 36, Bd. 34)

## Peter Lindpaintner

Hänsler, Rolf: Peter Lindpaintner als Opernkomponist. — Stuttgart-Cannstatt 1930

## Albert Lortzing

Walch-Moser, Hann: »Zar und Zimmermann« von Albert Lortzing. — Berlin-Lichterfelde, 3. Aufl. 1961 (= Die Oper, Bd. 5)

## Heinrich Marschner

Palmer, A. Dean: Heinrich August Marschner, 1795-1861. His Life and Stage Works. — Ann Arbor (Mich.) 1980 (= Studies in Musicology, Bd. 24)

## Wolfgang Amadé Mozart

Mozart-Bibliographie (bis 1970), zusammengest. v. Rudolph Angermüller u. Otto Schneider (= Mozart-Jahrbuch 1975), fortgesetzt mit Nachträgen für 1971-75 (1978), 1976-80 (1982) und 1981-85 (1987)
Abert, Anna Amalie: Die Opern Mozarts. — Wolfenbüttel 1970
Abert, Hermann: W. A. Mozart. Neubearbeitete u. erweiterte Ausgabe von Otto Jahns »Mozart« (2 Bde.). — Leipzig, 8. Aufl. 1973; Registerband 1966
Acta Mozartiana. — Augsburg 1954 ff.
Angermüller, Rudolph: Mozart — die Opern von der Uraufführung bis heute. — Frankfurt a.M. u. Berlin 1988
Bitter, Christof: Wandlungen in den Inszenierungen des Don Giovanni von 1787 bis 1928. Zur Problematik des musikalischen Theaters in Deutschland. — Regensburg 1961
Chailley, Jacques: La Flûte enchantée, Opéra maçonnique. — Paris 1968 (Reprint Paris 1975)
    — Englische Ausgabe: The Magic Flute, Masonic Opera. — New York 1971 u. London 1972
Colloquium »Mozart und Italien« (Rom 1974), hrsg. v. Friedrich Lippmann. — Köln 1978 (= Analecta musicologica, Bd. 18)
Conrad, Leopold: Mozarts Dramaturgie der Oper. — Würzburg 1943

Così fan tutte. Beiträge zur Wirkungsgeschichte von Mozarts Oper, red. v. Susanne Vill. — Thurnau 1978 (= Thurnauer Schriften zum Musiktheater, Bd. 2)

Goerges, Horst: Das Klangsymbol des Todes im dramatischen Werk Mozarts. Studien über ein klangsymbolisches Problem und seine musikalische Gestaltung durch Bach, Händel, Gluck und Mozart. — Wolfenbüttel u. Berlin 1937 (Reprint München 1969) (= Kieler Beiträge zur Musikwissenschaft, Bd. 5)

Greither, Aloys: Die sieben großen Opern Mozarts. Versuche über das Verhältnis der Texte zur Musik. — Heidelberg 1956 (Reprint 1970)

Grout, Donald Jay: Mozart in the History of Opera. — Washington (D.C.) 1972

Henze-Döhring, Sabine: Opera seria, Opera buffa und Mozarts »Don Giovanni«. Zur Gattungskonvergenz in der italienischen Oper des 18. Jahrhunderts. — Laaber 1986 (= Analecta musicologica, Bd. 24)

Honolka, Kurt: Papageno — Emanuel Schikaneder. — Salzburg 1984

Kaiser, Joachim: Mein Name ist Sarastro. Die Gestalten in Mozarts Meisteropern von Alfonso bis Zerlina. — erw. Neuausgabe. — München u. Mainz 1991

Kunze, Stefan: Mozarts Opern. — Stuttgart 1984

Mann, William: The Operas of Mozart. — London u. Oxford 1977

Moberly, Robert B.: Three Mozart Operas: »Figaro«, »Don Giovanni«, »The Magic Flute«. — London 1967/New York 1968

Mozart: Die Da Ponte-Opern. — München 1991 (= Musik-Konzepte, Sonderband)

The Mozart Companion, hrsg. v. Howard Chandler Robbins Landon u. Donald Mitchell. London u. New York 1956

Mozart-Jahrbuch, hrsg. v.d. Internationalen Stiftung Mozarteum. — Salzburg 1950 ff.

Nagel, Ivan: Autonomie und Gnade. Über Mozarts Opern. — München u. Wien, 3. Aufl. 1988; Taschenbuchausgabe München u.a. 1991

Noske, Frits: The Signifier and the Signified. Studies in the Operas of Mozart and Verdi. — Den Haag 1977

Rosenberg, Alfons: Die Zauberflöte: Geschichte und Deutung von Mozarts Oper. — München 1964

Ruf, Wolfgang: Die Rezeption von Mozarts »Le nozze di Figaro« bei den Zeitgenossen. — Wiesbaden 1977 (= Beihefte zum Archiv für Musikwissenschaft, Bd. 16)

Wolfgang Amadeus Mozart: Cosi fan tutte. Texte, Materialien, Kommentare. — München u. Reinbek b. Hamburg 1984 (= Rororo Opernbuch)

Wolfgang Amadeus Mozart: Die Entführung aus dem Serail. Texte, Materialien, Kommentare. — München u. Reinbek b. Hamburg 1983 (= Rororo Opernbuch)

Wolfgang Amadeus Mozart: Die Hochzeit des Figaro. Texte, Materialien, Kommentare. — München u. Reinbek b. Hamburg 1982 (= Rororo Opernbuch)

Wolfgang Amadeus Mozart: Idomeneo. Texte, Materialien, Kommentare. — München u. Reinbek b. Hamburg 1988 (= Rororo Opernbuch)

Wolfgang Amadeus Mozart. Idomeneo 1781-1981. Essays — Forschungsberichte — Katalog. — München u. Zürich 1981 (= Bayerische Staatsbibliothek, Ausstellungskataloge, Bd. 24)

Wolfgang Amadeus Mozart: Die Zauberflöte. Texte, Materialien, Kommentare. — München u. Reinbek b. Hamburg 1982 (= Rororo Opernbuch)

## Johann Gottlieb Naumann

Engländer, Richard: Johann Gottlieb Naumann als Opernkomponist (1741-1801). Mit neuen Beiträgen zur Musikgeschichte Dresdens und Stockholms. — Leipzig 1922

## Carl Orff

Klement, Udo: Das Musiktheater Carl Orffs. Untersuchungen zu einem bürgerlichen Kunstwerk. — Leipzig 1969

## Hans Pfitzner

Pfitzner, Hans: Vom musikalischen Drama. — München u. Leipzig 1915

Rectanus, Hans: Leitmotivik und Form in den musikdramatischen Werken Hans Pfitzners. — Würzburg 1967 (= Literarhistorisch-musikwissenschaftliche Abhandlungen, Bd. 18)

## Johann Friedrich Reichardt

Pröpper, R.: Die Bühnenwerke Johann Friedrich Reichardts. Ein Beitrag zur Geschichte der Oper in der Zeit des Stilwandels zwischen Klassik und Romantik. Bonn 1965 (= Abhandlungen zu Kunst-, Musik- und Literaturwisssenschaft, Bd. 25)

## Arnold Schönberg

Garcia Laborda, José Maria: Studien zu Schönbergs Monodram »Erwartung« op. 17. — Laaber 1981

Schmidt, Christian Martin: Schönbergs Oper Moses und Aron. Analyse der diastematischen, formalen und musikdramatischen Komposition. — Mainz u.a. 1988.

Wörner, Karl H.: Gotteswort und Magie. Die Oper »Moses und Aron« von Arnold Schönberg. — Heidelberg 1959

## Franz Schreker

Brzoska, Matthias: Franz Schrekers Oper »Der Schatzgräber«. — Stuttgart u. Wiesbaden 1988 (= Beihefte zum Archiv für Musikwissenschaft, Bd. 27)

## Franz Schubert

MacKay, Elizabeth Norman: Franz Schubert's Music for the Theatre. — Tutzing 1991 (= Veröffentlichungen des Internationalen Franz-Schubert-Instituts, Bd. 5)

Waidelich, Till Gerrit: Franz Schubert, »Alfonso und Estrella«. Eine frühe durchkomponierte deutsche Oper. Geschichte und Analyse. — Tutzing 1991 (= Veröffentlichungen des Internationalen Franz-Schubert-Instituts, Bd. 7)

## Anton Schweitzer

Maurer, Julius: Anton Schweitzer als dramatischer Komponist. — Leipzig 1912

## Sigmund Theophil Staden

Keller, Peter: Die Oper »Seelewig« von Sigmund Theophil Staden und Georg Philipp Harsdörffer. — Bern u. Stuttgart 1977 (= Publikationen der Schweizerischen Musikforschenden Gesellschaft Ser. II, Bd. 29)

## Richard Strauss

Abert, Anna Amlie: Richard Strauss. Die Opern. — Hannover 1972

Axt, Eva-Maria: Musikalische Form als Dramaturgie. Prinzipien eines Spätstils in der Oper »Friedenstag« von Richard Strauss und Joseph Gregor. — München u. Salzburg 1989 (= Berliner musikwissenschaftliche Arbeiten, Bd. 36)

Birkin, Kenneth: »Friedenstag« and »Daphne«. An interpretive study of the literary and dramatic sources of two operas by Richard Strauss. — New York u. London 1989

Grasberger, Franz: Richard Strauss und die Wiener Oper. — Tutzing 1969

Knaus, Jakob: Hofmannsthals Weg zur Oper »Die Frau ohne Schatten«. Rücksichten und Einflüsse auf die Musik. — Berlin u. New York 1971

Konrad, Claudia: Studien zu »Die Frau ohne Schatten« von Hugo von Hofmannsthal und Richard Strauss. Studien zur Genese, zum Textbuch und zur Rezeptionsgeschichte. — Hamburg 1988 (= Hamburger Beiträge zur Musikwissenschaft, Bd. 37)

Lenz, Eva-Maria: Hugo von Hofmannsthals mythologische Oper »Die ägyptische Helena«. — Tübingen 1972 (= Hermaea. Germanistische Forschungen, Neue Folge, Bd. 29)

Mann William: Richard Strauss, A Critical Study of the Operas. — London 1964 / New York 1966 — Deutsche Ausgabe: Richard Strauss. Das Opernwerk. — München 1967
Schuh, Willi: Über Opern von Richard Strauss. — Zürich 1947 (= Willi Schuh: Kritiken und Essays, Bd. 1)
— : Der Rosenkavalier. Vier Studien. — Olten 1968
— : Der Rosenkavalier. Fassungen, Filmszenarium, Briefe. — Frankfurt a.M. 1972
Strauss, Richard: Betrachtungen und Erinnerungen, hrsg. v. Willi Schuh. — Zürich 1949; 2. Aufl. 1957

# Richard Wagner

Bauer, Oswald Georg: Richard Wagner. Die Bühnenwerke von der Uraufführung bis Heute. — Frankfurt a.M. 1982
Borchmeyer, Dieter: Das Theater Richard Wagners. Idee, Dichtung, Wirkung. — Stuttgart 1982
Buck, Paul: Richard Wagners Meistersinger. Eine Führung durch das Werk. — Frankfurt a.M. u.a. 1990 (= Quellen und Studien zur Musikgeschichte von der Antike bis in die Gegenwart, Bd. 22)
Colloquium »Verdi — Wagner« Rom 1969, hrsg. v. Friedrich Lippmann. — Köln u. Wien 1972 (= Analecta musicologica, Bd. 11)
Dahlhaus, Carl: Wagners Konzeption des musikalischen Dramas. — Regensburg 1971 — Taschenbuchausgabe: München u. Kassel u.a. 1990
— : Richard Wagners Musikdramen. — Velber 1971; 2. überarb. Aufl. Zürich u. Schwäbisch Hall 1985
— Englische Ausgabe: Richard Wagner's music dramas. — Cambridge 1979
Donington, Robert: Wagner's »Ring« and its Symbols. The Music and the Myth. — London 1963
— Revidierte Ausgabe. — New York 1974
— Deutsche Ausgabe: Richard Wagners Ring des Nibelungen und seine Symbole. Musik und Mythos. Stuttgart 1976
Geck, Martin u. Voss, Egon: Dokumente zur Entstehung und ersten Aufführung des Bühnenweihfestspiels Parsifal. — Mainz 1970
Gregor-Dellin, Martin: Richard Wagner — die Revolution als Oper. — München 1972
Haffner, Gerhard: Die Wagner-Opern. — München 1984
Jung, Ute: Die Rezeption der Kunst Richard Wagners in Italien. — Regensburg 1974
Karbaum, Michael: Studien zur Geschichte der Bayreuther Festspiele. Hundert Jahre Bayreuth. — Regensburg 1976
Mayer, Hans: Richard Wagner in Bayreuth, 1876-1976. — Stuttgart 1976
Newman, Ernest: The Wagner Operas. — New York 1949
Overhoff, Kurt: Die Musikdramen Richard Wagners. — Salzburg 1967
Richard Wagner: Der fliegende Holländer. Texte, Materialien, Kommentare. — München u. Reinbek b. Hamburg 1982 (= Rororo Opernbuch)
Richard Wagner: Lohengrin. Texte, Materialien, Kommentare. — München u. Reinbek b. Hamburg 1988 (= Rororo Opernbuch)
Richard Wagner: Die Meistersinger von Nürnberg. Texte, Materialien, Kommentare. — München u. Reinbek b. Hamburg 1981 (= Rororo Opernbuch)
Richard Wagner: Parsifal. Texte, Materialien, Kommentare. — München u. Reinbek b.Hamburg 1984 (= Rororo Opernbuch)
Richard Wagner: Tannhäuser. Texte, Materialien, Kommentare. — München u. Reinbek b. Hamburg 1986 (= Rororo Opernbuch)
Richard Wagner: Tristan und Isolde. Texte, Materialien, Kommentare. — München u. Reinbek b. Hamburg 1983 (= Rororo Opernbuch)
Richard Wagner: Von der Oper zum Musikdrama. 5 Vorträge von Reinhold Brinkmann, Ludwig Finscher, Klaus Günther Just, Stefan Kunze und Peter Wapnewski, hrsg.v. Stefan Kunze. — Bern u. München 1978
Richard Wagner — Werk und Wirkung, hrsg. v. Carl Dahlhaus. — Regensburg 1971 (= Studien zur Musikgeschichte des 19. Jahrhunderts, Bd. 26)

Sommer, Antonius: Die Komplikationen des musikalischen Rhythmus in den Bühnenwerken Richard Wagners. — Giebing ü. Prien a. Chiemsee 1971 (= Schriften zur Musik, Bd. 10)
Voss, Egon: Studien zur Instrumentation Richard Wagners. — Regensburg 1970 (= Studien zur Musikgeschichte des 19. Jahrhunderts, Bd. 24)
Wagner, Wieland: Richard Wagner und das neue Bayreuth. — München 1962
Wagnerliteratur — Wagnerforschung. Bericht über das Wagner-Symposium München 1983, hrsg. v. Carl Dahlhaus u. Egon Voss. — Mainz u.a. 1985
Wapnewski, Peter: Liebestod und Götternot. Zum »Tristan« und zum »Ring des Nibelungen«. — Berlin 1988
Westernhagen, Curt von: Vom Holländer zum Parisfal: Neue Wagner-Studien. — Freiburg i.Br. u. Zürich 1962
— : Die Entstehung des »Ring«. — Zürich 1973
— Englische Ausgabe: The Forging of the »Ring«. — New York 1976

## Carl Maria von Weber

Becker, Wolfgang: Die deutsche Oper in Dresden unter der Leitung von Carl Maria von Weber 1817-1826. — Berlin 1962
Carl Maria von Weber: Der Freischütz. Texte, Materialien, Kommentare. — München u. Reinbek b. Hamburg 1980 (= Rororo Opernbuch)
Carl Maria von Weber und der Gedanke der Nationaloper. Wissenschaftliche Konferenz im Rahmen der Dresdner Musikfestspiele 1986 (2. Wissenschaftliche Konferenz zum Thema »Dresdner Operntraditionen«), hrsg. v. Günther Stephan und Hans John. — Dresden 1986. (= Schriftenreihe der Hochschule für Musik Carl Maria von Weber, Sonderheft 10)

## Kurt Weill

Bertolt Brecht u. Kurt Weill: Die Dreigroschenoper / Igor Strawinsky: The Rake's Progress. Texte, Materialien, Kommentare. — München u. Reinbek b. Hamburg 1987(= Rororo Opernbuch)
Engelhardt, Jürgen: Gestus und Verfremdung. Studien zum Musiktheater bei Strawinsky und Brecht/Weill. — München u. Salzburg 1984 (= Berliner musikwissenschaftliche Arbeiten, Bd. 24)
Wagner, Gottfried: Weill und Brecht. Das musikalische Zeittheater. — München 1977
Weill, Kurt: Musik und Theater. Gesammelte Schriften, mit einer Auswahl von Gesprächen und Interviews, hrsg. v. Stephen Hinton u. Jürgen Schebera. — Berlin 1990

# Die Oper in England

Cowling, G.H.: Music on the Shakespeare Stage. — New York 1964
Dent, Edward Joseph: Foundations of English Opera: A Study of Musical Drama in England during the Seventeenth Century. — Cambridge 1928 (Reprint New York 1965)
Essays on Opera and English music. In Honour of Sir Jack Westrup, hrsg. v. F.W. Sternfeld u.a. — Oxford 1975
Fiske, Roger: English Theatre Music in the Eighteenth Century. — London u. New York 1973
Gagey, Edmond M.: Ballad Opera. — New York 1965 (= Columbia University Studies in English and Comparative Literature, Bd. 130)
Kidson, Frank: The Beggar's Opera. Its Predecessors and Successors. — Cambridge 1922
Manifold, John Streeter: The Music in the English Drama from Shakespeare to Purcell. — London 1956
Mellers, Wilfried: Harmonious Meeting: A Study of the Relationship between English Music, Poetry, and Theatre c.1600-1900. — London 1965
Northouse, Cameron: Twentieth-Century Opera in England and the United States. — Boston 1976
Petty, Frederick C.: Italian Opera in London, 1760-1800. — Ann Arbor 1980
Smith, William Charles: The Italian Opera and Contemporary Ballet in London 1789-1800: A Record of Performances and Players with Reports from the Journals of the Time. — London 1955

White, Eric Walter: The Rise of English Opera from the 17th to the 20th Century. — London 1951 (Reprint New York 1972)

### Benjamin Britten

Benjamin Britten: Das Opernwerk. — Bonn 1955
Howard, Patricia: The Operas of Benjamin Britten. — Minneapolis 1979
White, Eric Walter: Benjamin Britten. His Life and Operas. — 2. Ed. — London 1983

### Michael Tippett

The Operas of Michael Tippett. — London 1985
Scheppach, Margaret A.: Dramatic Parallels in Michael Tippett's Operas. Analytical Essays on the musicodramatic Techniques. — Lewiston (N.Y.) u. Lampeter 1990 (= Studies in the History and Interpretation of Music, Bd. 22)
White, Eric Walter: Tippett and his Operas. — London 1979

## Die Oper in Skandinavien

Holm-Hansen, Henrik (u.a.): Skuespil, Opera og Ballet i Danmark. — Kopenhagen 1970
Kindem, Ingeborg Eckhoff: Den norske Operas Historie. — Oslo 1941
Sällström, Åke: Opera på Stockholmsoperan. — Stockholm 1977

## Die Oper in Russland

Carlsen, Irina Margaret: A Russian Opera Reader. — Vancouver 1956
Cooper, Martin: Russian Opera. — London 1952 (= World of Music Series, Bd. 14)
Jarustovskij, Boris M.: Die Dramaturgie der klassischen russischen Oper. — Berlin 1957
Kröplin, Eckart: Frühe sowjetische Oper. Schostakowitsch, Prokofjew. — Berlin 1985
Lehmann, Dieter: Russlands Oper und Singspiel in der zweiten Hälfte des 18. Jahrhunderts. — Leipzig 1958
Mooser, Robert Aloys: L'Opéra-Comique Français en Russie au XVIIIe Siècle. — Genf u. München, 2. Aufl. 1954
— : Opéras, Intermezzos, Ballets, Cantates, Oratorios joués en Russie durant le XVIIIe Siècle. — Genf, 2. Aufl. 1955
Neef, Sigrid: Handbuch der russischen und sowjetischen Oper. — Berlin 1985; 2. Aufl. 1988
Rabinovi, Aleksandr S.: Die russische Oper bis Glinka. — Moskau 1948
Taruskin, Richard: Opera and Drama in Russia as Preached and Practiced in the 1860's. — Ann Arbor (Mich.) u. Epping 1981 (= Russian Music Studies, Bd. 2)

### Alexander Borodin

Bobéth, Marek: Borodin und seine Oper »Fürst Igor«. Geschichte — Analyse — Kon-sequenzen. — München u. Salzburg 1982

### Modest Mussorgski

Fulle, Gerlinde: Modest Mussorgskijs Boris Godunow. Geschichte und Werk, Fassungen und Theaterpraxis. — Wiesbaden 1974
Modest Mussorgskij: Boris Godunow. Texte, Materialien, Kommentare. — München u. Reinbek b. Hamburg 1981 (= Rororo Opernbuch)
Modest Mussorgsky. Aspekte des Opernwerks, hrsg. v. Heinz-Klaus Metzger u. Rainer Riehn. — München 1981 (= Musik-Konzepte, Bd. 21)

Schandert, Manfred: Das Problem der originalen Instrumentation des Boris Godunovvon M.P. Mussorgsky. — Hamburg 1979

## Nikolai Rimski-Korssakow

Gilse Van Der Pals, Nikolai: N.A. Rimsky-Korsakov. Opern-Schaffen nebst Skizze über Leben und Wirken. — Paris u. Leipzig 1929 (Reprint Hildesheim 1977)

## Dmitri Schostakowitsch

Fuchs, Martina: »Ledi Makbet Mcenskogo uezda«. Vergleichende Analyse der Erzählung N. S. Leskovs und der gleichnamigen Oper D. D. Sostakovics. — Heidelberg 1992
Shostakovich: The Man and his Music, hrsg. v. Christopher Norris. — Boston u. London 1982

## Igor Strawinsky

Bertolt Brecht u. Kurt Weill: Die Dreigroschenoper / Igor Strawinsky: The Rake's Progress. Texte, Materialien, Kommentare. — München u. Reinbek b. Hamburg 1987 (= Rororo Opernbuch)
Engelhardt, Jürgen: Gestus und Verfremdung. Studien zum Musiktheater bei Strawinsky und Brecht/Weill. — München u. Salzburg 1984 (= Berliner musikwissenschaftliche Arbeiten, Bd. 24)
Griffiths, Paul: Igor Stravinsky: »The Rake's Progress«. — Cambridge 1982

## Pjotr Tschaikowsky

Peter Tschaikowsky: Eugen Onegin. Texte, Materialien, Kommentare. — München u. Reinbek b. Hamburg 1985 (= Rororo Opernbuch)

# Die Oper in den slawischen Ländern des mittleren Ostens und in Ungarn

Eckstein, Pavel: A brief Outline of Czechoslovak Opera. — Prag 1964
Tyrrell, John R.: Czech Opera (National Traditions of Opera). — Cambridge 1988

## Béla Bartók

The Stage works of Béla Bartók. — London 1991 (= Opera Guides, Bd. 44)

## Leoš Janáček

Ewans, Michael: Janáček's Tragic Operas. — London 1977
— Deutschsprachige Ausgabe: Janáčeks Opern — Stuttgart 1981
Chisholm, Erik: The operas of Leoš Janáček. — Oxford 1971
Kneif, Tibor: Die Bühnenwerke von Leoš Janáček. — Wien 1974
Štědroň, Bohumír: Zur Genesis von Leoš Janáčeks Oper Jenufa. — Brünn 1968 (= Opera Universitatis Purkynianae Brunensis facultas philosophica, Bd. 139)

## Joseph Mysliveček

Pečman, Rudolf: Josef Mysliveček und sein Opernepilog. Zur Geschichte der neapolitanischen Oper. — Brünn 1970

## Oper in den USA

Davis, Ronald L.: A History of Opera in the American West. — Englewood Cliffs (N.J.) 1965
Drummond, Andrew H.: American Opera Librettos. — Metuchen (N.J.) 1973
Eaton, Quaintance: The Boston Opera Company. — New York 1965
Kolodin, Irving: The Metropolitan Opera, 1883-1966. A Candid History. — New York 1953
    — 4. Ausgabe. — New York 1966
Mates, Julian: The American Musical Stage before 1800. — New Brunswick 1962
Northouse, Cameron: Twentieth-Century Opera in England and the United States. — Boston 1976